1 MONTH OF
FREE
READING

at

www.ForgottenBooks.com

By purchasing this book you are eligible for one month membership to ForgottenBooks.com, giving you unlimited access to our entire collection of over 1,000,000 titles via our web site and mobile apps.

To claim your free month visit:

www.forgottenbooks.com/free563422

ISBN 978-0-332-51128-3
PIBN 10563422

Biologisches Centralblatt.

Unter Mitwirkung

von

Dr. M. Reess
Professor der Botanik

und

Dr. E. Selenka
Professor der Zoologie

herausgegeben

von

Dr. J. Rosenthal,
Professor der Physiologie in Erlangen.

Zwölfter Band.

1892.

Mit 31 Abbildungen.

Leipzig.

Verlag von Eduard Besold.
(Arthur Georgi.)

1892.

396

Kgl. b. Hof- und Univ.-Buchdruckerei von Fr. Junge (Junge & Sohn) in Erlangen.

Inhaltsübersicht des zwölften Bandes.

I. Botanik.

II. Zoologie.

III. Anatomie, Anthropologie, Histologie, Entwicklungsgeschichte.

IV. Physiologie.

V. Verschiedenes.

Biologisches Centralblatt

unter Mitwirkung von

Dr. M. Reess und Dr. E. Selenka
Prof. der Botanik · Prof. der Zoologie

herausgegeben von

Dr. J. Rosenthal
Prof. der Physiologie in Erlangen.

24 Nummern von je 2 Bogen bilden einen Band. Preis des Bandes 16 Mark.
Zu beziehen durch alle Buchhandlungen und Postanstalten.

XII. Band. **15. Januar 1892.** **Nr. 1.**

Zur Anatomie und Embryologie der Phalangiden.
Von **Victor Faussek.**
Aus dem zootomischen Kabinet der Universität zu Petersburg.

Soeben erscheint meine russische Arbeit unter dem Titel „Studien über die Entwicklungsgeschichte und Anatomie der Afterspinnen (*Phalangiidae*)" (Arbeit. Petersb Naturf.-Gesellschaft, Abt. Zoologie. Bd. XXII. Lief. 2. [Arbeit. aus dem zootomisch. Kabinet d. Petersb. Universität]). Um dem ausländischen Publikum die Bekanntschaft mit meiner Arbeit zu erleichtern, biete ich das folgende Résumé der wichtigsten Resultate meiner Forschung dar, die zum Teil schon in zwei kleineren vorläufigen Mitteilungen veröffentlicht worden sind [1]; dabei werde ich die meine Arbeit begleitenden Abbildungen zitieren.

1. Zu meinen Studien dienten mir Eier zweier *Phalangium*-Arten: *Cerastoma cornutum* L. und *Opilio parietinus* Herbst. Die Eier derselben unterschieden sich von einander durch den Bau des Chorions und durch einige zu ihrer Entwicklung notwendige Bedingungen. Die Eier von *C. cornutum* sind von gelblicher Farbe, die sie einer Menge von gelben das Chorion bedeckenden Körperchen verdanken; bei *Opilio parietinus* besitzt das Chorion keine gelben Körperchen und die Eier sind rein weiß. Die im Herbste gelegten Eier von *Cerastoma cornutum* fingen bei Zimmertemperatur an sogleich sich zu entwickeln, binnen $1^1/_2$—2 Monaten wurde der ganze Entwicklungszyklus vollendet, die jungen Tiere schlüpften aus und gediehen ganz gut den ganzen Winter hindurch. Die Eier von *Opilio parietinus* kamen bei denselben Bedingungen um und konnten sich nur nach

---

1) Biolog. Centralbl., VIII, 12, 1888 — Zoolog. Anzeiger, Nr. 353, 1891.

einer normalen Ueberwinterung weiter entwickeln, wenn ich sie auf
den Boden lagerte. — Außer diesen zwei Species hatte ich noch
einige größere Eier einer mir unbekannt gebliebenen Art.

2. Von Reagentien leistete die besten Dienste die Flemming'sche Mischung, außerdem Perenyi's Flüssigkeit und zuweilen
(für die früheren Stadien) heißer Alc. abs. Die Bildung der Furchungskerne wurde von mir nicht untersucht. Die ersten untersuchten
Stadien zeigten das Ei in einen kompakten Zellenhaufen zerfallen;
in jeder von den großen Furchungskugeln lag ein großer Kern
(Fig. 6, 7. Taf. I der russischen Arbeit). Das Ei unterliegt somit
einer totalen Furchung und geht ein Morulastadium durch. Von
den oberflächlich liegenden Blastomeren spalten sich die ersten Blasto-
(Ekto-) dermzellen ab, wie es Henking richtig beschreibt [1]). Die
Furchungskerne kommen nicht auf die Oberfläche des Eies, sondern
bleiben sämtlich in den Blastomeren liegen. Bei den Araneiden findet,
wie man nach den Untersuchungen von Morin [2]) schließen kann,
auch totale Furchung statt, und die Eier laufen ein Blastulastadium
mit großer Segmentationshöhle durch. Bei *Phalangium* bildet sich
eine solide Morula und die Ektodermzellen werden durch Abspaltung,
gleichsam durch Delamination, gebildet.

3. Das ganze Ei bedeckt sich allmählich mit einer Schicht flacher
Ektodermzellen und tritt somit in das zweischichtige Stadium über.
Nach der Bildung des Ektoderms wird die innere Eihülle (Oolemm)
beträchtlich dicker, wobei man in ihr deutlich zwei Schichten unterscheiden kann, die jedoch dicht aneinanderliegen und niemals auseinandergehen. Offenbar findet eine Ausscheidung von Cuticular-
substanz seitens der Ektodermzellen statt, die zu der Bildung einer
Art Embryonalhülle führt; doch bildet diese neue Cuticularmembran
keine selbständige Hülle, sondern dient zur Verdickung des Oolemms.
Diese spätere, sekundäre Verdickung der Membrana vitellina durch
Bildung einer neuen, vom Ektoderm ausgeschiedenen Cuticularschicht
kann mit der Bildung jener Blastodermhaut verglichen werden, die
bei vielen Crustaceen vom Blastoderm gebildet wird (Fig. 7, Fig. 11).

4. An dem einen Eipol entsteht die Keimscheibe durch Vermehrung der Ektodermzellen. Das neugebildete untere Blatt des
Keimstreifens stellt das Mesoderm vor, da das Entoderm vom Anfang an differenziert ist. Zwischen den Zellen des unteren Blattes
sondert sich vom Anfang an eine Gruppe von Zellen ab, die sich
durch ihre Größe und eigentümliches Aussehen auszeichnen. Die
Absonderung dieser Zellengruppe geht sogar der Bildung des Keimstreifens voraus; noch zur Zeit, da das Ektoderm mit einer Zellen-

---

1) Henking, Untersuchungen über die Entwicklung der Phalangiden.
Zeitschrift f. wiss. Zoologie, 45. Bd.

2) Morin, Ueber die Entwicklung der Spinnen (Russisch.) Zeitschrift
der Neurussischen Gesellschaft in Odessa. XIII. Bd. 1888. .

schicht das Ei bedeckt, ragt schon diese Zellengruppe als ein kleiner Haufen ins Innere des Eies hinein (Fig. 9, 10, Fig. 11); dieser Haufen liegt, wie es später zu sehen ist, im hinteren Teile, obgleich nicht ganz am Ende des Bauchstreifens, und bildet somit eine lokale Ektodermverdickung, die fast zugleich mit dem Mesoderm entsteht und später die Keimzellen liefert.

5. Die Kerne der großen Entodermzellen litten oft durch die Einwirkung der Reagentien und schienen dann membranlos zu sein (Fig. 8); aber durch die Flemming'sche Flüssigkeit wurden sie gut fixiert und hatten das Aussehen wie auf Fig. 7, 9, 11, 12, 13. Die Kerne, die bei Henning (l. c.) abgebildet sind, scheinen mir auch (wenigstens in einigen Fällen) von den Fixierungsflüssigkeiten gelitten zu haben und dadurch keine Membran und keine scharfen Grenzen aufzuweisen. Was er zum Beispiel für mehrere Kerne in einer Zelle hält (seine Fig. 37), bin ich geneigt für nucleoli eines großen Kernes, dessen Membran zerstört ist, zu halten. Zur Zeit der Mesodermbildung werden die Entodermkerne bedeutend größer, sodass sie im Vergleich mit den Kernen der Keimscheibezellen geradezu riesig erscheinen. Sie besitzen einen scharfen Kontur und sind sehr chromatinarm; beinahe die ganze tingierbare Substanz des Kernes wird in einem sich stark färbenden und sehr glänzenden Nucleolus concentriert. Oft trifft man Figuren, die auf amitotische Kernteilung hinzuweisen scheinen (Fig. 13); es scheint, dass dieser Kernteilung auch Zellteilung folgt (Fig. 12). Wenigstens werden die Entodermzellen niemals mehrkernig und selbst zweikernige Zellen kommen selten vor. Eine ähnliche charakteristische Kernstruktur gelang mir auch in dem Entoderm (Dotterzellen) der Araneiden zu konstatieren, auf den früheren Entwicklungsstadien derselben; bisher wurde sie von keinem Autor beschrieben (Tegenaria, Fig. 14 u. 15). Bei Araneiden und Phalangiden kommt somit eine Kernfragmentation im Sinne Ziegler's[1]) vor; die Kerne verlieren jedoch ihre histogenetische Eigenschaft nicht (s. weiter). Das Studium der Fragmentation der Kerne hat mich auf den Gedanken geführt, ob nicht vielleicht das sogenannte „sekundäre Mesoderm" der Krebse (*Astacus*, nach Reichenbach) keine zelligen Elemente, sondern Kerne im Fragmentationszustande vorstelle?

6. Das Mesoderm bildet sich, wie gesagt, aus dem Ektoderm; aber während der ersten Entwicklungsperiode schließen sich ihm noch einige Elemente entodermischen Ursprungs an; es sind große

---

1) Ziegler, Die Entstehung des Blutes bei Knochenfischembryonen. Archiv f. mikrosk. Anatomie, 30. Bd. — Während des Druckes meiner Arbeit erschienen die interessanten Abhandlungen von Ziegler „Die biologische Bedeutung der amitotischen (direkten) Kernteilung im Tierreich", Biologisches Centralblatt, XI. Bd., Nr. 12—13 und Frenzel „Zur Beurteilung der amitotischen (direkten) Kernteilung", ibidem Nr. 18, die ich nicht mehr benutzen konnte.

Zellen, die sich von den Entodermzellen abspalten (Fig. 13 u. 16);
sie lösen sich in geringer Anzahl von den peripherisch unmittelbar
unter dem Keimstreifen liegenden Entodermzellen ab, und bald sind
sie von den Zellen des Keimstreifens nicht zu unterscheiden; deswegen blieb mir ihr späteres Schicksal unbekannt.

7. Die Anlage der Keimzellen erscheint, wie gesagt, sehr früh
im Ektoderm und ragt ins Innere des Eies hinein. Schon auf den
ersten Stadien kann man in gewissen Eiern Unterschiede in der
Keimanlage bemerken. Zuweilen besteht sie aus großkernigen Zellen,
zuweilen aber unterscheiden sich deren Kerne wenig von denjenigen
der Keimstreifszellen. Die erste Stufe in der weiteren Entwicklung
der Anlage der Geschlechtsorgane besteht darin, dass dieselbe sich
vom Ektoderm ablöst; ihre Zellen werden von der Oberfläche mit
einer Schicht gewöhnlicher Ektodermzellen bedeckt (Fig. 17). Auf
etwas späteren Stadien liegt die Anlage der Geschlechtsorgane in
das abdominale Nervensystem eingesenkt (Fig. 18 u. 19); nachdem
aber das Nervensystem sich in den Cephalothorax zurückzieht, bleibt
die Keimanlage im Abdomen hinter den Cephalothoracalganglien
liegen, wo sie jetzt zwischen zwei Mesodermblättern, d. h. im Cölom
eingeschlossen erscheint (Fig. 19, 20, 21). Auf folgenden Stadien
vergrößert sich die großkernige Keimanlage bedeutend und dient
nach der Ausschlüpfung des Embryos zur Bildung der weiblichen
Geschlechtsorgane (Fig. 20, 22, 23, 27, 28, 29). Die Keimanlage der
zweiten Art (aus kleinkernigen Zellen bestehend) bleibt von unan-
sehnlicher Größe und bildet sich zu männlichen Geschlechtsorganen
um (Fig. 24, 25, 26). Während der ersten zwei Monate des postembryonalen Lebens kann man bei jungen Phalangien die weitere
Entwicklung der weiblichen Keimanlage und die Umwandlung der
embryonalen Keimzellen in Eizellen leicht verfolgen (Fig. 27 u. 28).
Die definitive Entwicklung der männlichen Keimanlage gelang mir
nicht zu untersuchen; bei jungen Afterspinnen erschien dieselbe als
eine ziemlich kleine Zellengruppe, im Abdomen unmittelbar hinter
dem Nervensystem liegend, von dem letzteren und von der Körper-
wand, ähnlich wie die weibliche Anlage, durch eine Schicht lockeren
Bindegewebes getrennt (Fig. 25, 26). An Umfang steht die männliche Anlage der weiblichen während derselben Entwicklungsperiode
weit nach. Diese embryonalen Keimanlagen bilden zunächst den
Anfang der eigentlichen Keimdrüsen, ovarium resp. testis; andere Teile
der Fortpflanzungsorgane, der männlichen sowie der weiblichen,
fehlen zur Zeit der Ausschlüpfung der Jungen vollständig und ihre
Ausbildung fällt gänzlich auf die postembryonale Entwicklung. Die
weiblichen wie die männlichen Keimanlagen sind von einer äußerst
zarten membrana propria mit zerstreuten sehr kleinen Kernen umhüllt. Bei *Phalangium* findet also eine sehr frühe Sonderung der
Keimzellen statt, ähnlich wie bei *Moina*, *Chironomus* und den Aphiden.

8. Die Entodermzellen bewahren ihre allgemeine Form und Struktur ohne bemerkenswerte Veränderungen bis zu den späteren Entwicklungsstadien; nur werden sie etwas kleiner. Aber die Fragmentation der Kerne dauert nur eine beschränkte Zeit fort. Wenn das Nervensystem sich zu bilden anfängt, haben bereits die Kerne der Entodermzellen die charakteristischen Merkmale der Fragmentation verloren; sie sind jetzt kleiner geworden und besitzen nicht mehr die frühere eigentümliche Struktur. Die definitive Bildung des Mitteldarms findet ganz am Ende der Embryonalentwicklung statt, nachdem die äußere Gestalt des Embryos schon ganz ausgebildet, das Nervensystem im Cephalothorax concentriert ist und die vom Ektoderm abstammenden Teile des Darmkanals (stomodaeum und proctodaeum) völlig ausgebildet sind. Das viscerale Blatt des Mesoderms bildet Falten, die tief in den Dotter hineinragen und ihn in einzelne Massen teilen (die späteren Lebersäcke). Der centrale Teil des Dotters bleibt ungeteilt und bildet den eigentlichen Mitteldarm. Die Entodermzellen scheinen zum Ende der embryonalen Entwicklung einem Rückbildungsprozess zu unterliegen; sie verlieren ihren Kontur und die Dotterkugeln liegen frei herum; zuweilen liegen zwischen ihnen kleine bald amöboide, bald größere rundliche Kerne. An der Peripherie des Dotters, wo ihm das splanchnische Blatt des Mesoderms anliegt, erscheint (noch vor der Einteilung des Dotters in die künftigen Lebersäcke) eine Anzahl kleiner Zellen mit kleinen runden Kernen; diese Zellen, die aller Wahrscheinlichkeit nach sich von den großen Entodermzellen abspalten, lassen sich auf das viscerale Mesodermblatt nieder und bilden das Epithel des Mitteldarms. Also bilden nicht die Entodermzellen selbst das Mitteldarmepithel, sondern ihre Derivate (Fig. 31, 32).

9. Die Coxaldrüsen einer erwachsenen Afterspinne (Fig. 50) bestehen aus drei Abteilungen: 1) das innere Ende ist sackförmig erweitert und bildet das Endbläschen; 2) das Endbläschen verengt sich und geht in eine sehr lange, gewundene Röhre über, die längst bekannte Röhre der Coxaldrüse (Malpighi'sches Gefäß); 3) die Röhre mündet in einen großen dünnhäutigen Sack (Harnblase), der sich an der Seite im Cephalothorax zwischen den Hüften des 3. und 4. Beinpaares nach außen öffnet. Das Endbläschen der Coxaldrüse ist noch nie beschrieben worden. Es liegt als ein längliches Säckchen im Cephalothorax an den Seiten der den Oesophagus umschließenden Ganglienmasse, an der Basis des dritten Beinpaares; am vorderen Ende biegt sich das Säckchen nach unten und etwas nach innen um, zieht sich etwas nach hinten und endet blind neben der äußeren Oeffnung der Coxaldrüse nach innen von derselben (Fig. 50, es'). Man sieht daher auf den Querschnitten zwei Lumina, eines über dem andern (Fig. 33, es², es¹); aber bei der Durchmusterung einer Schnittserie kann man sich leicht überzeugen, daß nach vorn hin beide

Lumina in einander übergehen, nach hinten aber das untere Säckchen (das umgebogene vordere Ende des Endbläschens) blind endigt, das obere enger wird und in die Röhre übergeht (Fig. 50 es^1, es^2, cox^2; Fig. 34 es^2; Fig. 35 cox^2). Diese Röhre, anfangs überaus dünn, (Fig. 50, 35 cox^2) wird allmählich breiter und geht in die längst bekannte gewundene Röhre über, das „Malpighische Gefäß" Plateau's, deren wahre Bedeutung zuerst von Loman erkannt wurde [1]). Die Coxaldrüsenröhre bildet einen verworrenen Knäuel, zieht nach der Dorsalseite des Körpers hin, bildet hier eine parallel mit dem Herzen verlaufende Schleife, kehrt nach der Bauchseite zurück und mündet in den Harnsack (Fig. 34, 35, 50 cox, cox^1). Der letztere (Fig. 33, 34, 35, 50 — HS, $O.$ HS) erstreckt sich weit nach hinten in das Abdomen, nach vorn aber reicht er über die Anheftungstelle des dritten Beinpaares hinaus; mit seinem vorderen blinden Ende schließt er sich dicht an die bogenförmige Biegung des Endbläschens (Fig. 50). Nicht weit von seinem vorderen Ende tritt von dem Harnsack eine ziemlich enge Röhre ab, die nach unten zieht und sich nach außen zwischen den Hüften des 3. und 4. Beines öffnet (Loman) (Fig. 33, 50. $O.$ HS). — Die histologische Struktur des Endbläschens konnte nicht näher untersucht werden, da dieser Teil der Drüse auf den Präparaten einen ziemlich schlechten Konservierungszustand aufwies. Der Bau der Röhre (Fig 37, 38) wies keine beträchtlichen Abweichungen vom typischen Bau der Coxaldrüsen, wie er zum Beispiel von Lankester und Anderen bei *Scorpio* etc. beschrieben ist. Die Wand des Harnsacks (Fig. 36, Flächenansicht) besteht aus einer kleinkernigen membrana propria und aus einem flachen großkernigen Epithel; Muskelfasern wurden in derselben nicht nachgewiesen. — Der übrige Inhalt des Kapitels über die Coxaldrüsen ist einer Analyse der Arbeiten über die Coxaldrüsen der Arachniden, namentlich einer Kritik der Ansichten Eisig's [2]), nach denen die Coxaldrüsen nicht den Nephridien, sondern den Borstendrüsen der Anneliden homolog sein sollen, gewidmet. Meine Ansichten kann ich in folgenden Sätzen resumieren: a) die Coxaldrüsen von *Phalangium* bestehen aus drei Abteilungen — Endbläschen, Röhre und Harnsack: b) dieselben Abteilungen finden sich in den Antennendrüsen der Crustaceen [3]);

1) Plateau, Sur les phénomènes de la digestion etc. chez les Phalangides. Bull. Acad. Belg. 1876. — Rössler, Beiträge zur Anatomie der Phalangiden. Zeitschr. f. wiss. Zool., Bd. 34, 1882. — Loman, Altes und Neues über das Nephridium (die Coxaldrüse) der Arachniden. Bijdr. tot de Dierkde. N. A. M. 14. Aufl., 1888. — Die neuere Arbeit von Sturany (Die Coxaldrüsen der Arachnoiden. Arch. zool. Instit. Wien. 9 Bd. 1891) kam in meine Hände, nachdem meine Arbeit schon ganz vollendet war.

2) Eisig, Die Capitelliden in: Fauna und Flora des Golfes von Neapel, XVI. Monographie, 1887, I, S. 374 fg.

3) Das „nephro-peritoneal sac" der Dekapoden nach Weldon (Weldon, The renal Organs of Certain Decapod Crustacea. Quart. Journ Micr. Sc. 1891. Vol. XXXII) entspricht wohl einem außerordentlich entwickelten Harnsack.

c) diese drei Abteilungen sind den 3 Teilen des Nephridiums von *Peripatus* (und Anneliden) homolog: dem Trichter und Endbläschen (bei *Peripatus*, resp. dem anliegenden Teile des Cöloms bei Anneliden), der Röhre und der Erweiterung derselben am distalen Ende; d) die Coxaldrüsen von *Limulus* und Arachniden, sowie das von L e b e d i n s k i beschriebene Exkretionsorgan der *Zoëa* von *Eryphia* [1]) und die Antennen- und Schalendrüsen der Crustaceen sind den Nephridien von *Peripatus* und Anneliden homolog; e) E i s i g's Hypothese über die Homologie der Coxaldrüsen der Arachniden mit den Spinndrüsen von *Peripatus* und Borstendrüsen der Anneliden erweist sich als nicht haltbar.

10. Die von K r o h n beschriebenen Cephalothoracaldrüsen bilden sich auf den letzten Entwicklungsstadien als zwei birnförmige Ektodermeinstülpungen seitlich von den beiden Augen (Fig. 40, 41, 47, *c. dr.*); schon frühzeitig beginnt in den Ektodermzellen der Drüsen die Absonderung eines dunklen Pigments sich anzuhäufen, das auf der Oberfläche des noch ganz weißen Embryos zwei schwarze Punkte bildet, die sowie die Augen durch die Eihüllen durchschimmern. — Gleichzeitig mit den beschriebenen drüsigen Gebilden existiert beim Embryo ein Paar von provisorischen Organen drüsigen Charakters. Bei *Cerastoma cornutum* erscheint es als zwei Gruppen von großen Zellen, die beiderseits im Cephalothorax neben den Augen liegen. Von außen sind diese Zellen unmittelbar vom Ektoderm bedeckt, und von der Leibeshöhle scheinen sie durch eine dünne membrana propria geschieden zu sein. In den Zellen dieses Organs sind außer einem großen Kern noch besondere Konkremente eingeschlossen, die sich von Karmin intensiv färben. Obgleich vom Ektoderm bedeckt, besitzen diese Zellen dennoch eine Verbindung mit der äußeren Welt mittelst einer besonderen Oeffnung, durch welche die sich in denselben bildenden Konkremente nach außen befördert werden. Auf den Schnitten liegt gewöhnlich an dieser Oeffnung eine kompakte Masse dieser Exkrete (Fig. 39, 40, 41, 44, 45). Bei einer andern nicht näher bestimmten Phalangium-Art hatte dieses Organ einen noch mehr ausgesprochenen drüsigen Bau. Es bestand hier aus einem ziemlich großen halbkugelförmigen Zellenkomplexe, das frei in die Leibeshöhle hineinragte und mit einem verhältnismäßig kleineren Teile dem Ektoderm anhing (Fig. 42, 43, 46, 47); die hohen, deutlich abgegrenzten pyramidalen Zellen dieses Organs trafen mit ihren Spitzen in einem Punkt zusammen, und mit den breiten Basalflächen nahmen sie eine halbkugelförmige Fläche ein. In jeder Zelle lag unweit der Basis ein großer Kern und näher der Spitze waren die Ausscheidungsprodukte angehäuft. Die äußerliche Oeffnung der Drüse hatte die Form einer kleinen Grube. von mit Karmin intensiv ge-

---

1) L e b e d i n s k i, Entwicklung von *Eryphia spinifrons*. Zeitschrift der Neurussischen Naturf. Ges. in Odessa. Bd. XVI. 1889. (Russisch.)

färbtem Sekret gefüllt; kurze Stäbchen dieses Sekretes strahlten von dieser Grube zwischen den Zellenspitzen aus (Fig. 43). Aber nicht auf allen Präparaten dieser *Phalangium*-Species hatten diese Drüsen genau denselben Bau; bisweilen erinnerten sie an denjenigen von *Cerastoma cornutum* (Fig. 48). Dabei waren die untersuchten Embryonen alle auf derselben Entwicklungsstufe. — Also habe ich bei zwei *Phalangium*-Arten während der Embryonalentwicklung ein besonderes drüsiges Organ gefunden, das in einem Paare im Cephalothorax zwischen den Augen und den Cephalothoracaldrüsen jederseits liegt und wahrscheinlich als exkretorisches funktioniert. Bei den zwei untersuchten Arten wies dieses Organ beträchtliche Strukturunterschiede auf. Es sind rein embryonale Organe; bei den jüngsten Spinnenexemplaren, die ich untersuchen konnte, fand ich schon keine Spur davon. Ihr Schicksal während des Ueberganges zum postembryonalen Leben ist mir unbekannt geblieben. Dieses Drüsenpaar erinnerte lebhaft an das Rückenorgan der Mysiden, wie es neuerdings von Nussbaum [1]) und Butchinski [2]) beschrieben ist. Obgleich es mir nicht gelungen ist, sein erstes Auftreten zu beobachten, halte ich es doch für sehr wahrscheinlich, dass es ebenso wie dasjenige von *Mysis* (wenigstens bei der zweiten *Phalangium*-Art) in der Form einer Ektodermeinstülpung auftritt. Aehnliche Organe hat Watase [3]) bei *Limulus* beobachtet, wo er sie auch den Rückenorganen von *Mysis* ähnlich fand. Kingsley und Patten halten jedoch diese Organe bei *Limulus* für Sinnesorgane [4]). Was *Phalangium* betrifft, so kann hier der drüsige Charakter der „Seiten- oder Rückenorgane" nicht dem geringsten Zweifel unterliegen, wie es die zahlreichen in ihre Zellen eingeschlossenen Konkremente und deren Ausscheidung nach außen beweisen.

18./30. November 1891.

Alexander Rollett, Untersuchungen über Kontraktion und Doppelbrechung der quergestreiften Muskelfasern.

Denkschriften der math.-naturw. Klasse d. k. Akad. der Wissensch. Gr. 4°. Mit 4 Tafeln. Wien 1891. F. Tempsky in Komm.

Verf. veröffentlicht jetzt die schon im Jahre 1886 angekündigte Fortsetzung seiner „Untersuchungen über den Bau der quergestreiften

1) Nussbaum, Zur Embryologie von *Mysis chamaeleo.* Zeitschr. Neuruss. Naturf. Gesellschaft in Odessa. XII. Bd. 1887.

2) Butschinski, Zur Entwicklungsgeschichte der Mysiden. Zeitschrift Neuruss. Naturf. Gesellschaft in Odessa XV. Bd. 1890.

3) Watase, On the struct. and development of the eyes of *Limulus.* Johns Hopkin's Univ. Circ. Vol. 8.

4) Kingsley, The Ontogeny of *Limulus.* Zool. Anz, 1890. — Patten, On the origin of Vertebrates from Arachnids. Quart. Journ Micr. Sc. XXXII. 1890.

Muskelfasern". Die Langwierigkeit und Schwierigkeit dieser Arbeit liegt in der Notwendigkeit sehr viel sorgfältig konserviertes Material zu untersuchen, um durch die Vergleichung verschiedener Tiere und verschiedener Präparationsweisen die Allgemeingiltigkeit der Ergebnisse zu prüfen.

Ueber den einen Teil seiner hier niedergelegten Arbeiten, über die an unverletzten oder ausgeschnittenen Insektenmuskeln zu beobachtenden Kontraktionen hat Verf. selbst in Bd. XI Nr. 5 u. 6 dieses Blattes berichtet. Es sei deshalb gleich zu den Betrachtungen über die fixierten Kontraktionswellen und ihr Verhältnis zu den Wellen der lebenden Muskelfasern übergegangen; Verf. wendet denselben deshalb besonderes Interesse zu, weil sie ihm wertvolles Material zur Untersuchung der Querstreifung kontrahierter Muskelfasern bieten. Solche „fixierte Kontraktionswellen", mit welchem Namen man kontrahierte Stücke einer sonst erschlafften, durch eines der gebräuchlichen Reagentien fixierten Muskelfaser bezeichnet, findet man an den Muskeln in Alkohol ertränkter Käfer, Hymenopteren, Fliegen und ·Krebse in großer Zahl, ebenso au Muskeln dieser Tiere, welche durch Eintauchen in verdünnte Osmiumsäure getötet wurden und gelegentlich auch an Muskeln, welche ohne jeden Zusatz abgestorben sind.

Die fixierten Kontraktionswellen ähneln zuweilen den langsamen Wellen der absterbenden Insektenmuskeln, meistens aber sind sie viel länger und nicht so scharf begrenzt, sondern verlaufen allmählich; gelegentlich findet man aber auch welche von solcher Kürze, wie man sie an lebenden Fasern nie beobachten kann. Verf. kann sich deshalb nicht der Begründung Exner's anschließen, welcher sagt, die fixierten Kontraktionswellen der Autoren könne man nicht als lebende fixierte Wellen ansehen, weil sie viel zu lang wären. Exner hat hier augenscheinlich nur die langsamen kurzen Wellen ausgeschnittener Muskeln im Sinn und erklärt nicht, warum eine Fixierung der langen Wellen lebensfrischer Muskel unmöglich sei. Engelmann hält im Gegensatz gerade die langen fixierten Wellen für die normalen Verhältnisse entsprechendsten, weil dann die Wellen fixiert worden seien, während noch ihre Fortpflanzungsgeschwindigkeit bedeutend war. Verf. kann sich aber auch dieser Vorstellung nicht anschließen. Er hat sich oft bemüht, eine Fixierung lebender Wellen unter dem Mikroskop zu beobachten, indem er ausgeschnittene Muskeln, welche ein lebhaftes Wellenspiel zeigten, rasch mit Alkohol oder verdünnter Osmiumsäure überströmte. Es ist aber niemals geglückt. Entweder traten von den Enden her Schrumpfungen ein, oder, bei langsamerer Wirkung, das Wellenspiel hörte auf und nur die erschlaffte Faser wurde fixiert. Verf. ist der Meinung, dass wohl überhaupt kein Fixationsmittel von außen so rasch wirken könne, als auch nur eine langsame Welle an einer Stelle einer Faser bestehe.

Er hat gelegentlich Beobachtungen gemacht, welche die Entstehungsweise solcher fixierter Kontraktionswellen aufklären, und zwar wahrscheinlich für alle Fälle, ganz sicher aber für den seltenen Fall, dass sich dieselben an Fasern finden, auf welche keine Reagentien eingewirkt haben.

In seiner Veröffentlichung in diesem Blatte hat er beschrieben, wie man bei dem Wellenspiel absterbender Muskeln häufig Punkte auffinden kann, an welchen die Kontraktionswellen entstehen, um dann nach beiden Seiten hin sich fortzupflanzen. Wenn er nun eine solche Stelle während des Schwächerwerdens des Wellenspiels beobachtete, sah er zuweilen, nachdem sich die Wellen bis dahin mit unregelmäßigen Pausen, aber sonst ganz regelmäßig gefolgt waren, dass einige Muskelabschnitte an der Ursprungsstelle der Welle in Kontraktion stehen blieben, während dieselbe weiterlief und auch noch wenn die nächsten Abschnitte wieder erschlafften. Nach einiger Zeit entstand dann an den Rändern des so gebildeten stehenden Wulstes eine neue Welle, aber während diese ablief, blieb der dem stehenden Wulste nächste Muskelabschnitt (zuweilen auch zwei, aber · nie mehr) kontrahiert und diese Erscheinung wiederholte sich immer wieder, so dass der stehende Wulst langsam durch Apposition wuchs. Dies kann an beiden Seiten geschehen, oder aber die Faser gelangt an der einen Seite des Wulstes in erschlafftem Zustand zur Ruhe, während an der andern Seite die Wellen fortdauern. Das Wachsen der fixierten Welle wird dann häufig abgebrochen dadurch, dass auf einmal keine Wellen mehr entstehen. Ebenso häufig aber hört die Erscheinung auch allmählicher auf: es tritt, nachdem das Wellenspiel längere oder kürzere Zeit gleich lebhaft gedauert, rasch eine beträchtliche Verlangsamung ein, die letzten Wellen nehmen in geringer Entfernung von ihrem Ausgangspunkt sehr beträchtlich an Höhe ab und schließlich hört die ganze Bewegung mit einer gegen das erschlafft bleibende Faserende gleichsam verrinnenden Welle auf.

Ob die ständige Kontraktion, der stehende Wulst, noch an lebender Muskelsubstanz besteht, so lange an den Rändern noch Wellen neu entstehen, oder an toter, lässt sich vorerst nicht entscheiden. Eine Veränderung des Bildes dieser Abschnitte lässt sich nicht mehr beobachten, bis vollständige Ruhe eingetreten ist; und dann gleicht das Bild in jeder Beziehung einer fixierten Kontraktionswelle.

Verf. machte diese Beobachtungen innerhalb dreier Jahre an 6 Käferspecies und verfolgte die Erscheinung in allen Stadien, aber er kann kein Mittel nennen, dass den Eintritt derselben begünstigt. Der Beobachter ist ganz dem Zufall anheimgegeben und kann nur durch häufige Wiederholung der Beobachtungen den Eintritt desselben erleichtern.

Da die so beobachteten angelegten Wellen in jeder Beziehung den fixierten Kontraktionswellen gleichen, und man aus kürzeren und längeren der letzteren Reihen zusammenstellen kann, welche vollständig das allmähliche Wachsen der ersteren darstellen, glaubt Verf. schließen zu dürfen, dass die fixierten Kontraktionswellen an Alkohol- und Osmiumsäurepräparaten in ähnlicher Weise entstanden seien, wie hier geschildert wurde. Dann können dieselben nach den Beobachtungen, wie sie Verf. angestellt und mitgeteilt hat, in keinem früheren Stadium entstanden sein, als bis mit dem Absterben das Wellenspiel der Muskeln begonnen hat. Zu dieser Vermutung stimmt sehr gut, dass an Vertebraten, bei welchen das Wellenspiel so viel schwächer ausgeprägt ist, als bei den Insekten, auch nur selten fixierte Kontraktionswellen beobachtet wurden, obgleich man auch sie, wenn sie klein sind, durch Ertränken in Alkohol sehr schnell töten kann.

Die fixierten Kontraktionswellen sind also nach dem Verf. nicht einheitlich angelegte Gebilde. Da sie aber zusammengesetzt sind aus einzelnen in der Kontraktion fixierten Abschnitten, glaubt er, den gebräuchlichen Namen nicht ändern zu sollen. Doch benutzt er im Fortgang seiner Darstellung mit Vorliebe die seiner Anschauung entsprechendere Bezeichnung „angelegte Kontraktionswellen".

Es ist hier nicht der Ort, die Untersuchungen des Verf. aus den Jahren 1885 und 1886 wieder zu geben, aber es sei gestattet, einige Ausführungen, mit welchen er an verschiedenen Stellen auf diese Arbeiten hinweist, seine früheren Angaben betonend und teilweise auch erweiternd, hier zusammenzustellen. Verf. hat eine inzwischen auch von anderen Seiten angenommene Nomenklatur eingeführt. Er spricht, um jeden Nebensinn auszuschließen immer nur von „Streifen" der Muskelfaser und bezeichnet dieselben mit Buchstaben: Q = Querscheibe der Aut, h = Hensen'scher Streifen, Z = Zwischenscheibe oder Krause'sche Membran, N = Nebenscheibe Engelmann's, J = der schwach lichtbrechenden Substanz zwischen Q und N oder, wenn N fehlt, zwischen Q und Z, E = der schwach lichtbrechenden Substanz zwischen N und Z. Er unterscheidet zwischen der einfacheren Querstreifung Z + J + Q + J + Z und der reicheren Z + E + N + J + Q + J + N + E + Z. Den Streifen h bezeichnet er mit einem kleinen Buchstaben und lässt ihn aus dem Schema fort, weil er nie als selbständiger Streifen erscheint, sondern immer als Mittelteil von Q. Verf. betont nun, dass durchaus kein physiologischer Unterschied zwischen Muskelfasern mit reicher und mit einfacher Querstreifung, mit und ohne die Streifen N zu beobachten sei. Auch finden sich die einen oder die andern bei bestimmten Arten und an bestimmten Muskeln zwar immer in der großen Mehrzahl, doch nie so, dass nicht auch einzelne der anderen Art zu finden wären. Hier sei die Angabe des Verf., dass auch bei *Astacus fluviatilis* in den Muskeln, welche von den Coxopoditen der Scheeren und Gehfüße in die Thorakalsomite hineinlaufen, die Streifen N schön zu sehen sind, besonders wiedergegeben, weil sie den Angaben von

Retzius, über welche früher hier berichtet wurde, zu widersprechen
scheinen.

Dann hebt Verf. den Wechsel in dem Aussehen der Querstreifung
bei tiefer und hoher Einstellung hervor. Bei tiefer Einstellung sind
die Streifen Q, N und Z dunkel und zwar N und Z dunkler als Q,
J und E hell; h ist bei dem frischen Muskel nicht zu beobachten,
bei Alkoholmuskeln erscheint er bei tiefer Einstellung hell. Bei hoher
Einstellung sind Z und N am hellsten, Q etwas weniger hell, J und E,
und ebenso h, wenn es vorhanden ist, dunkel.

Ein leichtes Mittel zur Unterscheidung der einzelnen Schichten
bilden bei Alkoholmuskeln die „Tonnengewölbe", wie sie schon von
Bowman beobachtet und beschrieben wurden. Es erscheinen nämlich Bogen zu beiden Seiten der Muskelfasern, welche die optischen
Durchschnitte von tonnenförmigen Ringen bilden, die durch das abgelöste Sarkolemm gebildet werden. Die Fußpunkte dieser Bogen
fallen mit den Streifen Z zusammen, aber nicht weil hier eine Membran
mit dem Sarkolemm verbunden ist, sondern weil das Sarkoplasma,
welches rings das Sarkolemm auskleidet und sich an den anderen
Teilen mit diesem ablöst, hier fester mit der kontraktilen Substanz
zusammenhängt.

Für die Gesamtsumme aller Streifen zwischen zwei Streifen Z
schlägt Verf. die Bezeichnung Muskelabschnitt oder Segment vor, die
Bezeichnungen wie Muskelkästchen, Scheibe und ähnliche verwirft er,
weil sie auf nicht gerechtfertigten Anschauungen über eine Quer-
trennung der kontraktilen Substanz beruhen.

Auf die von Engelmann herrührende Trennung in eine anisotrope, dem Streifen Q, und eine isotrope, den Streifen $J + N +
E + Z + E + N + J$ entsprechende Schicht legt er dagegen
großen Wert. Nur kann er die E.'schen Namen nicht billigen, da sie
den von E. selbst erforschten Thatsachen widersprechen: denn in der
„isotropen" Schicht sind die Streifen N u. Z ebenso, nur etwas schwächer,
doppelbrechend wie der Streifen Q. Verf. schlägt deshalb, auf das
im folgenden darzulegende Verhalten bei der Kontraktion bezug-
nehmend, die Namen metabol für anisotrop und arimetabol für isotrop
vor. Auch hier soll daher im folgenden mit metaboler Schichte der
Streifen Q und mit arimetaboler Schichte der Komplex $J + N +
E + Z + E + N + J$ bezeichnet werden.

Verf. hat zu seinen Untersuchungen der Kontraktionsstreifung an
lebenden Muskeln am häufigsten Stückchen aus dem Femur des hintersten Beinpaares oder auch die entsprechenden Muskeln aus den
vorderen Beinpaaren von Käfern benutzt. Für die Art der Beobachtung kann ich auf seinen eigenen Aufsatz in Nr 5 u. 6 Bd. XI verweisen. Er war nun im Stande in den Kontraktionswellen, trotz der
Flüchtigkeit der Erscheinung, zwei Streifen zu unterscheiden, nämlich
schmale sehr dunkle Streifen und hellere, sie trennende. Und zwar

war zu erkennen, dass die dunkeln Streifen an Stelle der Streifenfolge $J + Z + J$ im einfach gestreiften Muskel traten und dass die hellen Streifen wesentlich verkürzten Streifen Q entsprachen. Verfasser schlägt Bezeichnungen ähnlich den von ihm für die Streifen des erschlafften Muskels eingeführten vor; die dunklen, von Nasse als „Kontraktionsstreifen" beschriebenen Streifen sollen mit C, die verkürzten Q mit Q' bezeichnet werden. Es ist wichtig, dass auch hier bei Wechsel der Einstellung das Bild sich umkehrt: nur bei tiefer Einstellung sind die Streifen C dunkel, bei hoher sind sie hell, die Q, dagegen dunkel.

Verf. wendet sich nun zu der Querstreifung kontrahierter Fasern, welche in erschlafftem Zustand die reichere Querstreifung zeigen. Er weist zunächst auf die Schwierigkeit hin, an einer lebenden Faser zu entscheiden, ob reichere Querstreifung vorliegt oder nicht: häufig ist E so schmal, dass N und Z zu einem Streifen zu verschmelzen scheinen; dann muss man etwas gedehnte Fasern aufsuchen: an diesen sind J und E immer verhältnismäßig am stärksten gedehnt und deshalb nicht zu übersehen; zuweilen aber sind auch die Streifen N so viel heller wie Z, dass man sie deshalb übersehen kann. In Kontraktion bieten die reicher gestreiften Fasern ganz dasselbe Bild wie die einfacher gestreiften: nur zwei Streifen, Q' und C, bestehen, und C ist an Stelle von $J + N + E + Z + E + N + J$ getreten.

Wenden wir uns nun zu den fixierten Kontraktionswellen. Zuerst sei auf das Bild in Alkohol fixierter erschlaffter Fasern verwiesen. Die Lichtverteilung ist bei diesen ungefähr dieselbe wie bei der lebenden Faser bei tiefer Einstellung. Nur treten erstens die Streifen N, wenn sie vorhanden sind, deutlicher hervor und erscheinen ebenso dunkel wie die Streifen Z; dadurch werden auch die Streifen E deutlicher. Zweitens erscheint der, an der lebenden Muskelfaser nicht beobachtete Streifen h als ein helles, nicht scharf begrenztes Band in der Mitte von Q.

Verf. verwendete Muskelfasern von Käfern, die in 93 proz. Alkohol ertränkt waren. Dieselben wurden in verdünntem Glyzerin isoliert und ungefärbt untersucht oder aber mit Hämatoxylin - Glyzerin nach Renaut gefärbt oder nachträglich vergoldet.

Folgen wir zunächst der Beschreibung einer mit Hämatoxylin gefärbten Faser von *Otiorrhychus mastix*, wie sie Verf. als Beispiel schildert und abbildet. An ihr erfolgt ein regelmäßiger Uebergang aus dem Bild der erschlafften Faser in das der kontrahierten, das Bild würde also von den Anhängern der Lehre, dass die fixierten Wellen einheitliche Gebilde seien, als ein normales angesehen werden müssen.

Die einzelnen Abschnitte oder Segmente sind an dieser Faser leicht zu unterscheiden durch die oben erwähnten Tonnengewölbe, deren Scheitelpunkt immer über der Mitte der Streifen Q der erschlafften oder Q' der kontrahierten Faser liegt.

In den erschlafften Teilen unserer Faser sind die Streifen Z und N stark mit Hämatoxylin tingiert, die Streifen J u. E gar nicht oder kaum; Q ist an den beiden Enden dunkler, doch nicht so stark gefärbt wie Z und in der Mitte, dem Streifen h entsprechend, heller.

In den nächsten „der Erschlaffung nahen" Segmenten rücken in der arimetabolen Schichte die Streifen N näher an Z heran, so dass die Streifen E ganz verschwinden. Verf. bezeichnet als „der Erschlaffung nah" Stadien, welche dem Typus der erschlafften Muskelfaser angehören und dennoch etwas verkürzt sind. Sobald das Bild der Streifenfolge ein wesentlich anderes als beim erschlafften Muskel ist, soll es als das des „Uebergangsstadiums" oder des kontrahierten Muskels bezeichnet werden.

Zunächst folgen nun Abschnitte, in denen die Streifen N + Z + N mit einander verschmelzen, so dass nun nur noch der einfache Typus der Querstreifung vorhanden erscheint, indem die arimetabole Schicht aus den Streifen J + Z + J besteht. Der Angabe, dass die Streifen N sich auch mit Q vereinigen könnten, muss Verf. auf Grund aller seiner Beobachtungen entschieden widersprechen.

In dem nächsten Stadium tritt eine auffallende Umkehrung des Bildes in der arimetabolen Schicht ein: zwei dunkel tingierte Streifen erscheinen getrennt von einem hellen. Das Verhalten im polarisierten Licht lehrt, dass der mittlere, helle, immer noch dem Streifen Z, die dunklen Streifen aber den vorher ungefärbten J entsprechen. Verf. bezeichnet deshalb den mittleren als Streifen Z', die äußeren als J'.

Diese Streifenfolge J' + Z' + J' gehört dem Uebergangsstadium an. Ihre Erkennung ist besonders erschwert an der nicht tingierten Faser. Denn auch bei ihr kehrt sich das Bild, welches bei tiefer Einstellung in der Lichtverteilung dem der tingierten Faser ähnelt, bei hoher Einstellung um. Es gleicht daher das Bild J' + Z' + J' bei hoher Einstellung dem Bild J + Z + J bei tiefer und J + Z + J bei hoher Einstellung dem Bild J' + Z' + J' bei tiefer und nur eine fortwährende Kontrolle mit der Mikrometerschraube kann vor Verwechslungen schützen.

Im nächsten Stadium vereinigen sich die Streifen J' mit einander, indem Z' zwischen ihnen immer schmäler wird und endlich verschwindet, zu dem Streifen C, welcher mit Hämatoxylin immer sehr dunkel gefärbt erscheint. Diese Bilder und den Uebergang derselben ineinander hat Nasse ganz richtig beobachtet und wiedergegeben, aber er hat sie falsch gedeutet. Die Deutung des Verf.'s ist bestätigt durch die Untersuchung im polarisierten Licht.

In den metabolen Schichten gehen entsprechend den geschilderten Stadien der arimetabolen Schichten ebenfalls, aber geringere Veränderungen vor. Sie verkürzen sich, aber verhältnismäßig weniger als die arimetabolen. Dabei werden sie entsprechend heller tingiert, die Differenzierung der Randpartien und der Mitte verschwindet. Dann, bei zunehmender Verkürzung, tritt sie wieder auf, doch nun ist die Mitte stärker gefärbt als die Ränder. Verf. bezeichnet die so erscheinende Schicht als Q', den dunkleren Streifen in der Mitte mit m. Der Streifen m erscheint auch an nicht gefärbten fixierten Kontraktionswellen, als ein dunkles Band mit verwachsenen Grenzen in Q' und hat mit h, dem er entspricht, die Inkonstanz des Auftretens gemein; bei hoher Einstellung ist auch hier das Bild das umgekehrte: m hell in dunklem Q'.

Zuweilen hat nun Verf. zwischen dem durch die Streifenfolge J + Z + J charakterisierten, der Erschlaffung nahen Stadium und dem als Uebergangsstadium bezeichneten Bild J' + Z' + J' ein Bild gefunden, wie es von Engelmann als „homogenes Stadium" und von Fredericq als „stade intermédiaire" beschrieben wurde. Doch sieht sich Verf. genötigt, E.'s Erklärung und Bezeichnung, zurückzuweisen. Er wenigstens hat nie ein vollständiges Verschwinden der Querstreifung beobachten können, wohl aber ein scheinbares bei flüchtiger Betrachtung mit schwacher Vergrößerung. Bei Untersuchung mit starken Objektiven ließen sich dann immer die Konturen der einzelnen Querstreifen erkennen. Diese waren aber schwer zu unterscheiden, weil in diesem Stadium alle Streifen ziemlich gleich hell sind: in der arimetabolen Schicht sind die Z verblasst und die J dunkler geworden, aber noch ist das Bild mit dunklen J' und hellen Z' nicht zu stande gekommen, und auch die metabole Schicht ist gleichmäßig und der arimetabolen Schicht ähnlich von einer mittleren Helligkeit, da die Streifen h verschwunden, die Streifen m noch nicht aufgetreten sind. Die Identifizierung der einzelnen Streifen in diesem Stadium beruht wieder auf der Untersuchung im polarisiertem Licht. Da dieses Bild den Uebergang zu dem vorher beschriebenen „Uebergangsstadium" bildet und von sehr kurzer Dauer ist, hält es Verf. für zweckmäßig, es mit jenem zusammenzufassen und auch hier schon die Bezeichnungen J' und Z' zu benutzen.

Verfasser schlägt daher vor, inbezug auf das histologische Bild der Muskelfasern wie bisher drei Stadien zu unterscheiden und zwar in folgender Weise:

1) Das Anfangs- oder Ruhestadium des erschlafften oder der Erschlaffung nahen Muskels mit der Streifenfolge J + N + E + Z + E + N + J oder der Streifenfolge J + Z + J in den arimetabolen Schichten und dem Streifen Q (mit h) in den metabolen Schichten.

2) Das Uebergangsstadium in seinen verschiedenen Erscheinungsweisen mit der Streifenfolge J' + Z' + J' in den arimetabolen und dem Streifen Q' (mit m) in den metabolen Schichten.

3) Das Kontraktionsstadium mit den Streifen C in den arimetabolen und den Streifen Q' (mit m) in den metabolen Schichten.

Die bisher entwickelten Anschauungen des Verf.'s werden durch eine Anzahl besonders interessanter Funde bestätigt und erläutert, auf welche hier hingewiesen sein soll.

Bei den Chrysomeliden findet sich häufig eine Abart der fixierten Kontraktionswellen, die seitlichen Kontraktionswellen. Bei diesen kann man an demselben Muskelabschnitt den Uebergang von einem Stadium in das andere verfolgen, und zwar besonders schön an Hämatoxylinpräparaten. Vor allem ist an diesen die Gabelung von C in die Streifen J' + Z' + J' auffallend, welche letztere dann weiter in J + Z + J u. s. w. übergehen. Dabei laufen die Schwänze des gegabelten C, also die J', außerordentlich spitz zu. Diese Erscheinung weist darauf hin, dass die Verdunkelung von J an der Grenze gegen Q beginnt und gegen Z hin fortschreitet. Diese Anschauung wird bestätigt durch ein Bild einer vergoldeten fixierten Kontraktionswelle, welches Verf. als Beispiel abbildet und auf welches wir gleich eingehen wollen.

Verf. fand es zweckmäßig, längere Zeit mit Alkohol vorbehandelte Muskeln kurze Zeit in schwachem Goldbad zu lassen und dann zu reduzieren, wie er diese Methode in seinen früheren Untersuchungen ausführlich behandelt hat. Dadurch erhielt er sehr schöne Präparate: die Streifen Q erscheinen rein rot, an den Rändern satter gefärbt, h entsprechend heller; Z und N haben dagegen ins Purpur- bis Dunkelblaurot abweichenden Farbenton und beide denselben; fast weiß erscheinen J und E.

Im Uebergangsstadium erscheint Z' beinahe ungefärbt, J' dagegen dunkelblaurot. Die Streifen C sind besonders dunkel rötlich-blau, Q' dagegen rein rot wie Q.

Die Goldbilder bestätigen nun ganz die aus der Betrachtung der ungefärbten und der mit Hämatoxylin tingierten Wellen geschöpften Anschauungen. Die Reihenfolge der verschiedenen Stadien, der Uebergang aus einem ins andere, wie z. B. die Spaltung des Streifens C in J' Z' J' finden sich wieder. Besonders interessant ist es, dass an dem erwähnten Präparat zwischen den der Erschlaffung nahen Segmenten und denen des Uebergangsstadiums sich eine arimetabole Schicht findet, welche aus 4 Streifen besteht: ein dunkler an der Grenze gegen die Welle hin, an eine Schicht Q' grenzend; auf diesen folgt ein heller Streifen, auf diesen wieder ein dunkler und wieder ein heller, letzterer an eine Schicht Q grenzend. Verf. bezeichnet sie in der angeführten Reihenfolge als J' + J + Z + J und weiß sie nur so zu deuten, dass das eine J schon teilweise zu J' verwandelt, das andere noch unverändert geblieben ist. Dann ist dieses Bild ein schlagender Beweis für die Richtigkeit der Anschauung, dass die Umwandlung von J in J' an der Grenze gegen Q beginne und gegen Z fortschreite.

Verf. weist des ferneren noch darauf hin, wie die schroffen Ueber-gänge von dem Mittelpunkt der Welle gegen die erschlafften Teile hin und die wechselnde Erscheinung derselben, wie sie an diesen tingierten Präparaten sehr auffallend sind, für seine Hypothese von dem stückweisen Entstehen der fixierten Wellen sprechen.

Verf. geht noch auf Exner's Warnung, aus dem bloßen optischen Bild auf so feine Strukturverhältnisse zu schließen, ein; er ist der Ansicht, dass die Dimensionen der hier in Betracht kommenden Streifen groß genug seien, um Täuschungen auszuschließen. Auch verweilt er bei den Ranvier'schen Gitterspektren der Muskeln und verweist auf die Kritik derselben und die Untersuchungen seines Assistenten Dr. Zoth; (über diese soll hier später berichtet werden).

Wenden wir uns nun zu den Untersuchungen, mit welchen Verf. getreu seinen in den früheren Abhandlungen niedergelegten Grund-sätzen die Ergebnisse der rein optischen Beobachtungen zu bestätigen sucht. Zuerst kommt da der Zerfall der Muskelfasern in Alkohol in Betracht. Wenn Muskelfasern mit angelegten Kontraktionswellen in Alkohol zerfallen waren, so blieben die Wellen selbst gewöhnlich un-verändert. Häufig erstreckte sich der Zerfall bis in die Abschnitte des Uebergangsstadiums und dann konnte man sehen, dass die Tren-nung in Z' stattgefunden hatte, wie sie in den erschlafften Fasern in Z statt hat. War die Trennung eingetreten, so dass die metabolen Schichten, Q', mit anhängenden dunklen Streifen isoliert waren, so ließ sich nicht mehr unterscheiden, ob dies die Streifen J', oder Teile von C waren. Doch darf man das letztere wohl in den seltenen Fällen annehmen, in welchen fixierte Wellen durchweg zerfallen waren. Dieser Umstand würde dann beweisen, dass die Streifen C nur schein-bar homogen seien, thatsächlich aber, wie es auch ihre Entstehungs-weise wahrscheinlich macht, aus zwei verschmolzenen Hälften be-stehen.

Auch an den natürlichen Querschnitten der kontrahierten Faser, welche also wahrscheinlich ein Bild der Schichte C darstellen, sind die Cohnheim'schen Felder und die sie trennenden Sarkoplasma-balken erhalten, wie sie an der erschlafften Faser erscheinen.

Um die Säurewirkung auf die kontrahierte Faser zu prüfen, be-nutzte Verf. Muskeln, welche in Alkohol ertränkten Käfern nach einigen Stunden entnommen und dann in verdünntem Glyzerin präpa-riert waren. Er ließ auf dieselben 1proz. Ameisensäure auf dem Objekttisch einwirken. Bei Beginn der Säurewirkung verändern sich die kontrahierten Abschnitte nur wenig, so dass die quellenden er-schlafften Teile bald breiter als sie erscheinen und die fixierten Kon-traktionswellen nun Einschnürungen an den Fasern bilden. Innerhalb derselben sind es die metabolen Schichten, welche sich zuerst ver-ändern: die Streifen Q' werden heller, höher und breiter. Die Streifen C, unverändert, bilden nun wiederum kleine Einschnürungen im Vergleich zu den Q'. Bei fortschreitender Säurewirkung beginnen aber auch die C zu quellen und lösen sich in Reihen dunkler Knoten auf. Diese sind durch dunkle Streifen in den Schichten Q verbunden: kurz es entsteht ein Bild, gleich dem Säurebild des erschlafften Muskels mit den Retzius'schen Körnerreihen. Bei weiterer Einwirkung der Säure tritt häufig eine Trennung in den Schichten Q' ein, gerade wie beim erschlafften Muskel in Q. An den so isolierten C erscheinen die Cohnheim'schen Felder heller, durch dunkle Balken getrennt, ebenfalls gleich der Erscheinung an erschlafften Muskeln, welche Retzius früher als „Querfadennetze" bezeichnete.

In kontrahierten Muskelfasern verhalten sich also die Muskelsäulchen und das Sarkoplasma durchaus ähnlich wie im erschlafften Muskel. Die metabolen Schichten, die Streifen Q', quellen unter dem Säureeinfluss sehr viel stärker als die arimetabolen Schichten C.

Die „Goldsäurebilder", welche Verf. nach der in seinen früheren Untersuchungen veröffentlichten Methode von fixierten Kontraktionswellen an Fasern, welche nur kurze Zeit in Alkohol gelegen hatten, erhielt, stimmen vollständig zu den eben geschilderten Erscheinungen bei Säureeinwirkung.

Nun wendet sich Verf. zu dem Verhalten der Muskelsäulchen und der Fibrillen in der kontrahierten Faser. Er beschäftigt sich zunächst mit in Alkohol fixierten Fasern. An solchen erschlafften Fasern erkennt man bei tiefer Einstellung helle, dem Sarkoplasma entsprechende Durchgänge zwischen den Stäben des Streifens Q und zwischen den Knoten der Streifen Z und N. Im günstigsten Falle kann man auch in den Schichten J und E noch das Sarkoplasma von der ebenfalls hell sich darstellenden, die Knoten und Stäbe der stark lichtbrechenden Streifen verbindenden Substanz unterscheiden. Stellt man auf eine fixierte Kontraktionswelle ein, so kann man zuweilen die Sarkoplasmastreifen kontinuierlich durch die ganze Welle verlaufen sehen. Dieser Fall ist aber der weit seltnere und findet sich nur bei gewissen Käfer- und Fliegenarten. Gewöhnlich scheint der Sarkoplasmastreifen in den Streifen C unterbrochen, indem diese ein ganz homogenes Band darstellen. Die dunkeln Streifen J im Uebergangsstadium verhalten sich wie die Streifen C an denselben Präparaten, indem sie meistens homogen, selten als aus Knoten zusammengesetzt erscheinen. Diese Homogenität der Streifen C ist schwer zu erklären, sie kann aber nur eine scheinbare sein; denn wäre hier die Kontinuität des Sarkoplasmas wirklich durchtrennt, so könnte nicht bei Säurewirkung das Bild der Retzius'schen „Querfadennetze" und Körnerreihen I. Ordnung hier auftreten, welche aus dem gequollenen Sarkoplasma bestehen und nach Säurewirkung jedesmal auftreten.

In den Streifen Q' sind die Sarkoplasmadurchgänge immer sehr deutlich zu sehen. Häufig sind sie in der Mitte von Q' erweitert und erscheinen wie helle Schlitze, bei tiefer Einstellung.

Im Uebergangsstadium sind die hellen Sarkoplasmalängsstreifen in dem dunkeln J' nur selten zu beobachten, wie schon erwähnt. Im hellen Streifen Z' sind sie nicht erkennbar, weil das Brechungsvermögen der Glieder Z' der Muskelsäulchen dem des Sarkoplasmas wesentlich gleich ist. Dagegen ist im sogenannten homogenen Stadium die Längsstreifung in allen Schichten und Streifen besonders deutlich.

Ebenso wie an den ungefärbten Fasern erscheint das Sarkoplasma an den mit Hämatoxylin tingierten oder nach Alkoholwirkung vergoldeten fixierten Wellen; es bleibt im Gegensatz zu der Substanz der Streifen Q', J' und C immer ungefärbt. In den letzteren Streifen ist es aber ebenso selten wie an ungefärbten Wellen zu beobachten. Diese vergoldeten Fasern lassen sich an der Stelle der Kontraktionswellen ebensogut wie erschlaffte Fasern zu Muskelsäulchen und Fibrillen zerzupfen, und man kann auch an den feinsten Fibrillen (von *Astacus fluviatilis* und *Maja squinado*) noch die Streifenfolge J' + Z' + J' + Q' (mit m) und C + Q' (mit m) erkennen.

An lebenden Fasern konnte Verf. die Längsstreifung in den Schichten C nie erkennen; in den Schichten Q' ist sie dagegen sehr deutlich und lässt häufig die schlitzförmigen Erweiterungen in der Mitte erkennen.

Bei hoher Einstellung kehrt sich natürlich auch hier die Erscheinung um und das Sarkoplasma erscheint an frischen wie an Alkoholpräparaten dunkel.

Verf. vergleicht nun noch einmal seine Beobachtungen an fixierten und an lebenden Kontraktionswellen. Die dunkeln und hellen Streifen im Bauche der lebenden Welle sind wohl sicher mit den Streifen C und Q' der fixierten zu identifizieren.

Ob der Streifen m sich im Leben ausbildet, wagt Verf. nicht zu entscheiden. Hier ist es besonders schwer ein Urteil zu fällen, weil die erwähnten Erweiterungen des Sarkoplasmastreifen, welche bei hoher [1]) Einstellung dunkel erscheinen, zu Verwechslungen Anlass geben.

Die Streifenfolge J' + Z' + J' konnte Verf. an lebenden Kontraktionswellen nicht beobachten: die Erscheinungen an der Grenze der Welle sind zu flüchtig, so dass sich nicht mehr ausmachen ließ, als dass dort weder das Bild des erschlafften Muskels noch das der Streifen C + Q' besteht.

Verf. bemerkt hier, dass eine Methode, solche Bilder durch Momentphotographie zu fixieren, wohl zu finden sei, aber Apparate und Einrichtungen dazu nötig wären, welche seine Mittel übersteigen.

Eine Erfahrung hat Verf. auch gemacht, welche das regelmäßige Auftreten des Uebergangsstadiums J' + Z' + J' an der lebenden Welle sehr wahrscheinlich macht. Er konnte nämlich dasselbe an

---

[1]) im Original steht tiefer; offenbar ein Druckfehler.

den letzten, langsamen Kontraktionswellen nachweisen, welche er bei Gelegenheit des Entstehens der angelegten Wellen beobachtete.

Ehe wir uns zu den Resultaten von des Verf.s Untersuchungen über die Doppelbrechung der quergestreiften Muskelfasern wenden, scheint es notwendig, auf die von ihm gebrauchten Apparate kurz einzugehen. Verf. hat im Jahre 1881 die von ihm konstruierte Kombination eines zusammengesetzten Mikroskops mit einem Spektral- und einem Polarisationsapparat in der Zeitschrift für Instrumentenkunde beschrieben, mittelst welcher er seine neue Methode, spektral zerlegtes polarisiertes Licht anzuwenden, erst durchführen konnte. Diese Anordnung ist darauf von Dippel und Abbe modifiziert und Spektropolarisator genannt worden [1]), und Verf. hat mit letzterer, in mancher Beziehung große Vorteile bietenden Einrichtung zuletzt hauptsächlich gearbeitet. Hier seien nur die Hauptbestandteile und das Prinzip beider Apparate wiedergegeben.

Die wesentlichsten Teile sind: der Polarisator, der Spalt, das Prismensystem und ein Gypsplättchen. Diese Teile sind zusammen unter dem Objekttisch montiert und zwar bei beiden Apparaten horizontal, dem Spektrum parallel, verschiebbar. Diese Verschieblichkeit des Spektrums im Gesichtsfeld ist besonders wichtig. Zu diesen Teilen tritt selbstverständlich noch der Analysator über dem Okular. Um den Apparat bequem zu benutzen, ist es unerlässlich, ihn mit dem Mikroskop einmal verbunden aufgestellt zu lassen und während des Arbeitens durch einen Heliostaten zu beleuchten. Auch muss alles Nebenlicht von den Instrumenten, dem Objekte und dem Auge sorgfältig ausgeschlossen werden.

Die Teile des Spektropolarisators und der Analysator müssen für die Versuche so orientiert werden, dass die Schwingungsrichtung des durch die Gypsplatte stärker gebrochenen Strahles parallel dem Spalt, diejenige des schwächer gebrochenen Strahles dann also senkrecht zu letzterem steht. Polarisator und Analysator müssen so orientiert sein, dass die Schwingungsrichtung in dem letzteren senkrecht zu der im ersteren steht, beide aber mit dem Spalte einen Winkel von 45 Grad bilden.

Apparat und Mikroskop müssen so eingestellt werden, dass die wichtigsten Fraunhofer'schen Linien scharf erkennbar sind. Dann sieht man einen dunkeln Interferenzstreifen, dessen Mitte bei den vom Verf. benutzten Gypsplättchen Rot I. Ordnung und Purpur II. Ordnung der Wellenlänge 0,000490—0,000545 mm entspricht.

Ueber diesem Interferenzstreifen wird nun das Untersuchungsobjekt eingestellt. Ist dasselbe einfach brechend, so bleibt es immer dunkel, in welcher Richtung man es auch lagern mag. Ist dasselbe

---

1) Dippel, Das Mikroskop. I. Teil. 2. Abt. S. 619. 2. Aufl. Braunschweig 1882.

aber doppelbrechend, so werden sich zwei Stellungen finden lassen, in welchen es am hellsten in der durch den Interferenzstreifen ausgelöschten Farbe leuchtet. Und zwar wird es in der einen dieser Stellungen als Verdickung, in der anderen als Verdünnung der Gypsplatte wirken müssen. Verf. bezeichnet die eine Stellung als die Additionslage, die andere als die Subtraktionslage Welche dieser beiden Lagen vorhanden ist, kann man jederzeit durch Verschieben des Spektrums unter dem Objekt èntscheiden. In der Additionslage erscheint das Objekt dunkel an einer bestimmten gegen das rote, in der Subtraktionslage an einer gegen das blaue Ende des Spektrums hin gelegenen Stelle. Durch Messung der hierzu nötigen Verschiebung kann man also nicht nur die Lage, sondern auch die relative Größe der Elastizitätsaxen eines doppelt brechenden Objektes bestimmen. Wenn der Charakter der Doppelbrechung und die Dicke der Substanz zweier Objekte gleich ist, so kann man auf diese Weise den Grad der Doppelbrechung der beiden vergleichen. Darin beruht die Ueberlegenheit des Spektropolarisators über das gewöhnliche Polarisationsmikroskop, dass man diese Verschiebung des Objektes gegen das Spektrum messen kann, während man bei letzterem auf die Beurteilung von Farbenänderungen mit dem bloßen Auge angewiesen ist. Dagegen hat der Spektropolarisator den großen Fehler, dass er starke Vergrößerungen ausschließt. Die stärkste Vergrößerung, mit welcher Verf. arbeitete war Zeiß Obj. E, Okular 2.

Deshalb benutzte Verf. auch das Polarisationsmikroskop, an dem er einige kleine Aenderungen vornahm, welche die Untersuchungen sehr eıleichtern und die er zu allgemeiner Einführung vorschlägt: Den Polarisator setzte er aus zwei, einem oberen feststehenden und einem unteren drehbaren Nicol'schen Prisma zusammen: Durch Drehung des unteren lässt sich die Lichtstärke auf das vollkommenste regulieren. Den Analysator befestigte er an besonderem Stativ, so dass er durch eine Drehung zu entfernen und zurückzuführen war: dadurch wird es möglich ein Objekt in raschem Wechsel im polarisierten und im gewöhnlichen Licht zu untersuchen. Endlich verwendete Verf. nur Stative, an welchen Tubus und Objekttisch um die optische Axe drehbar waren: dadurch konnte er das Objekt in verschiedenen Azimuthen einstellen, ohne die Zentrierung zu ändern.

Zuerst wenden wir uns nun zu den Beobachtungen, welche sich an erschlafften Muskelfasern in Alkohol ertränkter Tiere mit dem Spektropolarisator machen lassen, da hier die Untersuchung noch am leichtesten ist. Man muss solche Fasern isolieren und gerade ausgestreckte aufsuchen, welche man dann parallel dem Spalt über dem Interferenzstreifen des, wie oben beschrieben, aufgestellten Apparates orientiert. Sie liegen dann in Additionslage. Die Subtraktionslage kann man durch Drehung der Gypsplatte herstellen, da eine Drehung der Fasern, so dass sie quer zum Spalt liegen, natürlicher Weise sehr unzweckmäßig wäre. Sind die Fasern, wie eben geschildert, orientiert, so erscheinen bei Fasern der einfachen Streifenfolge h und J vollständig dunkel, während Q und Z in der im Interferenzstreifen ausgelöschten Farbe leuchten. Bei Fasern mit reicher Streifenfolge erscheinen h, J und E dunkel, während Q, N und Z leuchten. Es sind also h, J und E einfach, Q, N und Z alle doppeltbrechend.

Verschiebt man das Spektrum so, dass die Faser in der Additionslage gegen das rote Ende hin zu liegen kommt, so muss sich eine Stelle finden lassen, an welcher die doppeltbrechenden Streifen Q, N und Z dunkel erscheinen, während h, J und E die Lichtintensität des Grundes nicht ändern. Bei dem Versuche diese Stelle zu finden, stellte sich aber heraus, dass schon eine sehr geringe Verschiebung genügt, um die Streifen N und Z zu verdunkeln, aber erst bei einer größeren Verschiebung die Streifen Q dunkel werden. Verf. stellt zwei Beispiele in Abbildungen dar: wenn die Mitte des Interferenzstreifens der Wellenlänge 0,000500 mm entspricht, so erschien im einen Fall Z bei 0,000528 mm Wellenlänge, Q erst bei 0,000565 mm dunkel, im andern Falle wurden Z und N bei 0,000522 und Q bei 0,000548 mm Wellenlänge verdunkelt. Diese Messungen sind keineswegs leicht auszuführen. Es ist zwar gewöhnlich nicht schwer, die Stelle zu bestimmen, an welcher Q am dunkelsten erscheint, aber sehr schwer ist es die stärkste Verdunkelung der schmalen Streifen Z und N festzustellen, da hier dunkle Konturen den Beobachter irre leiten können. Deshalb konnte Verf. auch nicht entscheiden, ob wirklich, wie es zuweilen scheint, Z noch früher verdunkelt wird als N.

Verf. stellt in einer Tabelle die Ergebnisse der an 12 Käferarten angestellten Messungen zusammen: hier seien die Grenzwerte angeführt: durch eine Gypsplatte, welche die Wellenlänge 0,000500 auslöscht und die Streifen Z oder N würden Wellenlängen zwischen 0,000520 und 0,000542 mm ausgelöscht, durch dieselbe Gypsplatte und die Streifen Q aber Wellenlängen zwischen 0,000540 und 0,000580.

Das verschiedene Verhalten im zerlegten polarisierten Licht der Streifen Z und N einerseits und Q anderseits lässt sich durch einen Unterschied im Brechungsvermögen der Substanzen oder in der Dicke der brechenden Schichten erklären. Verf. weist auf das in seinen früheren Untersuchungen nachgewiesene ungleiche Verhalten dieser Streifen beim Scheibenzerfall in Alkohol und in Säuren und gegen Farbstoffe hin und erinnert daran, dass ein Dickenunterschied dieser Streifen sich nicht beobachten ließe, um sich für die erstere Erklärung zu entscheiden und den Schluss zu ziehen, Z und N beständen aus schwächer doppeltbrechender Substanz als Q.

Dass die Streifen Z und N schwächer doppeltbrechend sind als die Streifen Q, hat schon Engelmann durch Beobachtung derselben im Polarisationsmikroskop über einer Gypsplatte gefunden. Verf. führt aus, dass das ungleichstarke Steigen der Farbe in den Streifen

Q, N und J in der Additionslage bei einiger Uebung sich gut beobachten lässt, trotz des störenden Kontrastes gegen den Grund. In der Subtraktionslage dagegen ist ein Unterschied im Sinken der Farben nur schwer zu beobachten: nach dem Verf. beruht dies auf der Verschiedenheit der Teile des Spektrums: die steigenden Farben, welche durch Addition der Muskelfaser zur Gypsplatte Rot I. Ordnung hervorgerufen werden, fallen in das Gebiet von Purpur II. Ordnung und Violett II. Ordnung bis Indigo II. Ordnung, so dass geringe Unterschiede der Wellenlänge schon merkbare Farbenunterschiede bedingen. Bei der Subtraktionslage der Fasern über der Gypsplatte entstehen dagegen Farben, welche in die Grenze von Orange und Braungelb I. Ordnung und in das breite Bereich der letzteren Farbe fallen und deshalb kaum zu unterscheiden sind.

Aus dem gleichartigen, nur gradweise verschiedenen Verhalten der Streifen Q, N und Z leitet Verf. einen Beweis gegen die Anschauung ab, welche im Streifen Z kein Glied der Muskelsäulchen, sondern den Ausdruck von querliegenden Fadennetzen sehen will. Würde nämlich für Q dieses Verhalten durch positiv einaxige Glieder Q der Muskelsäulchen, für N und Z aber nicht durch positiv einaxige Glieder N und Z der Muskelsäulchen, sondern durch Querfaden oder Glianetze bedingt sein, so blieben nur zwei Möglichkeiten: entweder sind die Fäden dieser Netze positiv doppeltbrechend und die Axe der Doppelbrechung ist parallel der Längsaxe der Muskelfaser, steht also senkrecht auf der Längsaxe der einzelnen Faden und das widerspricht allen unsern Erfahrungen über die Doppelbrechung von Fasern; oder die Axe der Doppelbrechung ist der Längsaxe dieser Faden parallel, also senkrecht zur Längsaxe der Muskelfasern und die Faden sind negativ doppeltbrechend: dann müssten dieselben aber nicht nur von der Seite, sondern auch von der Fläche her gesehen doppeltbrechend erscheinen. Parallel der Längsaxe einer Muskelfaser einfallendes Licht wird aber einfach gebrochen, denn der Querschnitt von Muskelfasern bleibt zwischen gekreuzten Nicols in allen Teilen, in allen Azimuthen dunkel und ändert auf Gypsgrund in keinem seiner Teile die Farbe des Grundes.

Verf. schloss an diese Beobachtungen nach seiner Methode auch wieder solche an frischen Muskeln: diese waren aber besonders langwierig, da sich zu den an anderm Ort geschilderten Schwierigkeiten der Präparierung frischer Muskelfasern noch das oft erfolglose Aufsuchen vollständig isolierter und gerade ausgestreckter Muskelsäulchen und die an und für sich umständliche Untersuchung mit dem Spektropolarisator schloss. In einigen Fällen gelang es, an frischen ohne jeden Zusatz aufpräparierten Fasern die ausgelöschten Wellenlängen zu messen. Die hier gefundenen Werte sind ganz die gleichen wie die oben von Alkoholmuskeln angeführten und ebenso waren die Farbenänderungen im Polarisationsmikroskop dieselben. Verf. führte

nun auch zweimal den zeitraubenden Versuch durch, frischen Muskelfasern, welche im Spektropolarisator untersucht waren, durch Drainage
erst 93 prozentigen, dann absoluten Alkohol und endlich Origanumöl
zuzuführen. Sie blieben während der ganzen Zeit im Apparate orientiert
und als sie, vollständig aufgehellt, von neuem untersucht wurden,
hatte sich die Doppelbrechung weder der Q noch der Z und N im
geringsten geändert. Man darf also wohl annehmen, dass Alkohol-
behandlung die doppelbrechenden Eigenschaften dieser Streifen gar
nicht oder kaum merkbar verändert.

Der letzte Abschnitt handelt von dem Verhalten kontrahierter
Muskeln im polarisierten Licht; er beginnt mit den Erscheinungen
an fixierten Kontraktionswellen. Engelmann hat dieselben schon
mit dem Polarisationsmikroskop untersucht und gefunden, dass die
Streifen Q' sich ebenso verhalten wie die Q des erschlafften Muskels
und die Farben in demselben Sinne und in gleichem Grade ändern
wie diese, ohne diese Thatsache auffallend zu finden. Verf. weist
nun darauf hin, dass es doch nicht das naheliegendste sei, dass die
so wesentlich dickeren Streifen Q' die Farbe nicht in stärkerem Grade
verändern als die Streifen Q. Man hat nämlich in solchen Präparaten
häufig genug Gelegenheit zu sehen wie viel stärker die Farbe geändert wird an Stellen, wo zwei Fasern sich auch nur teilweise überlagern. So erscheint auf Gypsgrund Rot I. Ordnung die Farbe durch
die Q in Additionslage gesteigert zu Indigo II. Ordnung, an Stellen
wo zwei Fasern sich überlagern aber auf Gelbgrün II. Ordnung bis
Gelb II. Ordnung; bei Subtraktionslage der einzelnen Fasern sinkt
die Farbe auf Braungelb I. Ordnung, bei übereinander lagernden Fasern
aber auf Lavendelgrau. In denselben Präparaten aber lassen sich
auch an den dicksten Kontraktionswellen kaum Abweichungen von
der Farbe der erschlafften Faserteile finden.

Verf. hat nun das Doppelbrechungsvermögen der Q' auch mit
dem Spektropolarisator untersucht und gemessen. Ueber dem Interferenzstreifen erscheinen die Streifen Q' einer fixierten Kontraktionswelle leuchtend, die C vollständig dunkel; die letzteren sind also
einfach brechend. Das Brechungsvermögen der Streifen Q' maß Verf.
an Fasern, an welchen sich lang gestreckte Kontraktionswellen befanden und welche auf größere Strecken hin isoliert und ausgestreckt
lagen. Er benutzte die Streifen Q' aus dem mittleren dicksten Teil
der Welle und Streifen Q, welche von der Welle möglichst weit entfernt lagen. Dabei ergab sich, dass entweder an derselben Stelle
des Spektrums die Q und Q' am dunkelsten erschienen oder die Q'
schon bei geringerer Verschiebung als die Q. Aus einer Tabelle
der bei 22 Arten gefundenen Werte ergibt sich, dass zuweilen ganz
dieselbe Wellenlänge, gewöhnlich eine kleinere, nie aber eine größere
Wellenlänge durch Q' ausgelöscht wurde als durch Q. Verf. zieht

daraus den Schluss, dass die Verdickung der Faser bei den fixierten Kontraktionswellen in ihrer optischen Wirkung kompensiert oder überkompensiert werde durch eine Abnahme der Differenz der Brechungsquotienten. Bei der Kontraktion nimmt also die Doppelbrechung ab.

Auch die Uebergangstadien hat Verf. mit dem Spektropolarisator untersucht und zwar stützt sich seine oben wiedergegebene Darstellung dieses Stadiums gerade auf diese Untersuchungen. Die Identifizierung der Streifen J' und Z' geschah durch abwechselndes Beobachten im polarisierten und gewöhnlichen Licht Denn über dem Interferenzstreifen erscheinen die Streifen Z' immer hell wie die Z und die J immer dunkel und auch die Einstellung ändert das Bild in keiner Weise. Ob zwischen den Streifen Z' und den Z ein Unterschied im Grad der Doppelbrechung ähnlich wie zwischen den Q und Q' besteht, ließ sich nicht feststellen.

Auch die Sarkoplasmadurchgänge lassen sich mittels des Spektropolarisators schöner wie mit jeder anderen Methode darstellen. Liegt eine Muskelfaser über dem Interferenzstreifen, so erscheinen bei genügend starker Vergrößerung die Stäbe von Q und die Körner oder Stäbe von N und Körner von Z vollständig isoliert auf schwarzem Grunde wie glitzernde Edelsteine. Ebenso deutlich ist das umgekehrte Bild bei Verdunkelung der doppelbrechenden Teile.

Bei der Untersuchung lebender Muskelfasern im polarisierten Licht ist früher Brücke zu dem Resultat gelangt, dass sich die optischen Konstanten bei der Kontraktion nicht merklich änderten. Verf. hat ein anderes Verfahren als B. eingeschlagen. Er lagerte lange, schmale Stückchen lebender Käfermuskeln über einer Gypsplatte Rot I. Ordnung in dem Sehfeld seines, wie oben beschrieben, verbesserten Polarisationsmikroskopes, welches für diesen Zweck auch noch mit einem Revolver versehen war. Er konnte mit demselben mit schwachem Objektiv und in gewöhnlicher Beleuchtung rasch einzelne oder in geringer Zahl parallel beieinanderliegende Fasern aufsuchen, sie zu den Mittellinien der Gypsplatte orientieren und dann sogleich mit starker Vergrößerung im polarisierten Lichte untersuchen und auch noch beliebig zwischen Additions- und Subtraktionslage wechseln.

Die Fasern zeigen dann je nach ihrer Dicke und Uebereinanderlagerung sehr verschiedene Farben. So fand er, dass, sobald Wellen über dieselben ablaufen, diese bei Additionslage regelmäßig in sinkender, bei Subtraktionslage in steigender Farbe erscheinen. Diese Bilder sind sehr deutlich und lassen sich auf ihr wirkliches Vorhandensein durch Aenderung der Additionslage in die Subtraktionslage und umgekehrt kontrolieren. Manchmal ging das Maximum des Farbenunterschiedes der eigentlichen Welle noch voraus, was auf eine Dehnung der noch nicht oder erst wenig kontrahierten Abschnitte zurückzuführen ist. Das Hauptergebnis bleibt, dass auch hier die von der Verdickung bedingte Farbenänderung weit überkompensiert wird. Wir finden also hier noch viel deutlicher als an den Alkoholmuskeln, dass bei der Kontraktion die Doppelbrechung vermindert wird.

Seiner Arbeit fügt Verf. einige Bemerkungen über Kontraktionstheorien an Er glaubt, dass unsere Kenntnis der Thatsachen noch beträchtlich vermehrt werden muss, ehe sich begründete Theorien ausarbeiten lassen Damit hat er eigentlich alle bisherigen Versuche zur Aufstellung erklärender Hypothesen verurteilt. Gleichwohl geht er noch besonders auf Engelmann's Theorie eines Wasseraustausches zwischen den einzelnen Muskelabschnitten ein, weil er E.'s Beobachtungen in vielen Punkten nur bestätigen konnte. Er findet aber auch E.'s Hypothese, wie den meisten Kontraktionstheorien gegenüber den Vorwurf gerechtfertigt, dass sie zwar die Kontraktion, nicht aber die Erschlaffung der Muskelfaser erkläre.

Im Einzelnen übt er folgende Kritik: E.'s Schema des Baues der Faser ist zu einfach. Die isotrope Substanz zwischen den Muskelsäulchen, das Sarkoplasma des Verf., ist nicht identisch mit der Substanz, welche die doppeltbrechenden Schichten innerhalb der Säulchen verbindet.

E.'s Theorie, dass die metabolen (bei E. anisotropen) Schichten durch Wasseraufnahme quellen und sich dabei verkürzen, stimmt nach von Ebner's Betrachtung vortrefflich zu dem von diesem am Froschmuskel beobachteten Sinken der Doppelbrechung bei der Kontraktion. Und gerade ein außerordentliches Sinken der Doppelbrechung hat ja Verf. auch an den metabolen Schichten der lebenden Käfermuskeln beobachtet. Aber durch die von Engelmann vorausgesetzte vollständig passive Wasserabgabe der arimetabolen (isotropen) Schichten lassen sich noch durchaus nicht die vom Verf. beobachteten verwickelten Vorgänge in denselben erklären. **W.**

Sobotta J., Beiträge zur vergleichenden Anatomie und Entwicklungsgeschichte der Uterusmuskulatur

(Aus dem I. anatom Institut der Universität Berlin.) Archiv für mikroskop. Anatomie Bd. **XXXVIII**. S. 52.

Zur Lösung der trotz zahlreicher Arbeiten noch sehr unklaren Frage des Verlaufs und der entwicklungsgeschichtlichen Bedeutung der Uterusmuskulatur liefert die vorliegende Arbeit ein reiches, fleißig zusammengestelltes Material. Zahlreiche mikroskopische Untersuchungen setzten den Verfasser in den Stand, sowohl auf dem Wege der vergleichend-anatomischen Forschung wie durch das Studium der früheren Entwicklungsstadien eine Auffassung der menschlichen Uterusmuskulatur darzulegen, die in Kürze etwa so lautet: Die Muskulatur des menschlichen Uterus ist eine Modifikation der ursprünglichen Ring-Muskulatur der Müllerschen Gänge, die in dem Verlaufe der Muskelbündel und -balken zumeist durch die in ihr liegenden großen Gefäße bedingt wird. Eine Schichtung derselben ist daher nur durch künstliche Einteilung möglich, hat aber keinen Rückhalt in der phylo- und ontogenetischen Geschichte.

Die Untersuchung vergleichend-anatomischer Präparate erstreckte sich auf die Ordnungen der Nager, Raubtiere, Huftiere, Halbaffen, Fledermäuse und Affen. Sie betraf bei jeder Tiergattung den eigentlichen Tragsack, also bei dem Uterus bipartitus und bicornis das Horn, ferner das tubare und das cervikale Ende des Uterus, letzteres namentlich wegen des dort sich allmählig vollziehenden Uebergangs der durch ein Septum geteilten Uterushöhle in ein gemeinsames Cavum.

Bei den Nagern hat sowohl das Horn des Mäuseuterus wie eine Hälfte des Uterus bipartitus vom Kaninchen Berücksichtigung gefunden. Beide zeigen ein meist exzentrisch liegendes Lumen und eine dasselbe umgebende, dicke, drüsenführende Schleimhaut, die ihrerseits wieder von einem festen Ring von zirkulär verlaufenden, glatten Muskelfasern umgeben ist; dieser Muskelring wird von einem lockeren Bindegewebslager umschlossen, das zahlreiche und große Gefäße führt und eine genaue Trennung von der nach außen liegenden Längsmuskulatur bildet. Diese Längsmuskulatur, in Bündeln angeordnet, liegt dicht an der Serosa an und begleitet dieselbe auch dort, wo sie den Uterus verlässt, und z. B. auf das Bindegewebe des Ligamentum latum übergeht; sie verliert sich erst weit vom Uterus entfernt im Ligamentum latum. Auch die zwischen der Ring- und Längsmuskulatur liegende Bindegewebsschicht geht ohne Grenze in das Bindegewebe des Ligamentum latum über. So gehört also streng genommen nur die Ringmuskulatur dem Uterus selbst an, während die Längsmuskulaturschicht in enger Beziehung mit der Serosa steht. Dieser Befund wird auch dadurch deutlich, dass sehr bald nach dem Abgang der Tube vom Uterushorn die Längsmuskulatur sich gänzlich verliert, sodass nur eine zirkuläre Tubenmuskulatur zurückbleibt. Noch deutlicher zeigt sich die Trennung der *„Muscularis serosae"* und *„Muscularis uteri"* am unteren Ende des Uterus, namentlich dort wo äußerlich schon eine Vereinigung der beiden Hörner zu einem Organ sich vollzogen hat, während im Innern noch zwei Lumina deutlich getrennt sind: jedes derselben wird von einer Schleimhaut und einer ringförmigen Muskelschicht umschlossen, während die Bindegewebschicht ebenso wie die Längsmuskulatur und das Peritoneum glatt die beiden Hohlräume überspannt und nach beiden Seiten in das Ligament übergeht. Auch weiter nach der Portio zu ist das Verhältnis das gleiche; schließlich verlässt das Peritoneum den Uterus, die Längsmuskulatur verschwindet und nur die zirkuläre Muskelschicht setzt sich in die lockere Scheidenmuskulatur fort.

Auch bei den Raubtieren, als deren Vertreter die Katze untersucht wurde, zeigt sich gleichfalls um die Schleimhaut des Uterus herum eine feste, ziemlich dicke Ringmuskelschicht. Von ihr durch

eine Bindegewebsschicht getrennt liegt wieder unmittelbar an der
Serosa in längsverlaufenden Bündeln die „Muscularis serosae", die
etwas schwächer als die Ringmuskel chicht, mit dem Peritoneum die
große Platte des Mutterbandes bildet. Die Gefäße der bindegewebigen
Zwischenschicht sind sehr zahlreich und mächtig, ihre Wandungen
zeigen eine erhebliche Muskulatur, die vorzugsweise Längsrichtung
hat und durch abgehende Fasern eine lockere Verbindung zwischen
Längs- und Ringmuskulatur bedingt. Auch bei der Katze zeigt die vom
Uterus sich scharf absetzende Tube nur zirkuläre Fasern; auch hier wird
bei der Aneinanderlagerung der Hörner und der äußeren Verschmelzung die Längsmuskulatur eine einfache, vom Ligamentum latum der
einen Seite glatt zu dem der anderen Seite herüberziehende Muskelplatte.

Von den Huftieren hat der Uterus des Schweines zunächst
als Beobachtungsobjekt gedient, der ganz ähnliche Verhältnisse wie
der Katzenuterus darbietet. Die Hörner verlaufen eine längere Strecke
getrennt unter der gemeinsamen Hülle der Serosa und der Längsmuskelschicht, um sich dann zu vereinen. Die beiden Muskelschichten
zeigen eine deutlichere Dickendifferenz zu Ungunsten der Longitu-
dinalschicht. liegen aber, infolge der geringeren Entwicklung der
Bindegewebsschicht zwischen ihnen, ziemlich dicht aneinander und sind
nur durch die Verlaufsrichtung der Fasern deutlich zu unterscheiden.

Auch der Schafuterus zeigt das Näheraneinanderliegen der
beiden Muskelschichten, die nur an einigen Stellen durch eine
Zwischenschicht getrennt sind, welche hier durch einen großen
Reichtum an Gefäßen und glatten Muskelfasern ausgezeichnet ist.
Diese Fasern haben sehr verschiedene Richtungen, nahe der Ring-
muskelschicht mehr longitudinale, nach der Peripherie zu mehr
zirkuläre. Die Verhältnise am Tubenende des Schafs- und Kalbs-
uterus zeigen besonders deutlich die Zusammengehörigkeit der longitudinalen Muskelschicht mit der Serosa; denn hier, wo die Tube
neben dem Uterushorn eine Strecke entlang läuft, werden beide von
einer Schlinge des Ligamentum latum überzogen, die auf dem Durchschnitt ebenfalls die subseröse Längsmuskulatur zeigt. Der übrige
Befund ähnelt sehr dem der Raubtieruteri.

So zeigt auch der Uterus des Lemur, zur Ordnung der Halbaffen gehörig, die gleichen Verhältnisse; nur ist die intermuskuläre
Bindegewebssubstanz noch weniger ausgebildet; es liegt auch hier
Längs- und Ringmuskulatur dicht zusammen, die letztere erscheint
hier mehrmals stärker ausgebildet als die erstere.

Die Zwischenbindegewebsschicht fehlt ganz bei dem Uterus bicornis des Pteropus, einer Gattung der Chiropteren, nur einzelne
Gefäße. die schon in den peripheren Schichten der Ringmuskulatur
liegen, deuten ihr früheres Bestehen an.

Die Aneinanderlagerung der beiden Schichten ist noch ausgesprochener bei dem nicht anthropoiden Macacus-Affen; von der

gefäßführenden Zwischenschicht ist nur am Ansatz des Ligamentum latum noch etwas erhalten. Die eigentlichen Gefäße des Uterus, also wesentlich die Aeste der großen Stämme, liegen zwischen den peripheren Lamellen der Ringmuskulatur. Diese ist aber sehr stark entwickelt, 5—6fach die Längsmuskulatur an Dicke überragend; sie zeigt nicht mehr ausschließlich zirkuläre Fasern, sondern es treten auch longitudinale und schiefe Faserzüge auf und bedingen eine Spaltung der ganzen Muskelmasse in gröbere Bündel und Lamellen. Die Längsmuskelschicht ist mit ihr so eng verwachsen, dass sie nicht abgezogen werden kann; es zeigt sich dies auch schon im allmählichen Uebergang des Verlaufes der zirkulären Fasern der Ringmuskulatur in die longitudinalen der „subserösen Muskularis". Diese Verhältnisse, wie sie sich im Corpus uteri zeigen, verändern sich aber wesentlich im Collum: es lässt sich auch hier eine „Muscularis serosae" deutlich unterscheiden, aber unter ihr liegen noch, einen großen Teil der Collumwand einnehmend, longitudinale und schräge Faserzüge, deren Richtung je mehr nach innen um so mehr sich der der zirkulären, unter der Schleimhaut liegenden Muskelschicht nähert. Es ist hier also die Ringmuskulatur des Corpus derart verwandelt, dass ihre Fasern jetzt zum größten Teil einen mehr longitudinalen Verlauf nehmen. Es ist dadurch „die auch für den menschlichen Uterus so charakteristische und überaus wichtige Trennung in einen eigentlich fruchthaltenden Abschnitt des Uterus, das Corpus, und einen lediglich ausführenden, das Collum", angedeutet.

Eine noch erheblichere Umbildung lässt der Uterus des anthropoiden Chimpansen, von dem der Verfasser ein etwa 3jähriges Exemplar untersuchte, erkennen Die Muskulatur des Corpus uteri zeigt eine sehr komplizierte Faserrichtung; neben der verworren-zirkulären Richtung der Hauptmasse lässt sich noch ein deutlicher Längsverlauf einer unter der Schleimhaut gelegenen Muskelschicht konstatieren. Eine longitudinale, subseröse Muskulatur fehlt gänzlich. Die Gefäße laufen zwischen den Muskelfasern des Uterus durch und sind dadurch zum Teil von bedeutendem Einfluss auf die verschiedene Richtung der Fasern. Wenn wir noch betrachten, wie im Collum uteri die Schichtung der ursprünglichen zirkulären Muskelmasse sich noch deutlicher als beim Macacus in drei Teile sondert, deren mittelster nur zirkuläre Fasern führt, während die beiden anderen aus longitudinalen Fasern bestehen, so zeigt sich darin schon eine bedeutende Aehnlichkeit mit dem menschlichen Uterus, ja es ließe sich auch daraus schon die Richtigkeit des oben angeführten, die Ergebnisse zusammenfassenden Schlusssatzes entnehmen.

Der Verfasser hat aber auch durch ontogenetische Forschungen die erwähnte Auffassung näher gelegt:

Gegen die Mitte des 5. Monats treten beim Menschen zuerst zirkuläre Fasern auf; dieselben werden allmählich zahlreicher und ordnen sich lamellös; bald ändert sich auch durch das Auftreten der Gefäße, die Verlaufrichtung der Muskelfasern, die nun bald zirkulär, bald schief, bald schräg durch einander verlaufen. Im Cervix sind schon die peripheren und die unter der Schleimhaut liegenden longitudinalen Muskelbündel angelegt. Das Neugeborene zeigt vorwiegend die Haupt-ringmuskulatur, in Lamellen gespalten, im Corpus uteri, während im Collum die Längsfaserung schon ausgesprochen ist. Die Gefäße des Corpus liegen zum Teil in den seitlichen Teilen des Uterus, zum Teil in dem zwischen Serosa und Ringmuskulatur liegenden Bindegewebe; einige sind auch schon im Bereiche der äußeren Schichten der Ring-muskelschicht. Eine subseröse Längsmuskelschicht fehlt.

Bei einem 2jährigen Mädchen zeigt die Ringmuskulatur sich von großen Gefäßen vielfach durchsetzt, die den Verlauf der Muskel-fasern sehr beeinflussen, so dass sich diese Schicht mit ihrem Faser- und Gefäßgewirr deutlich von den beiden anderen zirkulären Schichten abhebt. Noch ausgebildeter sind die sonst gleichen Verhältnisse beim Uterus der Erwachsenen; hier aber ist auch die dem Collum ange-hörige submuköse Längsschicht jetzt im Corpus ausgebildet; hier zeigen sich jetzt auch spärliche, dicht unter der Serosa liegende longi-tudinale Fasern, als Reste jener subserösen Längsmuskulatur der Tiere. „Dieselben scheinen während der Schwangerschaft zu hypertrophieren.“

Das sind die Grundzüge der Sobotta'schen Arbeit. Die da-zwischen eingestreuten Kritiken und Besprechungen der Untersuchungs-resultate vieler anderer Forscher vermitteln den Lesern auch eine genaue Bekanntschaft mit den gegenteiligen und den zustimmenden Auffassungen derselben.

Wir hätten demnach bei den untersuchten Uteri stets und haupt-sächlich Ringmuskulatur anzunehmen, die mit der höheren Tiergattung auch sich stärker entwickelt, während die Längsmuskulatur haupt-sächlich bei den niederen der untersuchten Tiere hervortritt. Dieser so deutliche Wechsel scheint in klarster Beziehung zu der physiologi-schen Verschiedenheit des Geburtsaktes zu stehen.

C. Spener (Berlin).

Zur Frage der Entwicklung des Intellekts.
Von Dr. Karl Camillo Schneider.

Dem im „Biologischen Centralblatt" erschienenen Aufsatz: „Ein Beitrag zur Phylogenie der Organismen" füge ich einige Zeilen über die Entwicklung des Intellekts hinzu. Auch für diese Frage folge ich dem in jener Arbeit eingeschlagenen Wege und beginne mit dem einfachsten Materiale. Stadium I (Protozoon, Zoon) erwies sich als eine Summe von Atomen, die derart auf fremde Substanzen einzu-wirken vermochten, dass sie diese in die eigne umsetzten und hier-durch den Verbrauch deckten, also dauerndes Leben gewannen. Dies war rein mechanisch gedacht; die Atome antworten unaufhörlich durch Aenderungen in den Lagebeziehungen zu einander auf äußere Einflüsse. Die Atome bewegen sich aber auch in Anorganismen kontinuierlich (außer im absoluten Nullpunkt); sie unterscheiden sich überhaupt substanziell (als physikalisches Atom gedacht) in nichts von den Atomen dieser — und doch zeigen sie Empfindung im Organismus, im Anorganismus nicht. Daraus folgt, dass die Atome überhaupt die Fähigkeit zur Aeußerung der Sensibilität besitzen; dass diese aber nur unter gewissen Verhältnissen zu Tage tritt. Was bedeutet nun der Begriff: empfinden? Das Atom reagiert zweifach auf einen Reiz; es bewegt sich in bestimmter Weise und es deponiert den Reiz in sich, es wird desselben bewusst und ist fähig, die durch den Reiz veranlasste Bewegung auszuführen, ohne dass derselbe Reiz aufs neue wirkt. Für gewöhnlich versteht man unter Empfindung, dass der Organismus irgend ein Gefühl von etwas hat; dass ihn etwas schmerzt, etwas gleichgiltig ist etc., das ist von den Menschen und den höheren Tieren hergeleitet und operiert mit komplizierten Begriffen; von einem *Stentor* z. B. aber, der im warmen Wasser sich lebhafter zu bewegen anfängt, wird man vielleicht nur sagen dürfen: er bewegt sich schneller auf Grund irgend eines mechanischen Einflusses, nicht weil ihm schlimm zu Mute ist. Und diese Fähigkeit, sich unter andern Verhältnissen anders zu verhalten, behält der Organismus, und so kann sich der *Stentor* im normal temperierten Wasser auch ohne äußere Veranlassung schneller bewegen. Er hat es eben gelernt; er hat die Reizwirkung in sich deponiert. Ohne Ursache wird er natürlich die schnellere Bewegung auch nicht ausführen, aber es kann ein anderer Reiz wirksam sein, als der, welcher jene ursprünglich nach sich zog. Das Atom hat also eine gewisse Initiative gewonnen; es kann in anderer oder gesteigerter Weise reagieren; es lagert Einflüsse gewissermaßen als eine Art Spannung in sich ab.

Woran ist also die Sensibilität gebunden? An das Leben; speziell an das Dauerleben. Leben aber ist das Vorsichgehen von Bewegungserscheinungen bestimmter Art. Da solche sich in Organismen und Anorganismen vollziehen — in beiden spielen sich eben Vorgänge ab —, so müssen also auch Anorganismen zur Sensibilität geeignet sein; d. h. sie müssten die Erfahrung, die sie durch irgend einen mechanischen Einfluss machen, in sich deponieren und ihn später auf andern Reiz hin auslösen können — wenn die Zeit ihres Lebens nicht mit dem Vorgang selbst endete! Mit dem Leben geht auch die Möglichkeit der Empfindungsäußerung des Lebens (des Vorganges) verloren; im Organismus bleibt sie aber, da das Leben sich immer erneut.

Die Atome, Molekule etc. unterliegen bestimmten Gesetzen. Diese Gesetze repräsentieren die Konstanz der Einwirkungen der Umgebung. Diese Einwirkungen sind verschiedenwertig; folglich spricht man von stärker und schwächer wirkenden Gesetzen. Diesen ent-

sprechend zeigen sich die äußeren Reaktionen der Atome fest begrenzt (im Organismus wie im Anorganismus); in gleicher Weise gilt
dies aber auch für die inneren Reaktionen, die einzelnen Empfin-
dungsmomente. Auch unter diesen überwiegen die einen die anderen
und drücken so den Aeußerungen der Sensibilität einen gewissen Stempel
auf, das infolge des eben gegebenen Gedankenganges diese als bedingt, der landläufigen Vorstellung gemäß sie aber als willkürliche
oder, besser gesagt, zweckentsprechende auffassen lässt. Es dünkt
uns also das Dauerlebewesen mit Unterscheidungsvermögen begabt,
d. h. es vermag in anscheinend unbedingter Weise zu handeln; im
Grund ist jedoch diese Selbständigkeit nur Reflex auf die verschieden mächtige Einwirkung der Umgebung; das Zoon unterscheidet
unter einer durch Gesetze geregelten Zwangslage. All unser Will-
kürvermögen ist nur eine Folge von Erwerbungen: wir können nur
das thun, was wir erlebt haben; es existiert also kein freier Wille,
denn der könnte nur daraus erhellen, dass der Organismus etwas
noch nicht Erfahrenes, Erlebtes ausführte. Aber zu denken vermögen
wir nur das, was uns bewusst wurde, und unser Bewusstsein ist
nichts als eine Anhäufung von Reflexen, umschließt nur Erinnerungen.

Fassen wir den Gedankengang nochmals kurz zusammen. Das
Atom besitzt Sensibilität; ein Vorgang, der sich an ihm abspielt,
kommt ihm zum Bewusstsein; es empfindet das Leben mit. Im Anorganismus ist Leben eine vorübergehende Erscheinung; folglich bemerken wir auch keine Empfindung des Lebens. Im Organismus
äußert dagegen das Atom seine Erfahrungen und bringt sie, soweit
es möglich ist, zur Bethätigung, d. h. unter den vielen aufgespeicherten, einzelnen Empfindungselementen (Trieben, wie sie Wundt in
seiner „physiologischen Psychologie" nennt, auf welche Arbeit ich in
einer bald vollendeten, ausführlicheren Darstellung meiner Auffassungen und der daraus sich ergebenden Folgerungen näher eingehen
werde) treten die als beeinflussend auf den im Organismus zirkulierenden Lebenstrom hervor, welche an Bedeutung die anderen (im
gerade gegebenen Falle) überwiegen. Das Zoon, oder vielleicht erst
das Syntheton (denn in diesem findet sich wohl erst die Mannigfaltigkeit der Reaktionsweisen, die hierzu Vorbedingung ist), besitzt
deshalb Unterscheidungsvermögen, ohne dass es im Stande wäre,
willkürlich zu handeln.

Da die komplizierteren Aeußerungen des Intellekts nur gradatim
von den Geschilderten sich unterscheiden, gehe ich auf diese nicht
näher ein, verweise vielmehr betreffs dieser auf Wundt's vorzügliches Werk (siehe oben), das ich nach Niederschrift des Angegebenen kennenlerte und welches entsprechende Ansichten, soweit
die Stoffbehandlung es bot, enthält.

München, am 1. Januar 1892.

Verlag von Eduard Besold in Leipzig. — Druck der kgl. bayer. Hof- und
Univ.-Buchdruckerei von Fr. Junge (Firma: Junge & Sohn) in Erlangen.

Biologisches Centralblatt

unter Mitwirkung von

Dr. M. Reess   und   Dr. E. Selenka

Prof. der Botanik   Prof. der Zoologie

herausgegeben von

Dr. J. Rosenthal

Prof. der Physiologie in Erlangen.

24 Nummern von je 2 Bogen bilden einen Band. Preis des Bandes 16 Mark.
Zu beziehen durch alle Buchhandlungen und Postanstalten.

XII. Band.   **30. Januar 1892.**   **Nr. 2.**

Nervenzellen und Nervenfasern.

Rede zur Eröffnung der fünften Versammlung der anatomischen Gesellschaft
zu München 1891[1]).

Von **Albert v. Kölliker.**

Hochgeehrte Herren Kollegen!

Als ich vor 4 Jahren die Ehre hatte, die erste Sitzung der anatomischen Gesellschaft zu eröffnen, versuchte ich die Ziele derselben
zu skizzieren und bezeichnete dieselben im allgemeinen als Förderung der anatomischen Wissenschaften. Unter diesem
Namen verstand ich aber nicht etwa die menschliche Anatomie
allein, obwohl wir dieselbe an die Spitze unserer Bestrebungen
stellen, vielmehr war ich der Meinung, dass als Aufgabe unserer
Gesellschaft die Erforschung des ganzen morphologischen Gebietes zu bezeichnen sei, oder mit anderen Worten die
Förderung der gröberen und der mikroskopischen Anatomie
der gesamten Tierwelt, sowie der vergleichenden Entwicklungsgeschichte. Dass wir mit dieser Auffassung das Richtige
getroffen haben, beweisen am klarsten unsere bisherigen Zusammen-
künfte, bei denen die große Mehrzahl der Vorträge diesem vergleichenden Standpunkte gerecht wurden. Neben diesen Disziplinen mussten wir aber auch von vornherein ein sehr großes Gewicht
auf die Physiologie legen, die streng mit der Morphologie verbunden ist und mit ihr zusammen erst das Gesamtgebiet der

---

1) Mit Bewilligung des Herrn Verfassers abgedruckt aus den Verhandlungen
der anatomischen Gesellschaft, 1891. Verlag v. G. Fischer in Jena.

Biologie darstellt, sowie ferner auf die pathologische Anatomie
des Menschen und der Tiere und selbst auf die Pathologie,
der die Anatomie so viele schöne Beobachtungen verdankt, wie vor
allem in der Lehre von dem feineren Baue der nervösen
Zentralorgane. Endlich ergaben sich auch die systematische
Zoologie und die Botanik als für uns von Belang, wenn wir auch
nicht in der Lage uns befanden, an der Förderung dieser Disziplinen
einen größeren Anteil zu nehmen.

Die wenigen Jahre, die hinter uns liegen, haben die Erwartungen,
die an unsere junge Gesellschaft sich knüpften, wie ich wohl sagen
darf, glänzend gerechtfertigt, und mit jeder neuen Zusammenkunft
zeigt sich immer mehr, dass der Gedanke, der zur Gründung derselben
führte, ein glücklicher war. Die Zahl der Mitglieder ist von 100 nach
und nach auf 250 gestiegen, und als besonders erfreulich verzeichnen
wir einmal, dass eine Reihe Physiologen, pathologische
Anatomen, praktische Mediziner und Zoologen sich uns
anschlossen, sowie zweitens, dass auch eine große Anzahl nicht-
deutscher Gelehrten unserer Gesellschaft beitraten, die wir in
weiser Voraussicht nicht „deutsche“, sondern einfach „anatomische“ genannt hatten. Wenn Männer, deren Namen einen solchen
Klang hat, wie diejenigen von E. van Beneden, Chievitz, Cunningham, Dekhuyzen, Fürst, van Gehuchten, Gedoelst,
Golgi, Hoyer, Hubrecht, Kastschenko, Leboucq, Ramón
y Cajal, G. Retzius, Romiti, van der Stricht, Turner u. a.
an unseren Zusammenkünften sich beteiligten, wenn andere, wie
Arnstein, van Bambeke, Éternod, Fraser, Guldberg, Hoff-
mann, Julin, Kowalewski, Lahousse, Minot, Paladino,
Peroncito, Testut, Thane, Zaijer, Zahn, Zawarykin u. v. a.
wenigstens als Mitglieder sich uns anschlossen, so verdient eine
solche Gesellschaft schon nahezu als international bezeichnet zu
werden, und wird unser weiteres Bestreben auch voll darauf gerichtet
sein, die anatomischen Bestrebungen aller Nationen zu
vereinen.

Trotz dieser glücklichen Anfänge und vielen Lichtes fehlen doch
auch dunkle Punkte nicht. Ein solcher, den ich schon vor
4 Jahren berührte, ist die große Zersplitterung der anatomischen Litteratur. Ich habe damals mir erlaubt, den Wunsch
auszusprechen, es möchten alle Morphologen sich verpflichten, ihre
Beobachtungen nur in Einer der vier bekanntesten Sprachen zu
veröffentlichen, und zugleich darauf aufmerksam gemacht, wie wünsch-
bar es wäre, dass die anatomischen Abhandlungen nur in wenigen
bestimmten Zeitschriften niedergelegt würden; es hat jedoch im Ganzen diese Mahnung vorläufig nur wenig gefruchtet. Ich
erlaube mir daher dieselbe zu wiederholen und im Einzelnen folgende
bestimmte Vorschläge zu machen, durch deren Beachtung die größten
Uebelstände beseitigt werden könnten:

1) Jeder Autor, der in einer anderen Sprache als englisch, französisch, italienisch oder deutsch schreibt, fügt seiner Arbeit e i n e k u r z e U e b e r s i c h t in einer dieser Sprachen bei, wie dies jetzt schon in vielen Fällen geschieht.

2) Wäre es von großem Werte, wenn in jedem Lande eine Zeitschrift bestände, die es sich zur besonderen Aufgabe machte, von allen wichtigen Arbeiten, die nicht in Fachzeitschriften enthalten sind, m ö g l i c h s t r a s c h kurze Auszüge zu geben. Aehnlich dem M o n i t o r e z o o l o g i c o i t a l i a n o könnte auch bei uns, in England und Frankreich eine solche Zeitschrift gedeihen, und z. B. in Deutschland, wie F r o r i e p vor kurzem andeutete, der „Anatomische Anzeiger" diese Rolle übernehmen. So würde vielen wichtigen, in Gesellschafts- und Zeitschriften vergrabenen und oft nur sehr spät bekannt werdenden Arbeiten ihr Recht werden und ihre Bedeutung gewahrt.

Bei Erwägung des eben Besprochenen wendet sich der Blick von selbst auch auf die älteren und neueren Versuche der Aufstellung einer W e l t s p r a c h e, und möchte ich, ohne weiter in diese Frage einzugehen, meine Ansicht kurz dahin abgeben, dass a l l e V e r s u c h e, e i n e k ü n s t l i c h e S p r a c h e z u s c h a f f e n, möge dieselbe nun V o l a p ü k oder N o v L a t i n oder sonstwie heißen, z u k e i n e m Z i e l e f ü h r e n werden, da e i n e S p r a c h e, wie ein Organismus, ihr e i g e n e s s e l b s t ä n d i g e s W e r d e n und i h r e g e s e t z m ä ß i g e w e i t e r e E n t w i c k l u n g hat, die niemand nachzumachen im Stande ist. Abgesehen hiervon, würde übrigens eine solche Sprache keinem ersparen, mindestens 3 andere Sprachen noch dazu zu erlernen, so dass dieselbe nur Nachteile böte. Eine e c h t e W e l t s p r a c h e haben die Gebildeten im Mittelalter im L a t e i n i s c h e n besessen, und nur in dieser Weise wäre auch jetzt noch eine solche möglich, in welchem Falle vor allem an das E n g l i s c h e oder F r a n z ö s i s c h e zu denken wäre.

Ich schließe diese allgemeinen Betrachtungen mit einer kurzen Erwähnung der Leistungen unserer N o m e n k l a t u r k o m m i s s i o n. Wie Sie wissen, wurde im vorigen Jahre, auf die von H i s gegebene Anregung hin, der Beschluss gefasst, eine einheitliche anatomische Namengebung anzubahnen und mit der menschlichen Anatomie zu beginnen. Die zu diesem Zwecke von der Gesellschaft ernannte Kommission von 9 Mitgliedern war so glücklich, zur Verwirklichung ihrer so schwierigen Aufgabe in Prof. W. K r a u s e einen Kollegen zu finden, der mit umfassenden Kenntnissen auch den nötigen Eifer und wirkliche Liebe zur Sache mitbrachte, und so ist denn in diesem Jahre bereits die M u s k e l l e h r e und ein Teil der O s t e o l o g i e zur Beratung gekommen, und wird Ihnen das Ergebnis binnen kurzem vorgelegt werden können. Die nötigen Geldmittel anlangend, gelang es den Herren W a l d e y e r, Ludwig, His, Toldt, Mihalkovics und K u p f f e r, von der A k a d e m i e i n B e r l i n 1500 M. als I. Rate, von

der Sächsischen Akademie 500 M. als I. Rate, von der Wiener
Akademie 530 M. 97 Pf., von der Ungarischen Akademie
520 M. 50 Pf. und vom K. bayr. Staatsministerium des Kultus
durch die bayr. Akad. d. Wissenschaften 1500 M. und vom K. öst.
Staatsministerium des Unterrichts 600 fl. zu erlangen, für
welche werkthätige Unterstützung ich im Namen der Gesellschaft den
genannten h. Staatsbehörden und Gesellschaften unsern besten Dank
ausspreche. Hoffen wir, dass auch fernerhin unserem wichtigen
Unternehmen die nötige Unterstützung nicht mangeln werde, um
so mehr, als dasselbe wohl mit der Zeit zu einem internationalen
sich gestalten dürfte, da in allen Ländern das Bedürfnis nach einheitlichen und verbesserten Benennungen sich geltend macht. So
haben amerikanische Gelehrte im letzten Jahre einen Versuch zur
Verbesserung einiger Teile der anatomischen Nomenklatur unternommen, und hoffen wir, dass dieselben unserer Einladung zu gemeinsamer Arbeit entgegenkommen werden. Sollte es gelingen, wenigstens
die lateinischen Namen in den morphologischen Wissenschaften
zu einem Gemeingute aller zu machen, so wäre hiermit offenbar ein
großes Ziel erreicht.

Ich wende mich nun zur Hauptaufgabe meiner Eröffnungsrede unserer 5. Versammlung, für welche ich ein Thema gewählt
habe, das gerade jetzt das Interesse der Anatomen nach den verschiedensten Seiten in Anspruch nimmt. Es ist dies die Schilderung
des jetzigen Standes der Lehre von den Beziehungen der
nervösen Elemente zu einander.

Wie allgemein bekannt, hat Golgi im letzten Decennium an der
Hand besonderer Methoden eine neue Aera in diesem Gebiete inaugu-
riert, als deren Hauptergebnisse sich herausstellten: 1) das Vorkommen
eines feinen, dichten, durch die gesamte graue Substanz der
Zentralorgane verbreiteten und zusammenhängenden Filzes
von Nervenfasern und Ausläufern von Nervenzellen;
2) ein Entspringen der zentripetal leitenden Nervenfasern in diesem Filze; 3) ein vollständiges Uebergehen
der nervösen Ausläufer gewisser Zellen in diesen Filz;
4) eine etwelche Beteiligung auch der zentrifugalen motorischen Fasern an der Bildung desselben und 5) ein Eingehen von Seitenästen aller Strangfasern des Markes
und der höheren Teile in den genannten Filz. — Mit denselben Methoden stellten dann viele von Golgi's Landleuten, wie
Magini, Fusari, Mondino, Martinotti, Sala u. a. und einige
wenige andere Forscher, wie vor allem Nansen, Ramón y Cajal,
M. v. Lenhossék, Retzius und ich selbst ausgedehntere Untersuchungen an, durch welche viele der Entdeckungen Golgi's bestätigt wurden, anderseits aber auch neue Thatsachen sich herausstellten. Besondere Beachtung verdienen unter diesen die von Ramón

und mir gemachten Beobachtungen: 1) dass alle in den Zentralorganen endenden Nervenfasern und Zellenfortsätze mit feinen Verästelungen auslaufen und nirgends anastomosieren, 2) dass die zentripetalen Wurzelfasern nicht in dem Nervenfilz entspringen, sondern in demselben enden, und 3) dass es zentripetal und zentrifugal leitende lange Bahnen, sogenannte Bahnen zweiter und höherer Ordnungen giebt, die nicht aus den Zentralorganen herausgehen. Sollten diese Erfahrungen sich bestätigen, so würden dieselben zu einer neuen Auffassung der Beziehungen der nervösen Elemente zu einander führen, die auf hypothetischer Basis bereits früher in His und Forel Vertreter gefunden hat.

Neben den Golgi'schen Methoden haben in unseren Tagen noch andere Untersuchungsweisen sich als sehr fruchtbringend erwiesen, von denen ich vor allem die Entwicklungsgeschichte betone, die in der Hand von His zu so überraschenden und wichtigen Ergebnissen geführt hat. Wir verdanken diesem unermüdlichen Forscher, neben vielen andern mehr morphologisch bedeutungsvollen Thatsachen, den Nachweis, wie die Fortsätze der Nervenzellen entstehen und weiter sich ausbilden, der namentlich bei den sensiblen Wurzelfasern zu dem wichtigen Funde führte, dass dieselben von den Zellen der Ganglien aus nach zwei Seiten sich entwickeln, an welchen dann die weitere Erkenntnis sich anschloss, dass weder im Gehirn noch im Mark sensible Ursprungskerne in der bisher angenommenen Weise vorkommen. Sehr belangreich waren ferner die Beobachtungen von Flechsig an mit Rotholz behandelten Golgi'schen Präparaten, durch die wir zuerst erfuhren, dass die Nebenäste der nervösen Fortsätze der Pyramidenzellen des Großhirns markhaltige Fasern sind und Ranvier'sche Einschnürungen besitzen. Endlich haben uns die letzten Jahre durch Ehrlich im Methylenblau ein Reagens geschenkt, das der Golgi'schen Silber- und Sublimatbehandlung ebenbürtig an die Seite sich stellt und in den Händen von Ehrlich selbst, von Dogiel, Arnstein, Smirnow, Biedermann und vor Allem in der eben erschienenen großartigen Arbeit von Gustav Retzius Ergebnisse zu Tage gefördert hat, die über das schwierige Gebiet der sympathischen Nervenzellen, sowie über das Nervensystem der Wirbellosen ungeahntes Licht verbreiten.

Ungeachtet aller Fortschritte, die diese neuen Untersuchungen im Zusammenhange mit vielen älteren wichtigen Arbeiten aus den Gebieten der feineren und gröberen Anatomie, der experimentellen Physiologie und Pathologie und der Pathologie selbst zu Tage gefördert haben, bleibt immer noch sehr vieles dunkel und unsicher und erlaube ich mir nun in Kürze den Versuch zu machen, das bereits Gewonnene von dem Zweifelhaften zu sondern und die der Zukunft erwachsenden Aufgaben festzustellen.

Die Hauptpunkte, die unser Interesse in Anspruch nehmen, sind:
die Art und Weise, wie die Nervenfasern entspringen
und wie dieselben in den Zentralorganen enden oder anders
ausgedrückt: die Beziehungen der wesentlichen Elemente
des Nervensystems zu einander.

Lösen wir diese Fragen in ihre Komponenten auf, so haben wir
Folgendes zu erörtern:

1) Entspringen Nervenfasern nur von Zellen oder auch ohne
   direkte Beteiligung solcher?

2) Wie viele nervösen Fortsätze besitzen die Nervenzellen und
   sind die sogenannten Protoplasmafortsätze auch nervöse leitende Elemente?

3) Bilden die Fortsätze der Zellen oder die Nervenfasern irgendwo
   wirkliche Netze?

4) Wie kommt die Einwirkung der Elemente des Nervensystems
   aufeinander zustande und welches ist die Bedeutung der
   Zellen und der Fasern?

I.

Entspringen Nervenfasern nur von Zellen oder auch ohne direkte Beteiligung solcher.

Seitdem der unipolare Ursprung von Nervenfasern aus
Nervenzellen im Jahr 1842 durch Helmholtz bei Wirbellosen
und 1844 durch mich bei Wirbeltieren nachgewiesen wurde, hat die
Frage nach den Ursprüngen der Nervenfasern manche Wandlungen
durchgemacht. Während auf der einen Seite Robin, Wagner und
Bidder in den Spinalganglien der Fische Zellen entdeckten, die an
beiden Enden in Nervenfasern auslaufen, und Deiters nachwies,
dass viele multipolare Zellen der Zentralorgane einen einzigen besonderen Fortsatz, den sogenannten Axenzylinderfortsatz, besitzen, der
in eine markhaltige Faser übergeht, tauchte auf der anderen Seite
die Lehre auf, dass Nervenfasern auch direkt, ohne Vermittlung
von Zellen, aus einem Netzwerk entspringen, das in der
grauen Substanz der Zentren von Ausläufern von Nervenzellen gebildet werde. Für die Wirbeltiere wurde diese Ansicht wohl zuerst
1870 von Gerlach und dann von Rindfleisch, von jedem in einer
besonderen Weise, vertreten und fand später in Golgi und seinen
Schülern warme Verteidiger, während bei den Wirbellosen viele
Autoren ein solches Verhalten, neben direkten Ursprüngen von Zellen,
annahmen, wie vor allem Walter, Solbrig, Bela Haller und
Nansen, ja manche direkte Ursprünge gänzlich leugneten oder dieselben nur als Ausnahmen zugaben, wie Leydig und Hermann.

Unterwerfen wir diese Frage einer näheren Beleuchtung, so finden
wir, dass bei Wirbeltieren allgemein zugegeben wird, dass die
motorischen Fasern direkt von Zellen entspringen und dass es

nur die sensiblen Elemente sind, bei denen ein Ursprung aus einem
Nervennetze oder Geflechte angenommen wird. Eine solche Aufstellung war auch einigermaßen begreiflich, da niemand den Ursprung
einer sensiblen Wurzelfaser im Rückenmark oder einer psychosen-
sorischen Faser im Gehirn von einer Nervenzelle beobachtet hatte.
Immerhin hätten bei eingehender Erwägung aller Verhältnisse eine
Reihe unzweifelhafter Thatsachen zeigen können, dass die Annahme
eines indirekten Ursprunges sensibler Fasern doch auf sehr schwachen
Füßen steht. Ich erinnere an die Opticusfasern, deren Ursprung
von den Zellen des Ganglion nervi optici seit den Untersuchungen
von Corti und mir, von Remak, H. Müller und Max Schultze
feststeht, ferner an die Fasern des Nervus cochleae, deren Verbindung mit den bipolaren Zellen des Ganglion spirale cochleae
Corti bereits im Jahre 1850 nachwies, endlich an die oben schon
erwähnten Entdeckungen von Robin, R. Wagner und Bidder über
die sensiblen Wurzelfasern der Fische und ihre Verbindung mit den
bipolaren Zellen der Spinalganglien. Diese allbekannten alten Beobachtungen hätten wohl genügen sollen, um die Annahme eines
Ursprunges sensibler Fasern ohne direkte Beteiligung von Zellen als
wenig wahrscheinlich erscheinen zu lassen und in der That ist nun
auch für die höheren Wirbeltiere durch die Entdeckung der Beziehungen der unipolaren Spinalganglienzellen zu den sensiblen Wurzelfasern durch Schramm, Ranvier (Tubes en T), Freud, Retzius,
Lenhossék und vor allem von His die Lehre von dem Entspringen
sensibler Fasern in einem zentralen Nervengeflechte so erschüttert
worden, dass dieselbe alle Basis verloren hat. Hierzu kommen nun
von neuesten Thatsachen noch folgende:

1) Von den sensiblen Wurzelfasern der Spinalnerven haben Ramón
y Cajal und ich übereinstimmend nachgewiesen, dass dieselben teils
direkt, teils mit ihren Ausläufern (den Collateralen) in der grauen
Substanz des Markes mit feinen Verästelungen frei auslaufen.
Ganz dasselbe Verhalten finde ich auch bei den sensiblen Kopfnerven
(Vagus, Glossopharyngeus, Trigeminus, Acusticus) und kann somit
bei allen sensiblen Cerebrospinalnerven von einem Ursprunge in einem
Nervennetze keine Rede sein.

2) Ebenso wie die sensiblen Leitungsfasern erster Ordnung von Zellen der Spinalganglien entspringen, so verbinden sich
auch diejenigen zweiter Ordnung mit Nervenzellen von Rückenmark
und Gehirn, wie von mir und zum Teil bereits von Ramón nachgewiesen wurde. So entspringen die Fasern der Kleinhirnseiten-
strangbahn vor allem von den Zellen der Clarke'schen Säulen, diejenigen der wahrscheinlich ebenfalls zentripetalleitenden Vorderstrang·
grundbündel und Vorderseitenstränge von bestimmten Zellen der grauen
Substanz des Markes, ferner die Fasern der sogenannten oberen Pyra-
midenkreuzung von den Zellen der Kerne des F. gracilis et F. cuneatus.

Aehnliche Leitungsfasern II. Ordnung entwickeln sich nach meinen Erfahrungen auch von den Zellen der Endkerne des V., VIII., IX. und X. Paares.

3) Von den Olfaktoriusfasern haben Golgi und Ramón y Cajal einerseits gezeigt, dass dieselben in den Glomeruli des Bulbus olfactorius mit freien Endigungen auslaufen, während auf der andern Seite eine Reihe von Autoren mehr oder weniger bestimmt nachgewiesen hat, dass diese Fasern mit gewissen Zellen im Epithel der Regio olfactoria sich verbinden. Da nun diese Aufstellung durch die neuesten Untersuchungen von His, die lehren, dass die Olfaktoriusfasern vom Riechepithel aus gegen das Gehirn zu sich entwickeln, ihre volle Bestätigung gefunden haben, so lässt sich jetzt mit Sicherheit sagen, dass auch hier sensible Fasern mit Nervenzellen, den sogenannten Riechzellen in Verbindung stehen.

Außer diesen Elementen enthalten die Bulbi olfactorii nach Golgi und Ramón noch zentripetale Leitungsfasern II. Ordnung, die auch von Zellen entspringen und in den Tractus olfactorius übergehen und außerdem Traktusfasern, die im Bulbus enden und höchst wahrscheinlich im Gehirn von Zellen entspringen, deren Bedeutung noch unbekannt ist.

4) Auch die Netzhaut zeigt wie das Geruchsorgan mehrere Arten sensibler Fasern, die mit Zellen zusammenhängen. Ramón y Cajal hat nämlich für die Vögel nachgewiesen, dass während die im Ganglion nervi optici entspringenden Optikusfasern mit reichen Verästelungen im Lobus opticus frei ausgehen (Riv. trim. Aug. 1888, p. 17, Tab. V, Fig. 1. *t*), andere Fasern des Optikus in der Netzhaut selbst ihr Ende erreichen. Woher diese Fasern im Gehirn stammen, ist freilich bis anhin nicht mit Sicherheit bekannt, immerhin ist es als höchst wahrscheinlich zu bezeichnen, dass dieselben von den Zellen kommen, welche nach Ramón im Lobus opticus des Sperlings (Riv. trim. März 1889, p. 72, Tab. IX, *j*, *m*, *n*) ihre nervösen Ausläufer in den Optikus senden. Diese Darstellung, der zufolge im Optikus zweierlei Fasern vorkommen, die einerseits von Zellen der Netzhaut, anderseits von Gehirnzellen entspringen, findet in den neuesten Untersuchungen von His und Martin (Zeitschrift f. vergl. Augenheilkunde, Bd. VII) ihre volle Bestätigung und lehrt zugleich, dass sowohl die Annahmen von W. Müller über die zentripetale, als die früheren Behauptungen von His und mir über die zentrifugale erste Entwickelung der Optikusfasern ihre Berechtigung haben.

Fassen wir alles zusammen, so finden wir somit bei den beiden am genauesten untersuchten höheren Sinnesorganen folgende drei Arten sensibler Zellen und Fasern.

a) Sensible, den Reiz aufnehmende Zellen und sensible, von denselben entspringende Leitungsfasern I. Ordnung;

b) **sensible Zellen II. Ordnung**, die von den Enden der
Fasern I. Ordnung erregt werden und ihrerseits wiederum
durch sensible, von denselben entspringende Leitungsfasern
II. Ordnung auf Zellen einwirken, die als Sitz der bewussten
Empfindung anzusehen sind;

c) sensible Fasern I. Ordnung, die von Gehirnzellen entspringen
und peripherisch frei auslaufen, Elemente, deren Bedeutung
noch vollkommen dunkel ist.

5) **Ursprünge sensibler Fasern von peripheren Zellen**
finden sich nun übrigens höchst wahrscheinlich noch bei einem andern
Sinnesorgane, dem Geschmacksorgane, bei welchem in neuester
Zeit Fusari und Panasci sich sehr entschieden für einen Zusammenhang der Geschmackszellen in den Geschmacksbechern mit Nerven-
enden ausgesprochen haben (Sulle termin. nerv. nella mucosa e nelle
ghiandole sicrose della lingua dei mammiferi, Torino 1890).

Ueberblicken wir die Gesamtheit der bei den Wirbeltieren er-
mittelten Thatsachen, so finden wir keinen einzigen, einer genaueren
Beobachtung zugängigen Fall, in dem nicht ein Ursprung oder
eine Verbindung sensibler Nervenfaser mit Zellen nachgewiesen wäre und kann ich nicht umhin, den von Golgi noch
in seiner letzten Veröffentlichung (Anat. Anz. 1891, S. 389) fest-
gehaltenen Satz, dass es auch einen indirekten Ursprung von Nervenfasern aus dem allgemeinen Nervennetze gebe, als nicht den Thatsachen entsprechend zu bezeichnen Die Verzweigungen der sensiblen
Fasern, die Golgi als Ursprünge auffasst, stellen gerade umgekehrt
Endigungen derselben dar und sind, wie das eben Dargelegte hinreichend lehrt, die Zellen, mit denen dieselben zusammenhängen, an
vielen Orten mit Bestimmtheit aufgedeckt.

Verhalten sich bei den Wirbeltieren die Sachen in dieser
Weise, so wird es höchst wahrscheinlich, dass auch die Wirbellosen demselben Gesetze folgen. In der That haben auch
eine große Zahl von Beobachtern, wie Hannover, Owsjannikow,
Buchholz, Stieda, Lang, Spengel, Claus, Freud, Rohr
u. v. a. sich dahin ausgesprochen, dass auch bei diesen Geschöpfen
keine Nervenfasern vorkommen, die nicht mit Zellen verbunden seien,
eine Auffassung, die nun auch in der neuesten großartigen Arbeit
von Gustav Retzius die kräftigste Stütze findet. Verglichen mit
den positiven Beobachtungen dieses Forschers müssen, wie mir scheint,
alle Angaben anderer Beobachter in den Hintergrund treten und als
nicht hinreichend begründet erscheinen. Stellt man die Abbildungen
von Retzius, der keine mit Zellen nicht zusammenhängenden Fasern
gefunden hat, denen anderer neuerer Forscher, die solche zeichnen,
an die Seite, so ergibt sich, dass alles auf die mit mehr oder weniger
Erfolg gelungene Darstellung der Zellen und ihrer Ausläufer ankommt.
Retzius ist es geglückt, wenn auch nicht alle, doch die Mehrzahl

der Zellen und ihrer Ausläufer durch Methylenblau zu färben;
gelingt dies nicht, färben sich namentlich die kleineren Zellen gar
nicht oder nur unvollkommen, so entsteht eben der Anschein eines
freien Auslaufens von Nervenfasern in dem Filz der Zentralmasse der
Ganglien in der sogenannten Punktsubstanz, der so viele gute Beobachter getäuscht hat. Wir dürfen daher wohl für einmal sagen,
dass auch die Wirbellosen keine Ausnahme bilden und die erste Frage
dahin beantworten, dass nirgends ein Ursprung von Nervenfasern ohne direkte Beteiligung von Zellen beobachtet ist.

II.

Eine weitere wichtige Frage ist die: Wie viele nervöse Fortsätze besitzen die Nervenzellen und sind die sogenannten
Protoplasmafortsätze auch an den nervösen Funktionen
unmittelbar beteiligte, leitende Elemente.
Wie oben schon geschildert wurde, lehrten die ersten Beobachtungen an Ganglienzellen nur einen Nervenfaserfortsatz kennen,
während später auch bipolare Zellen mit zwei solchen Fortsätzen
bekannt wurden. Nachdem dann durch Deiters die in der Einzahl
vorhandenen Axenzylinderfortsätze der multipolaren Zellen der großen
Zentralorgane aufgefunden worden waren, traten die bipolaren Zellen
in den Hintergrund und gewann es den Anschein, als ob, wenn auch
nicht überall, doch weitaus vorwiegend die Nervenzellen nur einen
nervösen Fortsatz besäßen. Vor allem bestimmend erwiesen sich in
dieser Frage einmal die ausgedehnten Untersuchungen von Golgi,
durch welche nicht nur im Marke, sondern im ganzen zentralen
Nervensysteme überall das Einzelvorkommen der nervösen Fortsätze
nachgewiesen wurde, zweitens die Beobachtungen an Wirbellosen, bei
denen unipolare Zellen als die verbreitetsten Elemente sich ergaben,
endlich drittens die Erfahrungen von His, die lehrten, dass embryonale Nervenzellen der verschiedensten Oertlichkeiten in erster Linie
immer und ohne Ausnahme einen einzigen Fortsatz treiben,
welcher der spätere Axenzylinderfortsatz ist.
Erwog man weiter, dass bei den bipolaren, mit zwei markhaltigen
Fasern verbundenen Zellen doch kaum von einem Ursprunge von zwei
Nervenfasern von einer Zelle gesprochen werden kann, da ja die
beiden Fasern zentripetal leiten und funktionell nur eine Faser darstellen, die durch eine Nervenzelle unterbrochen wird, so schien bis
vor kurzem der Satz gerechtfertigt, dass alle Nervenzellen funktionell nur einen einzigen nervösen Fortsatz besitzen,
wenn auch im oben erwähnten Falle mit Bezug auf die Entwicklung
von zwei solchen gesprochen werden darf.
Nun tauchen aber in neuester Zeit sehr merkwürdige Beobachtungen von Ramón y Cajal auf (Gaz. med. Catalana, 15. Dez. 1890,
p. 23). Derselbe fand in der äußersten Rindenlage des Kaninchen-

großhirns größere bipolare und dreieckige Nervenzellen mit horizontal
gerichteten Protoplasmafortsätzen, von denen wenigstens z w e i n e r -
v ö s e F o r t s ä t z e ausgingen, die sich verästelnd auf weite Strecken
in sagittaler Richtung mitten unter den oberflächlichen Fasern verliefen und wahrscheinlich frei endeten. Besonders auffallend sind
unter diesen Zellen die b i p o l a r e n , deren beide protoplasmatische
Ausläufer, nach längerem Verlaufe und nach Abgabe von Aesten, an
ihren Enden j e i n e i n e n p r o t o p l a s m a t i s c h e n u n d i n e i n e n
n e r v ö s e n F o r t s a t z sich teilen. Bei den dreieckigen Zellen ferner
wurden protoplasmatische Ausläufer beobachtet, die an zwei verschiedenen Stellen nervöse Fortsätze abgaben.

Weitere Schlüsse aus diesen vorläufig einzig dastehenden Beobachtungen zu ziehen, wäre offenbar verfrüht, immerhin wird es erlaubt sein zu sagen, dass in dieser Frage das letzte Wort noch nicht
gesprochen ist, umsomehr als auch die Bedeutung der p r o t o p l a s -
m a t i s c h e n Fortsätze der multipolaren Nervenzellen nichts weniger
als feststeht.

Halten wir uns für einmal an die großen Zentralorgane, so ist
bekannt, dass diese Fortsätze, die ich mit H i s als D e n d r i t e n be-
zeiche, früher allgemein als nervös angesehen wurden, bis G o l g i auf
eine Reihe neuer Erfahrungen gestützt, dieselben als einen e r n ä h r e n -
d e n , S ä f t e z u l e i t e n d e n A p p a r a t bezeichnete und ihnen jede
andere Funktion absprach. Diese Ansicht hat bis jetzt im ganzen
wenig Beachtung gefunden und ist eigentlich nur von R a m ó n y C a j a l
und m i r einer näheren Würdigung unterzogen. Ich selbst stellte in
meiner Arbeit über das Rückenmark das Pro und Contra zusammen
und enthielt mich für einmal einer bestimmten Entscheidung, während
R a m ó n in mehreren Besprechungen[1]) sich ganz entschieden für die
n e r v ö s e B e d e u t u n g d e r D e n d r i t e n aussprach. Ohne ausführlicheres Eingehen auf diese Streitfrage haben sich dann G a d , M a r t i -
n o t t i , N a n s e n und S a l a auf G o l g i 's Seite gestellt, während H i s
einigen kurzen Aeußerungen zufolge der alten Ansicht zugethan ist.

Wenn ich jetzt wiederum auf die Bedeutung der Dendriten ein-
gehe, so liegt der Grund darin, dass neue Beobachtungen eigener Art
eine Entscheidung im Sinne der alten Annahmen herbeizuführen
scheinen. Es sind dies die Untersuchungen R a m ó n y C a j a l 's über
den Bulbus olfactorius der Säuger und seines Bruders P e d r o über
denjenigen der V ö g e l und R e p t i l i e n (Gacet̄a Sanitaria di Bar-
celona 1890, Nr. 1, pag. 13), durch welche die eigentümlichen Beziehungen der Zellen der unteren Molekularlage und der Ganglien-
zellenschicht von S c h w a l b e zu den Glomeruli olfactorii dargelegt
wurden. Diese Zellen alle, die R a m ó n „Federbuschzellen" (Cellulas
empenachadas inferiores, medias et superiores s. mitrales) nennt, ver-

---

1) La medicina práctica, Madrid 1889, Nr. 88 und Anat. Anzeiger, 1890,
Nr. 20, S. 586.

zweigen sich auf und in den Glomeruli mit reich verästelten Dendriten-
büscheln, während von denselben Zellen hirnwärts echte nervöse
Fortsätze in den Tractus olfactorius übergehen. Da nun zugleich in
den Glomeruli auch die von der Mucosa herkommende Fila olfactoria
mit zahlreichen Verästelungen enden, so scheint hier eine Uebertragung von Nervenfasern auf Dendriten stattzufinden.
Es ist jedoch zu beachten, dass nach den älteren Untersuchungen von
Golgi noch andere Möglichkeiten vorliegen. Dieser Gelehrte, der
schon im Jahre 1875 in einer schönen Arbeit (Sulla fina struttura
dei Bulbi olfattorii, Reggio Emilia 1875) die Endigungen der Fila
olfactoria und die Verzweigungen der Dendriten von Ramón's Buschzellen in den Glomeruli beschrieben und abgebildet hat, lässt auch
nervöse Fortsätze der kleinsten Buschzellen und Ausläufer von Fasern des Tractus olfactorius in die Glomeruli
eingehen! und würden, wenn dem so wäre, Uebertragungen von den
Fila olfactoria zum Cerebrum durch diese Elemente vermittelt werden
können. Nichtsdestoweniger verdienen die so bestimmten Behauptungen Ramón's (pag. 3), dass er in Hunderten von guten und be-
weisenden Präparaten nie andere Elemente in die Glomeruli habe
eindringen sehen, als die Enden der Fila olfactoria und die genannten
Dendriten, für einmal alles Zutrauen, umsomehr als die ganz eigentümlichen Beziehungen der Dendriten zu den Glomeruli die Annahme
nahezu unabweisbar machen, dass hier Beziehungen beider Teile zu
einander sich vorfinden.

Für eine Beteiligung der Dendriten an den nervösen Funktionen
sprechen ferner folgende Thatsachen:

Einmal das Vorkommen von Ursprüngen nervöser
Fortsätze aus Dendriten.

Dass Axenzylinderfortsätze in manchen Fällen nicht von den
Zellenkörpern selbst, sondern in einer gewissen Entfernung von denselben aus Dendritenstämmen hervorgehen, haben bereits Golgi und
andere Neuere beobachtet, dagegen ist erst in neuester Zeit durch
Ramón bekannt geworden, dass solche auch in großer Entfernung vom Zellenkörper aus Dendritenästen sich ab-
zweigen (man vergl. die Arbeit über den Lobus opticus der Vögel,
Taf. IX, die Zellen j und o), ja selbst, wie schon oben erwähnt wurde,
aus Enden solcher Fortsätze durch Teilung derselben in
einen nervösen und in einen Protoplasmafortsatz hervorgehen können. In solchen Fällen kann man doch unmöglich etwas
anderes annehmen, als dass die nervöse Leitung auch durch die
Dendritenstämme geht. Außerdem bemerke ich noch, dass auch
Nansen bei Myxine Aeste von Dendriten beobachtet hat, die durch
ihren eigentümlichen Verlauf ganz an nervöse Fortsätze erinnerten,
so dass er die Frage aufwirft, ob es gemischte, nervös-proto-
plasmatische Ausläufer von Zellen gebe (Bergen's Museum Aarsberetning for 1886, p. 156).

Weiter erwähne ich das Vorkommen von Nervenzellen, die nur Dendriten und gar keine nervösen Fortsäte besitzen, wie Ramón dies von den Zellen der Körnerschicht des Bulbus olfactorius behauptet. Auch Golgi, der die fraglichen Zellen mit den kleinen Pyramidenzellen des Cerebrum vergleicht, war nicht im Stande, an denselben mit Sicherheit einen nervösen Fortsatz zu finden.

Möglicherweise kommen noch an anderen Orten bei Wirbeltieren solche Elemente vor und erwähne ich hier nur folgendes:

1) Dogiel beschreibt in der Netzhaut auf Grund der Färbung in Methylenblau eine Kategorie von Nervenzellen, die keine nervösen Fortsätze besitzen (Anat. Anz., 1888, S. 143), Elemente, die jedoch von Ramón zur Neuroglia gestellt werden.

2) verdienen Beachtung die peripherischen, multipolaren, in der Zungenmucosa von Fusari und Panasci beschriebenen Zellen (l. s. c., Fig. 2, 3, 4), die zahlreiche verästelte Ausläufer in das Epithel und einen Fortsatz nach dem Zentrum entsenden, von denen die ersteren kaum anders, denn als kurze, sensible Nervenfasern angesehen werden können.

Endlich kann 3) als besonders wichtig hervorgehoben werden, dass bei Wirbeltieren und bei Wirbellosen multipolare Nervenzellen sich finden, die keine Unterschiede ihrer verschiedenen Ausläufer zeigen.

Bei Wirbeltieren gehören hierher viele Zellen des Sympathicus des Menschen und der Säuger, an denen bis auhin noch von niemand Axenzylinderfortsätze mit Sicherheit beobachtet wurden, während viele Forscher und vor allen Axel Key und Retzius denselben nur gleichartige blasse Ausläufer zuschreiben. Auch ich habe an diesen Zellen bei Versilberung derselben nur Einerlei verästelte Ausläufer gefunden, die ich alle für marklose Nervenfasern halte.

Im Nervensysteme der Wirbellosen sind multipolare Zellen selten. Wo dieselben aber vorkommen, zeigen sie Verhältnisse, die gegen das Vorkommen von zweierlei Fortsätzen sprechen. Zwar besitzen die betreffenden Zellen neben feineren verzweigten Ausläufern einen stärkeren Fortsatz. Allein dieser stärkere Fortsatz gibt ebenfalls, wie Retzius nachweist, feinere Verzweigungen ab und ist kein Grund vorhanden, die einen dieser Aestchen für nervös zu halten und die anderen nicht (s. Retzius, Taf. XIII und X).

So scheint, wie die Sachen jetzt liegen, die Wagschale zu Gunsten der nervösen Natur der Dendriten sich zu neigen. Jedoch bin ich nicht gemeint, für einmal eine ganz bestimmte Ansicht aussprechen zu wollen und möchte nun auch noch die Gründe hervorheben, die für die Ansicht von Golgi sprechen, dass die Dendriten nur Ernährungsapparate der Nervenzellen seien.

Ueberlegen wir diese Hypothese genauer, so ergibt sich in erster Linie unzweifelhaft, dass alle Ausläufer von Nervenzellen bei den

Ernährungsvorgängen und dem Stoffwechsel dieser Zellen in ähnlicher
Weise eine Rolle spielen müssen, wie die Ausläufer anderer verzweigter
Zellen (Knochenzellen, Bindegewebskörperchen, Pigmentzellen u. a. m.).
Eine solche Funktion würde aber die Bedeutung der betreffenden
Fortsätze als leitender nervöser Elemente nicht unmöglich machen
oder ausschließen und wäre hier vor allem an die motorischen Zellen
zu erinnern, die einerseits mit der von ihnen entspringenden motorischen Nervenfaser in chemischer Wechselwirkung stehen, anderseits
durch dieselbe auf die Muskeln wirken.

Schwieriger wird die Frage, wenn es sich darum handelt, zu bestimmen, ob gewisse Dendriten eine solche doppelte Funktion haben,
andere nicht, und da scheinen denn doch einige Thatsachen mehr
oder weniger entschieden gegen die nervöse Natur gewisser derselben
zu sprechen, wie vor allem der Umstand, den Golgi entdeckt und
Nansen und ich bestätigt haben, dass im Rückenmark viele Ausläufer von Dendriten weit in die weiße Substanz der Stränge sich
erstrecken; ja wie bei Myxine bis an die Oberfläche des Markes
reichen und mit knopfförmigen Enden ausgehen.

Ein fernerer, Bedenken erregender Umstand ist der, dass in vielen
Fällen eine physiologische Verwertung der Dendriten, unter der Voraussetzung, dieselben seien leitende, einerseits erregende, anderseits
Erregungen aufnehmende Apparate, kaum oder nur sehr schwer denkbar ist, während allerdings in anderen Fällen solche Beziehungen nahe
liegen, wie bereits Ramón und ich selbst andeuteten. So kann man
bei den Purkinje'schen Zellen annehmen, dass ihre Dendriten von
den nervösen Fortsätzen der Körnerzellen beeinflusst werden, die in
so übergroßer Menge die ganze Molekularschicht der Rinde des Kleinhirns durchziehen, und dasselbe gilt von den Zellen des Bulbus olfactorius, die ihre Dendriten in die Glomeruli senden, mit Rücksicht auf
die Enden der Fila olfactoria. Auch bei der Netzhaut lässt sich
an solche Verhältnisse denken, denn wie sollten die Zellen des Ganglion
nervi optici und die großen Spongioblasten, die beide ihre nervösen
Fortsätze in den Opticus senden, ihre Erregungen empfangen, wenn
nicht durch ihre Dendriten, auf welche die Enden der nervösen Fortsätze der bipolaren Zellen und die Elemente des Geflechtes in der
inneren Körnerlage Einwirkungen auszuüben im Stande seien.

Alles zusammengenommen scheint mir alles darauf anzukommen,
welche Einrichtungen in bestimmten Gegenden vorliegen,
um Uebertragungen zwischen Zellen und Nervenfasern
zu vermitteln. In allen den Fällen, in denen die Zellenkörper
selbst von den Enden von Nervenfasern dicht umsponnen sind, erscheint es nicht nötig, den Dendriten besondere nervöse Funktionen
zuzuschreiben, wie z. B. bei den Zellen der motorischen Kerne
im Rückenmark und der Medulla oblongata (hier betone ich
vor allem das bekannte dichte Fasergeflecht im Kerne des Hypo-

glossus, das ich ganz in derselben Weise in den Kernen des III., IV., VI., VII. Nerven und im motorischen Kerne des Quintus finde), in den Endkernen der sensiblen Cerebrospinalnerven (dichte Geflechte in den sensiblen Endkernen des V., VIII., IX., X. Nerven), in der Substantia gelatinosa medullae spinalis, in den Clarke'schen Säulen, im Nucleus Fasc. cuneati et gracilis, ferner in der unteren und oberen Olive u. s. w. Wo dagegen keine solchen Beziehungen sich finden und die Zellenkörper mehr frei liegen, ließe sich vielleicht daran denken, dass die Dendriten als zuleitende und ableitende Apparate wirken, wie z. B. bei den Pyramidenzellen der Hirnrinde, in der Netzhaut, im Geruchsorgan, im Cerebellum.

Alles zusammengehalten, so scheint es, dass die Dendriten in der höheren Sphäre des Nervensystems, im Cerebellum und Cerebrum, sowie in gewissen höheren Sinnesorganen eine wichtigere Rolle spielen, als im Marke und in der Medulla oblongata, für welche Auffassung auch noch das sich anführen lässt, dass nach His bei Embryonen schon eine gewisse Zahl von nervösen Funktionen niederen Grades vorhanden ist, noch bevor die Dendriten auftreten, was bei menschlichen Embryonen erst am Ende des zweiten Monates geschieht.

III.

Eine dritte Hauptfrage ist die, ob die Fortsätze der Nervenzellen und die Enden der Nervenfasern irgendwo wirkliche Netze bilden, und wie die Einwirkung der nervösen Elemente aufeinander zu stande kommt.

Diese Frage ist unstreitig eine der schwierigsten, indem in allen den Fällen, in denen nur freie Enden zur Beobachtung kommen, der Einwand möglich ist, dass die eigentlichen Anastomosen durch die angewandten Methoden nicht dargestellt wurden. Immerhin ist soviel sicher, dass in neuerer Zeit, seitdem solche Untersuchungen mit größerer Vorsicht als früher angestellt wurden, niemand bei höheren Geschöpfen mit Sicherheit Netzbildungen der betreffenden Teile wahrgenommen hat und ist namentlich auch Golgi, wie er mir brieflich und mündlich mitgeteilt hat, ganz missverstanden worden, wenn man annahm, dass er das Vorkommen wirklicher Nervennetze behaupte. Auch bei Wirbellosen leugnen Nansen und Retzius Netzbildungen und steht somit jedenfalls diese Angelegenheit so, dass freie Enden von Nervenfasern und Nervenzellenausläufern vielfältig beobachtet, Netze dagegen noch nie mit Bestimmtheit wahrgenommen und von irgend wem demonstriert wurden, was ich auch von den so bestimmten Behauptungen Dogiel's über die Netzhaut sagen zu dürfen glaube, die allerdings mehr Dendriten als Nervenfasern betreffen; denn auch bei dieser sind nirgends Netze nachgewiesen, wie in neuerer Zeit namentlich Golgi, Ramón und ich selbst vor allem für die Purkinje'schen Zellen darthaten.

Hierzu kommt nun, dass in hundert und hundert Präparaten, die ganz
vorzügliche Färbungen der feinsten nervösen Elemente und keine
Spur von Niederschlägen ergaben, von Ramón y Cajal und mir im
Mark und Gehirn freie Enden von Nervenfasern und deren Collateralen
immer in der nämlichen Form beobachtet worden sind, so dass es
nicht wohl angeht, auch in diesen Fällen von negativen Ergebnissen
zu reden.

Die weitere Frage ist nun die, wie gestalten sich unter diesen
Verhältnissen die Uebertragungen der aufeinander wirkenden Teile. Hier ergeben sich zwei Möglichkeiten. Entweder
wirken Fasern auf Zellen und Zellen auf Fasern, oder es
übertragen sich zweitens die Erregungen mit Ausschluss
der Zellen direkt von Fasern auf Fasern. Diese letztere Annahme wird bekanntlich von Nansen verteidigt, der die Fibrillen-
geflechte ausschließlich als übertragende Zentren selbst für die psychischen Vorgänge auffasst, die Zellen dagegen nur als Ernährungs-
zentren ansieht und ihnen jede Bedeutung für die nervösen Vorgänge abspricht. Ein Reflexbogen besteht nach Nansen aus
einer zentripetal leitenden sensitiven Faser, aus dem
zentralen Fibrillengeflecht als übertragendem Zentrum
und aus einer zentrifugal leitenden Nervenfaser (Jen. Zeitschrift, Bd. 21, S. 319, Taf. XIX, Fig. 19 [im Texte fälschlich als 18
bezeichnet] und Bergen's Museum Aarsberetning for 1886, p. 164 fg.,
Fig. 113). Zu dieser eigentümlichen Ansicht und seinem auffallenden
Schema, in dem namentlich die Fasern 1 u. 2 ganz willkürlich ein-
gezeichnet sind, scheint Nansen durch gewisse Verhältnisse der
Wirbellosen, die noch berührt werden sollen, veranlasst worden zu
sein. Fasst man dagegen alles, was in unseren Tagen über die
feinere Anatomie des Nervensystems bekannt geworden ist, ins Auge,
so ergibt sich unzweifelhaft, dass die Zellen bei den Funktionen
des Nervensystems die Hauptrolle spielen. Vor allem ist hier
an die Nervenfasern der willkürlichen Muskeln zu denken, die als
unmittelbare Fortsetzungen der nervösen Fortsätze gewisser
zentralen Zellen erscheinen und mit dem zentralen Fasergeflechte der
grauen Substanz keinerlei beständige und ausgedehntere Verbindungen
eingehen. Denn wenn auch Golgi und Ramón an diesen nervösen
Fortsätzen in gewissen Fällen Seitenästchen gesehen haben, so sind
dieselben doch zu unbeständig und zu spärlich, um beim Zustandekommen der willkürlichen Bewegungen eine Rolle zu spielen.
Dasselbe gilt von den motorischen Fasern der unwillkürlichen Muskeln,
bei denen (Herz, Darm) andere Einwirkungen als die von Zellen ganz
undenkbar sind.

. Des weiteren sind von sensiblen Leitungen alle diejenigen
voll gegen Nansen beweisend, die mit zelligen Elementen beginnen, wie im Geruchs- und Sehorgan. Die Olfactoriusfibrillen, die

Optikusfasern erhalten ihre Erregungen von den Riechzellen in der Mucosa narium, von den Nervenzellen in dem Ganglion nervi optici, und von Geflechten oder Fasern, die hier direkt, mit Umgehung der Zellen, die äußeren Eindrücke aufnehmen konnten, findet sich keine Spur. Für entschieden gegen Nansen sprechend halte ich ebenso alle die Fälle, in denen Enden von Nervenfasern Nervenzellen umspinnen, wie dies bei den Zellen mit Spiralfasern seit Arnold's ersten Mitteilungen durch viele Beobachter, vor allem durch Arnstein, Smirnow und Retzius bestätigt wurde. Aehnliche Verhältnisse hat vor kurzem Ramón auch bei den Zellen der Spinalganglien beobachtet (Pequeñas comunicaciones anatomicas, 20. Dec. 1890 I), nachdem bereits Ehrlich solche Verhältnisse angedeutet hatte. Hier findet wohl unzweifelhaft eine Einwirkung der einen Faser auf die Ursprungszelle der II. Faser und nicht auf diese selbst statt, wie dies auch von allen oben schon berührten Fällen von Endbüscheln gilt, die motorische und sensible Zellen umspinnen (sensible Endkerne, motorische Ursprungskerne, Oliven).

Alles zusammengehalten, stehe ich nicht an, zu behaupten, dass bei den höheren Geschöpfen von der großen Mehrzahl der Nervenzellen der Satz aufgestellt werden darf, dass dieselben bei den nervösen Funktionen die Hauptrolle spielen und kommen hier auch eigentlich nur die Zellen der Spinalganglien in Frage, bei denen es zweifelhaft erscheinen kann, ob dieselben außer der nutritiven auch noch eine andere Rolle spielen. Wenn jedoch die eben erwähnten Beobachtungen von Ehrlich und Ramón sich als allgemein giltig ergeben sollten, so würde auch bei diesen Zellen eine nervöse Funktion nicht fehlen. Von demselben Standpunkte wie die Wirbeltiere beurteile ich auch die eigentümlichen Verhältnisse der Wirbellosen, die wir am genauesten durch Retzius kennen gelernt haben. Wie oben schon auseinandergesetzt wurde, finden sich bei diesen Geschöpfen vorwiegend unipolare Zellen, die in die sensiblen und motorischen Fasern auslaufen und außerdem eine große Menge von Seitenästen abgeben, welche in der Zentralmasse der Ganglien aufs feinste sich verästeln, ohne Netze zu bilden. Da nun alle Nervenzellen nicht in dem feineren Nervenfilz (Neuropilema, His) ihre Lage haben und keine Zelle von Nervenfasern umsponnen wird, so hat es allerdings den Anschein, als ob hier die Uebertragungen von sensiblen auf motorische Fasern ohne Vermittlung von Zellen, nur durch den Nervenfilz vor sich gehen, wie Nansen erwies. Derselbe hat jedoch nicht beachtet, dass jeder Reiz, der eine motorische Faser trifft, nicht, wie er behauptet, sofort zentrifugal verläuft, sondern nach beiden Richtungen sich verbreitet. Somit müssen bei allen Erregungen der motorischen Faserenden im Nervenfilz auch die motorischen Zellen getroffen werden und steht nichts im Wege, eine Beteiligung derselben auch beim Zustandekommen der Reflexe anzunehmen, wie eine

solche ja ohne weiteres bei den willkürlichen Bewegungen
angenommen werden muss.

Alles zusammengenommen leugnen wir somit keineswegs die
Möglichkeit von Uebertragungen von Nervenfasern auf
Nervenfasern, sondern nur das Vorkommen von solchen
Uebertragungen ohne Beteiligung von Zellen. Wenn die
oben gegebenen Schilderungen richtig sind, so müssen solche Uebertragungen auch in den Glomeruli olfactorii, in der Rinde des Cerebellums und wohl noch an anderen Orten sich geltend machen, in
welchen Fällen aber immer Zellen mitbeteiligt sind.

Stelle ich nun zum Schlusse die Ergebnisse der ganzen Betrachtungen zusammen, so finden wir folgendes:

1. Alle Nervenfasern entspringen von Zellen und sind
die Bildungen, die bisher für Ursprünge in einem Faser-
netze gehalten wurden, nichts als Endverästelungen sensibler Elemente.

Die Ursprünge selbst finden statt:

a) von zentralen Zellen
    1) bei den motorischen Cerebrospinalfasern,
    2) bei den motorischen Elementen des Sympathicus,
    3) bei allen zentrifugal wirkenden Fasern der Zentralorgane
       (Pyramidenbahnen, Purkinje'schen Zellen, psychomotorische
       Bahnen),
    4) bei den meisten sensiblen peripherischen Leitungen,
    5) bei allen zentripetal wirkenden Fasern höherer Ordnungen
       (Kleinhirnseitenstrangbahn, Vorderstranggrundbündel, Seiten-
       strangreste, Schleifenbahnen u. s. w., psychosensorische Bah-
       nen u. s. w.).

b) von peripheren Zellen. Bei den Fasern der Fila olfactoria.

2. Die Nervenzellen besitzen zum Teil nur einerlei,
zum Teil zweierlei Fortsätze, nervöse und protoplasmatische oder Dendriten.

3. Die nervösen Fortsätze finden sich der Zahl nach:

    a) in der Einzahl — alle Zellen des Rückenmarks und die
       meisten des Gehirns, die der Spinalganglien der höheren
       Geschöpfe, viele des Sympathicus,
    b) zu zweien — Spinalganglien der Fische, Acusticusganglien,
       Olfactorius der Haie (Leydig), Zellen der Hirnrinde des
       Kaninchens (Ramón y Cajal),
    c) zu vielen — Sympathische Ganglien, Ganglien der Wirbel-
       losen zum Teil.

4. Bezüglich ihres Verlaufes unterscheiden sich die
nervösen Fortsätze in solche, die nach kürzerem oder
längerem Verlaufe in zentrifugal oder zentripetalleitende

Nervenfasern übergehen und in andere, die in zahlreiche feine Endäste sich auflösen.

5. Möglicherweise kommen Nervenzellen vor, die gar keine sogenannten nervösen Fortsätze, nur Dendriten besitzen.

6. Die Dendriten scheinen bei gewissen Nervenzellen (höhere Sinnesorgane, Gehirn zum Teil, Cerebellum) nervöse Funktionen zu haben, während in anderen Fällen (somatische Sphäre des Nervensystem) sie derselben vielleicht ermangeln. In allen Fällen aber stellen dieselben Bildungen dar, die eine nutritive Verrichtung besitzen.

7. Alle Ausläufer von Nervenzellen, protoplasmatische ebensogut wie nervöse, enden frei, ohne Anastomosenbildung und finden daher alle Uebertragungen von Fasern auf Zellen und umgekehrt und von Fasern auf Fasern nur durch Kontakt statt.

8. Die Nervenzellen sind ebensogut wie die Nervenfasern wirksame Elemente des Nervensystems und ist sogar aller Grund vorhanden, die höheren nervösen Funktionen, die Empfindung, die motorischen Impulse und die psychischen Funktionen einzig und allein in sie zu verlegen.

Von diesen Sätzen betrachte ich durchaus nicht alle als gesichert und werden vor allem die Ursprungs- und Endigungsweisen der Nervenfasern, die Frage nach den Nervennetzen und der Bedeutung der Protoplasmafortsätze weiter zu prüfen sein. Wenn man übrigens erwägt, welche Errungenschaften die letzten Dezennien in diesem schwierigen Gebiete aufzuweisen haben und welche große Zahl umsichtiger, eifriger und glücklicher Forscher auf demselben thätig sind, unter denen die Namen von Ehrlich, Flechsig, Golgi, His, Lenhossék, Nansen, Retzius, Ramón y Cajal und Weigert vor allem hervorleuchten, so ist die Hoffnung wohl berechtigt, dass unsere Kenntnisse der feineren Anatomie des Nervensystems je länger, umsomehr sich klären und der Physiologie und Pathologie eine immer sicherere Basis gewähren werden.

Nochmals die Zoochlorellen.

Erwiderung von A. Famintzin.

In den Nr. 15 u. 16 des XI. Bandes des Biologischen Centralblattes hat Dr. W. Schewiakoff einen kurzen Aufsatz unter dem Titel: „Bemerkungen zu der Arbeit von Professor Famintzin über Zoochlorellen" publiziert, indem er mich beschuldigt, in meiner „als vollständig" angegebenen historischen Uebersicht der die Zoochlorellen betreffenden Arbeiten, Schewiakoff's Beobachtungen voll-

4*

kommen übersehen zu haben, obgleich seine an *Frontonia leucas*
Ehrbg. im Jahre 1887 angestellte Untersuchungen in dem von mir
mehrfach zitiertem Werke Bütschli's erwähnt, als auch in
seiner im Jahre 1889 in der Bibliotheca zoologica H. S. erschienene
Arbeit genauer angeführt werden.

Vor Allem erlaube ich mir die Bemerkung, dass ich nicht der
Prioritätsfrage wegen mich genötigt fühle, Herrn Schewiakoff zu
erwidern; ich will sogar die Prioritätsfrage gar nicht berühren, weil
es einem jeden frei steht, durch den Vergleich unserer diesen Gegenstand betreffenden Angaben ein Urteil darüber zu fällen.

In den folgenden Zeilen werde ich nur die Gründe angeben,
weshalb ich in meiner historischen Uebersicht der die Zoochlorellen
betreffenden Arbeiten, die Beobachtungen von Schewiakoff nicht
besprochen habe.

Die im Jahre 1887 von Schewiakoff angestellten und von
Bütschli erwähnten Untersuchungen habe ich nicht, wie Herr
Schewiakoff meint, übersehen; diese Voraussetzung ist schon
deshalb nicht stichhaltig, weil ich auf S. 7 meiner Abhandlung auf
die von Bütschli (p. 1832—39) gegebene Zusammenstellung der die
Zoochlorellen betreffenden Arbeiten, unter denen auch Schewiakoff's
Resultate erwähnt werden, hinweise.

Die Ursache, weshalb ich der Untersuchungen Schewiakoff's
speziell nicht erwähne, liegt darin, dass von der als unediert angegebenen Arbeit nur die Resultate von Bütschli kurz erwähnt
sind. Die fast während drei Jahren negativ ausgefallenen Versuche
Zoochlorellen außerhalb des Wirtes zu kultivieren und die Auffindung
der mit Zoochlorellen identischen und mit letzteren leicht zu ver-
wechselnden frei lebenden Algen, haben mich belehrt, dass nur mittels
ununterbrochener Beobachtung bestimmter, vom Beginne des Versuchs
gewählter *Zoochlorella*-Zellen es möglich sei, genauen Aufschluss
über die Möglichkeit der Züchtung der Zoochlorellen außerhalb der
Infusorien zu erzielen. Wegen dieser durch langwierige und mühe-
volle Untersuchungen gewonnenen Ueberzeugung halte ich es auch
jetzt noch wie früher für unmöglich, trotz der großen Autorität
Bütschli's und meiner Achtung vor dem hochverdienten Infusorien-
forscher, der kurzen, in seinem Protozoenwerke gegebenen Notiz über
Schewiakoff's Untersuchungen vollen Glauben zu schenken und
die Sache als erledigt zu betrachten. Ich beschloss daher, bis zum
Erscheinen von Schewiakoff's Arbeit mich jeder Besprechung
dieser Resultate zu enthalten

Die im Jahre 1889 erschienene Abhandlung Schewiakoff's habe
ich in der That übersehen, und erst vor einigen Tagen zur Ansicht
bekommen. Ich erwartete in dieser Abhandlung eine ausführliche
Belehrung über die mich interessierenden Fragen zu finden. Nicht
wenig war ich deshalb überrascht nur sieben Zeilen hinsichtlich

des selbständigen Lebens der Zoochlorellen außerhalb der Infusorien und die Möglichkeit die Infusorien (*Frontonia leucas*) mit Zoochlorellen zu infizieren zu finden. Schewiakoff's Angaben lauten wörtlich folgendermaßen (p. 40): „Die isolierten Zoochlorellen ließen sich im hängenden Tropfen kultivieren (gegen 20 Tage), und vermehrten sich dabei lebhaft durch Teilung, welcher die Zweiteilung des Kernes und des Chromatophors immer voranging. Auf diese Weise wurde die Selbständigkeit dieser Algen auch für *Frontonia leucas* nachgewiesen. Ja es gelang mir sogar einmal ein chlorophyllleeres Exemplar mit Zoochlorellen zu infizieren, indem ich zu mehreren isolierten Exemplaren einige chlorophyllhaltige zerdrückte Tiere hinzusetzte, worauf eines der Tiere am folgenden Tage mehrere Zoochlorellen enthielt, die sich im Verlauf von ein paar Tagen so stark vermehrten, dass das Tier vollkommen grün erschien.

Ich will nicht hier noch einmal wiederholen, weshalb ich das in diesen wenigen Zeilen über die Kultur der Zoochlorellen außerhalb der Infusorien Gesagte als ganz ungenügend und für mich als nicht beweisend ansehe.

Obgleich ungern, fühle ich mich gezwungen auch der Angabe Schewiakoff's: dass es ihm gelungen sei, Ciliaten (*Frontonia leucas*) mit Zoochlorellen zu infizieren, zu widersprechen. Schewiakoff's Behauptung beruht, seinem eigenen Bekenntnis nach, darauf, dass es ihm nur einmal und nur an einem von mehreren dem Versuche unterworfenen chlorophylllosen (*Frontonia leucas*) gelungen sei ein Ergrünen mittels Zoochlorellen zu beobachten. Leider ist aber auch dieses Experiment nicht vorwurfsfrei. Schewiakoff versichert zwar, dass die wenigen vom chlorophylllosen Exemplare während des ersten Tages verschluckten Zoochlorellen im Verlaufe von ein paar Tagen sich so stark vermehrten, dass das Tier vollkommen grün erschien. Den Beweis aber der Vermehrung der verschluckten Zoochlorellen innerhalb der *Frontonia* ist Schewiakoff schuldig geblieben. Die grüne Farbe konnte ebenso durch bloße Anhäufung der in zwei folgenden Tagen gefressenen Zoochlorellen verursacht sein. Es ist mir wenigstens mehrere Male vorgekommen zu beobachten, dass von Infusorien verschluckte Algen innerhalb derselben tagelang unverändert bleiben können, ohne mit ihnen eine Symbiose einzugehen.

Es ist zu bedauern, dass Schewiakoff diesen einzigen, seinen Angaben nach geglückten Versuch nicht sorgfältig genug ausgeführt und versäumt hat, ihm durch einen kleinen und leichten Kunstgriff eine unbestreitbare Gewissheit zu verleihen. Es hätte nämlich genügt die noch wenige Zoochlorellen enthaltende *Frontonia* in einen Tropfen zoochlorellenfreien Wassers zu übertragen.

Wäre in diesem Fall, trotz des Mangels der Zoochlorellen in dem umgebenden Medium, eine Vermehrung der Zoochlorellen und dadurch bedingtes Ergrünen hervorgerufen worden, so würde kein Zweifel an dem Resultate des Versuches möglich sein.

In Folge der auseinandergesetzten Gründe glaube ich auch jetzt noch an dem in meinem Aufsatze ausgesprochenen Satze: „Die nächste der Entscheidung harrende Frage, unter welchen Umständen und auf welche Art Stentoren, Paramecien und andere grün gefärbte Tiere sich mit *Zoochlorella* symbiotisch vereinigen, bleibt bis jetzt, auch trotz meiner Untersuchungen, vollkommen dunkel. Es lassen sich in dieser Hinsicht nur mehr oder weniger gewagte Voraussetzungen, aber keine sicher beobachteten Thatsachen anführen" festzuhalten.

Zur Kenntnis der Würmerfauna und Crustaceenfauna Polens.

(*Hirudinei, Turbellaria Rhabdocoela, Lumbricidae, Cyclopiden*).

Von Dr. Józef **Nusbaum** in Warschau.

I. Zur Fauna der Hirudineen.

a) H. Lindenfeld und J. Pietruszyński, „Beiträge zur Hirudineen-fauna Polens" polnisch in „Physiographische Denkschrift", Warschau, Bd. IX, 12 Seiten und 1 Tafel Abbildungen, 1. Teil.

b) Dasselbe, II. Teil; ibidem Bd. X, 1890; 42 Seiten u. 1 Tafel kolor. Abbildungen nebst 13 Holzschnitten[1]).

In den oben zitierten Arbeiten haben die Verfasser zum ersten Male das Vorhandensein folgender Hirudineenarten in Polen konstatiert: *Nephelis octoculata* Bergm., *Aulostomum gulo* Braun, *Hirudo medicinalis* Ray et Lin., *Clepsine sexoculata* Bergm., *Cl. marginata* Müll., *Cl. bioculata* Bergm., *Cl. polonica* n. sp., *Piscicola piscium* Rösel (gefunden in der Umgegend von Warschau, Lublin und im Gouvernement Minsk) und *Cl. tesselata* Müll. (im Gouv. Minsk). Bei den Arten *Nephelis octoculata*, *Aulostomum gulo* und *Hirudo medicinalis* sind viele Farbenvarietäten beobachtet worden nebst zahlreichen Uebergangsstufen zwischen den letzteren. Die Verfasser sind der Meinung, dass die Färbung der Hirudineen genug konstant ist, um ein Varietätenmerkmal bilden zu können und haben sogar eine gewisse Abhängigkeit von dem Standorte gefunden, z. B. die *Nephelis octoculata* var. *monostriata* haben sie nur in Lithauen in dem Koldyczewer See (Gouv. Minsk) gesehen, *Aulostomum gulo* var. *taeniata* nur in den Gewässern im Dorfe Lomianki (Gouv. Warschau), *Aul. gulo* var *Lithuanica* nur in Lithauen (Koldyczewer See) u. s. w. Besonders auffallend ist es mit den Varietäten von *Aulostomum gulo*. In gewissen Gegenden fanden sich hauptsächlich sehr dunkle Formen, in anderen hellere. Wo die var. *sinuata* und *Grubei* auftraten, dort war die var. *taeniata* nicht zu finden und umgekehrt. Von den

---

1) „Pamietnik Fizyograficzny". Die bis jetzt erschienenen 10 Bände, dieser den deutschen Lesern wenig bekannten Denkschrift, enthalten viele nicht unwichtige Beiträge zur Fauna und Flora Polens.

Moquin Tandon'schen Varietäten der *Nephelis octoculata* sind var. *normalis* und *reticulata* gefunden worden. Was die var. *reticulata* M. Tand. betrifft, so ist bei ihr das Reticulum viel deutlicher als es M. Tandon gezeichnet hat.

Die Verfasser unterscheiden noch folgende, der Färbung nach verschiedene Formen der *Nephelis octoculata*: 1) am Rücken mit sehr kleinen schwarzen Pünktchen, 2) die Pünktchen gehen in kleine Strichelchen über, welche 3) bei anderen Exemplaren ein Netz bilden, dessen Maschen nicht ganz geschlossen sind, 4) die Maschen des Netzes sind gänzlich geschlossen. Alle diese Formen vereinigen die Verf. in eine Varietät: *N. octoculata*, var. *poecila* mit Subvarietäten: *punctata* (1), *reticulata* (3, 4), hierher die M. Tandon'sche var. *reticulata*. Noch eine neue: *N. octoculata*, var. *monostriata*, auf der Mittellinie des Rückens eine schwarze Längslinie.

Bei *Aulostomum gulo* ist der Rücken mehr oder weniger dunkelbraun mit einer grauen oder olivenfarbenen Nuance und ohne (var. *fuliginosa* M. T.) oder mit zahlreichen schwarzen Flecken. Die Verfasser unterscheiden der Färbung und Zeichnung nach folgende neue Varietäten: 1) var. *maculata* — die Flecke ohne jede Ordnung, oder in zwei nicht regulären Längsreihen verstreut, 2) var. *sinuata* — die Flecke in zwei sehr regulären wellenartigen Reihen geordnet, eine Welle auf je 5 Ringe, an den Seiten des Rückens sind die Flecke ohne Ordnung verstreut, 3) var. *Grubei* an den Seiten der beiden Wellenreihen sind längliche Flecke in 2 Längsreihen auf je 3 Ringen geordnet, 4) var. *taeniata* — die Flecke sind in 2 mediane gerade Längsbänder zusammengeflossen mit Flecken ohne Ordnung an den Seiten, 5) var. *lithuanica* — an den Seiten der 2 medianen Längsbänder sind die 2 Reihen länglicher Flecke auf je 3 Ringe verteilt, 6) var. *umbrina* (von Prof. Grube als *Aulostomum umbrinum* beschrieben) — an den Seiten des Rückens, namentlich an der Grenze des Bauches 2 gelbe oder orangegelbe Längsbänder.

Von *Hirudo medicinalis* sind folgende M. Tandon'sche Varietäten gefunden worden: *catenata*, *signata*, *serpentina*, nebst Uebergangsstufen zwischen *catenata* und *signata* und zwischen *signata* und *serpentina*.

Von *Clepsine tesselata* ist eine neue sehr schöne Varietät (var. *marmorata*) beschrieben worden: auf dem olivbraunen Rücken sehr große, vieleckige gelbe Flecke (gefunden im Koldyczewer See in Lithauen).

Clepsine polonica n. sp. gefunden in der Umgegend von Warschau und in Lithauen, ist der *Cl. heteroclita* L. nach der Beschreibung M. Tandon's und Dr. Apathy's sehr ähnlich, aber sie ist etwas anders als jene gefärbt und ihre 6 Augen sind anders als bei *Cl. heteroclita*, und zwar paarweise auf den 7., 9. und 10. Ringen gestellt, wie bei keiner der sechsäugigen Clepsinearten. *Cl. polonica* ist

7—8 mm lang, 3—4 mm breit, das Vorderende rasch verengt und abgespitzt, auf dem farblosen konvexen Rücken mehrere Längstreifen kleiner gelber Flecken und Quer- und Längsstreifen bräunlicher Strichelchen. Die Eier und die Jungen sind an der Bauchfläche der Mutter angeheftet. Der Rüssel wird selten ausgestülpt. Wenig beweglich.

II. Zur Fauna der Rhabdocoelen.

Herr H. Lindenfeld arbeitete während des verflossenen Sommers an der Fauna der Rhabdocoelen Polens. Seine Forschungen sind noch nicht beendet und nur vorläufig kann ich mitteilen, dass er in der Umgegend von Warschau 11 bis jetzt für das Königreich Polen von Niemanden angegebene Arten gefunden hat und zwar:

1. *Stenostoma leucops* O. Schm. (sehr häufig).
2. *Microstoma lineare* Oe.
3. *Macrostoma hystrix* Oe.
4. *Vortex Millportianus* Graff. (sehr häufig).
5. *Vortex sexdentatus* Graff.
6. *Gyrator hermaphroditus* Ehrbg.
7. *Mesostoma productum* Leuck.
8. *Mesostoma personatum* O. Schm.
9. *Mesostoma viridatum* M. Sch.
10. *Castrada radiata* Graff.
11. *Castrada species*, die in Graff's Monographie der Turbellarien nicht beschrieben worden ist.

Die obige Anzahl der Rhabdocoelenarten ist für Polen ohne Zweifel zu gering und die Arbeit wird hoffentlich nächsten Sommer ergänzt und zu Ende gebracht werden.

III. Zur Fauna der Lumbriciden.

Der Verfasser dieses Berichtes fand bisher folgende, zum ersten Male in seinem Vaterlande konstatierte Regenwürmerarten (hauptsächlich in der Umgegend von Warschau):

1. *Lumbricus herculeus* Rosa.
2. *Lumbricus rubellus* Hoffm. Es finden sich in Polen zwei Varietäten: a) mit 1 oder 2 Querfurchen auf der Rückenseite des *Lobus cephalicus* und mit einer Längsfurche auf der Unterseite desselben, die Zahl der gesamten Segmente 125—150, b) weder mit einer Querfurche auf der Rückenseite, noch mit einer Längsfurche auf der Unterseite des *Lobus cephalicus*. Die Gesamtzahl der Segmente 82 bis 120.
3. *Lumbricus purpureus* Eisen.
4. *Allolobophora turgida* Eisen. Die Gesamtzahl der Segmente 120—150. Auch hier kann man 2 Varietäten unterscheiden: a) mit der Gesamtzahl der Segmente circa 120 und gewöhnlicher Anzahl

der Segmente des Clitellums 7—8, b) mit der Gesamtzahl der Segmente circa 150 und mit 9—10 Segmenten des Clitellums.

5. *Allolobophora mucosa* E i s e n.

6. *Allolobophora foetida* E i s e n.

7. *Allolobophora subrubicunda* E i s e n.

8. *Allolobophora arborea* E i s e n. Die Gesamtzahl der Segmente erreicht bei einigen Exemplaren bis 100.

9. *Dendrobaena Boeckii* E i s e n.

10. *Allurus tetraedrus* E i s e n.

Die ausführliche Arbeit wird nächstens in der physiographischen Denkschrift (polnisch) erscheinen.

IV. Zur Fauna der Cyclopiden.

A d a m L a n d e, „Beiträge zur Fauna der freilebenden Copepoden des Königreichs Polen." I. Die Cyclopiden. Polnisch in „Physiographische Denkschrift" (Pamiętnik Fizyograficzny). Bd. X. 1890. 90 Seiten und 7 Tafeln Abbildungen.

Herr A. L a n d e hat bis jetzt folgende, zum ersten Male in Polen konstatierte Cyclopiden gefunden:

1. *Cyclops signatus* K o c h.

2. *Cyclops tenuicornis* H o e c k, V o s s e l e r. Der Verfasser glaubt, dass die Angaben einiger Autoren über die fehlerhafte Beobachtung von C l a u s, welcher keine Hakenkränze an Antennen fand, vielleicht auf Missverständnis beruhen, weil er auch einen solchen *Cyclops* gefunden und als eine neue folgende Art beschrieben hat:

3. *Cyclops gracilicornis* n. sp.

Den *C. annulicornis* K o c h, S a r s betrachtet der Verfasser als eine kleinere und stärker. gefärbte Varietät von *C. tenuicornis*.

Einige auffallende Unterschiede der obengenannten 3 Species sind aus der folgenden Tabelle ersichtlich:

Die Hakenkranze vorhanden	groß, das 3. Glied der 2. Antenne sehr gestreckt. Bläuliche Färbung der hinteren Abdominalsegmente	*C. signatus*
	klein, auf der 1. Antenne 1 bis 2 schwarze Ringe, durchsichtig	*C. tenuicornis* (Mit schwarzen Ringen auch auf der Thorax, Abdomen u. Furca — var. *annulicornis*).
Ohne Hakenkränze	grüne Färbung, die Endborsten länger als bei allen anderen Cyclopiden	*C. gracilicornis*.

4. *C. viridis* J u r i n e, mit *C. gigas* C l a u s identisch.

5. *C. vicinus* Ulianin, vielleicht mit *C. lucidulus* S a r s identisch.

6. *C. pulchellus* K o c h.

7. *C. strenuus* Fischer.

8. *C. simplex* Poggenpol = *C. Leuckartii* Sars.

9. *C. hyalinus* Rehberg.

10. *C. Dybowskii* nov. species. Sehr ähnlich dem *C. hyalinus* Rehberg, unterscheidet sich aber durch eine stärker entwickelte Körperform, durch verschiedene Länge der Endborsten und eine stets violette Färbung. Der Verfasser gibt eine ausführliche Beschreibung dieser neuen Art.

11. *C. agilis* Koch. Der Verfasser glaubt, dass hier vielleicht 2 bis 3 Varietäten zu unterscheiden sind.

12. *C. macrurus* Sars.

13. *C. varicans* Sars, mit dem *C. orientalis* Ulianin identisch.

14. *C. bicolor* Sars [1]).

15. *C. gracilis* Lilijeborg (?).

16. *C. phaleratus* Koch.

17. *C. fimbriatus* Fischer = *C. Poppei* Rehberg

18. *C. affinis* Sars = *C. pigmaeus* Rehberg.

Nach der Veröffentlichung der obigen Arbeit hat noch Herr Lande zwei folgende Arten gefunden:

19. *C. oithinoides* Sars.

20. *C. Clausii* Heller, fraglich mit *C. diaplanus* Fischer und *C. minutus* Claus identisch.

Bemerkungen über die neuerlich von Dendy beschriebenen Kalkschwämme.

Von R. v. Lendenfeld.

Am 8. Januar 1891 wurde der kais. Akademie der Wissenschaften in Wien eine Arbeit von mir über das System der Kalkschwämme vorgelegt, welche bald darauf im Druck erschien. Ehe Herr Dendy in Melbourne diese Arbeit erhalten haben konnte, schrieb und veröffentlichte er zwei Mitteilungen über Kalkschwämme, von denen die eine (Studies etc. on Sponges III, Quart. Journ. micr. Sc., Bd. XXXII, pag. 1) im Januar, und die andre (A Monograph of the Victorian Sponges I, Trans. R. Soc. of Victoria, Bd. III, pag. 1) im Juli 1891 erschien. Es scheint wünschenswert einerseits die Richtigkeit meines Systems an den Angaben Dendy's zu erproben und anderseits den von Dendy beschriebenen Arten ihren Platz in meinem System anzuweisen.

---

1) In der oben zitierten Arbeit wurde fälschlich (wie es sich aus den erneuerten Untersuchungen des Herren Lande ergab) *C. bicolor* als identisch mit *C. diaphanus* Fischer und *C. minutus* Claus diagnosiert.

In der erstgenannten Arbeit schildert er die von Carter als *Teichonella labyrinthica* beschriebene Form und teilt sie dem Genus *Grantia* zu. In diesem Punkte herrscht eine erfreuliche Uebereinstimmung zwischen uns, da auch ich diesen Schwamm dem Genus *Grantia* zugeteilt habe. Unter der dermalen sowohl als der okularen Oberfläche dieses Schwammes fand Dendy Zellen, welche den von mir bei Aplysilliden beobachteten Drüsenzellen gleichen. Dendy nimmt dieselben auch als Drüsenzellen in Anspruch. Das ist wichtig, da bis dahin bei Kalkschwämmen Drüsenzellen noch nicht beobachtet waren.

In der zweiten Arbeit beschreibt Dendy die *Homocoela* der Viktorianischen Küste. Er verwirft meine frühere Einteilung der *Hoemocoela* in die drei Familien *Asconidae, Homodermidae* und *Leucopsidae*, ebenso Haeckel's Einteilung in die bekannten sieben Genera, und vereint alle *Homocoela* jener Küste in der alten Gattung *Leucosolenia* Bowerbank. Dies ist nicht gerechtfertigt. Neuerlich habe ich einen Repräsentanten der Familie *Homodermidae* genauer untersucht und beschrieben (*Homandra falcata* in Zeitschrift f. wiss. Zoologie, Bd. LIII, S. 229) und, wie ich glaube, ziemlich unwiderlegbare Argumente für die Existenzberechtigung der Familie *Homodermidae* vorgebracht. Dendy selbst hat nun einen Kalkschwamm (als *Leucosolenia*) beschrieben, welcher sich aber durch die Trennung des bei andren Asconen kontinuierlichen Gastralraums in unregelmäßige Kammern derart von den einfachen Asconen unterscheiden, dass er mit denselben nicht vereint werden kann. Diese Art sowie auch möglicherweise die beiden andren, welche Dendy mit derselben in der Gruppe „*Subdinisia*" vereint hat möchte ich als Repräsentanten meiner Familie *Leucopsidae* in Anspruch nehmen und der Gattung *Leucopsis* zuteilen. Die übrigen 11 von Dendy beschriebenen Arten sind echte Asconiden und den beiden Gattungen *Ascetta* und *Ascandra* zuzuteilen. Die Gattung *Leucosolenia* teilt Dendy in drei Sektionen: I. *Simplicia*, einfache Formen welche keine Röhrennetze bilden und bei denen die einzelnen Individuen als solche leicht kenntlich sind; II. *Reticulata*, verzweigte, netzbildende Formen, ohne als solche erkennbare Individuen; und III. *Radiata*, Formen mit einer einfachen, zentralen Ascouröhre, von welcher Aeste abgehen. Diese Einteilung halte ich nicht für vorteilhaft. Ich glaube, nach dem was Haeckel über die Veränderlichkeit der Verzweigungsart der Asconen gesagt hat, und was ich, soweit meine eigene, viel beschränktere Erfahrung reicht, nur bestätigen kann, dass jeder Versuch die Asconen nach der Verzweigungsart einzuteilen vergeblich sein wird. Die Sektion *Reticulata* teilt Dendy in zwei „Subsektions", deren zweite, die *Subdivisia* möglicherweise mit meiner Familie *Leucopsidae* zusammenfallen könnte.

Nach meinem System, wären die, von Dendy beschriebenen Arten folgendermaßen unterzubringen:

Grantia labyrinthica D e n d y 1891 im Genus *Grantia* in meinem Sinne

Leucosolenia	asconoides	„	„	„	„	*Ascandra*	„	„	„
„	canata	„	„	„	„	*Ascandra*	„	„	„
„	depressa	„	„	„	„	*Leucopsis?* oder *Ascetta*	„	„	„
„	dubia	„	„	„	„	*Ascandra*	„	„	„
„	lucasi	„	„	„	„	*Ascetta*	„	„	„
„	pelliculata	„	„	„	„	*Ascetta*	„	„	„
„	protogenes	„	„	„	„	*Leucopsis?* oder *Ascetta*	„	„	„
„	pulcherrima	„	„	„	„	*Ascetta*	„	„	„
„	stipitata	„	„	„	„	*Ascetta*	„	„	„
„	stolonifer	„	„	„	„	*Ascandra*	„	„	„
„	tripodiferu	„	„	„	„	*Ascetta*	„	„	„
„	ventricosa	„	„	„	„	*Ascandra*	„	„	„
„	wilsoni	„	„	„	„	*Leucopsis*	„	„	„

Innsbruck den 8. Januar 1892.

Neurologische Untersuchungen.

C. F. H o d g e, The process of recovery from the fatigue occasioned by the electrical stimulation of cells of the Spinal Ganglia. The American Journal of Psychology. February 1891. Vol. 3. Nr. 4. St. 13.   Mai 1888 konnte H. durch eine Versuchsreihe nachweisen, dass die elektrische Reizung der Nerven, die zum Spinalganglion gehen, in den Ganglienzellen eine Veränderung hervorrief, die sich mikroskopisch (am meisten an den Zellkernen) nachweisen ließ.   Nach 7 stündiger Reizung verlieren die Zellkerne ca. 40% ihres Umfangs; auch die Zellen selbst nehmen ein wenig an Umfang ab und es bilden sich in ihnen Vakuolen; ebenso schrumpfen die Kerne der Zellkapsel. Mai 1889 konnte H. in einer 2. Versuchsreihe nachweisen, dass diese Veränderungen um so stärker waren, je länger die Nerven-reizung dauerte.   Der Reiz wurde stets nur auf einer Seite appliziert, so dass die Zellen der anderen Seite zur Kontrole dienen konnten. In einer dritten Versuchsreihe untersuchte der Verf. die Erholung resp. Wiederherstellung der so gereizten Zellen, indem er eine Zeit nach der Reizung vergehen ließ, bevor er die Zellen exzidierte und untersuchte.   Die Versuche wurden an 6—8 Wochen alten Katzen mit exakter Bestimmung der Stromstärke, der Dauer, der Erholungszeit angestellt. Der zentrale Einfluss wurde ausgeschaltet, indem vorher in der Aethernarkose trepaniert und die beiden Hinschenkel durchschnitten wurden.   Nach der Narkose wurde der Plex. brachialis freigelegt und mit verzinnten Platinelektroden während 5 Stunden, in jeder Minute 15 Sekunden lang gereizt. Alsdann wurden nach einem längeren Schlafe des Tieres die Ganglien des 1. Dorsal- und 8. Halsnervenpaares exzidiert und mit 1 proz. Osmiumsäure oder gesättigter Sublimatlösung 4 Stunden lang behandelt. Mikroskopisch wurden die Zellen und Kerne gemessen und es ließ sich feststellen, dass der Kern der Zelle um so kleiner war, je länger die Zelle gereizt worden und je geringere Zeit das Tier nach der Reizung gelebt und geruht hatte. Erst nach 24 Stunden Erholung waren Kern und Zelle nach der Reizung denjenigen der andern Seite d. h. den normalen gleich und wieder hergestellt. Die Kerne der Zellen zeigten auch durch die Reizung der zuführenden Nervenfasern insofern eine Veränderung, als ihre helle lichte Substanz sich mit dunkel tingierten Körnchen oder Aggregationen füllte, sei es, dass diese neugebildet werden oder präexistierend mehr hervortreten. Bei der nichtgereizten Zelle sah man im Kern neben dem Kernkörperchen 4—5 Körnchen, die mit dem ersteren durch ein Fasernetz verbunden waren.

Bruns, Ueber Störungen des Gleichgewichts bei Hirntumoren. Vortrag auf der Naturforscherversammlung zu Halle. 21. Sept. 1891. Nach Anführung von 4 Fällen eigener Beobachtung von Stirnhirntumoren, bei denen allen das Symptom der Ataxie sich in ausgeprägter Weise fand, kommt B. zu folgenden Schlüssen: 1) Eine der sogenannten cerebellaren Ataxie ganz gleiche Störung der Balanzierfähigkeit kommt sehr häufig auch bei Stirnhirntumoren vor. 2) Dieses Symptom ist bei Tumoren anderer Hirnregionen jedenfalls viel seltener; es fehlt, wie es scheint, ziemlich regelmäßig bei Tumoren der Rolando'schen Gegend. 3) Die Begleitsymptome erlauben meist eine Differentialdiagnose zwischen der durch Kleinhirn oder Kleinhirntumoren bedingten Ataxie. --

Ed. Michelsohn, Untersuchungen über die Tiefe des Schlafes. Inaugural-Dissertation. Dorpat 1891. Nach M.'s Kurve findet die größte Schlaftiefe in der 2. Stunde statt, dann erst folgt ein Abfall der Kurve erst in schnellen, dann in langsamen, regelmäßigen Schwankungen. Bei neurasthenischen Personen erhielt M. Kurven mit allmählichem Anstieg und ebenso allmählichem, unregelmäßigen Abfall, auch trat das Maximum viel später als in der Norm auf.

Hoesel, Die Zentralwindungen ein Zentralorgan der Hinterstränge und des Trigeminus. Vortrag auf der Naturforscherversammlung zu Halle. 21. Sept. 1891. Aus den Befunden an einem Gehirn mit porencephalitischem Defekt folgert H.: 1) Die Zentralwindungen sind außer mit den Vorder- und Seitensträngen, mit einer zweiten langen Bahn direkt, ohne Einschaltung grauer Substanz, mit den kontralateralen Hinterstrangskernen verbunden. Sie sind demnach ein Rindenzentrum für die Hinterstränge. 2) Ein bestimmter Teil Trigeminusfasern enden in den Zentralwindungen der anderen Seite. Letztere sind demnach auch ein Rindenzentrum für den Trigeminus.

A. Bergheim, Schlafähnlicher Zustand bei Tieren, denen das Kleinhirn entfernt wurde. Neurolog. Centralbl., Nr. 21, 1. Nov. 1891. B. beobachtete bei Hunden nach vollständiger Exstirpation des Klein-

hirns durch Verbinden der Augen einen schlafähnlichen Zustand, aus
dem der Hund durch alle erdenklichen Reize nicht erweckt resp. zur
Bewegung angeregt werden konnte. Dabei können seine Gliedermaßen
in die unbequemste Lage gebracht werden, ohne dass er dieselben
zurückzieht. Dabei war die Sensibilität resp. das Schmerzgefühl erhalten. Das Gesichtsorgan ist das wichtigste Mittel, mit dessen Hilfe
der Hund die durch die Entfernung des Kleinhirns hervorgerufene
lokomotorische Störung korrigieren kann. Durch die Beraubung des
Sehvermögens erhält das Tier das Bewusstsein der völligen Bewegungs-
unfähigkeit und verliert den Willen, sich zu bewegen. —

L. v. Frankl-Hochwart, Ueber den Verlust des musikalischen
Ausdrucksvermögens. Deutsche Zeitschrift für Nervenheilkunde, 1891,
Heft 3 u. 4). In 5 Fällen, von denen 2 frühere vortreffliche Instru-
mentalmusiker betrafen, beobachtet F. durch Aphasie bedingte Störungen des musikalischen Ausdrucksvermögens. In der Litteratur
findet man mehr Fälle von Aphasie mit erhaltenem musikalischen
Ausdrucksvermögen. Es gibt Aphasie ohne Amusie, doch gibt es auch
Individuen, die beinahe gar nicht sprechen und doch bis zu einem gewissen Grade singen können. Nie sah man den Verlust des musikalischen Ausdrucksvermögens allein, und nie bei Erkrankungen der
rechten Hemisphäre. Die Musikvorstellungen beruhen bei vielen Leuten
auf Kehlkopf-Lippeninnervation. Bei manchen kommen diese Vorstellungen noch auf andere Weise zu stande (Fingerbewegungsvorstel-
lungen u. s. w.). Bei vielen Leuten beruhen Sprache und Musikvorstellungen auf gleichen oder benachbarten Zentren.

W. Bechterew und N. Mislawski, Ueber die Innervation und
die Hirnzentren der Thränenabsonderung. Neurolog. Centralbl., Nr. 16,
15. Aug. 1891. Nach ihren Untersuchungen schließen die Verfasser,
dass die Erregung der Hirnrinde und der Sehhügel auf die Thränenabsonderung sowohl mittels des Trigeminus wie auch wenigstens teilweise mittels des Halsstammes des Sympathicus wirkt. Das Haupt-
reflexzentrum für die Thränenabsonderung liegt in den Sehhügeln
und dort befinden sich auch die zentralen Leitungsbahnen des Hals-
sympathicus, von wo aus ihre Fortsetzungen dann zur Hemisphären-
rinde (in ihren inneren Teilen des vorderen und hinteren Abschnittes
der Sigmoidalwindung) gehen. —

Ch. Féré, Les signes physiques des hallucinations. Revue de
Médécine, 1890, p. 758. Unter den äußeren physischen Zeichen bei
Halluzinierenden finden sich einige, die direkt von dem inneren psychischen Vorgange abhängen, so bei Gesichtshalluzinationen: Die entsprechenden Pupillenveränderungen je nach dem Nahen oder Entfernen
des scheinbaren Objektes, ferner Falten und Furchen um das Auge
herum, mimische Muskelspannungen, Gefühl der Reizung im Auge mit
Rötung der Conjunctiva. Bei Gehörshalluzinationen bemerkt man
Muskelspannungen in den Gesichts-Halsmuskeln und an der Ohr-

muschel selbst, artikulatorische Mitbewegungen der Zunge und Lippen. Bei Geschmacks-Geruchshalluzinationen werden Bewegungen an Lippe, Zunge und Nasenflügel beobachtet. —

Paul Richter, Experimental-Untersuchungen über Antipyrese und Pyrese, nervöse und künstliche Hyperthermie. Inaugur.-Dissert. Breslau 1891. R. bemüht sich im ersten Teil die Richtigkeit der Filehne'schen Theorie nachzuweisen; die Antipyretica stellen die höher eingestellte Temperatur des Fiebernden auf einen anderen Grad ein und beeinflussen in gleichem Sinne, nur in verschiedener Intensität auch den Regulierapparat des Gesunden. Im 2. Teil erörtert er die Gründe, welche gegen die Annahme sprechen, dass die Reizung eines lokalisierten Wärmezentrums im Großhirn Fieber erzeuge. Die nach Verletzung des Corp. striatum erzeugte Hyperthermie ist kein dem Fieber analoger Zustand, sondern ein mit temporärem Verlust der der Wärmeregulierung dienenden Apparate, sowie mit Erschwerung der Wärmeabgabe einhergehender resp. dadurch bedingter Vorgang. Die Ueberhitzung steigert an und für sich den Eiweißzerfall. —

S. **Kalischer** (Berlin).

E. **Korschelt** und K. **Heider**, Lehrbuch der vergleichenden Entwickelungsgeschichte der wirbellosen Tiere.

Spezieller Teil. Zweites Heft. Jena. Verlag von G. Fischer. 1891.

Das vorliegende zweite Heft des oben genannten Lehrbuches (vergl. das Referat über das 1. Heft im X Bande dieser Zeitschrift S. 252) erfüllt in vollstem Maße die Erwartungen, zu welchen das erste Heft berechtigte; auch hier zeigt sich wieder das große Geschick der Verfasser, nach erschöpfendem Studium der Litteratur eine eingehende und klare Behandlung des Stoffes vorzunehmen. Das Heft umfasst 38 Bogen, enthält 315 Textabbildungen und behandelt der Reihe nach in neun Kapiteln die Entwicklungsgeschichte der Crustaceen, Palaeostraken, Arachnoiden, Pentastomiden, Pantopoden, Tardigraden, Onychophoren (*Peripatus*), Myriopoden und Insekten; diesen reiht sich ein interessantes Schlusskapitel: „Allgemeines über die Arthropoden" an. Im großen und ganzen schließt sich innerhalb der einzelnen Kapitel an die Besprechung der Furchung, Keimblätterbildung und Entstehung der Körperform die Behandlung der Organentwicklung an resp. findet die Metamorphose eine eingehende Berücksichtigung. Ohne auf die Einzelheiten der Ontogenie hier einzugehen, sei nur auf die phylogenetischen Anschauungen der Verfasser hingewiesen. Die Entwicklung unserer Kenntnisse über die Stammesgeschichte der Crustaceen wird chronologisch übersichtlich geschildert und betrachten die Verfasser mit Dohrn die Phyllopoden als die Stammform aller Crustaceen, nehmen jedoch als hypothetische Stammform mit Claus „Urphyllopoden" an, welche gegenüber den heute lebenden noch in mancher Beziehung, besonders hinsichtlich der Mundteile, ursprünglicher gestaltet war. Die Urform der Phyllopoden wird am natürlichsten (mit Hatschek) von annelidenähnlichen Vorfahren abgeleitet. Dem gegenüber sind die *Nauplius*-Form und das *Zoëa*-Stadium der Krustentiere nicht als Stammformen, sondern als infolge der Existenzbedingungen des Larvenlebens sekundär abgeänderte Larvenformen aufzufassen. Die Abtrennung der Gruppen der Palaeostraken (Trilobiten, Gigantostraken und Xiphosuren) von den verwandten Crustaceen rechtfertigt sich durch das Fehlen der beiden wesentlich der Sinnesperzeption dienenden präoralen Antennenpaare und des *Nauplius*-Stadiums, doch sind Crustaceen und Palaeostraken von einer gemeinsamen hypothetischen Ahnenform (Protostraken) aus entstanden. Durch die Anpassung an das Landleben entwickelten sich aus den Palaeostraken die Arachnoiden, deren nahe Verwandtschaft mit den Xiphosuren ausführlich begründet wird. Den übrigen Tracheaten (Myriopoden und Insekten) gegenüber bilden die Arachniden eine besondere Reihe und ist die scheinbare Uebereinstimmung zwischen Arachniden und den übrigen Tracheaten nur die Folge einer durch die Arthropodennatur bedingten und durch die ähnliche Lebensweise hervorgerufenen gleichartigen Ausbildung. Die Stämme der Arachniden und der übrigen Tracheaten sind als getrennte aufzufassen und hängen nur an der Wurzel zusammen. Wenn die Pantopoden auch in der Entwicklung einige schwache Anklänge an die Arachniden darbieten, so bleibt doch die Anschauung von Dohrn, nach welcher dieselben von den Anneliden abstammen, die wahrscheinlichste. Die schwer aufzufassende Stellung der Tardigraden im System erklären die Verfasser durch sehr frühzeitige Abspaltung von der Wurzel des Arthropodenstammes. Eine erschöpfende Erörterung finden die Beziehungen des interessanten *Peripatus* zu den Anneliden einerseits und den Arthropoden anderseits. Bei der sehr übersichtlichen Schilderung der Insektenentwicklung kamen den Verfassern die wichtigen neueren Untersuchungen des einen derselben (Heider) über die Embryologie des *Hydrophilus* zu statten. Die Metamorphose wird unter Bezugnahme auf Lubbock und Bromer als unvollkommene (bei den „homomorphen“ Insekten) und als vollkommene (Heteromorpha) klassifiziert. Ueber Parthenogenesis, Paedogenesis und Heterogonie findet man eine zusammenfassende Besprechung.   O. Schultze (Würzburg).

Einsendungen für das Biol. Centralblatt bittet man an die **Redaktion, physiol. Institut,** *Bestellungen an die* **Verlagshandlung von Eduard Besold, Leipzig, Salomonstr. 16,** *zu richten.*

Verlag von Eduard Besold in Leipzig. — Druck der kgl. bayer. Hof- und Univ.-Buchdruckerei von Fr. Junge (Firma: Junge & Sohn) in Erlangen.

Biologisches Centralblatt

unter Mitwirkung von

Dr. M. Reess   und   Dr. E. Selenka

Prof. der Botanik   Prof. der Zoologie

herausgegeben von

Dr. J. Rosenthal

Prof. der Physiologie in Erlangen.

24 Nummern von je 2 Bogen bilden einen Band. Preis des Bandes 16 Mark
Zu beziehen durch alle Buchhandlungen und Postanstalten.

XII. Band.   **15. Februar 1892.**   **Nr. 3.**

Ernst Brücke.

Ein reiches und schönes Leben ist abgeschlossen. Am 7. Januar
starb zu Wien an den Folgen der Influenza Ernst Wilhelm Brücke,
einer jener Männer, welche aus der Schule Johannes Müller's
hervorgegangen, seit mehr als 40 Jahren an der Spitze der physiologischen Forschung und Lehre stehen, dieser Wissenschaft eine
glänzende Entfaltung gegeben und weit über die Grenzen Deutsch-
lands hinaus zu Ansehen gebracht haben.

Brücke ist in Berlin am 6. Juni 1819 geboren, als Sohn eines
Malers, dessen Namen ich vergebens in Seubert's Künstlerlexikon
suche. Ich vermag über seine Bedeutung als Künstler nichts auszu-
sagen. Aber sicherlich verdankt ihm der Sohn viel, was er später
wissenschaftlich verarbeitete. In dem Brücke'schen Hause wehte
ein echt künstlerischer Geist. Ein leider früh verstorbener Bruder
des Physiologen, Hermann Brücke, war gleichfalls Maler und von
entschieden ausgeprägtem Talent. In solcher Umgebung konnte sich
der feine Kunstsinn ausbilden, welcher unseren Physiologen aus-
zeichnete. Mit ihm eine Gallerie zu besuchen, gewährte einen hohen
Genuss, denn er verstand es, mit wenigen Worten viel zum Verständnis
eines Kunstwerks beizubringen. Er hatte nicht nur viel gesehen,
sondern auch über das Wesen der bildenden Künste nachgedacht.
Und da ihm auch die Technik der Malerei in allen ihren Einzelheiten
geläufig war, und er außerdem die Gabe gefälliger Unterhaltung in
hohem Grade besaß, so lernte man in seiner Begleitung, während man
nur angenehm zu plaudern vermeinte.

XII.   5

Im Jahre 1843 wurde Brücke Assistent bei Johannes Müller.
Die bahnbrechenden Arbeiten dieses großen Anatomen und Physiologen,
sowie des gleichzeitigen Ernst Heinrich Weber (in Leipzig) hatten
damals eben begonnen eine neue Epoche der physiologischen Forschung
einzuleiten. Brücke's Vorgänger in der Assistentenstellung, Theodor
Schwann und Jakob Henle, hatten schon, von dem großen Meister
angezogen, in seinem Geiste weiter gearbeitet. Während diese
beiden Berlin wieder verlassen hatten, traten bald Emil du Bois-
Reymond und Hermann Helmholtz neu in jenen Kreis. Mit
ihnen und dem gleichaltrigen Karl Ludwig hat dann Brücke lange
Jahre hindurch die unbestrittene Führerschaft der Physiologie übernommen. Was die jetzige jüngere Generation leistet, verdankt sie
jenen als ihren unmittelbaren Lehrern und Vorarbeitern

Im Jahre 1846 übernahm Brücke im Nebenamt die Stelle eines
Lehrers der Anatomie bei der Akademie der bildenden Künste, eine
Stelle, welche seinen künstlerischen Neigungen entsprechen musste
und seinen Studien nach dieser Richtung hin eine sichere Grundlage
zu geben geeignet war. 1848 wurde er Professor der Physiologie in
Königsberg, aber schon im folgenden Jahre folgte er einem Rufe
nach Wien, wo er seitdem bis zu seiner vor $1^1/_2$ Jahren erfolgten
Pensionierung ununterbrochen gewirkt hat.

Seine erste größere Arbeit war die „anatomische Beschreibung
des Augapfels", eine durch ihre Genauigkeit mustergiltige Arbeit,
nicht nur für die Anatomie, sondern auch für die Physiologie des
Auges von unschätzbarem Wert. Dem mit dieser Arbeit betretenen
Gebiet blieb Brücke bis in die letzten Jahre treu, indem er zahlreiche
Untersuchungen über die Physiologie des Sehorgans, namentlich über
Farbenempfindungen anstellte. Von den vielen bedeutsamen Leistungen
auf diesem Gebiet seien hier nur einige hervorgehoben. Er beschrieb
den M. ciliaris oder tensor choriodeae, dessen Bedeutung für die Akko-
modation später erkannt wurde, den Bau der Zonula Zinnii, das Epithel
der Linsenkapsel. Seine Messungen der Netzhautelemente (Stäbchen
und Zapfen) zeigten, dass die Dimensionen derselben mit den Grenzen
der kleinsten getrennt wahrnehmbaren Lichtpunkte gut zusammen-
stimmen. Außerdem erklärte er, wie Lichtstrahlen, welche in eines
diieser Elemente hineingelangt sind, nicht in merklicher Stärke in
ein Nachbarelement übergehen können, und legte so den Grund zu
der jetzt allgemein angenommenen Lehre, dass diese Stäbchen und
Zapfen die eigentlichen lichtperzipierenden Endigungen der Sehnerven-
fasern seien. Seine Erklärung des Augenleuchtens und der Nachweis
desselben bei allen Augen, auch denen ohne Tapetum, sowie die Angabe des Verfahrens zu seiner Beobachtung gaben seinem Freunde
Helmholtz den unmittelbaren Anlass zur Erfindung des Augen-
spiegels. Er maß die Absorption der ultraroten und ultravioletten
Strahlen durch die Augenmedien und zeigte, dass die ersteren so er-

heblich absorbiert werden, dass schon dadurch ihre Unsichtbarkeit
verständlich wird, während die letzteren bekanntlich, wenngleich sehr
schwach, wahrgenommen werden können.

Ein anderer Teil seiner physiologisch-optischen Untersuchungen
bezieht sich auf die Nachbider, die intermittierende Netzhautreizung,
die Farbenempfindung, die Erscheinungen des simultanen und successiven
Kontrasts, auf die binokulare Farbenmischung, den Metallglanz und das
stereoskopische Sehen. In letzterer Beziehung vertrat er die Ansicht, dass
die Vorstellung der Tiefendimension durch das Muskelgefühl bei den
verschiedenen Konvergenzgraden der Augenaxen bedingt sei. Gegen
diese Lehre sind viele Einwendungen gemacht worden, besonders aus
dem Grunde, dass auch bei momentaner Beleuchtung durch den elek-
trischen Funken stereoskopisch gesehen werde. Ich glaube jedoch,
dass jene Versuche seinen Anschauungen im grunde nicht widersprechen, indem sie nur zeigen, dass bei mangelnder Zeit die Doppel-
bilder nicht zum Bewusstsein kommen, während bei ruhigen Sehen das
von B. hervorgehobene Moment in der That eine wesentliche Rolle spielt.

Von Brücke's anderweitigen Arbeiten müssen besonders hervorgehoben werden diejenigen über die Blutkörperchen, in denen er den
Nachweis führte, dass der Farbstoff von dem übrigen Teile räumlich
getrennt werden kann, diejenige über die Gerinnung, welche besonders in dem Nachweis der gerinnungshemmenden Eigenschaft der
lebenden Gefäßwand gipfelt, ferner seine vielen Arbeiten zur Chemie
und Mechanik der Verdauung, von denen nur die Beiträge zur Kenntnis
der Stärke und ihrer Zersetzungsprodukte (Achroo- und Erythro-Dextrin),
des Glykogens, die Methode zur Darstellung der Fermente durch Erzeugung von Niederschlägen, die Rolle der Darmzotten bei der Resorption, insbesondre des Fettes, erwähnt seien. Wir verdanken ihm
ferner wertvolle Aufklärungen über den Bau der Leber, besonders
aber der Muskeln, deren Verhalten im polarisierten Licht er zuerst
einer genaueren Untersuchung unterzog. In späteren Jahren lieferte
er eine Reihe von Arbeiten über die elektrische Reizung der Muskeln
und Nerven und machte besonders auf die Unterschiede dieser beiden
Gewebe in ihrem Verhalten gegen kurzdauernde elektrische Ströme
aufmerksam. Endlich seien hier noch erwähnt seine Arbeiten über
die Natur der Zelle (von ihm rührt der Ausdruck „Elementarorganis-
men" her), über Protoplasma und seine Bewegung (Körnchenbewegung
in den Brennhaaren von *Urtica urens*, Pigmentzellen und ihre Beziehung
zur Farbenänderung beim Chamaeleon u. a.), die Bewegungen der
Mimosa pudica, seine Versuche über Endosmose, das spezifische Gewicht der Milch, die Farben trüber Medien und viele andre.

Aber seine Leistungen beschränken sich nicht auf das Gebiet
der eigentlichen Physiologie und der Naturwissenschaften im engeren
Sinne. Brücke's umfassender Geist und vielseitige Thätigkeit sind
ganz besonders geeignet, die Wahrheit des Satzes zu beweisen, dass

dem Physiologen, welcher sich mit den Erscheinungen des mensch-
lischen Lebens zu beschäftigen hat, nichts Menschliches fremd ist.
Auch die sozusagen geistigste seiner körperlichen Leistungen, das
Sprechen, ist als eine Verrichtung bestimmter Organe Gegenstand
physiologischer Forschung. Auch hierin hatte Johannes Müller
durch seine Untersuchungen über das Stimmorgan, den Kehlkopf, den
Weg eröffnet. Die musikalische Natur der Vokalklänge haben
später Donders und vor allen Helmholtz genauer aufgeklärt.
Brücke wandte seine Arbeit vornehmlich dem anderen Element der
Sprache, den Konsonanten, zu, welche als unregelmäßige Schwing-
ungen oder Geräusche der physikalischen Analyse sich entziehen.
Dass die Verschiedenheiten dieser Geräusche durch die Stellung der
Mundteile gegeneinander bedingt sind, ist ja leicht genug zu bemerken,
und die Unterscheidung von Lippen-, Zungen-, Gaumenbuch-
staben u. s. w. findet sich deshalb schon bei den älteren Grammatikern. Aber nur eine wirklich exakte physiologische Analyse
konte hier volle Aufklärung schaffen und die viefachen Unklarheiten
beseitigen, welche sich neben den Anfängen richtiger Einteilung und
Unterscheidung in den von jenen Grammatikern nebenher gebrauchten
willkürlichen und nichtssagenden Bezeichnungen, wie „mutae“, „liqui-
dae“, „Schmelzlaute“ u. s. w. ausdrücken. Was in dieser Richtung
vor Brücke geleistet worden, soll dadurch nicht in seinem Werte
herabgesetzt werden. Willis, Kempelen und namentlich der ältere
du Bois (der Vater des Physiologen) sind hier ehrenvoll zu erwähnen.
Allein erst Brücke's Arbeit, welche im Jahre 1856 unter dem Titel
„Grundzüge der Physiologie und Systematik der Sprachlaute“ erschienen ist [1]), hat die Wissenschaft von der Sprachlauterzeugung so
vollkommen abgeschlossen, dass sie als Grundlage aller weiteren
Sprachforschung dienen kann. Alle möglichen Mittel der Sprachlauterzeugung wurden von ihm physiologisch untersucht und danach alle
Laute sämtlicher bekannter Sprachen genau in ihrem wesentlichen
Charakter festgestellt. Auf dieser Grundlage arbeitete Brücke später
(1863) seine „Neue Methode der phonetischen Transkription der Sprachlaute“ aus. Unsere Buchstabenschrift ist bekanntlich aus einer Be-
griffszeichenschrift allmählich entstanden. Aber bei der Ueberwan-
derung zu neuen Völkern und der Uebertragung auf andere Sprachen
haben die Zeichen häufig ihre Bedeutung verändert. Man denke nur,
um ein möglichst einfaches Beispiel zu wählen, an „j“, welches in
der französichen, deutschen und spanischen Sprache drei ganz verschiedene Laute bezeichnet. Die Schwierigkeiten, welche diese Unvoll-
kommenbeit unserer Schrift bereitet, treten besonders hervor, wenn
es sich darum handelt, Wörter wiederzugeben, geographische Namen
z. B. aus Sprachen, in denen Laute vorkommen, für welche unsere
Schrift gar kein entsprechendes Zeichen besitzt. Brücke's phone-

---

1) Zweite Auflage. Wien 1876.

tisches System sieht ganz von den herkömmlichen Schriftzeichen ab, bezeichnet vielmehr jeden Laut nur allein auf physiologische Art, d. h. durch Zeichen, welche angehen, mit welchen Mundteilen (Lippen, Zunge u. s. w.) und auf welche Art das Geräusch hervorgebracht wird (ob es ein Reibungs-, Zitter- oder Verschlusslaut u. s. w. sei). Auf diese Weise genügt es für die lautlich getreue Wiedergabe aller, bekannter oder unbekannter, Sprachen. Mit seiner Hilfe ist man im Stande, Wörter einer ganz unbekannten Sprache, die man hört, so niederzuschreiben, dass ein anderer, welcher die Bedeutung der Schriftzeichen kennt, sie richtig zu lesen und auszusprechen vermag, wenn ihm auch die betreffende Sprache selbst vollkommen unbekannt ist und zwar so, dass ein Dritter, welcher die Sprache kennt, die Worte sofort versteht. Man sieht ein, welche großen Dienste ein solches Schriftsystem der wissenschaftlichen Sprachforschung und dem Studium fremder Sprachen zu leisten vermag, namentlich solcher, welche noch gar keine Schrift haben und welche (wie z. B. die Sprachen der Negervölker) Laute benutzen, die in unserer Sprache nicht vorkommen.

Abgesehen von diesem praktischen Nutzen der Systematik der Sprachlaute hat dieselbe für den Physiologen an und für sich ein großes Interesse als eine der feinsten und in ihrer Bedeutung hervorragendsten Leistungen unserer Organe. Aber mit der genauen Feststellung der Sprachlaute ist die physiologische Untersuchung der Sprache noch nicht beendet. Sprache entsteht erst aus der Zusammensetzung der Sprachlaute zu Silben und Wörtern. Und bei dieser Zusammensetzung spielt u. a. die Zeit, welche die Hervorbringung der einzelnen Laute in ihrer Aufeinanderfolge erfordert, sowie die Höhe und Stärke des Stimmtons eine wesentliche Rolle. Indem Brücke auch diesen Verhältnissen nachging, gelang es ihm, die Grundlagen der Metrik auf physiologische Bedingungen zurückzuführen. Seine kleine Schrift über diesen Gegenstand (Die physiologischen Grundlagen der neuhochdeutschen Verskunst, Wien 1871), wie alles aus seiner Feder Geflossene voll feiner, kunstsinniger Andeutungen, hat, wie mir scheint, bei den deutschen Sprachforschern nicht das volle Verständnis und dementsprechend nicht die Beachtung gefunden, welche sie verdient [1]).

Eine andere Seite von Brücke's Arbeiten allgemeineren Inhalts knüpft an seine physiologisch-optischen Untersuchungen an. Diese hatten sich vielfach mit den Farbenempfindungen beschäftigt, und seinem Wesen entsprechend war er nicht bei der Beobachtung und Feststellung der Thatsachen stehen geblieben, sondern hatte sie für die Erklärung von Erscheinungen im Gebiete der Kunst verwertet. Sein reges Kunstinteresse und hohes Kunstverständnis, seine gediegenen Kenntnisse im Gebiete des Kunstunterrichts hatten veranlasst,

---

1) Näheres hierüber findet man in meinem Vortrag „Unsere Sprache", abgedruckt in der Monatsschrift „Unsere Zeit" 1882.

dass er bei Gründung des österreichischen Museums für Kunst und
Industrie (einer Anstalt, welche neben dem South Kensington Museum
for Art and Industry hauptsächlich als Vorbild für das Berliner Kunst-
gewerbe-Museum gedient hat) in das Kuratorium dieser Anstalt als
Mitglied berufen wurde. Auf Veranlassung des Direktoriums derselben
schrieb Brücke „die Physiologie der Farben für die Zwecke der
Kunstgewerbe" (Leipzig 1886), ein vortreffliches Buch, eine wahre
Fundgrube schätzbarer Winke für den Kunstindustriellen wie für denjenigen, welcher Kunstwerke mit Verständnis und Genuss zu betrachten
lernen will. Niemand war mehr als er befähigt und vorgebildet dazu,
die Lehren der wissenschaftlichen Optik im Zusammenhang mit ihrer
Anwendung auf künstlerische Zwecke vorzutragen. Niemand war
aber auch mehr als er befähigt, auf einem Gebiete, das noch vollkommen unbearbeitet war und das sich, da Fragen des Geschmacks,
des subjektiven Gefallens oder Missfallens hineinspielen, jeder wissenschaftlichen Forschung zu entziehen scheint, den Versuch zu wagen,
Regeln aufzustellen. Mit feinem Takt unterscheidet Brücke zwischen
der Farbenwirkung in der Malerei und im Kunstgewerbe. Nur für
letzteres, in welchem die Farbe nicht durch das Objekt bedingt,
sondern von der freien Wahl des Künstlers abhängig ist, lassen sich
Regeln geben. Aber diese können nur begründet werden auf die
Wirkungen, welche sie auf den Menschen machen, also auf physiologische Gesetze. Für die Zusammenstellung verschiedener Farben
kommen hier namentlich die Erscheinungen des Kontrastes (im physiologisch-optischen Sinne des Worts) in Betracht. Auf dieser Grundlage hat Brücke eine „Farbenästhetik" aufgebaut, vollkommen würdig
ihrer Zwillingsschwester, der von Helmholtz geschaffenen physiologischen „Klangästhetik". Aber wenn er auch die Malerei ausdrücklich, als nicht den Gesetzen der Farbenlehre, die er vorträgt, unterworfen ausschließt, so enthält doch sein Buch sehr vieles, was auch
für das Verständnis von Gemälden von großem Werte ist, ist überhaupt voll feiner Bemerkungen und gewährt bei aller Strenge der
Darstellung großen Genuss.

Eine dritte Reihe der Brücke'schen Schriften beschäftigt sich
unmittelbar mit Problemen oder mit Werken der bildenden Kunst,
welche er vom Standpunkt des Anatomen und Physiologen zu erläutern versucht. Die Kunstzeitschriften, namentlich die von Lützow
herausgegebene Zeitschrift für bildende Kunst, zählten ihn zu ihren
angesehensten Mitarbeitern. Von selbständigen Schriften dieser Gattung sei hier nur das kleine, aber sehr wertvolle, in der Internationalen
wissenschaftlichen Bibliothek erschienene Werk „Beiträge zur Theorie
der bildenden Künste" erwähnt, sowie das erst kürzlich erschienene
„Schönheiten und Fehler der menschlichen Gestalt".

Es hat Brücke nicht an Anerkennung seines Wirkens gefehlt.
Als Universitätslehrer war er ungemein beliebt und hochgeachtet.

Seine Vorlesungen über Physiologie (nach stenographischer Nachschrift im Druck erschienen, zuerst 1873 und mehrfach neu aufgelegt) waren stets von vielen Hunderten von Zuhörern besucht, seine persönliche Unterweisung im Laboratorium wurde hochgeschätzt. Von seinen Schülern zählen mehrere zu den hervorragendsten Vertretern des Faches, so Alexander Rollett (Graz), Sigmund Exner, jetzt sein Nachfolger im Lehramt. Ein dritter, sehr begabter, Ernst v. Fleischl, ist ihm leider nach langjähriger, schwerer Krankheit vor wenigen Monaten im Tode vorausgegangen. Von seinen Kollegen hochgeachtet, von der Regierung, welche seinen Rat gern in wichtigen Angelegenheiten einholte, ausgezeichnet, wirkte er bis zum vollendeten 71. Lebensjahre an der Universität und in vielen Ehrenämtern, u. a. auch als lebenslängliches Mitglied des Herrenhauses. Aber auch nach seinem Rücktritt vom Lehramt war er nicht müßig, sowohl als Schriftsteller thätig wie auch unablässig bemüht, durch Studien sein Wissen zu mehren. Wer ihn gekannt hat, liebte ihn als Menschen; seine hohe und vielseitige Bildung machten seine Unterhaltung ebenso lehrreich als angenehm, während seine seltene Liebenswürdigkeit die geistige Ueberlegenheit nicht merken ließ. Sein Andenken wird hochgehalten werden, so lange die Menschheit sich derer erinnert, welche durch ihre Arbeit die geistigen Güter vermehrt haben.

Erlangen.   **J. Rosenthal.**

Morphologie der haarartigen Organe bei den Algen.
Von **M. Möbius** in Heidelberg.

Den Ausdruck „haarartige Organe" will ich nach Berthold's[1]) Vorgang hier für Anhangsgebilde des Thallus der Algen gebrauchen, um die Bezeichnung „Haar" oder „Trichom" zu vermeiden, weil damit ein bestimmter morphologischer Begriff verbunden ist. Denn unter demselben, wie er aus der Betrachtung der höheren Pflanzen abgeleitet ist, verstehen wir ein zelliges, aus der Epidermis entstandenes Anhangsorgan des Sprosses oder der Wurzel. Da aber bei den meisten Algen eine Epidermis nicht differenziert ist, so ist auch eine Haarbildung im obigen Sinne nicht möglich; außerdem gibt es hier haarartige Organe, die nicht den Bau einer Zelle besitzen[2]). So ist es schwer, eine kurze Definition für das zu finden, was hier unter haarartigen Organen verstanden sein soll. Aber gerade darum halte ich es für nützlich, die betreffenden Gebilde in ihrer Verschiedenartigkeit kennen zu lernen und eine Uebersicht über dieselben zu gewinnen.

---

1) Beiträge zur Morphologie und Physiologie der Meeresalgen. Pringsheim's Jahrb. f. wiss. Bot., Bd. XIII, S. 569—717.

2) Im Laufe der Darstellung wird allerdings der Ausdruck Haar der Kürze wegen in weiterem Sinne, als dem streng morphologischen, öfters gebraucht werden.

Es soll hier zunächst gezeigt werden, wie vielfach verbreitet derartige Organe bei den Algen vorkommen, so dass wir sie nur iu wenigen größeren Familien vermissen.

Ferner werden wir sehen, dass die Haare im weitesten Sinne in ihrer Struktur und ihrer Entwicklung sich ziemlich verschieden verhalten können. Wir können hierher rechnen Gebilde, die nur Fortsätze des Plasmas oder der Membran sind, oder eine Ausstülpung der Zelle bilden, die teils hohl bleibt, teils mit Membransubstanz ausgefüllt werden, oder eine eigene Zelle repräsentieren, oder schließlich sich aus mehreren Zellen zusammensetzen. Dabei wird sich ergeben, dass die verschiedene Form der Haare einigermaßen zusammenhängt mit der übrigen Organisation der Algen, nach welcher wir sie systematisch gruppieren. Hier werden wir teils eine Uebereinstimmung in den Haaren bei ganzen Ordnungen (Phaeophyceen) teils bei Familien (Rhodomelaceen, Chaetophoraceen u. a.), teils in anderen größeren oder kleineren Gruppen finden, während allerdings auch einzelne Species ein eigentümliches Verhalten zeigen können.

Ein Zweck anderer Art bei dieser Arbeit war der, verschiedene unrichtige Angaben über den Bau der Haare richtig zu stellen, da sich solche Angaben auch in manche Handbücher eingeschlichen haben und geeignet sind, die systematischen Beziehungen der betreffenden Algen in ein falsches Licht zu stellen: solche Fälle habe ich dann ausführlicher behandelt. Auf eine vollständige Aufzählung der vorkommenden Haarorgane konnte ich natürlich nicht ausgehen, doch hoffe ich die Haupttypen erwähnt und durch genügende Beispiele illustriert zu haben. Was die letzteren betrifft, so wurden von den Algen möglichst selbst vom Verf. untersuchte Arten gewählt, andernfalls sind besonders Formen unserer Flora und solche, von denen leicht Abbildungen zu Gebote stehen, berücksichtigt. Die Haare, auf die ich hier die Aufmerksamkeit lenken möchte, bilden übrigens nur die eine Klasse derjenigen, welche überhaupt bei Algen vorkommen. Man könnte sie zusammenfassen als aufwärts gerichtete Haare im Gegensatz zu den abwärts gerichteten, welche die Rhizoiden und Verstärkungsrhizinen begreifen. Ueber die letzteren hat H. Stroemfeld[1]) eine Uebersicht gegeben, in welcher ebenfalls die verschiedenen Typen durch Beispiele illustriert werden.

Was nun die Funktion der aufrechten Haare betrifft, so mögen sie in manchen Fällen als Schutzmittel gegen zu intensive Beleuchtung dienen, worauf Berthold (l. c.) hingewiesen hat, in andern Fällen sind sie vielleicht Verteidigungsorgane gegen die Angriffe kleiner Tiere, wie es z. B. Hieronymus für die Haare von *Dicranochaete* annimmt; bei andern Algen fungieren sie als Hilfsapparate für

---

1) Untersuchungen über die Haftorgane der Algen. Botaniska Sektionen af Naturvetenskapliga Studentsällskapet i Upsala. Bot. Centralbl., Bd. XXXIII, S. 381—382, 395—400, 1888.

die Fortpflanzungsorgane, wie die Paraphysen in den Conceptakeln
der Fucaceen, und bisweilen sind sie vielleicht als Nahrung zuleitende Organe aufzufassen, nämlich bei endophytisch lebenden Algen,
die Haare nach außen senden; wohl am deutlichsten erscheint die
Funktion der Haare als die von Schutzorganen da, wo sie in der
Entwicklung begriffene Teile umgeben, sei es die Vegetationspunkte
des Stammes oder die Anlagen der Fortpflanzungsorgane. Im Allgemeinen wissen wir über die Funktion der aufrechten Haare recht
wenig Sicheres, doch können wir wohl so viel sagen, dass eine Beziehung zwischen den Verschiedenheiten des Baues und der Funktion
nicht in dem Sinne besteht, dass für eine bestimmte Funktion Haare
von gleichem Bau bei den verschiedenen Algen gebildet würden.

Für die Darstellung der haarartigen Organe bei den Algen scheint
es mir nun zweckmäßig die Hauptgruppen nach den größeren Abteilungen der letzteren zu bilden, zur weiteren Einteilung aber teils
die systematische Anordnung der Algen nach Familien etc., teils die
morphologische Beschaffenheit der Haare zu benutzen.

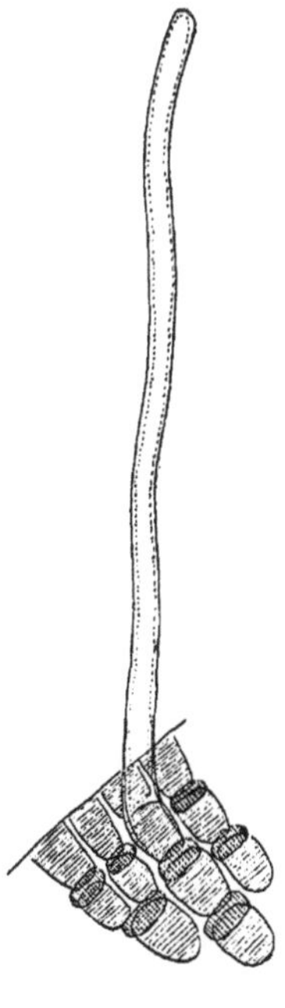

Wir beginnen mit den Rhodophyceen oder
Florideen, bei denen haarartige Organe ziemlich
verbreitet sind. Besonders bei solchen Florideen treten sie vielfach auf, die einen strauch-
artigen Thallus mit dünnen biegsamen Aesten besitzen, während bei den knorpeligen und fleischigen
ebenso wie bei den blattartigen Formen die Haare
zu fehlen pflegen. Ganze größere Familien sind
es also, bei denen Haare gar nicht oder ganz
vereinzelt vorkommen, wie die Cryptonemia-
ceen (im Sinne Berthold's), Gigartinaceen,
Rhodymeniaceen, Sphaerococcaceen, Ge-
lidiaceen, Delesseriaceen.

Auch die durch Verkalkung des Thallus ausgezeichneten Corallinaceen entbehren der Haare
mit wenigen Ausnahmen, die hier gleich erwähnt
seien. So bildet Bornet[1]) eine *Corallina (Jania)*
rubens L. ab, welche ganz mit äußerst zarten, einfachen, farblosen, einzelligen Haaren bekleidet ist.
Ferner habe ich eine *Melobesia pustulata* Lamx.
von der Insel Malta untersucht, von deren scheiben-
förmigem Thallus sich zahlreiche, lange, einzellige
und unverkalkte Haare erhoben (Fig. 1).

Von andern Kalkflorideen ist *Galaxaura* bisweilen mit Haaren
versehen, die dann auch unverkalkt sind. Bei einer brasilianischen

Fig. 1.

---

1) Reproduktion in Hauck, Meeresalgen S. 278.

Galaxaura-Art fand ich mehrzellige, manchmal verzweigte Haare, deren
Zellen aber reichlich Farbstoff enthielten [1]).

Als Haarbildner kommen besonders inbetracht die Familien der
Rhodomelaceen, Ceramiaceen und Wrangeliaceen. Im Allgemeinen lässt sich nur bemerken, dass die Haare hier immer einen
zelligen Bau besitzen und sich durch den Mangel des Farbstoffs auszeichnen, im übrigen sei auf die Angaben bei den einzelnen Gruppen
verwiesen.

Bei den Rhodomelaceen sind die Haare meist wiederholt
gabelig verzweigte Zellfäden am Ende der wachsenden Aeste mit
farblosen und inhaltsarmen Zellen. Sie sind auch meist hinfällig,
denn sie lösen sich von den Teilen, welche ihr Wachstum einstellen,
ab und gehen zu Grunde. Ihr Auftreten kann überhaupt auf eine
gewisse Entwicklungsperiode der betreffenden Alge beschränkt sein,
so dass man aus der Untersuchung eines beliebigen Exemplares noch
keine sichere Angabe über Vorkommen oder Fehlen der Haare machen
kann. Die Zellen, aus welchen die Haare bestehen, sind meistens
langgestreckt und dünn, und zwar pflegen sie um so länger und
dünner zu sein, je näher sie der Spitze der Haare liegen. Ueber
deren Funktion lässt sich mit großer Wahrscheinlichkeit vermuten,
dass sie als Schutzorgane für die jungen im Knospenzustand befindlichen Triebe, welche von ihnen umhüllt werden, dienen, in ähnlicher
Weise wie die jungen Blätter in der Laubknospe einer höheren Pflanze
den Vegetationsscheitel schützen. Das Verhalten bei den einzelnen
Gattungen und Arten ist etwas verschieden.

So finden wir an den Spitzen der jungen Zweige Haarbüschel
bei den meisten Arten der Gattungen *Rhodomela*, *Polysiphonia*, *Alsidium*,
Chondria, *Dasya* u. a. Bei *Chondria* und *Polysiphonia* sind die Haare
auch die Träger der männlichen Reproduktionsorgane, indem die meist
kätzchenförmig gestalteten Antheridien an den Basalgliedern der Haare
sitzen, mit denen sie dann abgeworfen werden. Bei *Dasya* ist oft
kein scharfer Unterschied zwischen den Haaren und den letzten Aus-
zweigungen des Thallus, weil hier die Aestchen, welche von den
stärkeren Aesten allseitig oder fiederartig ausgehen, ganz oder doch
in den letzten Verzweigungen monosiphon gegliedert sind. Als Haare
können dann nur die Zellfäden angesehen werden, die sich durch
ihren Mangel an Inhalt und ihre Hinfälligkeit von den übrigen Thallusteilen unterscheiden: als Beispiel dafür sei *Dasya elegans* (Mart.) Ag.
angeführt. Eine eigentümliche Form ist *Leveillea Schimperi* Decne
(Kützing's Tabulae phycologicae, Bd. XV, Tab. 7), welche den Habitus
einer beblätterten Jungermanniacee besitzt und auf den Spitzen
der seitlichen blattartigen Organe Büschel gegliederter, verzweigter
Haare trägt. Bei den Arten von *Laurencia* sind die im Querschnitt
aus zahlreichen Zellen bestehenden Sprosse am Ende stumpf und ihr

---

1) Notarisia V, Nr. 20, p. 1079, Tab. I, Fig. 3.

Scheitel liegt mehr oder weniger stark in einer Vertiefung eingesenkt. Die auf dem Scheitel stehenden Haarbüschel sind bei manchen Arten ganz in dieser Höhlung versteckt, also äußerlich nicht sichtbar (z. B. *L. obtusa* (Huds) Lamx.) während sie bei anderen mit flach ausgehöhlten Zweigenden weit aus der Mündung hervorragen (z. B. *L. cyanosperma* Kütz.). Bei der ebenfalls zu den Rhodomelaceen gehörenden, auf *Laurencia obtusa* halb endophytisch lebenden *Ricardia Montagnei* Derb. et Sol. kommen nur unverzweigte Haare vor, die aber ziemlich lang und im oberen Teile farblos sind. Gattungen dieser Familie, bei deren Arten die Haare ganz zu fehlen scheinen, sind: *Bonnemaisonia, Digenea, Rytiphloea, Vidalia, Bostrychia, Halodictyon* u. a.

An die Familie der Rhodomelaceen schließt sich bezüglich der Haarbildung die ihr auch sonst nahestehende Familie der Ceramiaceen an. So besitzt z. B. *Griffithsia barbata* Ag. farblose, wiederholt 2- bis 4mal geteilte lange Haare, ganz ähnlich denen von *Polysiphonia*, an den Enden jüngerer Aeste, sie dienen auch hier offenbar zum Schutz des Vegetationspunktes und sind an älteren Thallusteilen nicht mehr vorhanden. Bei manchen *Callithamnion*- und *Antithamnion*-Arten (z. B. *A. plumula* (Ellis) Thur. *β. crispum* Hauck und *C. seirospermum* Griff.) sind die Endzellen einiger Aeste farblos und hinfällig und können deshalb als Haare von den Aesten, die auch nur aus einem einfachen Zellfaden bestehen, unterschieden werden. Solche farblose Haare finden wir ferner in verschiedener Ausbildung bei *Ceramium*-Arten. Es kommen hier erstens vor an den Gelenken sehr zarte, farblose fadenförmige Haare, meist einzellig, wie bei manchen Formen von *C. rubrum* (Huds.) Ag., bisweilen aber auch mehrzellig, wie ich es bei einer Form von *C. circinatum* (Kg.) J. Ag. beobachtete; zweitens treten, ebenfalls an den Gelenken, farblose dickere und kürzere, an den Enden aber zugespitzte Haare auf, welche entweder einzellig sind, z. B. *C. (Acanthoceras) echinatum* (Kg.) J. Ag., oder aus mehreren Zellen bestehen: z. B. *C. (Centroceras) clavulatum* (Montg.) Ag. Bei *C. (Echinoceras) ciliatum* (Kg.) Ducl. finden wir beiderlei Gebilde vereinigt, so dass jeder Knoten einen Wirtel 3- bis 6gliedriger Stacheln trägt, außerdem aber auch in unregelmäßiger Verteilung ungegliederte zarte fadenförmige Haare. Bei manchen Formen von *Spyridia filamentosa* (Wulf.) Harv. finden sich ganz feine, farblose, einzellige Haare an den Gelenken der Aestchen, wie ich es an einem Exemplar von der Insel Malta sah; Kützing hat diese Form als *Sp. villosiuscula* bezeichnet (Spec. Alg., p. 667, Tab. phycol., XII, 48). Diese Beispiele mögen genügen, um die Haare der Ceramiaceen zu charakterisieren.

Von den Florideen sei dann noch der Verwandtschaftskreis der Wrangeliaceen und Helminthocladiaceen erwähnt. Unter den letzteren sind es die Gattungen *Helminthora, Nemalion* und *Liagora*,

bei denen die Haare eine charakteristische Eigenschaft bilden. Sie
bestehen hier aus je einer langen, fadenförmigen, inhaltsarmen Zelle,
welche den Endzellen der die Rindenschicht bildenden kurzzelligen,
reichverzweigten Aestchen aufsitzt und nach einiger Zeit abgeworfen
wird. Von den Wrangeliaceen ist besonders *Wrangelia* selbst zu
nennen: bei *W. penicillata* Ag. treffen wir ähnlich wie bei *Polysiphonia*
gebaute, 1 bis 3 mm lange verzweigte Haare, die durch ihr reichliches Auftreten den jugendlichen Teilen des Hauptfadens und seiner
Aeste ein zottiges Aussehen verleihen, während sie an den älteren
Teilen oft fehlen.

Einfache und einzellige Haare dagegen finden wir wieder bei den
sich hier anschließenden Gattungen *Chantransia* und *Batrachospermum*.
Die Haare sind auch hier durch ihre Dünne, Farblosigkeit und Hinfälligkeit ausgezeichnet, sie bilden die Spitzen einzelner Zweige. Bei
den *Chantransia*-Arten, von denen übrigens die einen reichlich, die
andern nur spärlich mit Haaren versehen sind, sind die Haare in der
Regel fein zugespitzt, während sie bei den *Batrachospermum*-Arten
am Ende abgerundet sind. Von letzteren ist besonders die Gruppe
des *B. moniliforme* (Roth) Ag. und *B. vagum* Ag. durch reichliche
Haarbildung ausgezeichnet. Da ich eine australische Form von *B.
vagum* genauer betreffs der Haare untersucht habe, so will ich mit
deren Beschreibung die Angaben über die haarartigen Gebilde der
Florideen abschließen, allerdings ohne diese Ordnung in jener Hinsicht erschöpfend behandelt zu haben [1]).

Die Haare bestehen aus sehr langen zylindrischen, oben abgestumpften, sehr dünnwandigen Zellen, in denen nur an der Spitze
eine größere Plasmaansammlung zu sehen ist, im übrigen Teil aber
nur ein dünner körniger plasmatischer Wandbelag. Sie entstehen als
schlauchförmige Ausstülpungen terminal oder seitlich am Ende der
letzten Zweigzelle. Auch wenn die Ausstülpung schon 2- bis 3mal
länger als breit geworden ist, hat sie sich noch nicht von der Tragzelle abgegliedert, sondern das Plasma, mit dem sie ganz ausgefüllt
ist, geht kontinuierlich in das der Tragzelle über. Es erfolgt dann
die Abgliederung der Zelle und bei der weiteren Streckung bleibt die
Hauptmasse des Plasmas an der Spitze angesammelt. Wahrscheinlich
findet hier auch hauptsächlich das Längenwachstum des Haares statt.
Die äußere Membranschicht der Tragzelle folgt nur eine kurze Strecke
weit der Ausstülpung, dann wird sie gesprengt und bildet an der
Basis eine Scheide um das nur noch von der inneren Membranschicht

---

1) Es sei hier nur noch hingewiesen auf einige Formen, deren Haare mir
nach den Abbildungen in Kützing's Tab. phycol. bemerkenswert erscheinen,
die ich aber nicht selbst untersuchen konnte: *Dasyphloea insignis* Kg. (l. c.
Bd. XVIII Tab. 18), *Aglaophyllum ciliolatum* Kg. (XIX, 7), *Ptilophora spissa* Kg.
(XIX, 45), *Thamnoclonium hirsutum* Kg. (XIX, 47).

umkleidete Haar. Deswegen besitzt auch der basale Teil des Haares eine etwas derbere und stärker glänzende Membran und verläuft eine feine Linie quer über das Haar in einer Höhe, die ungefähr den doppelten Querdurchmesser des Haares beträgt (Fig. 2a).

Fig. 2.

An dieser Stelle bricht auch das Haar leicht ab und es bleibt dann eine hohle oben offene Röhre auf der Tragzelle stehen. Letztere aber hat die Fähigkeit in diese Röhre und durch dieselbe hindurch ein neues Haar auszubilden, das dann an seiner Basis noch von einer lockeren kurzen Scheide umgeben ist (Fig. 2b). Diese Verhältnisse sind für uns deswegen von Interesse, weil wir das Aufreissen der äußeren Membranschicht über der Ansatzstelle des Haares bei verschiedenen Chlorophyceen wieder antreffen werden. Anderseits findet das Durchwachsenwerden der abgeworfenen Haare eine Analogie in dem der entleerten Antheridien bei *Batrachospermum* und der entleerten Sporangien bei *Chantransia* und andern Algen.

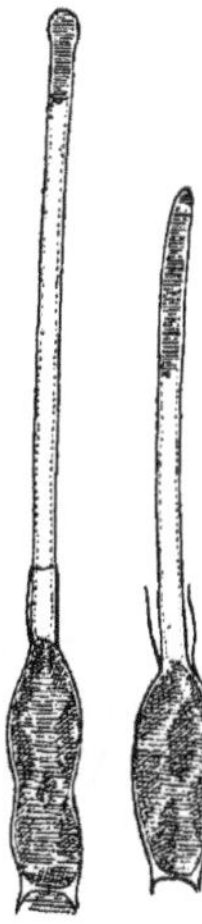

Gehen wir jetzt zu den Phaeophyceen über, so sehen wir hier Haare als besondere Organe des Thallus sehr verbreitet vorkommen. Dieselben sind meistens einfache Zellreihen, seltener sind sie einzellig und noch seltener verzweigt. Jene wachsen gewöhnlich an ihrer Basis, also intercalar, in andern Fällen durch eine ziemlich gleichmäßige Teilung aller Zellen. Entweder treten sie einzeln auf oder, was häufiger vorkommt, in ganzen Gruppen und in letzterem Falle bisweilen aus Vertiefungen des Thallus aussprossend. Bemerkenswert ist die Beziehung der Haare zum Wachstum des Sprosses bei den einen Formen und zu den Fortpflanzungsorganen bei den anderen Formen. Diese Umstände können wir benutzen, um einzelne Gruppen zu bilden, nach denen die hier zu betrachtenden Beispiele sich anordnen lassen.

Als erste Gruppe können wir diejenigen Haare ansehen, welche mit dem Längenwachstum des Thallus nichts zu thun haben und unabhängig von den Fortpflanzungsorganen entstehen; hier findet sich nur manchmal eine Beziehung zwischen letzteren und den Haaren in ihrer Anordnung. Die in Rede stehenden Haare bezeichnen wir nach dem Vorgange Kützing's als Sprossfäden, wenn dieser auch den Ausdruck wohl in etwas engerem Sinne gebraucht hat. Es ist ihnen gemeinsam, dass sie nach der ersten Anlage, bei welcher sich durch wiederholte Teilungen in derselben Richtung ein kurzer Zellfaden gebildet hat, ein intercalares Wachstum annehmen, indem die Teilungen mehr oder minder deutlich auf die Basis beschränkt sind und eine allmähliche Streckung der Zellen in der Folge von oben nach unten erfolgt. Ferner führen sie meistens in den langen zylindrischen Zellen keine Chromatophoren, doch kann das Plasma im Alter eine

braune Farbe annehmen. Mit dem zunehmenden Alter des betreffenden Thallusteiles sterben sie oft ab und werden abgeworfen.

Zunächst seien einige Algen genannt, bei denen die Haare vereinzelt und ohne nachweisbare regelmäßige Anordnung am Thallus
auftreten. *Myriotrichia clavaeformis* H a r v. (auch *M. adriatica* H a u c k)
ist, wie ihr Gattungsname sagt, durch reichliche Haarbildung ausgezeichnet; die langen Haare stehen in gewissen Abständen seitlich an
dem fadenförmigen, aber polysiphon gegliederten Thallus und sind
nach oben gerichtet. Bei den *Streblonema*-Arten (inkl. *Streblonema
investiens* T h u r.) wächst der Thallus zwischen den Rindenzellen größerer
Algen und besteht aus verzweigten Zellfäden: die nach außen abgegebenen Aeste entwickeln teils die Sporangien, teils werden sie zu
farblosen Fäden, also Haaren. Bei den *Sphacelaria*-Arten stehen die
Haare einzeln, seitlich auf den Gliedern der Aeste, werden aber direkt
in der Scheitelzelle derselben angelegt, welche dabei eine Ablenkung
ihrer Wachstumsrichtung erleidet. So finden wir es nach P r i n g s -
h e i m [1]) bei *Sph. olivacea* A g., *Sph. tribuloides* M e n e g h. u. a.

Von den Sprossfäden abweichende, einzelnstehende Haare kommen
nach R e i n k e [1]) auf der Thallusfläche steriler Pflanzen von *Cutleria
multifida* G r e v. vor. Sie sind auch einfache gegliederte Fäden mit
zylindrischen Zellen, dieselben enthalten aber Chromatophoren und
sind sämtlich teilungsfähig, das Wachstum geht also nicht von der
Basis aus. Häufiger als einzelnstehende Haare finden wir in Büscheln
oder Reihen vereinigte; wenn die Haare nicht zu zart sind, geben
sich ihre Gruppen dem bloßen Auge schon als Punkte oder Linien
zu erkennen. Die Haarreihen setzen eine gewisse Regelmäßigkeit der
Anordnung voraus, während die Haarbüschel sowohl in bestimmter
Stellung als unregelmäßig zerstreut am Thallus auftreten können.
Das letztere finden wir z. B. bei manchen *Punctaria*-Arten, wie *P.
plantaginea* (R o t h.) G r e v. und *P. latifolia* G r e v., mit band- oder
blattförmigem Thallus. Aehnlich verhalten sich die *Dictyota*-Arten,
wo die Entwicklung der Sprossfäden durch N ä g e l i genau bekannt ist. Sie finden sich hier in voller Ausbildung nur, solange
die Pflanze noch keine Fruktifikationsorgane entwickelt hat; wenn
diese entstehen, so fallen die Haare ab. Bei der mit *Dictyota* nahe
verwandten *Dictyopteris* ist manchmal schon eine gewisse Regelmäßigkeit in der Anordnung der Haarbüschel zu beiden Seiten der Mittel-
rippe auf dem blattförmigen Thallus zu erkennen. Wenn die Haare
ausgewachsen sind, brechen sie etwas oberhalb der Basis ab, aber
aus den stehen gebliebenen Basalstücken können unter Umständen
neue Sprossfäden hervorwachsen. Von C u t l e r i a c e e n sei hier an-

---

1) Ueber den Gang der morphologischen Differenzierung in der S p h a c e -
l a r i e n - Reihe (Abhandl. d. k. Akad. d. Wissensch., Berlin 1873) S. 166.

2) Entwicklungsgeschichtliche Untersuchungen über die C u t l e r i a c e e n
(Nova Acta Leop.-Carol., Bd. XL, Dresden 1878) S. 60.

geführt *Aglaozonia reptans* K ü t z., welche Pflanze auch im sterilen Zustande vereinzelte Sprossfädenbüschel, denen von *Dictyota* gleich, auf ihrer Oberfläche entwickelt. Von L a m i n a r i e e n schließlich können wir *Alaria* nennen mit Haarbüscheln, welche auf beiden Seiten der Blattfläche als Punkte erscheinen.

Bei anderen P h a e o p h y c e e n aus dieser Gruppe nehmen die Haarbüschel eine ganz bestimmte Stellung ein. Sehr deutlich zeigt sich dies z. B. bei *Cladostephus verticillatus* A g., welche Alge die höchste morphologische Differenzierung in der Sphacelarienreihe erreicht hat (P r i n g s h e i m l. c.). Die als Blätter bezeichneten Seitentriebe des Stammes tragen nämlich einige seitliche Zipfel und nur in den Achseln dieser Blattzipfel wird je ein, wie es scheint immer vierzähliges Haarbüschel entwickelt, dessen einzelne Fäden aber verhältnismäßig kurz bleiben. Bei anderen Formen sehen wir Büschel längerer Haare die Spitzen bestimmter Zweige krönen, so bei den Arten von *Sporochnus, Stilophora* und *Nereia*, wo sie schon mit bloßem Auge an den jungen Zweigen wahrzunehmen sind, während sie von den älteren abgefallen sind.

Bei den eben genannten Algen ist der Thallus strauchförmig mit zylindrischen Aesten, bei den D i c t y o t a c e e n *Padina, Taonia* und *Zonaria* ist er flach fächerförmig oder bandförmig: hier sind die Sprossfäden in quer über den Thallus in gewissen Abständen verlaufenden Zonen angeordnet. Sie entwickeln sich dicht unter dem an der Spitze gelegenen Vegetationsscheitel in der oben angegebenen Weise, sind aber, bevor sie durch das interkalare Wachstum sich zu langen, oben farblosen Fäden ausgebildet haben, anfangs von der vorgewölbten Cuticula bedeckt, die dann gesprengt wird; später werden sie während der Ausbildung der Fortpflanzungsorgane abgestoßen.

In die zweite Gruppe würden wir sodann diejenigen Haare stellen, welche in Beziehung zu dem Längenwachstum des Thallus stehen und ein von J a n c z e w s k i [1]) als trichothallisch bezeichnetes Wachstum bedingen. Bei den betreffenden Algen nämlich geht der Thallus an der Spitze in ein oder mehrere Haare aus und an der Uebergangsstelle des eigentlichen Thallus in das Haar findet lebhafte Zellteilung statt, die nach oben abgegebenen Zellen werden dabei zu Gliedern des Haares, welches allmählich an der Spitze abstirbt, indem sie sich strecken und keinen Farbstoff ausbilden; die nach unten abgegebenen Zellen dagegen vermehren die Substanz des Thallus und bilden seinen Längenzuwachs an der Spitze.

Den einfachsten Fall dieser Art finden wir bei einigen Arten der Gattung *Ectocarpus* (*E. penicillatus* A g., *litoralis* (L.) K u c k u k, *confervoides* R o t h, *dasycarpus* K u c k u k) und bei *Sorocarpus uvaeformis* P r i n g s h. Hier besteht der Thallus aus verzweigten Zellfäden, die,

1) Mèm. d. l. soc. sc. nat. Cherbourg 1875.

soweit sie überhaupt weiterwachsen, an der Spitze in eine einfache
Zellreihe ausgehen, deren Zellen mehr gestreckt und farblos sind im
Gegensatz zu den Chromatophoren führenden kurzen Thalluszellen.
Uebrigens haben auch diese letzteren die Fähigkeit weiterer Teilung
behalten, so dass ein scharf begrenzter Vegetationspunkt nicht vorhanden ist. Aehnlich verhält sich *Dichosporangium repens* Hauck,
nur dass hier die aufrechten Fäden in zwei oder mehrere Haare an
der Spitze auslaufen; es müssen sich also die von der dicht unterhalb der Haare liegenden Teilungszone nach oben abgegebenen Zellen
sehr bald ein- oder mehrmals längs teilen und die Zellen auseinanderweichen.

Bei den Mesogloeaceen können wir uns den Thallus aus in
der Längsrichtung verflochtenen *Ectocarpus*-Fäden zusammengesetzt
vorstellen: der Vegetationspunkt liegt auch unterhalb der endständigen
Haare.

Bei *Striaria* geht der zylindrische, im Querschnitt größtenteils
aus vielen Zellen bestehende Thallus an der Spitze in eine Zellreihe
aus, die von einem einfachen Haare gekrönt ist, also auch hier haben
wir ein trichothallisches Wachstum.

Dasselbe ist der Fall bei *Desmarestia aculeata* aber mit dem Unterschied, dass die „Haare" nicht einfache farblose Zellreihen, sondern
verzweigte Zellfäden sind, deren Zellen reichlich Farbstoff führen.
Sie dienen als Assimilationsorgane, fallen aber später wie andere
Haare ab. Man wird vielleicht diese, auch seitlich am Thallus auftretenden Gebilde besser als „Blätter" bezeichnen, allein in der Lage
des Vegetationspunktes zwischen dem eigentlichen Thallus und dem
letzten fadenförmigen Abschnitt desselben schließt sich *Desmarestia*
an *Ectocarpus* an und sind die endständigen „Blätter" der ersteren
Alge den Endhaaren der letzteren homolog.

Besonders interessant ist das Auftreten der endständigen Haare
bei den Cutleriaceen. *Cutleria multifida* Grev. z. B. besitzt einen
bandförmigen, wiederholt dicho- bis polytom gespaltenen Thallus, der
am Ende fransenförmig in einzelne Haare aufgelöst ist: Haare und
Thallus wachsen durch dieselbe Initialschicht, welche an der Basis
eines jeden freien Haares gelegen ist, aber die nach unten abgegebenen
Zellen verwachsen gruppenweise mit einander auf das innigste und
bilden so die bandförmigen Thallusstücke.

Die Haare selbst sind in dieser Gruppe, wie schon mehrfach angedeutet, bei den verschiedenen Algen, mit Ausnahme von *Desmarestia*,
sehr ähnlich gebaut und es ist über ihren Bau dem, was über die
Sprossfäden in der ersten Gruppe gesagt wurde, nichts hinzuzufügen.
Sie sind also gewissermaßen als endständige Sprossfäden anzusehen.

Etwas größere Verschiedenheit finden wir bei den Haaren der
dritten Gruppe, die in Beziehung zu den Fortpflanzungsorganen stehen.
Sie kommen entweder zwischen den Sporangien und Gametangien in

den Soris vor oder dienen als Träger der genannten Organe. Hier
haben wir außer den einfachen Zellreihen auch verzweigte Zellfäden
und einzellige Haare, besonders die letzteren finden wir häufig auch
farbstoffführend. Wir können sie nach ihrer Stellung als Paraphysen
zusammenfassen.

Als Beispiele für das Vorkommen mehrzelliger Paraphysen führen
wir die Sporochnaceen und Cutleriaceen an. Bei ersteren sind
die Paraphysen torulos gegliedert und keulenförmig, die Endzelle ist
besonders angeschwollen, kuglig oder birnförmig gestaltet. Bei *Nereia,*
Asperococcus und *Stilophora* sind die Paraphysen unverzweigt, bei den
beiden ersteren stehen sie zwischen den Sporangien, bei der letzteren
entspringen die Sporangien an der Basis der Haare. Wie bei *Stilo-*
phora sind auch bei *Sporochnus* die Sporangien seitliche Aeste der
Paraphysen, diese sind aber hier verzweigt und vereinigen sich zu
ovalen oder birnförmigen Fruchtkörpern, an deren Ende ein Büschel
von Sprossfäden steht. Auch bei den Cutleriaceen sitzen die
Antheridien und Oogonien an den Paraphysen, die zu büscheligen Soris
vereinigt sind, bei seitlicher Anheftung der Fortpflanzungsorgane kann
die Paraphyse in ein langes sprossfadenähnliches Organ auswachsen.

Bei den meisten Dictyotaceen kommen zwischen
den Fruktifikationsorganen keine Haare vor, die ersteren
bilden oft Reihen, die mit den Reihen der Sprossfäden in
bestimmter Weise abwechseln, wie bei den *Padina*-Arten.
Bei *Phycopteris* dagegen bestehen die Sori aus Fruktifikationsorganen und Paraphysen. Ich untersuchte *Ph. stu-*
posa Kg. in einem an der brasilianischen Küste gesammelten
Exemplar, das auf beiden Seiten des Thallus vereinzelte
punktförmige Sori trug. Dieselben bestanden aus Tetra-
sporangien und zahlreichen vier- bis fünfzelligen Haaren,
deren untere Zelle keulenförmig, die oberen kugelförmig angeschwollen waren, die also den Paraphysen von *Aspero-*
coccus sehr ähnlich sind (Fig. 3). Wie *Ph. stuposa* verhält
sich nach Kützing's Abbildung (Tab. phycol., IX, 67)
Ph. interrupta Kg., während *Stoechospermum marginatum*
Kg. (l. c. Tab. 40) einzellige Paraphysen zu besitzen
scheint.

Fig. 3.

Solche treffen wir ferner bei den Scytosiphoneen
und Laminarieen. Von ersteren sei *Scytosiphon* und
Hydroclathrus genannt mit einzelnen verkehrt eiförmigen
oder birnförmigen Paraphysen zwischen den zu Soris vereinigten
Zoosporangien. Bei *Chorda*, die man früher zu den Laminarieen
rechnete, bedecken Sporangien und Paraphysen fast die ganze Thallus-
oberfläche, letztere sind keulenförmig und sind in ihrem angeschwollenen Ende reichlich mit Farbstoff versehen, auch sind sie ziemlich
dickwandig.

XII.   6

Von Laminarieen untersuchte ich *Laminaria digitata* Lamx. Hier haben wir zweierlei Paraphysen: am Rande der Sori, wo keine Sporangien stehen, zwei- bis vierzellige, nach oben etwas keulenförmig verdickte Fäden und in der Mitte der Sori

Fig. 4.

zwischen den Sporangien einzellige Paraphysen von sehr eigentümlicher Gestalt (Fig. 4). Am Grunde sind sie dünn zylindrisch und verdicken sich nach oben etwas, am oberen Ende sind sie quer abgestutzt und hier ist die Membran sehr stark verdickt. Es scheint, dass die innere Membranschicht am Scheitel des Haares zu einer schleimigen Masse aufgequollen ist, welche die äußere Membranschicht erst gedehnt, dann aufgerissen hat. Diese schleimige Masse sitzt nun wie ein Pfropf in der zylindrischen äußeren Membran, die sich nach unten bis zur Basis des Haares fortsetzt. Im Inneren der Zelle finden wir ziemlich viel Plasma und wohl auch Farbstoff. Bei *Alaria* scheinen die Paraphysen ebenso wie bei *Laminaria* gebaut zu sein

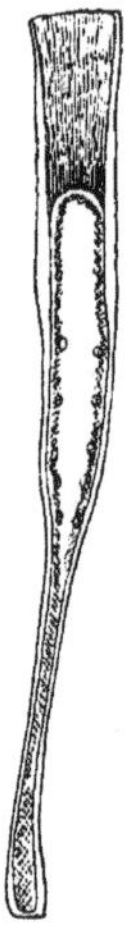

Schließlich will ich aus dieser Gruppe noch *Ascocyclus* (*Myrionema*) *orbicularis* Magn. erwähnen, weil hier zwischen den Sporangien zweierlei Paraphysen vorkommen, nämlich solche, die den Sprossfäden gleichen und einzellige schlauchförmige, dickwandige farblose Haare von verschiedener Länge. Diese beiden Haarformen und die Sporangien erheben sich untereinander gemischt, von einer dem Substrate aufliegenden einfachen Zellscheibe, die den vegetativen Teil des Thallus darstellt.

Eine besondere Gruppe für sich dürften die Haarorgane der Fucaceen bilden, welche in grubenförmigen Vertiefungen stehen, die in die Rinde des Thallus eingesenkt sind und sich nur mit enger Mündung nach außen öffnen. Enthalten diese sphärischen bis ellipsoidischen Hohlräume keine Fortpflanzungsorgane sondern nur Haare, so nennen wir sie Fasergrübchen. Dieselben finden sich in der Regel auf dem Thallus verstreut bei den meisten Fucaceen. Von ihrer inneren Wandung erheben sich Haare, die ganz mit den Sprossfäden übereinstimmen und durch das basale Wachstum zum Teil noch aus der die Mündung hervorgeschoben werden, so dass sie außen büschelförmig ausstrahlen. Bei *Cystosira barbata* Ag.[1]) ist beobachtet worden, dass die Sprossfäden, da sie durch mechanische Einflüsse leicht abgerieben werden, kontinuierlich neu nachgebildet werden, wenigstens während der kräftigsten Vegetation der Pflanze, im Winter. Dieselben Haare, wie in den Fasergrübchen, finden sich in den Conceptacula genannten Höhlungen, welche männliche oder weibliche Organe oder beide zugleich enthalten. Hier würden wir sie als Paraphysen zu bezeichnen haben und ebenso können wir die verzweigten Zellfäden

---

1) Dodel-Port, Biologische Fragmente, Teil I. Cassel und Berlin. Th. Fischer. 1885.

nennen, an denen die Antheridien ansitzen. Daraus sieht man aber, dass zwischen Sprossfäden und Paraphysen kein durchgreifender Unterschied gemacht werden kann. Was die Funktion der Haare in den Conceptakeln betrifft, so dienen sie wohl zum Teil dazu, dass sie den ausgestoßenen Antheridieninhalten und Eiern die Richtung zum Austritt aus der Mündung geben. Die Haare, welche aus den Mündungen der Fasergrübchen vorragen, sollen nach Dodel-Port's Beobachtungen an *Cystosira* (l. c.) bewirken, dass die ausgestoßenen Antherozoidenklumpen nicht durch ihre Schwere im Wasser sogleich untersinken, sondern von den Haaren aufgehalten werden, so dass das Wasser sie dann auseinanderspülen und die einzelnen Antherozoiden zu den Eiern hinführen kann.

Noch eine besondere Art von Haaren bieten uns die Fucaceen dar, nämlich innere Haare in den Hohlräumen, welche als Schwimmblasen an dem Thallus ausgebildet werden. So beobachtete Wille[1]) bei *Ozothallia nodosa* (L.) Dcne et Thur., dass sich von der Innenwand der Blasen kurze, gegliederte zugespitzte Haare in den Blasenraum hineinstrecken, während bei *Halidrys siliquosa* (L.) Lyngb. und *Cystosira ericoides* (L.) J. Ag. von den querverlaufenden Fäden kurze, ein- bis zweizellige zugespitzte oder in abnormen Fällen bauchig aufgetriebene Haare gebildet werden. Uebrigens ist hier schon kaum mehr von Haaren in morphologisch definierbarer Weise zu sprechen, sondern die betreffenden Bildungen sind mehr aufzufassen als Teile des lockeren Gewebes, welches die Blasen auskleidet und zum Teil auch den Innenraum durchsetzt und von dem sie viel weniger scharf abgegrenzt sind als die Haare, welche außen am Thallus bei den Phaeophyceen vorkommen.

Bei diesen sind, wie wir gesehen haben, die Haare meistens nach dem Typus der Sprossfäden gebaut, die andern zeigen auch unter sich wenig Verschiedenheiten, sind gewöhnlich einfache Zellfäden, seltener einzellig, immer sind es jedenfalls zellige Bildungen[2]). In dieser Beziehung stehen nun mit den Phaeophyceen im Gegensatz die Chlorophyceen, da wir bei ihnen sehr verschiedene Formen der Haare unterscheiden können, die nicht immer auf bestimmte systematische Gruppen dieser Algen verteilt sind. Wir müssen deshalb hier wiederum eine neue Einteilung der Haare vornehmen und zwar werden wir zunächst unterscheiden, ob dieselben zellige Struktur besitzen oder nicht. Die letzteren sind dann entweder Fortsätze der Membran oder des Plasmas, die ersteren sind entweder einfache Fortsätze der Tragzelle oder sie bestehen aus eigenen Zellen und sind in diesem Fall ein- oder mehrzellig. Wir werden hierbei aber auch Uebergangsformen zu konstatieren haben und werden am besten die einzelnen Fälle mit Einschaltung der Uebergänge nach einander be-

---

1) Bihang till k. Svenska Vet.-Akad. Handl., Bd. 14, Afd. III, Nr. 4.
2) Ueber die Cilien der Schwärmzellen. Siehe weiter unten.

sprechen in der Reihenfolge, dass wir von den morphologisch am höchsten entwickelten, also den mehrzelligen Haaren ausgehen.

Mehrzellige Haare finden wir vor Allem in der Familie der Chaetophoraceen und speziell bei den Arten der Gattungen *Chaetophora, Stigeoclonium, Draparnaldia* und *Endoclonium*. Da die Haarbildung bei den 3 ersteren Gattungen von Berthold[1]) eingehend studiert worden ist, so sei es gestattet, einiges aus dessen Beobachtungen hier wiederzugeben. Regelmäßig mit Haarspitzen versehen sind *Chaetophora* und *Draparnaldia*, bei ersteren besitzen jedesmal die ältesten Zweigspitzen ein sehr langes, aus 20 bis 30 Zellen bestehendes Haar, bei letzterer treten die Haare frühzeitiger an den Zweigen auf, werden aber nicht so lang, da die oberen Haarzellen hier bald abfallen. Dies geschieht auch bei *Chaetophora* und *Stigeoclonium*, aber viel später. Das Haar entsteht, indem die Zellen an der Spitze des Astes aufhören sich weiter zu teilen, in die Länge wachsen und das Chlorophyll verlieren. Die ausgebildeten Haarzellen sind 10- bis 15 mal länger als die vegetativen (am längsten bei *Stigeoclonium*), die unteren zylindrisch, die oberste oft pfriemenförmig zugespitzt, sie führen hyalines Plasma mit geringen Ueberresten des Chlorophylls. Der Uebergang der vegetativen in Haarzellen geschieht successive von oben nach unten, einzeln oder paarweise. Bei *Draparnaldia* und *Chaetophora* ist nach Berthold eine Art von trichothallischem Wachstum vorhanden, von einer bestimmten Zelle, der Scheitelzelle, werden haarerzeugende Zellen nach oben, zweigerzeugende nach unten gebildet, also ähnlich wie bei *Ectocarpus* u. a. — Bei manchen *Stigeoclonium*-Arten, z. B. *St. lubricum* Kütz., fand Berthold im Freien ganz haarlose Exemplare (im Frühjahr), nach vierwöchentlicher Kultur traten Haare in großer Menge auf; bei *St. variabile* Näg. scheint die Haarbildung erst im Herbst zu beginnen. Ueber *Endoclonium* ist nicht viel zu bemerken, da es sich in der Haarbildung ganz an *Chaetophora* anschließt.

Unter den Chaetophoraceeen soll ferner *Herposteiron* (Näg.) Hansg. mehrzellige Haare besitzen. Hansgirg[2]) will wenigstens, abgesehen von andern Merkmalen, diese Gattung dadurch von *Aphanochaete* mit einzelligen Haaren unterschieden wissen Er beschreibt auch (l. c. S. 214) eine von ihm gefundene Art: *H. polychaete* mit gegliederten Haaren. Die Borsten, deren jede Zelle 2 bis 6, selten nur eine besitzt, sind an jungen Zellen am unteren (nicht selten auch am oberen) Teile deutlich gegliedert, 10 bis 20, seltener bis 50 und mehrmal so lang als die sie tragende Zelle, unten oft etwas erweitert, oben in eine farblose Spitze auslaufend, zerbrechlich. In den untersten Zellen der Borste sind gelblichgrüne Chromatophoren, in den oberen

---

1) Verzweigungen einiger Süßwasseralgen (Nova Acta Leop.-Carol., Bd. XL. Dresden 1878) S. 192.

2) Flora 1888. S. 211.

Zellen nur noch farblose oder fast farblose Plasmastreifen vorhanden. Aehnlich dieser Art verhält sich *H. globiferum* Hansg. (Physiolog. und algolog. Mitteilungen, 1890), dessen Zellen auf dem Rücken meist einzelne Haare tragen. Diese sind durch einige, wie es scheint, später entstehende Querwände gefächert, führen in der untersten Zelle noch etwas Chlorophyll und sind oben farblos und in eine sehr feine Spitze ausgezogen.

Zu *Herposteiron* in diesem Sinne soll noch gebören *H. repens* (*Aphanochaete repens* A. Br.) und *H. confervicola* Näg. (*Aph. conf.* A. Br.), welche Algen ich leider nicht nach Originalexemplaren untersuchen konnte. Bemerken möchte ich aber, dass die Abbildung von ersterer in Rabenhorst's Flora Europaea Algarum [III, p. 304] [1]) Haare zeigt, welche nicht durch Scheidewände geteilt sind, sondern nur eine Anzahl von Inhaltsmassen in bestimmten Abständen besitzen. Außerdem habe ich mehrfach eine Alge beobachtet, die ich für *H. confervicola* halte, die aber auch sicher einzellige Haare besitzt (siehe unten). Es scheint mir, dass diese Sache noch weiterer Untersuchung bedarf.

Mehrzellige Haare finden sich sicher noch bei einigen *Oedogonium*-Arten, z. B. *Oe. Huntii* Wood und *Oe. polymorphum* Wittr. u. Lund. Ich untersuchte eine derartige nicht näher bestimmte Art (aus Australien) und führe die gefundenen Verhältnisse als Beispiel an (Fig. 5). Die letzte Zelle unter dem Haar ist immer etwas verjüngt und trägt an der Spitze eine große Anzahl von Kappen. Danach kann man den Anfang des Haares bestimmen, denn dessen unterste Zelle unterscheidet sich von der vorhergehenden nur durch ihre geringere Dicke, führt aber noch ein die Zelle im Umfang fast ausfüllendes Chromatophor. Die folgenden Zellen werden allmählich noch etwas dünner und das Chromatophor wird relativ immer kleiner; der Zellkern ist bei allen deutlich in der Mitte der Zelle wahrzunehmen. Die oberste Zelle besitzt ein abgerundetes Ende. Die mittleren sind hier die längsten, wie folgende an einem Haar gemachte Messungen ergaben: von unten angefangen betrug die Länge der acht Zellen, aus denen das Haar bestand 30, 60, 100, 120, 100, 110, 30, 60 Mikren.

Fig. 5.

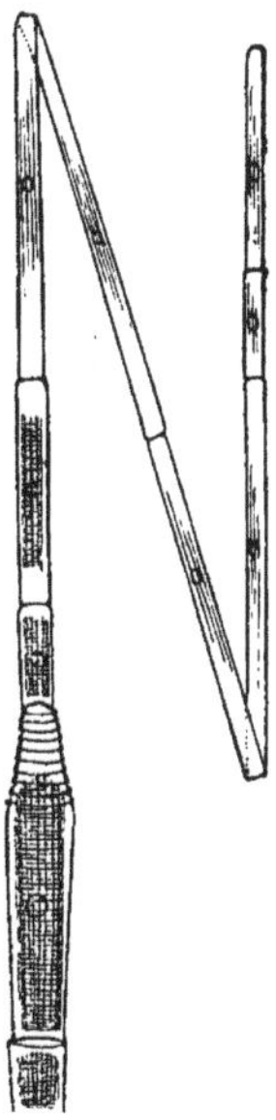

---

1) Die hier abgebildete Pflanze würde auch wegen der 4 ciligen Schwärmsporen zu *Aphanochaete repens* Berth. (von A. Br.) gehören, doch bezieht sich Rabenhorst's ausdrücklich auf A. Braun, dessen Alge er im trockenen Zustande gesehen hat.

Außerdem gibt es aber einige *Oedogonium*-Arten, bei denen nur die letzte Zelle sehr lang, dünn, und inhaltsarm ist, z. B. *Oe. ciliatum* (Hass.) Pringsh., das also bereits in die nächste Gruppe der Chlorophyceen, der mit einzelligen Haaren, gehören würde.

Charakteristisch sind dieselben für die mit *Oedogonium* am nächsten verwandte Gattung *Bulbochaete,* deren sämtliche Arten ihre Haupt- und Seitensprosse mit Haaren abschließen, die an der Basis noch dieselbe Dicke haben wie die Tragzelle, sich dann aber plötzlich verschmälern und zu einem sehr langen dünnen Faden auswachsen. Man bezeichnet sie deshalb als Borsten, welche an der Basis bulbös angeschwollen sind und hat danach dieser Gattung den Namen gegeben. Bei jungen Haaren (ich untersuchte *B. elatior* Pringsh. aus Australien) sieht man in der basalen Anschwellung den Zellkern und etwas farblosen Inhalt, an älteren Haaren ist an dieser Stelle nur noch ganz wenig körniger Inhalt zu bemerken und der übrige Teil des Haares ist leer. Das Lumen setzt sich bis zur Spitze fort, dieselbe war aber in den meisten Fällen abgebrochen, die Zelle also geöffnet. Trotzdem war sie oft noch sehr lang (800 μ und darüber). Durch den eigentümlichen Zellteilungsmodus[1]) bei *Bulbochaete* wird es bewirkt, dass ein Teil der Haare an der Basis mit einer kurzen, aus der zweiklappig aufgerissenen äußeren Membran bestehenden Scheide umgeben ist, ein anderer Teil dagegen keine solche Scheide besitzt. Auch die auf der Basalzelle aufsitzende Borste hat keine Scheide, da sie das obere Membranstück nicht durchbrochen, sondern kappenförmig abgeworfen hat. An *Bulbochaete* schließt sich an *Bulbocoleon piliferum* Pringsh.[2]). Die Alge bildet auf dem Substrat kriechende Fäden, einige Zellen tragen auf dem Rücken die langen Haare, welche unten zwiebelförmig angeschwollen sind und in diesem Teil noch Reste des Inhats mit etwas Chlorophyll enthalten. Die äußere Membranschicht umgibt den dünnen Teil des Haares nur in seiner unteren Hälfte, die obere Hälfte wird nur von der inneren Membranschicht gebildet, welche also beim Wachstum die äußere gesprengt und durchwachsen hat, eine Erscheinung die wir noch oft bei solchen Haaren antreffen werden. Die obere zartere Hälfte scheint leicht ganz oder doch an der Spitze abzubrechen.

Zur Gattung *Bulbocoleon* habe ich auch eine Alge gestellt, die ich endophytisch in der Membran von *Cladophora fracta* lebend fand[3]). Indem ich die Zugehörigkeit dieser Alge zur genannten Gattung fraglich lasse, erwähne ich sie hier nur, weil sie ebenfalls einzellige lange

---

1) Ueber die Wachstumsweise von *Bulbochaete* vergleiche man Pringsheim's vortreffliche Arbeit über die Morphologie der Oedogonieen in Pringsheim's Jahrbüchern, Bd. I, 1858.

2) Pringsheim, Zur Morphologie der Meeresalgen. Berlin 1862.

3) Notarsia, 1891, p. 129?.

dünne Haare mit wenig Inhalt besitzt, welche die Membran der Wirts
pflanze durchbohren und frei nach außen ragen. Sie sind nur 1—2 μ
dick, erreichen aber eine Länge von 0,2 mm, an der Basis sind sie
nicht angeschwollen, sondern eher eingeschnürt.

(Schluss folgt.)

Ueber die Struktur des Endothels der Pleuroperitonealhöhle, der Blut- und Lymphgefäße.

Vorläufige Mitteilung.

Von Dr. A. Kolossow,

Assistent am histologischen Kabinete der Universität Moskau.

Das Endothel der Pleuroperitonealhöhle (des Cöloms), der Blut- und
Lymphgefäße wird gewöhnlich als aus einer Schicht ganz flacher, durchsichtiger, fast homogener, kernhaltiger Zellen bestehend beschrieben.
Jede Zelle ist von den Rändern ihrer Nachbarn allseitig begrenzt.
Die schwarzen Linien, welche an versilberten Präparaten zwischen
den Zellen erscheinen, werden für den Ausdruck einer besonderen
Substanz (Kittsubstanz v. Recklinghausen) gehalten; dieselbe soll
die Zellen miteinander verbinden. Der Verlauf dieser Linien ist
durch kleine schwarze Punkte, Kreise und Ringe unterbrochen. Diese
sogenannten Stigmata und Stomata erscheinen aber äußerst unbeständig. Die Bedeutung und die Ursachen ihrer Erscheinung unter
normalen und pathologischen Bedingungen sind bis jetzt noch beinahe vollständig unaufgeklärt. Bei den Säugern am Pleuroperitonealendothel finden sich an gewissen Stellen (Pleura, abdominale Fläche
des Diaphragmas, großes Netz, Tunica vaginalis, Testis propria etc.)
zwischen den gewöhnlichen flachen kleine protoplasmatische relativ
hohe Zellen („endotheliale Keimzellen“. Klein). Dergleichen Zellen
(„Keimzellen“) kommen auch beim Frosche und bei der Kröte in
demselben Endothel zerstreut vor. Viele Forscher haben beim Frosche
hier auch mit Flimmerhaaren besetzte Zellen beschrieben.

Mich längere Zeit mit der Struktur der Endothelien beschäftigend
bin ich zur Ueberzeugung gekommen, dass diese Struktur viel komplizierter ist, als man bis jetzt meinte. Ich fand erstens, dass an
versilberten Präparaten, die aus stark und gleichmäßig gespannten
serösen Häuten verfertigt waren, man am Endothel an Stelle der
schwarzen Linien regelmäßig Ketten aus verschieden großen schwarzen
Ringen, Kreisen und Punkten findet; dieselben liegen dicht hintereinander mit kurzen schwarzen intermediären Brückchen (rosenkranz-
förmig) verbunden. Die Linie erscheint also von diesen kleinen
Figuren (Stomata und Stigmata) unterbrochen. Auch konnte ich
mich überzeugen, dass das Bild durch teilweise Trennung der Zellen-
ränder bedingt ist. Solche Bilder waren durchaus nicht mit allem

dem, was bis jetzt von der Natur des Kittes als einer flüssigen oder
halbflüssigen Substanz bekannt war, in Uebereinstimmung zu bringen.
Es war zu erwarten, dass bei der Spannung der serösen Häute die
Endothelzellenränder der ganzen Länge nach auseinandergehen werden.
Wenn dieses sich aber nicht einstellte, so musste man daraus schließen,
dass die Zellen nicht durch eine Kittsubstanz miteinander verbunden
sind, sondern dass sie auf irgend eine andere Weise zusammengehalten werden. Es gelang mir diese Verbindungsart durch eine besondere gleichzeitig Fixierungs- und. Färbungsmethode aufzuklären.
Meine Methode, welche ich bald in einer ausführlichen Arbeit (mit
Abbildungen) veröffentlichen werde, besteht hauptsächlich in einer
besonderen Bearbeitung der Gewebe mit Osmiumsäure, kombiniert
mit einigen Reagentien. Auf diese Weise wurde mir die Möglichkeit
gegeben folgende interessante Strukturverhältnisse zu eruieren. Eine
jede Zelle des Pleuroperitonealendothels bei allen von mir untersuchten Vertebraten (Säuger — Mensch (2—3 monatliche Kinder),
Hund, Katze, Kaninchen, Meerschweinchen, graue und weiße Mäuse
und Ratten, Eichhorn, Igel, Iltis, Hamster; Vogel — Taube, Huhn,
Habicht; Reptilien — *Lacerta agilis, viridis* et *Anguis fragilis, Emys
europaea*; Amphibien — *Rana esculenta* et *temporaria*, Kröte, *Triton
cristatus* et *T. taeniatus, Salamandra, Axolotl*; Fische — *Esox lu-
cius, Leuciscus rutilus*) hat eine sehr komplizierte Struktur. Sie besteht aus zwei verschiedenen Teilen: einem protoplasmatischen Teil
und einer äußerst dünnen Deckplatte; letztere ist ein wenig breiter
als der erstere Teil, dessen freie Fläche sie überdacht. Beide übereinander geschichtete Teile bilden ein unzertrennliches Ganzes. Der
untere, tieferliegende, protoplasmatische Teil besteht aus einer feinkörnigen Substanz, enthält einen exzentrisch gelegenen Kern und
verbindet sich durch zahlreiche kurze, feine, zuweilen verästelte
Fortsätze mit den entsprechenden protoplasmatischen Teilen der Nachbarzellen. Der zweite, oberflächliche, äußere Teil, den ich Deckplatte
nennen werde, ist dünn, durchsichtig und homogen; die Ränder der
Deckplatten berühren sich untereinander auf der Oberfläche und
werden auf der Unterfläche durch feine protoplasmatische Fäden im
Zusammenhange gehalten. Die letzteren entstehen dadurch, dass
sich das Protoplasma nicht bis zum Rande der Deckplatte erstreckt,
sondern unweit von diesem endet und sehr feine kurze mit der Unterfläche der Deckplatte verlötete Fäden aussendet, welche die Grenze
zwischen zweien Deckplatten durchkreuzen und sich ohne jede Unterbrechung mit den entgegenkommenden Fäden der Nachbarzelle verbinden. Darus folgt, dass die Fäden parallel nebeneinander liegen;
an Stellen, wo die Spitzen der Deckplattenecken zusammentreffen, fehlen
sie fast gänzlich. Im Ganzen also bekommt man folgendes Bild. Bei
oberflächlicher Einstellung des Mikroskopes sind kleine Felder zu
sehen, die durch kaum bemerkbare Linien voneinander getrennt sind;

mit einem Worte ist das Bild ganz dem der Silberpräparate analog.
Bei etwas tieferer Einstellung sind die die Ränder der Deckplatten
zusammenhaltenden und an ihrer Unterfläche hinziehenden Fäden zu
sehen; noch tiefer unter letzteren sieht man helle Zwischenräume,
welche die protoplasmatischen Teile der Zellen voneinander trennen
und von den anastomosierenden zahlreichen Protoplasmafortsätzen
durchsetzt sind. Diese hellen Zwischenräume sind also Kanälchen
(Interzellularkanälchen), die von oben von den protoplasmafreien
peripherischen Säumen der Deckplatten überdacht werden, unten aber
von dem subendothelialen Gewebe begrenzt sind. Je tiefer das Mikroskop eingestellt wird, desto breiter werden die Zwischenräume.
Dabei kann man sich davon überzeugen, dass die Zellen nicht gänzlich flach sind, sondern (schematisch) nur sehr niedrige, abgestutzte,
unregelmäßig vielkantige Pyramiden, deren Basen nach oben gegen
die freie Oberfläche des Endothels gerichtet sind, darstellen. Da
aber von den Seitenflächen und Kanten zahlreiche Fortsätze auslaufen,
so sieht jede Endothelzelle bei tieferem Einstellen des Mikroskops im
Allgemeinen sternförmig aus. Jeder Fortsatz fängt am protoplasmatischen Teile der Zelle mit einer kleinen konischen Hervorragung
an, verdünnt sich aber sogleich fadenartig, durchsetzt quer den
Zellenzwischenraum und geht in eine ähnliche Hervorragung der
Nachbarzelle über. Aus dieser Beschreibung ist es klar, dass die
Fortsätze um so länger sind, je tiefer sie in dem immer breiter werdenden Zellenzwischenraume liegen. Die Fortsätze sind weniger
zahlreich und haben eine weniger regelmäßige Anordnung da, wo in
der Tiefe des Zwischenraumes die Zellenecken gegeneinander gerichtet sind. Bei einigen Tieren (*Axolotl, Salamandra*) sind in der
Tiefe der Interzellularkanälchen die Fortsätze oft verästelt und bilden
ein protoplasmatisches Reticulum. Bei den Amphibien und Reptilien
kann man oft in den eben erwähnten Kanälchen Leukocyten während
ihrer Wanderung antreffen; dieselben geben dem Laufe der Kanälchen
entlang sehr lange Ausläufer. In den Interzellularkanälchen wird
das Indigokarmin nach Injektion ins Blut mit nachfolgender Be-
rieselung der serösen Häute mit Chlornatriumlösung abgesetzt. Die
breiten blauen Linien, die dabei zwischen den Zellen erscheinen, sowie die breiten Silberlinien (bei Entzündung der serösen Häute) wurden von Arnold für Ausdruck der Kittsubstanz gehalten. Ich bin
sehr geneigt anzunehmen, dass die Kanälchen mit einer serösen
Flüssigkeit erfüllt sind; dieselbe sickert zwischen den Rändern der
Zellendeckplatten durch und verursacht die Erscheinung der schwarzen
Linien an versilberten Endothelpräparaten, da sie auf die Silbersalze
reduzierend wirkt. Dringt aber das Silbersalz in die Tiefe der Kanälchen (besonders bei Entzündung), dann erscheinen die Linien breit.
Alle hier beschriebenen Verhältnisse sind viel schärfer bei den Amphibien und Reptilien ausgeprägt; bei den übrigen von mir unter-

suchten Vertebraten (besonders bei Fischen) treten sie weniger klar
hervor, obgleich der Typus der Zellenstruktur derselbe bleibt. Die
beschriebenen Verhältnisse sind desto schärfer ausgeprägt, je dicker
die flache Zelle ist. In den dünnsten Zellen kann man dennoch
immer zwei verschiedene Teile unterscheiden. Hier sieht man nur
eine Schicht mehr oder weniger feiner Anastomosen, die mit der
unteren Fläche der Deckplatte verlötet sind, so dass sie zugleich die
protoplasmatischen Teile zweier untereinander verbinden und die
Ränder deren Deckplatten im Zusammenhange halten.

Ich konnte noch eine interessante Eigentümlichkeit der Struktur
des Pleuroperitonealendothels auffinden. Die Oberfläche der Deckplatte ist mit sehr zarten, kurzen (durchschnttlich 2 μ) Härchen dicht
besetzt; als solche erscheinen dieselben bei Profilansicht, von der
Fläche gesehen als eine feine dichte Punktierung, die gleichmäßig
die ganze Oberfläche der Zelle bedeckt. Diese Härchen finden sich
beim Menschen (2—3 monatliche Kinder) und den Säugern am Endothel der ganzen Pleuroperitonealhöhle (Cölom). Am Mesenterium, Media-
stinum pleurae, Lig. suspensorium hepatis und anderen freien serösen
Häuten (mit Ausnahme des Pericardiums und der Tunica vaginalis testis
propria) sind sie aber weniger deutlich als in allen übrigen Stellen des
Cölomendothels ausgeprägt. Am großen Netze können sie sogar
bei vielen Tieren gänzlich fehlen; beim Kaninchen und beim Hamster
sind sie jedoch auch hier zu finden. Diese Härchen sind auch ganz
gut an frischen Präparaten ohne jede Bearbeitung bei Untersuchung
im Pericardialserum zu sehen (mit Apochromaten homog. Immers.
v. Zeiss). Bei niederen Vertebraten waren die Härchen kaum ausgeprägt, zum Beispiel beim Axolotl; bei den Vögeln, Fischen, Reptilien und anderen von mir untersuchten Amphibien fehlten sie gänzlich.
Beim Frosche sind die mit Wimperhaaren besetzten Zellen miteinander und mit den gewöhnlichen flachen Endothelzellen durch die schon
oben beschriebenen Fortsätze verbunden. Diese Wimperzellen, die bei
den geschlechtsreifen Weibchen der Frösche, wie bekannt, in großer
Menge an gewissen Stellen zu finden sind, entwickeln sich aus gewöhnlichen flachen Endothelzellen, indem diese an Protoplasma
reicher werden und sich mit kaum bemerkbaren Härchen, welche zu
langen Wimpern auswachsen, bedecken. Die Wimperzellen sind also
den echten Endothelzellen an die Seite zu stellen. Die „endothelialen Keimzellen" beim Frosche wandeln sich auch in Wimperzellen um, aber hauptsächlich ist es die Eigentümlichkeit der flachen
Zellen. An ihrer freien Fläche entbehren die „Keimzellen" einer
Deckplatte, werden aber gewöhnlich von den Seiten durch Deckplatten der benachbarten flachen Endothelzellen ziegeldachförmig
bedeckt; mit dem protoplasmatischen Teile dieser letzteren sind sie
durch zahlreiche feine, oft variköse Fortsätze vereinigt. An ihrer
freien Oberfläche sind die Keimzellen nur dicht aneinander gedrängt,

die tieferen Partien derselben sind aber durch feine Fortsätze miteinander verbunden. Solche „Keimzellen" findet man bei allen von mir
untersuchten Amphibien und Reptilien; bei den Vögeln und Fischen konnte
ich sie nicht auffinden. — Bei den Säugern sind die feinkörnigen
„endothelialen Keimzellen" auch mit den großen flachen einfachen Endothelzellen und miteinander durch Fortsätze verbunden, außerdem sind
sie auch wie die flachen mit oben beschriebenen kurzen Härchen
bedeckt, sind also nicht von den gewöhnlichen Endothelien zu trennen.
Die Gruppen der „Keimzellen" sind nicht für Keimzentren (les centres
de formation Tourneux et Hermann) der Endothelien zu halten,
da sie im Pleuroperitonealendothel der Fische und Vögel, wie gleich
erwähnt, fehlen, bei den übrigen Vertebraten aber sowohl bei ganz entwickelten Tieren als bei ganz jungen zu finden sind. Sowohl die
großen flachen als die „Keimzellen" vermehren sich durch Karyokinese bei jungen noch wachsenden Tieren; bei ganz erwachsenen
aber findet man unter normalen Bedingungen im Pleuroperitonealendothel keine Spur einer Zellvermehrung. Während der Entzündung
(bei Säugern) wird der Endothelzellenverlust durch die Vermehrung
der Nachbarzellen (Karyokinese) ausgefüllt, ganz gleich, ob diese
groß oder klein sind. Die Verbindung der Endothelzelle mit den
benachbarten durch die Fortsätze wird während ihrer Teilung gar
nicht unterbrochen. Der Rand der Deckplatte der sich teilenden Zelle
verbleibt dabei mit Rändern der benachbarten Zellendeckplatten in
Zusammenhang. Die Teilung geht nicht vollständig vor sich — es teilt
sich vollständig nur die Deckplatte, die protoplasmatischen Teile
zweier junger Zellen bleiben durch Anastomosen in Verbindung
unter einander. Die sich teilende Zelle wird dicker, körniger
und die sie bedeckenden Härchen werden dabei auch dicker und
länger. Die Härchen haben ein ganz gleiches Aussehen sowohl bei
ganz jungen Embryonen als bei den erwachsenen Tieren. Dieses
Faktum und die Abwesenheit der Härchen bei niederen Vertebraten
erlaubt nicht dieselben für rudimentäre Wimperzilien zu halten. Von
ihrer physiologischen Bedeutung ist überhaupt schwerlich etwas
Sicheres zu sagen. Ihre morphologische Bedeutung aber scheint
sehr wichtig zu sein für die Beurteilung des Verhaltens der serösen
Höhlen (der Pleura und des Peritoneum) und der Lymphgefäße gegen
einander. Die ersteren können nicht ohne weiteres für eine unmittelbare Fortsetzung, so zu sagen eine Erweiterung der letzteren (Recklinghausen und andere) gehalten werden, da das Endothel der
Lymphgefäße weder bei den Säugern noch bei den übrigen Vertebraten mit Härchen besetzt ist.

Aus allem oben Gesagten folgt, dass das Endothel der Pleuroperitonealhöhle nicht vom Epithel geschieden werden darf, da es
sich in nichts seinen morphologischen Eigenschaften nach von dem
echten Epithel unterscheidet. Dieses Endothel mit platten Binde-

gewebszellen zu identifizieren (R a n v i e r, T o l d t, Orth, Dekhuyzen
und viele andere) erscheint mir nach all dem Obengesagten gänzlich
unmöglich.

Die Deckplatten der Endothelzellen kann man als metamorpho-
sierte oberflächliche Partie des Protoplasmas betrachten. Diese letztere wie das Protoplasma überhaupt ist kontraktil, wovon man sich
am besten bei der Entzündung der serösen Häute überzeugen kann.
Bei den Entzündungen verdickt und kontrahiert sich der protoplasmatische Teil der Endothelzellen, wodurch die freie Zellenoberfläche
konvex wird; die Fortsätze werden auch dicker und mehr gespannt,
treten klar hervor, dann reißen die Zellenanastomosen an vielen
Punkten von einander ab und ziehen sich in das Protoplasma hinein.
Die Interzellularkanälchen werden dabei breiter. Wenn der Reiz nur
kurze Zeit gewirkt hat, oder nur schwach gewesen ist, so können
die Fortsätze von neuem hervortreten und sich mit den Fortsätzen
der Nachbarzellen vereinigen. Wirkte aber der Reiz längere Zeit
und stark (Entzündung bei Injektionen von Kulturen des *Micrococcus
pyogeneus albus* et *aureus* insbesondere in die Pleurahöhle), so
nehmen dabei die Endothelzellen Kugelform an, verlieren jeden
Verband mit ihren Nachbarn und teilen sich von ihnen und dem
unterliegenden Gewebe ab. Sind sie dabei mit Härchen bedeckt, so
sehen sie einem zusammengerollten Igel äußerst ähnlich, wobei die
Härchen sehr scharf hervortreten. Die Zellendeckplatten scheinen
gegenüber den Bewegungen des Protoplasmas sich passiv zu verhalten. Sie lösen sich bei der Abrundung der Zellen an ihren Ecken
voneinander ab und an versilberten Präparaten erscheinen hier die
Stigmata und Stomata. — Bei der künstlichen Spannung der serösen
Häute erscheinen hauptsächlich die Stigmata und Stomata erstens
da, wo die Zellenecken zusammenstoßen, und dann in Form von
Ketten zwischen den Zellenrändern. Das ist die unvermeidliche Folge
der oben beschriebenen Zellenstruktur — der Art und Weise der
gegenseitigen Verbindung der Zellen untereinander. Die schwarzen
Punkte und Kreise (Stigmata) sind nur die ersten Stadien der Bildung der Ringe (Stomata); alle diese Formen erscheinen nur als
Ausdruck des partiellen Auseinandergehens der Deckzellenplatten:
die Ringe erscheinen infolge der Reduktion des Silbersalzes an den
Rändern dieser Deckplatten durch die an ihnen fest haftende feine
Schicht der serösen Flüssigkeit; die schwarzen Punkte und Kreise
infolge der Reduktion des Silbers durch diese Flüssigkeit, die den Raum
zwischen den nur wenig voneinander getrennten Deckplattenrändern
gänzlich erfüllt. Anders ist es wenigstens schwer sich die zahlreichen Uebergänge zwischen den Kreisen und Ringen zu erklären,
die man an versilberten Präparaten der gespannten Häute beständig
findet. — Ich konnte mich überzeugen, dass man bei normalen physiologischen Verhältnissen keine Stomata als praeformierte Bildungen

am Pleuroperitonealendothel auffindet. Warum dieselben aber dennoch zuweilen hie und da unbeständig erscheinen, ist schwer zu sagen; es ist sehr möglich, dass auch hier irgendwelche mechanische Einwirkungen während der Präparation von Einfluss sind — Das Einspritzen von indifferenten Flüssigkeiten in die Pleural- oder Peritonealhöhle, die in sich suspendierte feste Partikelchen enthalten (0,6% Chlornatriumlösung + Tusche oder Karmin) bleibt nie ohne eine merkliche Wirkung auf die Struktur der Endothelzellen. Obgleich dabei keine Entzündung der Pleura oder des Peritoneums auftritt, findet man dennoch regelmäßig die oben beschriebenen entzündlichen Veränderungen am Endothelüberzuge mehr oder weniger klar ausgeprägt. Dabei findet man regelmäßig, besonders am Zellenüberzuge der Intercostalpleura und der abdominalen Fläche des Diaphragmas, die Stomata in größerer oder minderer Zahl vorhanden; dieselben sind mit Tusche ausgefüllt. Diese Versuche erlauben mir den Schluss zu ziehen, dass bei diesen Einspritzungen die Stomata als Folge der Reizung der Endothelzellen durch feste Partikelchen erscheinen. —

Das Keimepithel des Eierstockes hat dieselbe Struktur wie das Pleuroperitonealendothel (Epithel): an dessen Zellen kann man auch zwei Teile unterscheiden — einen protoplasmatischen Teil und eine Deckplatte, die mit Härchen besetzt ist (Säuger). Auch sind die Zellen des Keimepithels miteinander und mit Endothelzellen des Peritoneums durch feine kurze Fortsätze verbunden. Das Keimepithel des Eierstockes unterscheidet sich also vom Endothel der Pleuroperitonealhöhle nur dadurch, dass seine Zellen viel höher und reicher am Protoplasma sind; sie gleichen also sehr den hohen Endothelzellen der Pulmonalpleura bei den Säugern. Der Unterschied zwischen der Höhe der Zellen an Pleura pulmonalis und costalis ward schon von Klein bemerkt. — Oben wurde gesagt, dass das Endothel der Lymphgefäße der Härchen entbehrt; dasselbe gilt auch von dem Endothel der Blutgefäße. Darin unterscheidet sich die endotheliale Auskleidung des Cöloms vom Gefäßendothel. Im Uebrigen gleichen sich die beiden Endothelienarten beinahe gänzlich. Eine jede Zelle besteht auch hier aus einer Deckplatte und einem protoplasmatischen Teil. Der letztere steht durch feine kurze Fortsätze mit den Nachbarzellen im Zusammenhang. Die Struktur der Gefäßendothelzellen gleicht den dünnsten Zellen des Cölom. Wegen der großen Dünne der Zellen treten hier besonders in den Blutkapillaren, die beschriebenen Eigentümlichkeiten der Struktur weniger klar hervor. Der Untersuchung wurden hauptsächlich die Gefäße der Gehirnhäute, der Mesenterien und der Lungen verschiedener Vertebraten unterzogen. Von den Lymphgefäßen wurden nur stärkere — Ductus thoracicus und Perivaskularräume (Frosch) untersucht.

Die Löcher der Membrana fenestrata sind größtenteils längs der Interzellularräume des Gefäßendothels angeordnet. Dieses Verhältnis tritt um so deutlicher hervor, je kleiner das Blutgefäß ist. Die Membrana fenestrata konnte ich in kleinsten Arteriolen und Venulen auffinden; ohne Zweifel existiert sie auch an Kapillaren, aber es ist mir nicht gelungen hier dieselbe klar und deutlich darzustellen. — Das Auftreten der Stigmata und Stomata in den Blutgefäßen bei der Entzündung und venöser Stauung ist nicht etwas zufälliges, sondern etwas beständiges, durch die Struktur der Zellen und deren Veränderungen während der Entzündung bei der gleichzeitigen Erweiterung des Gefäßes bedingt. Diese entzündliche ist der künstlichen analog. Durch die letztere kann man die Erscheinung der Stigmata und Stomata in größerer oder minderer Zahl je nach Spannung der Gefäßwand hervorrufen. Es muss hinzu bemerkt werden, dass die entzündlichen Veränderungen des Gefäßendothels sehr schwer zu beobachten sind. — Dass die Leukocyten durch die gebildeten Stomata und Stigmata auswandern, scheint mir höchst wahrscheinlich zu sein; die aktiven Bewegungen derselben müssen dabei eine große Rolle spielen. Näheres über die Emigration der Leukocyten hoffe ich in einer anderen Mitteilung auseinanderzusetzen.

Aus allem hier von der Struktur des Endothels Gesagten kann ich nur einen Schluss ziehen, dass dasselbe den echten Epithelien zugerechnet werden muss, dass kein Grund vorhanden ist die Endothelien den Epithelien gegenüberzustellen, dass sowohl der Archiblast als der Parablast echte Epithelien produziert.

Nachtrag.

Nachdem diese Zeilen schon niedergeschrieben waren, habe ich die kurze Mitteilung des Herrn Ranvier [1]) bekommen, worin er seine neuen Anschauungen über die Struktur der Endothelzellen veröffentlicht. Herr Ranvier hat am großen Netze vom Meerschweinchen Folgendes gefunden: Die Endothelzellen bestehen hier aus einer oberflächlichen dünnen Platte verdichteten Protoplasmas, deren Grenzen durch Silberbehandlung dargestellt werden. Das Protoplasma unterhalb dieser Platte ist nicht von den benachbarten Zellen getrennt, sondern es setzt sich kontinuierlich in Form von Netzen von einer Zelle zur andern fort. Ich muss erstens dazu bemerken, dass diese Resultate, die an die meinigen erinnern, durch eine ganz von der meinigen verschiedene Methode erlangt sind, obgleich ich sowohl wie Herr Ranvier ein und dasselbe Reagens anwendeten, und zweitens, dass ich durchaus nicht die Meinung des Herrn Ranvier von der Herkunft der Endothelien von den Bindegewebszellen annehmen kann.

Meine Präparate waren dem jetzt verstorbenen Herrn Prof. Babuchin und seinem Nachfolger Herrn Prof. Ognew schon vor einem Jahre demonstriert worden.

---

1) Comptes rendus CXII. 16. p. 842. De l'endothelium du peritoine etc.

Joseph v. Gerlach, Handbuch der speziellen Anatomie des Menschen in topographischer Behandlung. Mit besonderer Rücksicht auf die Bedürfnisse der ärztlichen Thätigkeit. München und Leipzig bei R. Oldenbourg. Gr. 8⁰. 918 Seiten. Preis 20 M

Das vorliegende Handbuch der speziellen Anatomie des Menschen ist insbesondere mit Rücksicht auf die Bedürfnisse des praktischen Arztes geschrieben worden Schon der Name des Verfassers, der selbst, bevor er die akademische Laufbahn einschlug, Jahre lang als praktischer Arzt gewirkt hat, bürgt dafür, dass in der Abgrenzung dessen, was für die ärztliche Thätigkeit notwendig und wissenswert erscheint, von dem, was mehr theoretisches Interesse darbietet, der richtige Weg eingeschlagen worden ist. — Die Einteilung des Stoffes ist eine zweckentsprechende, die Darstellung eine frische und lebhafte. Mit besonderem Interesse wird der Leser die Kapitel über das Gehirn, die Unterleibsbrüche und die höheren Sinnesorgane verfolgen. Bei letzteren ist auch die Histologie in hervorragendem Maße berücksichtigt worden, in der vollkommen richtigen Auffassung, dass bei gewissen Körperteilen das Eingehen auf deren feinere Struktur das topographische Verständnis ganz wesentlich zu fördern im Stande ist. — Die äußere Ausstattung des Werkes, Druck, Papier und Abbildungen sind allen gerechten Anforderungen entsprechend. Was die letzteren anlangt, so entstammen sie zum allergrößten Teile Präparaten aus der Erlanger anatomischen Sammlung.

So stellt denn die vorliegende topographische Anatomie nicht nur für frühere Erlanger, wie es in der Vorrede heißt, sondern auch für alle jene praktischen Aerzte, welche die anatomischen Studien nach ihrem wahren Werte zu schätzen wissen, ein in jeder Hinsicht nützliches und lesenswertes Werk dar.

Carl Rosenthal (Berlin).

Die biologische Station bei Plön in Holstein.

Wir erhalten von Dr. Otto Zacharias, dem Leiter des neubegründeten wissenschaftlichen Instituts zu Plön, die Nachricht, dass dasselbe vom 15. April d. J. ab als eröffnet betrachtet werden kann.

Die Plöner biologische Station liegt unmittelbar am Grossen Plöner See und letzterer ist durch seine Grösse (50 qkm = 20 000 preussische Morgen) und durch seinen Organismenreichtum besonders dazu geeignet, ein Arbeitsfeld für zoologische und pflanzenphysiologische Untersuchungen zu bilden. Dazu kommt noch die Nachbarschaft anderer grosser Wasserbecken (Kleiner Plöner See, Trammersee, Behlersee, Dicksee, Kellersee, Grosser und Kleiner Eutiner See, Ukeleisee u. s. w.), so dass hierdurch zugleich die denkbar günstigste Gelegenheit zur Vornahme von faunistischen Ausflügen gegeben ist. Den Verkehr auf den einzelnen Seen vermitteln grosse Segel- und Ruderboote. Der biologischen Station steht ausserdem noch die Be-

*nutzung eines Petroleum-Schraubenbootes zur Verfügung, welches eine an-
sehnliche Fahrgeschwindigkeit (10—12 km pro Stunde) besitzt.*

*Das Stationshaus ist ein zweistöckiges Gebäude, welches ausser den
erforderlichen Arbeitsräumen (Laboratorium, Experimentierzimmer und Bibliothek) auch die Wohnung für den Direktor enthält. Im Erdgeschoss sind
die Aquarien untergebracht, welche durch eine Röhrenleitung mit fliessendem
Wasser aus dem See gespeist werden. Der Mikroskopiersaal hat dreiflügelige
grosse Fenster und die Arbeitstische sind mit vorzüglichen Instrumenten
aus der Optischen Werkstätte von C. Zeiss in Jena ausgerüstet. Bei aller
Bescheidenheit ihrer Einrichtung besitzt die Plöner Station doch Alles, was
zur Ausführung von mikroskopisch-anatomischen und entwicklungsgeschichtlichen Arbeiten erforderlich ist. Mehr ist nicht versprochen worden und zu
einer luxuriösern Ausstattung wären auch die Mittel nicht vorhanden gewesen. Vom 15. April 1892 ab werden — wie schon erwähnt — die
Arbeitsplätze in der biologischen Station zu Plön für süsswasserfreundliche
Zoologen und Botaniker benutzbar sein.*

*Der Besuch dieses Instituts ist bis zum 1. Juli d. J. vollständig frei-
gegeben. Nach diesem Termin ist von Seiten der die Arbeitstische be-
nutzenden Herrn 15 M pro Monat zu zahlen. Im Ganzen sind 8 Arbeitsplätze vorhanden. Anmeldungen werden in der Reihenfolge ihres Ein-
ganges berücksichtigt; sie sind zu richten an:*

Dr. Otto Zacharias *zu Plön in Holstein.*

Kolonialmuseum in Haarlem (Holland).

*Die Herren Verfasser von Arbeiten in den Annalen und Zeitschriften
Wissenschaftlicher Vereine werden freundlichst gebeten von jedem der von
ihnen publizierten Notizen, welche Beziehung haben auf die tropische Botanik,
Zoologie, Produkten und Landwirtschaft einen Separatabdruck für die Bibliothek des Kolonialmuseums zu Haarlem (Holland) zu bestimmen.*

Die Direktion des Kolonialmuseum in Haarlem

F. W. van Eeden.

Berichtigungen.

Bei der Fertigstellung voriger Nummer sind leider von den Artikeln der
Herren Famintzin und v. Lendenfeld die Revisionen unbenutzt geblieben.
Wir bitten deshalb die folgenden, dort stehen gebliebenen Fehler gütigst ver-
bessern zu wollen:

S. 51 Z. 3 v. u. statt: in dem lies: „in dem"
S. 52 Z. 4 v. o.   „   H. S.   „ „Heft 5"
S. 53 Z. 9 v. „   „   chlorophylleeres lies: „chlorophyllloses"
S. 54 Z. 10 v. „   „   anführen lies: „anführen" d. h. hinter anführen sind die
                                      Zeichen " vergessen.
S. 59 Z. 1 v. „   „   er lies: „Dendy"
S. 59 Z. 5 v. „   „   okularen lies: „oskularen"
S. 59 Z. 22 v. u. „   unterscheiden lies: „unterscheidet
S. 59 Z. 19 v. „   „   *Subdinisia* lies: „*Subdivisia*"
S. 59 Z. 4 v. „   „   Subsektions lies: „subsections"
S. 60 Z. 3 v. o.   „   canata lies: „cavata"

Verlag von Eduard Besold in Leipzig. — Druck der kgl. bayer. Hof- und
Univ.-Buchdruckerei von Fr. Junge (Firma: Junge & Sohn) in Erlangen.

Biologisches Centralblatt

unter Mitwirkung von

Dr. M. Reess und Dr. E. Selenka

Prof. der Botanik Prof. der Zoologie

herausgegeben von

Dr. J. Rosenthal

Prof. der Physiologie in Erlangen.

24 Nummern von je 2 Bogen bilden einen Band. Preis des Bandes 16 Mark.
Zu beziehen durch alle Buchhandlungen und Postanstalten.

XII. Band. **29. Februar 1892.** **Nr. 4.**

Morphologie der haarartigen Organe bei den Algen.

Von M. Möbius in Heidelberg.

(Schluss.)

Auf der *Cladophora* fand ich ferner häufig eine Alge, die dem *Herposteiron confervicola* (A. Br.) Hansg. gleicht; dieselbe Alge habe ich auch auf australischen Oedogonien aufsitzend gefunden. Viele Zellen derselben trugen sehr lange Haare. Dieselben entstehen als Ausstülpungen der Zelle aus ihrer oberen Seite und erscheinen demnach zunächst als ein kleiner hohler Zapfen, in den sich der Zellinhalt direkt fortsetzt. Der Zapfen verdünnt sich an der Spitze und wächst hier zu einem langen Faden aus. Dieser wird aber nur von der inneren Membran gebildet, da die äußere später nicht mitwächst, sondern aufreißt und eine dicht anliegende, von unten nach oben verdünnte Scheide um die Basis des Haares bildet. Auch Hansgirg erwähnt in der oben zitierten Arbeit diese Scheide. Nachdem sich das Haar von der Tragzelle durch eine Querwand abgegrenzt hat, verschwindet der Inhalt aus dem unteren Teil und verteilt sich auf die ganze Länge des Haares, das infolge dessen sehr inhaltsarm erscheint. Das Lumen ist äußerst eng und der ganze Faden misst nur 1—2 μ im Durchmesser. Auch hier fand ich die Zelle durch Abbrechen der Spitze oben geöffnet; oft ist aber der Faden so weit abgebrochen, dass nur noch der von der Scheide umgebene Teil stehen bleibt, als eine kleine, oben offene, leere, annähernd kegelförmige Zelle. Es kommt vor, dass ein Haar auf der Grenze zweier Zellen aufsitzt, wenn nämlich die Tragzelle nach der Entstehung des Haares unter seiner Ansatzstelle eine Querwand gebildet hat. Dies wäre natürlich nicht möglich, wenn das Haar nur eine nicht abgegliederte

XII. 7

Ausstülpung seiner Tragzelle wäre. Erwähnt sei auch noch, dass einmal eine Verzweigung des Haares in seinem oberen Teile beobachtet wurde (Fig. 6).

Fig. 6.

Ich habe niemals eine Form von *Herposteiron confervicola* mit septierten Haaren gesehen und bezweifele deshalb einigermaßen, ob überhaupt in dessen Haaren wirkliche Querwände vorkommen. Ich glaube auch nicht, dass ich die betreffende Alge mit *Aphanochaete repens* B e r t h. verwechselt habe, da die Haare dieser Alge, die ich nicht selbst untersuchen konnte, nach der Angabe ihres Autors noch eine andere Struktur haben. Sie werden folgendermaßen beschrieben[1]). „Die Zellhaut kann in eine lange, unten zwiebelartig aufgetriebene Borste auswachsen, an der eine Gliederung nicht wahrgenommen werden konnte. Ein deutliches Lumen findet sich nur im unteren zwiebelförmigen Abschnitt, der obere Teil zeigt auch bei sehr starker Vergrößerung nur einfache Konturen. Die Borsten finden sich unregel-mäßig auf den Zellen der Exemplare verteilt". Nach der Zeichnung und der Analogie mit anderen Haaren ist es wahrscheinlich, dass die Borste eine Zelle ist, bei der das Lumen im oberen Teile durch Verdickung der Membran verschwunden ist.

Die Haare von *Chaetonema irregulare* N o w. kenne ich auch nur aus der kurzen Beschreibung des Autors[2]) und der Abbildung, welche K i r c h n e r in seiner mikroskopischen Pflanzenwelt des Süßwassers (1891, Taf. II, Fig. 22) davon gibt. Danach sind sie ähnlich wie bei *Herposteiron confervicola* (nach meinen Angaben), endigen aber in eine feine Spitze; dass sie an der Basis umscheidet sind, ist aus der Angabe zu vermuten, dass sich auf älteren Zellen gewöhnlich mehrere abgebrochene Borstenbasalteile finden.

Besser bekannt sind die einzelligen Haare von *Phaeophila*. Nach K i r c h n e r's Angaben[3]) über *Ph. Floridearum* H a u c k sind diese langen zylindrischen Haare anfangs durch eine Querwand von der Tragzelle geschieden und an der Spitze geschlossen. Später wird jene Querwand resorbiert und die Spitze fällt ab, so dass die in der darunter liegenden Zelle gebildeten Schwärmsporen durch die offene Röhre, indem sie dieselbe erweitern, austreten können. Diese Alge wächst endophytisch in der äußeren Membran größerer Meeresalgen und besteht aus kriechenden Fäden, deren Zellen auf ihrem Rücken bisweilen ein bis zwei jener Haare tragen, welche aus der Substanz des Wirtes

---

1) Verzweigung einiger Süßwasseralgen. S. 215.
2) C o h n's Beitr. zur Biologie d. Pflanzen, Bd. II, S. 76 (N o w a k o w s k i).
3) Tageblatt der 54. Versammlung deutscher Naturforscher und Aerzte in Salzburg 1881.

hervorragen. Ueber die Natur der Haare kann man sich also leicht täuschen, wenn man die Entwicklung nicht kennt, da ältere Haare als oben und unten offene Röhren erscheinen, wie ich es bei einem auf *Polysiphonia opaca* (Ag.) Z a n a r d. von der Insel Malta wachsenden Exemplare beobachtete. Auch die Abbildung in H a u c k's Meeresalgen (S. 464) gibt eine ganz falsche Vorstellung von der Beschaffenheit der Haare. *Ph. minor* K i r c h n. verhält sich der vorigen Art ganz ähnlich. Bei *Ph. horrida* H a n s g.[1]) kann eine Zelle 5—18 Haare tragen, die 2—4 μ breit, über 150 μ lang, an der Basis unmerklich erweitert, gerade oder leicht gekrümmt sind und zwischen den Wirtszellen büschelig hervorragen. Ueber ihre Entwickelung wird nichts weiter angegeben.

Von den Formen mit einzelligen abgegliederten Haaren ist noch *Nylandera tentaculata* H a r i o t zu erwähnen, eine zu den T r e n t e - p o h l i a c e e n gehörige Alge, die sich von der Gattung *Trentepohlia* selbst eben durch den Besitz jener Haare unterscheidet. Dieselben sitzen einzeln, seltener zu 2 bis 3 auf einer Zelle des fadenförmigen Thallus, sind 4—5 μ dick und 37—90 μ lang, zylindrisch, aber an der Spitze köpfchenartig angeschwollen, so dass sie in ihrer Form an die Tentakeln der Schnecken erinnern. Nach H a r i o t's Abbildung[2]) sind sie leer oder doch arm an Inhalt im Vergleich zu den Zellen der Fäden.

Vielleicht können wir hier am besten die Haare der C h a r a c e e n einschalten; ich meine die Stacheln, welche sich aus den mittleren Zellen der Rindenknoten bei *Chara crinita* W a l l r., *Ch. hispida* A. B r. u. a. entwickeln. Jene Zellen teilen sich bekanntlich parallel der Oberfläche, und die äußere Zelle wächst direkt zu dem spitzkegelförmiggestalteten Haar aus. Fasst man die innere Zelle als Tragzelle des Haares auf, so gehört es in die Gruppe, welche bisher besprochen wurde, nimmt man aber an, dass die äußere Zelle selbst das Haar erzeugt, so ist es nur eine Ausstülpung ohne Abgliederung und es gehört zu der nächsten Gruppe. Sonst dürften die bei *Chara* vorkommenden Stachelhaare keine besonderen Eigentümlichkeiten bieten. Ihr Inhalt ist wie der der anderen Rindenzellen beschaffen.

Wir kommen jetzt zu denjenigen Haaren, welche nur eine Ausstülpung der Tragzelle bilden. Hier würden zunächst die S i p h o n e e n anzuführen sein, bei denen ja überhaupt der ganze Thallus, mag er äußerlich noch so reich gegliedert erscheinen, nur eine große schlauchförmige Zelle repräsentiert. Auf diese Haare hat auch schon B e r - t h o l d[3]) hingewiesen und zwar erwähnt er *Codium*, bei dessen Arten aber die Haarbildung nur unter besonderen Umständen aufzutreten scheint. Ich habe diese Haare bei *Codium* weder selbst gesehen noch

1) Sitzungsber. d. k. böhm. Gesellsch. d. Wiss., 10. Jan. 1890, S. 5.
2) Journ. de Botanique, 1890.
3) Morphologie und Physiologie der Meeresalgen.

anderswo erwähnt oder abgebildet gefunden. Nach Berthold brechen
sie aus den oberen Teilen der peripherischen Blasen in größerer Anzahl seitlich hervor. Sie werden hier 2—3 mm lang, enthalten nur
sehr wenig Farbstoff und stehen mit dem Hohlraum der Blasen in
offener Verbindung bis sie beginnen abzusterben, worauf sich an der
Basis durch ringförmige Verdickung der Membran ein Abschluss
bildet.

Aus dieser Abteilung der Siphoneen sei noch *Udotea ciliata* Kg.
(Tab. phyc., VII, 19) angeführt, bei welcher der obere breite Rand
des Laubes mit langen wiederholt dichotom verzweigten „Cilien" besetzt ist. Sie entstehen durch direktes Auswachsen der peripherischen
Schläuche und erreichen eine Länge bis zu 7 mm (nach der Abbildung),
es scheint auch, dass sie weniger Inhalt führen, als die Schläuche
des Thallus.

Aehnliche Haare besitzen mehrere der sogenannten verticillierten
Siphoneen, bei denen sie unverkalkt sind, während der übrige Teil
des Thallus verkalkt erscheint; mit dem zunehmenden Alter der betreffenden Teile fallen die Haare ab. Wir können diese Gebilde somit
wohl als Haare auffassen, wenn auch Cramer, auf dessen Arbeit
über die verticillierten Siphoneen ich hier verweise[1]), sie zu den
Kurztrieben rechnet und als eigentliche Trichome, d. h. Teile, die
von den Thallomen morphologisch verschieden sind, nur die Rhizoiden
betrachtet. Ich untersuchte sie bei *Cymopolia barbata* Lamx., wo
sie in dichten Büscheln die Enden der Sprosse krönen Ich fand sie
etwa 3 mm lang und wiederholt trichotom geteilt Die 3 Aeste werden
ganz gleichmäßig am Scheitel des betreffenden Schlauches als zylindrische Ausstülpungen angelegt, in die der Inhalt sich hineinzieht.
Nachdem sie ausgewachsen sind, bildet sich an ihrer Ursprungsstelle
eine ringförmige Membranleiste nach innen, die nach der Mitte weiter-
wachsend eine vollständige Abgrenzung zwischen den übereinander-
stehenden Teilen herbeiführen kann. Trotzdem rechnen wir diese
Gebilde nicht unter die mehrzelligen Haare, weil sie ursprünglich einheitlich sind und nicht durch wirkliche Querwände gefächert werden,
sondern durch Einschnürungen, wie sie auch an andern Teilen des
Thallus der Siphoneen vorkommen, den wir ja auch als einzellig
zu betrachten pflegen.

Bei *Cymopolia bibarbata* Kg. (Tab. phyc., VII, 23) treten außer
an den Spitzen auch an den älteren Teilen seitlich lange Haare auf.

Bei *Neomeris Kelleri* Cramer finden sich die Haare nur in der
Nähe des wachsenden Scheitels und entspringen einzeln aus den End-
gliedern der Wirteltriebe. Sie sind einfach oder verzweigt und an
der Basis durch eine fast bis zur Mitte gehende, aber noch einen
weiten Porus lassende Einschnürung abgegliedert.

---

1) Denkschr. d. Schweiz. Naturf. Ges., Bd. **XXX**, 1887.

Fraglich ist es, ob wir die „sterilen Blätter" der bekannten *Acetabularia Mediterranea* L a m x. hierher rechnen können, da sie zwar äußerlich den Haaren von *Cymopolia* entsprechen, morphologisch jedoch eher den Wirtelzweigen derselben äquivalent sind. Sie entstehen an der jungen Pflanze in wirteliger Anordnung dicht unterhalb der Stammspitze zu 4 bis 7 und gabeln sich 3- bis 4mal in mehrere, zuletzt gewöhnlich in zwei Aeste, die der Verzweigung folgend an Länge und Breite, sowie an Dicke der Membran und Menge der Inhaltsstoffe abnehmen. Die Zweige letzter Ordnung sind kurz, konisch zugespitzt und beinahe oder ganz chlorophyllfrei. Die einzelnen Glieder sollen durch Querwände abgegrenzt sein, deshalb wären diese Gebilde vielleicht auch besser bei den mehrzelligen Haaren zu besprechen, wenn wir nicht lieber *Acetabularia* unter den andern Siphoneen behandeln wollten und nicht die Querwände vermutlich nur durch nachträgliche Einschnürung entstanden wären. Dass die Organe besser als Haare denn als Blätter bezeichnet werden, dafür spricht ihr geringer Chlorophyllgehalt und ihre Hinfälligkeit. Denn es werden nach einander bis zu 4 Haarwirtel gebildet und wieder abgeworfen, bevor der die Sporangien erzeugende Schirm entsteht; von ihrer Existenz zeugen dann nur noch die Narbenkränze unterhalb des letzteren.

Erwähnt sei hier noch, dass auch bei *Polyphysa Peniculus* H a r v. nach C r a m e r 's Beobachtungen an jungen Exemplaren solche „Haarwirtel" auftreten, bevor die Pflanze zur Bildung der fruktifizierenden Keulenäste schreitet.

Wir haben nun eine Anzahl anderer Chlorophyceen zu besprechen, bei denen das Lumen der Tragzelle direkt in das des meist einfachen, borstenförmigen Haares übergeht. Von diesen ist zunächst *Coleochaete* etwas ausführlicher zu behandeln. Nach P r i n g s h e i m [1] sind die Borsten „lange, äußerst dünne, hohle zylindrische Fäden, die in ungefähr gleichweiten Strecken zellenartig abgegliedert erscheinen". „Ich zweifele jedoch (fährt er fort) daran, dass es wahre zellige Fäden sind, obgleich die Fadenglieder durch scheidewandartige Bildungen von einander getrennt und begrenzt werden". Etwas anders drückt sich derselbe Autor später aus [2]), indem er von der Borste sagt: „sie geht aus einem lokalen Wachstum der Membran hervor... und gestaltet sich zu einer nach oben offenen Röhre, aus welcher ein langes biegsames Haar hervorsieht". Ferner: „bei *Coleochaete* treten die mit einem Haar versehenen Borsten als Auswüchse der Membran normaler Zellen auf". Daraus hat sich nun die Meinung gebildet, die Haare von *Coleochaete* seien bloße Wucherungen der Zellmembran ohne Lumen, wie es B e r t h o l d [3]) angibt, und F a l k e n b e r g [4]) be-

---

1) Jahrb. f. wissensch. Botanik, Bd. II, S. 12.
2) Morphologie der Meeresalgen. Berlin 1862. S. 3.
3) Morphologie und Physiologie der Meeresalgen.
4) In: S c h e n k 's Handbuch der Botanik, Bd. II, S. 250.

hauptet sogar in seiner Bearbeitung der Algen, „die Borsten seien
zarte, aber solide Cellulosefäden, in welche sich das Zelllumen nicht
fortsetzt und die an ihrer Basis von einer weiteren Scheide umgeben
sind. Diese Scheide besteht wahrscheinlich aus der gesprengten
äußeren Lamelle der Membran, während die inneren Partien derselben
sich zu einem dünnen Borstenhaar gestreckt haben". Es ist schwer
sich eine derartige zentrifugale Membranverdickung vorzustellen, aber
es ist leicht, sich davon zu überzeugen, dass die Haare mit Lumen
versehene Fortsätze der Tragzelle sind. Ich untersuchte *C. pulvinata*
A. Br., *C. scutata* Breb. und zwei neue australische Arten, von welch
letzteren besonders die eine die Verhältnisse sehr deutlich zeigte.
Auf sie beziehen sich hauptsächlich die folgenden Angaben.

Fig. 7.

Als Anlage des Haares bemerkt man, dass die
Zelle an einer Stelle in einen kleinen dünnen Zapfen
ausgezogen ist, in den sich das Zelllumen direkt
fortsetzt. Dieser Zapfen wächst in seiner zylindrischen Gestalt weiter, wobei sich die äußere Membranschicht etwas von der inneren abhebt. Die erstere
folgt dem Wachstum nur eine Zeit lang, wird infolge
dessen an der Spitze gedehnt und immer dünner, bis
sie hier gesprengt wird. Das Haar ist jetzt nur noch
von der inneren sehr zarten Membranschicht umgeben,
durch seinen plasmatischen Inhalt aber befähigt weiter
zu wachsen und verlängert sich soweit, dass es die
Länge der Scheide mehrfach übertreffen kann. An
längeren Haaren findet man auch hier die Spitze fast
immer abgebrochen, das Ende des Haares also offen,
wie es Pringsheim abbildet. Der Inhalt ist ziemlich gleichmäßig in dem Haarlumen verteilt, auch
bei noch wachsenden Haaren beobachtete ich keine
besondere Plasmaansammlung an der Spitze. Stellenweise allerdings finden sich stärker lichtbrechende
Klümpchen und diese erscheinen dann als „scheidewandartige Bildungen". Besonders bei *C. scutata*
fielen sie auf, aber schon daraus, dass manchmal mehrere dicht hinter
einander, dann auf lange Strecken gar keine auftreten, lässt sich
entnehmen, dass es keine Querwände sind. Bei jener australischen
Coleochaete lag fast immer an der Ursprungsstelle des Haares ein
größeres stark lichtbrechendes Korn. Die Scheide ist meist zylindrisch, ihre oberen Ränder sind schwach nach außen gebogen, bei
der erwähnten australischen Art aber zeigt sie noch eine besondere
Bildung (Fig. 7). Der obere Rand mit undeutlicher, verschwindender
Begrenzung hebt sich trichterförmig ab und am unteren Rande des
Trichters bildet die Membran eine niedrige Falte, weiter nach unten
zu treten noch Erweiterungen und Einschnürungen auf. Die innere

Membran ist, soweit das Haar in der Scheide steckt, nicht sehr deutlich zu sehen, aber doch bei genauer Beobachtung bis zur Basis zu verfolgen. Um den Inhalt deutlich zu machen, empfiehlt sich Färbung desselben mit Jod, oder noch besser mit Methylgrün. Sehr scharfe Bilder erhielt ich durch Saffranin in wässriger Lösung: die Membranen waren braungelb, der Inhalt in dunklerem und rotem Ton gefärbt. Congorot färbt die Scheide gar nicht, die innere Membran nur schwach, ebenso wie die Wände der Zellen von *Coleochaete* überhaupt. Sie bestehen also, wie häufig bei den Algen, nicht aus reiner Cellulose. Dass das Haar kein solider Cellulosefaden ist, braucht kaum noch einmal erwähnt zu werden. Es ist eine zellige Bildung und dabei bemerkenswert nur, dass an seiner Basis keine Scheidewand gebildet wird und dass zwischen Scheide und innerer Membran ein Zwischenraum entsteht. Die Scheide an sich ist nichts Auffallendes, sondern dass die äußere Membran nur die Basis des Haares umgibt, fanden wir mehrfach: nicht bloß bei den Chlorophyceen, wie *Bulbocoleon*, *Herposteiron* und wahrscheinlich *Chaetonema*, sondern auch bei der Floridee *Batrachospermum*. Wir werden es auch noch bei einigen der folgenden finden. Somit zeigen die Haare von *Coleochaete* eine viel größere Uebereinstimmung im Bau mit denen anderer Formen, als man bisher annahm.

Für die kleineren Arten, *C. orbicularis* Pringsh. und *irregularis* Pringsh., die ich nicht untersuchte, gibt Pringsheim an[1]), dass die Scheide meist weniger deutlich ausgebildet, verhältnismäßig kürzer ist und sich oft gar nicht öffnet. „Sie wird häufig noch in sehr alten Exemplaren geschlossen und nach oben spitz in den Faden auslaufend angetroffen, auch der Borstenfaden selbst ist noch viel zarter und dünner als in den größeren Arten."

Ochlochaete Hystrix Thwait., von Rabenhorst zu *Aphanochaete* gezogen, ist nach Pringsheim[2]) mit *Coleochaete pulvinata* identisch, nach der Zeichnung Rabenhorst's (Flora Europaea Algarum III. p. 305) sind aber die Haare nicht umscheidet. Nach De-Toni (Sylloge Algarum I. p. 213) schließt sich *Ochlochaete* am ehesten an *Herposteiron* an. Daraus kann man also nicht entnehmen, wie die Haare beschaffen sind, denn die Beschreibungen sind in dieser Hinsicht zu ungenau.

Acrochaete repens Pringsh. aber dürfte eher hieher gebören. Denn obgleich nach der Abbildung die Haare einfache Membranauswüchse mit Scheide sind, gibt Pringsheim[3]) von den „Borsten", welche von den Endzellen der aufrechten Zweige getragen werden, an: „Sie stimmen in ihrem Bau und ihrer Entstehung vollkommen mit den Borsten der *Coleochaete*-Arten überein, und zwar ist es hier

1) l. c. p. 13.
2) Meeresalgen S. 6
3) eod. p. 4.

immer die äußerste Spitze der Endzelle, welche in die nach oben
offene Röhre auswächst, aus der dann das lange biegsame Haar hervorsieht. Die Borste ist an ihrer Basis nicht verdickt und niemals
durch eine Scheidewand als besondere Zelle abgegliedert."

Hier schließt sich dann an *Aphanochaete globosa*
(Nordst.) Wolle. Nordstedt, der diese Alge zuerst
beschrieb[1]), sagt bezüglich der Haare nur, dass die
Zellen auf dem Rücken eine sehr lange Borste tragen
und aus der Abbildung wäre zu schließen, dass die Membran in einen nach der Spitze zu immer dünner werdenden Faden ausgezogen ist. Ich fand diese Alge unter
andern australischen und untersuchte die Haarbildung
genauer (Fig. 8). Das Haar ist hier auch ein Fortsatz
der Zelle, an seiner Basis ist die Membran ziemlich
stark verdickt, dann erweitert sich das Lumen wieder auf
Kosten der Membran, um dann in dem oberen Ende nur
als feiner Strich kenntlich zu bleiben. Die äußere Schicht
der Membran wird auch hier ein kurzes Stück über der
Basis des Haares durchbrochen und an der Stelle, wo
sie aufhört, bricht auch der Faden leicht ab. Der Bau
ist also sowohl dem der *Coleochaete-* wie dem der *Herpo-
steiron-*Haare ähnlich, die Scheide umschließt aber im
Gegensatz zu *Coleochaete* das eigentliche Haar sehr dicht
und dieses trennt sich im Gegensatz zu *Herposteiron*
nicht von seiner Tragzelle durch eine Querwand ab,
sondern hier findet sich eben nur die Kommunikation durch Verdickung
der Membran sehr verengt. Von einer Scheidewandbildung im oberen
Teil des Haares ist natürlich nichts zu sehen, da ja überhaupt das
Lumen kaum zu erkennen ist. Bemerkenswert ist noch die ganz
außerordentliche Länge des Haares und die Erscheinung, dass dasselbe oft in vielen Windungen aufgerollt ist.

Fig. 8.

Eine besondere Stellung, auch betreffs der Haare, nimmt die
interessante einzellige Alge *Dicranochaete reniformis* Hieron. ein[2]).
Jede Zelle trägt eine Borste, die 80—160 μ lang, einfach bis 4 mal
dichotom verzweigt und von der Basis nach der Spitze hin verdünnt
ist. Die Borste entsteht aus dem hyalinen Vorderende der Schwärm-
spore. Dieses wächst zu einem Plasmafaden aus, der, während die
Zelle selbst sich auch mit einer Membran umgibt, eine Gallerthülle
ausscheidet; beim Weiterwachsen an der Spitze kann er sich ver-

---

1) De Algis aquae dulcis et Characeis ex insulis Sandvicensibus. Sv.
Berggren 1875 reportatis. Lundae 1878. S. 23.

2) Cohn's Beiträge zur Biologie, Bd. V, S. 351. Das Haar soll hier ein
Schutzorgan gegen den Angriff kleinster Tiere (Infusorien) vorstellen, weniger
für die Zelle selbst, als für die Schwärmsporen, die sich kaum über den von
dem Haar geschützten Raum von der Mutterzelle aus entfernen.

zweigen. Tritt die Verzweigung dicht an der Basis ein und wird das untere Stück von der Zelle verdeckt, so scheint diese 2 Borsten zu besitzen. Wenn das Wachstum des Haares abgeschlossen ist, schließt sich die Gallerthülle an der Spitze über dem Plasmafaden zusammen, der plasmatische Inhalt zieht sich aus der Borste in den Zellkörper zurück und der so entstandene Raum wird ebenfalls mit Gallerte ausgefüllt. Nur an der Basis erhält sich der Plasmafaden bisweilen noch ein Stück weit. Die Substanz der so entstandenen soliden Gallertborste ist ähnlich der Stielmasse der Diatomeen.

Wir haben hier also den Uebergang aus einem zelligen Haar zu einem bloßen Membranfortsatz vor uns. Haare von letzterer Beschaffenheit bilden eine neue kleine Gruppe, zu welcher irrtümlicherweise, wie oben gezeigt wurde, noch manche andere Haare gestellt worden sind, wie die von den *Coleochaete*-Arten. Eigentlich bleiben somit für diese Gruppe nur übrig die gewöhnlich als Stacheln bezeichneten haarartigen Gebilde, die sich bei einigen Protococcaceen und Desmidiaceen finden. Und selbst diese sind fraglich, da es sehr wohl möglich ist, dass sie als hohle Ausstülpungen der Zelle angelegt und später mit Membransubstanz ausgefüllt werden. Genauere Untersuchungen in dieser Hinsicht sind noch zu erwarten. Ich habe nur an den Stacheln von *Scenedesmus caudatus* Corda einen feinen Strich in der Mitte wahrnehmen zu können geglaubt, der als die Andeutung des ursprünglichen Lumens betrachtet werden kann. Von den Desmidiaceen sind es hauptsächlich die *Staurastrum*- und *Arthrodesmus*-Arten, deren Zellen mit Anhängen versehen sind, die vielleicht noch als haarartige Organe bezeichnet werden können.

Borstenförmige Fortsätze der Membran sollen noch vorkommen bei der von K. Bohlin 1890 [1]) aufgefundenen *Myxochaete barbata*, einer kleinen epiphytischen Alge, deren Zellen von einer dicken Gallerthülle umgeben sind. Diese bildet über jeder Zelle meist 2 aus Schleim bestehende haarartige, dünne, lange Fortsätze (setas mucosas), die bisweilen auch gegabelt sind.

Ueber die durch Fortsätze des Plasmas ohne Membran gebildeten haarartigen Organe kann ich mich kurz fassen, denn es sind dies nur die bekannten Cilien, Geißeln oder Wimpern, welche gewöhnlich paarig an den betreffenden Zellen vorhanden sind, aber auch einzeln oder zu mehreren auftreten Ich erwähne sie hier, weil sie bei den Chlorophyceen am meisten verbreitet sind, indem sie sich bei allen Arten der Volvocineen an den vegetativen Zellen finden und an den Reproduktionsorganen aller übrigen Formen mit Ausnahme der Conjugaten, und zwar an den Zoosporen, Zoogameten und Spermatozoiden, nicht aber an den Eiern. Bei den Phaeophyceen haben wir auf diese Art der haarartigen Organe

---

1) Bibang till k. Svenska Vet.-Akad. Handl., Bd 15, Afd. III, Nr. 4.

keine Rücksicht genommen und müssen deswegen hier nachträglich
erwähnen, dass alle Reproduktionsorgane der Phaeosporeen und
Cutleriaceen und die männlichen Zellen der Tilopterideen und
Fucaceen regelmäßig mit zwei seitlich an der Zelle inserierten
Cilien versehen sind. Bei den Dictyotaceen und Florideen
dagegen kommen keine cilientragenden Zellen vor. Unter den Cyanophyceen soll es nach Hansgirg[1]) einige einzellige mit 1 oder
2 Plasmawimpern versehene Formen geben, für die er die Gattungen
Cryptoglena und *Chroomonas* aufgestellt hat.

Damit sind wir denn bereits zu den haarartigen Organen der
Cyanophyceen übergegangen, welche sich denen der Chlorophyceen am nächsten anschließen. Auch hier finden sich zunächst
mehrzellige Haare, welche denen von *Stigeoclonium* entsprechen, insofern der fadenförmige Thallus ausgeht in eine Reihe von farblosen
Zellen, die länger und dünner sind als die unteren gefärbten Zellen
des Thallus, und insofern der Uebergang der letzteren in die ersteren
ein allmählicher ist. Der Besitz dieser Haare ist charakteristisch
für die Angehörigen der Familie der Rivulariaceen. Sie kommen
hier in verschiedener Ausbildung vor, indem das Haar nur aus wenigen
Zellen besteht und kurz ist wie bei *Calothrix pulvinata* Ag. und *C.
pilosa* Harv. oder aus vielen Zellen zusammengesetzt und verhältnismäßig lang ist wie bei *Rivularia polyotis* (J. Ag.) Hauck. Ferner
können die letzten Zellen des Haares noch ziemlich so dick sein wie
die unteren, z. B. *Gloeotrichia natans* Rabh., oder sie sind äußerst
dünn, das Haar also fein zugespitzt, z. B. *Calothrix fusca* Born. et
Flah. Am besten ausgebildet findet man die Haare an jugendlichen
Fäden; wenn die Bildung der Hormogonien beginnt, fallen sie ab.

Aus anderen Abteilungen gehört hierher die Sirosiphoniacee
Mastigocoleus testarum Lagh., bei welcher besonders haarbildende
Aeste vorhanden sind. Im unteren Teile derselben sind die Querwände kaum erkennbar, die untersten Zellen sind blaugrün, die oberen
Zellen sind farblos, lang und sehr dünn. Nur der untere Teil des
Haares ist von einer farblosen Scheide umgeben, aus deren zerschlitztem
Rande das lange Haarende peitschenförmig hervorragt. Sonst erinnert
noch einigermaßen an die Haarbildung der Rivulariaceen die *Oscillaria leptotricha* Kg., bei welcher das Ende des Fadens bis auf
ein Viertel der Zelldicke verdünnt und in eine lange gebogene Spitze
ausgezogen ist[2]).

Ein einzelliges farbloses Haar scheint bei *Clastidium setigerum*
Kirchn. vorhanden zu sein, einer kleinen zu den Chamac-

---

1) Botanisches Centralblatt, Bd. XXIV, Nr. 11 ff., 1885.
2) Die Cilien, welche bei manchen *Oscillaria*- (*Phormidium*-) Arten, wie
O. ruprestis Ag. und *O. subfusca* Vauch., sich in Büscheln an den Endzellen
des Fadens bisweilen vorfinden, sind höchst wahrscheinlich nur ansitzende
Bakterien. Ich hatte leider keine Gelegenheit diese Gebilde zu beobachten.

siphonaceen gerechneten Form. Der Thallus ist ein kurzer Zellfaden, der am einen Ende festsitzt, am andern das Haar trägt. Dasselbe „ist schon am unteren Ende, mit dem es dem Scheitel des Fadens aufsitzt, zart und dünn und deutlich von der obersten Fadenzelle unterschieden, man könnte diese Borste eher mit denen von *Coleochaete* oder *Bulbochaete* vergleichen. Beim Zerfallen des Fadens in Gonidien wird sie abgeworfen" [1]).

Von Cyanophyceen ist nur noch *Gloeochaete Wittrockiana* Lagh. [2]) anzuführen, welche in Bezug auf die Haare der bei den Chlorophyceen genannten *Myxochaete* am ersten zu entsprechen scheint. Die Borsten sitzen einzeln oder zu 2 bis 4 an einer Zelle, sind einfach oder verzweigt, bis über 0,3 mm lang und im unteren Teile 0,003 mm dick. Nach der Beschreibung liegen sie in der Schleimmasse der Zellen eingebettet, sind aber deutlich zu unterscheiden und gehen von einem farblosen Punkte der Zelle aus, indem sich die Membran allmählich in die Borste verlängert. Oder entstehen diese Haare vielleicht wie jene von *Dicranochaete*? [3])

Schließlich sei noch auf das Vorkommen von haarartigen Gebilden bei den Bacillariaceen oder Diatomeen hingewiesen, unter denen aber nur die Arten von *Chaetoceros* damit versehen sind. Jede Zelle trägt 4 lange dünne zylindrische Anhänge (Hörner), die von Schütt [4]) folgendermaßen beschrieben werden: „Die Hörner, welche als hohle papillöse Ausstülpungen der Membran mit dem eigentlichen Zellinnern in ununterbrochenem Zusammenhange stehen, sind von Protoplasma gefüllt und enthalten häufig sogar Chromatophoren. Ihre Wand ist ebenso starr und verkieselt wie die übrige Zellmembran." Form und Größe der Hörner wechselt bei verschiedenen Arten und Individuen außerordentlich, bei einigen Arten sind sie glatt, „bei andern dagegen mit kleinen punktförmigen Verdickungen, zarten Querstrichen und selbst mit starken soliden Stacheln versehen." Bei derselben Gattung kommen an den Ruhesporen haarartige Anhänge anderer Natur vor. Durch wiederholte dichotomische Verzweigungen am Ende haben sie das Aussehen eines zierlichen Bäumchens. Sie sind aber nicht hohl wie die Hörner, „sondern solide, feste, verkieselte Stäbe. Sie können, da sie nirgends mit dem Plasma in Berührung sind, nur durch ein eigentümliches centrifugales Dickenwachstum der Membran entstehen."

---

1) Kirchner in Jahreshefte d. Ver. f. vaterl. Naturkunde in Württemberg, 36. Jahrg., 1880, S. 195.
2) Nach Lagerheim mit *G. bicornis* Kirchn. und *Schrammia barbata* Dang. identisch (Nuova Notarisia, 1890, p. 227).
3) Haarartige Fortsätze der Membran sind die Geißeln der Bakterien, diese aber gehören eigentlich nicht mehr in die Ordnung der Algen und sind deshalb von der Besprechung ausgeschlossen.
4) Bot. Zeitung, 1888, Nr. 11 u. 12.

So haben wir denn gesehen, dass in jeder größeren Abteilung der Algen haarartige Organe vorkommen, dass aber deren Bau und Entwicklung ziemlich verschiedenartig sein kann. In Bezug auf letzteren Punkt bleibt noch Manches zu untersuchen, weil man diesen Gebilden in den Beschreibungen und Abbildungen nicht die genügende Sorgfalt gewidmet hat. Deswegen möchte ich zum Schlusse darauf hinweisen, dass es sich empfehlen wird, in den Beschreibungen nicht die Ausdrücke gegliedertes oder ungegliedertes Haar oder Borste zu gebrauchen, sondern bestimmt zu sagen, ob das Haar mehrzellig oder einzellig ist oder nur ein hohler Fortsatz der Tragzelle, oder ein solider Auswuchs der Membran.

Heidelberg, Januar 1892.

Kritische Bemerkungen über das Frenzel'sche Mesozoon *Salinella*.

Eine biologische Skizze.

Von Prof. Dr. **Stefan Apáthy**.

Frenzel beschrieb im „Zoologischen Anzeiger" (1891, Nr. 337, S. 230 fg.) und im „Biologischen Centralblatt" (Bd XI, S. 577 fg.) ein neues Tierchen, welches er *Salinella* getauft hat [1]. Ein mit zwei Oeffnungen — Mund und After — versehener Schlauch, dessen Wand von einer einzigen Zellschichte gebildet wird. Die Zellen sind an der Bauchfläche gleichmäßig, klein bewimpert; nur um den, nicht ganz endständigen, Mund herum sind einige mit stärkeren Cilien versehen; am Rücken tragen sie anstatt Wimpern kurze Borsten. Die dem Darmlumen zugewandte Seite aller Zellen ist gleichfalls fein bewimpert. Im Darm befinden sich Nahrungsbestandteile in fester Form. Frenzel glaubt eine intrazelluläre Verdauung derselben verneinen zu müssen.

Durch die Entdeckung von *Salinella* wurde unser Thatsachenmaterial ganz wesentlich bereichert, indem *Salinella*, wie es mir scheint, die Lücke zwischen *Volvox* und *Trichoplax* einigermaßen auszufüllen hilft. Für das Verständnis ursprünglichster Formen vielzelligen Lebens erscheint *Salinella* wichtiger als die Orthonectiden und Dicyemiden, in welchen wir ein wohl sehr altes genealogisches Stadium, als entwickeltes Tier, im besten Fall durch Parasitismus bloß restituiert finden.

1) Eine ausführliche Beschreibung mit Abbildungen publiziert Frenzel unter dem Titel „Untersuchungen über die mikroskopische Fauna Argentiniens" im letzten Heft des Archiv für Naturgeschichte (58. Jahrg., I. Band, 1. Heft, S. 66—96 mit Taf. VII), welches, im Dezember des v. J. herausgegeben, mir erst nachträglich in die Hände gekommen ist. Frenzel fügt hier seinen früheren Auseinandersetzungen nichts Prinzipielles zu: ich glaube also darauf vorläufig nicht weiter reflektieren zu müssen.

Es lassen sich an *Salinella* eine große Anzahl Fragen von höchster biologischer Bedeutung anknüpfen. Obwohl aber F r e n z e l mit *Salinella* einen wichtigen Beitrag für unsere Vergleichungen liefert, benützt er ·selbst in der Beurteilung von *Salinella* und der an diese geknüpften Probleme das schon vorhandene Thatsachenmaterial nicht genügend zum Vergleichen, weshalb er gewisse allerdings vorhandene Schwierigkeiten größer ansieht, als sie, vom vergleichenden Gesichtspunkte aus betrachtet, in der That sind.

Ich hoffe im Folgenden lauter Bekanntes und allgemein Anerkanntes auf einen konkreten interessanten Fall nur anzuwenden und erlaube mir damit einige Erwägungen von meinem Eigenen zu verbinden.

„Es ist bekannt", sagt F r e n z e l in seinem zweiten Aufsatze (l. c. S. 577), „dass zwischen e i n z e l l i g e n und v i e l z e l l i g e n Tieren bisher eine Kluft sich ausdehnte, welche größer war, als die zwischen dem Pflanzen- und Tierreich, denn diese beiden sind ja auch heute noch trotz unserer fortgeschrittenen Kenntnisse kaum von einander zu trennen". Je weiter aber unsere Kenntnisse vorschreiten werden, desto weniger wird eine ·solche Trennung möglich sein, und desto weniger werden wir sie auch für nötig halten: die Tier- und Pflanzenwelt hat sich von einer gemeinsamen Basis, von den kernlosen Protoblasten, in zwei verschiedenen Richtungen entwickelt. Ueberhaupt glaube ich nicht, dass es eigentlich gestattet sei in den Naturwissenschaften solche Vergleiche aufzustellen. Eine Kluft, wenn sie einmal vorhanden ist, kann weder kleiner, noch größer sein, als irgend eine andere.

Zwischen Tieren und Pflanzen könnte wohl eine Kluft existieren; glücklicherweise ist eine solche aber nicht da. Unser Thatsachenmaterial ist jedoch nur in verhältnismäßig ganz junger Zeit soweit bereichert worden, dass die Kluft, welche vom Standpunkte früheren Wissens aus nur zu sehr vorhanden war, überbrückt werden konnte. Möglich, dass es — unter den heutigen Lebewesen — zwischen Protozoen und Metazoen eine Kluft gibt; möglich, ja sogar sehr wahrscheinlich, dass es keine gibt, und dass es bloß von einer weiteren Bereicherung unseres Thatsachenmaterials abhängt sie zu überbrücken. Der Uebergang von den einzelligen Pflanzen zu den vielzelligen ist auch heute noch ganz allmählich: warum sollte es von den einzelligen Tieren zu den vielzelligen anders sein? F r e n z e l liefert einen ganz ansehnlichen Pfeiler zu jener Brücke, und bemüht sich dabei — im weiteren seines Aufsatzes — die Kluft tiefer und breiter erscheinen zu lassen, als sie ist. Eine so ьehr pessimistische Auffassung ihres gegenwärtigen Standes verdient unsere Wissenschaft nicht; obwohl ich im Allgemeinen den Pessimismus — aber ohne Resignation und „Ignorabimus"! — den aktiven Pessimismus, für fruchtbarer als die Aktivität in übertrieben optimistischer Richtung halte. F r e n z e l übersieht aber auch schon vorhandene Bausteine der künftigen Brücke zwischen Protozoen und Metazoen.

Auch thut F r e n z e l dem modernen Zoologen unrecht, wenn er
(l. c. im Biol. Centralbl., S. 577) sagt: „Muss man doch sogar, was
jedem modernen Zoologen schwer wird, bei ihrer (nämlich der Protozoen) systematischen Anordnung physiologische Beweggründe walten
lassen, da hier eben die rein morphologischen und embryologischen
Stützen unzureichend sind". In Fällen, wo ein „durchaus nicht un-
wichtiger Unterschied" „leider viel zu wenig beachtet wird, vielleicht
deshalb, weil er zuvörderst nur physiologischen Motiven entspringt":
geschieht dies nicht deshalb, weil das Inbetrachtziehen physiologischer
Beweggründe einem modernen Zoologen schwer fallen würde, sondern
weil es leider noch viel zu viele einseitige, d. h. nicht moderne
Zoologen gibt.

Mir scheint es, dass gerade die Erkenntnis, dass zwischen morphologisch (d. h. anatomisch und embryologisch) nicht zu unterscheidenden,
besonders einzelligen, Organismen Unterschiede rein physiologischer
Natur vorhanden sind, eine der wichtigsten biologischen Errungenschaften ist. Wir lernen nämlich daraus, dass die — meiner Ansicht
nach wenigstens — wesentlichsten Unterschiede zwischen den Organismen von der Entwicklungsstufe ihrer Organisation unabhängig sind,
und dass das Protoplasma, besser gesagt, die Protoblasten — denn
ein selbständiges Protoplasma, ohne irgend eine Art Protoblast, Lebewesen, zu bilden, gibt es überhaupt nicht — auch im organlosen Zustande wesentlich verschieden sind.

Ja wir müssen sogar — auf einem Wege, den ich vielleicht ein
anderes mal näher beschreiben werde — zu dem Schlusse gelangen,
dass es m i n d e s t e n s so viele, wahrscheinlich aber viel mehr ursprüngliche Gattungen von Protoblasten schon im organlosen Zustande gegeben hat, als es heute w i r k l i c h u n a b h ä n g i g e Formen von Lebewesen, man könnte sagen Q u a l i t ä t e n v o n L e b e n gibt. Neue
Qualitäten von Leben sind trotz der Mannigfaltigkeit sich allmählich
ausbildender Lebensformen nachträglich vielleicht gar nicht mehr entstanden; denn neue verschiedene L e b e n s f o r m e n können durch
allmähliche Formveränderung aus scheinbar gleichen L e b e n s q u a l i-
t ä t e n entstehen, deren von Anfang an vorhandene Verschiedenheit
erst auf einem höheren Grade der Entwicklung wahrnehmbar wird;
wohl aber müssen nicht alle ursprünglich vorhanden gewesenen Lebensqualitäten den Kampf ums Dasein bis auf die Gegenwart ausgehalten
haben.

Mehr oder weniger sichtbare Klüfte zwischen den einzelnen Lebensformen sind und müssen also vorhanden sein, wenn wir überhaupt
den Begriff Unterschied mit Kluft identifizieren wollen. Die scheinbare Größe einer solchen Kluft kann in erster Linie von der Dürftig-
keit unseres Thatsachenmaterials abhängen; sie ist aber anderseits
nur Sache willkürlicher Schätzung: im wesentlichen ist es gleichgiltig,
ob ein Abgrund, über welchen wir nicht hinüberkönnen, zehn Meter oder

hundert Meter breit ist. Ein Unterschied ist eben ein Unterschied, und er kann eigentlich weder größer, noch kleiner sein, als ein anderer.

Und weshalb müsste man die Protozoen „von dem biogenetischen Grundgesetz H a e c k e l ' s ausschließen"? Inwiefern sollte unsere Kenntnis von den Protozoen das biogenetische Grundgesetz über den Haufen werfen? Denn wenn es wirklich Lebewesen gibt, welche von dem biogenetischen Grundgesetz a u s z u s c h l i e ß e n sind, so ist dasselbe überhaupt nicht giltig. Hat es sich aber in der neuesten Zeit herausgestellt, dass es auf unüberwindliche Schwierigkeit stößt anzunehmen, dass die Ontogenese auch bei den Protozoen ihre Phylogenese rekapituliert? Gewiss ist die Zahl der unterscheidbaren Formzustände, welche das individuelle Leben eines Einzelligen durchläuft, viel geringer, als die Formenreihe seiner Phylogenese gewesen sein muss. Dieselbe Verkürzung sehen wir jedoch — verhältnismäßig noch mehr — auch bei den Metazoen, und die Formenreihe wird bei den Protozoen ebenso, wie bei den Metazoen, oft erst in einem Zyklus von mehreren Generationen etwas vollständiger. Desgleichen müssen larvale Anpassungen und andere coenogenetische Formzustände bei den Protozoen eine vielleicht noch größere Rolle spielen, als bei den Metazoen.

Man muss, wenn sich die Phylogenese in der Ontogenese wirklich wiederholt, in der individuellen Entwicklung eines Protozoons a u c h d a s A n f a n g s t a d i u m d e s k e r n l o s e n P r o t o b l a s t e n, d a s M o n e r e n s t a d i u m, wiederfinden können. Dieselbe Forderung muss man aber auch gegenüber den Metazoen stellen; denn die Phylogenese kann auch bei diesen nicht von dem kernhaltigen Protoblasten ausgegangen sein, wohl aber von dem kernlosen Ursprungsstadium aller Lebensformen. Und die Ontogenese jedes Metazoons schien bisher mit dem Stadium der Eizelle (resp. Propagationszelle überhaupt), also mit dem kernhaltigen Protoblasten anzufangen. Nun finde ich jedoch durch die Entdeckung der allgemeinen Verbreitung der Centrosomen (Attraktionssphären) und ihrer so zu sagen leitenden Rolle bei der Zellteilung die Möglichkeit gegeben die Ontogenese auch der Eizelle und somit die aller Protozoen auf das Monerenstadium zurückführen zu können. Nur wird das Stadium der kernlosen Protoblasten gegenwärtig immer innerhalb der Mutterzelle, noch vor der Abgrenzung der Tochterzellen passiert. Sobald sich nämlich das Centrosoma geteilt hat, dessen Attraktion mit der Einheit des Protoblasten, also mit dessen Individualität gleichbedeutend ist, hat das Mutterindividuum aufgehört zu existieren, und die zwei Tochterindividuen sind, obwohl noch weniger getrennt als später, schon vorhanden, ehe sich noch der Kern geteilt hat.

D e r u n g e t e i l t übrig g e b l i e b e n e K e r n d e s M u t t e r - i n d i v i d u u m s gehört w e d e r d e m e i n e n, noch d e m a n d e r n T o c h t e r i n d i v i d u u m a n; diese b e f i n d e n s i c h a l s o a u f d e m S t a d i u m d e s k e r n l o s e n P r o t o b l a s t e n. Da aber der Kern für

die volle Thätigkeit des Protoblasten ein schon unentbehrlich
wichtiges Organ geworden ist, so müssen sie einen Kern in der
Ontogenese viel früher erhalten, als es in der Phylogenese geschehen
sein mag. Ein relativ früheres Auftreten wichtiger Organe in der
Ontogenese als in der Phylogenese ist ja ein seit Fritz Müller
allgemein gewürdigtes Vorkommnis. Der herrnlos zurückgebliebene
Mutterkern kann noch weniger ein selbständiges Leben führen und
zerfällt in seine Bausteine und Balken; und die Tochterindividuen
beeilen sich dieses wichtige Baumaterial ihrer weiteren Organisation
unter sich zu teilen und davon sich selbst einen Kern, nach dem
Muster des Mutterkernes, aufzubauen. Somit erscheint auch
der Zweck der mehr oder weniger komplizierten Formen
der Kernteilung nichts weiter, als eine ontogenetische
Verkürzung des phylogenetischen Vorganges der Kern-
bildung aus dem materiellen Substrate, an welches die
erblichen speziellen Eigenschaften gebunden sind und
welches, — ohne noch in Form eines später so wichtigen
Organs, des Kernes, konzentriert zu sein — gewiss auch
dem kernlosen phylogenetischen Stadium eigen war[1]). Da
nun der Kern, obwohl als Organ noch wichtiger denn jemals, gewissermaßen detroniert wurde, kann der Protoblast ohne Kern, gleichviel
ob es auch heute noch zu selbständigen Leben fähige kernlose Wesen
gibt oder nicht, wieder in seine Rechte treten.

Wir können also den kernlosen Protoblasten, als anfängliches
Entwicklungsstadium, auch in der Ontogenie wieder finden, und zwar
sowohl bei den Protozoen, als auch bei den Metazoen. Die Ontogenese
eines Metazoon-Individuums fängt ja nicht mit dem Stadium der sich
teilenden befruchteten oder unbefruchteten Eizelle an, aus welcher es
sich zum Metazoon hinauf entwickelt; sondern schon das durch die
fertige Eizelle repräsentierte Individuum hat eine eventuell sehr lange
individuelle Vergangenheit, welche mit dem kernlosen Stadium innerhalb jener Keimzelle anfängt, aus deren Zweiteilung es als unreife
Eizelle unmittelbar hervorgegangen ist.

---

1) Ich glaube auch jenen Umstand, dass die nach einfacher Teilung entstandenen Tochterzellen auch andere Organe (Chromatophoren, Vakuolen bei
Pflanzen, Cilienkränze, Kragen etc. bei Protozoen) nicht (resp. seltener) selbst
ganz neu bilden, sondern durch Teilung der betreffenden Organe der Mutterzelle erhalten, ebenfalls als ontogenetische Verkürzung des ursprünglichen Vorganges der Entstehung jener Organe auffassen zu müssen. In Fällen aber, wo
die Ontogenese der Zelle ihre Phylogenese getreuer reproduziert, z. B. bei der
Entwicklung einzelliger und vielzelliger Wesen aus Sporen, werden die Organe
der Mutterzelle noch vor der Teilung behufs Sporenbildung rückgebildet, und
die Tochterzellen, resp. ihre weiteren Nachkommen, müssen dieselben Organe,
mit Ausnahme des Kernes, ganz neu für sich konstruieren.

Mir sind — möglich dass dazu meine Kenntnisse nicht aus-reichen — keine Thatsachen geläufig, welche die Protozoen der morpho-genetischen Theorie entziehen würden, zumal zwischen den sichtbaren auch unsichtbare Stufen der Entwicklung ihrer Organisation vor-handen sein können. Die Entwicklung kann ja sogar ohne Entfaltung weiterer Organisation die höchste Stufe einzelliger Existenz erreichen, indem sie in einer den phylogenetischen Hergang nachahmenden Umwandlungsreihe der **Eigenschaften** des Protoblasten besteht, wobei mit der Aufeinanderfolge dieser Umwandlungen nur potentiell jede der betreffenden Entwicklungsstufe entsprechende Organisation, d. h. nur die Fähigkeit eine solche unter Umständen hervorzubringen, verbunden ist.

In dieser Weise erreicht nach meiner Ansicht die Eizelle onto-genetisch die höchste Stufe einzelliger Existenz, welche in der Phylogenie jener Lebensform vorhanden gewesen ist, und alle ihre Tochterzellen und weitere Nachkommen, die Bildner des Metazoenkörpers, haben die Fähigkeit dieselbe Stufe zu erreichen und müssen trachten sie auf demselben Wege, vom Stadium des kernlosen Protoblasten herauf, zu erreichen. Die Schnelligkeit der Entwicklung ist verschieden je nach den Verhältnissen, unter welchen die betreffende Zelle ihr indi-viduelles Leben anfängt und weiter fristet. Der größte Teil der Zellen des Metazoonkörpers wird aber durch die Verhältnisse auf einem früheren oder späteren Stadium seiner Ontogenese gezwungen schon die Organi-sation, welche gerade diesem Stadium, wenn sie von anderen Zellen des Körpers auch nicht entfaltet wird, eigen ist, thatsächlich zu ent-wickeln. Jene Zellen, die — auf welchem Stadium immer — ihre Organisation in der That entfalten müssen, werden durch unmittel-bare einseitige Anpassung in der virtuellen Weiterentwicklung auf-gehalten, durch spezielle Arbeitsleistung meistens entkräftet und er-reichen nie die höchste Stufe der Entwicklung, zu welcher sie bei ihrer Entstehung, so zu sagen, historisch prädestiniert waren. Es befinden sich nur die Propagationszellen, resp. wenn deren zweierlei vorhanden sind, nur die Eizellen unter solchen günstigen Bedingungen die ganze einzellige Phylogenese der Art in ihrem individuellen Leben ontogenetisch virtuell durchzumachen und **dadurch** den vollständigen Charakter jener Lebensform auf ihre Nachkommen überliefern zu können.

Im Pflanzenreich ziemlich häufig, im Tierreich seltener kommen aber unleugnbar auch solche Fälle vor, dass Zellen, welche sich schon einer speziellen Funktion angepasst hatten, und die man daher als Arbeitszellen den Fortpflanzungszellen gegenüberzustellen geneigt wäre, sich unter besonderen Umständen quasi wieder verjüngen, ihre virtuelle Weiterentwicklung wieder aufnehmen und daher, wenn sie das höchste Einzelligstadium ihrer Art erreicht haben, selbst zu Fort-pflanzungszellen werden. Haben sie aber, durch zu weit vorgeschrittene Spezialisirung, durch Anhäufung aplasmatischer Zellprodukte

XII.   .   8 entkräftet, die Fähigkeit die höchste Einzelligenstufe virtuell selbst zu erreichen eingebüßt: so können auch ihre eventuellen Tochterzellen keine solche besitzen und werden nie eine höhere Entwicklungsstufe als ihre Mutterzelle — nicht einmal virtuell — erreichen. Deshalb können die Nachkommen schon spezialisierter Gewebszellen nie anderes, als höchstens dasselbe Gewebe weiterbilden, vermehren, regenerieren; und nur deshalb können die Arbeitszellen aus sich ein neues, selbstständiges, der Mutter gleiches vielzelliges Individuum nie mehr hervorgehen lassen.

Vielleicht irre ich mich nicht, wenn ich glaube, dass die morpho-genetische Theorie für die Protozoen nur aus denselben Ursachen unanwendbar scheint, welche in der Deutung der embryologischen Stufen auch bei den Metazoen Schwierigkeiten machen, — auf welchen übrigens die Differenzierung der Körperzellen ebenfalls beruht. Und diese Ursachen selbst beruhen — um das Gesagte nochmals kurz zu wiederholen — darauf, dass es die verschiedenen Zellen bis zu einem verschiedenen Grade der virtuellen Entwicklung, deren höchste mögliche Stufe nur von der Eizelle in der That erreicht wird, bringen und, auf einer früheren oder späteren Stufe stehen bleibend, eine entsprechende niedrigere, je nach ihren Verhältnissen verschiedene Organisation entfalten, sich dabei einseitig anpassen und viel zu sehr entkräften, um noch eine weitere Zukunft haben zu können.

Ich will aber nicht jeden Satz des Frenzel'schen Artikels so genau wägen, — obwohl man ja nur das wägt, was einem zu wiegen scheint. Man könnte mir sonst den Vorwurf des Bekrittelns machen. Ich hoffe jedoch, dass Frenzel nicht zu denen gehört, welche gleich geneigt sind jedes Bedenken gegen ihren Gedankengang als „Anbohrungen" aufzufassen.

Frenzel betont in seinem Artikel am meisten die vermeintliche Kluft zwischen Protozoen und Metazoen, welche dadurch verursacht wäre, dass die Protozoenzelle intrazellulär verdaut, wogegen bei den Metazoen, wo die extrazelluläre Verdauung vorherrscht, die intrazelluläre „nur vereinzelter und ausnahmsweise angetroffen wird". Dem gegenüber meine ich, — und dabei kann ich mich auf die ersten Autoritäten der Gegenwart stützen — dass die Art und Weise, wie sich die Zelle bei Protozoen und Metazoen ernährt, am wenigsten geeignet ist, eine Kluft zwischen ihnen zu bilden. Ganz im Gegenteil!

Bei den Protozoen kann es Sache momentaner Anpassung sein, ob ein und dasselbe Tier extra- oder intrazellulär verdaut. Und bei den Metazoen kommt eine intrazelluläre Verdauung nicht nur nicht vereinzelt vor, sondern sie ist bei sämtlichen niederen Metazoen so zu sagen vorherrschend; bei manchen, wie z. B. bei den Schwämmen, ist vielleicht ausschließlich nur eine solche vorhanden. Und es sind nicht „nur die Entodermzellen, die dabei in Frage kommen können", sondern auch, und zwar hauptsächlich, die amöboiden Mesenchym-

zellen, welche diese ihre von dem Protozoonstadium her bewahrte
Fähigkeit sogar bei den höchsten Metazoen, als sogenannte Phagocyten,
weiter ausüben. Wollten wir aus Protozoen ein Metazoon konstruieren,
so würden wir in der Ernährungsweise gar keine physiologische
Schwierigkeit, wie F r e n z e l glaubt, finden. Deshalb, weil die einzelnen Individuen auch in der Kolonie jedes für sich intrazellulär
verdauen würden, könnten wir noch ganz gut „über eine simple
Protozoenkolonie" hinauskommen und ein „regelrechtes Metazoon"
gewinnen. Wenn man die neueren vergleichend embryologischen und
physiologischen Thatsachen bei den niedersten Metazoen in Betracht
zieht, so kommt man zu dem Resultate, dass die einzelnen Zellen-
individuen des Metazoons, welche von ihrer Selbständigkeit immer
mehr und mehr aufgeben (— nach meiner Ansicht deshalb, weil die
Protoblastengattung, welche durch sie repräsentirt wird, an ihrer
ursprünglichen Lebensenergie immer mehr und mehr einbüßt —) deshalb
noch lange die Fähigkeit ihre Nahrung selbst für sich zu verdauen,
beibehalten haben. Wahrscheinlich ist diese Fähigkeit zuerst bei den
Ektodermzellen, dann bei den Entodermzellen verloren gegangen, wogegen die Mesenchymzellen noch heute, bis zu den höchsten, selbst
verdauen können.

Wir müssen, im Gegensatz zu F r e n z e l, M e t s c h n i k o f f vollkommen beipflichten, „dass dieser Verdauungsmodus eine der wenigen
von den Protozoen überlieferten Eigenschaften des Metazoenorganismus
repräsentiert und folglich einen, so klein er auch ist, V e r b i n d u n g s -
f a d e n zwischen beiden Gruppen liefert" [1]. Gewiss würde man, obwohl nicht auf dem Gebiete der Ernährung, auf große Schwierigkeiten stoßen, wollte man Metazoen aus infusorienähnlichen Einzelligen,
wie die „Larve" von *Salinella*, konstruieren. Man muss aber nicht
gerade die unwahrscheinlichste Möglichkeit wählen. Die allerersten
Metazoen sind, wie allgemein angenommen wird, aus flagellatenähn-
lichen Wesen abzuleiten. Und bei den Flagellaten ist es erst recht
nur Sache des Entwicklungsstadiums, ob ein Tier extra- oder intrazellulär verdaut; die verschiedenen Formzustände, welche die Zelle
in ihrem Leben durchläuft, werden auch durch verschiedene Art und
Weise der Ernährung charakterisiert. Die Protozoen können in ihren
verschiedenen Lebensphasen bald amöben-, bald flagellaten- oder
ciliatenähnlich sein, resp. alle drei Zustände durchlaufen (Catallacten
von H a e c k e l). Dasselbe gilt auch von sehr vielen Zellen des
Metazoenkörpers. Wollte man auch grade holophytische Flagellaten
als Ahnenformen der Metazoen annehmen, wobei *Volvox* einen sehr
schönen Uebergang verwirklicht, so ist es leicht zu denken, dass,
sobald sich eine Kommunikation der Zentralhöhle nach außen stabilisiert hat, oder anderswie eine Gastralhöhle entstanden ist, die Zellen

---

1) M e t s c h n i k o f f E., Untersuchungen über die intrazellulare Verdauung
bei wirbellosen Tieren. Wien 1883. S. 2.

ihre holophytische Lebensweise aufgegeben haben, um anfangs zu einer extrazellulären Verdauung zu übergehen. Es haben ja sogar wirkliche, hochorganisierte Pflanzen die Fähigkeit, gelegentlich auch zu verdauen, und zwar extrazellulär zu verdauen, wie die insektenfressenden Pflanzen. In der Beurteilung der Verwandtschaftsbeziehungen der Flagellaten ist es gar nicht von Belang, ob sich eine Form holophytisch oder saprophytisch ernährt; nicht nur von nahe verwandten Gattungen sind die einen holophytisch (z. B. *Chlamydomonas* und *Cryptomas*), die anderen (*Polytoma* und *Chilomonas*) saprophytisch, sondern die Ernährungsweise wechselt auch innerhalb der Gattung (die verschiedenen Species von *Euglena*); ja sogar eine und dieselbe Form kann in ihrer dominiuierenden Lebensphase von der holophytischen zur saprophytischen Lebensweise, indem sie ihr Chorophyll verliert, übergehen (z. B. *Chlorogonium* und *Carteria*). Saprophytische, also eigentlich nicht verdauende Formen gehen aber sehr leicht in verdauende über, und zwar ist die Verdauung meistenteils, der angenommenen amöboiden Form entsprechend (z. B. bei septischen Monaden), intrazellulär, gelegentlich aber auch extrazellulär. Denn wie soll man die Fähigkeit gewisser Bakterien Kautschuk und andere schwer angreifbare Stoffe durch ihre Sekrete zu lösen und als Nahrung zu resorbieren anders als extrazelluläre Verdauung bezeichnen?

Dass extrazelluläre Verdauung bei den Protozoen so wenig verbreitet ist, ja sogar nur ausnahmsweise stattfinden kann, daran sind nur äußere Verhältnisse Schuld, welche eine extrazelluläre Verdauung für die meisten Protozoen zu einer physischen Unmöglichkeit machen. Unter Verdauung verstehen wir nur den Prozess der Ueberführung geformter Nahrung in einen gelösten Zustand oder in eine feine Emulsion. Dabei spielen die Verdauungssekrete und Enzyme die grösste Rolle. Bei der extrazellulären Verdauung wird die Nahrung außerhalb des Zellkörpers den Einflüssen jener ausgesetzt; bei der interzellulären aber innerhalb des Zellkörpers. Wie soll nun ein Protozoon, falls die Verdauungssäfte ohne unmittelbaren Reiz auf das Protoplasma überhaupt produziert werden können, ihre Einwirkung auf die Nahrung außerhalb seines Körpers sichern? Das Protozoon muss, um verdauen zu können, um die Einwirkung der Verdauungssäfte auf seine Nahrung möglich zu machen, seine Speise einverleiben. Kann dies aber, infolge der Lagerung der Zellen in der Kolonie, auch außerhalb der Zelle geschehen, so wird das Einverleiben der Speise in die Zellen unterbleiben können.

Es ist also gar nicht zu verwundern, dass die Veränderung der Lebensweise des ehemaligen Protozoons durch das Zusammenleben in der konsolidierten, individualisierten und differenzierten Kolonie, im Metazoon, eine Aenderung seiner Gewohnheiten mit sich brachte. Zuerst war es von großem Nutzen in einer Darmhöhle viel mehr Nahrung aufspeichern zu können, als die einzelnen Zellen auf einmal festzuhalten im Stande sind. Eine intrazelluläre Verdauung war nicht mehr unumgänglich; sie wurde aber für die meisten Zellen des Körpers allmählich auch unmöglich. Schon das Zusammenbleiben in einer Kolonie und die Unfähigkeit selbständig zu leben ist ein Zeichen der individuellen Entkräftung der einzelnen Protoblasten; durch weitere Entkräftung büßen die meisten Zellen, allmählich auch die Entodermzellen, die Fähigkeit aktiver, amöboider Gestaltsveränderungen ein; als Ersatz für die ganze Kolonie, spezialisieren sie sich aber zu Bereitern von Verdauungssäften und Enzymen, d. h. ihre Entkräftung hat die Umwandlung ihres Protoplasmas zu Verdauungssäften, weiter auch ohne direkten Reiz auf dasselbe, zur Folge. Die große Kaduzität der Entodermzellen (und der Drüsenzellen überhaupt) ist ein ganz allgemeiner Charakter.

Würde man die Darmzellen, sagt Frenzel, „allenfalls noch als Protozoenzellen auffassen können, so ist dies bei den ersteren, den Mesoderm- und Ektodermzellen durchaus nicht mehr statthaft . . .“ Ich sehe gar nicht ein, warum? Die intrazellulär verdauenden Darmzellen entsprechen holophytischen Protozoen, die übrigen Körperzellen entsprechen teils saprophytischen Protozoen, weil sie, Dank der Arbeit anderer Zellen, sich nur zu ernähren, aber ihre Nahrung nicht zu verdauen brauchen; teils sind aber die Körperzellen (namentlich die Mesenchymzellen) ebenfalls holophytische Protozoen, und bleiben es auch dann, wenn es die Darmzellen schon längst eingebüßt haben intrazellulär verdauen zu können. In ursprünglicheren Fällen verdauen die Darmzellen selbst; später verlieren sie diese Fähigkeit und erschöpfen sich nur mehr in der Produktion von Verdauungssäften; letztere genügen aber nicht zur Verdauung der Speise, und die amöboiden Wanderzellen müssen mit ihrer Fähigkeit intrazellulär zu verdauen mehr oder weniger nachhelfen. Immerhin sind die Darmzellen Protozoen, mit welchen andere Körperzellen, ebenfalls Protozoen entsprechend, in einer Art Symbiose zusammenleben: ihre Sorge für einander ist gegenseitig, wobei sich ihre Funktionen zu einem physiologischen Ganzen kompletieren. Nicht nur die Darmzellen ernähren die übrigen, sondern ein großer Teil der übrigen sorgt auch für die Darmzellen: Oxygen ist im weitesten Sinne ebensogut Nahrung, als Eiweiß, Fett und Kohlenhydrate.

Ich glaube im vorhergehenden zur Genüge dargethan zu haben, dass gerade die Physiologie der Verdauung beim Ableiten der Metazoen von den Protozoen am wenigsten Schwierigkeiten verursacht. Aber auch die andere „Kluft“ zwischen Protozoen und Metazoen, welche Frenzel ebenfalls betont, und welche durch die Mehrschichtigkeit der Metazoen verursacht wird, erscheint uns weniger groß, wenn wir Folgendes in Betracht ziehen.

Als einschichtiges vielzelliges Tier kennen wir nun außer *Volvox* auch *Salinella*. Die nächste Stufe, deren Repräsentanten wir als ent-

wickelte Tiere näher kennen, sind — von *Trichoplax adhaerens* abgesehen — wohl schon dreischichtig, indem bei ihnen zwischen Ektoderm
und Entoderm schon ein Mesoderm, besser Mesenchym, vorhanden ist,
und wir vermissen Tiere, welche auch im entwickelten Zustande der
typischen Gastrula entsprechen und bloß aus Ektoderm und Entoderm
bestehen würden. Es fehlt uns somit der triftigste Beweis dafür,
dass die Urform der Metazoen die *Gastraea* — ein Tier mit Darmhöhle und Mundöffnung, aus Ektoderm und Entoderm, ohne Mesoderm — gewesen ist. Wir haben aber diese Form nur dann
als Uebergangsform nötig, wenn wir den nächsten Schritt
der phylogenetischen Weiterentwicklung von der Blastula-
form (*Blastaea*) aus in einer Invagination bestehen lassen
wollen.

Gewiss ist die Entstehung einer Gastrula durch Einstülpung die
mechanisch einfachste Art der Weiterbildung, und deshalb schlägt
auch die immer auf Verkürzung, Vereinfachung trachtende Ontogenese
besonders bei den höheren Typen so oft diesen Weg ein; deshalb ist
es anderseits auch natürlich und leicht erklärlich, dass die nächste
Stufe nach der *Blastula* in der Ontogenie die *Gastrula* ohne Mesoderm
ist. Ist aber eine ähnliche *Gastrula*-Bildung auch die physiologisch
einfachste Möglichkeit der Weiterbildung von der *Blastaea* aus? Mir
scheint es nicht so. Die physiologisch einfachste Art der Entodermbildung, und deshalb wahrscheinlich die genealogisch älteste, ist jene, welche
mit Einwanderung von aus dem epithelialen Verband herausgedrängten,
amöboid gewordenen Ektodermzellen in den inneren Hohlraum beginnt,
d. h. die Entodermbildung durch apolare multilokulare Einwucherung
(Metschnikoff). Eine apolare deshalb, weil die ursprüngliche
Polarität des Eies erst durch spätere Anpassung (Dotteranhäufung)
so weit gesteigert werden konnte, schon selbst eine Differenzierung
der *Blastula*-Zellen, eine größere Verschiedenheit des Hypoblastes
vom Epiblast, zu bewirken. Die in die *Blastula*-Höhle hineingedrängten
Zellen ordneten sich nachträglich und allmählich, nachdem dazu die
Kommunikation der *Blastula*-Höhle mit der Außenwelt durch den
Urmund Veranlassung gegeben hatte, wieder epithelartig um das
Entoderm zu bilden. Vielleicht ist eine solche offene *Blastaea* sogar
noch ursprünglicher als die geschlossene Blase, und dann wäre die
genannte Veranlassung nicht nachträglich eingetroffen, sondern von
Anfang an vorhanden. Ich erinnere an die Entwicklung von *Volvox*,
wo die jungen, aber schon fertigen Kolonien ihre Oeffnung erst nach
dem Verlassen der Mutter verschließen.

Nun mussten zur Entodermbildung weder alle eingewanderten
Zellen aufgebraucht werden, noch muss die Einwanderung vom Ektoderm her mit der Fertigstellung des Entoderms gleich ein Ende genommen haben: vielmehr können die Mesenchymzellen nunmehr auch
von seiten der sich zur Zeit überflüssig vermehrenden Entodermzellen

in derselben Weise auch vermehrt werden. Dann ist es aber absolut nicht einzusehen, warum gerade eine solche Tierform existieren sollte, bei welcher eben nur so viele Ektodermzellen amöboid werden, als es zur Bildung des Entoderms nötig ist um nicht, als sogenanntes Mesoderm, einige übrig zu lassen? Die Entodermbildung ist ja weder Zweck noch Ursache, sondern bloß Folge der Einwanderung gewesen. Eigentlich kann ein s o l c h e s zweischichtiges Tier, die *Gastraea*, weder in der Phylogenese existiert haben, noch heute vorhanden sein.

Dass die *Gastrula* in der Ontogenese doch vorhanden ist, ist — wie erwähnt — daraus zu erklären, dass die unmittelbare Veranlassung zur Weiterbildung des Körpers aus der *Blastula*, welche in der Phylogenie ein mehr physiologischer, von der Individualität der Zellen in höherem Grade abhängiger Vorgang war, hier, in der Ontogenie, eine mehr mechanische Notwendigkeit geworden ist. Der phylogenetische Weg ist länger, deshalb wird er ontogenetisch bloß bei sehr ursprünglichen Formen (gewisse Poriferen und Cnidarier) eingeschlagen, wogegen die entwickelteren Formen allmählich einen kürzeren, weil mehr mechanischen, Weg zu demselben Ziele gewählt haben.

Da haben wir die verschiedenen Flagellatenkolonien und besonders *Volvox*, als höchste Stufe der Koloniebildung einzelliger Wesen, ja schon als ursprünglichstes vielzelliges Tier, welches schon eine einheitliche Individualität zu besitzen scheint. Auf derselben oder etwas höheren Stufe, aber aus anderen einzelligen Ahnen herausgebildet, befindet sich auch *Salinella*[1]): ebenfalls ein Tier aus einer epithelialen Zellschichte gebildet, mit innerem Hohlraum. Nun werden immer mehr Zellen — wahrscheinlich darum, weil sie schwächer oder stärker sind als ihre Nachbarn, und vielleicht auch darum, weil sie bei einer eventuell etwas schrägen Teilungsaxe mehr nach innen gelegen waren — aus der epithelialen Lage herausgedrängt (resp. wenn sie stärker sind, als die übrigen, so lösen sie sich selbst los) und geraten, in eine amöboide Phase übergebend, in den inneren Hohlraum Möglicherweise entspricht *Trichoplax adhaerens* gerade diesem Stadium, wo, mit der Kommunikation des inneren Hohlraumes nach außen, auch die Veranlassung zu einer sekundären epithelialen Anordnung der in den ursprünglichen Hohlraum hineingewanderten Zellen fehlt. Sobald sich aber eine Kommunikation der Blastulahöhle mit der Außenwelt durch eine Mundöffnung stabilisiert hat, so war auch die Veranlassung da, damit sich die eingewanderten Zellen wieder epithelartig, nunmehr zu einem Entoderm ordnen und von der Gymnomyxenform wieder in eine Kortikatenphase übergehen. So haben wir aber schon das echte

---

1) Dass sich auf der Bauchfläche etwas anders gebaute Zellen befinden als auf der Rückenfläche, ist hier (sowie auch bei *Trichoplax*) unmittelbares Resultat der kriechenden, nicht mehr schwebenden, Lebensweise und würde an und für sich keine höhere Stellung als die von *Volvox* andeuten.

Metazoon, ein Cölenterat, resp. ein Porifer vor uns. Die *Gastraea* vermissen wir in dieser Stufenreihe nirgends.

Eine größere Schwierigkeit als die von F r e n z e l vorgebrachten sehe ich darin, dass wir uns nicht leicht vorstellen können, wie die einheitliche Individualität des Metazoons aus den besonderen Individualitäten der Protozoen, welche anfangs eine lose Kolonie als Urform zusammenstellten, entstanden ist. Das ist aber schon eine Frage, welche das Verhältnis zwischen Protozoenseele und Metazoenzelle direkt berührt, das ist eigentlich die Frage von der Seele überhaupt!

F r e n z e l sieht endlich auch in der Entwicklung von *Salinella* etwas, was mit unseren bisherigen Kenntnissen schwer in Einklang zu bringen sein soll. Er spricht von einem hypotrichen infusorienartigen einzelligen Tier, welches er als L a r v e n s t a d i u m von *Salinella* betrachtet. „Es bleibt jedoch darin eine erhebliche Schwierigkeit" — setzt er hinzu — „dass der Uebergang dieser einen intrazellulär verdauenden Zelle in das extrazellulär verdauende reife Tier rätselhaft und völlig unaufgeklärt ist". Für so ganz rätselhaft würde ich diese Erscheinung auch dann nicht halten, wenn es sich bestätigen ließe, dass *Salinella* wirklich enzymatisch und nicht intrazellulär, wie die meisten niederen Metazoen, verdaut. Diesen Punkt haben wir jedoch schon zur Genüge abgethan. — Gehen wir gleich auf die Frage über, o b m a n e i n e i n z e l l i g e s T i e r, w i e e s a u c h g e b a u t i s t, f ü r d i e L a r v e e i n e s v i e l z e l l i g e n h a l t e n k a n n?

Jenes Stadium in der Ontogenie der vielzelligen, welches, noch einzellig, der Mehrzelligkeit unmittelbar vorausgeht, also das höchste einzellige Stadium, nennen wir die — befruchtete oder unbefruchtete — reife E i z e l l e. Im Falle von *Salinella* haben wir — wenn ich die Bedeutung einer von F r e n z e l beobachteten Erscheinung richtig auffasse — das Produkt einer Kopulation, man könnte sagen eine Zygospore, vor uns; von einer eigentlichen Eizelle kann hier keine Rede sein, denn es ist zwischen den beiden kopulierenden Zellen kein Unterschied vorhanden, ja es gibt bei *Salinella* überhaupt keine gesonderten Propagationszellen. Alle Zellen des Körpers können die Art vermehren, und eigentümlicherweise zerfällt die Kolonie nicht erst in ihre Konstituenten (wie z B. *Pandorina*), sondern z w e i g a n z e T i e r e verschmelzen miteinander und bilden eine gemeinsame Cyste. Leider hat F r e n z e l die weiteren Erscheinungen innerhalb der Cyste nicht verfolgen können. Es ist aber kaum anders denkbar, als dass je zwei Zellen verschiedener Herkunft miteinander verschmelzen. Wenn, wie F r e n z e l schreibt, daselbst wirklich eine fortgesetzte Zellvermehrung vor sich geht, geschieht dies wohl noch vor der Kopulation der einzelnen Zellen. Leider hat es F r e n z e l auch nicht direkt beobachtet, dass die einzelnen, gleichartigen Zellen in der Cyste in die beschriebene einzellige Ciliatenform übergehen.

Sollte jenes Infusor wirklich ein Entwicklungsstadium von *Salinella* sein, so kann es, wie gesagt, doch keine Larve genannt werden. Auch von manchen anderen Tieren können die Eier Bewegungen, namentlich amöboide, ausüben und sich aus den benachbarten Zellen, wie u. a. bei *Tubularia* und *Hydra*, intrazellulär ernähren; und das kann nicht nur die unbefruchtete, die unreife Propagationszelle, sondern, wie bekannt, auch die befruchtete thun, z. B. bei gewissen Plattwürmern, wo sich neben zahlreicheren Dotterzellen nur einige befruchtete Eizellen in der Eikapsel befinden. Der einzige Unter-- schied zwischen *Salinella* und den übrigen bekannten Fällen von aktiven Eizellen ist, dass die letzteren das für sie schon aufgespeicherte Nährmaterial nur mehr einzuverleiben und zu verdauen brauchen, wogegen das befruchtete Ei (resp. Zygospore) von *Salinella* seine Nahrung selbst, aktiv, erwerben muss, um seinen Körper weiter bauen zu können. Deshalb bleiben die Fähigkeiten die Organisation der höchsten einzelligen Ahnenform zu reproduzieren im höchsten einzelligen Stadium von *Salinella* nicht, wie bei den meisten Eiern, virtuell und latent. Die Notwendigkeit das Baumaterial zur Weiterentwicklung durch eigene Thätigkeit herbeizuschaffen tritt bei *Salinella* nur früher als bei allen übrigen Vielzelligen ein: einer alleinstehenden Zelle wird eben bei *Salinella* noch viel mehr zugemutet, als bei höheren Tieren, wo die einzelnen Zellen immer weniger von der Rührigkeit und selbständigen Lebensenergie der einzelligen Ahnen bewahren. Im übrigen ist aber der Uebergang der „intrazellulär verdauenden Zelle in das intrazellulär verdauende reife Tier" bei *Salinella* gar nicht rätselhafter und unaufgeklärter als die Thatsache, dass sich aus amöboid verdauenden Eizellen Metazoen entwickeln, deren Körperzellen — zum Teil wohl zeitlebens selbst verdauen — zum großen Teil aber extrazellulär, resp. gar nicht verdauen.

Auch die weitere Ontogenie von *Salinella* aus dem schon aktiven einzelligen Stadium zeigt nichts Absonderliches. „Grade die weitere Entwicklung dieser Larve aber" — sagt Frenzel — „so unvollkommen sie mir auch bekannt wurde, beweist, dass sie sich nicht etwa durch gewöhnliche Teilung zum vollkommenen Tier heranbildet, so etwa, wie aus einer einzelnen Choanoflagellate eine Kolonie wird, sondern durch einen bei weitem komplizierteren Prozess, den wir am passendsten als endogene Zellbildung bezeichnen dürfen". Man kann aber die Furchung aller Metazoen überhaupt, ja sogar schon die Bildung der Tochterkolonien der Volvocineen, als endogene Zellteilung („Zellbildung") bezeichnen. In sehr vielen Fällen hat die Eizelle eine deutliche Zellmembran, und immer gehen die Teilungen, in welchen die Furchung besteht, innerhalb dieser Membran vor sich; oft verlässt erst die schon ziemlich vorgeschrittene Larve oder das beinahe fertige Tier die Zellmembran der Mutterzelle, der Eizelle. Noch deutlichere endogene Zellteilung, als bei den holoblastischen Eiern, ist die Furchung bei den meroblastischen, wo, wie z. B. im Fliegenei, die Tochterzellen innerhalb der Zellmembran der Mutterzelle lange überhaupt nicht von einander abzugrenzen sind.

Es ist ja in erster Linie der Umstand, dass die Tochterzellen mit einander in organischer Verbindung bleiben, dass sie nicht mehr die Kraft haben, sich von einander zu trennen, welcher an Stelle der Zellgesellschaften die höhere Kategorie der Kolonien gesetzt hat; und eine noch innigere, mit der endogenen Entstehung in der Eizelle zusammenhängende Verbindung der Zellen, in Folge ihrer weiteren individuellen Entkräftung, charakterisiert die Metazoen und macht aus ihnen ein einheitliches Individuum, ein unzertrennliches physiologisches Ganzes.

Dass die Tochterzellen und weitere Nachkommen der Metazoeneizelle heute nicht mehr die Fähigkeit haben sich von einander zu trennen und wie Protozoen oder wie die einzelligen Ahnen der Art ein selbständiges Zellenleben zu führen, ist ein Faktum. Was ist nun die Ursache desselben? Ein Abgewöhnen durch das lange Zusammenleben in den Zellkolonien der Ahnen kann es nicht sein, denn letzteres ist selbst schon die erste Folge der gesuchten Ursache. Ich glaube sie in einer gewissen Entkräftung der betreffenden Protoblastengattung sehen zu müssen; und letztere ist wieder nichts weiter als die Folge jener mit der Zeit auch ohne spezielle äußere Einflüsse eintretenden Veränderung aller Protoplasmen (Lebensqualitäten), welche wir erst durch ihre Summierung und durch ihre weiteren Konsequenzen wahrnehmen können, dann aber schlechthin Entwicklung nennen. Eine fortwährende und unumgängliche Veränderung in dem Zustande (Bewegungszustande?) der Materie überhaupt ist das gemeinsame Schicksal des Weltalls und ist mit der Existenz und mit dem Geschehen gleichbedeutend. Wir beziehen, wenn wir von phylogenetischer Entwicklung sprechen, diese allgemeine Veränderung nur auf einen speziellen Fall, auf den der Lebewesen, wo sie je nach den Qualitäten der Protoblasten verschieden rasch, aber im wesentlichen überall in derselben Richtung, nach denselben Gesetzen vor sich geht.

Gewisse Zellen im Metazoon erreichen, durch ihre besonders günstigen Lebensbedingungen, mehr von der ursprünglichen selbständigen Lebensenergie der einzelligen Ahnen, als die übrigen: diese Zellen sind die Propagationszellen Die Eizelle von *Salinella* beweist eben auch dadurch die Ursprünglichkeit (niedere Entwicklungsstufe) der Art, dass sie als einfaches Zellindividuum noch lebensenergischer denn bei allen Metazoen ist. Im Allgemeinen kann vielleicht die etwas paradox erscheinende These aufgestellt werden, dass die höhere Organisation des vielzelligen Individuums als die Folge der allmählichen Degeneration der einzelnen Zellindividuen, welche dasselbe zusammensetzen, aufzufassen ist.

Um das im obigen Auseinandergesetzte kurz zusammenzufassen, halte ich *Salinella* grade deshalb für einen sehr wertvollen und interessanten Fund, weil sie, im Gegensatz zu F r e n z e l's Ansicht, erst recht gut in unsere heutige biologische Auffassung über den Ursprung der Metazoen hineinpasst und sozusagen eine Lücke im Thatsachenmaterial für unsere Deduktionen ausfüllt. Gewiss hat F r e n z e l ganz recht, wenn er zum Schlusse seines Artikels (Biolog. Centralblatt) sagt, dass es absonderliche Glieder in der Natur gibt, „welche sich in unser so schön und so künstlich gebautes System nicht einreihen lassen und welche beweisen wollen, wie wenig sich die Natur eine dogmatische Behandlung von unserer Seite gefallen lässt, eine Behandlung, die in den biologischen Wissenschaften leider zu sehr die Ueberhand zu nehmen scheint und gerne Alles ausschließen möchte, was nicht in ihren engen Rahmen passt". Glücklicherweise passt aber diese große Wahrheit auf *Salinella* nicht[1])!

K o l o z s v á r im Oktober 1891.

E. Wasmann, **S. J.**, Die zusammengesetzten Nester und gemischten Kolonien der Ameisen. Münster i. W. 1891. Verl. d. Aschaffendorff'schen Buchdruckerei.

Das vorliegende Werk, welches die Biologie, Psychologie und Entwicklungsgeschichte der Ameisengesellschaft behandelt, entstammt der Feder des uns bestbekannten Ameisenbiologen E. W a s m a n n.

---

1) Mit den Auseinandersetzungen von K. C a m. S c h n e i d e r („Ein Beitrag zur Phylogenie der Organismen". Biol. Ctrbl., XI. Bd., S. 739—744, 31. Dez. 1891) in gewisser Hinsicht nahe verwandte Ansichten über die einfachsten Lebewesen, über die Unzertrennlichkeit der Begriffe Leben und Individualität, über die Bedeutung und die Ursachen der Fortpflanzung (Teilung) etc. habe ich schon vor mehreren Jahren in verschiedenen Aufsätzen (u. a. „Die lebende Materie und die Individualität" ungarisch: Budapesti Szemle 1884) und in einer Reihe von Vorlesungen als Privatdozent a. d. Univ. Budapest (1888), sowie auch in neuester Zeit als Professor in Kolozsvár, veröffentlicht. Ein Teil dieser letztern Vorlesungen ist in einer Reihe von Artikeln in den S i t z u n g s b e r i c h t e n d e r m a t h e m.-naturw. S e k t i o n d e s S i e b e n b ü r g i s c h e n M u s e u m v e r e i n s im vorigen Jahr unter dem Titel „Die einzelligen Lebewesen von dem Gesichtspunkte der Vielzelligen" erschienen. Eine Zusammenfassung meiner Resultate in deutscher Sprache wird im nächsten Heft der genannten Sitzungsberichte publiziert: kurz zusammengefasst, betrachtet meine Theorie die (organlosen) Protoblasten (= Zoen von K. C a m. S c h n e i d e r) als Einheiten auf dritter Stufe (dritter Potenz) der Materie überhaupt (— die erste Potenz sind die Atome in den Elementen, die zweite Potenz sind die Moleküle in den chemischen Verbindungen —) und, natürlich, als lebendige Einheiten auf erster Stufe. Vorliegender Artikel, welcher einiges von den erwähnten Resultaten reproduziert, wurde sofort nach dem Erscheinen des F r e n z e l'schen Artikels in diesem Blatt geschrieben, und nur äußere Verhältnisse verhinderten mich denselben dem Drucke schon früher zu übergeben.

In diesem Buche finden wir die Ergebnisse von vieljährigen Beobachtungen dieser biologisch so interessanten Tiere zusammengefasst,
welche meist dem holländisch Limburg und dem nördlichen Böhmen
entnommen wurden.

Zunächst sind die z u s a m m e n g e s e t z t e n N e s t e r der Ameisen
behandelt. Als solche werden jene Ameisenwohnungen betrachtet,
die zwei oder mehrere Kolonien verschiedener Ameisenarten beherbergen. Unter den zusammengesetzten Nestern unterscheidet der
Verfasser zwei Gruppen, nämlich z u f ä l l i g e Formen und g e s e t zm ä ß i g e Formen zusammengesetzter Nester. Die Veranlassung für
die Entstehung der ersten Form liegt entweder in der großen Häufigkeit von gewissen Ameisenarten, indem ursprünglich getrennt lebende
Kolonien sich in dem Maße vermehren, dass schließlich ihre Wohnungen nachbarlich aneinander stoßen. In einem solchen Verhältnis
leben häufig *Tetramorium caespitum* und *Lasius niger* mit *Formica
sanguinea, rufibarbis* und *fusca*. Ein weiteres Beispiel hiefür ist die
in den vereinigten Staaten Amerikas vorkommende körnersammelnde
Ameisenart *Pogonomyrmex barbatus*, welche als Mieterin die kleine
Spießameise *Dorymyrmex pyramicus* aufnimmt. Als eine andere Ursache für zufällig zusammengesetzte Nester betrachtet der Verfasser
bauliche Vorteile, welche z. B. die Nester der Praerieameisen (*Pogonomyrmex occidentalis*) anderen Ameisen bieten.

Wenn das räumliche Zusammenleben von Ameisenkolonien verschiedener Art zur Regel wird, so spricht man von g e s e t z m ä ß i g e n
Formen zusammengesetzter Nester. Hierher gehören kleinere Ameisenarten, welche im Nestbezirk größerer Verwandter leben. Diese Mieter
werden in D i e b s- und G a s t a m e i s e n unterschieden. Die Arten
der Diebsameisen verlegen ihre Wohnplätze nie unmittelbar in die
Wohnung ihrer Mietsherren, sondern immer nur in die nächste Nähe
derselben. So baut z. B. die lichtscheue Zwergameise *Solenopsis
fugax* ihre aus Nestkammern und Hauptgang bestehende Behausung
fast immer um oder in die Wände fremder Ameisennester der Gattungen *Formica, Myrmica* etc. Aehnlich lebt *Solenopsis orbula* in
Nordafrika. Mittels Minen, sogenannter Arbeiterpfade, brechen sie
in die benachbarte Wohnung ein und berauben sie. Was die G a s ta m e i s e n anbelangt, so unterscheiden sich diese dadurch von den
Diebsameisen, dass ihre Wohnungen nicht durch Scheidewände von
denen ihrer Gastgeber getrennt sind, und dass die Individuenzahl
der Kolonie eine geringe ist, etwa die Zahl 1000 nicht überschreitend. Als einziges sicher festgestelltes Beispiel hiefür aus der einheimischen Fauna nennt der Autor *Formicoxenus nitidulus* in den
Nestern von *Formica pratensis* und *rufa*. *Xenomyrmex Stolli* in Guatamala ist vermutlich ebenfalls eine Gastameise.

Der zweite Abschnitt des vorliegenden Buches behandelt die gemischten Kolonien. Diese entstehen dann, wenn Ameisen verschie-

dener Arten zu einem gesellschaftlichen Ganzen, einer Kolonie verschmelzen. Dazu ist zu bemerken, dass von der einen mitwohnenden
Art regelmäßig nur Arbeiterinnen vorhanden sind, vom Autor als
Hilfsameisen bezeichnet. Eine Ausnahme machen die gemischten
Kolonien von *Tomognathus* mit *Leptothorax*, in denen nicht die Hilfsameisen, sondern die Herren (*Tomognathus*) nur in der Arbeiterform
vertreten sind, ferner die gemischten Kolonien von *Strongylognathus
testaceus* mit *Tetramorium caespitum*. Die Bedingungen für gemischte
Kolonien sind nahe Verwandtschaft der Arten und Aehnlichkeit in
der Größe. Nach Art ihres Zustandekommens unterscheidet man
Raubkolonien und Bundeskolonien.

Die gemischten Kolonien werden in gesetzmäßige und zufällige Formen eingeteilt. Bei den gesetzmäßigen Formen finden wir dreierlei Verhältnisse zwischen den Herren und Hilfsameisen: 1) Die Herrn sind durchaus unabhängig von den Hilfsameisen; die Arbeiterform der Herrn besitzt nämlich einen gezähnten
Kaurand des Oberkiefers. Sie sind dadurch in die Lage gesetzt,
alle Verrichtungen selbst auszuführen. Als Beispiel finden wir hiefür
von Wasman die *Formica sanguinea* angeführt, die als Hilfsameisen
Formica fusca und *rufibarbis* besitzt. Die Vorteile, welche die Herrn
aus den Hilfsameisen ziehen, beruhen darauf, dass letztere ihnen
beim Nestbau und bei der Erziehung der Brut helfen und durch
Blattlauszucht zur Verproviantierung der Kolonie beitragen. 2) Die
Arbeiterform der Herrn besitzt keinen gezähnten Kaurand, weshalb
sie in mehrfacher Beziehung in einem abhängigen Verhältnisse zu
ihren Hilfsameisen stehen. (*Polyergus rufescens* zu *Formica fusca*
bezw. *rufibarbis* oder *cinerea* u. e. a.). 3) Die Herrn sind allseitig
und gänzlich abhängig von ihren Hilfsameisen. Sie besitzen keine
eigne Arbeiterform, sondern bloß flügellose, puppenähnliche Männchen
und geflügelte Weibchen (*Anergates atratulus* und *Tetramorium*). In
dem Abschnitte über *Polyergus* dürften die Untersuchungen des Autors über die Nahrungsaufnahme und über die Gründung neuer Kolonien dieser Ameise besonders von Interesse sein. Zu derselben
zweiten Klasse von Sklavenhaltern wie *Polyergus* gehören auch
die *Strongylognathus* und *Tomognathus*. Ueber die Symbiose von
Strongylognathus testaceus mit *Tetramorium caespitum* geben Wasmann's Beobachtungen neues Licht sowohl bezüglich der Zusammensetzung dieser gemischten Kolonien, die auch befruchtete Weibchen
der Hilfsameisenart enthalten, als bezüglich der Art ihres Zustandekommens; sie sind nämlich als Bundeskolonien aufzufassen, nicht als
Raubkolonien wie jene von *Formica sanguinea* und *Polyergus*.

Zufällige Formen gemischter Kolonien werden vom Verfasser
als solche bezeichnet, in welchen Ameisen von zwei oder mehreren
Arten, die für gewöhnlich nicht zusammenleben, zu einer Haushaltung
verbunden sind. In diese Kategorie gehören Fälle von meist rätsel-

hafter und zweideutiger Erscheinung. Es kann die Ausnahme auf
Seite der Sklaven oder auf Seite der Herren oder endlich auf beiden
Seiten liegen. Die nach biologischen Gesichtspunkten geordnete
Uebersicht über die zusammengesetzten Nester und gemischten Ko-
lonien am Schlusse dieses Abschnittes (S. 176—178) ermöglicht in
Verbindung mit dem S. 262 beigefügten Verzeichnis der natürlichen
Formen gemischter Kolonien eine rasche und sichere Orientierung
über das ganze einschlägige Beobachtungsmaterial.

Der dritte Abschnitt des Werkes handelt von der Psychologie
und von der Entwicklungsgeschichte der Ameisengesellschaften. Der
Verfasser versucht in diesem Abschnitt die Frage zu beantworten,
ob die Wechselbeziehungen zwischen Ameisen verschiedener Arten
in den zusammengesetzten Nestern und gemischten Kolonien auf Instinkt oder Intelligenz oder auf beiden Faktoren beruhen? In sehr
ausführlicher Weise behandelt er diese Frage und gelangt zu dem
Schlusse, dass man, um alle Erscheinungen aus dem Ameisenleben
zu erklären, keineswegs der Annahme einer Intelligenz bedarf, ja
diese mache die Erklärung der Erscheinung unmöglich, vielmehr beruhen alle Thätigkeiten auf Instinkt.

Dem hier besprochenen Buche, aus welchem nur einige wenige
der vielen interessanten Beobachtungen und Thatsachen herausge-
griffen sind, wird gewiss nicht bloß vom Fachmann, sondern auch
von weiteren nicht fachmännischen Kreisen großes Interesse entgegengebracht werden.   Dr. **Cori** (Prag).

Eine neue Konstruktion für Mikroskope.
Von Dr. **Adolf Lendl**,
Dozent am Polytechnikum in Budapest[1]).

Wenn wir das optische Vermögen eines modernen Mikroskopes
untersuchen wollen, müssen wir hauptsächlich auf Folgendes ein besonderes Augenmerk richten: auf das definierende und das Abbildungsvermögen und auf den Grad der Vergrößerung.

Würden sich unsere Anforderungen nur auf den Grad der Vergrößerung beziehen, so wäre die praktische Ausführung derselben
keine schwere Aufgabe gewesen. Doch wir wissen es schon von
Hugo v. Mohl, dass wir uns allein hiermit nicht begnügen dürfen,
denn die gesteigerte Vergrößerung führt nicht auch zur Erkenntnis
der Details — und was würde uns ein noch so großes Bild nützen,
wenn darin die Details fehlten?

Mit Recht legt man daher bei der Prüfung und Benutzung der
Mikroskope das Hauptgewicht auf die reine Definition und auf das

---

1) Wir geben hier den das Wesentlichste enthaltenden Anfang dieser der
ungar. Akademie der Wiss. vorgelegten Abhandlung wegen ihres allgemeinen
Interesses wörtlich wieder. Der ganze Aufsatz ist abgedruckt in der Zeitschrift
für wiss. Mikroskopie, Bd. VIII, Heft 3.

Sichtbarmachen der feinen Struktur. Infolge dieser Anforderungen und Dank der Bemühungen gelehrter Optiker, Mechaniker und der Mikroskopiker selbst, ist eben in dieser Hinsicht ein wirklich bedeutender Aufschwung eingetreten, und die ausgezeichneten Objektive und Immersionssysteme lassen sozusagen nichts mehr zu wünschen übrig. Doch kommt nun auch das andere, für den Mikroskopiker ebenso wichtige Moment hinzu, nämlich in manchen Fällen mit der Beibehaltung des erreichbar höchsten Abbildungs- und Definitions-Vermögens auch eine möglichst starke Vergrößerung zu verbinden; denn ebensowenig wie für uns ein übermäßig vergrößertes Bild ohne Details nützlich sein kann, ebensowenig bedürfen wir eines Bildes, welches zwar noch die kleinsten Details enthält, jedoch nur so weit vergrößert, dass wir dieselben nicht mehr gehörig sehen können. Es muss eben, um gute Resultate zu erreichen, ein bestimmtes Verhältnis innegehalten werden.

Gewiss wäre es ein verfehltes Bestreben, die Vergrößerung zum Schaden der gut definierten Umrisse und der Erkennung feinerer Strukturen zu steigern; aber so weit es möglich ist, müssen wir auch der Vergrößerung selbst Rechnung tragen, denn gerade unsere ausgezeichneten Immersionssysteme führten uns an jene Grenze, wo wir unbefriedigt die Untersuchungen aufgeben müssen, da wir hier die zartesten Details im Bilde sehen oder zu sehen meinen, sie jedoch nicht mehr gehörig betrachten und sicher beurteilen können, weil das von der gut auflösenden Immersion gebotene Bild nicht auch so weit vergrößert ist, um das wahrnehmbar Kleinste groß genug erscheinen zu lassen. Man sieht einen Punkt, einen Strich — doch kann man nicht mehr unterscheiden, ob dieser Punkt rund oder viereckig ist, ob der Strich drei-, viermal so lang als breit ist. Es ist das Detail des Bildes unserem Auge nicht in fassbarer Größe geboten. Selbst die Form der Felder des Pleurosigma angulatum ist noch ein Rätsel geblieben!

Um diesem Uebel abzuhelfen, hat man sich bestrebt, auch die Vergrößerungskraft der Mikroskope hinaufzuschrauben. Die Okular-Vergrößerung konnte aber, abgesehen von der Verdunkelung des Sehfeldes, nicht genügen, und die Objektiv-Vergrößerung — abgesehen davon, dass nicht Jeder in der Lage ist, sich die best auflösenden und dabei zugleich am stärksten vergrößernden, natürlich auch theuersten Immersionssysteme anzuschaffen — konnte auch nur bis zu einer bestimmten Grenze ohne andere Nachteile hinaufgeführt werden.

Wollen wir daher in bestimmten Fällen eine gesteigerte Vergrößerung unseren Zwecken dienlich machen, wollen wir ein fragliches Detail betrachten, so müssen wir diese Vergrößerung auf einem ganz anderen Wege, unabhängig vom Objektiv und ohne Okular-Vergrößerung zu erreichen suchen. Dies gelang mir auf sehr einfache Weise durch Veränderung der Konstruktion des Mikroskopes.

Das Prinzip der Konstruktion der bisher gebrauchten Mikroskope
ist, in kurze Worte gefasst, das folgende: Das vom Objektiv erzeugte
Bild wird durch die Kollektivlinse gesammelt und sodann durch die
nochmals vergrößernde Okularlinse betrachtet. Wenn wir mit Hilfe
eines Immersionssystemes irgend ein Objekt untersuchen und im Bilde
ein Detail wahrnehmen können, welches wir jedoch, um es z. B. seiner
Gestalt und Größe nach gehörig beurteilen zu können, noch mehr
vergrößert sehen wollen, da die eben benützte Vergrößerung noch
nicht genügt: so setzen wir ein stärkeres Okular statt des schwächeren
ein. Aber weit kommen wir auf diese Weise nicht, denn die Benutzung
starker Okulare bringt nicht nur Vorteile, sondern auch Nachteile mit
sich — und dann müssen wir uns damit begnügen, das fragliche Detail
eben nur bemerkt zu haben, ohne es näher untersuchen und sicher
beurteilen zu können. In solchen Fällen kann man sich nun leicht
durch eine von mir erdachte Veränderung des Mikroskopes helfen.
Diese besteht im Folgenden: **Man schaltet die Okularlinse
des Mikroskopes gänzlich aus und setzt an ihre Stelle
ein zweites, geringe vergrößerndes ganzes Mikroskop.**
D. h. man betrachtet das durch die Kollektivlinse gesammelte Bild
nicht mehr durch eine vergrößernde Okularlinse, sondern durch ein
zweites Mikroskop.

Es kommen also zwei Mikroskope übereinander; vom untern fehlt
die Okularlinse Mit Hilfe der mechanischen Vorrichtung stelle man
das obere Mikroskop auf das Bild der Kollektivlinse ein; — blickt
man nun in dieses doppelte Mikroskop, so erkennt man das vordem zu
kleine Detail wieder, jetzt aber schon so weit vergrößert, dass man
seine Gestalt und Größe ganz leicht erkennen und beurteilen kann.
Dabei ist weder das Abbildungsvermögen, noch die reine Definition
nachteilig beeinflusst worden, auch das Sehfeld hat sich nicht so
verdunkelt als bei starker Okularvergrößerung. Man arbeitet mit
demselben Mikroskop, mit demselben Immersioussysteme; nur darin
ist der Unterschied, dass man statt einer Linse nun ein ganzes
Mikroskop zu Hilfe nahm.

Da die Mikroskope im allgemeinen schon an und für sich auch
mit schwachen Objektiven und Okularen versehen sind, kann man
gleich diese zur Armierung des obern Mikroskopes verwenden, und
so ist eigentlich nur eine geringe Veränderung des mechanischen
Teiles am Mikroskop durchzuführen. Nur ein Hilfsapparat kommt
noch hinzu, welcher das obere Mikroskop in sich fasst.

*Einsendungen für das Biol. Centralblatt bittet man an die **Redaktion, Erlangen, physiol. Institut, Bestellungen** sowie alle
auf die **Expedition** oder auf **Inserate** bezüglichen Mitteilungen
an die **Verlagshandlung von Eduard Besold, Leipzig,
Salomonstr. 16,** zu richten.* ·

Verlag von Eduard Besold in Leipzig. — Druck der kgl. bayer. Hof- und
Univ.-Buchdruckerei von Fr. Junge (Firma: Junge & Sohn) in Erlangen.

Biologisches Centralblatt

unter Mitwirkung von

Dr. M. Reess   und   Dr. E. Selenka

Prof. der Botanik   Prof. der Zoologie

herausgegeben von

Dr. J. Rosenthal

Prof. der Physiologie in Erlangen.

24 Nummern von je 2 Bogen bilden einen Band. Preis des Bandes 16 Mark.
Zu beziehen durch alle Buchhandlungen und Postanstalten.

XII. Band.   15. März 1892.   **Nr. 5.**

Ueber Ameisenpflanzen (Myrmekophyten).

Von O. Warburg.

Seit einer Reihe von Jahren stehen die sogenannten Ameisenpflanzen bei den Botanikern im Vordergrunde des Interesses, wenngleich gewisse Beziehungen zwischen Ameisen und Pflanzen schon seit geraumer Zeit, wenn man will, seit $2^1/_2$ Jahrhunderten bekannt sind. Das Wort Ameisenpflanze bedeutet in seiner weitesten Auslegung solche Pflanzen, die zu Ameisen in irgend einer geregelten Beziehung stehen; gewöhnlich sagt man myrmekophile Pflanzen, eigentlich ein nicht ganz glücklich gewähltes Wort, das schon gewissermaßen eine Hypothese in sich schließt, indem es voraussetzt, dass die Pflanzen ein gewisses biologisches Interesse daran haben, von Ameisen besucht zu werden, etwa wie hygrophile Pflanzen feuchte, xerophile trockne Standorte wirklich bevorzugen. Wir wollen deshalb diese Pflanzenkategorie lieber einfach als Myrmekophyten bezeichnen, während an Stelle der unschön klingenden Worte Myrmekophytie und myrmekophytisch besser die Worte Myrmekosymbiose und myrmekosymbiotisch zu setzen sind, Bezeichnungen, für welche der Umstand spricht, dass sie nur Thatsächliches ausdrücken, ohne irgendwelche Hypothesen oder Bilder in sich zu verbergen.

Wie schon der Parallelausdruck myrmekophil zeigt, sind der Myrmekosymbiose alle die Fälle nicht zu subsummieren, wo die Pflanze nur gelegentlich Ameisenbesuch empfängt, ebenso wie man ja auch zu den Xerophyten solche Pflanzen nicht zu rechnen pflegt, die sich nur gelegentlich an trockne Standorte verirren. Würde man

XII.   9

nämlich diese Beschränkung nicht annehmen, so wären fast alle
Pflanzen Myrmekophyten; wenn schon bei uns der Blattläuse wegen
beinahe alle Pflanzen gelegentlich von Ameisen besucht werden, so
ist dies in den Tropen in noch weit höherem Maße der Fall, namentlich in feuchten Gegenden, wo während der Regenzeit fast überall
der Boden gelegentlich derart mit Wasser durchtränkt, wenn nicht
gar überschwemmt ist, dass es den Ameisen vielfach unmöglich wird,
ihre Nester in der Erde anzulegen, wollen sie ihre Brut vor dem
Ersaufen, ihre Vorräte vor dem Verderben schützen. So bauen denn
dort die meisten Ameisenarten ihre Nester auf den Pflanzen, sei es
dass sie die Blätter zu diesem Zweck miteinander verweben, sei es
dass sie sich papiermachéartige Nester an den Zweigen bauen, oder
endlich dass sie irgendwelche geschützte Hohlräume oder wenigstens
mit Regendach versehene konkave Flächen dazu aufsuchen. Dies
sind Thatsachen, die sich jedem Reisenden in den Tropen unweiger-
lich aufdrängen, wenn beim Durchdringen des Gebüsches die bissigen
Schaaren auf ihn herabstürzen oder wenn die die Bäume erklettern-
den Eingeborenen plötzlich blitzschnell wieder herabgleiten, weil
irgend eine Ameisenkolonie ihnen den Weg verlegt hat. Sehr be-
liebten Aufenthaltsort gewährt das Wurzelgeflecht epiphytischer
Orchideen, ferner wurzelkletternder Lianen, auch eingerollte Blattstiele der Araceen etc. Deshalb aber alle diese Pflanzen als Myrmekophyten zu bezeichnen, würde entschieden zu weit führen; vielmehr thut man gut, den Ausdruck Myrmekosymbiose zu beschränken auf solche Pflanzen, die in der einen oder andern Weise
anatomische oder morphologische erbliche Eigentümlichkeiten aufweisen, die wir uns nicht anders als in Relation zu Ameisen entstanden denken können, mit andern Worten Abänderungen des normalen Typus, die wir wenigstens vor der Hand als Mittel betrachten
müssen, dazu bestimmt, den Ameisen nützlich zu sein.

Nachdem dieses vorausgeschickt, wenden wir uns jetzt zu den
zwei Hauptlockmitteln für Ameisen, die den Pflanzen zur Verfügung
stehen; es ist entweder Nahrung, oder Unterschlupf resp. Wohnungs-
gelegenheit. Wir wollen hiernach die Myrmekophyten einteilen in
myrmekotrophe Pflanzen (also solche, welche die Ameisen mit
Nahrung versehen), und ferner in myrmekodome Pflanzen (d. h.
solche, die den Ameisen eine Behausung, resp. ein Schutzdach zur
Verfügung stellen); diejenigen Pflanzen endlich, welche die Ameisen
sowohl beherbergen als auch mit Nahrung versehen, also Gastfreundschaft im weitesten Sinne üben, mögen myrmekoxene Pflanzen
genannt werden. — Selbstverständlich sind sowohl Nahrung als auch
Behausung vielerlei Variationen fähig; als Nahrung kommen namentlich Kohlehydrate und Proteinstoffe in Betracht, geliefert durch Nektarien, wohl auch Fruchtfleisch, resp. besondere Drüsenorgane; als
Wohnung können vorgebildete Hohlräume in Stengeln, in oder unter

den Blättern, an den Früchten, endlich auch leicht auszuhöhlendes
Gewebe dienen, ferner wäre es a priori nicht undenkbar, dass die
Pflanzen den Ameisen auch Material zum Bauen der Nester zur Verfügung stellten, oder dass sie den Ameisenwohnorten Schutz gegen
deren Feinde gewährten.

Um mit den myrmekotrophen Pflanzen zu beginnen, so würden
nach der Ansicht gewisser Forscher, vor allem Delpino's, der sich
ganz besonders um die Erforschung dieser Verhältnisse verdient gemacht hat, alle Pflanzen mit extranuptialen Nektarien zu denselben
zu rechnen sein, also alle Pflanzen, die solche Nektarien besitzen,
welche nicht für die Anlockung kreuzungsvermittelnder Tiere bestimmt
sind, einerlei ob diese Nektarien auf den Vegetationsorganen sich
befinden, oder an den Blüten. Es sei hierbei bemerkt, dass die Ausdrücke extrafloral und extranuptial sich durchaus nicht decken;
extrafloral bezeichnet nur die örtliche Lage, extranuptial schließt
schon eine Art Zweckbestimmung in sich; florale, aber extranuptiale
Nektarien auf dem Kelch besitzen z. B. *Clerodendron*, *Catalpa* etc.,
ferner zeigen Compositen aus den Gattungen *Centaurea*, *Serratula*,
Helianthus, *Jurinea* an den Hüllschuppen der Blütenköpfchen eine
starke Absonderung von Nektar, welche auf die Ameisen ganz besondere Anziehungskraft ausübt. Für *Jurinea mollis* hat Wettstein
den Nutzen durch den Ameisenschutz experimentell nachgewiesen,
unter 50 von Ameisen besuchten Blütenköpfchen waren 47 unversehrt
aufgeblüht, unter 50 den Ameisen unzugänglich gemachten Blüten-
köpfen dagegen gelangten nur 27 unversehrt zur Blüte, während 17
mehr oder weniger erheblich von Insekten angefressen waren. Neuerdings hat Burck in Buitenzorg sich mit der Frage beschäftigt und
glaubt für *Fagraea*, *Gmelina*, Bignoniaceen und *Ipomoea*-Arten nachweisen zu können, dass durch die Nektarien an den Blütenkelchen
mittels der dadurch herbeigelockten Ameisen die Blüten gegen Ein-
bruch unberufener Gäste, namentlich gegen die Durchnagung der
Blumenkrone durch die großen Holzbienen hinlänglich geschützt werden, und somit der Nektar der inneren Blüte den rechtmäßigen Kreuzungsvermittlern oder wenigstens auf dem vorgezeichneten Wege
eindringenden Gästen erhalten bleibt. Er hat in der That, freilich
fast nur an Insekten in der Gefangenschaft, beobachtet, dass Ameisen
die großen Bienen in die Flucht zu schlagen vermögen, und ferner,
dass die Blüten der infolge solcher Nektarien durch Ameisen be-
schützten Arten fast gar nicht seitlich angebohrt werden, während
die im Garten daneben stehenden verwandten Arten ohne derartigen
Schutz fast nur angebohrte Blüten aufweisen. Arten derselben Gattungen, die zu erfolgreicher Selbstbestäubung übergegangen sind,
können natürlich eines derartigen Schutzes entraten, und so glaubt
Burck auch gerade bei solchen Arten, die keine floralen extranuptialen Nektarien besitzen, Anpassungen für Selbstbestäubung kon-

statieren zu können. Der Hauptpunkt der ganzen Frage ist aber der, ob bei derselben Pflanzenart die infolge des Fehlens des Ameisenschutzes von außen angebohrten Blüten weniger oder schlechteren Samen produzieren als die, welche von Ameisen besucht werden, und bis hierüber keine direkten Versuche angestellt sind, können die von Burck gezogenen Schlüsse wohl als wahrscheinlich, nicht aber als positiv erwiesen gelten.

Der Pflanzen mit nichtfloralen extranuptialen Nektarien gibt es eine solche Menge, dass es sich nicht verlohnt auf dieselben im Besonderen einzugehen; Delpino hat 1886—88 schon eine außerordentlich große Liste zusammengestellt, die aber durch neuere Beobachtungen noch ungemein verlängert worden ist; selbst bei einer Reihe von Farnen, unter anderen bei unserem Adlerfarn sind Nektarien aufgefunden worden [1]). Der Unterschied zwischen floralen und extrafloralen Nektarien ist häufig durchaus kein scharfer; wenn wir soeben die Nektarien an den Hüllschuppen der Compositen zu den floralen Gebilden rechneten, so werden wir auch die Nektarien auf etwas tiefer stehenden Brakteen, wie bei *Clerodendron, Gmelina, Melampyrum, Triumfetta* etc. wohl noch als zu der floralen Region gehörig betrachten müssen, denn was im Speziellen auch ihre biologische Bedeutung sein mag, so wird sie zweifellos mit den Funktionen der Blüten in irgend einem Zusammenhang stehen. Die Nektarien hingegen, die sich so häufig an den Blättern und Blattstielen befinden, mögen vielleicht ganz andere Funktionen besitzen, sodass also allgemeine Urteile über die biologische Bedeutung extranuptialer Nektarien vorläufig entschieden zu vermeiden sind. So ist denn auch Kerner's Ansicht, nach welcher die extranuptialen Nektarien dazu dienen, die Ameisen abzuhalten nach den Blüten vorzudringen, in dieser allgemeinen Fassung gewiss verkehrt und hat auch bei späteren Forschern nur wenig Anklang gefunden. Kerner's Meinung ist nämlich folgende: bekanntlich gehören die Ameisen, da sie für die Fremdbestäubung der Blüten von geringer Bedeutung sind, zu den unberufenen Gästen derselben; würden sie in die Blüten eindringen und sich des dort aufgespeicherten Nektars bemächtigen können, so würden sie einerseits die Pflanzen der so wichtigen Lockmittel für kreuzungsvermittelnde Insekten berauben, anderseits aber schon durch ihre Gegenwart den Besuch derselben verhindern, deshalb ist es wichtig die Naschhaftigkeit der Ameisen auf für die Pflanze unschädliche Bahnen abzulenken; und diesem Zwecke dienen nun

---

1) Delpino betrachtet sogar neuerdings die Zuckerabsonderungen gewisser Eichengallen, sowie die Zuckerausscheidungen der Spermogonien von gewissen Aecidiomyceten als Lockmittel für und Anpassungen an die Ameisen, eine Annahme die doch wohl schon die Grenzen der berechtigten Hypothese überschritten haben dürfte.

nach Kerner die extranuptialen Nektarien. Dass dies nicht allgemein richtig ist, geht schon daraus hervor, dass auch windblütige Pflanzen, ja selbst Farne derartige Nektarien besitzen, vor allem aber daraus, dass sich die Ameisen vom Blütenbesuch, da wo ihnen der Zugang nicht durch mechanische Schutzvorrichtungen versperrt ist, durch extranuptiale Nektarien gar nicht abhalten lassen; welche enormen Quantitäten Zucker müssten auch ausgeschieden werden, um die Ameisen derart zu versorgen, dass dieselben nicht mehr das Bedürfnis fühlen, nach neuen ergiebigen Quellen zu suchen. Huth hat dann wenigstens die Doppelfunktion der extranuptialen Nektarien zugelassen und unterscheidet darauf hin myrmekophile und myrmekophobe Pflanzen, doch ist die Funktion der extranuptialen Nektarien als Ablenkungsmittel weder in einem bestimmten Falle erwiesen, noch auch wahrscheinlich.

Noch weniger Berechtigung hat die Annahme Bonnier's, dass diese Nektarien Reservestoffbehälter seien, was schon deshalb nicht anzunehmen ist, da der ausgeschiedene Zucker entweder von Insekten ausgebeutet oder vom Regen abgewaschen wird, jedenfalls aber nicht der Pflanze wieder zugut kommen kann. Dagegen ist der Schutz, der den Blättern durch den Besuch von Ameisen gewährt wird, in einer Reihe von Fällen erwiesen, namentlich schützen in Südamerika die gewöhnlichen Ameisen die Blätter in hervorragendem Maße gegen die verheerenden Blattschneideameisen, auf die wir noch zurückkommen werden, während neuerdings Burck auch auf Java große Ameisen beobachtet hat, welche gewisse Blätter zerfressen, und auch diese wurden durch kleinere, Nektarien besuchende Ameisen wirksam ferngehalten. Gerade dies ist eine sehr wichtige Beobachtung, da man bei dem Fehlen der Blattschneideameisen in Südasien die Vorteile der Myrmekosymbiose für die Pflanzen daselbst sich nie recht hat erklären können. Für die myrmekotrophe Funktion der Nektarien spricht aber besonders auch die häufig bei denselben bemerkbare auffallende und vom übrigen Gewebe abweichende Färbung, die anderweitig schwer zu verstehen wäre, während die von Schimper mit buntfarbigen Papierschnitzeln angestellten Versuche beweisen, dass die Ameisen auch ungewohnten Farbenmerkmalen sehr schnell ihre Aufmerksamkeit zuwenden. Im Anschluss hieran macht Ludwig in Greiz darauf aufmerksam, dass manche Pflanzen sogar den Weg zu diesen extrafloralen Nektarien durch auffallend gefärbte Punkte und Striche anzudeuten pflegen.

Aus dem Angeführten geht also als sicher hervor, dass den extranuptialen Nektarien in vielen Fällen die ganz besondere Fähigkeit zukommt, Ameisen anzulocken, ferner, dass diese Pflanzen von Seite der sie besuchenden Ameisen einen ganz erheblichen Schutz genießen. Ob resp. in welchen Fällen diese Nektarien nun ausschließlich myrmekotrophe Funktion haben, ferner ob diese Organe ausschließlich

auf dem Wege der Selektion entstanden sind, oder, wie Beccari
meint, infolge von gewissen, von den Ameisen auf die Pflanzen ausgeübten Reizen, also gewissermaßen direkt von den Ameisen gezüchtet worden sind, dies sind Fragen, über die wir bei dem augenblicklichen Stand der Thatsachen kaum berechtigt sind, mehr als
Vermutungen zu äußern. Ferner ist der Nutzen, der den myrmekotrophen Pflanzen durch die Ameisen gewährt wird, für die einzelnen
Fälle genau zu spezialisieren, denn falls hauptsächlich die Selektion
bei der Bildung resp. der Fixierung der Nektarien thätig war, so ist
es kaum zu bezweifeln, dass die weitere Ausbildung der Organe in
Relation zu der zunehmenden Schädlichkeit ganz bestimmter Pflan-
zenfeinde vor sich gegangen ist, genau analog den ja sehr bekannten
Beziehungen der Blütenentwicklung zu den Kreuzungsvermittlern;
man wird also in den einzelnen Fällen viel mehr spezialisieren
müssen, und jeder einzelne gut beobachtete und sichere Fall wiegt
eine Menge allgemein und halb konstatierter Fälle derartiger Anpassung an Bedeutung auf.

Im Anschluss hieran sei es mir gestattet kurz eine Frage hin-
zuwerfen, die, soweit mir bekannt, nie berührt worden ist, aber doch
der Diskussion und wenn möglich der experimentellen Untersuchung
zugänglich gemacht zu werden verdient. Wie sehr die meisten
Pflanzen durch die Blattläuse leiden, ist bekannt, die Schutzein-
richtungen gegen dieselben sind noch wenig studiert, scheinen aber
im allgemeinen unzureichend, zumal da die Blattläuse ja unter der
Protektion der Ameisen stehen, von ihnen bewacht, beschützt und
verpflanzt werden. Wäre es nun nicht denkbar, dass für gewisse
Fälle die extranuptialen Nektarien eine Schutzmaßregel gegen die
Blattläuse sind, indem sie den Ameisen das, was dieselben sonst
nicht ohne erhebliche Mühe und Geduld mittels der Blattläuse erlangen, freiwillig fertig bieten, sei es, dass sie sich die Blattläuse
züchtenden Ameisenarten dadurch fernhalten, dass sie sich mit Schutz-
truppen von solchen Ameisenarten umgeben, die keine Relation zu
Blattläusen haben, sei es, dass sie jene Ameisenarten nur in dem
gegebenen Falle veranlassen, davon Abstand zu nehmen, die betreffende Pflanze mit Blattlauskolonien zu besetzen, resp. spontan
entstehende Kolonien zu beschützen. Jedenfalls würde die Pflanze
den Vorteil haben, Ort, Art und Quantität des Tributes an die
Ameisen selbst bestimmen zu können, während im Gegensatz hierzu
die Blattläuse ja gerade diejenigen Orte (junge Organe etc.) aufsuchen, welche vor allen Dingen des Schutzes bedürfen [1]. —

---

1) Büsgen wendet sich, auf Berechnungen gestützt, gegen die Ansicht,
als seien die Blattläuse den Pflanzen dadurch mehr nützlich als schädlich,
dass die Pflanzen sich gerade durch die Blattläuse des Schutzes der Ameisen
vergewisserten. Mit Recht hebt er hervor, dass ein Sechstel der gesamten

Wir haben bisher nur von den zuckerabsondernden Nektarien als myrmekotrophen Bildungen gesprochen; um den Schutz der Ameisen zu genießen, zahlen die Pflanzen aber zuweilen auch noch viel wertvolleren Tribut. Bekanntlich sind die Pflanzen überall dort verschwenderisch, wo es sich um Kohlehydrate und sonstige stickstofffreie Substanzen handelt, während sie sich meist von der äußersten Sparsamkeit leiten lassen, wo stickstoffhaltige Substanzen im Spiele sind. Die gut untersuchten Verhältnisse beim Laubfall z. B. zeigen dies aufs deutlichste, ebenso die sorgsame Vererbung der Proteinstoffe auf die Nachkommenschaft. Trotzdem sind jetzt schon 3 Fälle bekannt, in denen solche wertvolle Stoffe freiwillig von der Pflanze den Ameisen überlassen werden. Der erste und am besten bekannte Fall findet sich bei *Cecropia*-Arten Südamerikas, auf die wir noch zurückkommen werden. Sie sondern am Grunde des Blattstieles zwischen dichtstehenden Härchen kleine elliptische, hauptsächlich aus Proteinstoffen und Fett bestehende Zellmassen aus, von Schimper nach dem Entdecker derselben, Fritz Müller in Blumenau, Müllersche Körperchen genannt, denen die Ameisen äußerst eifrig nachstellen und die beim Fernhalten der Ameisen nutzlos abfallen.

Ganz ähnliche Gebilde befinden sich auf einer gleichfalls myrmecoxenen *Acacia*-Art Mittelamerikas an den Enden der kleinen Fiederblättchen; sie werden nach dem Entdecker als Ball'sche Körperchen bezeichnet; neuerdings sind dem Wesen nach wahrscheinlich gleiche, der Form nach andere, nämlich becherförmige Gebilde auf den umgewandelten Kelchen von 2 myrmekotrophen *Thunbergia*-Arten beobachtet, die nach dem Entdecker Burck'sche Becher resp. Körperchen genannt werden mögen; auch diese fallen bei fehlendem Zutritt von Ameisen nutzlos ab; in allen 3 Fällen scheinen sich die Körperchen allmählich aus Drüsenorganen entwickelt zu haben, was noch am deutlichsten bei den Burck'schen Bechern zu erkennen ist, die aber auch schon keinen Zucker mehr secernieren.

Von andern myrmekotrophen Substanzen wissen wir bisher nichts; würden die Ameisen Stärke als Nahrung benutzen, so stände ihnen ja überall dieselbe in Knollen, Brutknospen etc. in genügender Menge zur Verfügung, und es würde wohl kaum besonderer Anpassungen für die Lieferung dieses Stoffes bedürfen, im Gegenteil wohl eher Schutzmaßregeln gegen die übertriebene Ausbeutung.

Myrmekotrophe Organe dienen nach dem, was wir anführten, fast ausschließlich dazu, der betreffenden Pflanze den nötigen Schutz der Ameisen zu sichern, nur zwei Fälle sind konstatiert, wo sie im Gegensatz hiezu die Ameisen anlocken sollen, um sie dann dem Ver-

---

Blattproduktion doch ein zu hoher Preis für diesen Schutz sei; auch fand er nicht, dass blattlausfreie Bäume erheblich mehr durch Raupenfraß leiden als Blattläuse beherbergende.

derben preiszugeben; das ist, wie schon lange bekannt, bei den
Becherpflanzen *Nepenthes* der Fall, wo an der Außenseite des Bechers
zerstreute Nektarien den Ameisen den Weg weisen sollen zu den
vielen Nektarien des Becherrandes und des Deckels, die wieder
durch die daran sich schließende glatte Fläche den ausgleitenden und
in den Bechergrund fallenden Ameisen gefährlich werden. Aehnlich
liegt der Fall nach Trelease bei *Sarracenia*, für welche Pflanze
Delpino freilich annimmt, dass die Nektarien des Bechers Ameisen
zum Schutze anlocken sollen.

Nachdem wir somit das wesentlichste über die Myrmekotrophie
gesagt haben, wenden wir uns den myrmekodomen Pflanzen zu. Wie
es für die myrmekotrophen Organe in vielen Fällen zweifelhaft bleiben muss, ob sie ursprünglich in Relation zu dem Ameisenbesuch
entstanden sind, oder erst später ihre Funktion übernommen haben,
ob sie ferner neben der myrmekotrophen Funktion noch andern
Zwecken dienen, genau so ist es auch mit den myrmekodomen Organen. Deshalb aber, wie es neuerdings versucht wurde, die Fälle
der Myrmekodomie vollkommen aus dem Begriff der Myrmekosymbiose
auszuschließen, ist ebenso verkehrt wie das Umgekehrte, wozu früher
eine gewisse Neigung bestand. Nur da ist nach unserer im Anfang
gegebenen Definition eine Grenze der Myrmekosymbiose zu ziehen,
wo von Anpassungen überhaupt nicht die Rede ist, wo also z. B. die
Ameisenwohnungen weiter nichts sind als Höhlungen oder Schutz-
dächer, die ohne Dasein der Ameisen ebensogut phylogenetisch entstanden wären, oder wo es sich um pathologische Verhältnisse handelt, z. B. um von den Ameisen ausgehöhlte Gänge, oder um eine
Folge von Reizerscheinungen, die bisher noch keine erblichen Modifikationen des Pflanzenkörpers veranlasst haben.

Vor allem gut bekannt und sicher gestellt ist die Myrmekodomie
bei der schon oben erwähnten zu den Artocarpaceen gehörigen Gattung
Cecropia, kleineren Bäumen Südamerikas, die wegen der Verwendung
ihrer hohlen Stammglieder auch Trompetenbäume genannt werden.
Die Thatsache, dass diese Stammglieder von Ameisen bewohnt werden,
wird schon 1648 von Marcgravius, 1658 von Piso erwähnt; die
genaue Kenntnis der Symbiose verdanken wir aber Fritz Müller
in Blumenau und namentlich Schimper in Bonn, der die Bäume in
Südamerika selbst sorgfältig studiert hat. Die Besiedelung der jungen
Pflanzen durch Ameisen geht auf folgende Weise vor sich. Oberhalb
des Blattstieles, also in der Achsel eines jeden Blattes befindet sich
eine vertikal laufende Rinne, die an ihrem oberen Ende, unter dem
nächst höheren Blattknoten eine Vertiefung besitzt; hier durchbeisst
das trächtige Weibchen das gerade an dieser Stelle dünnere Gewebe
des Holzkörpers und schlüpft in die hohle Kammer hinein, um daselbst
die Eier abzulegen; die durch die Ameise hervorgerufene Wunde
schließt sich bald durch stark wucherndes Gewebe, das der Gefangenen

zur Nahrung dient, oder wenigstens auf irgend eine Weise verbraucht
wird. Dies geht aus folgender Thatsache hervor: manchmal werden
die Ameisenweibchen von Schlupfwespen befallen und sterben dann
im Innern der Kammer, in diesem Falle wird also das Wachstum des
blumenkohlartig wachsenden Wuchergewebes nicht beschränkt und
letzteres füllt die ganze Höhlung des Stengelgliedes aus;· so kann
man also schon an der Wucherung erkennen, ob die Glieder ein totes
Weibchen oder eine lebende Kolonie beherbergen. Die jungen Ameisen
eröffnen dann später wieder an derselben Stelle durch ein Loch die
Verbindung mit der Außenwelt. In diesem Falle haben wir nun eine
sehr deutliche Anpassung an die Ameisen vor uns; nicht die Höhlung
der Glieder ist die Hauptsache, denn diese finden wir bei vielen
Pflanzen ohne irgend welche Beziehung zu den Ameisen, sondern die
im voraus angelegte dünnere und vertiefte Stelle, dort wo die Wand
später durchbohrt wird, ein durchaus allein stehender Fall dieser Art;
die Dünne der Wand wird hergestellt 1) durch eine Lücke in der
inneren Zone dickwandigen verholzten Parenchyms, 2) durch das Ausbleiben der Bildung von Zwischenbüudeln, 3) durch die schwache
Ausbildung resp. das gänzliche Fehlen des Collenchyms, endlich 4)
durch die viel geringere Thätigkeit des Cambiums. Die Probe dafür,
dass diese morphologische Abnormität in Beziehung zu Ameisen steht,
wird auf glänzende Weise durch die Beobachtung geliefert, dass
eine andere, Ameisen nicht beherbergende *Cecropia*-Art zwar die durch
Knospendruck hervorgerufene Rinne, nicht aber diese präformierte
Stelle besitzt. Gerade bei dieser *Cecropia* ist nun aber auch der
Nutzen, den die Pflanzen durch die Ameisen haben, aufs deutlichste
erwiesen, da einige der nicht bewohnten Bäume gleicher Art von
Blattschneideameisen traurig zugerichtet waren. Diese merkwürdigen
Blattschneideameisen nämlich beißen mit ihren scharfen Kiefern aus
den Blättern mehr oder weniger runde Stücke von der Größe eines
Zehnpfennigstückes heraus und tragen dieselben in ihre unterirdischen
Bauten, wo sie sie aufeinanderschichten· und nach Belt eine Art
Pilzzucht darauf anlegen. Die eben erwähnte 2. *Cecropia*-Art, die
keine Ameisen beherbergt, soll nach Schimper durch ihre glatten
Stengel geschützt sein. Gleichfalls sehr früh bekannt, nämlich schon
1651 von Hernandez erwähnt, 1697 von Commelyn genauer beschrieben, ist die Myrmekodomie von zwei *Acacia*-Arten Südamerikas,
von denen die eine schon oben als auch myrmekotrophisch erwähnt
wurde. Die paarigen, Büffelhorn-ähnlichen, mächtig angeschwollenen
Stipularstacheln derselben sind im Innern hohl, und werden von Ameisen
bewohnt, die an anatomisch nicht näher umschriebenen Stellen sich
die Zugangsöffnung bohren. Da diese dicken hohlen Stacheln als
Schutzwaffe weniger Bedeutung haben als die dazwischen manchmal
vorkommenden kleineren soliden, und sogar an in Gewächshäusern
ohne Ameisenzutritt gezogenen Pflanzen sich finden, so sind diese Auf-

treibungen wohl sicher erbliche Anpassungen an die Ameisen. Auch
hier ist der Nutzen der Ameisen für die Belaubung experimentell
nachgewiesen, und auch diese Pflanzen sind nebenher noch myrmekotroph, *Acacia sphaerocephala* sogar in doppeltem Sinne, einerseits
durch die gewöhnlichen schüsselförmigen Nektarien der Akazien an
den Blattstielen, anderseits durch die Belt'schen Körperchen. Bei
einer dritten *Acacia*-Art, aus Afrika, finden sich ähnliche Auftreibungen,
aber mit Spalten, doch ist die Myrmekodomie hier noch nicht sicher erwiesen, ebensowenig die Entstehungsweise der Spalten; die Annahme,
dass die Auftreibungen Gallen seien, ist deshalb wohl sicher unzu-
treffend, da ich in einer noch vollkommen geschlossenen Blase zwar
noch die zerrissenen Markfetzen aber keine Spur eines Tieres sah,
womit Schweinfurth's Beobachtung, dass auch in Cairo an kultivierten Exemplaren die Blasen vorkommen, übereinstimmt, so dass
die Ansicht, dass hier gleiche Verhältnisse vorliegen wie bei den
amerikanischen Arten, gewiss berechtigt ist. Ziemlich deutliche Bohr-
löcher, die ich an einer jungen Blase dieser afrikanischen Art beobachten konnte, weisen auch hier darauf hin, dass die Spalten nicht
spontan entstehen.

Auch das von Beccari entdeckte *Clerodendron fistulosum* zeigt
eine hohe Ausbildung der Myrmekodomie; die hohlen Stengel sind
dicht unterhalb der Blattinsertionen an scharf umschriebenen, im Verhältnis zur Umgebung viel dünneren, etwas hornartig vorgezogenen
Stellen von den Ameisen durchbohrt, die zu gleicher Zeit durch die
unzähligen Nektarien der Blattunterseite Nahrung finden.

Diese 3 Fälle sind die bei weitem am besten und sichersten bekannten myrmekodomen Anpassungen. Die von Bower untersuchte
Humboldtia laurifolia hat gleichfalls mit lockerem Mark angefüllte
Auftreibungen der Stengel, die an der Spitze der Internodien eine
ovale Oeffnung besitzen; Bower glaubt aus jugendlicheren Stadien
schließen zu dürfen, dass sie spontan aufspringen, doch ist dies noch
nicht erwiesen. Myrmekotrophe Nektarien finden sich zahlreich an
den großen Stipeln.

Aehnliche Auftreibungen der Stengel sind nun schon in einer
größeren Anzahl von Fällen beobachtet, namentlich von Beccari und
Schumann, z. B. bei den Euphorbiaceengattungen *Macaranga* und
Endospermum im malayischen Archipel, bei den Rubiaceen *Nauclea*
und *Sarcocephalus* in Ostasien, *Duroia* in Amerika, *Cuviera* und *Can-
thium* in Afrika, bei der Lauracee *Pleurothyrium* in Südamerika, bei
der Paropsiceengattung *Barteria* in Afrika, bei *Cordia gerascanthus*
in Amerika, bei der Monimiaceengattung *Kibara* und bei *Myristica*-
Arten in Papuasien, welcher Liste ich noch eine bisher unbeschriebene
Meliacee *Amoora myrmecophila* n. sp. aus Neu-Guinea hinzufügen
möchte. In allen diesen Fällen handelt es sich um lokale Auftreibungen, die durch Löcher oder Spalten zugänglich gemacht wurden;

dass diese Spalten spontan entstehen, ist nie wirklich erwiesen; Schumann glaubt es für eine Reihe von Fällen wahrscheinlich machen zu können, doch kann ich wenigstens für *Myristica* erhebliche Gründe dagegen anführen, da es sich bei ihnen sicher nachweisen lässt, dass auch das Mark erst durch die Ameisen abgetragen wird. Meist, aber nicht immer, finden sich die Spalten an den Orten des geringsten Widerstandes, also oberhalb oder unterhalb der Blattinsertionen; die Spaltenform erklärt sich meines Erachtens daraus, dass die Höhlungen angebohrt werden, bevor das Internodium die definitive Länge erreicht hat. Doch mögen immerhin diese Verhältnisse bei den einzelnen, zu so vielerlei Familien gehörigen Pflanzenarten verschieden sein.

Im Anschluss hieran sind einige sehr interessante ostasiatische Pflanzengattungen aus der Familie der Rubiaceen zu erwähnen, die Anlass zu allerlei Diskussionen namentlich zwischen Beccari und Treub gegeben haben; *Myrmecodia* und *Hydnophytum* sind die wichtigsten derselben mit beinahe 60 hauptsächlich Papuasien bewohnenden Arten. Es sind Epiphyten mit oft kopfgroßen Stengelauftreibungen, die von labyrinthischen, mit der Außenfläche kommunizierenden Gängen und Gallerien durchzogen sind; diese Gänge sind von einer Korkschicht umgeben, die von Lenticellen-artigen Bildungen durchsetzt wird; die Korkschichten entstehen auch bei Ausschluss der Ameisen, worauf dann das abgeschlossene, ursprünglich die Gänge ausfüllende Wassergewebe kollabiert, auch die Kommunikationen mit der Außenwelt sind wenigstens teilweise spontanen Ursprungs. Hieraus allein aber den Schluss zu ziehen, dass die Pflanzen nicht myrmekophil seien, ist gewiss nicht berechtigt, mit demselben Recht könnte man es im Gegenteil als eine sehr hohe Art Anpassung ansehen, analog den oben besprochenen Fällen. Dass die Höhlungen Durchlüftungskammern, des Wassergewebes seien, scheint wenig wahrscheinlich, denn bei ebenso großen Luftknollen anderer Pflanzen finden wir nirgends ein derartiges System entwickelt, auch möchten Durchlüftungskammern die durch Kork abgeschlossen mit großem Substanzverlust erzeugt und durch Lenticellen zugänglich gemacht werden müssen, kaum den ökonomischen Grundsätzen, die wir sonst bei den Pflanzen zu finden gewohnt sind, entsprechen. Beccari hat schon darauf hingewiesen, dass die anatomisch den Lenticellen ähnlichen Organe vielleicht absorbierenden Funktionen dienen, wie überhaupt der interessanten Frage, ob der ja gewiss stickstoff- und salzreiche Ameisenkot von Seite der Pflanze irgend eine Verwendung findet, bisher noch niemand näher getreten ist.

Die gleichfalls merkwürdigen Höhlungen in einer *Nepenthes*-Art sowie die von Goebel studierten Ameisenhöhlen in malayischen Farnen lassen wir unberücksichtigt, ebenso auch die vielen Fälle, wo erweiterte Blattscheiden, vergrößerte Stipularbildungen, zurück-

gekrümmte Fiederblättchen den Ameisen als Unterschlupf dienen, weil
hier überall Myrmekosymbiose zwar wahrscheinlich, aber nicht ganz
sicher konstatiert ist. Dagegen wenden wir uns jetzt den Fällen der
Myrmekodomie zu, wo die Hohlräume nicht auf Zerreissung resp. Aushöhlung anfangs geschlossener Gewebe beruhen, sondern durch un-
gleichmäßiges Wachstum gebildet und demnach mit Epidermis überzogen sind. Vor allem ist dies der Fall bei Melastomaceengattungen
aus Südamerika, *Tococa*, *Microphysca*, *Maieta*, *Myrmedone* und *Calophysca*, sowie bei einer Art der schon oben erwähnten Rubiaceengattung
Duroia, endlich bei der Rubiacee *Remija physophora*, gleichfalls aus Südamerika. Auch die durch die Entstehungsweise merkwürdigen Höhlenbil-
dungen bei *Cordia nodosa* gehören hierher. Die afrikanische Sterculiacee
Cola marsupium, malayische Asclepiadeen aus der Gattung *Dischidia*
sowie *Conchophyllum*, endlich eine *Vitex* aus Neu-Guinea sind nur
verdächtig als myrmekodome Pflanzen. Mit Recht macht S c h u m a n n
darauf aufmerksam, dass namentlich die Pflanzen dieser Gruppe sich
so häufig durch eine eigentümlich borstige, fuchsig-braune Behaarung
auszeichnen. — Meist bestehen die Anpassungen dieser Pflanzen in
besonders blasenartig aufgetriebenen Anhängseln der Blattbasis, zuweilen finden sich diese Ausstülpungen aber am Blattstiele, ja bei
Calophysca sogar an den Zweigen unmittelbar unterhalb der Blattstiele.
Diese Hohlräume münden gewöhnlich auf der Blattunterseite in den
Winkeln der basalen Blattnerven aus, sie entsprechen in diesem Fall
vergrößerten Domatien, bei *Duroia* dagegen ist die Mündung auf der
Blattoberseite. Meist hat jede der 2 Blasen einen gesonderten Aus-
führungsgang, in einem Falle vereinigen sie sich jedoch. In manchen
dieser Höhlungen sind Ameisen gefunden, ohne dass hieraus allein
natürlich ein Schluss auf Myrmekosymbiose gestattet wäre, aber man
kann sich kaum eine andere Funktion dieser Höhlungen vorstellen.
Einige dieser Pflanzen sind myrmekoxen, z. B. die Rubiaceen, bei
denen ganz gegen die Regel in der Familie nach dem Abfallen der
Nebenblätter ein Kranz von Stipulardrüsen stehen bleibt. Für die
Melastomaceen dagegen sind myrmekotrophe Organe bisher nicht bekannt geworden, und diese bilden mit *Kibara*, *Myristica* und wenigen
anderen die einzigen Fälle, wo Myrmekodomie sich nicht zu Myrme-
koxenie erweitert hat, wenngleich wie wir sehen werden, es gerade
in diesen Fällen auch zweifelhaft ist, ob man von echter Myrmekosymbiose sprechen darf.

Ich habe die *Myristica*-Arten recht genau geprüft, und dabei haben
sie sich, was wahrscheinlich auch bei *Kibara* der Fall, als auf seltsame
Weise indirekt myrmekotroph erwiesen [1]). Sie geben nämlich, wie

---

1) Durch nachträgliche Prüfung eines sehr reichlichen Materiales gelangte
ich dazu, meine früher in Bezug auf diese Verhältnisse ausgesprochenen Ansichten in einzelnen Punkten zu modifizieren.

schon Beccari für *Kibara* zeigte, in ihren Höhlungen den Ameisen Gelegenheit, Kolonien von Schildläusen anzulegen, die ja den Ameisen
gegenüber vollkommen die Rolle spielen wie extranuptiale Nektarien,
nur dass sie beweglich und versetzbar sind. Merkwürdigerweise findet
man diese Schildläuse immer nur in den Zweighöhlungen, nie auf den
Aesten oder Blättern selbst, und zwar habe ich neuerdings einen ganz
sicheren Fall beobachten können, wo sie vollkommen von dem Zweig
eingeschlossen waren, so dass die Ameisen wohl hinzu konnten, die
Schildläuse aber nicht allein ihre Behausung verlassen konnten. Sie
waren offenbar, da die nachträgliche Verengerung der Zugänge durch
Wuchergebilde nur eine sehr geringe war, jung hineingebracht und
dort dann so gewachsen. Die Höhlungen im Mark sind völlig ohne
Lenticellen, und durch einen Ring verholzter Markzellen dicht abgeschlossen, so dass von Absorptionsfähigkeit der Pflanze daselbst kaum
die Rede sein kann. Auch sonst ist der Nutzen der Ameisen für die
Myristica sehr problematisch. Anderseits gibt es Thatsachen, die
darauf hinweisen, dass diese Höhlungen in der That nichts sind als
Ameisengallen. Sie liegen ganz unregelmäßig zerstreut, bald zu
mehreren dicht neben einander, bald durch eine Reihe von Internodien
getrennt, bald sind sie stark geschwollen und kurz, bald langgestreckt,
bald oben im Internodium, bald unten, bald unterhalb des Blattstieles,
auch die Oeffnungen sind unregelmäßig; sie sind ohne Beziehung zu
der Blütenregion, auch an jungen noch nicht blühenden Bäumen von
mir gefunden. Eine junge Blase war noch größtenteils mit Mark gefüllt, das nur an einer kleinen Stelle angefressen war, die Markzellen
waren abgestorben, und durch einen Ring verholzter Zellen von dem
gesunden Mark sowie dem Xylem scharf getrennt, also jedenfalls war
die Anschwellung vor der Aushöhlung durch die Ameisen entstanden,
auch ist ihr eine gewisse Aehnlichkeit mit Gallen nicht abzusprechen;
von einem andern Insekt aber war in diesem Mark nichts zu entdecken. Also entweder sind es wie bei *Cecropia* für die Ameisen
vorgebildete Erweiterungen, dagegen aber spricht die Unregelmäßig-
keit der Gestalt und des Auftretens, oder aber sie sind durch die
Ameisen hervorgerufene, also in gewissem Sinne pathologische Erscheinungen, und dies ist bei dem bekannten vorzüglichen Instinkt
der Ameisen sicher nichts unnatürliches. Die Ameisen würden also,
falls dies richtig, an noch wachstumsfähigen Spitzen auf irgend eine
Weise, wohl durch Ameisensäure, das Gewebe zu lokalem Wachstum
anregen, das mit dem Absterben und Abschließen des betr. Gewebes
endigt, und würden später dann wiederkommen, die so erzeugten
Anschwellungen öffnen, aushöhlen und als Ställe für die Schildläuse
sowie als Wohnräume benutzen. In diesem Falle würde also *Myristica*
und wohl auch *Kibara* nicht zu den eigentlich myrmekosymbiotischen
Pflanzen zu rechnen sein, obgleich es ja denkbar wäre, dass wir hier
die allererste Stufe dieser ganzen Erscheinungsreihe vor uns hätten;

denn falls die Ameisen für die Pflanze nützlich sind, so ist es nicht unwahrscheinlich, dass die Reaktionsfähigkeit der Pflanze gegen die von den Ameisen ausgeübten Reize sich nicht nur mit der Zeit wird verstärken können, sondern dass aus ihr allmählich auch eine erbliche Erscheinung werden kann, die selbst dann eintritt, wenn kein Reiz mehr ausgeübt wird, etwa analog dem bei gewissen Saprolegniaceen eintretenden Falle, wo die Oosporen, obgleich sie des anregenden Reizes der Befruchtung durch Antheridien entbehren, dennoch genau ebensogut zur Reife gelangen wie ihre Verwandten, die den Befruchtungsreiz nicht entbehren können.

Bei den Melastomaceen scheinen doch wohl schon erbliche Verhältnisse vorzuliegen, obgleich der Umstand, dass die Blasen ungleichmäßig groß sind, häufig an der einen Blatthälfte und an kleineren Blättern völlig fehlen, dafür spricht, dass die Anpassung noch nicht in besonders hohem Maße fixiert ist; das gleiche ist bei den Akazien der Fall, wo auch zuweilen gewöhnliche Stipularstacheln mit den aufgetriebenen wechseln. Wir haben demgemäß hier alle Uebergänge von den einfachsten Formen zu den kompliziertesten; Fälle wo das Mark nur ausgehöhlt, nicht dilatiert wird, wie bei *Triplaris*, bilden die primitivste Stufe, und Fälle wo das ganze Mark nur ungewöhnlich erweitert ist, offenbar die Folge eines Reizes, aber ohne Blasenbildung und Abtrennung vom normalen Mark, wovon ich auf der Molukkeninsel Batjan an einer mir unbekannten Pflanze einen prägnanten Fall beobachten konnte, bilden den fast unmerklichen Uebergang zu den komplizierteren Fällen. Myrmekosymbiose im eigentlichen Sinne beginnt aber erst da, wo die erste, wenn auch minimale im Interesse der Ameisen gelegene Abänderung des Pflanzenleibes zu einer erblichen Eigentümlichkeit der Pflanze geworden ist.

Ueber das Vorkommen von *Carterius Stepanovii* Petr und *Heteromeyenia repens* Potts in Galizien.

Von Dr. A. Wierzejski in Krakau.

C. Stepanovii Petr [*Dossilla Stepanovii* Dyb.[1]] gehört bekanntlich zu den allerseltensten Spongilliden Europas, da er seit seiner Entdeckung im See Wielikoje (Südrussland) 1884 nur noch an zwei Standorten in Mittel-Europa: nämlich in Deutschbrod (Böhmen) 1885 von Petr[2] und in Ungarn (Fundort unbekannt) von Dr. Traxler[3]

---

1) Diese Art hat Dr. W. Dybowski aufgestellt in Berichten der naturf. Ges. d. Chark. Univ., 1884.

2) F. Petr, Dodatky ku fauně českých hub. etc., 1886.

3) Dr. L. Traxler, Enum. Spongill. Hungariae. Edit. Musei Nat. Hung. Budapestensi 1889 (ungarisch).

1889 wieder gefunden worden ist. Galizien ist somit der 4. Standort in ganz Europa.

H. repens P o t t s gehört der nordamerikanischen Fauna an; durch seine Entdeckung in Galizien ist die europäische Spongillidenfauna um 1 Art bereichert.

Beide Arten habe ich bereits im Jahre 1890 entdeckt, aber bloß deren Gemmulae, die mitsamt anderem Materiale von Süßwassertieren mit einem Netze gefischt worden sind und zwar in einem etwa 2 Meter tiefen, mit Pflanzen dichtbewachsenen Waldtümpel bei der Ortschaft Lubień (Ostgalizien).

In der Hoffnung die vegetierende Form dieser sehr interessanten Schwammformen zu finden ließ ich im Sommer 1891 den genannten Tümpel zu wiederholten Malen und mit größter Sorgfalt durchsuchen, leider aber wurde von *C. Stepanovii* nur eine kleine Kruste mit Gemmulis (anfangs September) und von *H. repens* bloß ein Paar freischwimmende Gemmulae erbeutet. Letztere reichten aber zur sicheren Bestimmung der Art vollkommen aus.

Die Thatsache, dass Gemmulae beider Arten freischwimmend vorkommen, gibt ein bequemes Mittel an die Hand denselben mittels eines Netzes auf die Spur zu kommen. Wollten alle Forscher der mikroskopischen Tierwelt des Süßwassers bei Sichtung ihres Materiales auch auf Schwammgemmulae achten, alsdann dürften in kurzer Zeit mehrere neue Standorte für die in Rede stehenden Arten verzeichnet werden können, hoffentlich möchte man auch andere für speziell exotisch geltende Arten entdecken.

Es ist allenfalls sehr seltsam, dass gerade die *Carterius*- und *Heteromeyenia*-Arten sowohl auf dem europäischen als auch auf dem amerikanischen Festlande nur vereinzelt, an weitentlegenen Standorten und fast ausschließlich in geringer Individuen-Zahl und kleinen Dimensionen auftreten, während Arten anderer Genera in der Regel massenhaft und in großen Exemplaren vorkommen.

Wie aus den Angaben P o t t s [1]), der die meisten Arten der genannten Genera gesammelt und beschrieben hat, zu erschließen ist, scheinen dieselben an ganz besondere Bedingungen angepasst zu sein, wofür auch meine eigene Erfahrung spricht. Ich habe nämlich seit 1884 den einheimischen Spongilliden besondere Aufmerksamkeit geschenkt und inzwischen Hunderte von Exemplaren aus 50 Standorten untersucht, ohne dass es mir bis zum Jahre 1890 gelungen wäre irgend ein Exemplar von *Cart. Stepanovii* oder *Heteromeyenia* zu finden. Es wurde auch heuer ein aus 29 Teichen Galiziens stammendes Material auf Gemmulae untersucht, jedoch mit Ausnahme des erwähnten Tümpels bei Lubień habe ich sonst nirgends Gemmulae dieser Arten entdeckt. Was aber noch auffälliger ist, dieselben waren weder in einem etliche Schritte entfernten Tümpel noch in einem in demselben

---

1) P o t t s, Fresh Water Sponges, a Monograph. Philadelphia 1887.

Walde gelegenen Teiche zu finden, wiewohl andere Arten als *Euspongilla lacustris, Meyenia Mülleri* in beiden vorkommen. Welche spezifische Eigenschaften der von *Carterius* und *Heteromeyenia* auserwählte Tümpel haben mag, darüber konnte ich mir kein richtiges Urteil verschaffen. Der dichte Pflanzenwuchs kann wohl an und für sich das Gedeihen dieser Arten kaum bedingen, da sie anderwärts in ähnlichen Verhältnissen.nicht gefunden wurden.

Was den feineren Bau des von mir näher untersuchten *Carterius Stepanovii* betrifft, so hätte ich zu der eingehenden Schilderung des Herrn Petr[1]) nichts Wesentliches beizufügen, zumal es mir nicht geglückt ist ein reichliches Material aufzubringen. Ich kann aber die Beobachtungen Petr's vollinhaltlich bestätigen. Die galizische Form unter-. scheidet sich von der böhmischen dadurch, dass sie zwei Arten von Skelettnadeln aufweist: glatte und mit winzigen Stacheln versehene; in letzterer Beziehung stimmt sie mit der von Dr. Dybowski beschriebenen russischen Form überein. Es sei außerdem bemerkt, dass mit dem kleinen Exemplare, welches an einem morschen Stamm ausgebreitet war, ein kleiner Zapfen von *Eusp. lacustris* lose zusammenhing.

Im Parenchym fallen an tingierten Schnitten glänzende, kugelrunde Gebilde, etwa 0,001 mm im Durchmesser auf. Dieselben liegen in und außerhalb der sogenannten Mesodermzellen, erscheinen im durchgehendem Lichte homogen, durchscheinend bis durchsichtig. Bei näherer Betrachtung stellt es sich aber heraus, dass ihr Inneres von einem feinen Netze durchzogen ist, zwischen dessen Maschen wahrscheinlich ein Reservestoff aufgespeichert ist. Ihre Tinktionsfähigkeit ist sehr stark, mit Safranin färben sie sich hyazinthrot, mit Hämatoxylin blau, mit Karmin blaurot. Die Untersuchung der in Alkohol konservierten Gewebe mit verschiedenen Reagentien ergab nur negative Resultate. Sie lösen sich weder in Aether und Xylol noch in Alkalien und Säuren, zeigen auch keine Reaktion auf Amylum. Welcher Natur sie sein mögen und ob sie dem Schwamme als Reserv- oder Exkretionsstoffe angehören oder aber fremde Körper sind, darüber dürfte vielleicht die Untersuchung frischen Gewebes entscheiden.

Aehnliche Vorkommnisse im Parenchym von Süßwasserschwämmen sind mir unbekannt, obgleich ich viele Dutzende von Schnitten aller übrigen europäischen Arten durchgemustert habe, woraus ich auf eine spezifische Beschaffenheit des Parenchyms von *C. Stepanovii* schließen zu dürfen glaube. Eine eingehendere Forschung nach dem Wesen dieser Gebilde wird allenfalls eine dankenswerte Aufgabe sein, deren Lösung vielleicht einiges Licht über die Natur dieses interessanten Schwammes verbreiten wird.

Schließlich will ich noch hervorheben, dass mit samt den Gemmulis von *C. Stepanovii* und *H. repens* auch ein Paar solcher gefischt

---

1) l. c. p. 148 u. fg.

wurde, die zur *Ephydatia bohemica* Petr zu gehören scheinen. Letztere Art wurde vom Verfasser nur provisorisch aufgestellt und wie es mich dünkt mit Recht, da sowohl der Bau ihrer Gemmulae als auch anderer Bestandteile, sowie das Zusammenvorkommen mit *C. Stepanovii* die nahe Verwandtschaft mit letzterem sehr wahrscheinlich machen. Es scheint thatsächlich eine Uebergangsform zu sein und könnte als solche nur als eine Varietät von *C. Stepanovii* angesehen werden. Die von Petr betonte Thatsache, dass *Eph. bohemica* stets mit *Eusp. lacustris* vorkommt und sogar mit letzterer zusammenwächst, ferner der Umstand, dass die *Carterius*- und *Heteromeyenia*-Arten mit Parenchymnadeln versehen sind, die unter europäischen Spongilliden bloß bei *Eus. lacustris* vorkommen, legen die Vermutung nahe, dass zwischen allen diesen und nächstverwandten Formen sehr innige Beziehungen bestehen. Freilich spricht anderseits die Bewehrung der Gemmulae mit Amphidisken, welche bei *Euspongilla* nicht vorkommen, gegen die direkte Ableitung von letzterer; es ist aber denkbar, dass die *Carterius*- und *Heteromeyenia*-Arten durch Kreutzung oder gewebliche Verwachsung irgend welcher mit Amphidisken versehener Form mit *Euspongilla* entstanden sein mochten. Uebrigens sind bereits Fälle bekannt, wo neben Amphidisken Belegnadeln gebildet werden oder wo die Ausbildung von Amphidisken vollkommen unterdrückt wird. Bei der von Potts beschriebenen *Spong. novae terrae* sind die Gemmulae mit Belegnadeln belegt und im Parenchym erscheinen Amphidisken als sogenannte Parenchymnadeln, während in einer von mir beschriebenen[1]) Abnormität von *Meyenia Mülleri* die Amphidisken durch charakteristische Belegnadeln vertreten sind. Diese Abnormität ist aber sonst fast identisch mit *Sp. Novae terrae*. Diese Befunde weisen darauf hin, dass zwischen Formen, deren Gemmulae Amphidisken tragen, und solchen mit Belegnadeln der Gemmulae keine scharfe Grenze sich ziehen lässt.

Es wäre zu weit gegangen, wenn wir auf Grund der bis jetzt über die einzelnen *Carterius*- und *Heteromeyenia*-Arten gesammelten, höchst-dürftigen Beobachtungen in die Erörterung näherer Verwandtschaftsverhältnisse uns einlassen wollten, weshalb wir uns mit der Anregung diesbezüglicher Fragen begnügen müssen. Ihre Lösung muss künftigen Forschungen vorbehalten werden, bei denen es hauptsächlich auf Zuchtversuche und auf möglichst allseitige Erwägung der biologischen Verhältnisse ankommen wird.

Krakau den 11. Januar 1892.

---

1) Vergl. Beitrag zur Kenntnis der Süßwasserschwämme. Verhandl. d. Zool.-Botan. Vereins. Wien 1888.

XII. 10

Max Fürbringer, Untersuchungen zur Morphologie und Systematik der Vögel, zugleich ein Beitrag zur Anatomie der Stütz- und Bewegungsorgane.

(Achtes Stück.)

Versuch einer Vorstellung über die bei der metamerischen Umbildung sich vollziehenden histogenetischen Vorgänge.

Um darüber Klarheit zu erlangen, wird es vor allen Dingen notwendig sein, das feinere Verhalten der verschiedenen Gewebselemente während dieser Umbildung und namentlich die Beziehungen zwischen Nerv und Muskel zu studieren. Aus mancherlei Gründen war es F. nicht möglich, eine Lösung dieser Frage herbeizuführen, er legt aber in seinen Untersuchungen etc. dar, wie man sich diesen Prozess vorstellen könne. Wiederholt hat er die bekannte Thatsache betont, dass die Extremitätenmuskeln in der Hauptsache ihre Nervenfasern von 2 oder noch mehr Spinalnerven empfangen und zwar die proximalwärts gelegenen meist von den präaxialen, die distalen vorwiegend von den postaxialen Wurzeln des Plexus. Allerdings bewirken daneben Differenzierungen des Skelettes und der Muskeln auch zahlreiche Lagenveränderungen der letzteren selbst und im Zusammenhang damit die verschiedenartigsten Kreuzungen der Nervenfasern. Bei der Beurteilung der Reduktionsprozesse stößt man auf keine Schwierigkeiten; vollzieht sich ein derartiger Vorgang, so bilden sich Nerven- und Muskelfasern zurück, dabei kann die eine oder andere Wurzel des Plexus dünner werden oder gar verschwinden und auf diese Weise dieser selbst sich verschmälern (dies ist sehr häufig der Fall bei verkümmernden Extremitäten). Komplizierter gestalten sich diese Verhältnisse bei Neubildungen, gleichviel ob dabei die Extremität sich nur vergrößert oder ob sie wandert — in jedem Falle kommt es zur Entstehung von Nerven- und Muskelfasern. Darüber, wie dieser Prozess vor sich gegangen sein mag, stellt F. in seinem hier in Betracht kommenden Werke ausführliche Erörterungen an, auf welche wir aber ebenso wenig wie auf die Hypothese bezüglich der den Wechsel der Halslänge und die Verschiebung der vorderen Extremität bedingenden Momente an dieser Stelle näher eingehen können. Es sei nur erwähnt, dass, während über die Ursachen und Bedingungen der Verschiebung der vorderen Extremität der Vögel bis jetzt sich noch kein Autor geäußert hat, verschiedene Forscher sich schon mit den damit in Zusammenhang stehenden Verlängerungen des Halses beschäftigt haben und dass bei diesem Vorgange 2 Instanzen in Betracht kommen, nämlich a) die Verlängerung der einzelnen Halswirbel und b) die Verschiebung der vorderen Extremität nach hinten.

Ueber das Verhältnis der Körpergröße.

Schon im speziellen Teile dieser Arbeit ist oftmals betont worden, dass die Körpergröße der verschiedenen Vögel bei der Ausbildung

der Knochen und Muskeln keine gleichgültige Rolle spielt. Seit längerer
Zeit ist nachgewiesen, dass bei kleineren Formen sich Luftarmut resp.
Luftleere des Skelettes mit relativ mächtiger Entwicklung der Flug-
muskulatur verbindet und dass andrerseits bei größeren Fliegern ein
höherer Grad der Pneumatizität mit großer Ersparnis an Muskel-
elementen Hand in Hand geht. Außerdem wächst mit zunehmender
Größe — allerdings nicht ausnahmslos — der Intercoracoidalwinkel,
die Spannung der Clavicula, die Zahl der Halswirbel etc.; die meisten
dieser Differenzierungszustände (des Skelettes und der Muskulatur)
lassen sich auf das allgemeine Prinzip der Ersparnis von Muskelmasse durch höhere und geeignetere Ausbildung der sonstigen korre-
lativen Einrichtungen zurückführen. Es ist aber auch nicht zu verkennen, dass die Verschiedenheit der Körpergröße bei mehreren dieser
Verhältnisse nicht wegen der Korrelation zum Fluge, sondern völlig
unabhängig von dieser das bestimmende Moment bildet. Welche Ursachen hierbei in Frage kommen, können wir zunächst noch nicht
bestimmen, aber wir dürfen als Thatsache ansehen, dass im allgemeinen bei den ziemlich kleinen und mäßig großen Vögeln die einfacheren und primitiveren Verhältnisse vorwiegen, während die großen
wie auch die kleinsten Formen eine einseitige Entwicklung und eine
größere Abweichung von den als ursprünglich zu beurteilenden Bildungen darbieten; so finden sich z B. unter den *Tubinares* bei den
ziemlich kleinen Gattungen ungefähr von der Größe wie *Procellaria*,
Fulmarus etc. im ganzen die primitiveren Verhältnisse; die kleinsten
Oceanitidae und mehr noch die großen Formen von *Ossifraga*, *Diome-
dea* etc. weisen aber eine Reihe von Differenzierungen auf, welche
nur als sekundär zu beurteilen sind. Stellen wir diese Vergleiche
bei anderen Gruppen an, so kommen wir zu der Erkenntnis, dass die
Größe der relativ primitivsten Gattungen bei den verschiedenen Familien eine wechselnde ist, dass sie aber im allgemeinen den kleineren
Formen näher steht als den größeren, dass somit überhaupt, wenn
auch nicht ohne Ausnahmen, die letzteren eine größere Abweichung
und reichere Differenzierung darbieten als die ersteren. Die Präzi-
sierung der Größe der primitivsten Form unter allen Vögeln fällt
aber zusammen mit der Bestimmung der ersten Stammeltern derselben
und diese ist bei dem heutigen Stand der Wissenschaften nur auf
deduktivem Wege zu erreichen. Auf Grund mannigfacher Vergleiche
und mit Rücksicht darauf, dass Marsh Knochen sehr kleiner kaum
von den jurassischen Vogelresten unterscheidbarer jurassischer Dinosaurier gefunden, dass ferner Parker seinen Proto-Carinaten keine
riesige Größe zuzuerkennen vermochte und dass endlich Strasser
bei seinen physiologischen Untersuchungen über den Vogelflug zu dem
Schlusse kam, dass kleine Tiere das Fliegen erfunden haben müssen,
nimmt F. an, dass der erste Vogel kleiner als *Archaeopteryx* und
größer als die kleinen und mittelgroßen Gattungen der *Passeres* gewesen

sei. Ferner drängt sich ihm die Ueberzeugung auf, dass es nicht
allein bei den Vögeln der Fall ist, dass die größten und sehr großen
Formen eine höhere Differenzierung und eine größere Abweichung
von primitiven Zuständen darbieten, sondern es scheint, dass diese
Regel eine recht weite Verbreitung besitze und z. B. Bestätigung an der
Wirbelsäule der Plesiosaurier, an dem Brustgürtel bei Insektivoren
und *Rodentia* etc. finde.   Obgleich eine allgemeine Anerkennung
diesem Satze noch fehlt und seine Gültigkeit durch Vergleichung weiterer Abteilungen noch zu beweisen ist, so glaubt F. doch schon jetzt
den praktischen Wink geben zu müssen, beim Suchen nach Verwandtschaften sich weniger an die großen und mehr an die kleinen oder
mäßig großen Tiere zu halten, weil dieselben infolge ihres mehr
primitiven Verhaltens bessere Chancen für die Aufklärung der genetischen Beziehungen darbieten.   Dieses gilt auch für den Paläontologen.

Die verschiedene Körpergröße der Tiere beschäftigte schon früher
einzelne Forscher z. B. Galilei, Bronn; der letztere benutzte bei
seinen diesbezüglichen Untersuchungen die Messungen, welche Dana
an Crustaceen ausgeführt hatte und stellte als Resultat seiner Arbeiten
das Gesetz auf, dass die Tiere im allgemeinen von Kreis zu Kreis
in ungefähr gleichem Verhältnis an Größe zunehmen, wie durchschnittlich ihre Fähigkeiten wachsen.   Es hat sich aber herausgestellt, dass
diesem Satze keineswegs eine allgemeine Gültigkeit zukommt.

Systematische Ergebnisse und Folgerungen.

Obgleich F. überzeugt ist, dass die im speziellen Teile seines
Werkes mitgeteilten Resultate der osteologischen, neurologischen und
myologischen Untersuchungen eine Reihe brauchbarer Folgerungen
für die Systematik der Vögel gestatten, so liegt es ihm doch fern,
auf diese Ergebnisse allein ein ornithologisches System aufzubauen.
Er hat vielmehr bei der Konstruktion desselben auch die übrigen
morphologischen Verhältnisse und sonstigen Lebenserscheinungen der
Vögel in Betracht gezogen und es deshalb als seine 1. Aufgabe angesehen, die Resultate der bisherigen Forschungen und die dadurch
gewonnenen systematischen Merkmale auf ihre Verwertbarkeit zu
prüfen, dabei auch zahlreiche Resultate der eigenen Untersuchungen
und Ueberlegung einzuflechten und im allgemeinen über die systematische Methode zu sprechen.   Daran schließt sich der Versuch einer
systematischen Gruppierung der einzelnen Familien und Ordnungen
der Vögel und darauf folgt endlich eine Betrachtung über die Abstammung derselben aus dem gemeinsamen Sauropsidenstamme.

Ueber systematische Merkmale und Hülfsmittel, sowie über Vogelsysteme im allgemeinen.

Trotz der vielen Bestrebungen, das natürliche System der Vögel
aufzufinden und trotz der Unsumme von Zeit und Arbeit, welche

darauf verwendet worden ist, sind wir doch heute vom Ziele noch weit entfernt und zwar deshalb, weil die meisten Forscher dabei in einseitiger Weise vorgingen und nur eine kleine Anzahl derselben die verschiedenen äußeren und inneren Merkmale der Vögel zu verbinden und zu vermitteln und auf diese Weise zu taxonomischen Resultaten zu gelangen suchte. Zu dieser Gruppe der Forscher ist an erster Stelle Nitzsch zu rechnen; er und die in seinem Geiste arbeitenden Nachfolger haben den rechten Weg eingeschlagen und, da überdies in neuerer Zeit auch in Frankreich und England eine Anzahl Forscher in denselben Bahnen wandeln, steht zu erwarten, dass diese Untersuchungen doch noch zu erfreulichen Ergebnissen führen werden.

In einem besondern Kapitel seines Werkes gibt F. eine kritische Zusammenstellung der bemerkenswerteren Merkmale und sonstigen morphologischen und biologischen Beziehungen, welche für die Systematik der Vögel, soweit es sich hierbei vornehmlich um Bestimmungen der Familien und Ordnungen derselben handelt, von Bedeutung sind — auf die systematische Stellung der Gattungen und Arten innerhalb der Familien und Subfamilien wird jedoch dabei kein Bezug genommen.

In Betracht zu ziehen sind dabei:
1) die äußeren Merkmale,
2) die oologischen Merkmale,
3) die inneren Merkmale,
4) die physiologischen Merkmale,
5) die in der ontogenetischen und paläontologischen Entwicklung gegebenen Grundlagen,
6) die geographische Verbreitung der Vögel.

1) Die äußeren Merkmale sind, wie leicht erklärlich, namentlich von den älteren Ornithologen in sehr umfassender Weise für die Systematik verwertet worden. Schon seit den frühesten Zeiten diente der Schnabel als mehr oder minder wichtiges Klassifikationskennzeichen. Linné's erstes System (1735) beruht bekanntlich in erster Linie darauf. Aber verschiedene Forscher wie Cabanis, Kessler etc. machten schon lange auf den Umstand aufmerksam, dass zahlreiche auf diesen Körperteil gegründete Abteilungen oft ein Sammelsurium höchst heterogener Vögel umfassen, die außer der äußerlichen Ähnlichkeit in der Schnabelform wenig mit einander gemein haben; überdies erkannten andere Forscher wiederum, dass innerhalb eng zusammengehöriger Gruppen (z. B. bei den *Pelargo-Herodii*, *Limicolae*, *Trochilidae*, *Pici*, *Passeres* etc.) eine außerordentliche Mannigfaltigkeit divergenter Schnabelformen zur Ausbildung kommt, auch selbst innerhalb gewisser Gattungen und Species eine nicht unbeträchtliche Variabilität auftritt; ja es wurde sogar der Nachweis geführt, dass bei sehr vielen Vögeln die Schnabelform auch noch während der postembryonalen Entwicklung wechselt. Infolge dieses Umstandes hat die Schnabelbeschaffenheit der Vögel immer mehr an Bedeutung

verloren und wird gegenwärtig meist nur noch dazu benutzt, enger
und näher verwandte Vögel von einander zu trennen.

Neben dem Schnabel hat man auch die Nasenlöcher für die
Systematik verwertet und zwar dabei ihre Gestalt, Größe, Lage, ihre
Beziehungen zur Wachshaut etc. in Betracht gezogen. Mehrere dieser
Momente haben bis heute ihre Bedeutung gewahrt (z. B. bei *Apteryx*
O w e n).

Unter allen äußeren Merkmalen, welche im ausgedehntesten Maße
systematisch verwertet worden sind, nehmen die Beine und namentlich die Füße der Vögel die erste Stelle ein. L i n n é gruppierte in
seinem 2. Systeme die Ordnungen darnach und seitdem diente die
Beschaffenheit dieser Körperteile zahlreichen Forschern als klassifika-
torisches Moment. So ist z. B. C a b a n i s die Laufbekleidung von Wich
tigkeit und sieht R e i c h e n o w in der Fußbildung das wichtigste
(äußere) Kennzeichen zur Unterscheidung der Gruppen   Auch F. erkennt im großen ganzen den hohen diagnostischen Wert dieser Körperteile an; doch kann er z. B. der sehr weit hinten befindlichen Lage
der Beine, welche zur Aufstellung einer besonderen Ordnung (*Pygo-
podes* I l l i g e r resp. *Urinatores* S u n d e v a l l) führte, nur eine sekundäre Bedeutung beimessen. Ferner haben schon andere Autoren darauf
hingewiesen, dass die größere oder geringere Länge dieser Glied-
massen und die bedeutende, mitunter (z. B. bei *Squata rola*) selbst
individuelle Variabilität in der Größe, Lage, Anheftung und Existenz
der 1. Zehe (Hinterzehe) für die Systematik nur von geringer Bedeutung ist, wenn auch der letztere Umstand für manche enger geschlossene
Abteilungen (z. B. für die *Accipitres* und die *Passeres*) sich als recht
gutes Kennzeichen erweist. Besonderes Gewicht wurde von Alters
her auch auf die gegenseitige Stellung der Zehen gelegt, jedoch haben
anderseits Zoologen wie H u x l e y, A. M i l n e E d w a r d s etc. betont,
dass die Anordnung derselben kein ausreichendes Merkmal zur Begründung größerer Vogelabteilungen abgeben könne. Aehnlich verhält
es sich mit der systematischen Bedeutung der Verbindung oder Freiheit der einzelnen Zehen (mit den mit Schwimmhäuten versehenen,
gehefteten, verwachsenen oder gespaltenen Zehen).

Mehrere Forscher (wie B r i s s o n, S w a i n s o n, K e y s e r l i n g und
B l a s i u s, namentlich aber C a b a n i s und R e i c h e n o w) verwerteten
auch, wie schon angedeutet, die Laufbekleidung für die Systematik.
C a b a n i s z. B. zeigte, wie im allgemeinen mit der Höhe der systematischen Stellung die Entfaltung und Größe der Tafeln zunimmt,
schließlich zur Schienenbildung führt und wie dem entsprechend auch
bei den tiefer stehenden Gruppen der *Natatores*, bei denjenigen vieler
Grallatores, *Rasores* etc. die größern Tafeln noch in einer größeren
Beschränkung auftreten, während sie bei den höhern Typen der
Rapaces, *Scansores*, *Clamatores* und *Oscines* immer mehr überwiegen
und in ausgedehnter Weise sich zu Schienen verbinden. Aber diese

höchste Bekleidungsform des Laufes, mit Schienen, findet sich mehr oder minder deutlich nicht allein bei den höher, sondern auch bei den tiefer stehenden Ordnungen, namentlich bei den langbeinigen Typen derselben, deshalb erweist sich eine scharfe Trennung der verschiedenen Gruppen mit Hülfe der Laufbekleidung als unmöglich, wohl aber leistet dieses Merkmal innerhalb enger Grenzen vorzügliche Dienste.

Auch die Krallen der Vogelzehen haben einen gewissen, aber ziemlich eng begrenzten systematischen Wert. Eine wichtige, übrigens an Bedeutung derjenigen der Fußbildung nachstehende Rolle spielt auch der Bau des Flügels in der systematischen Ornithologie. Zur Feststellung der Familien und Ordnungen ist jedoch seine Größe immerhin benutzbar (Longipennes, Impennes) und eine mehr oder minder große Wichtigkeit der relativen Länge der einzelnen Flügelabschnitte, innerhalb beschränkter Ausdehnung gibt auch F. gerne zu. Die Sporen oder sporenähnlichen Gebilde an verschiedenen Stellen des Flügels, die Nägel (Krallen) an der Hand, dürften dagegen wohl kaum einen höheren Wert für die Systematik aufweisen können, nur im Verein mit anderen Kennzeichen sind sie -- beredte Erinnerungszeichen an die einstmalige Reptiliennatur der Vögel — im stande, über die tiefere oder höhere Stellung der verschiedenen Familien und Ordnungen einigen Aufschluss geben. Wichtiger aber als alle die bis jetzt angeführten äußeren Merkmale ist für die Klassifikation das Federkleid der Vögel, denn durch dasselbe sondern sie sich von den anderen Sauropsiden ab. Es ist deshalb auch erklärlich, dass von jeher ein besonderes Gewicht auf das Verhalten desselben gelegt wurde. An erster Stelle war es Nitzsch, der durch die Begründung seiner Pterylographic sich auf diesem Gebiete unsterbliche Verdienste erworben hat. Freilich muss auch in diesem Falle, so unentbehrlich dieses Merkmal in dieser Hinsicht ist, vor Ueberschätzung desselben gewarnt werden (das von Nitzsch aufgestellte System basiert übrigens auch nicht ausschließlich auf pterylographische Kennzeichen). In Betracht zu ziehen sind beim Federkleid, 1) die Formen, Farben und der Wechsel der Federn, 2) die Stellung derselben.

Embryonaldune, Dune (Pluma) und Konturfeder (Penna) lösen bekanntlich in den verschiedenen Entwicklungsstadien des Vogels einander ab. Daneben treten auch noch verschiedene intermediäre und aberrative Gebilde, Halbdunen (Pennoplumae), Fadenfedern (Filoplumae), Federborsten etc. in wechselnder Weise auf. Ueber die Grenzen und Definitionen der eben genannten einzelnen Federarten herrschen jedoch noch sehr verschiedene Auffassungen. Nitzsch rechnet z. B. die weicheren, wimperlosen, selbst strahlenlosen Federn der Ratiten einmal noch zu den Konturfedern, während er das andere Mal ihnen infolge ihrer Stellung die Mitte zwischen diesen und den Dunen anweist; einige Forscher, wie Schlegel, Studer, Dames, erblicken in dem starken Schafte und in den Häkchen an den Ramulis, wodurch die Federn der Luft einen gewissen Widerstand zu leisten und dadurch den Vögeln das Flugvermögen zu verschaffen vermögen, das Charakteristische der Penna. Dames sieht zugleich darin ein tiefgreifendes Differentialmerkmal zwischen *Archaeopteryx* und den Carinaten einerseits und den Ratiten auf der andern Seite (den Federn der letzteren fehlen diese Eigenschaften und dieselben sind bei ihnen wohl auch früher nicht entwickelt worden). Aehnlich sind auch Gegenbaur's Ansichten; er betrachtet die Befiederung der Ratiten als ein von ihnen zeitlebens beibehaltenes früheres Entwicklungsstadium, während die Carinaten dasselbe bereits in der Jugend durchlaufen haben. F. hingegen vermag nicht, dieser Auffassung beizustimmen, nach ihm lässt sich gegenwärtig nicht entscheiden, ob alle Ratiten früher typische Konturfedern im Sinne von Dames (Schwung- und Steuerfedern) besaßen oder nicht; außerdem zeigen die *Remiges* bei den *Spheniscidae* eine Rückbildung, durch welche sich diese Vögel tiefer stellen als die Ratiten durch ihre Flügelfedern. Deshalb folgert F., dass in Bezug auf die Befiederung eine scharfe generische Grenze zwischen Ratiten und Carinaten nicht besteht, dass eine höhere Federform durch Rückbildung zu einer niedrigen degradiert werden kann, die dann auch in ontogenetischer Retardation nur die früheren Phasen der Entwicklung wiederholt, während die späteren höheren unterdrückt bleiben. Auch die Zeit des Durchbruchs des embryonalen und des bleibenden Gefieders benutzen einige Ornithologen als wichtiges Trennungsmerkmal (Gymnogeni — Hesthogeni von Newman, Psilo- s. Gymnopaedes und Ptilo- s. Dasypaedes von Sundevall). Unter einseitiger Berücksichtigung dieses Umstandes müssen aber oft nahe verwandte Familien (z. B. die *Columbae* und *Pterocles*) auseinandergerissen werden, infolgedessen kann F. auch mit dieser lediglich die Zeit des Durchbruches beachtenden Richtung nicht übereinstimmen, er glaubt aber, dass eine ausgiebige und umsichtige morphologische Untersuchung des Embryonalgefieders von systematischer Bedeutung sein könnte und man dadurch über den genetischen Zusammenhang der Ordnungen und Familien vielfach Aufklärung erhalten dürfte. Aehnlich steht es auch mit der systematischen Verwertung der Mauserung. Auch der sogenannten Afterschaft (Hyporhachis), auf dessen wechselndes Auftreten an den Konturfedern ebenfalls Nitzsch schon hingewiesen, ist nicht ohne klassifikatorischen Nutzen; denn er erweist sich je nach der Art seiner Ausbildung, seines Vorkommens oder Fehlens als ein recht gutes, wenn auch nicht durchgreifendes Moment für die Sonderung der verschiedenen *Ratitae*, *Accipitres* und *Striges*, sowie für die Konstatierung der Verwandtschaft der *Pterocletes* und *Columbae* etc., ist aber z. B. nicht anwendbar bei den *Tubinares*, *Palamedeidae* u. a. Von einer Reihe Forscher werden auch die haarähnlichen Federborsten am Mundwinkel und am Kinn sowie an den Augenwimpern zur Charakterisierung gewisser größerer oder kleinerer Gruppen, und zwar wie sich ergeben hat, mit Vorteil benutzt; wenigstens haben sie sich z. B. bei den *Bucconidae* und *Galbulidae, Trogonidae, Caprimulgidae* etc. bewährt, aber bei den *Psittaci* als nicht stichhaltig erwiesen. Einen geringen Wert für die Systematik besitzen auch die an verschiedenen Körperstellen vorkommenden sogenannten Schmuckfedern. Zur Unterscheidung der Species war schon seit Alters die Färbung des Gefieders eines der wichtigsten Merkmale und wird es für diesen speziellen Zweck wohl auch für immer bleiben; es ist aber noch nicht zu übersehen, inwieweit dasselbe sich für die größeren Gruppenbildungen von Nutzen erweist. Während die einfacher und primitiver gebildeten Federn in mehr oder minder gleichmäßiger Ausdehnung den Vogelkörper bekleiden, gruppieren sich diese Gebilde mit ihrer Differenzierung in Konturfedern und Dunen in bestimmter Weise; die ersteren konzentrieren sich auf gewisse Körperstellen, sie bilden Fluren (Pterylen), die letzteren dagegen treten — wenn auch nicht immer — zwischen den Konturfedern, teils auch auf den zwischen den Fluren liegenden Regionen, den Rainen oder Apterien auf. (Bekanntlich hat sich N i t z s c h auch um die Karstellung dieser Verhältnisse unschätzbare Verdienste erworben.) Den niedersten pterylotischen Formen fehlt noch eine Differenzierung in Fluren und Raine, bei ihnen ist der Körper mehr gleichmäßig und lückenlos befiedert (*Ratitae, Impennes, Palamedeidae*), bei den höher stehenden Gruppen sind die ersteren zwar meist noch breiter aber deutlich, gehen jedoch auch zuweilen ganz allmählich in Raine über (dies ist der Fall bei den *Alcidae, Colymbidae, Steganopodes* etc.), bei den am höchsten differenzierten Formen endlich sind die Fluren meist schmal und mehr oder weniger scharf und deutlich abgesetzt (*Laridae, Limicolae, Gruidae, Passeres* etc.). Die primitivere Anordnung des Gefieders der *Impennes, Alcidae* etc. ist auch hier durch Rückbildung aus einer ursprünglich höher entwickelten zu erklären und damit verliert die Annahme von der in dieser Hinsicht durchaus separaten Stellung der Ratiten einigermaßen an Gewicht, weil auch bei ihnen von einem einstmals etwas höher organisierten Federkleid ausgegangen werden kann, welches im Laufe der Zeiten durch Mangel an Gebrauch auf eine niedrigere Stufe der Ausbildung zurücksank. Von größerer Wichtigkeit als der Unterschied zwischen Federfluren und Rainen ist die speziellere Anordnung derselben. Zur Abgrenzung mancher Familien erweist sich z. B. die gegenseitige Lage der einzelnen Pterylen als ein treffliches Merkmal; so scheinen dadurch die *Limicolae, Galli* und *Passeres* besonders gut gesondert zu sein. Von verschiedenen Forschern (N i t z s c h, S c l a t e r, B a r t l e s t und F o r b e s) wurde auch das Auftreten der Puderdunen eingehender berücksichtigt und für die Systematik zu verwerten gesucht. Wenn auch in manchen Fällen dies nicht ganz ohne Erfolg geschah, so kann doch eine breitere systematische Benützung dieses Merkmales erst dann erfolgreich sein, wenn

die Natur und morphologische Entwicklung dieser Gebilde mit Rücksicht auf ihre primäre oder sekundäre Bedeutung überhaupt aufgeklärt
worden ist. Schon seit alter Zeit haben unter den Federfluren diejenigen des Flügels und des Schwanzes ihrer auffallenden Entwicklung wegen die Aufmerksamkeit der Forscher erregt; namentlich waren
es die Zahl und Größe der Schwung- und Steuerfedern, welche eingehend berücksichtigt wurden. Neben Nitzsch sind hier vor allem
Cabanis und dann auch Sundevall zu nennen. Bei den Ratiten
und *Impennes* finden sich, abgesehen von den Flügelsporen der *Casu-
ariidae,* weder die Handschwingen (*Remiges primi ordinis* s. *Primariae*),
noch die Armschwingen (*Remiges secundi ordinis* s. *Secundariae*) deutlich entwickelt; bei allen übrigen Vögeln dagegen sind beide Arten
vorhanden und zwar erweisen sich die Handschwingen meist als die
konstanteren und kräftigeren, die Armschwingen als die variableren;
es ist daher wohl auch die Annahme gerechtfertigt, die ersteren seien
in einer früheren phylogenetischen Zeit als die letzteren definitiv ausgebildet worden und seien deshalb auch von höherer systematischer
Bedeutung. Die Zahl der Armschwingen schwankt sehr (zwischen 6
und 37 und noch mehr), ihre Anzahl richtet sich im allgemeinen nach
der Länge des Vorderarmes, daher weisen einerseits die kurzarmigen
Trochilidae und *Cypselidae* nur 6—8 auf, während manche *Tubinares,
Laridae, Steganopodes, Anseres, Phoenicopteridae, Gruidae* etc. deren
über 20 und die *Diomedeinae* über 30 besitzen; auch innerhalb der
Familien kommen oft weitgehende Variierungen selbst individueller
Natur vor (bei den *Laridae* wechselt ihre Zahl zwischen 16 und 24,
bei den *Tubinares* zwischen 10 und ca. 40, bei den *Pelargi* zwischen
16 und 26, bei den *Accipitres* zwischen 12 und 27 etc.). Daraus ergibt sich wohl zur Genüge, welch' geringer systematischer Wert
diesen Federn beizumessen ist. Gleich gestalten sich die Verhältnisse
bei der Benutzung der Handschwingen (*Primariae*) für die Systematik.
Ihre Zahl variiert, wie auch schon Cabanis betonte, zwischen 9
und 11, die erstere Reihe (bei einzelnen *Cuculidae,* bei *Indicator,
Jynx* und sehr vielen *Oscines* sich findend) kennzeichnet die höchste,
die andere (bei den *Podicipidae* auftretend) die niedrigste Form Die
Länge dieser Federn ist sehr verschieden, bald die erste oder die ersten
am längsten, bald die darauf folgenden. Durch dieses wechselnde
Verhalten wird aber die Flügelform (ob spitz, stumpf, zugeschärft,
abgerundet etc.) bestimmt und infolge dessen hat die Beschaffenheit
der Handschwingen einige Bedeutung erlangt; namentlich bei der an
Gattungen und Arten reichen Abteilung der *Passeres* dient seit Cabanis,
dem Sundevall, Wallace und Reichenow folgten, die 1. Handschwinge als sehr beliebtes diagnostisches Merkmal. Während dieselbe
bei den meisten (passerinen) *Clamatores* kaum resp. wenig reduziert
ist, verkürzt sie sich bei den *Oscines* um mehr als um die Hälfte der
längsten Handschwinge, ja, sie bildet sich bei einer Reihe von Unter-

familien fast ganz zurück. Im übrigen aber ist noch zu entscheiden, ob dieser Charakter von tieferem genealogischen Einflusse oder bloß von graduellem Werte ist.

Mehrere Autoren (wie der ältere Sundevall, Jeffries, Goodchild etc.) verwerteten auch das Verhalten der Flügeldeckfedern (*Tectrices alarum*) für die Systematik. Obgleich die Zahl der Steuerfedern eine ziemlich wechselnde ist, bietet sie doch bei den meisten Vögeln konstantere und von der Körpergröße unabhängigere Beziehungen dar als diejenige der Armschwingen. *Archaeopteryx* weist an seinem gegliederten Schwanze entsprechend der Zahl der einzelnen Wirbel desselben gegen 40 Rectrices auf, während die lebenden Carinaten durchschnittlich eine geringere Zahl (8—24) und nur ausnahmsweise mehr besitzen. Ob dem von Marshall bei mehreren Vögeln nachgewiesenen direkten Verhältnisse zwischen der Zahl der das Pygostyl (Vomer) zusammensetzenden Kaudalwirbel und derjenigen der an das Pygostyl angehefteten Rectrices allgemeine Gültigkeit zukommt, ist durch umfangreichere Untersuchungen noch zu erweisen. Abgesehen von einigen Carinaten (den *Podicipidae*, *Rhynchotinae*, einigen *Impennes* und *Passeres*), die sehr wenig ausgeprägte Steuerfedern besitzen, bietet die Zahl derselben bei den andern interessante und in mancher Hinsicht systematisch verwertbare Verhältnisse dar, doch sind auch hier noch eingehende Untersuchungen nötig.

12 Steuerfedern finden sich bei den *Alcidae*, *Laridae*, *Limicolae*, *Palamedeidae*, *Strigidae* etc., 10 bei den *Musophagidae*, *Cuculidae* (die *Crotophagae*, die nur 8 aufweisen ausgenommen), bei den *Caprimulgidae*, *Upupidae* etc. — Die wenigen eben angeführten Ausnahmen lassen sich leicht als sekundäre Differenzierungen erklären. — Größere Variierungen finden sich bei den *Herodii*, *Pici*, *Passeres* etc., aber es dürfte auch hier von einer konstanten Zahl (12) auszugehen und sowohl ihre geringere als größere Anzahl durch Reduktion resp. durch sekundäre Vermehrung zu erklären sein. Bedeutendere Schwankungen treten bei den *Colymbidae* (zwischen 12 und 20), *Tubinares* (zwischen 12 und 16), *Steganopodes* (zwischen 12 und 24), *Anseres* (zwischen 12 und 24) auf, ja bei manchen (wie z. B. bei *Phoenicopterus*, *Menura*, *Hylactes*) ändert sich ihre Anzahl sogar nach den Species und den Individuen. Auch hier sind umfangreiche und eingehende Untersuchungen zur Aufklärung der genetischen Beziehungen nötig. In Uebereinstimmung mit Cabanis erblickt auch F. in der geringsten Zahl der Steuerfedern die höchste Entwicklungsstufe, betont jedoch ausdrücklich, dass zwischen durchgehenden und einseitigen Verhältnissen und sekundären Vermehrungen ein Unterschied zu machen sei. Für die meisten Vögel ist nach seiner Ansicht die Zwölfzahl als Ausgangspunkt anzunehmen. Weil aber die Gestalt und Farbe dieser Federn und ihrer Deckfedern in der mannigfachsten Weise selbst innerhalb eng geschlossener Gruppen wechseln, so ist auch ihre

systematische Verwertung selbstverständlich nur eine beschränkte. Unbefiederte an der Brust (bei manchen Ratiten, *Opisthocomus* etc), am Kopfe und Halse auftretende Stellen können ebenfalls unter Umständen innerhalb der Familien bei Sonderung der Gattungen und Species von Bedeutung sein. Die Wichtigkeit der Beinbefiederung für diesen Zweck braucht wohl nicht erst besonders betont zu werden. Auch die Wachshäute erweisen sich von einem gewissen, aber beschränkten taxonomischen Werte, und die *Casuarius*, manchen *Anseres*, den *Palamedeidae*, vielen *Galli* etc. eigentümlichen unbefiederten und eventuell erektilen Hautlappen an verschiedenen Körperstellen dienen in gleicher Weise für die Kennzeichnung bestimmter Gattungen und Unterfamilien, obgleich diesen Gebilden keine große Wichtigkeit beizulegen ist.

Auch die bei der Mehrzahl der Vögel vorhandene Bürzeldrüse (Glandula uropygialis) hat schon sehr früh die Aufmerksamkeit der Forscher auf sich gelenkt; ihr Bau wurde vornehmlich von F. Müller, Nitzsch, Owen etc. untersucht, ihr Wert für die Systematik von Nitzsch, Huxley und Garrod eingehend behandelt. Die höchste Ausbildung in Bezug auf Größe zeigt sie, wie schon Nitzsch betont, bei den Schwimmvögeln und bei den wasserliebenden Luftvögeln, hingegen fehlt sie den *Ratitae, Otitidae, Argus,* einigen *Columbae* (*Didunculus, Goura, Starnoenus, Treron*) mehreren amerikanischen *Psittaci* und dem australischen *Podargus.* Betreffs ihrer Ausbildung bei den Carinaten — bei den Ratiten ist eine Entscheidung darüber noch nicht möglich — dürfte die Annahme gerechtfertigt sein, dass sie sich im Laufe der phylogenetischen Entwicklung des Vogelstammes aus früher zerstreuten und kleinen, dann aber mit der höheren Entfaltung des Gefieders sich zusammenhäufenden und zu einer kompakten Masse verbindenden Fettdrüsen in der dorso-kaudalen Gegend heranbildete und dass weiterhin dieser Prozess je nach Bedürfnis im progressiven Sinne weiterging (bei den wasserlebenden Vögeln), stehen blieb oder selbst einer retrograden Metamorphose Platz machte (bei den auf dem Trockenen lebenden Vögeln). Daraus, dass die Existenz dieser Drüse von der Lebensweise der Vögel abhängig ist und ferner der Umstand, dass sie bei ganz nahe verwandten Gattungen und selbst Species in Größe und Auftreten wechselt, ergibt sich schon, dass sie über tiefliegende Verwandtschaften nicht Aufschluß geben kann. Auch ihre Gestalt und die Zahl ihrer Ausführungsgänge hat man für die Systematik zu verwerten gesucht, jedoch ohne greifbare Erfolge. Nitzsch hat ferner den Umstand, ob ihr verlängerter Ausgang mit einem Federkranze versehen oder nackt ist, zur Unterscheidung der Familien oder wenigstens der Gattungen benutzt; auch F. ist geneigt, darauf ein größeres Gewicht zu legen als auf das Auftreten dieser Drüse überhaupt, weil ihre Existenz nur einen graduellen Charakter ausdrückt und sowohl eine befiederte als auch eine nackte Drüse sich rückbilden kann (*Psittaci* — *Columbae*), dagegen der Unterschied, ob befiedert oder unbefiedert, meist eine mehr qualitative Verschiedenheit andeutet; zu beobachten ist jedoch dabei, dass die befiederte Bürzeldrüse einen primitiven, die nackte einen sekundären Zustand bezeichnet. Daher stehen die nicht sehr zahlreichen Gruppen, welche mit nackter Bürzeldrüse ausgestattet sind (die *Megapodiidae*, *Pterocles*, *Columbae*, *Caprimulgidae*, *Steatornithidae*, *Cuculidae* etc.) dem mit befiederter Drüse versehenen Hauptstamme gegenüber. Doch gilt auch dieses Merkmal nicht ohne Einschränkung und es darf ihm keineswegs eine solche Bedeutung beigelegt werden, wie es G a r r o d thut, weil selbst innerhalb guter Familien (wie z. B. bei den *Galli*, *Bucconidae*, *Momotidae*) nackte und mit einem Federkranz versehene Bürzeldrüsen auftreten. Nur Hilfsmittel niederen Ranges für die Systematik bilden ferner noch die verschiedene Dicke der Haut, der Luft- und Fettgehalt des Unterhautbindegewebes (die Dicke der Haut wechselt bei gleich großen Vögeln oft bedeutend, F. fand sie z. B. bei den von ihm untersuchten *Coliidae*, *Cypselidae* und *Trochilidae* auffallend dick, viel dicker als bei gleich großen und beträchtlich größeren *Passeres*).

Größere *Tubinares*, die *Steganopodes*, *Palamedeidae*, *Coraciidae*, *Meropidae*, *Upupidae* etc. etc. zeichnen sich durch bedeutende Pneumatizität aus, während die *Alcidae*, *Colymbidae*, *Podicipidae* etc. eine mehr oder minder große Adiposität (Fettgehalt des Unterhautbindegewebes) aufweisen. Obgleich im allgemeinen die erstere Eigenschaft von der zunehmenden Größe, der Fettgehalt von der geographischen Verbreitung der Tiere und der jeweiligen Nahrungsaufnahme abhängig ist, so kommen doch auch Ausnahmen vor.   Dr. **F. Helm**

(Fortsetzung folgt.)   K. Anthrop. Mus. Dresden.

E. Haeckel, Anthropogenie.

4. umgearbeitete und vermehrte Auflage, Leipzig, W. Engelmann, 2 Bände, 1891,

Nach nahezu 15 jähriger Pause veröffentlichte eben in 2 stattlichen Bänden E. H a e c k e l die v i e r t e Auflage seiner A n t h r o p o g e n i e. Wenngleich dieses Werk für weitere Kreise berechnet ist, dürfte es doch am Platze sein, die Leser dieses Blattes über die nun vorliegende Neubearbeitung in Kürze zu unterrichten.

Bekanntlich fiel die erstmalige Herausgabe der H a e c k e l 'schen Anthropogenie (1874) in eine Zeit, in welcher der Streit um die Wahrheit der durch Ch. D a r w i n 's Auftreten in den Mittelpunkt der wissenschaftlichen Diskussion gestellten Abstammungslehre unter den Biologen, insbesondere den Zoologen, überaus heftig entbrannt war. Hatte H a e c k e l bereits 1866 seine in vieler Beziehung grundlegende „generelle Morphologie" und 1868 die allgemeiner verständlich gehaltene „natürliche Schöpfungsgeschichte" im Geiste der neuen Descendenzvorstellungen erscheinen lassen, so bedeutete doch

die „Anthropogenie" den gewichtigsten Teil seiner allgemeinen
Darstellungen, da hier zum ersten Male und nicht bloß für den engen
Kreis der Fachgenossen die neugewonnenen Gesichtspunkte des zoologischen Denkens mit unerbittlicher Konsequenz unmittelbar auf den
Menschen selbst, seine Abstammung, geschichtliche Entwicklung und
Stellung im Naturganzen angewendet wurden. Bei der großen Lückenhaftigkeit unserer bezüglichen thatsächlichen Erfahrungen, welche
der subjektiven Auffassung einen nicht selten bedenklich weiten Spiel-
raum gewährte, musste ein derartiges Unternehmen mancherlei Schwierigkeiten begegnen. Misgriffe und Irrtümer, die nicht leicht zu vermeiden
waren, boten nicht bloß den zahlreichen Gegnern jeder „natürlichen"
Entwicklungslehre erwünschte Angriffspunkte, auch bei manchen Fachgenossen erregte die von Haeckel gegebene Darstellung lebhaften
Widerspruch oder doch ernste Bedenken.

Die 15 Jahre, welche seit dem Erscheinen der letzten Auflage
der Anthropogenie (1877) verflossen sind, bedeuten auf dem weiten
Felde der tierischen Morphologie eine gewaltige Fülle neuer Erfahrungen und Einsichten, die mannigfach und einschneidend alte und
neue Vorstellungen berichtigt und umgestaltet, unser positives Wissen
jedenfalls mächtig erweitert haben. Den Zeiten leidenschaftlichen
Kampfes ist eine Periode emsigster Arbeit und damit auch nüchter-
nerer Kritik gefolgt — der Entwicklungsgedanke aber hat durchaus
in den organischen Naturwissenschaften dauernde Geltung gewonnen.

Diesen Wandel des biologischen Zeitgeistes bringt die sorgfältige
Neubearbeitung, welche Haeckel seiner Anthropogenie angedeihen
ließ, in mannigfacher Weise und an verschiedenen Orten mehr oder
weniger deutlich zum Ausdruck.

Zunächst befriedigt, dass die Stellen, welche zum Teil recht un-
erquickliche persönliche Auseinandersetzungen enthielten und ja keinem
Buche eine Zierde sind, fortgelassen wurden. Damit ist der Weg betreten, zu welchem sich auch Moleschott bei der letzten (5.) Neubearbeitung seines bekannten Werkes „der Kreislauf des Lebens"
— ursprünglich lediglich eine Streitschrift (gegen Liebig) — entschloss, „statt neuen Wein in alte Schläuche zu gießen, den Schlauch,
den die Polemik geliefert hatte, ganz aufzulassen, in der Hoffnung,
dass der Saft, den er enthielt, trotzdem geklärt bestehen und nur
freier sich ergießen möchte".

Die so beträchtlich angeschwollene Litteratur des letzten Decen-
niums, vornehmlich natürlich diejenige über die Ontogenie der Vertebraten, welche zu beherrschen selbst dem Spezialisten heutigen Tags
kaum mehr möglich sein dürfte und dem Verfasser, dessen Arbeits-
kraft in den letzten Jahren durch die Untersuchung des unvergleich-
lich reichhaltigen Radiolarienmaterials der Challenger-Expedition vollauf in Anspruch genommen war, ferner lag, konnte begreiflicherweise
nur in Auswahl berücksichtigt werden. Immerhin führen die nun

jedem einzelnen Vortrage vorangeschickten Litteraturangaben neben
alten eine große Anzahl neuer und neuester Arbeiten auf, deren Ergebnisse in der Darstellung zum Teil sehr eingehende Verwertung
gefunden haben. Insbesondere sind die Arbeiten von Gegenbaur,
O. und R. Hertwig, Hatschek, Rabl, Selenka, E. van
Beneden, van Wijhe, Rückert, Ziegler u. a. der Schilderung
der individuellen Entwicklung oder Keimesgeschichte des Menschen,
von welcher der erste Band handelt, zu Grunde gelegt worden, wobei
die übersichtlich zusammenfassende Darstellung, welche O. Hertwig
in seinem weitverbreiteten Lehrbuch gegeben hat, vielfach vorbildlich
benutzt erscheint. Für die Embryonalentwicklung des *Amphioxus*,
auf welche jetzt an verschiedenen Orten ausführlich Bezug genommen
werden konnte, waren die umfassenden, leider noch immer unvoll-
ständigen Untersuchungen von Hatschek maßgebend.

Auch im zweiten Bande, welcher die Stammesgeschichte des
Menschen enthält, begegnen wir überall der verbessernden Hand des
Verfassers, da auch hier die bezügliche neue Litteratur selbst bis in
die allerjüngste Zeit herauf Berücksichtigung gefunden hat. Besonders
ist auch auf die neueren Ergebnisse der paläontologischen Forschung
Bezug genommen worden, so beispielsweise u. a. in Wort und Bild
des durch Doederlein genauer beschriebenen interessanten Urse-
lachiers *Pleurocanthus* gedacht worden. Demgemäß ist die Darstellung
der früheren Auflage an vielen Stellen berichtigt oder ergänzt resp.
durch Einschaltung neuer Abschnitte wesentlich erweitert worden.

So erscheint die vorliegende neue Ausgabe der Anthropogenie
dem augenblicklichen Stande unserer Kenntnisse entsprechend um-
gearbeitet und damit auf die Höhe unserer gegenwärtigen Einsicht
in die menschliche Entwicklungsgeschichte in individueller und phyle-
tischer Hinsicht gebracht. Dass dabei die bekannten allgemeinen und
philosophischen Anschauungen Haeckel's, welche derselbe seit Jahren
vertritt und zum Teil ja selbständig entwickelt und ausgebildet hat,
in allen wesentlichen Punkten auch in der neuen Auflage unverändert
festgehalten worden sind, braucht Ref. wohl kaum besonders zu erwähnen.

Im Zusammenhang damit begreift sich die durchaus ablehnende
Haltung, welche Haeckel den neueren Vererbungstheorien gegenüber
einnimmt. Goette hatte schon vor Jahren (1875) in seiner „Entwicklungsgeschichte der Unke" (S. 895) ausgesprochen, „dass die
gemeine Erfahrung nicht für, sondern gegen die Vererbung erworbener Veränderungen" spräche, eine Aufstellung, welche gänzlich
unbeachtet geblieben ist. Von anderen Grundlagen aus ist vor
wenigen Jahren bekanntlich Weismann zu der gleichen Behauptung
geführt worden. Seither ist die Frage von der Vererblichkeit oder
Nichtvererblichkeit erworbener Eigenschaften fortgesetzt das Objekt
eindringlicher Erörterungen und lebhafter Kontroversen geblieben,

allerneuestens auch Gegenstand experimenteller Untersuchungen geworden, ohne dass es jedoch bisher gelungen wäre, in der Sache zu einem Einverständnis zu kommen. Haeckel charakterisiert seine Stellung zu dieser Tagesfrage überaus kurz und bündig mit folgenden wenigen Worten (S. 837): „Ich halte mit Lamarck an der Ansicht fest, dass die erbliche Uebertragung erworbener Eigenschaften eine der wichtigsten biologischen Erscheinungen ist und durch Tausende von morphologischen und physiologischen Erfahrungen klar bewiesen wird."

Entsprechend den oben für die zahlreichen Umänderungen und Erweiterungen kurz gekennzeichneten Maßgaben hat der Gesamtumfang des auch äußerlich vorzüglich ausgestatteten Werkes eine beträchtliche Zunahme erfahren müssen. Es kann nicht eine Aufgabe des vorliegenden Berichtes sein, auf — selbst wichtigere — Einzelheiten einzugehen; Ref. beschränkt sich darauf ein paar Zahlen anzuführen.

Die Anzahl der Vorträge ist um 4 (im Ganzen jetzt 30) vermehrt, indem je ein besonderer Abschnitt über die Gastrulation der Vertebraten (IX. Vortr.) und die Cölomtheorie (X. Vortr.) neu eingefügt wurde, der X. und XI. Vortrag, den Aufbau und die Gliederung der Person aus den Keimblättern betreffend, und die 4 Abschnitte über die Ahnenreihe des Menschen in der vorigen Auflage nunmehr in 3 (XII.—XIV. Vortr.), beziehungsweise 5 (XIX.—XXIII. Vortr.) erweitert erscheinen, wodurch der Text von 770 auf 966 Seiten anwuchs. Alte Tafeln wurden entfernt und durch bessere neue ersetzt, 5 überdies zugegeben, ebenso die Zahl der Holzschnitte um 110 vermehrt; auch die genetischen Tabellen sind von 44 auf 52 gestiegen und im Einzelnen vielfach korrigiert und verändert worden.

Schließlich hat Referent noch anzumerken, dass dem Werke ein „apologetischer" Anhang beigeschlossen ist, in welchem der Verfasser die jüngsten scharfen Angriffe Hensen's [1] nachdrücklich zurückweist. **F. v. Wagner** (Straßburg i./E.).

---

[1] V. Hensen, Die Plankton-Expedition und Haeckel's Darwinismus, Kiel u. Leipzig 1891; vergl. auch E. Haeckel, Plankton-Studien, Jena 1890.

Berichtigungen.

In Nr. 2 des Biol. Centralblattes ist in dem Aufsatze „über die Würmerfauna und Crustaceenfauna Polens", S. 58, anstatt:

„20. C. *Clausii* Heller, fraglich mit C. *diaphanus* Fischer und C. *minutus* Claus identisch" — — zu lesen:

„20. C. *Clausii* Heller, fraglich mit einer Jugendform von C. *viridis* Jurine identisch.

21. C. *diaphanus* Fischer mit C. *minutus* identisch".

Verlag von Eduard Besold in Leipzig. — Druck der kgl. bayer. Hof- und Univ.-Buchdruckerei von Fr. Junge (Firma: Junge & Sohn) in Erlangen.

Biologisches Centralblatt

unter Mitwirkung von

Dr. M. Reess   und   Dr. E. Selenka
Prof. der Botanik   Prof. der Zoologie

herausgegeben von

Dr. J. Rosenthal
Prof. der Physiologie in Erlangen.

24 Nummern von je 2 Bogen bilden einen Band. Preis des Bandes 16 Mark.
Zu beziehen durch alle Buchhandlungen und Postanstalten.

XII. Band.   31. März 1892.   **Nr. 6.**

Fortschritte auf dem Gebiete der Pflanzenphysiologie.
Von Dr. **Robert Keller** in Winterthur.
Viertes Stück.

Die außerordentliche Bedeutung, welche die Kenntnis des Baues und der Lebensvorgänge der Zelle für unsere Erkenntnis des Pflanzenlebens überhaupt hat, dürfte es hinlänglich rechtfertigen, wenn auch in unserer heutigen Uebersicht die Physiologie und Anatomie der Zelle die erste Stelle erhält. Die Arbeiten, über welche wir heute die Leser orientieren möchten, betreffen folgende Zellenteile und Vorgänge.

I. Zellhaut.

C. Correns, Zur Kenntnis der innern Struktur der vegetabilischen Zellmembran[1]).

C. Mikosch, Ueber die Membran der Bastzellen von *Apocynum venetum*[2]).

II. Stärke und Chromatophoren.

O. Eberdt, Beiträge zur Entstehungsgeschichte der Stärke[3]).

Zimmermann, Zur Kenntnis der Leukoplasten[4]).

Derselbe, Ueber die Chromatophoren in chlorotischen Blättern[4]).

---

1) Pringsheim's Jahrbücher für wiss. Botanik, Bd. XXIII, Heft 1 u. 2.
2) Berichte der deutschen botan. Gesellschaft, IX. Jahrg., Heft 9.
3) Pringsheim's Jahrbücher für wiss. Botanik, Bd. XXII, Heft 3.
4) Beiträge zur Morphologie und Physiologie der Pflanzenzelle. Heft 1.

XII.   11

Zimmermann, Ueber die Chromatophoren in panachierten Blättern[1]).

Derselbe, Ueber bisher nicht beobachtete Inhaltskörper des Assimilationsgewebes[1]).

Dalmer, Ueber stärkereiche Chlorophyllkörper im
Wassergewebe der Laubmoose[2]).

III. Aleuronkörper und Proteinkrystalloide.

Belzung, Développement de grains d'aleurone et structure protoplasmique en général[3]).

Zimmermann, Ueber die Proteinkrystalloide[4]).

Derselbe, Ueber die Proteinkrystalloide in den Zellkernen der Phanerogamen[5]).

IV. Struktur des Protoplasmas.

Fayod, Structure du protoplasma vivant[6]).

V. Befruchtung und Fortpflanzung.

Dodel, Beiträge zur Kenntnis der Befruchtungserschei-
nungen bei *Iris sibirica*[7]).

Overton, Beiträge zur Kenntnis der Entwicklung und
Vereinigung der Geschlechtsprodukte bei *Lilium
Martagon*[7]).

Weissmann, Amphimixis oder die Vermischung der
Individuen. Jena. Fischer. 1891.

Errera, Sur la loi de la conservation de la vie[8]).

VI. Reizerscheinungen.

C. Correns, Ueber die Abhängigkeit der Reizerscheinungen höherer Pflanzen von der Gegenwart freien
Sauerstoffes.

C. Voegler, Beiträge zur Kenntnis der Reizerscheinungen[9]).

---

1) Beiträge zur Morphologie und Physiologie der Pflanzenzelle, Heft 1.
2) Flora, 74. Jahrgang, Heft IV u. V.
3) Journal de Botanique, 1891.
4) Beiträge zur Morphologie und Physiologie der Pflanzenzelle, Heft 1 u. 2.
5) Berichte der deutschen botan. Gesellschaft, Bd. VIII.
6) Revue générale de Botanique, Nr. 29, 1891.
7) Festschrift zur Feier des fünfzigjährigen Doktorjubiläums der Herren
Prof. Nägeli und Kölliker, gewidmet von der Universität, dem eidgen. Polytechnikum und der Tierarzneischule in Zürich, 1891.
8) Revue philosophique de la France et de l'Étranger, 1891.
9) Botanische Zeitung, Nr. 39—42, 1891.

VII. Symbiose.

Frank, Ueber die auf Verdauung von Pilzen abzielende Symbiose der mit endotrophen Mykorhizen begabten Pflanzen, sowie der Leguminosen und Erlen[1]).

VIII. Teratologie der Pflanzen.

de Vries, Monographie der Zwangsdrehungen[2]).

An Zellmembranen beobachtet man häufig Streifungen, die als ein System dunkler Linien auf der hellen Zellhaut erscheinen. Strasburger erklärte sowohl die Schichtung als die Streifung als „Kontaktlinien". Er nimmt an, dass die dunkeln Linien durch die Berührung zweier Lamellen erzeugt werden. In der zitierten Abhandlung erklärt Correns diese Ansicht für physikalisch unmöglich. Sind die sich berührenden Lagen aus gleicher Substanz gebildet, kommt ihnen mithin gleiches Lichtbrechungsvermögen zu, dann wird, wenn sie einander wirklich bis zur vollen Berührung genähert sind, zwischen ihnen keine Grenzlinie zu erkennen sein. „Unter Kontaktlinie versteht man eine Linie, welche durch Reflexion oder Refraktion beim Eintritt der Lichtstrahlen aus einem Medium in ein anderes entsteht. Dabei ist aber immer die Voraussetzung, dass die beiden sich berührenden Medien verschiedenes Lichtbrechungsvermögen besitzen".

So bleibt also die Frage nach der Natur der Schichten und Streifen, wie sie in Zellmembranen zur Beobachtung kommen, immer wieder eine offene, neuer Prüfung bedürftige.

Correns weist darauf hin, dass das Zustandekommen der Streifung nur in einem Wechsel optisch ungleich dichter Substanzen begründet sein kann, die in Streifen angeordnet sind. Dies aber ist in dreifacher Weise denkbar. Die Streifung bezw. Schichtung kann begründet sein

1) in der Membranskulptur, d. h. sie wird durch Furchung oder Kanellierung der Zellhaut hervorgerufen;

2) in einer Differenzierung der Membran, wobei dieselbe aus Streifen ein und derselben Substanz mit abwechselnd ungleichem Wassergehalt gebildet wird;

3) in einer Differenzierung der Membran in Streifen, wobei dieselben zwar gleichen Wasserreichtum zeigen, aber aus Substanzen gebildet werden, die an und für sich im Lichtbrechungsvermögen sich ungleich verhalten.

---

1) Berichte der botan. Gesellschaft, Bd. IX, 1891.
2) Pringsheim's Jahrbücher für wiss. Botanik, Bd XXIII.

11 *

Die Untersuchungen des Verfassers betreffen in erster Linie die Epidermiszellen von *Hyacinthus* und einiger verwandter Pflanzen mit analogen Strukturverhältnissen der Zellhaut, wie *Ornithogalum*, *Leucojum*, *Galanthus*, *Muscari*, *Colchicum*. Ihre Epidermiszellen zeigen Längs- und Querstreifung. Erstere sind nach Verf., wie übrigens auch Strasburger schon angibt, durch Cuticularfalten bedingt.

Von der Fläche gesehen erscheint die Querstreifung der Art, dass durch eine dünne dunkle Linie, die Mittellinie, je zwei helle Streifen getrennt werden. Zwischen je zwei Paar hellen Streifen liegt eine stärkere dunkle Linie, welche sich verzweigen kann, die Grenzlinie. Wird die vom Blatte leicht abziehbare Epidermis getrocknet, dann ist die Querstreifung noch zu sehen, wenn schon sie ganz anderer Art ist als die Streifung im wasserhaltigen Zustande. Die Streifen sind breiter und deutlicher. Beim Einbetten in ein Medium, das dem Brechungsvermögen der getrockneten Cellulose gleichkommt, wird die Querstreifung um so undeutlicher, je genauer diese optische Uebereinstimmung ist, und sie verschwindet oftmals ganz. „Daraus geht ohne weiteres hervor, dass die im imbibierten Zustande sichtbare Struktur nicht durch den Wechsel zweier an und für sich verschieden brechender Substanzen verursacht sein kann".

Lässt man allmählich zu den im absoluten Alkohol liegenden Epidermisstücken Wasser hinzutreten, dann wird die Querstreifung allmählich wieder undeutlicher als im getrockneten Zustande. Leicht erkennt man aber, „dass jedem hellen Streifen des trockenen Zustandes ein Streifenpaar des imbibierten entspricht, jedem dunklen Streifen der trockenen Außenwand ein Grenzstreifen. Zwischen den Grenzstreifen treten dann durch die Imbibition auch die Mittelstreifen wieder auf, von denen im trockenen Zustande keine Spur zu erkennen war".

Daraus ergibt sich für die Mittelstreifen, dass sie aus wasserreicher Substanz bestehen. Das Deutlicherwerden der Grenzstreifen durch Austrocknen weist ebenfalls darauf hin, dass sie wasserreicher sind als die hellen Streifenpaare. Denn durch deren größere Volumenabnahme bei der Wasserabgabe werden die Rillen, welchen sie bereits in der imbibierten Membran entsprechen, vertieft. Dies bedingt aber die sichtbare Struktur der trockenen Membran.

Bezüglich des Erscheinens der Struktur weist Verf. nach, dass sie schon vor Vollendung des Dickenwachstums auftritt.

Eine zweite Untersuchungsreihe ist der Membran der Bastzellen gewidmet. Als Untersuchungsobjekte dienten namentlich Apocyneen-Bastfasern (Oleander, Immergrün), ferner Hopfen, Hanf, kanadische Brennnessel, Resede, Waldrebe etc.

Die Streifung beruht auf einem Wechsel wasserarmer und wasserreicher Streifen. Diese sind gewöhnlich erheblich schmäler. Sie erscheinen dunkel. Die Frage, ob zwischen den dichtern und weniger dichten Streifen chemische Unterschiede bestehen, ob zweierlei Substanzen streifenförmig angeordnet sind, ist Verf. geneigt dahin zu beantworten, dass nicht sowohl chemisch verschiedene Individuen als vielmehr physikalische Modifikationen einer oder einiger weniger Substanzen die Streifen bilden.

Die Querlamellierung der Bastzellen führt Verf. einerseits zurück auf die Unterschiede des Wassergehaltes, aber auch auf die Gegenwart einer an und für sich stärker brechenden Substanz. Das ungleiche Verhalten bei Färbungen mit bestimmten Anilinfarben, sowie das Verhalten beim Mazerieren weist darauf hin.

Querlinien oder Gruppen von solchen, die bald horizontal, bald mehr oder weniger zur Zellaxe geneigt verlaufen und die durch schwache Faltungen bedingt werden, welche die Zellhaut mehr oder weniger tief durchsetzen, bilden die sogenannten Verschiebungslinien der Bastzellen. Dass sie mit der gewöhnlichen Streifung nicht identisch sind, geht schon daraus hervor, dass sie gewissen Reagentien gegenüber sich anders verhalten als diese. So lehren z. B. die Mazerationen, dass die Haut an den Verschiebungsstellen viel leichter angegriffen wird, als an andern Stellen. Als Membranrisse, wie eine Reihe Forscher glaubten, kann Verfasser diese Verschiebungslinien nicht anerkennen.

Die Untersuchung der Schichtung der Bastzellhaut führt Verf. zu folgenden Resultaten. „Zwischen den successive aufeinander angelagerten Lamellen befinden sich Schichten von großem Wassergehalte, welche erstere miteinander verbinden. Ihre Substanz ist gleich derjenigen der weichen Streifen".

Eine dritte Untersuchungsreihe gilt den Holzteilen dikotyler Pflanzen (*Kerria*, *Fagus*, *Hakea*). Die Ringstreifung Nägeli's hält Verf. für nichts anderes als Verschiebungslinien, da sie bezüglich ihrer Reaktion mit den Verschiebungslinien der Bastzellen übereinstimmen.

Die Streifung der Nadelholztracheiden hat eine 4. Untersuchungsreihe zum Gegenstand. Die Spiralstreifung der Tracheiden führt Dippel auf spiralige Verdickung zurück. In einer Einbettungsmasse vom Lichtbrechungsvermögen der Substanz verschwinden die Streifen. Ausgetrocknete Längsschnitte zeigen sie deutlicher als vorher im Wasser. Dieses Verhalten weist darauf hin, „dass das, was man an der direkt imbibierten Membran sieht, auf feiner spiraliger Wandverdickung beruht". Auf Schnitten, die schräg zur Zellenaxe geführt wurden, sah Verf. überdies an Stellen, wo die Streifung senkrecht geschnitten wurde „einen welligen Verlauf des Innenhäutchens", wodurch Leisten und Rillen entstehen. So ist also die Wandstruktur einer Nadelholztracheide im Grunde genommen nicht eine Streifung, sondern ein Analogon zu den Spiralgefäßen. —

Verfassers Untersuchungen ergeben also, dass die Streifung durch den Wassergehaltsunterschied allein sichtbar wird. In keinem Falle

war sie vom Wassergehalt unabhängig, also bedingt durch das abweichende optische Verhalten der die Streifung zeigenden Substanzen.
Die eigentliche Ursache des Entstehens der Streifung ist aber nach
wie vor in vollkommenes Dunkel gehüllt. Die Vorbedingungen sind
jedenfalls im Protoplasma zu suchen. Vielleicht beruht dies bereits
in der Anordnung der Cellulosekerne, die sich in der peripherischen
Plasmaschichte bilden.

Das Sichtbarwerden der Schichtung ist für gewisse Objekte in
analoger Weise zu erklären. Es gibt indessen auch Fälle, wo sie
auf Substanzunterschieden beruht.

Die Zellwandstruktur führt bisweilen zu eigentümlicher Streifung. —

Mikosch behandelt die Membran der Blastzellen von *Apocynum
Venetum* teils mit Kupferoxydammoniak, teils mit konzentrierter
Schwefelsäure, um durch dieses Verfahren einen Einblick in die
Strukturverhältnisse zu erlangen. Durch beide Reagentien lassen sich
Körnchen nachweisen, welche in bestimmten Reihen angeordnet sind.
Diese Körnchen sind die Dermatosomen Wiesner's, die bei sorgfältiger Präparation in einer der ursprünglichen Anordnung entsprechenden Lage sichtbar gemacht werden können. Die innern noch
wachstumsfähigen Schichten zeigen die Eiweißreaktion. Verf. beweist
damit also auch die Gegenwart des das Wachstum der Zellhaut bedingenden Dermatoplasmas.

Natürlich kann man auch diesen Demonstrationen gegenüber den
Einwand, der Wiesner gemacht wird, erheben, dass erst tief ein-
greifende chemische Reaktionen die beschriebenen Bilder erzeugen,
dass es also fraglich sei, ob sie einem natürlichen Zustande entsprechen. Dass diesem Einwand die große Bedeutung nicht zukommen
kann, die man ihm vielleicht im ersten Momente beilegen möchte,
betont Verf. mit Recht. Ohne Uebertreibung dürfen wir sagen, dass
der größte Teil unserer Erkenntnis über die Strukturverhältnisse der
Zelle, dass ein großer Teil unseres Einblickes in das Wesen so hoch-
wichtiger Vorgänge wie z. B. Kernteilung, Befruchtung einzig dem
Umstande zuzuschreiben ist, dass wir chemische Eingriffe ausüben.
Durch sie werden bestimmte Formzustände, denen nur eine vorübergehende Dauer zukommt, fixiert, durch sie werden gewisse Komplikationen vereinfacht, indem z. B. das ungleiche chemische Verhalten
der den Zellorganismus bildenden Stoffe gegen ein Reagens die
einen Teile schärfer hervortreten lässt, andere vielleicht löst, also
eliminiert.

Eberdt gelangte durch seine Untersuchungen über die Entwicklungsgeschichte der Stärke in wesentlichen Punkten zu andern Vorstellungen über deren Entstehung als wie sie durch Schimper's
verschiedene einschlägige Veröffentlichungen, fast darf man sagen,
zu den herrschenden geworden sind.

Nach Nägeli und Sachs bilden sich einzelne oder mehrere
Stärkekörner an beliebigen Stellen in den Chlorophyllkörnern. Nach
Schimper sollen in den Stengeln vieler Pflanzen die Stärkekörner
in den Chlorophyllkörnern ausschließlich dicht unter der Oberfläche
entstehen. Durch die Lage in den Chlorophyllkörnern wird nach ihm
der Bau der Stärkekörner bestimmt, so zwar, dass die im Innern entstehenden und von ihm umgebenen zentrischen Bau haben, die oberflächlich entstehenden exzentrisch gebaut sind. Das ungleiche Wachstum auf beiden Seiten des Kernes hält Schimper für eine Folge
ungleicher Ernährung.

. Dagegen macht Verf. geltend, dass bei der gleichen Pflanze thatsächlich die Lage der Stärkekörner im Chlorophyllkorn eine ungleiche sei,
dass ferner die Schichtung, also der zentrische oder exzentrische Bau
erst auftritt, „wenn die das Stärkekorn umgebende Hülle von Chlorophyll nicht mehr vorhanden ist, und das Stärkekorn, was nicht immer
der Fall zu sein braucht, auch dann noch weiter wächst". Bis dahin
ist es eine homogene noch nicht in Kern und Schichten differenzierte
Masse.

In chlorophyllfreien, also nicht assimilierenden Zellen lässt Schimper die sich entwickelnden Stärkekörnern in „eigentümlich lichtbrechenden Körperchen von gewöhnlich kugeliger oder spindelförmiger
Gestalt" entstehen. Dies sind seine Stärkebildner. Seiner ursprünglichen Ansicht nach entstehen sie aus dem Protoplasma. Später modi-
fizierte er diese Ansicht dahin, dass sie nicht durch Neubildung aus
dem Plasma, sondern durch Teilung auseinander entstehen. Die Beziehung der Stärkekörner zu dem Stärkebildner sind ganz analoge
wie zwischen erstern und den Chlorophyllkörnern. Die Körner, welche
in der Peripherie der Stärkebildner entstehen, sollen einen exzentrischen
Bau haben, die vollkommen innerhalb derselben sich entwickelnden
Körner sind stets zusammengesetzte, als Einzelkörner, sofern eine
Schichtung überhaupt bemerkbar ist, konzentrisch geschichtete. Die
Stärkebildner sind also die Organe der Stärkebildung in den nicht
assimilierenden Zellen. Sie besorgen die Umwandlung der ihnen aus
andern Pflanzenteilen zugeführten Assimilationsprodukte in Stärke.

Dagegen macht nun Verf. geltend, dass vom ersten Auftreten der
jungen Stärkekörner in verschiedenen Zonen des Stärkebildners nicht
gesprochen werden kann. Seine Beobachtungen lehren, „dass thatsächlich nicht eine mit Hilfe der Körperchen (Stärkebildner) vor sich
gehende Umbildung derjenigen Assimilationsprodukte vorliegt, welche
. diese in Rede stehenden Körperchen zugeführt werden, sondern eine
Umbildung dieser letztern, der sogenannte Stärkebildner also, selbst
und zwar von innen heraus". Im weitern betont Verf., dass das
Protoplasma der Zelle sowohl bei der Bildung als auch beim weitern
Wachstum der Körner eine hervorragende Rolle spielt. Denn es gibt
Fälle, wo Stärkekörner, die nur noch mit dem Zellenplasma, nicht

aber mit dem Stärkebildner in Verbindung stehen, noch weiter wachsen.

Der spezielle Teil umfasst die Darlegung 1) der Untersuchung über die Stärkebildung bei *Philodendron grandifolium*, 2) bei *Canna gigantea*, 3) bei *Stanhopea*, *Epipactis palustris* und *Convallaria majalis*, 4) Untersuchung der Samen von *Chenopodium Bonus Henricus*, 5) Untersuchung der Knollen und Wurzeln von *Phajus grandifolius*. Der 6. Abschnitt ist dem experimentellen Nachweis der Entstehung der Stärkebildner und ihrer chemischen Zusammensetzung gewidmet, der 7. befasst sich mit der Untersuchung der Kartoffeln. Ein weiteres Kapitel hat die Untersuchung der Stärkekörner in den Milchsaftröhren der Euphorbiaceen zum Gegenstand.

Es kann natürlich nicht unsere Aufgabe sein alle diese Einzelbeobachtungen einlässlich zu referieren, wenn schon sie zum Teil nicht unerhebliche Verschiedenheiten zeigen. Wir beschränken uns auf die Wiedergabe dreier Untersuchungsergebnisse, die uns einen hinlänglichen Einblick in die Stärkebildung gewähren.

In den jungen Epidermiszellen des Blattstieles und Stengels von *Philodendron grandifolium* beobachtet man um den Zellkern herum zahlreiche mattglänzende kugelige Körperchen, die Schimper'schen Stärkebildner. Während Schimper sie als die Abkömmlinge der schon im Vegetationspunkt fertig vorhandenen Stärkebildner auffasst, also in ihnen in ähnlicher Weise präexistierende Elementarteile der Zelle sieht wie z. B. im Kern, lässt Verf. sie aus dem Plasma entstehen. Die Zellen des Vegetationspunktes enthalten ein feinkörniges Plasma, das in wenig ältern Zellen grobkörnig ist. Diese Körner lagern sich mit dem ihnen anhaftenden Plasma dem Zellkern maulbeerartig an. Jodzusatz ruft nicht wie bei Gegenwart von Stärke Blaufärbung hervor. Wohl aber zeigt sich im Innern der Körperchen ein rotgefärbtes Pünktchen. In einem spätern Entwicklungszustand, in welchem die Körner größer sind, umschließt das Plasma das ganze Gebilde gleich einer Haut. Jetzt nehmen die Körner eine leichte bläuliche Färbung an, die am Rande ausgesprochener ist als in der Mitte. Und in einem noch etwas ältern Stadium bewirkt der Jodzusatz eine sattblaue Färbung. „Die Körner sind zu 3, 4 und mehr zu Gruppen vereinigt, die von den Plasmateilchen, von der nicht mehr vorhandenen Haut herrührend, umgeben sind. Diese Plasmateilchen stehen mit dem wandständigen Plasma in Verbindung und liegen mit ihrer stärkern Masse durchgehends der dem Zellkern abgewandten Seite der Körner an". Diese Beobachtungen deutet Verf. dahin, dass er sagt: Die Stärkebildner Schimper's, das sind im vorliegenden Falle die den Kern umschließenden Körner „differenzieren sich aus dem Plasma und bilden gewissermaßen eine Grundsubstanz, die sich von innen heraus zu Stärke umwandelt". Das rötliche Pünktchen, das in einem gewissen Entwicklungszustande der Körner auf Jodzusatz erscheint, ist das zuerst auftretende Umwandlungsprodukt.

Während unserem Dafürhalten nach die Beobachtungen des Verf., dass die den Zellkern umlagernden Stärkebildner aus den Körnern des Plasmas der jüngsten Zellen des Vegetationspunktes hervorgehen, weniger den Eindruck einer Differenzierung als vielmehr des Wachstums kleiner in den jüngsten Zellen bereits vorhandener elementarer Gebilde macht, in denen allerdings nicht vom Momente ihres Sichtbarwerdens an ihre spätere Leistung zu konstatieren ist, hebt Verfasser hervor, dass er in keinem Entwicklungszustande der Schimper'schen Stärkebildner eine Teilung konstatieren konnte, ein Umstand der nach Verfasser entschieden gegen deren Präexistenz sprechen soll.

Gegen dieselbe führt Verf. auch seine experimentellen Untersuchungen über die Entstehung der Stärkebildner an. Die Behandlung von Schnitten, welche von den jüngsten Zellen des Vegetationspunktes ausgehend nach und nach durch ältere Zellenkomplexe geführt werden, lässt ein sehr ungleiches Verhalten derselben zu bestimmten Reagentien (gelbes Blutlaugensalz mit Essigsäure versetzt und hierauf Behandlung mit Eisenchlorid) erkennen. Der Stärkegrundsubstanz kommt danach eine andere chemische Zusammensetzung zu als den übrigen Inhaltsstoffen der Zelle. Die Stärkebildner sind demnach nicht bloß etwas größer gewordene in den jüngsten Zonen des Vegetationspunktes präexistierende Anlagen.

Freilich erwähnt Verf. auch in den jüngsten Schnitten „einiger Mikrosomen, die deutliche Blaufärbung zeigen" und die damit bezüglich ihres Verhaltens gegen das Reagens nicht im Gegensatz stehen „zu der sehr intensiven Blaufärbung der Schimper'schen Stärkebildner".

So scheint dem Referenten auch dieser experimentelle Beweis die Annahme der Präexistenz der Stärkebildner nicht absolute auszuschließen.

Durch Quellung der eng einander anliegenden Gruppen von Stärkekörnern lässt sich erkennen, dass sie aus mehreren Einzelschichten von Körnern bestehen, also nicht eine ihren Bildungsherd umschließende Kugelschale vorstellen.

Während eine Teilung der Stärkebildner nicht konstatiert wurde, gibt Verf. an, dass er mehrfach „eine Vermehrung der fertigen noch ziemlich kleinen Stärkekörner auf diesem Wege" beobachtet habe. „Die Teilung erfolgt in der Weise, dass sich an zwei einander gegenüberliegenden Stellen der längern Seite des Stärkekornes Plasmakügelchen ansetzen, die anfänglich ohne jede Einwirkung auf das Korn zu bleiben scheinen. Nach und nach jedoch wird dies an den von dem Plasma besetzten Stellen dünner, das letztere zieht sich um das Korn herum und sobald dies vollkommen geschehen ist, hat sich auch die Teilung vollzogen".

Einen andern Typus der Stärkebildung zeigen die Wurzeln und Knollen von *Phajus grandifolius*. Die Differenzierung der Stärkegrundsubstanz aus dem Plasma geht in ähnlicher Weise wie oben beschrieben vor sich. Ein anfänglich feinkörniges Plasma wird zu einem grobkörnigen. Die Körner wenden sich dem Zellkerne zu, vergrößern sich rasch und erscheinen teils als spindelförmige teils als kugelige Körper, die Jod gegenüber noch indifferent sind. Der Kern wird von letztern dicht umlagert, die Spindelchen liegen mehr getrennt um ihn herum.

In den kugeligen Körnern erscheint auf Jodzusatz ziemlich früh ein rötliches Pünktchen, bald mehr im Zentrum bald mehr peripher.

Die Spindelchen sind durch energisches Wachstum ausgezeichnet. Sie verwandeln sich in Stäbchen, denen ein Teil des Plasmas, in welches es ursprünglich eingebettet war, anhaftet. In diesem entsteht, wenn das Stäbchen ausgewachsen ist, auf Jodzusatz ein rotes Pünktchen. Während des Wachstums dieses Stärkekornes verschwindet das Stäbchen mehr und mehr, zuletzt vollständig, „so dass nur noch die Kappe aus Plasma dem nunmehr exzentrische Schichtung zeigenden Stärkekorn anhaftet". Das Wachstum dauert nur so lange, als diese Kappe mit dem Korn verbunden ist. Nicht das Stäbchen, sondern das das entstehende Korn umhüllende Plasma bewirkt also die Umbildung der ihm zugeführten Assimilationsprodukte zu Stärke „Das von Schimper für den Stärkebildner gehaltene Stäbchen ist nichts als eine Modifikation des Protoplasmas, welches Nährstoffe in besonderer Konzentration enthält, die nach und nach durch das dasselbe einhüllende Plasma zu Stärke umgesetzt werden. Ist das Stäbchen aufgebraucht und das Stärkekorn . . . . aus dem Gröbsten heraus, so kann die weitere Ernährung durch die Assimilationsprodukte vollführt werden, deren Umsetzung zu Stärke die anhaftende Plasmakappe bewirkt".

Das Ergrünen der Knollen, das beobachtet wird, wenn die dichte Hülle der jugendlichen Blätter abstirbt und abfällt, führt Schimper darauf zurück, „dass die Stärkebildner unter partieller Auflösung der Stärkekörner und sehr bedeutender Größenzunahme zu stabförmigen Chlorophyllkörnern werden". Verf. konstatiert, dass nicht die Stärkebildner, „sondern die den Stärkekörnern nach dem Verbrauch des sogenannten Stärkebildners haftenbleibende Kappe aus Plasma" sich in Chlorophyll umzuwandeln vermag, wobei das Stärkekorn manchmal mehr, manchmal weniger angegriffen, resp. aufgelöst wird.

Die Angaben Belzung's, es könne sich das Stärkekorn direkt zum Chlorophyllkörper umwandeln, führt Verf. auf Veränderungen zurück, die mit der Anlage und Ausbildung junger Knollen aus den Reservestoffen der alten Hand in Hand gehen. Die Plasmakappe hüllt nach und nach das Stärkekorn völlig ein. Die Schichten des Kornes verschwinden. Es bildet schließlich eine formlose Masse, welche auf Zusatz von Jodlösung nur mehr eine ungleichmäßige Blaufärbung zeigt. „Schließlich ist von dem Korne nichts mehr übrig und nur das Plasmaklümpchen zurückgeblieben, welches unter dem Einfluss des Lichtes zu ergrünen vermag".

Die Abhängigkeit des Wachstums der Stärkekörner vom anhaftenden Plasma wird, wie Verf. zeigt, namentlich durch das Verhalten der Euphorbiaceen-Stärkekörner bewiesen. Die Stärkekörner, die im Milchsafte vieler Euphorbiaceen sich finden, zeichnen sich bekanntlich durch mancherlei besondere Gestalten aus. Bald sind sie rundlich, häufig knochenförmig, bisweilen fast geraden Stäbchen gleich. Ist je eine bestimmte Form häufig einer Art eigen, so kommen doch auch Fälle vor, wo in der gleichen Pflanze verschieden gestaltete Körner sich finden oder wo verschiedenen Teilen der gleichen Pflanze je eine bestimmte Form eigen ist.

Reaktionen lehren, dass diesen Stärkekörnern (*E. cyparissias*, *E. palustris*, *E. canariensis*) eine protoplasmatische Substanz anhaftet, die gleich einer feinen Haut um das ganze Stärkekorn herumzieht. Wo sich Anhäufungen des Protoplasmas in der Haut finden, zeigen sich am Stärkekorn bedeutende Ausbuchtungen. Es wachsen also die Stärkekörner der Euphorbien mit Hilfe einer Plasmahaut.

Verf. und Schimper stimmen also nach obigen Darlegungen bezüglich der Bildung der Stärke in nichtassimilierenden Pflanzenteilen nur insofern mit einander überein, dass sie dieselbe von der Gegenwart stark eiweißhaltiger Körperchen — Stärkebildner, Stärkegrundsubstanz — abhängig machen. Im übrigen gehen ihre Ansichten auseinander. Die aktive Rolle, die Schimper diesen Körpern zuschreibt, Umwandlung der Assimilationsprodukte zu Stärke, ist nach Verf. dem Plasma zuzuweisen. Statt der Präexistenz der Stärkebildner setzt Verf. ihre Differenzierung aus dem Plasma ein. Die Umwandlung der Leukoplastiden in Chloroplastiden besteht nach Eberdt nicht zu Recht, indem nicht die Stärkebildner, sondern das ihnen anhaftende Plasma zu ergrünen vermag. Die Frage der Stärkebildung die durch Schimper's Untersuchungen gelöst schien, wird also wieder zu den umstrittenen gezählt werden müssen.

(Schluss folgt.)

—

Die Zusammensetzung der pelagischen Fauna der Süßwasserbecken.

Nach dem gegenwärtigen Stande der Untersuchungen.

Von Dr. Othm. Em. Imhof.

Das Studium der Tierwelt der Binnengewässer hat in der neueren Zeit ansehnliche Fortschritte zu verzeichnen. Zahlreiche Arbeiten betreffen speziell die pelagische Fauna der kleineren und größeren Seen der Ebene und der Gebirge. In Anbetracht dessen, dass noch vor wenig mehr als einem Jahrzehnt das allgemeine Ergebnis über die Zusammensetzung der pelagischen Süßwasserfauna folgendermaßen lautete: Die pelagische Fauna der Seen ist sehr arm an Species, allerdings sind diese wenigen Arten in kaum zählbaren Mengen von Individuen vorhanden — dürfte es gegenwärtig schon von Interesse sein, die früheren Verzeichnisse durch eine Zusammenstellung, den gegenwärtigen Kenntnissen entsprechend, zu ersetzen.

Das Verzeichnis der pelagischen Gesellschaft der Schweizerseen, gegeben von Asper im Jahre 1880, enthält 13 Species, wovon 4 Copepoden, 8 Cladoceren und 1 Hydrachnide. Die Uebersichtstabelle in der Bearbeitung der pelagischen Fauna der oberitalienischen Seen von Pavesi vom Jahre 1879 weist 24 Arten auf, davon 8 Copepoden, 14 Cladoceren, 1 Ostracode und 1 Hydrachnide. Die etwas spätere Bearbeitung desselben Themas durch den gleichen Autor vom Jahre 1883 führt 29 Arten auf: *Copepoda* 9, *Cladocera* 18 und *Ostracoda* 2.

Es hatte damals den Anschein, als ob beinah ausschließlich *Entomostraca* und nur ganz wenige andere wirbellose Tiere die große Wassermasse der Seen, allerdings durch ungeheure Schwärme ein und derselben Species, bevölkern würden.

Bei der Anwendung feinerer Schwebnetze und beim Suchen nach Organismen von noch kleineren Dimensionen als die *Entomostraca* wurden anfangs der achziger Jahre zuerst bei Untersuchungen über die Zusammensetzung der pelagischen Fauna während des Winters 1882/83 einige neue Mitglieder aus anderen Tierkreisen in Schweizerseen als ständige Mitglieder aufgefunden, nämlich Rotatorien und Protozoen. Auch diese neuen Mitglieder erwiesen sich meist als in sehr großer Individuenzahl vorhanden. Es haben sich seither die Verzeichnisse der pelagischen wirbellosen Tiere der Seen immer mehr vergrößert.

Die vorliegende Arbeit soll die Zusammenstellung der bis anhin im pelagischen Gebiete der europäischen Seen beobachteten Tierformen in systematischer Uebersicht darlegen.

Es sind gegenwärtig als Bewohner des pelagischen Gebietes der Seen Tierformen aus den Kreisen der: *Protozoa*, *Vermes*, *Arthropoda*, *Mollusca* und *Vertebrata* bekannt.

I. Protozoa.

Die ersten pelagischen Protozoen der Süßwasserseen wurden von Hellich und Pavesi aufgefunden. Hellich zitiert in seiner Monographie der Cladoceren Böhmens (1877) das Vorkommen von *Ceratium furca* Ebg. in größerer Anzahl im Illadev-Teich. Pavesi entdeckte nach den Bestimmungen von Maggi (1880) in 4 der untersuchten oberitalienischen Seen Vertreter der Genera *Ceratium* und *Peridinium*. Dies sind immerhin vereinzelte Beobachtungen, die aber noch nicht im Stande waren, eine Vorstellung von der Bedeutung der Protozoen in der pelagischen Fauna zu geben. Gegenwärtig kennt man von den folgenden Protozoen-Genera Repräsentanten in der pelagischen Fauna: *Actinophrys, Actinosphaerium, Acanthocystis, Raphidiophrys, Uroglena, Mallomonas, Salpingoeca, Dinobryon, Peridinium, Ceratium, Vorticella, Epistylis, Codonella, Podophrya, Acineta.*

Von diesen Gattungen enthalten der größere Teil freischwimmende wirkliche pelagische Species, der kleinere Teil auf pelagischen Mikrophyten oder auf pelagischen Tieren sessil lebende Arten. Die letzteren die sessilen Species, die auch etwa als Parasiten bezeichnet werden, was sie zwar nicht sind, da sie auf den Trägern nur Befestigungspunkte suchen, aber nicht von den Säften oder von der Körpersubstanz der Träger sich ernähren, sind die folgenden:

Mastigophora: *Flagellata*: *Salpingoeca convallaria* Stein (auf *Asterionella*).

Infusoria: *Ciliata*: *Peritricha*: *Vorticella convallaria* L. (auf *Tetraspora virescens* und *Anabaena circinalis*).

Epistylis lacustris Imh. (auf Copepoden, seltener auf Cladoceren).

Suctoria: *Podophrya cyclopum* Clap. Lach.

Acineta elegans Imh. (auf *Bythotrephes*).

Acineta robusta Imh. (auf Heterocope).

Das Zusammenleben dieser sessilen Tierchen mit ihren Trägern ist jedenfalls bei der *Salpingoeca* und den zwei *Peritricha* als ein gesellschaftliches symbiotisches Verhältnis aufzufassen.

Freischwimmende Protozoen. In dieser Gruppe sind zu trennen diejenigen Formen, die gewöhnlich oder regelmäßig im pelagischen Gebiete angetroffen werden, von solchen die nur durch besondere Umstände z. B. durch Bäche und Flüsse dem See direkt zugeführt oder von der litoralen Fauna in das pelagische Gebiet hineingetragen oder die mit den Niederschlägen aus der Atmosphäre, mit Regen, Schnee oder Staub im See abgesetzt werden, die aber meist hier nicht günstigen Aufenthalt zur Vermehrung finden und infolge dessen bald absterben und die immer wieder in neuen Exemplaren auf den genannten Wegen hineintransportiert werden müssen.

Die Möglichkeit, dass mit Uferbewohnern der fließenden und stehenden Gewässer auch wirkliche pelagische Organismen von höher gelegenen Seen durch den Abfluss in tiefergelegene Seen hinunter getragen werden, ist als ziemlich regelmäßiger Transport höchst wahrscheinlich. Dass durch den Abfluss eines Sees, in erhöhtem Maße bei günstigen Witterungsverhältnissen während der Nacht, da bekanntermaßen sich die pelagische Tierwelt dann allgemein mehr nahe der

Oberfläche der Seen findet, zahllose lebende pelagische Organismen gegen ihren Willen durch die Strömung aus dem See fortgeführt werden, ist nachgewiesen, ebenso ist konstatiert, dass in Flüssen, besonders in deren Ausbuchtungen und zeitweise bei niedrigem Wasserstand abgetrennten Flussläufen, wirkliche pelagische Tiere sich hier ansiedeln; es bleibt nur noch der direkte Nachweis übrig, dass beim Einfluss in einen tiefergelegenen See, namentlich auch nach einem viele Kilometer messenden Flusslaufe, das zufließende Wasser lebende oder lebensfähige Keime aus einem höher gelegenen See mit sich führt.

Im ersten Moment ließe sich aus Obigem der Schluss ziehen, dass tiefergelegene Seen stets, außer ihm speziell angehörenden Bewohnern, auch immer die Arten der höher gelegenen durch einen Bach oder Fluss in direkter Verbindung stehenden Seen beherbergen müsse. Es ist dies aber deswegen nicht absolut notwendig, weil, wie leicht denkbar, die durch einen vielleicht längeren Flusslauf miteinander in direkter Verbindung stehenden Seen verschiedene Existenzbedingungen bieten können, Existenzbedingungen die vielleicht den aus höhergelegenen Seen kommenden Bewohnern die Fortexistenz nicht erlauben. Immerhin muss auch daran gedacht werden, dass gewisse Organismen, wie es bisher erschien, in Wasserbecken von ganz verschiedenem Charakter angetroffen worden sind, ohne irgendwelche Variabilität zu bekunden, wie z. B. das Rädertierchen *Pedalion mirum* Hudson[1]).

Diese Ansichten gelten sowohl für die Protozoen als auch für die anderen Mitglieder oder Aufenthalter des pelagischen Gebietes.

Die freischwimmenden pelagischen Protozoen ergibt die folgende Uebersicht:

Sarcodina: Heliozoa.
Chalarothoraca:
- *Actinophrys sol* E b g.
- *Actinosphaerium Eichhorni* St.
- *Acanthocystis viridis* G r e n.
- „ *turfacea* C a r t.
- *Rhaphidiophrys pallida* F. E. S c h l z.

Mastigophora:
Flagellata:
- *Uroglena volvox* E b g.
- *Mallomonas Plösslii* P e r t.
- „ *pelagica* I m h.
- *Dinobryon sociale* E b g.
- „ *sertularia* E b g.
- „ „ *alpinum* I m h.
- „ *petiolatum* D u j
- „ *bavaricum* I m h.
- „ *divergens* „
- „ *elongatum* „
- „ *cylindricum* „
- „ *Bütschli* „

---

1) Biolog. Centralblatt, Bd. X, Nr. 19 u. 20.

Dinoflagellata:

- Gymnodinium helveticum Pen.
- „ mirabile Pen.
- „ „ rufescens Pen.
- „ viride Pen.
- Glenodinium Gymnodinium Pen.
- „ girans Pen.
- „ pusillum Pen.
- „ cinctum Ebg.
- Peridinium apiculatum Pen.
- „ tabulatum Clap. Lach.
- „ spiniferum „ „ (Maggi).
- „ privum Imh.
- Ceratium cornutum Ebg.
- „ longicorne Perty.
- „ furca Cl. Lach. (Maggi).
- „ lacustris Maggi.
- „ reticulatum Imh.
- „ hirundinella Glaronensis Asp. Hsch.
- „ „ montanum „ „

Infusoria: Ciliata:
Heterotricha:

Stentor spec.

Tintinnodea:

- Codonella cratera Leid.
- „ acuminata Imh.
- „ lacustris Imh.

Das Register der Protozoen des pelagischen Gebietes enthält demnach bisher:

Heliozoa	. . . 5 Species	
Flagellata	. . . 12 „	1 Varietät.
Dinoflagellata	. 15 „	4 „
Peritricha	. . . 2 „	
Tintinnodea	. . 3 „	
Suctoria	. . . 3 „	

Im Ganzen: 40 Species 5 Varietäten.

Von diesen freischwimmenden Protozoen sind im pelagischen Gebiete seltener vorhanden: *Actinophrys* Sol., *Actinophaerium Eichhorni, Acanthocystis turfacea, Dinobryon sociale, D. sertularia, Ceratium cornutum, Stentor* spec., die wahrscheinlich zum Teil aus der litoralen Fauna, zum Teil von der grundbewohnenden Fauna oder mancherorts aus mit dem betreffenden See direkt in Verbindung stehenden Torfsümpfen durch ablaufendes Wasser der eigentlichen pelagischen Fauna beigemischt werden. Anschließend an diese Möglichkeiten der Vermehrung der Mannigfaltigkeit der Aufenthalter im pelagischen Gebiet müssen noch horizontale, vertikale oder schiefe Strömungen in den Seen, die hauptsächlich durch langsamere oder raschere Temperaturwechsel der Luft und des Bodens in Betracht gezogen werden, Strömungen, die im Stande sind einerseits litorale Formen und anderseits grundbewohnende Tiere, deren Lokomotionsbefähigung nicht stark genug ist um sich solcher **passiver** Dislokationen zu erwehren, in das pelagische Gebiet zu tragen. Höchst wahrscheinlich dürfte die Verteilung der pelagischen niederen Tiere eines Sees mehr auf passiven Wanderungen beruhen, zum Teil auch zum Nutzen der mit den Strömungen fortgeführten Organismen, indem sie an Orte hingeführt werden, wo das Wasser in vollkommener Ruhe ist und wo ebenfalls durch die Strömungen im Wasser suspendiertes totes oder lebendes Nährmaterial in größeren Mengen angesammelt worden ist und wird.

Dass viele der aufgezählten Protozoen in kaum zählbaren Schaaren das pelagische Gebiet der Seen bevölkern ist eingangs erwähnt und ist noch dahin zu ergänzen und zu erweitern, dass die Färbung des Wassers durch die Anwesenheit unzähliger Individuen, die dichte Schwärme bilden, sehr oft bedingt wird. Die Arten, die in dieser Hinsicht besonders hervortreten, sind namentlich: unter den Heliozoen, *Acanthocystis viridis*, die Dinobryoniden, die Ceratien und einige der übrigen Dinoflagellaten.

II. Vermes. Rotatoria.

Dass Rotatorien als wirkliche Mitglieder der pelagischen Fauna regelmäßig und wie die übrigen Vertreter dieser Fauna in bedeutender Individuenzahl vorkommen, wurde eigentlich erst im Winter 1882/83 festgestellt. Frühere Beobachtungen über Rädertierchen als pelagische Tiere dürften bloß aus den Jahren 1877 u. 1882 vorliegen Hellich berichtet in seiner Monographie der Cladoceren Böhmens über das gemeinschaftliche Zusammenleben der pelagischen Cladoceren: *Holopedium gibberum*, *Daphnella Brandtiana* und *Leptodora hyalina* mit dem Kolonien bildenden Rädertierchen *Conochilus volvox* E b g. Die Beobachtungen vom Jahre 1882 über pelagische Rotatorien betreffen das Vorkommen der *Asplanchna anglica* D a l r. in 10 von 21 untersuchten Seen in der hohen Tatra durch Wierzejski Seither hat sich das Verzeichnis der pelagischen Rotatorien ansehnlich vermehrt, es umfasst gegenwärtig folgende Arten:

I. Ordn. *Rhizota*: *Flosculariadae*: *Floscularia mutabilis* B o l t
          Melicertadae: *Conochilus volvox* E b g.
                     „   *dossuarius* H d s.
II. Ordn *Bdelloidea*: Keine.
III. Ordn. *Ploïma*: 1. Unterordn. *Illoricata*.
          Asplanchnadae: *Asplanchna Brightwelli* G o s s e.
                     „   *priodonta*   „
                     „   *helvetica* I m h.
                     „   *Girodi* d e G u r.
          Synchaetadae: *Synchaeta pectinata* E b g.
          Triarthradae: *Polyarthra trigla* E b g.
                     „   *platyptera* E b g
                     „   *latiremis* I m h.
          Triarthra longiseta E b g.

2. Unterordn. *Loricata*.

Rattulidae: *Mastigocerca cornuta* Ebg.

                    „   *cylindrica* Imh.

Dinocharidae: *Dinocharis pocillum* Ebg.

               Scaridium longicaudum Ebg.

Euchlanidae: *Euchlanis macrura* Ebg.

               Gastropus Ehrenbergi Imh.

                „   *stylifer* „

                „   *Hudsoni* „

Coluridae: *Metopidia lepadella* Ebg.

Anuraeadae: *Anuraea aculeata* „

                „   „ *regalis* Imh.

                „   *stipitata* Ebg.

                „   *tecta* Gosse.

                „   *cochlearis* Gosse.

                „   *tuberosa* Imh.

                „   *intermedia* „

               Notholca longispina Kellic.

IV. Ordn. *Scirtopoda*: *Pedalionidae*: *Pedalion mirum* Hudson.

Die Uebersicht über die Rotatorien des pelagischen Gebietes der Seen ergibt bisher:

    I. Ordn. *Rhizota* . . .   3 Species

   II. „   *Bdelloidea* . .   0   „

  III. „   *Ploïma* . . . 25   „   1 Varietät

  IV. „   *Scirtopoda* . . 1   „
                                 —————————————

                         29 Species 1 Varietät

Als seltene und besonders interessante Vorkommnisse, d. h. Arten von denen noch wenige Fundorte bekannt sind, wo dieselben anwesend, aber meist, wie die pelagischen Organismen überhaupt, in großer Individuenzahl vorhanden, müssen hervorgehoben werden:

Floscularia mutabilis Bolton. Diese Species ist im Jahre 1885 in einem Weiher im Sutton-Park bei Birmingham entdeckt worden. Als einzige weitere Fundorte kennt man gegenwärtig den Feldsee und den Titisee beim Feldberg im Schwarzwald.

Conochilus dossuarius Hudson. Wurde ebenfalls 1885 bei Birmingham entdeckt. Auf dem Festland von Europa ist er bisher nur aus dem Schluchsee im Schwarzwald bekannt.

Mastigocerca cylindrica Imh. Für diese Rotatorie kenne ich bis jetzt als einzigen Fundort den Bergsee bei Säckingen.

Gastropus Hudsoni Imh. Ebenfalls bisher nur im Bergsee gefunden.

Mit Ausnahme der *Anurea cochlearis* und der *Notholca longispina* sind für die übrigen Anuraeaden nur ein Vorkommen in der pelagischen Fauna bekannt, z. B. von *Anuraea tuberosa*, *A. intermedia*; oder

    XII.   12

nur ganz wenige wie von *Anuraea stipitata* und *A. tecta* (*A. stipitata Wartmanni* Asp. Hensch.) 3 kleinere Seen in Ober-Toggenburg.

Pedalion mirum Hudson, das bis vor wenigen Jahren eine besonders interessante große Seltenheit war, ist gegenwärtig aus einer Reihe von Fundorten genannt worden, z. B. in der Schweiz aus 4 Wasserbecken, denen noch ein fünftes, der große Weiher bei Lens im Unter-Wallis, anzureihen ist.

Die Mehrzahl aller dieser Rotatorien finden sich da, wo sie vorkommen, in großer Individuenzahl, zuweilen in solch dichten Schwärmen nahe der Oberfläche der Seen, dass sie dem Wasser besondere Färbung verleihen können. Dies kam z. B. von *Conochilus volvox* in einem ganz auffälligen Grade im Zürichsee zur Beobachtung.

. Mit Ausnahme der zuletzt hervorgehobenen selteneren Arten erweisen sich die Uebrigen in geographischer Verbreitung als in fast allen bisher untersuchten Seengebieten vorkommend. Die weiteste Verbreitung besitzen: *Conochilus volvox, Anuraea cochlearis, Notholca longispina* und *Asplanchna helvetica*. Besonders die zwei letzteren Species lassen nach den gegenwärtigen Kenntnissen eine auffallende Verbreitung konstatieren. Hiefür dürften die folgenden Angaben, gestützt nur auf meine eigenen Untersuchungen über *Asplanchna helvetica*, sich eine Vorstellung bilden lassen. In der Schweiz sind bisher 27 Seen als Aufenthaltsort zu notieren, in Frankreich in 3, in Italien in 5, in Oesterreich in 16, in Deutschland in Ober-Bayern und im Schwarzwald 13, im Ganzen in 64 Seen. Inbezug auf die Verbreitung in vertikaler Beziehung über Meer sind die Vorkommnisse von *Polyarthra platyptera* bis zu 2500 m, von *Synchaeta pectinata* bis zu 2307 m und von *Notholca longispina* bis zu 2640 m ü. M. hervorzuheben. Die letztere Art ist die in hochalpinen Seen häufigste pelagische Rotatorie.

III. Arthropoda. Crustacea. Entomostraca.

Die Abteilung der niederen Krebse, mit ganz wenigen Ausnahmen wasserbewohnende Tiere, lieferten die ersten Vertreter der pelagischen Fauna der Seen.

1. Ordn. *Cladocera*. Aus dieser Ordnung waren zuerst eine größere Anzahl als Mitglieder der pelagischen Fauna der Süßwasserbecken bekannt geworden, darunter einige von ansehnlichen Dimensionen, so dass es ganz merkwürdig ist, wie lange diese Vertreter einer besonderen Tierwelt der Wissenschaft verborgen geblieben waren. Eine solche Form ist die schönste der pelagischen Cladoceren die *Leptodora Kindtii* erst im Jahre 1844 im Bremer Stadtgraben gefunden, die bis zu 1,5 Zentimeter lang wird.

Auch bei den Cladoceren bieten sich etwelche Schwierigkeiten in der Trennung der wirklichen oder echten pelagischen Formen von solchen die accidentell durch besondere Umstände, die sich öfter wiederholen können oder sogar ziemlich regelmäßig vorhanden sind, in deren Gebiet gelangen. Der thunlichste Weg zur Erledigung solcher Vorkommnisse ist jedenfalls der, dass man die auf solchen Wegen in das pelagische Gebiet geführten Arten in die Verzeichnisse aufnimmt und die Wege, nachdem sie ergründet sind, angibt.

Das aktuelle Verzeichnis der Cladoceren des pelagischen Gebietes der Süßwasserbecken gestaltet sich wie folgt:

1. Familie *Sididae*.

Daphnella brachyura Liėv.
    „   *brandtiana* Fisch.
Holopedium gibberum Zad.

Sida crystallina O. F. Müller.
Limnosida frontosa Sars.

2. Familie *Daphnidae*.

Daphnia longispina O. F. Müller.
   „ *hyalina* Leyd.
   „ *pellucida* P. E. Müll.
   „ *ventricosa* Hell.
   „ *gracilis* „
   „ *aquilina* Sars.
   „ *caudata* „
   „ *pulchella* „
   „ *lacustris* „
   „ *procurva* Poppe.
Ceriodaphnia pulchella Sars.
   „ *punctata* P. E. Müll.
   „ *pelagica* Imh.
Scapholeberis mucronata O. F. Müller.
   „ *obtusa*.
   „ *mucronata longicornis* Lutz
Simocephalus vetulus O. F. Müller.
Bosmina cornuta Jur.
   „ *longispina* Leyd.
   „ „ *Ladogensis* Nordy.
Bosmina coregoni Baird.

   „ *gibbera* Schödl
   „ *crassicornis* Lillj.
   „ *Lilljeborgi* Sars.
   „ *bohemica* Hell.
   „ *brevirostris* P. E. Müll.
   „ *recticornis* Nordg
   „ *Dollfusi* Mon.
   „ *Berolinensis* Imh.

Daphnia affinis Sars.
   „ *longiremis* „
   „ *galeata* „
   „ *cristata* „
   „ *cucullata* „
   „ *vitrea* Kurz
   „ *apicata* „
   „ *Kahlbergensis* Schödl
   „ *Cederströmii* Schödl.
   „ *magna* Strauss.
Ceriodaphnia megops Sars.
   „ *reticulata* „

Bosmina laevis Leyd.
   „ *longirostris* Leyd.

Bosmina coreg. humilis Lilljeb.
   „ „ *intermedia* Poppe.
   „ *gibb. Thersites* „
   „ *lacustris* Sars.
   „ *Lillj. bavarica* Imh.
   „ *longicornis* Schödl.
   „ *diaphana* P. E. Müll.
   „ *Kessleri* Nordg.
   „ *styriaca* Imh.
   „ *minima* „

12 *

3. Familie *Lynceidae*.

Diese Familie enthält beinah ausschließlich Ufer- und Grundbewohner. Es gibt aber darunter einige ziemlich tüchtige Schwimmer,
die zuweilen im pelagischen Gebiet mit den gewöhnlichen pelagischen
Cladoceren gefischt werden, z. B:

Acroperus leucocephalus Koch.　*Pleuroxus truncatus* O. F. Müll.
Alonopsis elongata Sars.　　　　　　　„　*trigonellus*　„　„　„
Alona quadrangularis O. F. Müll.

4. Familie *Polyphemidae*.

Polyphemineae: *Bythotrephes longimanus* Leyd.
Leptodorinae: *Leptodora Kindtii* Fock.

Diese Uebersicht ergibt folgende Arten- und Varietätenzahl für
die Cladoceren des pelagischen Gebietes:

　　1. Fam. *Sididae* . . .　5 Species
　　2.　„　*Daphnidae* . . 47　„　6 Varietäten
　　3.　„　*Lynceidae* . . 5　„
　　4.　„　*Polyhemidae* . 2　„
　　　　　　　　　　　　　　59 Species　6 Varietäten

Von diesen Cladoceren sind folgende noch einer besonderen Besprechung zu unterziehen: *Sida crystallina*, *Daphnia longispina*, das
Genus *Ceriodaphia*, *Scapholebris mucronata*, *Bosmina cornuta*.

Sida crystallina O. F. Müll. ist vorzugsweise eine litterola Form,
die reich mit Pflanzen bewachsene Ufer liebt. Dass sie aber auch
wirklich in der pelagischen Fauna auftritt, beweist das Vorkommen
im Langensee, mitten im See zwischen Stresa, Cerro und Punta di
Castagnola, wo der See eine Tiefe von 297,5 Meter misst, in einer
Tiefe von 30—40 Meter unter der Oberfläche; besonders in 40 Meter
Tiefe enthielt das mit dem verschließbaren horizontal bewegten Netz
gesammelte pelagische Material gegenüber den anderen Entomostraken
die größte Individuenzahl[1]).

Daphnia longispina Leyd. ist als Bewohner namentlich der
Torfstiche bekannt, doch kommt sie auch in größeren Wasserbecken
wie z. B. in mehreren Seen in Frankreich (nach Richard) vor, auch
findet man sie in kleinen, wenig tiefen hochalpinen Seen in der Mitte
derselben, zwar meist wenig über dem Grunde, ziemlich häufig und
meist in großen Schwärmen.

Das Genus *Ceriodaphnia* hat in der pelagischen Fauna bisher
noch nicht die Berücksichtigung gefunden, wie sie ihm zukommt: es
dürfte den Arten dieser Gattung als Aufenthalter und Bewohner des
pelagischen Gebietes noch besondere Aufmerksamkeit geschenkt werden.

---

1) Zoolog. Anzeiger, Nr. 280.

Scapholeberis mucronata ist ähnlich wie *Sida crystallina* mehr Sumpf- und Litoral-Bewohner, wurde aber schon mehrmals im pelagischen Gebiet gefischt. Dasselbe gilt für *Simocephalus vetulus*.

Die Gattung *Bosmina* hat, wie kürzlich durch eine chronologische Zusammenstellung ihrer Arten gezeigt wurde, einen auffallenden Reichtum an Species. Der kleinere Teil lebt in ähnlichen Verhältnissen wie *Sida crystallina* und *Scapholeberis mucronata*. Etwa $^2/_3$ der Arten bewohnen das pelagische Gebiet der Seen. Eine ·in Bearbeitung stehende Monographie der Bosminiden wird darüber genaueren Aufschluss geben.

Was den Reichtum an pelagischen Arten der in obigem Cladoceren-Verzeichnis enthaltenen Genera betrifft, so ist die Gattung *Bosmina* bisher in auffallendster Weise vertreten. Da die Bosminiden keine Dauereier bilden und beim Verlassen des Wassers rasch absterben, beansprucht deren geographische Verbreitung ein hervorragendes Interesse.

2. Ordn. *Ostracoda*. Wenige Formen dieser Sumpf-, Ufer- und Grundbewohner sind auch ganz ordentliche Schwimmer und begeben sich zuweilen in das Gebiet der pelagischen Fauna z. B.

Cypris ovum J u r.	*Cypris fuscata* J u r.

3. Ordn. *Copepoda*. Die ersten Verzeichnisse der pelagischen Süßwasser-Fauna enthielten schon einige wenige Copepoden, ihre Zahl wurde in neuerer Zeit ansehnlich vergrößert. Die zwei artenreichsten Genera sind *Cyclops* und *Diaptomus*.

Ganz besonders die Gattung *Diaptomus* hat sich in den letzten Jahren einer sehr fruchtbaren mehrseitigen Bearbeitung zu erfreuen gehabt, wie kaum irgend eines der süßwasserbewohnenden Genera.

Die das pelagische Gebiet bewohnenden Copepoden sind:
Unter-Ordn. *Eucopepoda. Gnathostomata*:

1. Familie *Cyclopidae*.

Cyclops signatus K o c h.	*Cyclops tenuicornis* C l s.
„ *strenuus* F i s c h.	„ *gigas* „
„ *serrulatus* „	„ *brevicornis* „
„ *simplex* P o g g.	„ *minutus* „
„ *fennicus* N o r d g.	„ *longisetosus* N o r d g v.

2. Familie *Calanidae*.

Diaptomus castor J u r.	*Diaptomus serricornis* L i l l j.
„ *gracilis* S a r s.	„ *tatricus* W i e r z.
„ *affinis* U l j.	„ *Richardi* S c h m l.
„ *denticornis* W i e r z.	„ *laciniatus* L i l l j.
„ *pectinicornis* „	„ *alpinus* I m b.
„ *bacillifer* K ö l b.	„ *Guernei* „
„ *graciloides* L i l l j.	„ *gracilis - Guernei* I m b.
„ *coeruleus* F i s c h.	

Heterocope appendiculata S a r s.   *Heterocope saliens* L i l l j.
  „   *Weismanni* I m b.
                    Limnocalanus macrurus S a r s.
                    Temorella Clausi H o e k.
                    Eurytemora lacustris P o p p e.
                          „   *lacinulata* F i s c h.

U n t e r - O r d n. *Branchiura.*

3. F a m i l i e *A r g u l i d a e. Argulus foliaceus* L.

Das vorliegende Verzeichnis wird voraussichtlich, namentlich in
Bezug auf die Cyclopiden bald Modifikationen erfahren. Die Zahlen
für die Species der Copepoden des pelagischen Gebietes stellen sich
bis jetzt auf:

      1. Fam. *Cyclopidae* . . . . . . 10 Species
      2. „ *Calanidae* . . . . . . 22 „
      3. „ *Argulidae* . . . . . . 1 „

        Im Ganzen: 33 Species

Die am allgemeinsten verbreiteten Copepoden des pelagischen
Gebietes sind nach den gegenwärtigen Kenntnissen: *Cyclops simplex*
und *Diaptomus gracilis. Diapt. castor.* J u r i n e trifft man gewöhnlich
nur in kleineren Wasseransammlungen. Einige Arten der Diaptomiden
bewohnen vorwiegend hochalpine Seen. *D. alpinus* I m b. kennt man
bisher nur aus hochalpinen Seen. *D. denticornis* schien bis in die
neueste Zeit ebenfalls eine spezifische Hochgebirgsform zu sein, wurde
aber im letzten Jahre in zwei größeren Weihern im Jura in einer
Höhe von bloß 1000 und 970 Metern über Meer und nahe beim
Pfäffikersee in nur 541 m ü. M. angetroffen.

Von den Copepoden kommen einige, wie die meisten im pelagischen Gebiete lebenden niederen Tierformen, oft in unzählbaren
Mengen vor, so dass sie manchmal im Stande sind dem Wasser eine
besondere Färbung zu verleihen.

            (Schluss folgt.)

Zur Kenntnis der Schildkröten-Gastrula.

Von **Ludwig Will** in Rostock.

Gelegentlich eines mir durch Unterstützung von Seiten der könig-
lich preußischen Akademie der Wissenschaften ermöglichten Aufenthalts auf der balearischen Insel Menorca während des Sommers 1890
gelangte ich neben einem reichen Material von Gecko- und Eidechsen-
embryonen auch in den Besitz einiger junger Entwicklungsstadien
von *Cistudo lutaria*. Wenn die Zahl derselben auch nur eine geringe

war, so spielte mir doch ein glücklicher Zufall vorzugsweise solche Stadien in die Hände, die, bisher unbekannt, und im Stande waren, mir einen ganz neuen Einblick in die Gastrulation dieser Tiere zu verschaffen.

Während man über die Entwicklung der Eidechse durch mehrere ältere und neuere Untersuchungen, über die Keimblätterbildung des Geckos aber durch meine beiden vorläufigen Mitteilungen[1]) wenigstens im Allgemeinen richtig orientiert ist, liegen uns über die Keimblätterbildung der Schildkröten nur Bruchstücke vor, die die ersten Stadien der Gastrulation überhaupt nicht berühren, die späteren Vorgänge derselben aber in Folge der Lückenhaftigkeit des Materials trotz der im Einzelnen richtigen Beschreibung in einem Licht erscheinen lassen, das wesentlich von dem richtigen Gang der Entwicklung abweicht.

Aus den Arbeiten von Kupffer[2])[3]) und Benecke[3]) sowie den sehr exakten Beschreibungen von Mitsukuri und Ischikawa[4]) scheint hervorzugehen, dass die Keimblätterbildung und Gastrulation ebenso wie bei der Eidechse sich verhält, bei der auch nach der neuesten Mitteilung von Wenckebach[5]) der Urdarm nur eine im Verhältnis zum Gecko sehr geringe Ausdehnung erlangt, so dass hiernach die Schildkröten ebenso wie die Eidechse keine ursprünglichen Verhältnisse mehr aufweisen würden.

Gleich die erste Keimscheibe nun, welche ich an Ort und Stelle abpräparierte, ließ mich bei der Ansicht von unten ein Bild sehen, wie ich es in der zitierten Mitteilung in Fig. 7 vom Gecko abgebildet habe. Wenn die Oberflächenansicht nicht täuschte, musste es sich auch hier um einen im Durchbruch befindlichen Urdarm handeln, der aber nicht rudimentär wie bei der Eidechse sich verhält, sondern im Gegenteil sich unter den ganzen Embryonalschild erstreckte, wie beim Gecko. Mithin würde außer dem letzteren auch die Schildkröte dieselben ursprünglichen Verhältnisse aufweisen, welche so schön den Uebergang zwischen Amphibien und Amnioten vermitteln. Die Untersuchung an Schnitten bestätigte sodann die Beobachtung am ganzen Objekt.

Nach meiner Rückkehr fand ich sodann eine teilweise Bestätigung

---

1) L. Will, Bericht über Studien zur Entwicklungsgeschichte von *Platydactylus mauritanicus*. Sitzungsber. d. k. preuß. Akad. d. Wiss., Berlin 1889.
Derselbe, Zur Entwicklungsgeschichte des Geckos. Biol. Centralblatt, Bd. X, 1890.

2) C. Kupffer, Die Gastrulation an den meroblastischen Eiern der Wirbeltiere und die Bedeutung des Primitivstreifs. Archiv f. Anatomie u. Physiol., Anatom. Abteilung, 1882.

3) C. Kupffer u. B. Benecke, Die ersten Entwicklungsvorgänge am Ei der Reptilien. Königsberg 1878.

4) K. Mitsukuri u. C. Ischikawa, On the formation of the germinae layers in Chelonia. Quart. Journ. Micr. Sc., 1886.

5) K. F. Wenckebach, Der Gastrulationsprozess bei *Lacerta agilis*. Anat. Anz., 1891.

meiner Beobachtung und der daraus gezogenen Schlüsse in dem
schönen Werke von A g a s s i z und C l a r k[1]. Trotz der irrtümlichen
Auffassung C l a r k 's, der, wie bereits von K u p f f e r hervorgehoben
wurde, die Einstülpung für die beginnende Bildung des Kopfamnions
hielt und die betreffende Stelle des Schildes demnach als das Kopf-
ende statt als das Hinterende ansah, zeugen die Abbildungen der betreffenden Stadien von so richtiger Beobachtung, dass die Figuren
bei richtiger Orientierung direkt als Flächenbilder verwandt werden
können. Wenn C l a r k auch den Urdarm noch nicht auf der vollen
Höhe seiner Ausdehnung gesehen hat, da der Gastrulaeinstülpung
noch die definitive Breitenausdehnung fehlt, so bildet er doch von
Ozotheca und *Malacoclemmys* Stadien .ab, in denen der Urdarm in der
Längsrichtung bereits das Vorderende des Schildes erreicht.

Obwohl nun K u p f f e r bereits die von dem amerikanischen Forscher
zuerst konstatierte Thatsache einer stattfindenden Einstülpung bestätigt
und ʼin ihrer Eigenschaft als Gastrulaeinstülpung gewürdigt hat, so
haben doch weder er noch seine Nachfolger M i t s u k u r i und I s c h i -
k a w a den außerordentlichen Umfang dieser Urdarmeinstülpung ver-
mutet. Wenigstens findet sich über diesen Teil der C l a r k 'schen
Beobachtung in der Litteratur weder ein bestätigendes Wort, noch
in einem unserer entwicklungsgeschichtlichen Lehrbücher eine Copie
der außerordentlich instruktiven Figuren 8, 9, 10 der Taf. XI des
angezogenen Werkes. Es freut mich daher umsomehr in der Lage
zu sein, auch diesen Punkt der C l a r k 'schen Beobachtung der Vergessenheit entziehen zu können.

Bei der nachfolgenden Schilderung begnüge ich mich, die wesentlichsten Momente hervorzuheben, da eine eingehendere Darstellung
an anderer Stelle erfolgen wird, hier überdies eine größere Zahl von
Abbildungen notwendig machen würde.

Das jüngste mir vorliegende Entwicklungsstadium wurde möglicherweise bereits von dem amerikanischen Forscher gesehen, wenn
auch aus erklärlichen Gründen ungenügend beobachtet und abgebildet
und, wie alle späteren, vollständig unrichtig gedeutet.

Der Embryonalschild stellt ein gedrungenes Oval von 2,5 mm
Länge und 2,3 mm Breite dar. Bei der Ansicht von oben ist weiter
nichts zu sehen, als am hintern Rande des Schildes eine, bei durchfallendem Licht undurchsichtig erscheinende Stelle von größerer Weiße,
die eine Breite von etwa 1 mm, dagegen eine sehr geringe Längs-
ausdehnung besitzt und in der Mitte etwas nach hinten vorspringt.
Auf der Oberfläche dieser Bildung verläuft eine seichte quere Rinne,
die ungefähr parallel dem Hinterrande des Schildes verstreicht. Bei
der Ansicht von unten bemerkt man sodann an der abgelösten Keim-
haut, dass die Undurchsichtigkeit der den Schild an seinem Hinter-

---

1) L. A g a s s i z u. H. J. C l a r k, Contributions to the natural history of
the U. St. of America, Vol. II, Part. III, Boston 1857.

rande umfassenden Blastodermpartie auf einer ansehnlichen Anhäufung, sei es von Zellmaterial, sei es von Dotter beruht, welche nach unten vorspringt, dagegen sich in keiner Weise über die Oberfläche erhebt. Diese Verdickung hat die Gestalt einer nach vorne gebogenen Mondsichel und besteht aus einem mittleren besonders stark verdickten Teil, dem Sichelknopf, und zwei seitlichen, nicht ganz symmetrischen Flügeln, den Sichelhörnern, die sich von dem Knopf ziemlich deutlich absetzen um nach dem Ende zu sich allmählich zu verjüngen. Die Aehnlichkeit des Gebildes mit der gleichnamigen Bildung beim Vogelkeim, das Vorhandensein einer auf derselben verlaufenden Sichelrinne, sowie der Befund an Schnitten berechtigen uns, die ganze Erscheinung als Sichel zu bezeichnen.

Fig. 1.

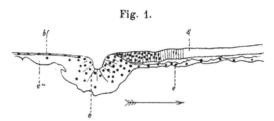

Fig. 1. Sagittaler Längsschnitt durch eine Schildkröten-Keimscheibe mit Sichel und Sichelrinne.

s = Ektoderm des Embryonalschildes; bl = ektodermale Plattenzellen der Area intermedia; e = Entoderm der Sichel mit Sichelrinne; e'' = Entodermzellen im Bereich des Schildes; e''' = Entoderm der Area intermedia.

Sagittalle Längsschnitte (Fig. 1) ergeben nun, dass der Schild aus einer einfachen Lage hoher Zylinderzellen besteht, die nach dem Rande desselben zu allmählich an Höhe abnehmen. Nach der Sichel zu verjüngt sich der Schild ziemlich rasch und setzt sich hier so scharf und deutlich von der ersteren ab, dass zwischen beiden keinerlei Uebergang besteht und hieraus unzweifelhaft hervorgeht, dass die Sichel und die sich aus ihr herleitende Primitivplatte anfänglich ganz außerhalb des Schildes liegen, eine Thatsache, die für die Auffassung der Sichel von großer Bedeutung ist und auch an dem neubeschafften Material für den Gecko bestätigt werden konnte. Hinter der Sichel besteht das Blastoderm aus niedrigen Plattenzellen, während an der Sichel selbst ein epithelialer Ueberzug vollkommen fehlt. Auf der Sichel kommt an allen Schnitten die Sichelrinne gut zum Ausdruck; sie ist im Knopfteil am tiefsten, um nach den Seiten hin allmählich zu verflachen.

Der histologische Bau der Sichel weicht nun ganz wesentlich von dem des oberflächlichen Blastoderms ab. Sie besteht aus einem sehr dotterreichen Zellmaterial mit nur spärlichen Kernen, die sich zumeist in den oberflächlichen Teilen finden. Zwischen den Kernen bemerkt

man radiär und senkrecht zur Rinne gestellte Zellgrenzen, von denen
sich aber wegen des starken Dottergehalts nicht angeben lässt, ob
sie bis unten durchgehen oder nicht. Nach hinten setzt sich die
Sichel in eine Zellenlage fort, die eine relativ große Mächtigkeit besitzt, nach dem Dotter zu sehr unregelmäßig begränzt ist, in Bezug
auf Dottergehalt der Sichel selbst gleicht, dagegen aber Kerne nur
in so spärlicher Zahl aufweist, dass auf einen einzelnen Schnitt deren
nur immer sehr wenige fallen. Nach vorne zu setzt sich die Sichel
ebenfalls in eine blattartige Lage fort, welche nur viel dünner ist,
als die eben besprochene, sonst aber einen ebenso unregelmäßigen
Bau aufweist. Die Kerne liegen hier ungefähr in derselben Entfernung
von einander, wie in der Sichel selbst und auch der Dottergehalt ist
ganz der gleiche.

Wie schon aus dem Vorhandensein der Sichelrinne hervorgeht,
befindet sich der Embryo auf dem Gastrulastadium. Das Ektoderm
wird gebildet von den Zylinderzellen des Schildes sowie den Plattenzellen der außerembryonalen Keimscheibenoberfläche, während das
gesamte untere Blatt (e''') samt der mit demselben zusammenhängenden
Sichel (e) und dem ungefurchten Dotter das Entoderm darstellt. Die
Sichel selbst stellt demnach einen Blastoporus dar, an der das Entoderm zu Tage tritt, genau wie das beim Gecko der Fall ist.

Fragen wir uns nun, wie die Sichel und das mit derselben zusammenhängende untere Blatt entstanden sind, so könnte man wohl
vermuten, dass sie einer Wucherung des Ektoderms den Ursprung
verdanken; dem ist aber nicht so. Zunächst spricht dagegen der
verschiedene histologische Charakter von Ektoderm und Sichel Die
Zellen der letzteren sind dermaßen mit Dotter vollgepfropft und
machen einen so embryonalen Eindruck, dass Wucherungserschei-
nungen in derselben unmöglich schon stattgefunden haben können.
Wäre sie aus einer Ektodermwucherung entstanden, so hätten die
Sichelzellen ihren Dotter sicher schon in gleicher Weise verbraucht,
wie das überall im Ektoderm der Fall ist und müsste ferner auch
die Zahl der Kerne eine annähernd gleiche sein, wie in den benachbarten Teilen des Ektoderms. Da ich nun an meinem neuen Gecko-
Material mit Sicherheit den Nachweis liefern konnte, dass die Sichel
resp. die Primitivplatte diejenige Stelle der Keimscheibe darstellt, an
der die Differenzierung des Ektoderms unterblieben ist, so halte ich
mich umsomehr berechtigt, diesen Ursprung auch für die Schildkröte
anzunehmen, als dadurch die Schnittbilder sofort ihre Erklärung
finden. Das gesamte Entoderm, die Sichel eingeschlossen,
entstammt daher nicht einem vom Ektoderm ausgehenden
Wucherungsprozess, sondern geht aus dem Zusammen-
schluss von Furchungselementen hervor, die bereits in
loco vorhanden waren.

Der vorliegende Befund veranlasst mich hervorzuheben, dass bisher eine echte Sichel noch bei keinem Reptil gefunden worden. Zwar beschreibt Kupffer[1]) unter dem gleichen Namen ein Gebilde, welches bisher mit Unrecht der Sichel des Vogelkeims verglichen wurde. Die Sichel Kupffer's ist mir sehr wohl bei verschiedenen Reptilien bekannt, sie tritt aber erst, wie auch aus den Abbildungen des Münchener Forschers hervorgeht, später bei viel weiter vorgeschrittener Invagination auf, zu einer Zeit, wo die echte Sichel längst ihre ursprüngliche Form eingebüßt hat. Die Sichel Kupffer's ist nichts anderes als die Ausbreitung des prostomialen Mesoderms im Bereich der Area intermedia; sie tritt demnach auch nicht mehr an die Oberfläche. sondern ist dorsal vom Ektoderm bedeckt, welches dann nur die Primitivplatte frei lässt. Immerhin lässt aber auch die Kupffer'sche Sichel einen Schluss auf das Vorhandensein der wahren Sichel insofern zu, als sie sich wahrscheinlich als die vom Ektoderm bereits überwachsenen Sichelhörner auffassen lässt.

Für den Gecko möchte ich bei dieser Gelegenheit noch nachtragen, dass es mir auch hier gelungen ist, eine Reihe von Embryonen aufzufinden, welche eine deutliche Sichel als Vorläuferin der Primitivplatte aufwiesen. Die Hörner der Sichel kommen sehr bald dadurch zum Schwunde, dass sie von den Seiten her vom Ektoderm überwachsen werden und so nur der Sichelknopf übrig bleibt, der dann jenes Gebilde darstellt, welches ich als Primitivplatte bezeichnete. Mit dem Schwunde der Sichel beschränkt sich die anfänglich auch beim Gecko vorhandene Sichelrinne auf ihren mittleren Abschnitt, der dann zur Urdarmeinstülpung sich weiter vertieft.

Fig. 2.

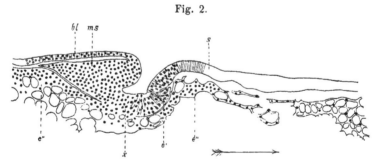

Fig. 2. Sagitalschnitt durch ein Stadium mit rundlicher Primitivplatte und dellenförmiger Urdarmeinstülpung.
e', x = Urdarmblatt; e" = Dotterblatt; ms = prostomiales Mesoderm. Die übrigen Bezeichnungen wie vorhin.

Genau dasselbe muss sich auch bei der Schildkröte abspielen, denn bereits auf dem nächsten Stadium tritt nur noch ihr mittlerer Abschnitt, der Sichelknopf, als Primitivplatte direkt an die Oberfläche,

1) l. c.

welche nach dem Dotter zu als Hügel vorspringt. Auf ihrer äußeren
Oberfläche bemerkt man eine dellenförmige Vertiefung, welche als der
mittlere erhalten gebliebene Rest der Sichelrinne aufzufassen ist und
die beginnende Urdarmeinstülpung darstellt. Sagittalschnitte (Fig. 2)
bestätigen den Befund bei Oberflächenbesichtigung ohne Weiteres.

Wie aus dem medianen Längsschnitt hervorgeht, steigt die Delle
ziemlich senkrecht nach unten, doch auffallenderweise mit einer Neigung
nach hinten, eine Erscheinung, der ich keinerlei Bedeutung zuschreiben
möchte, vielmehr für eine zufällige halte, die später bei dem ausgesprochenen Wachstum der Urdarmeinstülpung nach vorne sich aus-
gleicht, ohne eine Spur zu hinterlassen.

Viel wichtiger sind die sonstigen Veränderungen. Das Entoderm,
welches wir an dem vorhin betrachteten Embryo im Bereich eines
großen Teils der Keimscheibe wohl gesondert vom Dotter antrafen,
ist auf dem vorliegenden Stadium (e'') in dieser Beziehung im Rück-
stande. Nur auf einer ganz kurzen Strecke unmittelbar vor der Einstülpung (e'') treffen wir ein wohl gesondertes unteres Keimblatt von
sehr unregelmäßigem maschigen Bau an; weiter nach vorne geht es
unmittelbar über in die oberflächliche, hier gleichfalls maschige Dotter-
masse, in der sich nur spärliche Kerne eingelagert finden. Dasselbe
ist unter (bei x) und hinter der Primitivplatte (bei e'') der Fall, wo
die oberflächliche Dotterzone angefüllt ist mit zahlreichen Kernen,
welche das hier noch nicht vom Dotter gesonderte untere Blatt
repräsentieren.

Nach einer anderen Richtung hin macht sich aber auch schon
hinsichtlich des Entoderms ein Fortschritt in der Entwicklung bemerkbar. Während auf dem vorhergehenden Stadium das gesamte
Entoderm eine einheitliche Zellmasse darstellt, beginnt sich in der
vorliegenden Fig. 2 ein oberer Teil desselben durch einen Abspal-
tungsvorgang von dem unteren und dem Dotter zu sondern. Unmittelbar vor der Einstülpung hat sich dieser Prozess bereits vollzogen
und wir bezeichnen nunmehr den oberen abgespaltenen Abschnitt als
das primäre Entoderm oder Urdarmblatt (e'), die übrig gebliebene untere Schicht als das sekundäre Entoderm oder Dotterblatt. Da gleichzeitig das Urdarmblatt unmittelbar vor der Invagination zu wuchern beginnt, so kommt es infolge dessen zur Bildung
eines zunächst noch kurzen Kopffortsatzes (e'), der sich frei in
den Raum zwischen Schild (s) und Dotterblatt hinein erstreckt. Wie
wir sehen werden, setzt jedoch dieser Kopffortsatz sein Wachstum
nach vorne fort, und indem sich dann gleichzeitig das Lumen der
Einstülpung in denselben hinein erstreckt, kommt es zur Bildung eines
nach vorne gerichteten Urdarms.

Unter der Einstülpung selbst ist diese Sonderung von Dotterblatt
und Urdarmblatt noch nicht vollzogen und da hier ferner auch das
Entoderm als Ganzes sich noch nicht vom Dotter abgespalten hat,

so stehen also an der Primitivplatte noch alle Teile des Entoderms in kontinuierlichem Zusammenhang, ein Beweis, d a s s D o t t e r, sekundäres und primäres Entoderm ein einheitliches Entoderm darstellen, das erst durch Vorgänge sekundärer Natur sich in einzelne Abschnitte gliedert.

Hinter der Urdarmeinstülpung finden wir wiederum den Abspaltungsprozess vollzogen, so dass sich hier von dem sekundären Entoderm (e'') eine ansehnliche keilförmige Zellenmasse abgegliedert hat, die jedoch mit dem hinteren Rande der Einstülpung in kontinuierlichen Zusammenhang steht und, soweit sie frei zwischen oberes und unteres Keimblatt hineinragt, als Mesoderm (ms) und zwar als p r o s t o - m i a l e s M e s o d e r m zu bezeichnen ist.

D a s p r o s t o m i a l e M e s o d e r m e n t s t e h t d e m n a c h d u r c h A b s p a l t u n g v o m E n t o d e r m, wenngleich nicht zu verkennen ist, dass bei seiner Anlage gleichzeitig Wucherungsvorgänge, die von der Blastoporuslippe ausgehen, eine Rolle spielen.

Fig. 3.

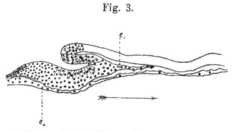

Fig. 3. Sagittalschnitt durch ein älteres Stadium mit nach vorne gerichteter Urdarmeinstülpung. Das Dotterblatt ist überall vom Urdarmblatt und Dotter isoliert.

Für den Verlauf der weiteren Entwicklung ist nun besonders ein bald früher, bald später hervortretendes Längenwachstum der Primitivplatte charakteristisch, welches hauptsächlich in der hinteren Blastoporuslippe seinen Sitz hat. Dieses Längenwachstum äußert sich zunächst darin, dass die gesamte Primitivplatte nach vorne gegen den Schild an Ausdehnung gewinnt, die Zellen desselben gleichsam vor sich herschiebend, so dass auf späteren Stadien der ursprünglich glatt gerundete Embryonalschild hinten tief herzförmig ausgeschnitten erscheint. Während man auf Querschnitten durch die vorhin beschriebenen Stadien rechts und links von der Primitivplatte die niedrigen Ektodermzellen der Area intermedia antreffen würde, trifft man auf Querschnitten durch ältere Stadien an gleicher Stelle die hohen Zylinderzellen des hintersten Abschnitts des Embronalschildes. Mit andern Worten, w ä h r e n d a n f a n g s S i c h e l u n d P r i m i t i v p l a t t e g a n z a u ß e r h a l b d e s S c h i l d e s l i e g e n, w a c h s e n s i e s p ä t e r i n d e n S c h i l d h i n e i n. Die gleiche Erscheinung lässt sich auch für den

Gecko und die Eidechse konstatieren. Dass es auch für die Vögel
das ursprüngliche Verhalten darstellt, beweist die Schilderung Haswell's[1]) von der Entwicklung des Emu. Da mir die Originalarbeit
nicht zur Hand ist gebe ich in der Fig. 4 nach meinen Excerpten
eine Copie seiner Fig. 1 in der die Andeutung des Kopffortsatzes
fortsatzes fortgelassen ist. Wie man aus der Abbildung ersieht, tritt
auch beim Emu die Primitivplatte zunächst als ein Annex des Schildes
auf, der erst allmählich, wie die weiteren Abbildungen Haswell's
zeigen, in den Schild einbezogen wird.

Fig. 4.

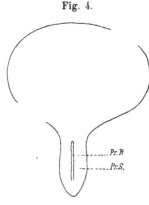

Fig. 4.   Junger Embryonalschild mit Pri-

mitivstreif und Primitivrinne   vom Emu

nach Haswell.

$Pr.R = $ Primitivrinne; $Pr.S = $ Primitivstreif.

An dem in Fig. 3 abgebildeten Längsschnitt durch einen Schild-
krötenembryo hat sich nun die Sonderung aller Entodermabschnitte,
allerdings, wie ich hervorheben muss, ausnahmsweise frühzeitig vollzogen, indem das Dotterblatt sowohl gegen das primäre Entoderm,
wie auch nach dem Dotter zu überall deutliche Grenzen aufweist.
Der Kopffortsatz ist bereits länger geworden und das Urdarmlumen
hat die Richtung nach vorne eingeschlagen, so dass es sich bereits
weiter nach vorne erstreckt.

Fragen wir uns nun auf Grund der vorgeführten Embryonen
nach der ersten Anlage des unteren Keimblatts, so geht zunächst aus
einem Vergleich der drei Figuren hervor, dass der Zeitpunkt, in dem
es als selbständiges Blatt auftritt, ein im hohen Grade schwankender
ist. Aus der Figur 2 aber geht hervor, dass es durch Abspaltung
aus der oberflächlichen kernhaltigen Dotterzone hervorgeht. Daraus
folgt dann ferner, dass vor dem Eintritt dieses Abspaltungsvorganges,
also auf einem Stadium, welches der Fig. 1 vorhergeht, der kernhaltige Dotter in der Region der Sichel an die Oberfläche getreten
sein muss. Die Konstituierung des Entoderms vollzieht sich demnach
etwas anders als beim Gecko, bei dem bereits vor dem Auftreten

1) W. A. Haswell, Observations on the early stages in the developement
of the Emu (*Dromaeus Novaehollandiae*) in: Proceed. Linnean Soc New South
Wales (II) Vol. II, 1887, p. 579—600.

der Keimblätter eine größere Zahl von Furchungszellen vorhanden sind, so dass nach der Differenzierung des oberen Keimblatts unterhalb desselben noch genügend Furchungszellen übrig bleiben, welche durch ihre Aneinanderlagerung ein zusammenhängendes unteres Blatt bilden können und überdies durch weitere Furchungszellen vermehrt werden, welche noch lange Zeit hindurch, jedoch einzeln und nicht als zusammenhängende Lage vom Dotter sich abschnüren. Der Unterschied in der Entodermbildung beider Tiere lässt sich auch kurz dahin formulieren, dass bei der Schildkröte das Entoderm sich als zusammenhängende Zellschicht vom Dotter abspaltet, während beim Gecko das zur Bildung des Entoderms bestimmte Zellmaterial einzeln vom Dotter abgeschnürt wird und erst sekundär sich zu einem zusammenhängenden Keimblatt aneinander lagert. Ein wesentlicher Unterschied liegt in diesem verschiedenen Verhalten jedoch keineswegs. Bei den Schwankungen, denen überhaupt die Bildung der Keimblätter sowohl bei der Schildkröte wie auch beim Gecko unterliegt, würde es mich sogar gar nicht wundern, wenn auch gelegentlich bei der Schildkröte der Modus zur Beobachtung käme, den ich für den Gecko als typisch hingestellt habe.

Ebenso verschieden kann auch der Zeitpunkt sein, in dem das prostomiale Mesoderm zur Abspaltung kommt. In den Figuren 2 u. 3 ist dieselbe sehr früh erfolgt, doch besitze ich mehrere ältere Embryonen und besonders einen mit bereits vollständig durchgebrochenen Urdarm und senkrecht verlaufendem Canalis neurentericus, indem dieselbe noch nicht vor sich gegangen ist und demnach prostomiales Mesoderm und sekundäres Entoderm noch eine durchaus einheitliche Masse bilden. Ich kann auf eine diesbezügliche Abbildung an dieser Stelle verzichten, weil dieses Verhalten wenigstens teilweise durch die Fig. 24 von Mitsukuri und Ischikawa illustriert wird, in der die Abspaltung des Mesoderms auf einem ebenso alten Stadium erst zu einem kleinen Teil erfolgt ist.

Bei weiterer Entwicklung nimmt nun der Kopffortsatz in Folge teils selbständiger, teils von der Primitivplatte ausgehender Wucherung an Länge zu und, indem gleichzeitig das Lumen sich immer weiter nach vorne ausdehnt, kommt es zur Bildung eines umfänglichen hohlen Urdarms, dessen verschiedene Entwicklungsphasen bereits bei Clark dargestellt sind. Ich selbst habe derartige Uebergangsbilder nicht gesehen, ihre Richtigkeit wird mir aber durch mehrere Embryonen verbürgt, welche den Urdarm auf der Höhe seiner Ausbildung zeigen, allerdings schon mit den Anfängen des Durchbruchs.

Aus diesen Stadien geht nun die wichtige Thatsache hervor, dass auch der Urdarm der Schildkröte noch in seiner ganzen Ausdehnung hohl ist und dass seine Ausdehnung absolut und relativ diejenige des Gecko noch übertrifft.

Während derselbe beim Gecko die vorderen und seitlichen Ränder
des Schildes nie vollständig erreicht, nimmt derselbe bei der Schildkröte stets die ganze Fläche des Schildes ein. Der Durchbruch des
Urdarms erfolgt auch hier ganz ebenso wie beim Gecko, so dass die
Fig. 7 meiner oben zitierten Mitteilung auch geeignet ist, die Verhältnisse bei der Schildkröte zu illustrieren. Es treten zunächst einige
wenige isolierte Durchbrechungen der untern Urdarmwand (nebst dem
unter derselben wegziehenden Dotterblatt) ein; indem sodann beständig
neue Lücken auftreten, die alten sich aber vergrößern gelangt man
zu Stadien, bei denen von der gesamten untern Urdarmwand nur
noch ein unregelmäßiges, bei den verschiedenen Embryonen verschieden
gestaltetes System von Netzbalken erhalten geblieben ist. Schließlich
kommen auch diese letzten Reste zum Schwunde, wodurch dann das
bisherige Urdarmlumen mit dem subembryonalen Raum zusammenfließt. Beide Räume sind nunmehr zusammen als Urdarm aufzufassen
und da gleichzeitig während des Durchbruchs an den vorderen und
seitlichen Rändern des ursprünglichen Urdarms eine Verschmelzung
des primären Entoderms mit dem Dotterblatt stattfindet, so stellen
nunmehr sämtliche Teile des Entoderms mit alleiniger Ausnahme des
Dotters wieder ein einheitliches unteres Keimblatt dar. Damit aber
wird ein Verhalten hergestellt, wie es bei den Anamniern von Anfang
an besteht.

Querschnitte durch solche Durchbruchsstadien gleichen im Wesentlichen denen des Gecko, weshalb meine Fig. 6 der erwähnten Mitteilung auch hier zur Illustration dienen kann.

Folge des Durchbruchs ist auch bei der Schildkröte die Bildung
eines Kanales, der anfangs von der Urmundspalte schräg nach vorne
und unten verläuft, später aber sich senkrecht stellt und als Canalis
neurentericus zu bezeichnen ist.

Rostock den 2. Februar 1892.

Einsendungen für das Biol. Centralblatt bittet man an die **Redaktion, Erlangen, physiol. Institut, Bestellungen** *sowie alle*
geschäftlichen, namentlich die auf **Versendung des Blattes,**
auf **Tauschverkehr** *oder auf* **Inserate** *bezüglichen Mitteilungen*
an die **Verlagshandlung von Eduard Besold, Leipzig,**
Salomonstr. 16, *zu richten.*

Verlag von Eduard Besold in Leipzig. — Druck der kgl. bayer. Hof- und
Univ.-Buchdruckerei von Fr. Junge (Firma: Junge & Sohn) in Erlangen.

Biologisches Centralblatt

unter Mitwirkung von

Dr. M. Reess und Dr. E. Selenka
Prof. der Botanik · Prof. der Zoologie

herausgegeben von

Dr. J. Rosenthal
Prof. der Physiologie in Erlangen.

24 Nummern von je 2 Bogen bilden einen Band. Preis des Bandes 16 Mark.
Zu beziehen durch alle Buchhandlungen und Postanstalten.

XII. Band.   30. April 1892.   **Nr. 7 u. 8.**

Fortschritte auf dem Gebiete der Pflanzenphysiologie.
Von Dr. **Robert Keller** in Winterthur.
(Schluss des 4. Stückes.)

Zimmermann's Arbeiten zur Kenntnis der Leukoplasten haben in erster Linie die Leukoplasten in der Blattepidermis der Tradescantien zum Gegenstande, die seiner Zeit von Schimper entdeckt wurden.

Sie liegen als Kügelchen körniger Oberfläche zumeist in unmittelbarer Umgebung des Zellkernes. Bei stärkerer Vergrößerung erkennt man in ihnen mehrere meist sehr kleine kugelige Gebilde, die Leukosomen. Die chemische Natur derselben hindert nicht, dass bei Verletzungen der Zellen die Leukoplasten zu homogenen Körpern zusammenfließen. Sie entspricht also wohl der übrigen Masse der Leukoplasten; sie bestehen somit aus einer Proteinsubstanz.

Den für den Fachmann wichtigen Teil der Abhandlung, welcher einlässlich die Methodik der Untersuchung, Tinktion, behandelt, müssen wir hier übergehen.

Bezüglich der Verbreitung der Leukoplasten konstatiert Verf. für *Tradescantia albiflora* folgendes. Sie finden sich in den Epidermiszellen der Blätter und Stengel mit deutlich sichtbaren Leukosomen und zwar sind sie auch in den jüngsten Blättern wahrzunehmen, wenn schon sie hier erheblich kleiner sind. Auch am Stengel waren sie im fortwachsenden Teile, im Scheitel, nachzuweisen. Beachtenswert ist, dass bereits in geringer Entfernung vom Vegetationspunkte die Chromatophoren Tinktionsmitteln gegenüber sich ungleich verhalten, also frühzeitig

XII.   13

sich differenzieren. Von den Epidermiszellen sind die Schließzellen des Spaltöffnungsapparates verschieden. Sie führen kleine, meist stärkereiche Chloroplasten. Die Nebenzellen dagegen enthalten wieder Leukoplasten mit Leukosomen.

Das mechanische Gewebe enthält ebenfalls Leukoplasten In den Zellen des unter der Epidermis liegenden Kollenchyms finden sie sich in unmittelbarer Umgebung des Kerns als kleine Körner, die, wie die Tinktion zeigt, auch die Leukosomenstruktur haben.

Im Assimilationsgewebe nehmen die Stelle der Leukoplasten die intensiv grüngefärbten Chloroplasten ein.

Das Leitbündelsystem ist in seinen parenchymatischen Zellen wieder reich an Leukoplasten. Gleich den Leukoplasten des Bastringes sind sie stets stärkefrei.

Die Verbreitung der Leukosomen scheint eine beschränkte zu sein. Nicht einmal bei allen Tradescantien-Arten konnte Verf. sie nachweisen. Dabei zeigt es sich, dass die Leukoplasten, denen die Leukosomeneinschlüsse fehlen, die Säurefuchsintinktion viel leichter wieder verlieren als die mit Leukosomen. Sie nähern sich in dieser Beziehung den Chloroplasten.

Ueber die Funktion der Leukosomen hat Verf. noch keinen klaren Einblick gewonnen. Dem Lichte gegenüber sind sie unempfindlich. Bei längerer Verdunklung lässt sich bei ihnen weder eine Veränderung der Größe noch der Gestalt wahrnehmen. Kulturen in stickstoffarmem und stickstoffreichem Boden zeigten völlig gleiche Ausbildung der Leukosomen. „Nach dem, was wir zur Zeit über das morphologische Verhalten der Leukosomen wissen, schreibt Verf., scheint es mir das wahrscheinlichste, dass dieselben mit den krystallinischen Proteineinschlüssen der Chromatophoren, über deren physiologische Bedeutung allerdings auch noch keine Klarheit besteht, in eine Kategorie gehören".

Mit seiner Untersuchung über die Chromatophoren in chlorotischen Blättern nimmt Zimmermann ein Thema auf, das der neuern Forschung eigentümlicher Weise so zu sagen vollständig sich entzogen hat. Als Untersuchungsmaterial dienten namentlich Maispflanzen, die in eisenfreier Nährlösung aufgezogen waren. Er findet, dass auch sie stets scharf begrenzte Chromatophoren haben, entgegen den ältern Angaben von Gries, wonach eine gelbliche körnige Masse und keine geformten Farbstoffträger die gesamte Zellmembran gleichmäßig auskleiden sollte.

Je nach dem Grade der Chlorose sind die Chromatophoren verschieden. Das durch Eisenzusatz bewirkte Ergrünen zieht nicht nur eine intensive Färbung der bleichen Chromatophoren nach sich, sondern auch eine merkliche Größenzunahme. Verf. konstatiert ferner, dass die Fähigkeit der Chromatophoren Kohlensäure zu Stärke zu assimilieren, nicht erst mit völliger Entfärbung ihnen verloren geht.

Deutlich gelbgefärbte Blattstücke von Mais bildeten weder bei starker Beleuchtung, noch wenn sie im dunkeln oder im hellen auf 10prozentiger Rohrzuckerlösung schwammen, nachweisbare Stärkemengen.

Eine weitere Untersuchungsreihe des Verf. hat die Chromatophoren in panachierten Blättern zum Gegenstande. Dieser Begriff wird auf die Blätter beschränkt, deren weiße oder weißliche Färbung auf einem anormalen Verhalten des Chromatophorensystems, dem Albinismus, beruht. Es sind also nicht nur jene in der gärtnerischen Litteratur als „albikate" Pflanzen bezeichnete Formen auszuschließen, in welchen z. B. durch Haare eine weißschimmernde Färbung der Oberhaut erzielt sein kann, sondern auch jene Fälle, in denen durch bestimmte äußere Faktoren, wie Lichtmangel, Eisenmangel etc. die abweichende Blattfärbung bewirkt wird. In diesen Fällen ist gewöhnlich nicht die je nach der Pflanzenart oder Varietät wechselnde Zeichnung am albikaten Blatte zu beobachten, vielmehr pflegt das Blatt in seiner ganzen Ausdehnung gleichmäßig gefärbt zu sein.

In viel höherem Maße als man bislang glaubte, kommen auch den albikaten Zellen der panachierten Blätter Chromatophoren zu. Eine gänzliche Zerstörung derselben ist gewöhnlich nur in rein weißen Blattzellen zu beobachten. Dagegen sind sie allerdings in den übrigen Zellen von den normalen Chromatophoren mehr oder weniger verschieden. Sie sind im allgemeinen kleiner und weniger intensiv gefärbt, selbst völlig farblos. In andern Fällen spielt die Färbung mehr ins gelbliche. In einem und demselben Blatte pflegt der Uebergang von den grünen zu den albikaten Chromatophoren zumeist ein plötzlicher zu sein. Tinktionsmitteln gegenüber verhalten sich die anormalen und normalen Chromatophoren gleich In den anormalen Chromatophoren kommen nicht selten Vakuolen vor, die ihnen das Ansehen von im Wasser verquollenen Chloroplasten geben.

Die Umwandlung von Zucker, der von außen zugeleitet wurde, in Stärke vermögen nicht nur die mehr oder weniger grün gefärbten Chromatophoren, sondern auch die farblosen und blasenförmigen zu bewirken. Ihre Grundmasse scheint durch die Zuckerzufuhr eine gewisse Stärkung zu erfahren. „Bei *Eranthemum versicolor* wurde sogar beobachtet, dass die vorher völlig farblosen Chromatophoren nach erfolgter Stärkebildung schwach grün wurden und zwar fand diese Ergrünung sowohl im dunkeln wie im hellen statt". Diese Wahrnehmung legte den Gedanken nahe, dass vielleicht dieser Albinismus nur auf einer ungenügenden Zufuhr von Kohlehydraten zu den albikaten Chromatophoren während ihrer Ausbildung beruht. Ein sicherer experimenteller Beweis für diese Ansicht fehlt zur Zeit allerdings noch.

Wir schließen diesen Mitteilungen über die Chromatophoren einige Bemerkungen über die Granula an. So nennt Verf. einen Inhaltskörper des Assimilationsgewebes, der zuerst bei der Untersuchung

13 *

der Leukoplasten von *Tradescantia discolor* beobachtet wurde. Es sind kugelige Gebilde, bei *Polypodium* Stäbchen, viel kleiner als die Chloroplasten, oft fast an der Grenze des Wahrnehmungsvermögens. In solchen Fällen pflegen sie in großer Zahl vorzukommen. Häufig sind sie gleichmäßig über den Wandbeleg verteilt, bisweilen ziehen sie die Nähe der Chromatophoren vor oder umlagern den Zellkern. Ihr chemisches Verhalten weist darauf hin, dass sie aus Proteinstoffen bestehen. Von den Leukoplasten und speziell den Leukosomen unterscheiden sie sich durch ein abweichendes Verhalten zu Fixierungsmitteln.

Den Granula scheint eine sehr allgemeine Verbreitung zuzukommen. Bei 31 Familien der untersuchten Phanerogamen, 43 Gattungen und 46 Arten wurden sie nachgewiesen, bei 5 Familien, 9 Gattungen und 9 Arten war der Nachweis zweifelhaft oder völlig negativ. Bei Moosen und Algen konnten sie nicht nachgewiesen werden. Dieses fast allgemeine Vorkommen macht es wahrscheinlich, dass sie im Chemismus der Pflanzen eine wichtige Rolle spielen. Vorläufige Orientierungsversuche scheinen auf eine gewisse Beziehung zwischen Größe der Granula und Stickstoffnahrung hinzuweisen.

Einen Beitrag zur physiologischen Anatomie der Laubmoose bildet Dalmer's Abhandlung über stärkereiche Chorophyllkörper im Wassergewebe der Laubmoose, deren kurze Besprechung wir hier einschalten wollen.

Das Wassergewebe, ein Schutzmittel gegen die Nachteile zu großen Wasserverlustes, ist ein dünnwandiges Parenchym, welches durch blasebalgartige Bewegungen sehr leicht Wasser aufnimmt und abgibt. Während die Laubblätter der Phanerogamen diese Gewebeform in großer Verbreitung zeigen, kommt den Laubblättern der Laubmoose die Fähigkeit zu ohne Schaden lange Trockenheit zu ertragen. Begrenzter ist diese Fähigkeit beim *Sporogonium*, womit wohl das Vorkommen eines Wassergewebes in der Mooskapsel im Zusammenhang steht.

Nach Haberlandt ist ein inneres und äußeres Wassergewebe zu unterscheiden. Die das *Sporogonium* in seiner Mitte durchziehende Columella wird als inneres bezeichnet. Dass wohl seine vorzüglichste Leistung nach einer andern Richtung liegt, lehren Dalmer's Untersuchungen. Die Zellen der Columella sind reich an relativ großen Chlorophyllkörnern. Diese enthalten stäbchenförmige Stärkekörner, die einander sehr dicht anliegen. Während der Sporenbildung werden diese verbraucht und zwar beginnt dieser Vorgang in der Mitte der Columella. Diese erscheint somit als ein Stärkespeicherorgan, das physiologisch von theoretischer Bedeutung werden kann. Die Größe der in den Chlorophyllkörnern eingebetteten Stärkekörner lässt vermuten, dass sie bei der wieder in Fluss gekommenen Frage der Stärkebildung eine Rolle zu spielen berufen sind.

In der oben zitierten Abhandlung über die Aleuronkörner
stellt sich Belzung die Aufgabe ihre Entstehung klar zu legen und
zugleich die Wechselbeziehung zwischen diesen und den Chlorophyllkörnern aufzuschließen.

Es sind drei Punkte, die er einer Untersuchung unterwirft, nämlich: 1) Die Struktur des Protoplasmas vor dem Erscheinen der Aleuronkörner. 2) Die Art ihres Auftretens. 3) Die Art und Weise ihres
Wachstums und ihrer Differenzierung. Als Untersuchungsobjekte
dienten Papilionaceen.

In sehr jungen Teilen besitzt das Protoplasma der embryonalen
Zellen eine netzförmig-körnige Struktur. Bestimmte Vakuolen des
Protoplasmanetzes werden bald zum Sitze einfacher Stärkekörner, die
häufig die Erzeuger von Chlorophyllkörnern werden. Bei *Lupinus
mutabilis* z. B. beobachtete Verf. diese Umwandlung. Die kleinen
Stärkekörner, welche in bestimmten Vakuolen entstanden sind, „se
résorbent lentement, tandisqu'apparait une zone verte de structure
réticulée qui n'est autre que le commencement du corps chlorophyllien“.
Bald ist diese Resorption der Stärkekörner in zahlreichen Vakuolen
eine vollständige und es finden sich dann in ihnen ebenso viele
Chlorophyllkörner, bald schließt aber das Chlorophyllkorn, das eine
netzförmige Struktur besitzt, einen Rest des Stärkekornes ein, aus
welchem es entstand.

Bezüglich der Art des Erscheinens der Aleuronkörner und des
Ortes spricht sich Verf. dahin aus, dass sie an der Peripherie der
Zellen gegen die Membran entstehen. Da bilden sie sich gleich den
Stärkkörnern und Oeltröpfchen in den Interstitien des netzförmigen
Plasmas, weshalb Verfasser glaubt, dass das Protoplasma bei ihrer
Bildung keine bedeutende Rolle spiele. Vor ihrer Entstehung be-
finden sich die hauptsächlichsten Albuminoide, welche sie bilden
müssen, zum Teil gelöst in Alkaliphosphaten, welche der Zellsaft in
ziemlich bedeutender Menge enthält, zum Teil verbunden mit den
Alkalien. Aus seinen Verbindungen wird das Legumin durch verdünnte Säuren als ein weißliches Pulver niedergeschlagen. Nun entstehen aber thatsächlich in den Samen der Leguminosen organische
Säuren, bei *Lupinus* Zitronensäure. Auf ihre Bildung ist demnach
unmittelbar das Erscheinen der Aleuronkörner zurückzuführen. Ihr
schnelles Wachstum steht mit der steten Zunahme der Konzentration
des Zellsaftes in Verbindung. So ist also nach Verf. die Entstehung
der Aleuronkörper rein als eine Folge chemisch-physikalischer Vorgänge
aufzufassen, an denen das Protoplasma keinen direkten Anteil hat.

In dem rasch wachsenden Aleuronkorn, das ursprünglich vollkommen homogen ist, erscheinen wahrscheinlich in Folge von osmo-
tischen Vorgängen Flüssigkeitstropfen. Schließen die Körner eine
größere Zahl von solchen ein, dann zeigen sie eine netzförmige Struktur
(*Faba vulgaris*). In andern Fällen vereinigen sich die verschiedenen

Vakuolen zu einer großen Zentralvakuole (*Lupinus elegans*). Mannigfache Uebergänge verbinden beide Erscheinungsformen. Immerhin herrscht erstere bedeutend vor.

Zu dieser Zeit hat das Protoplasma seine deutliche Netzstruktur verloren. Einschlüsse wie Globoide, Krystalloide, sind auch bei stärksten Vergrößerungen nicht in diesen entwickelten Aleuronkörnern zu sehen. Sind die Samen völlig reif und trocken, dann findet sich in den Aleuronkörnern in verdichtetem Zustande ein in Wasser lösliches Albuminoid, welches durch Wärme und verdünnte Säuren niedergeschlagen wird, vielleicht auch Galactan, freie organische Säuren etc. und oftmals füllen diese Stoffe die Zellen mehr oder weniger vollständig an. Das ursprüngliche Aussehen erhalten die Körner wieder, wenn sie längere Zeit der Einwirkung des Wassers ausgesetzt werden.

Das Studium der Proteinkrystalloide, welches Zimmermann diese Inhaltskörper der Zelle in viel größerer Verbreitung finden ließ, als man gewohnt war anzunehmen, richtet sich in erster Linie darauf eine Tinktionsmethode ausfindig zu machen, welche die Unterscheidung derselben von formell ähnlichen Gebilden, so namentlich den Kernkörperchen, mit Sicherheit auch dann gestattete, wenn sie besonders klein waren. Als treffliches Färbemittel der Proteinkrystalloide erwies sich Säurefuchsin.

Gleich den Granula färben sie sich intensiv rot. Eine nahe stoffliche Verwandtschaft mag dies bewirken. Die chemische Identität aber ist auszuschließen, da sie beide andern Reagentien gegenüber sich ungleich verhalten.

In seiner ersten die Proteinkrystalloide betreffenden Abhandlung teilt Verf. seine Beobachtungen über ihr Vorkommen bei den Farnen mit. Sowohl im Zellkern als auch außerhalb desselben sind sie sehr verbreitet. Während sie in einzelnen Fällen auf die Epidermis, in andern auf das Mesophyll, speziell auf das Schwammparenchym, beschränkt erscheinen, sind sie wieder in andern in allen Zellformen des Blattes nachweisbar. Aber auch im Schleier der Sporangienhäufchen, im Stiel und der Wandung reifer Sporangien finden sie sich. Auch dem Blattstiel und dem Rhizom fehlen sie nicht. In den Prothallien, die Verf. untersuchte, waren sie nicht nachweisbar.

Zumeist liegen sie innerhalb des Zellkernes, selten ausschließlich außerhalb desselben, in ebenfalls seltenen Fällen innerhalb und außerhalb der Kerne, doch so dass sie in den einen Gewebeformen ausschließlich innerhalb des Kernes zu sehen sind, in andern nur außerhalb desselben.

Bezüglich der Größe zeigen sich sowohl bei den Farnen als Phanerogamen mannigfache Verschiedenheiten.

Die Entwicklungsgeschichte der Zellkernkrystalloide spielt sich wahrscheinlich so ab, dass im Kern zunächst kleine Körnchen oder Eiweißvakuolen auftreten, denen die stoffliche Zusammensetzung der

Krystalloide zukommt. Sie fließen alsdann zu größern Kugeln zusammen, „aus denen durch eine Art von Krystallisationsprozess die von mehr oder weniger ebenen Flächen begrenzten Krystalloide hervorgehen".

Bei den Phanerogamen ist das Vorkommen der Krystalloide ebenfalls viel allgemeiner als man bisher annahm. Verfasser konnte bei 47 Arten, die 10 verschiedenen Familien angebören, das Vorkommen von Proteinkrystalloiden nachweisen, ein Umstand, der dadurch an Bedeutung gewinnt, dass diese Verbreitung es nicht unwahrscheinlich macht, „dass die Krystalloide irgend eine wichtige Funktion besitzen müssen; denn, dass gerade die für das gesamte Leben der Pflanzen so wichtigen Proteinstoffe bei so zahlreichen Pflanzen in so großen Mengen einfach aus dem Stoffwechsel ausgeschieden werden sollten, ist doch a priori sehr unwahrscheinlich". Eine Beziehung zwischen dem Vorkommen der Krystalloide und der Lebensweise oder dem Standorte besteht nicht. In Kräutern, Sträuchern und Bäumen werden sie nachgewiesen, bei Land-, Sumpf- und Wasserpflanzen, bei freilebenden Pflanzen, Parasiten und Saprophyten finden sie sich. Dass ihr Vorkommen auch nicht für die verwandtschaftlichen Beziehungen verschiedener Arten Anhaltspunkte liefert, mag der Umstand beweisen, dass bei einzelnen Arten einer Familie, die im allgemeinen reich an Proteinkrystalloiden zu sein pflegt, dieselben fehlen können; dass ferner nahe verwandte Familien sich sehr ungleich verhalten. Während z. B. bei den Skrophularineen das Vorkommen der Proteinkrystalle im allgemeinen ein häufiges ist, scheinen sie den Labiaten zu fehlen.

Der Annahme W a c k e r 's, dass die Krystalloidbildung im Kern, „eine eigentümliche Desorganisation des Zellkernes anzeige und physiologisch von geringer Wichtigkeit sein soll", steht, wie Z i m m e r m a n n betont, schon das häufige Vorkommen von Krystalloiden in jugendlichen Zellen entgegen.

Aus der Beobachtung, dass ältere Blätter ärmer an Proteinkrystalloiden zu sein pflegen als jüngere völlig ausgewachsene, dass dort die Proteinkrystalloide fast nur in der Umgebung der Sori (bei Farnen) anzutreffen sind, während hier die Kerne des gesamten Mesophylls zum Teil recht große Krystalloide besitzen, geht jedenfalls hervor, dass sie wieder in den Stoffwechsel aufgenommen werden können. Uebrigens scheint allerdings die Größe der Proteinkrystalloide wenigstens innerhalb gewisser Grenzen je nach der Pflanzenart verschieden zu sein. So sind z. B. die Krystalloide von *Alectorolophus major* durch besondere Größe ausgezeichnet, während innerhalb des Blattes von *Digitalis grandiflora* besonders kleine Krystalloide beobachtet werden.

Hinsichtlich der Verteilung der Proteinkrystalle im Pflanzenkörper zeigen sich auch bei den Phanerogamen ähnliche Verschiedenheiten wie bei den Farnen. Häufig ist die Fruchtknotenwandung durch besondern Reichtum ausgezeichnet.

Eigentümlich ist das Verhalten der Krystalloide bei der indirekten Kernteilung. Sie werden, wie verschiedene Beobachtungen zeigten, ausgestoßen und gelangen in das Cytoplasma. Bald verschwinden sie hier. Als Krystalloide der Chromatophoren bezeichnet Verf. die von Eberdt als Stärkegrundsubstanz bezeichneten Gebilde von *Phajus*. Bei Berberideen und Orchideen enthalten die Chromatophoren nicht zu selten Proteinkrystalloide.

Die Zusammensetzung der pelagischen Fauna der Süßwasserbecken.

Nach dem gegenwärtigen Stande der Untersuchungen.

Von Dr. Othm. Em. Imhof.

(Schluss.)

Das Genus Heterocope verdient noch besonders hervorgehoben zu werden. *Het. appendiculata* ist bisher nur im Norden Europas nachgewiesen. Für *Het. saliens* kennt man bis jetzt in Deutschland nur 2 Fundorte, den Chiemsee in Ober-Bayern und den Titisee im Schwarzwald. Höher gelegene Seen, die Heterocope-Arten beherbergen, sind die zwei Schwendiseen 1148 m ü. M. bei Wildhaus im Canton St. Gallen[1]) und im Ober-Eugadin in Höhen von 1810, 1860 und 2680 m ü. M.

Arachnoidea.

Ordn. *Ascarina Hydrachnidae.*

Die Wassermilben, eine Familie zierlicher, formenreicher, bunter Arthropoden, leben vorwiegend in Sümpfen und Mooren. Sie finden sich ziemlich zahlreich auch in der Fauna der größeren Wasserbecken, der Seen, besonders in vegetationsreichen littoralen Gebieten, aber auch auf dem Grunde der Seen in ansehnlichen Tiefen, wo die Flora nur noch aus Mikrophyten besteht. Hier wurden mehrere Arten entdeckt, von wo sie zuweilen nach den interessanten Angaben von Forel zu hunderten und tausenden mit den großen Fischernetzen an die Oberfläche gezogen werden. Die Hydrachniden gelangen weniger passiv als vielmehr aktiv in das Gebiet der pelagischen Tierwelt. Die folgenden Arten wurden mit pelagischen Netzen gefunden:

Axena versicolor O. F. Müll.   *Atax crassipes* O. F. Müll.

Nesaea rotunda Kram.   „ *spinipes* „ „ „

„ *reticulata* „

----

1) Asper und Heuscher, Zur Naturgeschichte der Alpenseen. Berichte der St. Gallischen naturw. Ges, 1887/88, S. 257.

Insecta.

An vollkommenen Insekten sind bisher keine als pelagische Arten zu bezeichnen. Zwar kommen etwa Coleopteren, Schwimmkäfer und Wasserkäfer, Hemipteren, Notonectiden, in weniger tiefen Seen auf ganz kurze Zeit in das pelagische Gebiet. In ähnlicher Weise, d. h. vorübergehend gelangen *Chironomus*-Larven, wenn sie im Nymphenzustand an die Oberfläche steigen, um sich dann zum luftlebenden *Imago* zu entwickeln, in das pelagische Gebiet. Nur eine Dipteren-Larvenform wird ziemlich häufig im pelagischen Gebiet gefischt, wo sie sich längere Zeit aufhält und auch Nahrung zu sich nimmt, nämlich die Larve von *Corethra plumicornis* F a h r.

IV. Mollusca.

Pelagische Mollusken des süßen Wassers der europäischen Binnenfauna weist diese Tierwelt bisher keine auf. Ein einziges hier zu erwähnendes Vorkommen hat B l o c h m a n n [1]) ist neuester Zeit bekannt gegeben, nämlich das Vorhandensein zahlreicher Schwärme von Larven der *Dreissena polymorpha* P a l l a s in norddeutschen Seen: Tegelsee, in zahlreichen Seen Mecklenburgs, im ober Warnow bei Rostock.

V. Vertebrata.

Zum Schlusse sind noch die im pelagischen Gebiet der Seen vorkommenden Wirbeltiere anzureihen.

Pisces.

Die Zahl der vorwiegend oder ausschließlich im pelagischen Gebiete sich aufhaltenden Fische ist keine große, die wichtigsten sind:

Coregonus fera.	*Perca fluviatilis.*
„ *palea.*	*Alosa finta.*
	Thymallus vulgaris.

Die letzteren 3 Species sind sowohl littoral als pelagisch lebende Arten. Es sind diese 5 Formen die für die Schweizerseen zu nennenden Species, für die anderen Seegebiete Europas werden wohl noch weitere Arten aufzuführen sein.

Amphibia.

In kleineren Seen, besonders von geringerer Tiefe gelangen etwa Frösche und Tritonen in das pelagische Gebiet.

Reptilia.

Hier wird wohl bloß *Tropidonotus natrix* G e s s. zu nennen sein.

Aves.

Aus der Klasse der Vögel reihen sich die Genera: *Mergus, Fuligula, Anas, Podiceps, Colymbus, Sterna* und *Larus* an.

---

1) Biol. Centralblatt, Bd. XI, Nr. 15 u. 16.

Die folgende Tabelle gibt die Uebersicht der Arten- und Varietäten-Zahl der **Wirbellosen** des pelagischen Gebietes der Seen.

I. *Protozoa.*	*Sarkodina.*	*Heliozoa* . . .	5	Species			
	Mastigophora.	*Flagellata* .	12	„	1	Varietät.	
		Dinoflagellata	15	„	4	„	
	Infusoria.	*Ciliata. Peritricha*	2	„			
		Tintinnodea .	3	„			
		Suctoria	3	„			
II. *Vermes.*	*Rotatoria*		29	„	1	„	
III. *Arthropoda.*	*Crustacea.*	*Cladocera* . .	59	„	6	„	
		Ostracoda . .	2	„			
		Copepoda . .	33	„			
	Arachnoidea.	*Hydrachnida* .	5	„			

168 Spec. 12 Varietäten.

Die Kenntnisse über dieses Gebiet der Süßwasserfauna sind danach in außerordentlichem Maße gefördert worden.

Es erübrigt nun noch die Seengebiete des Festlandes von Europa zusammenzustellen, in denen spezielle Studien über diese Fauna vorgenommen worden sind und einen Blick in derartige Untersuchungen in außereuropäischen Ländern zu thun.

Eine oro-hydrographische Karte von Europa zeigt bei der ersten Betrachtung der Verteilung der Seen einige ganz auffallend reiche Seengebiete. Den größten Reichtum an Seen ansehnlicher Dimensionen besitzt der Norden Europas: Russland, Finland, der westliche Teil des kleinrussischen, der nördliche Teil des großrussischen, das westrussische, das uralische Gouvernement am Ostfuß des Ural, Livland und Kurland; Schweden; Norwegen; das nördliche Deutschland von Königsberg bis Holstein; Schottland, Irland; die Gebiete am nördlichen und südlichen Fuße der europäischen Alpenkette von Savoyen bis Steiermark, Kärnthen und Krain; das Tatragebirge auf der Grenze zwischen Galizien und Böhmen; im türkischen Reich die Provinzen von Saloniki, Bitolia und Joannina.

Aus folgenden Gebieten liegen faunistische Berichte über einzelne oder mehrere Tiergruppen vor: Frankreich, Umgebung von Paris, Lille, Auvergne, Savoyen, Ober- und Mittel-Italien; Schweiz, aus Seen des Jura, der Ebene und der Alpen; Oesterreich-Ungarn, Tirol, Salzkammergut, Ober-Oesterreich, Steiermark, Kärnthen, Krain, Böhmen, Galizien; Russland, nördlicher Teil des Gouvernement Kiew, Livland, Finland, Armenien; Schweden; Norwegen; Dänemark; Island; Deutschland, Ost- und West-Preußen, Schlesien, Sachsen, Pommern, Schleswig, Holstein, Oldenburg, Hannover, Rheinland, Lothringen, Elsass, Baden, Ober-Bayern.

Was die Erforschung der pelagischen Fauna außereuropäischer Seen und Seengebiete betrifft, so sind wenige Arbeiten früheren Da-

tums vorhanden, dagegen liegen neuere Berichte über Süßwasserbewohner aus verschiedenen Erdteilen vor. Vorwiegend erfreuen sich
die Entomostraken besonderer Berücksichtigung. Diese Gruppe ist
in Nordamerika speziell von Herrick eingehend bearbeitet worden.
In den Notizen über Cladoceren von Birge (1878) aus Wisconsin-
Massachusets trifft man 38 Arten, davon 20 neue. Einige sind Bewohner des pelagischen Gebietes. Ein dritter Autor ist Forbes, der
die großen Seen Nordamerikas untersucht hat und z. B. neue interessante Calaniden der Genera *Osphranticum* und *Epischura* entdeckte.
Aus Wiscon gab kürzlich Marsh ein Verzeichnis der pelagischen
Fauna des Green Lake.

Von Madagaskar aus dem See Andohalo, sozusagen im Zentrum
der Insel, haben de Guerne und Richard eine kurze Mitteilung
über eine erste Untersuchung der Süßwasser-Entomostraka dieser
Insel im letzten Jahre publiziert. Es fanden sich hier:

Ceriodaphnia laticaudata P. E. Müller.
Alona   spec.
Cyclops   *Leuckarti* G. O. Sars.
Canthocamptus spec.

Ueber die Süßwasser-Fauna Madagaskärs ist noch ein vorlaufiger
Bericht von Voeltzkow (1891) zu erwähnen.

Ganz besonders interessante Ergebnisse haben Barrois und de
Guerne über die Süßwasserfauna der Azoren der Inseln Fayal und
St. Miguel veröffentlicht. In den Seen von Sete Citades entdeckte
de Guerne im Lagoa Grande mit gegen 10 Meter Tiefe eine pelagische Flora und Fauna. Die pelagische Fauna besteht aus:

Protozoa.	*Rhizopoda* . . .	*Diflugia* spec.
	Flagellata . . .	Volvocineen.
	Dinoflagellata . .	*Glenodinium* und *Peridinium*.
Vermes.	*Rotatoria* . . .	*Asplanchna Imhofi* de Guerne.
		Pedalion mirum Hudson.
Arthropoda.	*Crustacea.*	*Furcularia* spec.
	Cladocera . . .	*Daphnella brachyura* Lièvin.
		Alona spec.
		Pleuroxus nanus Baird.
		Leptodora Kindti Focke.
	Copepoda . . .	*Cyclops viridis* Fisch.

Von der *Leptodora* wurden zwar nur Bruchstücke gefunden, die
dieser wichtigen Species anzugehören schienen.

Aus Zentral-Japan berichtete Fritze (1889) über das Vorkommen
einer *Leptodora* im Kawaguchi-See, einem kleinen ca. 770 m hoch
gelegenen kleinen Süßwassersee.

Ueber die Süßwasser-Fauna von Sumatra in den Seen von
Manindjau und Singkarah enthält das Werk von Max Weber nach

der Bearbeitung von Richard 2 Cladoceren und 2 Copepoden aus deren pelagischer Fauna:

Cladocera: *Daphnella excisa* Sars.   *Moina Weberi* Richard.
Copepoda: *Cyclops simplex* Poggp.   *Diaptomus orientalis* Brad.

Eine der wenigen Untersuchungen aus früheren Jahren über die Süßwasserfauna weitentlegener Gebiete, von Kerguelensland im südindischen Ozean von Studer, die zwar nicht spezifisch pelagische Arten behandelt, soll hier wegen des besonderen Interesses in Bezug auf die Inselfauna, namentlich wegen deren Herkunft aufgeführt werden. Sie enthält Cladoceren, Ostracoden und Cyclopiden und zwar sämtlich neue Arten.

Cladocera: *Simocephalus intermedius* Std.   *Macrothrix Börgeni* Std.
  Alona Weinecke Std.   *Pleuroxus Wittsteini*   „
Ostracoda: *Candona Ahlefeldi* Std.
Copepoda: *Cyclops Bopsini* Std.   *Cyclops Krillei* Std.

Da ein Transport durch Vögel, so gut wie ausgeschlossen ist und andere Wege des Importes kaum zu finden und da diese Arten bisher noch nirgends anderswo beobachtet worden sind, muss diese kleine Entomostraken-Fauna der Kerguelen als eine autochthone angesehen werden.

Ueber Cladoceren und Copepoden Australiens sind die Untersuchungen von King zu nennen.

Wie rasch die Kenntnis der Süßwasserbewohner gefördert werden kann, zeigt die Zahl der Species des Calaniden-Genus *Diaptomus*, die eine ganze Reihe pelagischer Arten aufweist. Bis zum Jahre 1887 waren 15 ausreichend charakterisierte Species publiziert worden. Es folgten im Jahre 1887: 4; 1888: 8; 1889: 13 neue Species. Gegenwärtig zählt dieser Genus 46 gute Arten. Außereuropäische pelagische Diaptomiden sind:

Diapt. Tyrrelli Poppe aus dem Summit Lake ca. 1600 m ü. M. in Canada.
  „ *oregonensis* Lilljeb. von East Portland in Oregon, Nord-Am.
  „ *siciloides* „   aus dem Lake Tulan in Kalifornien.
  „ *signicauda* „   aus der Sierra Nevada in   „
  „ *Lumholtzi* Sars aus dem Gracemeer Lagoon in Nord Queensland, Australien.

Obschon die obigen Daten über außereuropäische pelagische Süßwasserorganismen nicht vollständig sind und nur das Wichtigste über die pelagische Fauna der Seen anderer Weltteile berühren, so dürfte doch das Wesentlichste auf diesem Gebiete erwähnt sein; es zeigt immerhin, dass die Erforschung der Süßwasser-Fauna und speziell der pelagischen Fauna noch in den ersten Anfängen steht. Dass diese Studien wissenschaftlich von größtem Interesse sind, dass sie auch ein äußerst dankbares Gebiet wissenschaftlicher Thätigkeit repräsentieren, ist über jeglichem Zweifel erhaben. Aber auch die Fortsetzung der Erforschung der europäischen Binnengewässer wird noch auf viele Jahre hinaus das Material zu mannigfaltigen Arbeiten liefern, wofür die ersten in neuester Zeit errichteten übertragbaren oder festen biologischen Süßwasserstationen die Beweise liefern und liefern werden.

Zum Schlusse der vorliegenden Bearbeitung der Zusammensetzung der pelagischen Fauna der Süßwasserbecken möge ein Gesichtspunkt noch betont werden, nämlich die spezielle Berücksichtigung derjenigen Formen, die außer im Süßwasser auch im salzigen Wasser und Brackwasser vorkommen und die auch als wirkliche Meeresbewohner, als sogenannte euryhaline Formen, bekannt sind. Die übrigen bisher zur Geltung gelangten Gesichtspunkte in der Erforschung der pelagischen Fauna der Süßwasser-Seen wurden früher[1]) hervorgehoben.

Integument brünstiger Fische und Amphibien.
Bemerkungen von F. Leydig.

Aehnlich wie bei so manchen andern Tieren nimmt auch bei vielen Fischen und Amphibien die Hautdecke zur Laichzeit ganz besonderen Anteil an den Vorgängen gesteigerten Lebens, welches sich im Fortpflanzungssystem abspielt. Es entwickelt sich ein sogenanntes Hochzeitskleid, das nicht bloß im Auftreten von Schmuckfarben besteht, sondern auch in eigenartigen Umbildungen des Coriums und der Epidermis.

Nur die letzteren Veränderungen, nicht die Farben, möchte ich im Nachfolgenden der Besprechung unterziehen, wozu als Grundlage die eigenen, teilweise neu gewonnenen Beobachtungen dienen, teils das von Andern Ermittelte. Dabei glaube ich im Stande zu sein, gewisse Organisationsverhältnisse, welche bis dahin unklar waren, in die richtige Stellung bringen, auch Einiges, was weit auseinander zu liegen schien, nunmehr näher zusammenrücken zu können.

I.

Unter den einheimischen Amphibien gibt sich am Männchen von *Rana fusca* in der Fortpflanzungszeit eine Hautschwellung kund, die von früheren Autoren bereits durch Rösel angezeigt wurde[2]). In unserem Jahrhunderte scheint alsdann Mayer[3]), der ehemalige Anatom in Bonn, zuerst wieder auf die Erscheinung gestoßen zu sein, hielt sie aber für etwas Pathologisches. Das Männchen und das Weibchen unsres Frosches bekommen — wie er sagt — während der Paarungszeit „Haut- und Bauchwassersucht".

---

1) Zool. Anzeiger, Nr. 264 u. 265.
2) Rösel von Rosenhof, Historia naturalis ranarum nostratium, 1758.
3) Mayer, Neuere Untersuchungen aus dem Gebiete der Anatomie und Physiologie, 1842.

Einige Dezennien nachher beschrieb ich das histologische Verhalten dieser Hautveränderung [1]). Die sonst aus horizontalen Lagen bestehende Mittelpartie der Lederhaut sei es, welche sich in gallertiges Bindegewebe umsetze und sich dadurch verdicke, während das obere und untere Stratum des Coriums so ziemlich in altem Zustande verbleibe. Und auch die großen Lymphräume unter der Haut erscheinen nicht bloß sehr ausgedehnt und mit reichlicher Lymphe gefüllt, sondern die letztere war von gallertigem Wesen geworden, vom Aussehen des Glaskörpers im Auge, oder wie embryonales Bindegewebe. Durch diese Umwandlung der Lederhaut und der subkutanen Lymphräume böten die Seiten des Männchens schon fürs freie Auge ein auffallend „quammig-quappiges" Aussehen dar.

Auch die Verdickung des Oberarms des männlichen Frosches zur Paarungszeit hängt, wenigstens teilweise, mit Schwellung der Haut zusammen, nicht minder die im Anschluss hieran sich vergrößernde Daumenschwiele. Beim Umfänglicherwerden der letzteren verdicken und vergrößern sich nicht bloß die Lederhaut mit ihren Papillen und Drüsen, sondern auch die Epidermis verstärkt sich, wird dunkler und entwickelt besondere Skulpturen [2]).

Ebenso gehören hieher die Hautwucherungen der Wassersalamander. Und ich möchte hiebei insbesondere auf die von mir gemachte Wahrnehmung hinweisen, dass bei *Triton* im Frühjahr während des Aufenthaltes im Wasser die Lederhaut über den ganzen Körper hin anschwillt, um nachher wieder einzusinken, welcher Gegensatz beim nachfolgenden Landaufenthalt noch mehr hervortritt. Außer den längst bekannten Säumen und Lappen der Zehen und dem flossenförmigen Rückenkamm, welche neben der allgemeinen Hautanschwellung um diese Zeit sich entwickeln, wies ich auch (an *Triton cristatus*) auf die Entstehung eines besonderen Hautsaumes am Mundwinkel hin, wodurch dem Tiere eine entschieden fischartige Mund-

---

1) Leydig, Organe eines sechsten Sinnes. Nov. act. acad. Leop. Carol., Vol. XXXIV (1868), S. 42. — Vergl. auch: Anure Batrachier der deutschen Fauna, 1877, S. 121.

2) In meinen der Daumenschwiele seiner Zeit gewidmeten Studien (Allgemeine Bedeckungen der Amphibien. Arch. f. mikr. Anat., 1876; Bau der Zehen der Batrachier. Morphol. Jahrb., II; Anure Batrachier der deutschen Fauna, 1877), habe ich die den gleichen Gegenstand betreffenden Schriften einiger Vorgänger übersehen, weshalb ich die Gelegenheit wahrnehme, solches hier nachträglich zu verbessern. Es haben nämlich, außer den von mir angeführten Autoren: Swammerdam, Rösel, van Deen, F. E. Schulze, der Daumenschwiele noch Aufmerksamkeit geschenkt: Meckel, System der vergleichenden Anatomie, 1824 (Skeletteile des Daumens), ferner Mayer, Neuere Untersuchungen aus dem Gebiete der Anatomie und Physiologie, 1842, endlich noch Walter, Mikroskopische Untersuchung der am Vorderfuße des Froschmännchens befindlichen Drüse. Verb. naturf. Ver. d. Rheinlande, 1851.

bildung verliehen wird [1]). Eine eingehendere Darlegung über den histologischen Bau des Flossensaumes habe ich später gegeben [2]).

Wenn ich jetzt, um mir die Vorgänge bei der Hautanschwellung verständlicher zu machen, die Einzelheiten überblicke, welche ich nach und nach über die Struktur der Haut der Amphibien kennengelernt habe, so möchte ich den Weg, welchen die in Rede stehende Umbildung nimmt, folgendermaßen bezeichnen.

Nachdem das Tier des Fortpflanzungsgeschäftes halber den Aufenthalt im Wasser genommen hat, so wird letzteres reichlich in die Haut aufgenommen. Als erste Sammelkanäle dienen die Interzellularräume der Epidermis, von welchen aus die Flüssigkeit in die Spalträume des Coriums gelangt. Beiderlei Hohlgänge haben bereits die Bedeutung von Lymphgängen [3]). Nächst größere Lymphbahnen scheinen namentlich jene säulenartig die Lederhaut durchsetzenden Bindegewebszüge zu umfassen [4]), und zuletzt führen alle diese kleinen und größeren Lymphbahnen in die ausgedehnten subkutanen Lymphsäcke [5]). Demnach würde die erste Ursache der Hautschwellung auf stärkerer Füllung der Lymphräume mit Wasser beruhen [6]).

Dass jedoch dieser Vorgang nicht in rein mechanischer Weise sich vollzieht, sondern unter dem Einfluss des Nervensystems und

---

1) Leydig, Molche der württembergischen Fauna. Archiv für Naturgeschichte, 1867.

2) Leydig, Schwanzflosse, Tastkörperchen und Endorgane der Nerven. Archiv f. mikrosk. Anat, Bd. XIII.

3) Leydig, Bau des tierischen Körpers, 1864, S. 50. — Derselbe, Hautdecke und Hautsinnesorgane der Fische, 1879, S. 180. — Ders., Untersuchungen zur Anatomie und Histologie der Tiere, 1883, S. 146.

4) Siehe meine Wahrnehmungen an der überaus feinen und zarten Haut der Innenfläche des Unterschenkels von *Rana arvalis* in: Anure Batrachier der deutschen Fauna, 1877, S. 136.

5) In der „Anatomie des Frosches" von Ecker u. Wiedersheim, 1881, wird bezüglich der subkutanen Lymphsäcke gesagt, dass ich zwar der Joh. Müller'schen Behauptung über die Bedeutung der unter der Haut sich verbreitenden Räume beigetreten sei „ohne jedoch weitere Beweise zu bringen". Hierzu darf ich doch wohl bemerken, dass ich allerdings keine Injektionen der Lymphsäcke ausgeführt habe; aber es wurden von mir Wand und Inhalt der betreffenden Höhlungen, sowohl an Amphibien als auch bei Reptilien, geweblich untersucht und daraus eben der Schluss gezogen, dass es sich wirklich um Lymphräume handle; insbesondere habe ich auch zur Bekräftigung dieser Ansicht darauf hingewiesen, dass man die Räume mit „lymphdrüsenartiger Substanz" erfüllt sehen könne. (Vergl z. B.: Die in Deutschland lebenden Arten der Saurier, 1872; Aeußere Bedeckung der Reptilien; erster Artikel: Haut der einheimischen Ophidier. Arch. f. mikr. Anat., 1873.)

6) Zu „Wasseraufnahme und Hautstruktur" vgl. namentlich: Paul Sarasin und Fritz Sarasin, Ergebnisse wissenschaftlicher Forschungen auf Ceylon, Bd. II, Heft 2, 1887. Die Verfasser liefern dort auch außer den eigenen wichtigen Beobachtungen eine sorgfältige Bearbeitung des Geschichtlichen.

der dadurch geregelten Kontraktilität der Gewebsteile, ist eine Annahme, die wir notwendig machen müssen. An Elementen des Epithels ist die Fähigkeit der Bewegung, wenn auch bisher in wenigen
Fällen, immerhin gesehen worden [1]), länger schon an den Zellen des
Bindegewebes; im Großen erfolgt die Zusammenziehung der Haut
alsdann durch die glatten Muskeln, welche in das Corium eingewebt
sind. Erwägt man dies Alles, so lässt sich einigermaßen begreifen,
dass nach Bedarf des Tieres die Lymphbahnen sich verengern und
erweitern, auf- und zugehen können.

Der nächste Schritt der Umbildung scheint der zu sein, dass der
vorher rein flüssige Inhalt der Lymphräume sich in gallertiges
oder embryonales Bindegewebe verwandelt. Dies geschieht
dadurch, dass ein zellig-faseriges Fachwerk sich entwickelt unter
Verdichtung der Zwischensubstanz. Und fragt man nach dem Her-
kommen der Zellen, welche durch ihr Auswachsen das Fachwerk
erzeugen, so sind hiefür ohne Bedenken jene Elemente anzusprechen,
welche an und in der Wand der Lymphräume sich finden und bald
für eine Art Endothel, bald für „Wanderzellen" gelten [2]). Meine
Zweifel über die wahre Natur dieser Zellen, welche ich früher hegte,
sind geschwunden, indem ich sie jetzt glaube gleichstellen zu sollen
jenen Elementen des Bindegewebes, welche ich seit Langem als mem-
branlose „Bindegewebszellen" innerhalb der „Lücken" und „Spalträume" des „fibrillären Bindegewebes" bezeichnet habe. Ob aber
nicht auch daneben an der Herstellung des Fachwerkes in der
Gallerte sich die sonst im Lymphraum befindlichen „Lymphkör-
perchen" oder „Leukocyten" beteiligen? Ich wäre, ohne mich freilich
auf bestimmtere eigene Wahrnehmungen berufen zu können, geneigt
Solches anzunehmen, würde nicht Fraisse in seinen ausgedehnten
Studien über Gewebsneubildung bei Amphibien und Reptilien ganz
entschieden sich dahin ausgesprochen haben, dass die „Leukocyten"
niemals zu fixen Gewebszellen werden, weder in der Bindesubstanz,
noch sonstwo [3]).

Wenn nach dem Ablauf der Fortpflanzungszeit die Hautschwellung zurückgeht und die Hautsäume verschwinden, so geschieht dies
wohl auch unter Begleitung von Vorgängen geweblicher Abänderung.
Mögen dieselben auch einfacherer Art sein, als diejenigen sind, welche
beim Schwund des Froschlarvenschwanzes sich zeigen und worüber

---

1) Ueber Kontraktilität von Epithelzellen: Leydig, Zelle und Gewebe,
1885, S. 39.

2) Vergl. Taf. XII, Fig. 145 in: Die in Deutschland lebenden Arten der
Saurier (Lymphräume der Augenlider der Eidechse); Anure Batrachier der
deutschen Fauna, Taf. IX, Fig. 82 (aus dem Durchschnitt der Daumenschwiele
von *Rana arvalis* im frischen Zustande).

3) Fraisse, Die Regeneration von Geweben und Organen bei den Wirbeltieren, besonders Amphibien und Reptilien, 1885.

uns L o o s s [1]) in gründlicher Weise unterrichtet hat, so wäre es doch wünschenswert, Näheres auch nach dieser Seite hin erfahren zu können.

Jetzt mag nur noch in anderer Hinsicht erwähnt werden, dass der Grad der Ausbildung der Hautwucherungen auch unter dem Einflusse der Oertlichkeit zu stehen scheint, wie sich beim Vergleichen von Tieren aus verschiedenen Gegenden ergibt. So kann der Rücken-kamm von *Triton cristatus* in manchen Landstrichen eine ganz bedeutende Höhe erreichen und in andern Gegenden niedrig bleiben; *Triton helveticus*, sonst kammlos, nur mit einer Kante oder Leiste in der Mittellinie des Rückens versehen, entwickelt die Leiste doch in andrer Gegend zu einem niedrigen Kamm, zugleich mit stärkerer Ausbildung der Schwimmlappen der Hinterbeine [2]). Das reiht sich Alles an viele andere aus dem Pflanzen- und Tierreich bekannte Fälle an, in denen die Einwirkung der Oertlichkeit auf Größe und Gestaltung der Organismen sichtbar ist, ohne dass man jedesmal im Stande wäre, den Zusammenhang in bestimmterer Weise zu fassen.

Bei den Fischen unsres Landes kann während der Laichzeit, wie bei Amphibien, die Haut im Ganzen anschwellen, wenigstens berichtet dies F a t i o über die Haut der Forelle und des Salm [3]). Dazu kommen nun wieder Verdickungen an einzelnen Körpergegenden, worüber S i e b o l d genauere Angaben bringt [4]). Es treibt sich z. B. bei *Coregonus* die Schnauze der männlichen Individuen beim Eintritt der Laichzeit mehr oder weniger auf; ebenso entwickelt sich zur angegebenen Zeit beim männlichen Tier von *Salmo* eine Art Haut-schwarte, welche den Hinterrücken und auch die Unterseite des Schwanzes überzieht. Ich bedaure bisher noch nicht Gelegenheit gefunden zu haben, diese Hautwucherungen selbst untersuchen zu können, weil man vermuten darf, dass die „Schwartenbildung" haupt-sächlich auf Umbildung der L e d e r h a u t beruhen möge, obschon S i e b o l d ausdrücklich hervorhebt, die ganze Erscheinung sei auf eine „eigentümliche Verdichtung des Epithelüberzuges" zurückzu-führen.

Jedenfalls bin ich in der Lage, aus eigener Erfahrung behaupten zu können, dass ein zur Laichzeit auftretender Hautwulst bei der Seelamprete durch Wucherung der Lederhaut und keineswegs der Epidermis zu Stande kommt. Ich meine den von P a n i z z a an *Pe-*

1) L o o s s, Ueber Degenerationserscheinungen im Tierreich, besonders über die Reduktion des Froschlarvenschwanzes und die im Verlauf derselben auf-tretenden histologischen Prozesse, 1889.

2) L e y d i g, *Triton helveticus* und *Rana agilis*. Beitrag zur Kenntnis der Tierwelt Frankens. Verb. phys. med. Ges. zu Würzburg, 1888.

3) F a t i o, Faune des Vertébrés de la Suisse, Vol. V, 1890.

4) v. S i e b o l d, Süßwasserfische von Mitteleuropa, 1863.

tromyzon marinus zuerst angezeigten Wulst, welcher beim brünstigen
Männchen längs des Rückens hinzieht. Siebold, da er keine geschlechtsreifen Tiere vergleichen konnte, bekam den Teil nicht zu
Gesicht, während ich mich während meines Aufenthaltes in Bonn von
der Anwesenheit dieser Hautwucherung überzeugen konnte. Denn
es wurde mir in jedem Frühjahr von den Fischern *Petromyzon marinus* aus dem Rhein zugetragen, was ich zu einer Mitteilung über
Form und Bau des Wulstes benützt habe [1]). Nach dem, was ich sah,
besteht die Rückenschwarte aus weichem Bindegewebe, ähnlich jenem,
welches die Hautwucherungen der männlichen Wassersalamander im
Frühjahr erzeugt. Dann schien es mir auch, was abermals hervorgehoben sein mag, als ob in dem Bindegewebe, außer den Blutgefäßen, noch einige größere Lymphgänge zugegen wären, denen ich
wieder besondere Bedeutung beilegen möchte.

Wenn wir nämlich heranziehen, was Siebold [2]) über das rasche
Zusammenschrumpfen der verdickt gewesenen Schnauze von *Coregonus* wiederholt bemerkt, so muss man auf den Gedanken kommen,
dass auch bei den Fischen das Hervor- und Sichzurückbilden der
Hautschwellungen hauptsächlich durch das Kommen und Gehen von
lymphatischer Flüssigkeit bedingt ist.

Die Thatsache, dass auch die Haut der Fische, welche Tiere ja
von ständigem Wasseraufenthalt sind, doch wieder nur periodisch
anschwillt und Verdickungen zu Wülsten und Schwarten ausbildet,
spricht doch auch von Neuem vernehmlich aus, dass der Grund des
Vollsaftigwerdens der Haut nicht allein von physikalischer Ursache
abhängt, sondern dass ein andres Agens mitwirkt, wodurch dem
ganzen Vorgang der Charakter einer Begleiterscheinung des Ge-
schlechtslebens aufgedrückt wird.

II.

Bezog sich das Bisherige auf Veränderungen der Lederhaut, so
ist jetzt eine Erscheinung hervorzuheben, welche an der Epidermis
bei einer Anzahl von Karpfen- und Salmarten zur Laichzeit auftritt
und gegenwärtig am meisten mit dem Ausdruck „Perlbildung" bezeichnet wird.

Schon im Altertum war es bekannt, dass die Haut gewisser
Fische zur Zeit der Fortpflanzung sich mit weißen Knötchen bedeckt;
auch ist nicht zu verwundern, dass aufmerksame Leute des täglichen
Lebens auch bei uns längst um das Gleiche gewusst haben, bevor
die Wissenschaft davon Kenntnis genommen hatte. Und hinwiederum
ist es befremdlich noch in neueren Beschreibungen zu finden, dass
man etwas Pathologisches in dem Auftreten der weißen Wärzchen

---

1) Leydig, Hautdecke und Hautsinnesorgane der Fische. Festschrift d.
naturf. Ges. in Halle, 1879, S. 171, Anmerkung.

2) v. Siebold a. a. O.

vermuten wollte [1]). Umsomehr dünkt es mir am Platze zu sein, eine interessante Arbeit, welche in den Anfang des laufenden Jahrhunderts fällt und in völlige Vergessenheit gesunken zu sein scheint, hier in Erinnerung zu bringen.

Der italienische Zoolog Giorna [2]) bekam nämlich, als er die Sammlung in Turin zu ordnen begann, das Exemplar einer Karpfenart vor die Augen, welches durch Dörnchen oder Stacheln auf der Haut ausgezeichnet war. Sehr erstaunt über den ihm ganz fremden Befund befragt er einen Turiner Fischer, ob er schon Derartiges gesehen habe, und erhält zur Antwort, dass die Sache ihm wohlbekannt sei; der Fischer wusste sogar zu sagen, dass nur das laichende Männchen es ist, welches die Dornen besitzt, und lieferte denn auch in der richtigen Jahreszeit den bedornten Fisch ein.

Was nun die Eigenschaften der Perlbildung im Allgemeinen anbelangt, so erscheint sie bei den Karpfenarten unter der Form feiner Körnchen, linsenförmiger Flecken, Hügelchen, Wärzchen, die bis zu kegeligen und selbst dornähnlichen Auswüchsen verschiedener Größe sich gestalten. Die Werke von Heckel und Kner [3]), dann insbesondere von Siebold [4]) belehren uns hierüber in vielfacher Weise; auch erfährt man dort, dass unter den einheimischen Cyprinoiden die Arten *Leuciscns virgo* und *Leuciscus Meidingeri* die stärkst entwickelten Hautdornen besitzen. Der Fisch, welchen Giorna vor sich hatte und als *Cyprinus idus* Linné bestimmte, ist wohl auch hieher zu ziehen. Bei letzterem gingen die Spitzen der dornähnlich ausgezogenen Wärzchen, wenn sie nicht aufrecht standen, nach vorn, waren also gegen den Kopf geneigt. Und betrachtet man in dieser Beziehung genau den unsern Fisch vorstellenden Holzschnitt bei Heckel-Kner, so richtet sich ebenfalls am Kopf die Spitze einer Anzahl von Dornen vorwärts, während alle übrigen Höcker am Rücken und an der Seite des Körpers die Spitze rückwärts kehren [5]).

In etwas andrer Form stellt sich der Perlausschlag bei den Salmenarten dar. Hier begegnen wir auf den Schuppen flachen Erhabenheiten, welche nicht mit einer Spitze endigen, sondern mit einer Längsleiste. Auch hierüber erteilt das Siebold'sche Werk nähere Nachweise und vor Kurzem hat Fatio das durch die Perlbildung entstehende längsstreifige Aussehen des Fisches in einer schönen, farbigen Abbildung festgehalten [6]).

---

1) Vergl. z. B. meine Schrift: Anure Batrachier der deutschen Fauna, S. 123, Anmerkung 2.

2) Giorna, Éclaircissement sur un poisson, accidentellement épineux. Mém. de l'acad. d. scienc. de Turin, 1805.

3) Heckel und Kner, Süßwasserfische der österr. Monarchie, 1858.

4) v. Siebold a. a. O.

5) Heckel u. Kner a. a. O. Fig. 94, auf S. 175.

6) Fatio, Faune des Vertébrés de la Suisse, Vol. V, Histoire des poissons, II. partie, 1890: „*Coregonus exiguus*, mâle ad. en noces".

Man darf fragen, ob beide Geschlechter den Perlausschlag erhalten, oder ob es nur das Männchen ist, an dem die Warzenbildung
auftritt.

Einer der frühesten Autoren, Salviani, schreibt den Hautausschlag bloß den Männchen zu[1]); nach Heckel-Kner haben bei
Leuciscus Meidingeri zur Laichzeit „sowohl Männchen als Weibchen"
die großen, zugespitzten Auswüchse, während Siebold dies verneint
und erklärt, er habe auf dem Fischmarkt von München nur die
Männchen mit den Dornen besetzt gefunden. Bezüglich des *Chondrostoma nasus* berichtet aber der genannte Ichthyolog selber, dass
auch das laichende Weibchen den Hautausschlag erhalte, was von
Solger bestätigt wird[2]). Und anbelangend die Salmoniden, so sagt
Siebold ausdrücklich, dass „bei allen Arten an den Seiten des
Leibes, sowohl der männlichen wie der weiblichen Individuen, sich
der milchweiße Hautausschlag" entwickle, was denn auch Nüsslin
im Hinblick auf den von ihm aufgestellten neuen *Coregonus* wiederholt: „Milchner und Rogner, besonders aber der Milchner" bekommen
die länglichen Wülste auf den Schuppen[3]).

Hält man diese verschiedenen Beobachtungen zusammen mit
jenen, welche über Umbildung und Anschwellung der Lederhaut gewonnen wurden, so ergibt sich der Schluss, dass zwar vorzugsweise
das männliche Geschlecht es ist, an dem sich die beregten Erscheinungen des Hochzeitskleides ausbilden, dass aber auch am weiblichen
Körper das Gleiche, wenn schon immerhin in minderem Grade sich
entwickeln kann.

Was die Struktur der Perlbildung betrifft, so bezeichnen frühere
Autoren die Knötchen und Dornen der Cyprinoiden als „knöcherne
Auswüchse" und selbst Heckel und Kner halten sie im Allgemeinen für „Knochenwärzchen". Wo jedoch die genannten Autoren
von den Dornen des *Leuciscus virgo* sprechen, befinden sie sich schon

---

1) Salviani, Aquatilium animalium historia, 1554.

2) Solger, Ueber Perlfische. Zool. Anz., 1879. Dort wird auch mitgeteilt,
dass sich bei *Gobio fluviatilis* noch im November und Dezember an der abge-
zogenen Epidermis die Perlbildung erkennen lasse. Der Autor verwahrt sich
dabei ausdrücklich, dass er etwa Becherorgane für Perlbildung genommen
habe. Trotzdem kann ich doch nicht ganz die Vermutung unterdrücken, es
möge eine solche Verwechslung mit untergelaufen sein. Wenn Solger nämlich sagt, die Körnchen (Perlen) schließen ein helles Zentrum ein, so passt
nach dem, was ich sehe, dies nur auf die Becherorgane bei der Präparations-
weise, wie sie eingehalten wurde, nicht aber entfernt auf die Körnchen des
Perlausschlages. Zweitens kann ich beisetzen, dass und zwar gerade auch am
Kopfe der Cyprinoiden die Becherorgane nicht ausschließlich den Papillen aufsitzen, sondern auch einfach auf der Fläche der Lederhaut stehen können.

3) Nüsslin, Beiträge zur Kenntnis der *Coregonus*-Arten des Bodensees
und einiger anderer nahgelegener nordalpiner Seen. Zool. Anz., 1879.

auf richtigerem Weg, indem sie melden, dass die Auswüchse „horn-
artige" Festigkeit haben, ihre Basis sei mit „sulziger Masse" erfüllt
und im ausgehöhlten Zustande werde der Auswuchs „dem Horn eines
Rhinoceros im Diminutivmaßstabe vergleichbar." Aehnlich zerlegt
auch Giorna den Dorn in einen harten, solideren äußeren Teil und
einen inneren weichen, gallertigen Keim oder Mark („moëlle"). Alle
diese Angaben haben wohl als gute, mit der Lupe gemachte Beobachtungen zu gelten.

Die erste mikroskopische Untersuchung haben nahezu gleichzeitig Siebold[1]) und ich[2]) vorgenommen und wir fanden übereinstimmend, dass die Knötchen Verdickungen der Epidermis
sind und nichts „Knöchernes" an sich haben. Solger[3]), welcher
später ebenfalls eine histologische Prüfung anstellte, übrigens von
meiner Angabe nichts weiß, erklärt auch die Höcker für „Epidermoidalknoten". Wenn dagegen noch in neuesten Schriften — aus dem
Jahre 1890 — bezüglich der Perlbildung vorgetragen wird, dieselbe
sei ein „Sekret" auf der Oberfläche der Schuppen und diese „Kon-
kretionen" seien „halbknöchern", so muss man eben in Betracht
ziehen, dass gar Mancher der „Ichthyologen" mit der Histologie auf
gespanntem Fuße steht.

Einstweilen habe ich von Neuem *Cyprinus carpio, Rhodeus amarus*
und *Phoxinus laevis* auf die besagten Gebilde angesehen und glaube
Folgendes vorlegen zu sollen.

Im Falle die Knötchen so klein sind, dass sie kaum etwas über
die Hautfläche vorragen, grenzen sie sich innerhalb der Epidermis
dadurch ab, dass die sie zusammensetzenden Zellen eine konzentrische Anordnung zeigen, auch größer geworden sind als jene der
Umgebung. Dabei haben sie ferner ihren Saum in der Weise um-
geändert, dass man sie den „Riffzellen" anzureihen hat; endlich sind
im kuppenförmig hervorragenden Teil die Zellen stärker verhornt.

Hat sich die Kuppe zu einem Dorn oder Stachel verlängert, beispielsweise bei *Phoxinus*, so haben wir das Bild eines Hornzahnes
vor uns. Der leicht gekrümmte, spitz endigende Dorn erscheint bei
auffallendem Licht im frischen Zustande glänzend weiß, bei durchgehendem Licht hell und anscheinend homogen-streifig, das letztere
dadurch, dass die stark verhornten und sehr platten Zellen ganz
dicht aufeinander liegen. Der innere Teil des Dornes besteht aus
weicheren, rundlichen Epidermiszellen: es ist der Keim oder das
Mark bei Giorny und die sulzige Masse, von welcher Heckel und
Kner reden. Zu unterst an der Grenze zur Lederhaut haben, wie
überall in der Epidermis, die Zellen eine aufrecht längliche Gestalt.
Schleimzellen, so reichlich in der übrigen Epidermis vertreten, geben

1) v. Siebold, Süßwasserfische, 1863.
2) Leydig, Bau des tierischen Körpers, 1864, S. 65, Anmerkung 5.
3) Solger, Ueber Perlfische. Sitzber. d. naturf. Ges. in Halle a/S., 1878.

nicht in den Bau der Wärzchen und Dornen über, sondern fehlen
hier völlig, was auch Solger bereits hervorgehoben hat.

Die Lederhaut unterhalb des Epidermisknotens bildet für gewöhnlich nur eine geringe muldenförmige Einbiegung, die so seicht
sein kann, dass man ihr kaum Beachtung schenken mag. In dem
eben erwähnten Punkt verhält sich aber der Bitterling, *Rhodeus
amarus*, wesentlich anders und verdient daher eine Beschreibung für
sich, die ich anderwärts durch Abbildungen zu vervollständigen
gedenke.

An genannter Karpfenart bildet nämlich die Lederhaut zur Aufnahme der gelblichen oder auch kreideweißen Epidermiswarzen,
welche sich bei beginnender Geschlechtsthätigkeit auf der Oberlippe
des Männchens einstellen, wirkliche säckchenartige Eintiefungen.
Und weiter wird auf Durchschnitten der größeren Warzen gesehen,
dass die Wand des Säckchens einige kurze Vorsprünge abgibt, die
sich wie Papillen ausnehmen, aber wohl besser auf eine Art beginnender Septenbildung zurückgeführt werden, da diese „Papillen"
in den Schnittreihen immer genau an gleicher Stelle wiederkehren.

Es ist abzuwarten, ob nicht fortgesetzte Untersuchungen auch
noch bei andern einheimischen Karpfenarten die gleiche Säckchen-
bildung aufzuzeigen vermögen. Doch selbst bei *Leuciscus virgo*
scheint es, als ob die so sehr entwickelten Dornen nur in mulden-
förmigen Vertiefungen der Lederhaut, ohne Papillarentwicklung, sitzen,
was daraus zu schließen sein möchte, weil Heckel-Kner bloß von
„Narben" sprechen, die sich beim Abfallen der Dornauswüchse nach
und nach ausgleichen. Eher könnte die Beschreibung bei Giorna
vermuten lassen, dass Papillen vorhanden wären, da es dort heißt,
dass die weiche gallertähnliche Innensubstanz von „rötlicher Farbe"
sei. Wem sich zuerst Gelegenheit bietet unsern Fisch von Neuem
vorzunehmen, wird sagen können, ob das „Rot" in der That von
Papillen und ihren Blutgefäßen herrührt, oder was doch wahrscheinlicher ist, ob nicht diese Farbe der inneren weicheren Zellenmasse
durch Einwirkung des Weingeistes entstanden ist.

Noch mag an dieser Stelle und in Hinsicht auf die Verbreitung
des Perlausschlages daran erinnert werden, dass außer den Karpfen
und Salmen auch bei den Neunaugen (Cyklostomen) etwas der Perlbildung Verwandtes vorzukommen scheint. Wenigstens habe ich an
Petromyzon marinus eine Hügel- und Höckerbildung der Epidermis
beobachtet, welche ich nach dem Aussehen fürs freie Auge mit dem
Perlausschlag zusammenzustellen geneigt wäre. Aber bezüglich des
Baues würde recht im Gegensatz zu den Teleostiern der Unterschied
herrschen, dass die Höcker nicht aus einer Ansammlung gewöhnlicher
Epidermiselemente bestehen, sondern aus Drüsenzellen [1]).

---

1) Leydig, Hautdecke und Hautsinnesorgane der Fische, 1879.

III.

Durch das Vorausgegangene und insbesondere in Berücksichtigung dessen, was der einheimische Bitterling erkennen lässt, werden wir in den Stand gebracht, gewisse, auf den ersten Blick ganz merkwürdig sich ausnehmende Vorkommnisse bei fremdländischen Karpfenarten jetzt besser beurteilen zu können.

Bei zahlreichen indischen Cyprinoiden kommen am Kopfe, namentlich in der Schnauzengegend, sehr auffällige Poren vor, die von früheren Ichthyologen nur insofern beachtet wurden, als die Verschiedenheit in Größe, Zahl und Lage dazu helfen konnte, manche dieser Fische in systematischem Sinne genauer abzugrenzen. Den Bau weiter aufzuklären hatte man nicht versucht. Als sich mir die Gelegenheit geboten, mit dergleichen Poren ausgestattete Cyprinoiden selber in Augenschein zu nehmen, gab ich die ersten, die Struktur betreffenden Darlegungen [1]).

Je ein Porus erwies sich als die Oeffnung einer sackförmigen Einstülpung der Lederhaut; ins Innere des Säckchens, zwischen noch vorhandenen Resten der Epidermis, erhoben sich vom Grunde und seitlich fadenförmige Bildungen, welche die Natur äußerst verschmälerter und lang ausgezogener Papillen des Coriums hatten. Im Innern der Papillen ließen sich Nervenfasern erkennen.

Welche Bewandtnis es nun aber mit diesen zum Teil geradezu stattlichen und eigenartigen Säckchen habe, war mir dazumal unmöglich zu bestimmen, und ich wusste eigentlich nur zu sagen, was die Organe nicht sind. Die Säckchen seien keine Drüsen, auch ihre Oeffnungen durchaus nicht den Löcherreihen der Kopfkanäle des Seitenkanalsystemes zu vergleichen, ebensowenig könne irgend eine Verwandtschaft zu den Gallertröhren angenommen werden. Sonach blieb nichts übrig, als anzunehmen, dass den innerhalb der Säckchen aufsteigenden, mit Nerven ausgestatteten Papillen durch die Lagerung in der Tiefe eine bergende und schützende Umgebung erwachsen sei, zudem Papillen von solcher Länge und Zartheit sonst nicht auf der Haut zugegen waren. Und so konnten endgiltige Aufschlüsse über die Bedeutung der Säckchen erst erwartet werden, wenn es sich treffen sollte Fische zu bekommen, welche noch die volle Epidermis besäßen. An den mir vorgelegenen Exemplaren war die Oberhaut bis auf schwache Spuren abgefallen und verschwunden gewesen.

In die günstige Lage, ein Tier mit vollkommen erhaltener Epidermis untersuchen zu können, bin ich unterdessen gesetzt worden.

Auf der an wissenschaftlichen Ergebnissen so reichen ceylonischen Forschungsreise, welche die Herren DDr. S a r a s i n ausgeführt

---

1) L e y d i g, Untersuchungen zur Anatomie und Histologie der Tiere, 1883. (Zur Kenntnis der Hautdecke und Mundschleimhaut indischer Cyprinoiden, Taf. I und Taf. II.)

haben, fiel ihnen unter Anderem der Cyprinoid *Discognathus lamta*
wegen wunderlicher Bildungen der Kopfgegend auf, weshalb sie ein
Exemplar sorgfältig mit Chromsäure behandelten und nach ihrer
Rückkehr die Freundlichkeit hatten mich damit zu beschenken. Ich
berichte im Folgenden einstweilen und vorläufig nur über die Punkte,
welche zur Aufhellung der gegenwärtigen Frage dienlich sein können.
Ausführlicheres und Abbildungen werden an einem andern Ort folgen.

Man erblickt bei genanntem *Discognathus* am vordern Teil der
Schnauze „Poren", die mit der Lupe angesehen beinahe an die Pa-
pillae circumvallatae der Zungenoberfläche bei Säugern gemahnen
könnten, indem aus einer wallartig umzogenen Vertiefung eine kurze
Wölbung hervorsteht. Da nun ferner bei der mikroskopischen Untersuchung bald zahlreiche Nervengeflechte in der Umgebung der Gruben
zur Ansicht kommen, so begreift sich, dass die Vermutung dahin
gehen darf, es möchten Sinneswerkzeuge an diesen Hautstellen verborgen sein.

Allein für eine solche Annahme bringt die fortgesetzte Untersuchung keine rechte Bestätigung. Es zeigt sich, dass die Epidermis,
welche die grubige Eintiefung der Lederhaut ausfüllt, mit ihrer
innersten Zellenmasse sich zu einer Art Pfropf oder Zapfen verdichtet, der bald höher bald niedriger aus der Grube hervorragen
kann. Ja man bekommt weiterhin auch Gruben unter die Augen,
in denen der Zapfen zu einem ganz ansehnlichen Kegel auswächst,
der selbst die Gestalt eines dornartigen Gebildes annehmen
kann. Der Kegel oder Dorn sieht zunächst aus, als ob er homogenen Wesens sei und eine Art von kutikularem Käppchen vorstelle;
allein die genauere Prüfung lehrt bestimmt, dass er aus Epidermiszellen von starker Abplattung und Verhornung, dabei aufs dichteste
übereinander gelagert, zusammengesetzt ist. Noch verdient Erwähnung, dass nur Epidermiszellen von der gewöhnlichen Sorte in
die Bildung dieser Hauthöcker eingehen, keineswegs aber Schleimzellen, die doch ringsum in der Epidermis so häufig sind.

Nach solchem Befund kann kaum ein Zweifel obwalten, dass
man es bezüglich der Gruben des *Discognathus* samt ihren Zapfen,
Kegeln und Dornen mit jener Organisation zu thun habe, welche
wir als Hauttuberkeln oder Perlbildungen von einer ganzen Anzahl
karpfenartiger Fische unsres Landes kennen und zum „Hochzeitskleid" rechnen.

Füge ich nun noch hinzu, dass der senkrechte Schnitt durch die
Gruben oder Säckchen des *Discognathus* die Anwesenheit von langen,
zarten Papillen aufzeigt, welche in die Zellenmasse der ausfüllen-
den Epidermis eindringen, so geht uns ein Licht auf über die wahre
Natur der „Poren" der seiner Zeit von mir untersuchten indischen
Cyprinoiden. Man darf sich für überzeugt halten, dass auch bei
letzteren zur Brunstzeit in und über den Säckchen solche vergäng-

liche epidermoidale Wucherungen in Form warzen- oder perlenartiger Auswüchse sich entwickeln werden.

Uebrigens möchte ich nicht unterlassen zu bekennen, dass, hätte ich vor der Untersuchung der außereuropäischen Arten den „Haut‑ ausschlag" und seine Gruben beim heimischen Bitterling bereits histo‑ logisch gekannt, ich wahrscheinlich schon dazumal trotz des defekten Zustandes der Exemplare der Deutung näher gekommen wäre. Oben‑ drein, wenn mir eine Aeußerung, welche Siebold gethan, im Ge‑ dächtnis gewesen wäre [1]). Derselbe spricht nämlich die Vermutung aus, dass die „für weite Poren gehaltenen Gebilde auf der Schauze des (außereuropäischen) *Cyprinus Boga*" zu dem Perlausschlag Be‑ ziehung haben möchten. Den *Cyprinus Boga* kenne ich zwar nicht aus eigener Anschauung, aber für die von mir untersuchten Gattungen und Arten scheint mir festzustehen, dass sich die Richtigkeit des Siebold'schen Vorausblickes bewahrheitet hat.

IV.

Geleitet von dem Gedanken, dass einheitliche Züge allerorts im Bau des tierischen Organismus wiederkehren, wird man sich darnach umschauen dürfen, ob nicht auch sonst bei Wirbeltieren etwas der Perlbildung der Fische Verwandtes vorkommen möge.

Da meine ich denn, dass die sogenannten Schenkelporen der Eidechsen heranzuziehen seien.

Die von mir vor 20 Jahren an *Lacerta agilis* und *Lacerta vivi‑ para* angestellten Untersuchungen habe ich jetzt an *Lacerta ocellata* wiederholt, ohne etwas von meinen früheren Angaben zurücknehmen zu müssen. Auch gegenwärtig sehe ich deutlich, dass der aus dem Porus hervorragende Kegel ein reines Epidermisgebilde ist, ein „ab‑ geändertes Stück der Oberhaut", wie ich damals mich ausdrückte und im Einzelnen auseinandersetzte. Nach meinem Dafürhalten darf dieser Hornkegel nach Bau und Entstehung den zur Laichzeit auf‑ tretenden Dornbildungen der Epidermis der Fische angereiht werden. Ein großer Unterschied gegenüber von den Fischen besteht nur darin, dass hier bei Eidechsen an den Porus nach einwärts eine Drüse sich anschließt, die, gefächert und ohne Lichtung, dicht erfüllt ist von Zellen, welche jenen der Schleimschicht der Epidermis entsprechen und unter allmählicher Umwandlung übergehen in die homogenen Epi‑ dermisplättchen des aus dem Porus hervorstehenden Hornkegels. Die bindegewebigen Septen, welche Blutgefäße ins Innere tragen, lassen sich mit den gefäßführenden Papillen innerhalb der Säckchen der indischen Cyprinoiden vergleichen. (Nur nebenbei mag erwähnt sein, dass die Gesamtheit der Drüsen in einen subkutanen Lymphraum hinabragt).

---

1) v. Siebold, Süßwasserfische. Dort wo er *Chondrostoma nasus* abhandelt.
2) Leydig, Die in Deutschland lebenden Arten der Saurier, 1872.

Und während man so, schon in Erwägung des morphologischen Verhaltens, zwischen den Epidermistuberkeln der Fische und den Hornkegeln am Schenkel der Eidechsen Verwandtschaftliches zu erblicken sich befugt halten darf, wird auch von physiologischer Seite her diese Betrachtungsweise unterstützt. Denn es ist leicht wahrzunehmen, dass gerade im Monat Mai, der Fortpflanzungszeit der heimischen Eidechsen, die Kegel am entwickeltsten sind, weit aus dem Porus hervorstehen, später aber wieder niedriger werden.

Weniger richtig scheint eine andere Zusammenstellung zu sein, welche ich vorgenommen hatte.

Schon vor Geraumem nämlich habe ich die Ansicht geäußert, dass ein beim Weibchen von *Rana fusca* während der Laichzeit vorkommender Höckerausschlag der Perlbildung auf der Epidermis der Fische anzuschließen sei [1]. Es geschah dies zufolge von Untersuchungen, welche ich vor nun bald vier Dezennien in der damals gebräuchlichen, einfacheren Weise unternommen hatte [2]. Die Höckerbildung glaubte ich auf eine Vermehrung von Epidermiszellen zurückführen und ebendeshalb eine Verwandtschaft mit der Perlbildung der Fische annehmen zu können.

In einer mit den jetzigen Hilfsmitteln und Methoden durchgeführten Arbeit von Huber [3] (unter Anleitung von Professor F. E. Schulze) wird aber gesagt, dass die Höcker bei *Rana* der Hauptsache nach aus einer vorgewölbten Cutispapille bestehen, während das Epithel von gewöhnlicher Höhe sei, und es gehöre zu den seltenen Fällen, wenn die Epidermis zur doppelten Dicke sich verstärkt zeige. Sonach könne die Perlbildung der Fische und diese Warzenbildung der Frösche vom morphologischen Standpunkt aus nicht auf eine Linie gestellt werden.

Eine Nachprüfung habe ich unterdessen noch nicht vorgenommen, um zu sehen, ob wirklich die Epidermis „nur in seltenen Fällen" über den Warzen verdickt ist. Bestätigt sich aber Solches, so wären die Höcker allerdings nicht mit dem Perlausschlag der Epidermis zu vergleichen, sondern man hätte vielmehr die vergrößerten Papillen des Coriums unter die oben aufgezählten Wucherungen der Lederhaut zu bringen. Dass jedoch physiologischerseits Huber meine Auffassung teilt, geht aus der den Höckern beigelegten Bezeichnung „Brunstwarzen" hervor.

V.

Insofern die abgehandelten Veränderungen des Coriums und der Epidermis mit dem Geschlechtsleben zusammenhängen, darf man auch

---

1) Leydig, Bau des tierischen Körpers, 1864, S. 65, Anmerkung 5.
2) Leydig, Anatomisch-histologische Untersuchungen, 1853.
3) Huber, Ueber Brunstwarzen bei *Rana temporaria*. Zeitschr. f. wiss. Zoologie, 1887.

dafür halten, dass die Beziehungen des Nervensystems zum Integument um diese Zeit einen schärferen Ausdruck erhalten mögen.

Hiebei hat man wohl zunächst den Bau der Daumenschwiele ins Auge zu fassen. Von den zahlreichen Nerven, welche den Daumenwulst unter geflechtartigem Austausch versorgen, steigt ein Teil in die Papillen des Coriums herauf, um dort mit „Tastkörperchen" zu enden, ein andrer Teil lässt sich an die Drüsensäcke verfolgen und nach meinen früheren Ermittelungen „können sich kleine Ganglienkugeln noch in die Nervenfasern einschalten." Die nervösen Endorgane in den Papillen werden um genannten Zeitabschnitt in entwickelterem Zustande getroffen [1]).

Auch die Mitteilungen Huber's über den histologischen Bau der Brunstwarzen reden der Auffassung das Wort, es möge der Hautsinn mit der Ausbildung der Warzen ein gesteigerter sein. Außer den reichlichen Blutgefäßen sind nämlich, wie der Genannte berichtet, Nervenfasern in der vorgewölbten Cutispapille zugegen und außerdem noch „große multipolare Ganglienzellen", von denen Ausläufer zwischen die Epithelzellen eindrängen und dort wahrscheinlich knopfförmig aufhörten. Wenn nun auch diesen Angaben gegenüber für mich kaum ein Zweifel bestehen kann, dass die „multipolaren Ganglienzellen" dasselbe sein werden, was ich vor Langem als „verästigte Zellen in der Epidermis" angezeigt habe, die gleichwertig wären jenen Chromatophoren, welche mit und ohne Pigment in der Lederhaut vorkommen, so geschieht damit der Auffassung, wie sie hier vertreten wird, kein Eintrag, da ich ja ebenfalls den Zusammenhang dieser zelligen Elemente mit Nervenfasern schon vor Dezennien angezeigt habe [2]).

Immerhin vermag ich doch nicht ganz der Meinung mich anzuschließen, dass in den Papillen der Daumenschwiele und in den „Brunstwarzen" der Sitz einer besonderen, vom Tasten verschiedenen Empfindung sei, und zwar aus dem Grunde nicht, weil ja Papillen mit den gleichen nervösen Endorganen auch sonst über die Hautfläche verbreitet stehen, auch Huber selbst den Bau der Brunstwarzen mit jenen von Merkel an *Rana esculenta* beschriebenen

---

1) Anknüpfend an frühere Studien (Histologie S. 81) habe ich die Tastkörperchen der Daumenschwiele weiter behandelt und vergleichend dargestellt in: Allgemeine Bedeckungen der Amphibien a. a. O.; Bau der Zehen der Batrachier a. a. O. Taf. IX u. X; endlich in: Anure Batrachier der deutschen Fauna.

2) Seit dem Jahre 1857 bin ich wiederholt auf den obigen Gegenstand zurückgekommen, zuletzt in: Pigmente der Hautdecke nnd der Iris. Verhandlungen d. phys. med. Ges. zu Würzburg, 1888, S. 13. Jüngst hat auch Sigmund Mayer in: Beiträge zur Histologie und Physiologie des Epithels, Zeitschrift „Lotos", 1892, diesen Zellen Aufmerksamkeit gewidmet und insbesondere gezeigt, dass dieselben keineswegs wie Andere wollten „Wanderzellen" seien, sondern an Ort und Stelle entständen.

„Tastflecken" in Verbindung bringen möchte. Wie mich bedünkt, lässt sich aus dem morphologisch Erkannten nur soviel folgern, dass der über das ganze Integument sich ausdehnende Hautsinn an gedachten Körperstellen in erhöhtem Grade zugegen sein möge.

Und endlich im Hinblick auf die Epidermoidalknoten oder die Perlbildung der Cyprinoiden und Salmoniden glaube ich mich dahin äußern zu dürfen, dass diese, weil härtere Partien der Epidermis, dem Tastvermögen der Haut in ähnlicher Weise zu Hilfe kommen werden, als es etwa die Nägel der menschlichen Finger beim Tasten thun. Hautstücke der Fische, namentlich im frischen Zustande und von der Fläche betrachtet, zeigen vielfältige Endmaschen eines Nervennetzes, dessen Ausläufer zum Teil nach den Becherorganen sich wenden, andrerseits wahrscheinlich aber auch zu den Epidermoidalknoten Bezug haben werden. Letztere Vermutung vorzubringen habe ich wohl einige Berechtigung durch die Befunde, welche sich mir in den Papillen der indischen Cyprinoiden darboten. Dort in dem keulig angeschwollenen Ende der langen und feinen Papillen innerhalb der Säckchen von *Rohita vitata* ist nicht bloß der Nerv sichtbar, sondern es hebt sich an seinem Ende ein „länglich runder Fleck" ab, der „eine zellige Zusammensetzung" zu haben schien und mich schon damals an „etwas den Nervenkolben Verwandtes" erinnerte [1]. Jedenfalls zeigt sich die Gesamtorganisation des Säckchens darnach angethan, um einen Druck, der den hervorstehenden Epidermiskegel trifft, den Endpunkten der Nerven im Innern der Papillen zur Empfindung zu bringen.

Das auf dem Wege der Zergliederung Wahrgenommene lässt sich gut in Einklang bringen mit den Beobachtungen, welche verschiedene Ichthyologen bezüglich des Benehmens der laichenden Fische gemacht haben. So ist bekannt, dass die Tiere zur Fortpflanzungszeit in Schaaren sich sammeln, dabei nebeneinander herschießen und sich aneinander reiben. Da es nun nahe liegt anzunehmen, dass die Männchen und Weibchen es sein werden, welche sich gegenseitig streifen [2], so darf man wohl ein Liebesspiel in diesen Bewegungen erblicken, wobei jetzt die Organe der Perlbildung in Dienst treten. Bei Fischen, welche sich in sehr dichten Schaaren zusammendrängen, mögen die Knötchen sofort teilweise abgerieben werden und sogar, wie berichtet wird, weite Strecken des Wasserspiegel überdecken [3]. Dass aber einzelne der Knötchen bei manchen

---

1) Leydig, Untersuchungen zur Anatomie und Histologie der Tiere, 1883, Taf. II, Fig `13` Papille aus dem Porus von *Rohita vittata*.

2) Vergl. Nüsslin a. a. O. und ebenso Fatio a. a. O.

3) Heckel u. Kner haben a. a. O. zuerst auf diese Erscheinung an *Coregonus Wartmanni* aufmerksam gemacht, aber die abgeriebenen Teile für Schuppen genommen, während Siebold wohl richtiger die oben berührte Deutung ausgesprochen hat.

Arten monatelang, ehe sie völlig eingeben, sich erhalten, wie ich
selber z. B. an *Phoxinus laevis* gesehen, soll nur noch nebenbei erwähnt sein.

Ich schließe mit dem Wunsche, dass man in dem Dargelegten
einige Aufklärung über den Gegenstand, welcher zur Sprache gebracht
wurde, finden möge.

Würzburg im Januar 1892.

Ein Besuch der Galápagos-Inseln [1]).

Von Dr. Georg Baur.

Sämtliche Inseln können nach ihrer Entstehung in zwei Gruppen
geteilt werden, die man gewöhnlich mit dem Namen Kontinentalinseln
und ozeanische Inseln bezeichnet. Jene sind abgelöste Teile eines
Kontinentes; diese sind aus dem Wasser herausgehobene Landmassen.
Die heute als ozeanischen Ursprungs betrachteten Inseln sind meist
Korallen- oder vulkanische Inseln. Eine ganze Reihe vulkanischer
werden als ozeanische betrachtet aus dem einfachen Grunde, weil sie
vulkanisch und durch tiefes Wasser (über 1000 Faden) vom Lande
getrennt sind. Es erhebt sich nun sofort die Frage: bietet die vulkanische Natur einer Insel genügenden Grund, diese als ozeanisch zu
erklären? Ich glaube nicht. Angenommen, ein mit ausgedehnten
Vulkanen besetzter Teil eines Kontinentes senke sich allmählich;
zuerst wird das Senkungsgebiet eine rein kontinentale Insel darstellen,
auf welcher sich dieselben sedimentären Schichten finden wie auf dem
Mutterkontinent. Dauert nun aber die Senkung fort, so verschwinden
diese Schichten allmählich unter dem Wasserspiegel, und zuletzt
bleibt nichts übrig wie die Gipfel der vulkanischen Berge, ein Gruppe
von Inseln darstellend. Diese Inselgruppe wäre wahrscheinlich durch
mehr als 1000 Faden tiefes Wasser vom Mutterkontinente getrennt,
wäre rein vulkanischer Natur und dennoch nicht ozeanischen, sondern
kontinentalen Ursprungs. Wir sehen also, dass eine isolierte vulkanische Inselgruppe ebensowohl ozeanischen als kontinentalen Ursprungs
sein kann. Die geologische Beschaffenheit ist nicht genügend, um zu
einem sicheren Schluss zu kommen. Wir müssen uns also nach anderen
Hilfsmitteln umsehen. Diese finden wir in den Organismen, die die
Inseln bewohnen. Es ist klar, dass die Organismen der kontinentalen
Inseln Ueberbleibsel vom Mutterkontinente sind, sie werden aber mit
denen des Kontinentes, je nach Zeit der Trennung, mehr oder weniger
übereinstimmen. Es ist ebenso klar, dass die Organismen wahrer

---

1) Wir bringen den folgenden Artikel unseres geehrten Mitarbeiters auf
dessen Wunsch zum Abdruck, gleichsam als Einleitung zu den Berichten über
die Ergebnisse der Einzeluntersuchungen an dem von dem Herrn Verfasser
gesammelten Material, mit welchen derselbe zur Zeit noch beschäftigt ist und
deren Veröffentlichung in kurzer Zeit bevorsteht.

ozeanischer Inseln zufällige Einwanderer sind, die sich erst nieder-
lassen konnten, nachdem die Inseln sich über den Wasserspiegel gehoben hatten. Denken wir uns, eine große Kontinentalinsel zerfalle
durch Senkung in eine Anzahl kleinerer Inseln, so wird jede derselben
mehr oder weniger vollständig die Organismen der ursprünglichen
Insel enthalten. Stellen wir uns aber vor, es werde allmählich eine
Reihe von Inseln aus dem Wasser herausgehoben, so wird einmal
diese Insel einen zufälligen Einwanderer erhalten, einmal jene einen
solchen von ganz anderem Ort und womöglich von ganz verschiedener
Natur. Um es kurz zu fassen, die Organismen einer kontinentalen
Inselgruppe werden ein harmonisches Ganze darstellen, die Inselgruppe wird sich zum Mutterlande verhalten, wie eine Satellitengruppe
zum Planeten, von dem sie stammen. Die Organismen einer ozeanischen Inselgruppe hingegen werden ein unharmonisches Gemisch darstellen. Ich glaube daher, dass es möglich ist, durch eine genaue
biologische Untersuchung einer Inselgruppe Schlüsse auf deren Ursprung zu machen. Als Beispiel sollen die Galápagos-Inseln dienen,
sie sind vollkommen vulkanischer Natur und durch mehr als 500 Seemeilen vom südamerikanischen Kontinent getrennt. Darwin hat diese
Inselgruppe zuerst für vulkanischen Ursprungs erklärt und angenommen, dass sie nie mit dem Kontinent in Verbindung stand, sondern
aus dem Wasser herausgehoben worden ist. Dieselbe Meinung wurde
aufrecht erhalten durch Hooker, Wallace, Griesebach, Moriz
Wagner, Peschel u. a. Henri Milne Edwards ist der einzige,
welcher sich für den kontinentalen Ursprung erklärt hat. Wir wollen
untersuchen, welche Anschauung die meiste Wahrscheinlichkeit für
sich hat.

Durch ein genaueres Studium der riesigen Landschildkröten der
Galápagos-Inseln wurde ich bewogen, mich etwas eingehender mit
dieser Inselgruppe, die mir nur durch Darwin's Beschreibung und
Wallace's Bemerkungen in seinem Island-life bekannt war, näher
zu beschäftigen. Bekanntlich hat Darwin auf die Thatsache hingewiesen, dass jede einzelne Insel ihre besondere Rasse von Schildkröten besitze, so dass die dortigen Kolonisten im Stande wären, beim
Anblick der Schildkröten zu sagen, von welcher Insel sie kämen. Die
Anwesenheit der riesigen Schildkröten und ihre eigentümliche Differenzierung waren mir unmöglich zu verstehen, wenn ich mit Darwin
und den übrigen annahm, dass die Inseln durch Hebung entstanden
seien. Ich konnte nicht begreifen, wie diese Schildkröten nach allen
Inseln zufällig verschlagen worden sein sollten, und dass doch keine
von einer Insel zur andern kam. Es war im Januar 1889, als im
Peabody-Museum zu New-Haven, Conn. eine große Landschildkröte
ausgepackt wurde, die mein Freund Hatcher im Miocän von Nebraska
gesammelt hatte. Diese ausgestorbene Schildkröte glich sehr den
noch auf den Galápagos-Inseln lebenden. Am gleichen Tage kam

ich zum Schluss, dass die Galápagos-Inseln durch Senkung entstanden sind und früher mit dem Kontinent von Amerika in Verbindung standen. Die Schildkröten waren nach der Isolierung der Inseln vom Kontinent auf jenen zurückgeblieben, und nach weiterer Spaltung hatte jede einzelne Insel ihre besondere Rasse entwickelt. Von diesem Tage begann ich Alles zu lesen, was ich über die Galápagos-Inseln finden konnte, und mehr und mehr kam ich zur Ueberzeugung, dass eine genaue biologische Untersuchung von der allergrößten Wichtigkeit sein würde, nicht allein in der Frage nach dem Ursprung der Inseln, sondern auch nach dem Ursprung der Arten; denn wenn es sich zeigen sollte, dass diese Inselgruppe wirklich durch Senkung entstanden war, dann konnte man die Differenzierung der Arten auf den einzelnen Inseln, je nach der Zeit ihrer Trennung, Schritt für Schritt verfolgen.

Im Januar 1890 hatte ich meine Stellung als Assistent des Herrn Prof. O. C. Marsh in New-Haven aufgegeben; es kam mir nun der Gedanke, ob es nicht vielleicht möglich wäre, eine Expedition nach den Galápagos zur Ausführung zu bringen. Ich entwarf ein Programm, das durch Vermittlung von Herrn Prof. Dr. v. Kupffer in München der Berliner Akademie vorgelegt wurde. Die Sache kam zur Besprechung, aber die Entscheidung lautete, dass die Summe von 20,000 Mark, die ich für eine vollkommene biologische und geologische Untersuchung der Inselgruppe für nötig gehalten hatte, den zu gewinnenden Resultaten wohl nicht entsprechen würde. Nun wandte ich mich an verschiedene Institute und Museen in den Vereinigten Staaten, aber mit demselben negativen Resultat. Es war in dieser Zeit, als ich als Gast meines hochverehrten Freundes Professor Cope in Philadelphia Gelegenheit hatte, die Sammlung von Eidechsen durchzusehen, die der U. S. Fish-Commission Steamer Albatross im April 1888 auf den Galápagos-Inseln gemacht hatte. Ich war nicht wenig erstaunt, als ich bemerkte, dass jede einzelne Insel nur eine einzige Art oder Rasse der Eidechsengattung *Tropidurus* besaß, und dass beinahe jede Insel eine ihr eigentümliche Art oder Rasse zeigte. Dies war eine neue gewaltige Stütze für meine Anschauung und ich veröffentlichte nun zum ersten Mal dieselbe. (Dieses Blatt, Bd. X, Nr. 15 u. 16, 1890.) Kurz darauf hatte ich einen Ruf an die Clark-Universität in Worcester erhalten. Mehr und mehr war ich von der Wichtigkeit einer Expedition überzeugt, und ich legte daher der Universität den Plan vor. Aber auch hier hatte ich kein Glück. Nun wurden Vorträge in Worcester, Boston, New-York und Princeton gehalten, um das Interesse wachzurufen; aber es war zweifelhaft, ob es möglich sein würde, die nötigen Mittel zusammenzubringen. In diesem kritischen Moment stellte mir Herr Stephen Salisbury, einer der Trustees der Clark-Universität, eine Summe zur Verfügung, die mit anderen Beträgen, die vom Elizabeth Tompson Fond in Boston und meinem Freunde

Prof. H. F. Osborn angeboten waren, genügend erschien, den Erfolg einer Expedition nach den Inseln zu sichern. Dies war am 10. April 1891. Meine Absicht, einen Botaniker mitzunehmen, konnte ich leider nicht ausführen, da ich Niemanden finden konnte. Dagegen fand ich in Herrn C. F. Adams aus Champaign, Ills., der zahlreiche Sammlungen in Borneo und Neu-Seeland gemacht hatte, einen sehr nützlichen Begleiter. Ich brauche nicht anzuführen, dass ich alle Vorbereitungen für eine solche Expedition lange vorher bis ins Kleine ausgearbeitet hatte, und dass es daher ein leichtes war, bald zum Abgang bereit zu sein.

Am ersten Mai 1891 verließen wir auf dem Dampfer „City of Para" der Pacific Mail Steamship Co. New-York. Auf diesem Dampfer hatten wir durch die große Liebenswürdigkeit des Direktors der Linie, Herrn George J. Gould, freie Passage nach Colon oder Aspinwall, wie es die Amerikaner nennen, erhalten. Ich ergreife mit Freuden die Gelegenheit, Herrn George J. Gould und Herrn Kapitän John M. Dow, F. G. S. in Panama, für ihre Unterstützung und ihr liebenswürdiges Entgegenkommen auf der Hin- und Rückreise meinen besten Dank auszusprechen. Schon am Morgen des 9. Mai erreichten wir Colon, nur bei Fortune Island war gehalten worden, um die Post auszutauschen. Um 6 Uhr gingen wir an Land. Colon bietet einen sehr öden Anblick. Letztes Jahr im September wurde beinahe die ganze Stadt eingeäschert, und so liegt sie noch da, nur vereinzelte Holzhütten finden sich zwischen den Trümmern. Wir erfuhren, dass schon am Nachmittag ein Dampfer von Panama nach dem Süden abginge. Es gelang uns, das Gepäck, welches aus 33 Kisten bestand, noch rechtzeitig auf den um 1 Uhr abgehenden Zug zu bringen. Selten hat eine Fahrt einen solchen Eindruck auf mich hervorgebracht, wie die Strecke von Colon nach Panama. Zwei Stunden lang geht es zwischen Palmen und Bananen an den Hügeln entlang. Eine Menge kleiner Ortschaften wird passiert. Die Bevölkerung besteht meist aus Eingeborenen, Schwarzen und Chinesen. Sie scheinen alle vergnügt, kommen an die offenen Thüren gelaufen und nicken uns zu. Die Kinder gehen halb oder ganz nackt. Und neben diesen sorgenlosen natürlichen Menschenkindern die Trümmer des Panamakanals! Hier steht eine ganze Reihe von Lokomotiven, dort eine riesige Baggermaschine; hier eine lange Reihe von Wagen auf speziell dafür gelegten Schienen, dort ein ganzes Dorf von Arbeiterhäusern, vollkommen verlassen. Alles ist Wind und Wetter preisgegeben. Um 3 Uhr kamen wir in Panama an und um 6 Uhr waren wir glücklich an Bord des Dampfers „Arequipa", der nach Callao bestimmt war und in Guayaquil, unserm Bestimmungsort, anlegte. Die „Arequipa" ist einer der neuen Dampfer der „South Pacific Steam-Navigation Co." und steht nicht hinter unsern besten und größten transatlantischen Dampfern zurück. Die Cabinen sind äußerst geräumig und vorzüglich zu ventilieren. In

Kapitän Harris fanden wir einen begeisterten Freund der Natur und in seiner Bibliothek Darwin's Werke und Briefwechsel. Wir waren also vorzüglich aufgehoben.

Am Morgen des 13. Mai erreichten wir Guayaquil. Die Nachrichten, die wir hier vernahmen, waren nicht sehr befriedigend. Herr Dr. Th. Wolf, der selbst die Galápagos-Inseln besucht und mit welchem ich in Korrespondenz gestanden hatte, war kurze Zeit vorher nach Deutschland abgereist. Herr Kapitän Petersen, ein Deutscher, der Herrn Dr. Wolf begleitet hatte, und den ich engagieren wollte, war ebenfalls abwesend, wurde aber jeden Tag zurückerwartet. Es dauerte aber 14 Tage, bis derselbe erschien, und auch dann konnte er uns seine Dienste nicht anbieten, da er kontraktlich anderwärts verpflichtet war. Der Aufenthalt in dem heißen, ungesunden Guayaquil wäre unerträglich gewesen ohne die außerordentliche Freundlichkeit und Gastlichkeit, die uns der deutsche Klub „Germania" entgegenbrachte. Schon am ersten Tage war ich dort bekannt geworden, und ich werde stets an die Zeit zurückdenken, die ich daselbst verleben konnte. Man fühlte sich nicht im fernen Ekuador, sondern in der Heimat. In der dritten Woche unsres Aufenthalts in Guayaquil erfuhren wir, dass eine kleine Schaluppe von da nach den Inseln abgehen würde. Wir meldeten uns als Passagiere und am 1. Juni verließen wir Guayaquil. Aber unser Weg ging nicht direkt nach den langersehnten Inseln. In Posorja, einem kleinen Dorf im Golf von Guayaquil, wurde angelegt, um einige notwendige Reparaturen am Fahrzeug auszuführen. Am 4. Juni endlich ging es weiter nach den Inseln. Während der fünftägigen Ueberfahrt hatten wir nun vollauf genügende Zeit, uns über die bisherige Geschichte der Galápagos etwas näher unterrichten zu können.

Die Galápagos, etwa 600 Seemeilen westlich von der Küste Südamerikas unter dem Aequator gelegen, bestehen aus 6 größeren, 9 kleineren Inseln und vielen Inselchen und Felsen, alle aus vulkanischem Gestein zusammengesetzt. Die größte Insel ist Albemarle. Sie ist 72 Seemeilen lang und erreicht eine Höhe von 4700 Fuß. Dann folgen die Inseln Indefatigable, Narborough, Chatham, James, Charles und zuletzt die kleineren Inseln Hood, Barrington, Duncan, Jervis, Tower, Bindloe, Abingdon, Wenman und Culpepper. Die Spanier, welche die Inseln im 16. Jahrhundert entdeckten[1]), fanden dieselben unbewohnt.

---

1) Es sei hier bemerkt, dass weder das Jahr der Entdeckung, noch der Ursprung des Wortes Galápago bekannt zu sein scheint. Die Entdeckung muss wohl zwischen den Jahren 1527 u. 1570 gemacht worden sein. Auf der vorzüglichen Karte des Diego Ribero, ausgeführt in den Jahren 1527 u. 1529 auf Befehl Kaiser Karls V. finden sich die Inseln noch nicht; dagegen auf dem Typus Orbis Terrarum von Abraham Ortelius aus dem Jahre 1570. Das Wort Galápago scheint südamerikanischen Ursprungs und wird heute noch nicht allein für Landschildkröte, sondern auch für Sattel gebraucht.

Nach ihrer Entdeckung wurden die Inseln vielfach von den See-
räubern oder Buccaneers besucht und Dampier, Wafer, Rogers
haben uns Berichte über diese Besuche hinterlassen. Später wurden
sie namentlich von den Walfischfängern angelaufen, um Landschildkröten mitzunehmen, die denselben auf ihren langen Fahrten zur
Nahrung dienten. Hierüber geben besonders die Werke und Erzäh-
lungen von Porter, Delaas, Morrell und Reynolds Aufschluss.
Erst im Jahre 1832 wurde eine kleine Kolonie auf Charles Island
gegründet, unter der Leitung von J. Villamil. Diese Kolonie bestand in ihrer Blütezeit aus etwa 230 Leuten, meist Einwohnern von
Ekuador. Rinder, Pferde, Esel, Schweine und Ziegen wurden eingeführt und vermehrten sich bedeutend. Nach einiger Zeit jedoch zerfiel
die Kolonie wieder. In den 70er Jahren wurde eine neue Kolonie
von José Valdigan gegründet; derselbe wurde aber im Juli 1878
von seinen Leuten ermordet. Seit dieser Zeit ist die Charles-Insel
oder Floriana, wie sie von Villamil genannt wurde, vollständig
verlassen. Dagegen findet sich eine blühende Ansiedelung auf Chatham,
der östlichsten Insel. Diese wurde von Señor Manuel Cobos gegründet. Cobos kam schon 1865 nach den Inseln, um *Orchilla* zu
sammeln, eine Flechte, die in der Färberei benützt wird und auf den
Galápagos in großer Menge vorkam. Die Ausbeute dauerte bis zum
Jahre 1869, wo Cobos die Inseln verließ. Im Jahre 1879 kehrte er
jedoch mit mehr als 100 Mann nach Chatham zurück und gründete
daselbst eine Kolonie, die heute noch blüht und im Aufschwunge sich
befindet. Keine der anderen Inseln ist heute bewohnt und auf keiner,
mit Ausnahme von Charles und Chatham, wurden ernstere Koloni-
sationsversuche gemacht, trotzdem sich Indefatigable dazu vorzüglich
eignen würde.

Die klimatischen Verhältnisse sind ganz ausgezeichnet. Man sollte
denken, dass diese Inseln, direkt unter dem Aequator gelegen, eine
hohe Temperatur zeigen würden, dies ist jedoch nicht der Fall. Die
Temperatur wird namentlich durch die antarktische Strömung, die
durch die Inseln bricht, heruntergesetzt. Die Meerestemperatur beträgt 23°. Man unterscheidet 2 Perioden oder Jahreszeiten, eine
trockene und eine feuchte. Die trockene Jahreszeit umfasst die Monate
Juli bis Januar; die eigentliche Regenzeit ist im Februar bis Juni.
Auf den höheren Punkten der Inseln über 800 Fuß regnet es übrigens
sehr häufig, wenn auch nicht anhaltend. Die jährlichen Temperaturschwankungen in der Höhe (ca. 1000 Fuß) betragen 18—25° C. In
Folge der häufigen Regen in der oberen Region ist die Vegetation,
falls die Inseln überhaupt diese Höhen erreichen, immer grün und
üppig, während die untere Region meist ein dürres Aussehen bietet.
Es ist natürlich, dass nur die höheren Regionen kultivierbar sind,
auch ist durch die Feuchtigkeit das vulkanische Gestein bereits sehr
verwittert und hat eine vorzügliche Erde geliefert. Dies gilt, wie
oben bemerkt, namentlich für Chatham, Charles und Indefatigable.

Seit Darwin's berühmter Untersuchung der Galápagos-Inseln im Jahre 1835 (15. Sept. bis 20. Okt.) sind dieselben verschiedene Male zu wissenschaftlichen Zwecken besucht worden. Im Jahre 1838 machte die französische Fregatte „Venus" unter dem Kapitän du Petit Thonars einen Besuch auf der Gruppe und hielt sich daselbst vom 21. Juni bis 15. Juli auf. Vom 10.—20. Mai 1852 finden wir das schwedische Schiff „Eugenie" mit dem Zoologen Hinberg und dem Botaniker Anderssen daselbst. Von anderen Besuchern nenne ich noch das englische Schiff „Herald" (6. bis 16. Januar 1846); Dr. Habel aus New-York (22. Juli 1868 bis 1. Januar 1869); die Haßler-Expedition unter Prof. L. Agassiz (10. bis 19. Juni 1872), die englischen Kapitäne Cookson (1875), Markham (1880), den Dampfer „Albatross" der U. S. Fish-Kommission, (4. bis 16. April 1888 und wiederum im Anfang des Jahres 1891). Von allen diesen verschiedenen Besuchern wurden immer nur eine oder mehrere der Inseln untersucht, eine genaue und gleichmäßige Durchforschung aller Inseln war noch nicht unternommen worden. Einzelne Inseln, wie Albemarle, Jervis, Barrington, Tower waren so gut wie nicht bekannt, und andere, wie Wenman und Culpepper waren noch nie betreten worden. Unsere Aufgabe war, wo möglich alle Inseln zu besuchen und möglichst vollständige Sammlungen der Tiere und Pflanzen zu machen.

Am Morgen des 9. Juni bekamen wir Chatham in Sicht und gegen Abend lagen wir in der Wreck Bay an der Südwestspitze der Insel vor Anker. Der Hafen ist reizend gelegen, rings umgeben von grünen Hügeln, und oben auf einem zurückliegenden Plateau liegt das Haus des Herrn Cobos. Eine Hütte steht am Ufer und daneben das sogenannte Leuchthaus, ein Pfahl mit einer großen Laterne. Die ekuadorianische Flagge begrüßt uns und wir erwidern den Gruß. Es war dunkel geworden und zu spät, um Cobos' Haus noch zu erreichen. Die Sonne neigte sich zum Untergang, es war ein prächtiger Abend; um uns stürzten sich die Tölpel (Sula) senkrecht aus den Lüften ins Wasser, um nach Fischen zu schnappen, vom Ufer klang der Gesang der Vögel, doch bald war es Nacht, und Alles ward ruhig. Da waren wir nun am langersehnten Ziel!

Am andern Morgen gegen 6 Uhr kam Herr Cobos' Sohn mit ein paar Mauleseln herunter an den Strand, um uns nach dem Hause zu bringen. Bald waren wir zum Aufbruch bereit. Der erste Eindruck, den ich von der Insel erhielt, war ganz anders, als ich erwartet hatte. Wenn Darwin behauptet, die Inseln seien starr, die Vegetation trocken und öde, so muss er an einem sehr schlechten Ort diesen Eindruck erhalten haben. Statt des dürren Gesträuchs, das ich erwartet hatte, Alles im herrlichsten Grün, Sträucher und Blumen mit gelben, rötlichen und blauen Blüten, und dazwischen die riesigen, imposanten Cacteen und die Bäume mit den graugelben Flechten, die in langen Bärten an den Zweigen herabhängen und im Winde sich

15 *

bewegen. Dazwischen eine Masse kleiner Vögel, die neben dem Weg
auf den Zweigen sitzen oder auf dem Wege und sich kaum die Mühe
nehmen, den Maultieren Platz zu machen. Manchmal läuft über den
Weg ein Tausendfüßler (*Scolopendra*), beinahe einen Fuß lang; ein gelber
Zitronenfalter und ein kleiner Bläuling fliegen von Zeit zu Zeit an uns
vorüber und eine Menge großer Libellen. Der gute und breite Weg
führt die Höhen hinauf, zur rechten liegt ein kleiner Hügel, bestehend
aus riesigen Basalttrümmern, zwischen denselben erheben sich gewaltige Cacteen mit ihren roten eiförmigen Früchten. Das Ganze gibt
ein groteskes Bild. Nach etwa einer Stunde, nachdem der Weg durch
Buschwerk mit größeren Bäumen geführt, ändert sich plötzlich die
Scene: eine weite Fläche dehnt sich vor uns aus, bepflanzt mit dem
schönsten Zuckerrohr. Nun kommen wir auf kultivierten Boden.
Beinahe eine halbe Stunde lang geht es durch die Pflanzung und
dann halten wir vor einem großen Gebäude, aus welchem uns das
Stampfen der Dampfmaschine und das Rollen der Räder entgegen-
schallt. Es ist die Zuckerfabrik, die erst seit kurzer Zeit im Gange
ist. Herr Cobos empfängt uns. Noch ein paar Schritte weiter den
Berg hinauf und wir befinden uns vor dem Wohnhaus. Dieses steht
auf der höchsten Stelle des Plauteaus, etwa 1707' hoch, und um dasselbe, namentlich gegen Osten, liegen die Strohhütten der Bevölkerung,
etwa 30—40 an Zahl mit gegen 180 Leuten. Gegen Osten erheben
sich Hügel und Berge, die bis zu 2490' ansteigen. Im Umkreis liegen
die weitausgedehnten Zuckerfelder, manchmal von Bananengärten
unterbrochen. 210 Acker waren von Herrn Cobos schon kultiviert
und gegen Osten dehnen sich die Weiden, die alle umzäunt sind, aus.
Außerdem wird Kaffee gepflanzt, der vorzüglich gedeiht, und Yuka,
Orangen, Limonen, sowie andere Gewächse. Bald saßen wir bei einem
vorzüglichen Frühstück, und ich war nicht wenig erstaunt, als ich
daselbst drei Landsleute vorfand, den Buchhalter, Ingenieur und
Mechaniker, lauter Deutsche. Sie alle waren erst vor kurzem angekommen.

Ueber 14 Tage blieben wir auf Chatham, die Ankunft eines kleinen
Seglers erwartend, der augenblicklich in Guayaquil sich befand, und
den wir von Herrn Cobos für unsre Expedition engagiert hatten.
In dieser Zeit wurden die Sammlungen angelegt. Oben auf der Höhe,
wo wir wohnten, regnete es sehr häufig und es war in Folge dessen
sehr feucht, so dass sich alles im Hause sehr rasch mit Schimmel
überzog; dies machte das Trocknen der Pflanzen sehr schwierig. In
der unteren Region, am Strande, regnete es dagegen sehr selten, es
war trocken, sehr angenehm und etwas wärmer, wie oben. Die Nächte
waren oft recht empfindlich kühl, so dass ich oft aufstand, um die
Holzläden zu schließen. Trotzdem, dass Chatham schon seit über
10 Jahren bewohnt ist, sind die Vögel doch noch so zahm, wie
früher. Die kleinen Finken und namentlich die Fliegenschnapper

kamen oft heran und setzten sich, wenn man sich ruhig verhielt, auf Hut und Schulter, oder auf den Lauf der Flinte. Man braucht dieselbe häufig gar nicht, sondern kann die Vögel mit einer Gerte erlegen. Sehr eigentümlich ist, dass auch die Ente, die doch sonst ein so scheuer Vogel ist, diese Zahmheit besitzt. Eines Tages ritten wir die Berge hinauf nach einer kleinen Lagune, um Enten zu erlegen. Als wir ankamen, lagen wohl 3 Dutzend Stück dort, die ruhig sitzen blieben. Wir schossen verschiedene Male dazwischen, um sie zum Auffliegen zu bewegen; dies thaten sie auch, kehrten aber bald wieder aufs Wasser zurück. Ich sah zwei Stück, welche von den übrigen isoliert waren; ich schoss die erste, die zweite blieb ruhig, wo sie war, so dass ich sie mit dem zweiten Schuss erlegen konnte. Ich werde später noch auf diese interessante Thatsache zurückkommen. Die Ente der Galápagos-Inseln ist denselben eigentümlich und wird sonst nirgends gefunden. Die Zahmheit der Vögel ist, glaube ich, der sicherste Beweis, dass diese Inseln niemals von Menschen bewohnt waren, ehe sie von den Spaniern im 16. Jahrhundert entdeckt wurden.

Hier möchte ich nur noch kurz erwähnen, wie das Vieh erbeutet wird. Als Cobos auf die Insel kam, waren wohl an die 5000 Stück verwildertes Vieh auf derselben, welches von den Kolonisten von Charles eingeführt worden war und sich außerordentlich vermehrt hatte. Eine große Zahl wurde eingefangen und gezähmt. Das zahme Vieh wird nicht geschlachtet, sondern nur für Milch und als Zugvieh benützt. Das Fleisch wird vom wilden Vieh gewonnen, das geschossen wird. Dieses verwilderte Vieh hält sich am Tage über auf den höchsten Gipfeln im Gebüsch auf und kommt erst gegen Abend auf die Grasplätze. Beinahe jede Nacht gegen 2 Uhr geht der Jäger mit 2 oder 3 anderen Leuten hinaus, um 2—3 Stück für den laufenden Bedarf zu schießen, die an Ort und Stelle zerlegt und auf Maultieren heimgebracht werden. Alle Nahrungsmittel und Alles, was auf der Insel vorkommt, gehört Cobos, der es den Leuten zu einem von ihm festgestellten Preis verkauft. Das Zuckerrohr gedeiht vorzüglich, zur Zeit unsrer Anwesenheit wurden täglich beinahe 100 Zentner Zucker produziert. Zur Feuerung wird ein sehr schweres und festes Holz verwendet, welches in Menge in der mittleren Region der Insel wächst. Dasselbe kommt auch auf Indefatigable, James und Albemarle vor, dagegen fehlt es auf Charles. Chatham besitzt auch einen „Gouverneur" und einige Polizeisoldaten; nichtsdestoweniger ist Señor Cobos Alleinherrscher.

Am 21. Juni kam der kleine Segler „Chatham" von Guayaquil zurück, der uns auf unsrer weiteren Expedition führen sollte. Nach einigen Tagen waren alle Vorbereitungen getroffen, so dass wir am 27. Juni Chatham verlassen konnten. Das Boot war ein kleiner Einmaster von etwa 20 Tonnen, auch ein vorzüglicher Segler. Außer

Herrn Adams und mir bestand unsre Gesellschaft aus sechs Leuten: der Kapitän Herr Louis Bonhoff, ein Deutscher, der von Cobos für den Dienst zwischen Chatham und Guayaquil angestellt war, zwei Matrosen, die die Inseln genau kannten, da sie Cobos bei seinen früheren *Orchilla*-Expeditionen begleitet hatten, ein Koch, ein junger Mann von Chatham, einer der *Orchilla*-Sammler, mit Namen Silva, und unser Schwarzer, den wir von Guayaquil mitgebracht hatten. Wir hätten wohl kaum ein passenderes Schiff und passendere Leute finden können; denn dieselben kannten die kleinsten Ankerplätze der Inseln, außerdem die am leichtesten zugänglichen Stellen, und ohne dieselben wäre es kaum möglich gewesen, in einer verhältnismäßig kurzen Zeit die verschiedenen Inseln zu besuchen. Unsre Absicht war, zwei Monate auszubleiben und während dieser Zeit die folgenden Inseln zu besuchen: Charles, Hood, Barrington, Süd-Indefatigable, Süd-Albemarle, Duncan, West-Indefatigable, Jervis, Ost-Albemarle, James, Nord-Indefatigable, Nord-Chatham, und nach Wreck Bay zurückzukehren. Dort sollte neuer Proviant eingenommen und allenfallsige Reparaturen gemacht werden, um den Rest der Inseln, Tower, Bindloe, Abingdon, West-Albemarle, Narborough, Wenman und Culpepper zu besuchen und von dort direkt nach Guayaquil zurückzukehren.

Am 27. Juni, 9 Uhr Morgens, fuhren wir bei guter Brise aus dem Hafen von Chatham. Gegen 3 Uhr kamen wir in Sicht von Charles, welches etwa 90 Kilometer von Chatham gegen W.S.W. liegt. Gegen 8 Uhr sind wir in der Nähe von Charles, aber plötzlich tritt Windstille ein, so dass wir erst am folgenden Morgen um 5 Uhr in der Black Beach Road oder Playa prieta auf der westlichen Seite ankern können. Da lag nun die erste Insel zur Vergleichung vor mir. Schon vom Schiff aus bietet Charles ein ganz anderes Bild dar, wie Chatham; hier sind die Hügel alle abgerundet, der höchste Berg, Cerro de Paja, erhebt sich zu einer Höhe von 1780'. Um 6 Uhr geht es ans Land, ein verwachsener Weg führt zur alten Ansiedelung hinauf. Die untere Region ist hier dürr, nicht grün, wie auf Chatham, und Darwin's Beschreibung passt hier sehr gut. Die Fauna und Flora interessiert mich natürlich sehr und ich finde hier schon vollkommene Bestätigung meiner Ideen. Vor allem fällt eine riesige rotbraune Heuschrecke auf, die hier sehr gemein ist, aber auf Chatham vollkommen fehlt. Auf Chatham gab es eine kleine Art, die hier jedoch selten ist. Die Landschnecken sind verschieden, die eigentümliche Spinne *Gasteracanta* ist verschieden von der Chatham-Form. Die Vögel sind nicht genau dieselben. Der Finke *Cactornis*, von welchem wir während der ganzen Zeit unsres Aufenthaltes nur 2 Exemplare auf Chatham beobachtet hatten, ist hier sehr gemein, dagegen fehlt die Spottdrossel *Nesomimus*, so häufig auf Chatham, auf Charles vollkommen. Die Sträucher und Bäume machen einen anderen Eindruck und die großen Waldbäume von Chatham fehlen hier. Auch das Aussehen der Kakteen ist ein anderes, und die Früchte der Säulenkaktusse haben eine mehr kugelige Form. Es ist kein Zweifel: Charles ist ein umgeprägtes Chatham, oder um es richtiger auszudrücken, beide sind Planeten eines Systems. Nach $^3/_4$ Stunden sind wir an der alten Ansiedelung angelangt; eine zerfallene Hütte und ein Kreuz auf dem Grabe Valdigans sind die einzigen Ueberbleibsel, außer den Orangen und anderen Fruchtbäumen und den verwilderten Eseln, die einem von Zeit zu Zeit begegnen. Eine hübsche Quelle findet sich oben zwischen schattigen Baumgruppen hervorrieselnd; die Orangenbäume hängen voll der schönsten Früchte. Außer den Eseln finden sich verwilderte Pferde, Rinder, Schweine und Ziegen. Das Rindvieh ist hier gefährlich und die Stiere greifen den Menschen an. Einige Monate vorher war einer der Leute von Cobos hier sehr schwer verwundet worden. Den folgenden Tag machte ich mich mit Silva nach dem Innern auf, um die sogenannten Cuevas zu besuchen. Die Cuevas befinden sich auf einem Berge im Osten vom Cerro de Paja. Der Basalttuff ist von Wind und Wetter in verschiedene Höhlungen verarbeitet. Schon wiederholt haben hier Menschen längere Zeit gewohnt, und in einer der größeren Höhlen findet man ein Bett, einen Herd und einen Sitz, sowie verschiedene Nischen aus dem weichen grobkörnigen Tuff herausgehauen. Im Jahr 1809 hatte sich hier schon ein Ire niedergelassen. An den Felsen, die mit Farnkräutern bewachsen, rieselt ein Bächlein herunter, und am Fuß der Felsen stehen die Orangenbäume überladen mit Früchten.

Am dritten Tage verließen wir Black Beach Road, um nach Cormorant Bay, im Nordwesten der Insel, zu gehen. Dort befand sich eine Lagune, wo gewöhnlich *Flamingos* zu treffen sein sollten. Am 1. Juli bei Tagesanbruch gingen wir ans Land. Gleich in der Nähe des Landungsplatzes lag die Lagune, von Mangrove-Gebüsch umgeben. Wir schlichen uns heran, und es bot sich uns ein herrlicher Anblick. Die Sonne war eben aufgegangen und beleuchtete den spiegelglatten See, in welchem wohl 20 der herrlichen Vögel standen, wateten, oder nach Nahrung suchten, den Kopf und den langen Hals im Wasser versenkend. Ihr rosarotes Gefieder hob sich prächtig ab. Später machte ich einen langen Gang am Strand entlang, um die kleine Eidechse *Tropidurus*, die mich besonders interessierte, zu suchen; aber auch stundenlanges Suchen blieb vergebens. Nicht ein Exemplar wurde gesehen, und diese Eidechse war doch auf Chatham in der Nähe des Strandes so häufig gewesen. Ich wusste, dass die Exemplare von Charles verschieden waren von denen von Chatham, ich wusste, dass Darwin diese Eidechse hier gesammelt, und dass die Originalexemplare der Art von Charles stammten. Ich war entschlossen, die Insel nicht eher zu verlassen, als ich das Tierchen gefunden. Wieder ging es auf die Suche, aber wieder ohne Erfolg. Ich entschloss mich daher, nochmals an einer anderen Stelle

der Insel zu landen, und fuhr nach der im Nordosten gelegenen
Cuevas-Bay. Zwischen den senkrecht ins Meer abfallenden Wänden
findet sich eine kleine Sandbank, die das Landen ermöglicht. Hier
finden wir dieselbe Tuffformation in parallelen Schichten abgelagert,
und mit derselben Höhlenbildung, wie ich sie vorhin beschrieben. In
die Wände sind mit Riesenbuchstaben verschiedene Namen eingehauen.
Hier sah ich die erste See-Eidechse (See-Iguana, *Amblyrhynchus*) und
war auch glücklich genug, sie zu erlegen. Aber trotz eifrigen Suchens
nach *Tropidurus*, keine Spur derselben zu sehen. Am Nachmittag
mache ich mich nochmals auf den Weg durch Gestrüpp; da höre ich
etwas rascheln, es konnte wohl nur die Eidechse sein, aber zu Gesicht
bekam ich sie nicht. Weiter geht es auf die Suche, da sehe ich ein
Exemplar auf einem Steine sitzen, sich sonnend, mit dem Kopfe
nickend, ein Schuss und ich hatte wenigstens ein Exemplar dieser
Eidechse von Charles. Nun konnte es weiter gehen.

Am 3. Juli um 4 Uhr lichteten wir die Anker und segelten auf
Hood zu. Hood liegt etwa 70 km östlich von Charles. Wir hatten
Wind und Strömung gegen uns und kamen nur langsam vorwärts.
Wir fahren nördlich an der steilen Gardner-Insel vorüber, südlich
davon liegt der mit einem Portal versehene kleine Watson-Felsen,
kleine Schiffe können durch dieses Portal hindurchfahren. Alle diese
kleinen Inselchen und Felsen bestehen aus derselben Tuffformation
wie die Cuevas und sind Trümmer von Vulkanen. Nachts lässt der
Wind nach, und den ganzen folgenden Tag treiben wir uns auf dem
Wasser herum, gegen Wind und Strömung. Der Albatross ist hier
sehr häufig, aber er ist scheu und kommt nie in Schussnähe. Gegen
9 Uhr sehen wir Hood mit der kleinen Gardner-Insel gegen Osten
liegen. Es erscheint als niedriges Tafelland mit wenigen auffallenden
Spitzen, die höchste eine Höhe von 640' erreichend. Alle Augenblicke
fliegt eine kleine braune Motte gegen Nordwesten in der Richtung
des Windes an uns vorüber; von Zeit zu Zeit fällt eine ins Wasser,
erhebt sich aber wieder und fliegt weiter. Die Schmetterlinge kommen
von Hood, und das Phänomen dauert einige Stunden. Auf Hood war
ich sehr gespannt, es war die erste Insel, welche wir besuchten, die
nicht in die feuchte Region reichte. Nur zweimal zuvor war sie zu
wissenschaftlichem Zweck betreten worden; Dr. Habel war hier im
Jahre 1868, hatte aber nur einige Pflanzen gesammelt, der „Albatross"
dagegen hatte vor 3 Jahren interessante Sammlungen gemacht.

Am 4. Juli um 5 Uhr ankerten wir zwischen Hood und der kleinen
Gardner-Insel in der Gardner-Bay. Am Strande lagen auf dem herr-
lich weißen Sand, der sich die ganze Bucht entlang erstreckt, wohl
300 Seehunde. Von Zeit zu Zeit kamen sie ums Schiff geschwommen
und die ganze Nacht hörte man ihr Schnauben. Als wir am Morgen
des folgenden Tages an Land gingen, gab es eine große Verwirrung
unter den Seehunden, mit lautem Gebell hüpften die Tiere in unbe-

holfenen Sprüngen, oft nach vorne niederfallend, dem Meer zu, als wir mitten unter dieselben sprangen. Die Tiere sind harmlos und nur selten kam es vor, dass sich ein sehr altes Männchen zur Wehr setzen wollte. Hier fiel uns vor allem die Spottdrossel *Nesomimus* auf, welche in sehr großer Zahl und ganz unbesorgt am Strande umherhüpfte. Es ist eine Art, eigentümlich für Hood und die größte von allen Rassen und Arten, die auf den Inseln vorkommen. Die Finkengattung *Cactornis* fehlt hier vollkommen, ebenso der prächtige rote Fliegenfänger *Pyrocephalus*. *Tropidurus*, so äußerst selten auf Charles, ist hier in außerordentlicher Zahl vorhanden, und bei weitem am größten von allen Arten der Galápagos. Hier gelang es uns, auch eine Schlange zu erbeuten. Trotzdem wir eine dreitägige Jagd nach Schildkröten machten, die vor wenigen Jahren hier noch existierten, gelang es uns nicht, ein einziges Exemplar zu finden, und es ist daher anzunehmen, dass diese Tiere auf Hood nun ebenfalls ausgerottet sind, wie auf Charles und Chatham. Die Spinne *Gasteracanta*, die auf Charles und Chatham so sehr häufig war, wurde hier nicht beobachtet, dagegen war eine andere Gattung *Epeira* sehr gewöhnlich. Von Landschnecken fanden wir keine Spur, nicht einmal die Gehäuse. Die großen Heuschrecken fehlten vollkommen, dagegen kam eine kleine Art wie auf Chatham vor. Die Flora von Hood ist im Vergleich mit Chatham und Charles außerordentlich dürftig. Eigentliche Bäume fehlen hier vollkommen. Hie und da begegnet man einem etwa $1/4$ Fuß dicken „Palo Santo" und einer *Algaroba* von derselben Dicke. Kakteen sind nicht sehr häufig. Die *Opuntia* ist kurz, aber dickstämmig; der Säulenkaktus ist hier eine Seltenheit. Ganz Hood ist sehr felsig, und es ist schwer, zwischen den eckigen Lavatrümmern und dem dornigen Gesträuppe durchzukommen.

Am zweiten Tag machte ich einen Ausflug nach der nahen Gardner-Insel, diese zeigt dieselbe Flora und Fauna wie Hood. Hier fand ich zwischen den vom Meer bespülten Felsen die See-Eidechse (*Amblyrhynchus*) in großer Anzahl. Diese Tiere, die eine Größe bis zu 5' erreichen können (auf Albemarle z. B.), halten sich meist auf den äußersten Felsen, in der nächsten Nähe der Brandung auf. Sie leben von dem Seetang, der die Felsen überzieht. Wenn man sich ihnen nähert, verkriechen sie sich zwischen den Felsspalten, oder ziehen sich hinter oder unter Felsen bis zur Brandung zurück. Ins Meer selbst habe ich sie nie schwimmen sehen. Sie klammern sich mit den scharfen Krallen sehr fest an die Felsen an, und es ist oft äußerst schwer, ja manchmal unmöglich, sie aus den Spalten herauszuziehen. Auf der Gardner-Insel fand ich auch auf den steilen Felsen die prächtig weiß-graue Möve *Creagrus*. Von diesem Vogel, der auch den Galápagos-Inseln eigentümlich ist, existieren, so viel mir bekannt, nur vier Exemplare in den verschiedenen Museen, zwei in Washington, eines in London und eines in Paris; wir hatten den Vogel schon am

ersten Tag, als wir uns Chatham näherten, gesehen und ebenfalls
zwischen Charles und Hood ein einzelnes Exemplar fliegen sehen.
Alle Exemplare, deren Lokalität sicher bekannt ist, waren auf dem
Dalrymple-Rock, einem kleinen Felsen westlich von Chatham, erlegt
worden. Es unterlag keinem Zweifel mehr, dass das Tier hier auf
Gardner seine Brutstätte habe. Am dritten Tag fuhren wir mit dem
kleinen Ruderboot wiederum nach Gardner, fanden aber diesmal den
Vogel nicht. Wir fuhren nun nach einem Felsen in der Nähe, hier
fanden wir zwei Exemplare an den steilabfallenden Wänden in Höhlungen sitzen, und als wir dieselben schossen, flogen noch andere auf,
von denen wir noch vier erlegen konnten. Später fand es sich, dass
Creagrus sehr häufig auf den Galápagos-Inseln ist, auf Brattle und
Tower brütet er in sehr großer Zahl; außerdem beobachteten wir ihn
auf Felsen im Nordosten von James, auf der Seymour-Insel, bei
Bindloe und Abingdon und während der Rückreise auf offener See
etwa 300 Meilen von der Küste.

Am 8. Juli verließen wir Hood, um nordwestlich nach Barrington
zu gehen, wo bisher noch gar keine Sammlungen gemacht worden
waren. Um halb 10 Uhr kamen wir in die Nähe der Insel. Das
ganze Südostufer ist steil und unzugänglich, in hohen Felswänden
abfallend. Gegen Osten zu wird es flacher. Um 11 Uhr ankerten
wir in einem reizenden kleinen Hafen im Nordosten von Barrington.
Dieser ist vollkommen vom Land umschlossen, nur im Osten ist eine
offene Stelle, durch welche man weit im Hintergrund Chatham erblicken kann. Der Allgemeineindruck von Barrington ist wieder einzig,
verschieden von den anderen Inseln, die wir bisher gesehen. Am
meisten gleicht es Hood, nur herrschen hier die großen Opuntien vor,
doch sind diese von anderer Form: hohe Stämme, schlanke Bäume
bildend. Eine neue Rasse von *Tropidurus* ist sehr gemein, ebenso
eine Rasse von *Nesomimus*. Der Finke *Cactornis*, der auf Hood fehlt,
ist hier vorhanden.

In der Frühe des 9. Juli machte ich mich mit Silva und den
beiden Matrosen auf den Weg, um die ganze Insel zu durchkreuzen
und vor allem auf die großen Land-Iguauen, die hier vorkommen,
und die Schildkröten Jagd zu machen. Durch dichtes Gestrüpp und
über Massen von Felsblöcken geht es dahin; oft sind die Blöcke
durch Gras und Gestrüpp verdeckt, was sehr unangenehm ist, da
man jeden Augenblick stolpert und zu Fall kommt. Die *Opuntia* ist
hier sehr gemein und erreicht außerordentliche Dimensionen. Die
Stämme werden bis 12′ hoch, ehe die Seitenäste beginnen und bis zu
2′ dick, und gleichen denen einer Kiefer. Wie wir so entlang stolpern,
sehe ich plötzlich ein Tier wie eine Ratte dahinlaufen und unter einem
Felsen verschwinden. Dieses Tier konnte nichts anderes sein, als
der kleine, den Galápagos-Inseln eigentümliche Nager *Oryzomys*, der
seit Darwin nicht mehr gefunden worden war. Nun begann die

Jagd; sorgfältig wurden die Steinblöcke entfernt, das Tierchen stürzt
blitzschnell heraus, verschwindet aber sofort wieder in einer anderen
Spalte. Das zweite Mal entrann es nicht, ein Schuss legte es nieder.
Hier hatten wir also das den Galápagos eigentümliche Säugetier.
Später schoss ich noch ein Exemplar, und am folgenden Tage gelang
es uns, noch sechs weitere zu erhalten Von Schildkröten fanden wir
keine Spur, früher existierten sie, aber sie scheinen auch hier, wie
auf den Inseln, die wir zuvor besucht, vollkommen ausgerottet. Bald
jedoch sahen wir zwischen den Felsblöcken einige der großen Land-
Iguanen. Es sind große plumpe Tiere von schmutzig-gelber Farbe,
sie werden bis zu 3′ lang und über zwanzig Pfund schwer. Ihr Fleisch
ist nicht übel, auch das der See-Iguanen wurde gekostet.

Nachdem ich die ganze Insel durchkreuzt, kehrte ich mit einem
der Matrosen zurück, während S i l v a mit dem anderen weiter ging,
um womöglich eine der hier verwilderten Ziegen zu erlegen. Am
folgenden Morgen kehrten sie mit zwei Stück zurück. Unterwegs
sah ich noch zwei Schlangen, sie waren aber flinker, als ich. Als
ich später den Magen der großen Land-Echsen öffnete, fand ich nichts
wie Kaktus (*Opuntia*) in demselben. Die Flora ist ähnlich der von
Hood, doch sind die wenigen Bäume jener Insel hier noch mehr
reduziert, der einzige Baum, der vorkommt, ist der *Palo-Santo*. Hier
fand sich die große Heuschrecke wie auf Charles und auch einige
Landschnecken, die jedoch von denen, die vorher gesammelt worden,
verschieden waren. Auf der kleinen Halbinsel, welche auf einer
Seite den Hafen umgibt, befand sich wie auf Gardner eine Heerde
Seehunde. Die Steine auf diesem Fleck waren von den Tieren vollkommen poliert; wie lange müssen sich dieselben hier schon herumtreiben! Einige Seeschildkröten (die *Green-turtle* des Pacifischen
Ozeans, die von der des Atlantischen Ozeans verschieden ist) lagen
am Strand im Sande und wir nahmen eine zur Mahlzeit mit. Als
ich dieselbe präparierte und die Gedärme ins Wasser warf, waren
in sehr kurzer Zeit eine große Anzahl von Fregattvögeln da, die einer
nach dem andern mit dem Schnabel nach den Abfällen griffen und
dann wieder in elegantem Bogen weiter flogen, um den Prozess zu
wiederholen, wenn die Reihe wieder an sie kam.

Am 11. Juli verließen wir Barrington, um nach dem Süden von
Indefatigable zu gehen, das nur 18 km entfernt liegt. Schon um
10 Uhr Morgens langten wir im Hafen Aquada an. Dieser Teil von
Indefatigable erinnert sehr an Chatham, erscheint aber noch größer;
das ganze Ufer ist mit üppigen Mangroven bewachsen. Schon wenn
man landet, fällt einem die große Zahmheit der Bussarde auf (*Buteo
galápagoensis*), eine für die Galápagos-Inseln eigentümliche Art. Dieselben sind in sehr großer Zahl vorhanden. Sie sitzen in kleinen
Gesellschaften bis zu 5 Stück auf den Büschen und bleiben ruhig
sitzen, wenn man sich ihnen nähert; sie sehen einen nur erstaunt an,

als wollten sie sagen: „wer bist denn du, und was willst du hier?"
Sie lassen einen ganz an sich herankommen, ohne wegzufliegen. Ich
werfe ein paar Steine neben sie in die Büsche, sie rühren sich nicht;
ich nehme ein Stück Holz, das ich am Strande finde und werfe es
zwischen sie, worauf einige sich bewogen fühlen, sich auf den nächsten
Busch, ein paar Schritte weit entfernt, zurückzuziehen. Dies klingt
beinahe wie Jägerlatein. Die kleinen Vögel sitzen unter den Bussarden
auf denselben Büschen und bekümmern sich um dieselben gar nicht.
Als ich den Magen eines der Bussarde öffnete, fand ich nur Reste
von der großen Heuschrecke und *Scolopendra*. Auf Indefatigable
blieben wir nur 2 Tage, da wir später noch zweimal dieselbe Insel
zu besuchen gedachten, und der Aufenthalt wegen der Unmasse von
Mosquitos ganz unerträglich war. *Tropidurus*, sowie alle kleinen
Landvögel sind hier ganz gewöhnlich. Auch die See-Echse wurde
häufig gesehen. Am Abend des 12. Juli verließen wir Indefatigable,
um nach Brattle zu fahren, einem kleinen Inselchen im Südosten von
Albemarle. Diese Insel ist nichts anderes, wie der Rest eines großen
Vulkans, dessen Südostseite bis auf zwei kleine Stücke, die nun als
Felsen erscheinen, weggerissen ist. Vergebens suchten wir hier zu
landen, die Wände fallen steil ab, und trotz vielfacher Versuche im
kleinen Boot war es nicht möglich, anzukommen. Dies war sehr be-
dauerlich, denn diese Insel ist die Brutstätte vieler Seevögel. *Creagrus*
war hier in Hunderten von Exemplaren vorhanden, ebenso *Fregatta*,
von welch letzterer wir die weißen Jungen in den Nestern sitzen
sahen. Auch entdeckten wir hier zum ersten Mal einen kleinen *Pinguin*,
der den Inseln eigentümlich ist. An manchen Stellen lagen eine große
Zahl der See-Echsen und sonnten sich, wir sahen aber nur kleine
Exemplare. Auch einige kleine Landvögel (*Dendroica*, *Geospiza*)
wurden beobachtet. Die Insel ist grün und viele Ravinen laufen von
oben herab. Gegen 10 Uhr lagen wir im Südosten von Albemarle,
Brattle gegenüber, vor Anker. Eine gute Strecke vom Land entfernt,
mussten wir uns mit dem Ruderboot nach einer kleinen, zwischen
Mangroven versteckten Bucht bringen lassen. Eine Unmasse von
Tölpeln und viele Pinguine sitzen auf den kleinen Felspartien, die
aus dem Wasser hervorragen; auch viele Pelikane finden sich hier,
doch meist sitzen sie in den Mangrovegebüschen, wo sie auch ihre
Nester haben. Nahe an der Landungsstelle steht eine alte Strohhütte,
und etwa eine Viertelstunde davon entfernt ein verlassenes Feld
Zuckerrohr. Hier sieht die Lava frisch aus, wie wenn sie erst vor
kurzem geflossen wäre und es ist sehr leicht, die Richtung der Strömung bei den kleinen Partien zu verfolgen.

Albemarle ist die größte der Galápagos-Inseln, zugleich aber
diejenige, die am wenigsten bekannt war; nur vier Arten von Vögeln
hatte man hier bis jetzt gefunden. Eine der Hauptaufgaben war
daher, diese Insel genauer zu untersuchen und so hielten wir uns

beinahe drei Wochen auf. In dieser Zeit gelang es uns, nicht weniger
als 40 Arten von Vögeln zu beobachten. Hier war es auch, wo wir
die ersten großen Landschildkröten antrafen, über welche ich nun
etwas berichten will. Zuvor möchte ich nur bemerken, dass Albemarle
in der Flora sehr an Indefatigable erinnert, und dass auch die Fauna
der beiden Inseln sich sehr ähnlich ist. Schon am zweiten Tage nach
unsrer Ankunft auf Albemarle machte ich mit Silva eine Tour nach
den Höhen, um die großen Landschildkröten kennen zu lernen. In
der Nähe des Strandes findet man sie nirgends mehr, dort sind sie
längst von den Wallfischjägern und *Orchilla*-Sammlern ausgerottet
worden, aber in schwer zugänglichen Teilen im Innern sollten dieselben nach den Angaben unsrer Leute noch vorhanden sein. Am
Morgen des 15. Juli, kurz nach Sonnenaufgang, machten wir uns auf.
Der Weg führt zuerst am Strande hin über Wiesengrund, dann durch
Mangrovegebüsch an einer Lagune entlang. Später geht es den Berg
hinauf auf einem Weg, den Silva Tags zuvor etwas gebahnt hatte,
stets durch Unterholz, das sich über unsern Häuptern zusammen-
schließt und angenehme Kühle hervorbringt. So wandern wir wohl
eine halbe Stunde lang bergan. Der Weg besteht aus zerbröckelter
Lava; öfters passieren wir große *Mansanilla*-Bäume, die herrlichen
Schatten bieten und stets schöne Lagerplätze abgeben. Mehr und
mehr Vögel erscheinen. Bald jedoch kommen wir auf weite Lavafelder, auf welchen nur dornige Kakteen und Akazien wachsen, die
einen böse begrüßen, wenn man in ihre Nähe kommt. Dann folgt
eine Strecke des dichtesten Gebüsches, durch welches erst der Weg
mit dem Beil gehauen werden muss. Aber weiter geht es, wenn auch
langsam. Und nun kommen wir an ein Schlackenfeld von Lava, das
überwunden werden muss. Mehr wie $1\frac{1}{2}$ Stunden geht es über diese
Schlackentrümmer, aus denen sich nur selten eine Pflanze hervor-
drängt; hie und da sieht man die Eidechse *Tropidurus* zwischen den
Schlacken verschwinden, heiß brennt die Sonne hernieder und heiß
werden die Strahlen von dem Gestein zurückgesandt. Dabei muss
man beinahe jeden Schritt analysieren, man muss immer erst suchen,
wo man den Fuß hinsetzen will, ehe man den nächsten Schritt wagen
kann, denn diese Lavabrocken sind wackelig und zerbrechlich, man
verliert leicht das Gleichgewicht und zwischen die zackigen Schlacken
zu fallen, ist kein Vergnügen. Nun folgt eine Stelle, wo etwas mehr
Pflanzen sich angesiedelt, aber dies ist nicht angenehmer, im Gegenteil, nun bleibt man oft plötzlich, während man einen Schritt thut,
mit dem Fuß an einer binsenartigen Schlingpflanze hängen, und steht
in der Schwebe, bis man sich mit Gewalt durchreißen kann, oder
seinen Fuß mit Vorsicht befreit hat. So ist es schon nach 9 Uhr
geworden, und noch sind wir nicht in der Gegend, wo die Schildkröten vorkommen. Das Gras nimmt jedoch mehr und mehr zu, das
Gebüsch wird dichter, der Boden wird angenehmer zu passieren.

Plötzlich kommen wir an einen etwa fußbreiten Pfad, und Silva
hält mit den Worten: „Hier ist eine Galápago gegangen." Es wird
genaue Umschau gehalten und bald erblicken wir auch die erste
lebende Galápagos-Schildkröte. Der Rückenschild maß etwa 40 cm.
Wir schlangen um die Beine des Tieres einen Strick, banden es an
einem schattenverbreitenden Baume fest, und die Reise ging immer
durch hübsches, mit Rasen bewachsenes Unterholz, welches glücklicherweise nur wenige Lavablöcke zeigte, weiter. Bis 11 Uhr hatten
wir 8 Stück gefunden, die größte war über den Rückenschild etwa
65 cm lang. Dies war Alles recht schön; doch nun kam der andere
Teil, die Tiere hinabzuschaffen. Es war natürlich nicht daran zu
denken, mehr wie 2 Stück, eines pro Mann, mitzunehmen. Jeder von
uns band sich eine Schildkröte mit Stricken auf den Rücken, und
rückwärts ging es. Im Anfang machte sich die Sache ganz gut, aber
im Schlackenfeld gab es einen heißen Kampf. War schon vorher
das Balanzieren nicht leicht gewesen, so war es jetzt, mit dem Tier
auf dem Rücken, erst recht schwierig, da sich dieses jeden Augenblick mit seinen dicken Füßen gegen den Rücken stemmte, um sich
los zu machen. Verschiedene Male fiel ich samt meiner Kröte zwischen
die Schlacken, aber weiter geht es über Stock und Stein, wenn auch
langsam. Wir hatten gar keinen Proviant mitgenommen, weder Essen
noch Trinken. Die Hitze wurde immer größer, der Durst immer
mächtiger. So war es $^1/_2$3 Uhr geworden, als Silva sagte, er wisse
in der Nähe eine Stelle, wo es Wasser gäbe. Die Nähe schien mir
sehr weit. Aber endlich kamen wir nach heißem Kampf mit Gestrüpp
und zackigen Schlacken unter einer schattigen Gruppe von *Mansanilla*-
Bäumen an. Silva sucht herum und findet auch endlich eine kleine
Pfütze, in der Blätter und Aeste liegen. Das war das Wasser! Mein
Panamahut wurde gefüllt und man trank das trübe Wasser mit Hoch-
genuss, trotzdem es etwas faul schmeckte. Ja, nachdem man den
größten Durst gestillt, trank man nochmals, war es doch frisch und
kühl. Ich habe im vergangenen Jahr in Kansas und namentlich in
Wyoming Wasser getrunken, das man unter gewöhnlichen Verhältnissen nicht berühren würde, es war Quellwasser gegen dieses. Doch
es ging besser nach dem Trunk und gegen 6 Uhr kamen wir nach
12stündiger Abwesenheit im Lager wieder an.

Am Tag darauf ging ich nochmals mit Silva und dem Kapitän,
den ich aufgefordert hatte, uns zu begleiten, nach der Stelle, wo wir
die übrigen Schildkröten angebunden hatten. Zwei weitere Tiere
wurden heruntergeschleppt. Der Kapitän und ich trugen eine der
größeren an einem Pfahl, und es war ein wunderbares Gewackel
zwischen den Schlacken, als wir herab kamen. Der Kapitän war
halb tot. Er hatte, wie er sagte, mit dem Knie einige Lavabrocken
abgeschlagen, und als er sich beim Fallen an einem Baume halten
wollte, zu seinem Schrecken und Schmerz bemerkt, dass es ein

stacheliger Kaktus war. Nie in seinem Leben, schwur er, würde er
wieder eine derartige Tour mitmachen. Allerdings sah er übel zugerichtet aus; von den Kleidern hingen die Fetzen, und die Stiefel
waren in keiner besseren Verfassung. Dies war am 16. Juli. Am
Tag darauf machten sich Adams mit Silva, den beiden Matrosen
und unserm Schwarzen auf den Weg, um die übrigen Schildkröten,
die wir vor 2 Tagen festgebunden, herunterzuschaffen. Am Abend
kamen sie, jeder mit einer Schildkröte auf dem Rücken zurück. So
hatten wir denn eine Anzahl lebender Schildkröten im Lager, aber
sie waren keine Riesenschildkröten, wie sie nach der Aussage von
Silva weiter im Innern existieren sollten Am 18. Juli machten wir
uns daher zu Fünfen auf, um weiter nach dem Innern zu maschieren,
um womöglich eine der Riesen zu erhalten. Die Gesellschaft bestand
aus Adams, Silva, einem der Matrosen, unserm Schwarzen und mir.
Es ging den alten Weg hinauf wie früher. Unter der *Mansanilla*-
Gruppe wurde Halt gemacht und Wasser eingenommen, dann ging
der Marsch durch die Büsche weiter, Silva mit dem Beil den Weg
bahnend, einer dem andern folgend. So arbeiteten wir uns vorwärts
und begegneten bis $1/_2 5$ Uhr wohl einem Dutzend Schildkröten. Die
Reste verschiedener großer Schildkröten lagen in den Büschen, ich
nahm zwei gute Schädel und einen Oberarmknochen von 29 cm Länge
mit. Als es dunkel wurde, machten wir Halt; eine der Schildkröten,
denen wir begegnet waren, wurde verzehrt; die Leber auf dem Holz-
feuer geröstet, schmeckte ganz vorzüglich. Leider war unsre Mahlzeit trocken, denn das wenige Wasser musste für den anderen Tag
gespart werden, wo es noch weiter nach dem Innern, nach den Riesen
gehen sollte. Wir schleppten einen Haufen Gras zusammen und legten
uns nieder, aber die Mosquitos ließen uns keine Ruhe. Sowie es am
nächsten Tag hell geworden, machten wir uns wieder auf den Weg.
Nur langsam kamen wir vorwärts, denn Schritt für Schritt musste
mit dem Beil erobert werden. Gegen 9 Uhr verließen wir die Region
der Opuntien und Palo-Santos und kamen in die mittlere, mehr wal-
dige Region. Hier findet man dieselben Bäume wie auf Chatham,
aber außerdem noch einen großen Baum mit eschenartigen Blättern
und kleinen weißen Blüten, die traubenartig zusammenstehen (*Savon-
cillo*). Der Boden ist überall mit hohem Gras bedeckt. An den
Bäumen und zum Teil am Boden erscheint eine große Orchidee, aber
ohne Blüten, wie auf Chatham. Riesige Schlingpflanzen klettern die
Bäume hinauf, auch eine Winde findet sich mit einer sehr großen
weißen Blüte. Bis 11 Uhr begegneten wir zwölf Schildkröten, doch
keiner, die uns groß genug erschien. Wir lagerten uns und schlach-
teten eine Schildkröte. Leider ging unser Wasser zur Neige. Der
Vorrat reicht nur für eine Runde Thee. Wenn wir wüssten, ob wir
Wasser finden würden, könnten wir weiter; aber es ist höchst wahrscheinlich, dass nirgends in der Umgebung welches existiert. Es

bleibt nichts übrig, als umzukehren. Unter diesen Betrachtungen ist es beinahe 1 Uhr geworden, und in miserabler Stimmung wurde der Rückzug angetreten. Zwei Tage umsonst über die Steine gestolpert, Durst gelitten, die Beine zerschunden und nichts ausgerichtet. So wandern wir dahin, die Sonne sendet ihre heißesten Strahlen herunter, keiner spricht ein Wort. Wir mochten wohl eine Stunde gegangen sein, als Silva plötzlich hält und ruft: „Hier ist eine große Galápago!" und wirklich wandert ein mächtiges Tier dahin. Es musste wohl an die 200 Pfund wiegen, das Rückenschild maß gerade einen Meter. Es war nicht daran zu denken, den Koloss lebendig ins Lager zu bringen, es war also notwendig, das Tier zu schlachten. Wir litten gewaltigen Durst, und ich machte mich sofort daran, das Wasser im Herzbeutel, über welches ich so viel gelesen, zu versuchen. Es ist sehr erfrischend und schmeckt nur etwas nach Eiweiß; über 5 Tassen bekamen wir, und jeder, der wünschte, bekam seinen Teil. Die Leber, größer wie eine Kalbsleber, wurde verzehrt, das übrige brauchbare Fleisch in einen Sack gebracht und mitgenommen. Die Zerlegung erforderte über eine Stunde. Es war $\frac{1}{2}$3 Uhr geworden; wenn wir sehr gut marschierten, konnten wir die *Mansanilla*-Bäume noch erreichen, um dort zu kampieren. Silva nahm die Schale auf den Rücken und fort ging es. Es war ein langer Marsch, aber um $\frac{1}{2}$7 Uhr, es war schon dunkel geworden, schlugen wir Lager unter den Bäumen. Früh am nächsten Morgen brachen wir auf, und kamen gegen 7 Uhr im Hafen an.

Doch Silva sagt, es gebe noch größere Schildkröten weiter gegen Westen, und wenn es solche gibt, so müssen wir sie haben. Schon am nächsten Morgen, am 2. Juli, mache ich mich mit Silva und einem der Matrosen auf den Weg nach dem bezeichneten Ort. Vier und eine halbe Stunde gehen wir gegen Westen am Strand entlang, zuerst über weite Sandbänke, auf welchen man ausgezeichnet die Fußspuren der verschiedenen Vögel studieren kann, weiter über steile Klippen und eckige Lava. Dann muss durchs Wasser gewatet werden. Auf den ins Wasser ragenden holprigen Lavabänken sonnen sich eine Menge großer See-Iguane bis zu 4 Fuss lang, und ziehen sich, wenn wir nahe kommen, in die Spalten zurück. Plötzlich hört der Weg auf, denn die Mangroven wachsen bis ins Wasser hinein; da muss nun Weg gebahnt werden mit Beil und Messer. Um 12 Uhr kamen wir an einer Strohhütte an, die einst von Cobos' Leuten dort erbaut worden, als sie Schildkröten fingen, um Oel zu gewinnen. Ich streiche um die Hütte herum, wohl zwei Dutzend kleiner Schildkrötenschalen entdeckend. In einigen finde ich auch die Schädel, und so bringe ich eine gute Sammlung zu Stande. Um 2 Uhr verlassen wir die Hütte und kampieren um $\frac{1}{2}$6 Uhr nach hartem Kampf mit Lavabrocken und dichtem Gesträuch oben auf der Höhe. Von Zeit zu Zeit stieß man auf große Schildkrötenschalen, und unter denselben fand ich gewöhnlich eine Familie kleiner Geckonen und große schwarze Ameisen. Am darauffolgenden Tag, kurz vor 6 Uhr, machen wir uns wieder auf den Weg, und nach einem langen Marsch, der von dem gewöhnlichen Vorwärtsarbeiten mit dem Beil begleitet war, machen wir um 12 Uhr Halt. Unterwegs fing ich eine Menge Landschnecken, die an dem langen Grase saßen. Die Vegetation ist üppig grün. Wir sehen verschiedene Schildkröten, darunter eine, die gerade einen Meter über das Rückenschild misst, aber wir wollen größere. Schon wiederholt hatten wir breite Pfade im Gras entdeckt, die von großen Tieren herrühren mussten, sie waren aber nicht frisch. Endlich kamen wir an eine Pfütze, die sich in der ausgehöhlten Lava befand. Nach einer guten Mahlzeit von Schildkrötensuppe und gerösteter Leber ließen wir alles Ueberflüssige zurück und machten uns auf die Suche. Nach etwa 20 Minuten schon fanden wir ein altes Weibchen, dessen Schale gerade einen Meter maß. Ich war eben daran, das Tier zu präparieren, als ich die Anderen, die weiter suchten, rufen hörte. Ich eilte zu ihnen, und da fand ich denn ein Monstrum, wie ich es nie zuvor gesehen. Das Rückenschild war 1,40 m lang, 63 cm hoch und beinahe einen Meter breit. Es war natürlich nicht daran zu denken, dieses Tier, das sicher 400 Pfund wog, lebendig wegzuschaffen, ja es war eine Frage, ob man es, nachdem es präpariert, mitnehmen konnte. Der Schädel dieses Tieres ist 178 mm lang; der größte Schädel im Brittischen Museum, der seinerzeit von Kapitän Cookson gesammelt worden war und von dem die Leute sagten, dass es der größte wäre, der seit Jahren gefunden, misst nur 140 mm. Nach einer mühsamen Arbeit von drei Stunden war die Präparation vollendet. Als es dunkel wurde, kehrten wir zu der Pfütze zurück, wo wir unser Lager aufschlugen.

Am nächsten Morgen, während meine Leute wieder auf die Suche gingen, vollendete ich die Präparation der ersten Schildkröte vom vorhergehenden Tag. Die Leute kamen um 11 Uhr zurück, sie hatten noch eine andere Schildkröte, einen Meter lang, gefunden und sie angebunden; wir mussten an den Rückweg denken, denn für den folgenden Tag hatte ich mich mit Adams verabredet, unten an der alten Hütte zusammenzutreffen. Wir fällten einen schlanken Baum, dessen Stamm durch die Schale des Riesen gesteckt wurde, dann nahmen meine zwei Leute die Last auf den Rücken. Sehr langsam ging es vorwärts, und alle 15 Minuten musste Halt gemacht und gerastet werden. Auch der Weg, den wir zuvor gebahnt, war oft zu schmal und bedurfte einer Erweiterung. Um 6 Uhr, es hatte angefangen zu regnen, machten wir Halt. Am Tag darauf, die ganze Nacht hatte es geregnet, ging es weiter, ich voraus, um Adams zur richtigen Zeit zu treffen, die anderen mit ihrer schweren Last hintendrein. Um 12 Uhr kam ich total durchnässt an der alten Hütte an; um 1 Uhr folgten auch meine Leute, aber — ohne die große Schildkröte, sie war ihnen zu schwer geworden und sie hatten sie am Wege zurückgelassen. Bald darauf erschien Adams mit unserm Schwarzen, vom Osten kommend. Im Laufe des Nachmittags gingen die Leute wieder den Berg hinauf und brachten die Riesenschale herunter. Da man nur zur Zeit der Ebbe am Strande in das Hauptlager zurückgehen konnte, so blieb ich mit den andern in der Hütte über Nacht. Am Morgen des 25. Juli machte ich mich auf den Heimweg, während Adams mit den drei Leuten wieder den Berg hinauf ging, um den Rest der Schildkröten herunter zu schaffen. Um 2 Uhr kam ich an unserm Ankerplatz an. Am 27. schickte ich den zweiten Matrosen mit neuem Proviant nach der Hütte, wohin Adams mit seinen Leuten nun zurückgekehrt sein musste. Am 28. kam Adams mit dem Matrosen ins Hauptlager zurück. Er hatte noch zwei weitere größere Schildkröten gefunden und alle wurden nun von den drei Leuten, die er zurückgelassen, nach dem Strand heruntergebracht. Es lagen also beinahe 5 Stunden von unserm Ankerplatz fünf große Schildkröten, die nun hergeschafft werden mussten. Eine Landung an jener Stelle war, der sehr starken Brandung und der Felsen halber, nicht möglich. Es blieb also nichts übrig, als dieselben den mühseligen Weg am Strande entlang zu transportieren. Am Abend des 29. Juli erschienen unsre drei Leute mit zwei der Schildkröten. Am Morgen des 30. schickten wir unsre fünf Leute, diesmal musste sogar der Koch mithelfen, wieder zurück, um die drei übrigen Schildkröten, die noch im Westen an der Hütte lagen, ans Schiff zu bringen. Am Abend des 31. Juli kehrten sie zurück, nach unendlicher Arbeit. Volle zehn Tage hatte es gekostet, um fünf der großen Schildkröten zu bekommen.

Am Sonntag den 2. August verließen wir bei Tagesanbruch Albemarle, wo wir vom 12. Juli an geweilt hatten. Wir fuhren an den Grossman-Inseln vorüber gegen die Duncan-Insel zu, unsern nächsten Bestimmungsort. Die Grossman-Inseln sind nichts wie die Reste einzelner Vulkane. Südlich von Duncan hat man ein vorzügliches Bild der großen Insel Albemarle. Die ganze Insel besteht aus fünf riesigen Vulkanen, oben abgeflacht, die Narborough-Insel ist ein sechster Riese von der gleichen Gestalt. Um 2 Uhr ankerten wir vor Duncan, wo wir bis zum 4. August Abends blieben. Wir waren so glücklich, auf dieser Insel eine neue Art von Schildkröten zu finden, von denen nach vieler Arbeit acht Exemplare herabgebracht werden konnten. Die Schildkröten von Duncan sind ganz verschieden in Form von denen von Süd-Albemarle und ähneln den Formen von Abingdon. Einem spanischen Sattel gleichend, haben sie außerdem einen viel längeren Hals, wie die Albemarle-Tiere. Am Abend des 4. August ankerten wir in der Conway Bay im Westen von Indefatigable. Hier blieben wir bis zum Nachmittag des 7. August, nachdem ich mit Silva einen zweitägigen Gang ins Innere der Insel gemacht hatte. Von Schildkröten sahen wir keine Spur. Den 8. und 9. August brachten wir auf der kleinen und hübschen Insel Jervis zu, wo wir eine sehr interessante Ausbeute an Landvögeln machten. Die zwei folgenden Tage wurden im Osten von Albemarle gegenüber der kleinen Cowley-Insel zugebracht. Dieser Teil von Albemarle ist sehr verschieden von Süd-Albemarle und ist in seiner Flora und Fauna bedeutend ärmer. Zwei Tage lang versuchte ich mit Silva ins Innere über endlose Lavafelder nach den grünen Höhen vorzudringen; wir mussten aber den Versuch wegen Wassermangels aufgeben. Auch hier bekamen wir keine Schildkröten zu Gesicht; ich zweifle jedoch nicht daran, dass auf den grünen, waldigen Höhen diese Tiere anzutreffen sind.

Vom 12. bis 19. August besuchten wir die James-Insel. Zuerst wurde in James Bay im Westen gelandet und später an zwei anderen Ankerplätzen im Norden der Insel. In der Nähe des Landungsplatzes von James Bay befindet sich eine Lagune, wo wieder eine Menge Flamingos sich aufhielt. Als Adams um die Lagune herumging, fand er an einer Stelle die Nester der Vögel, von denen acht je ein Ei enthielten. Diese Nester sind auf dem feuchten Boden am Rande der Lagune gebaut und gleichen vollkommen einem kleinen Vulkan, sie sind 15 cm hoch, der obere Durchmesser ist 25 cm, der untere 68 cm. Oben haben sie eine flache Vertiefung, in welcher das weiße Ei, in Größe zwischen einem Enten- und Gans-Ei, liegt. Die acht Eier enthielten ziemlich vorgeschrittene Embryonen verschiedenen Alters, die natürlich sorgfältig konserviert wurden. Auch auf James war eine zweitägige Exkursion ins Innere nach Schildkröten ohne Erfolg. Am Morgen des 19. August verließen wir James, um nach Nord-Indefatigable hinüberzusegeln, bei welcher Fahrt wir zum ersten Mal kennen lernten, wie es mit einem Segelschiff geht, wenn kein Wind da ist. Volle vier Tage, bis zum 23. August, trieben wir uns im Nordosten von James herum, ohne Indefatigable erreichen zu können. Als endlich am Nachmittag des 23. August eine Brise einsetzte, schlug ich vor, dieselbe zu benützen und gleich nach dem Norden von Chatham hinüberzufahren und den Norden von Indefatigable auf der zweiten Fahrt zu besuchen. Der Wind hielt an, und am Abend des folgenden Tages ankerten wir an der Nordspitze von Chatham in der Nähe von Terrapin Road. Dies ist die Gegend, wo Darwin seinerzeit gelandet war, und ich erkannte sie sofort aus seiner Beschreibung. Flora und Fauna ist hier sehr arm, doch sind die Arten dieselben wie in Wreck Bay. Den 25. August brachten wir in Stephens Bay zu und am 26. August kehrten wir nach zweimonatlicher Abwesenheit nach Wreck Bay zurück. Während unsrer Abwesenheit war die Post angekommen. Leider waren die Nachrichten nicht gut und zwangen mich, so schnell wie möglich zurückzukehren. Die Idee, Narborough, Wenman und Culpepper zu be-

suchen, die nie vorher betreten worden waren, musste zu meinem
größten Bedauern aufgegeben werden, aber Tower, das beinahe völlig
unbekannt, wie Bindloe und Abingdon, konnten noch untersucht werden.
Schon am 1. September konnten wir Chatham und die Niederlassung
an der Wreck Bay verlassen. An dieser Stelle will ich nicht versäumen, Herrn Señor Cobos für seine große Gastfreundschaft und
höchst wertvollen Ratschläge meinen verbindlichsten Dank auszusprechen.

Am Nachmittag des folgenden Tages, am 2. September, ankerten
wir im Westen von Tower. Trotz der Brandung gelang es uns, wenn
auch mit mancher Schwierigkeit, zu landen. Tower ist sehr interessant,
es ist der Brutplatz einer Menge von Seevögeln (*Fregatta, Sula, Creagrus, Phaëton*), und wir erhielten eine gute Ausbeute von Embryonen
und Nestlingen. Tower besitzt auch eine besondere Art von *Nesomimus*
und einen *Cactornis* mit einem sehr großen Schnabel. Sonderbarer-
weise konnten wir nicht ein einziges Exemplar der Eidechse *Tropidurus*, die wir auf allen übrigen Inseln gefunden, entdecken. Wahrscheinlich haben die vielen Seevögel die Schuld hieran. Die See-
Iguane von Tower ist sehr klein, kleiner wie auf irgend einer der
andern Inseln, die wir besuchten, mit Ausnahme von Brattle. Am
Nachmittag des 4. September erreichten wir Bindloe, wo wir bis zum
Abend des 5. blieben und ausgedehnte Sammlungen machten. Hier
wurde eine besondere Art von *Nesomimus* und *Tropidurus* gefunden.
Der 6. September wurde auf Abingdon zugebracht und am Abend
desselben Tages sagten wir den Inseln Lebewohl und steuerten nach
Osten Guayaquil zu. Am Morgen des 16. September liefen wir dort
im Hafen ein. Mein erster Gang war nach der Post; glücklicherweise
lauteten die Nachrichten besser und ich konnte wieder einmal frischer
aufatmen.

Schon nach wenigen Tagen, am 19. September, sollte der Dampfer
„Santiago" nach Panama abgehen; wir hatten eben genügende Zeit,
um unsre Sammlungen noch vollständiger zu verpacken. In diesen
Tagen erfreute ich mich wieder der Liebenswürdigkeit und Gastlichkeit meiner Landsleute im deutschen Klub, an die ich stets mit Dank
mich erinnern werde. Auch ergreife ich hier gerne die Gelegenheit,
dem Herrn Gouverneur von Guayaquil und dem Hause Daniel Lopez
daselbst für ihr freundliches Entgegenkommen meinen besten Dank
auszusprechen. Am Morgen des 23. September kamen wir in Panama
an und zwei Tage später verließen wir Colon auf der „City of New-
port", die am 2. Oktober in New-York einlief.

Ich werde nun kurz über die bis jetzt aus den Sammlungen und
Beobachtungen gewonnenen Resultate berichten und untersuchen, ob
dieselben mit meiner Theorie vom Ursprung der Galápagos-Inseln
durch Senkung übereinstimmen. Es ist natürlich hier nicht möglich,
alle Gruppen der Tiere und Pflanzen durchzumustern, sondern ich

werde mich auf die Schildkröten, die Eidechse *Tropidurus* und die Landvögel beschränken.

Schon Porter hatte im Anfang dieses Jahrhunderts die Beobachtung gemacht, dass die verschiedenen Inseln verschiedene Rassen von Schildkröten enthielten, und dieselbe ist von Darwin und später von Dr. Günther bestätigt worden. Leider sind die Lokalitäten der in den verschiedenen Museen befindlichen Galápagos-Schildkröten meist unbekannt. Auf den folgenden Inseln haben diese Tiere seinerzeit existiert: Charles, Hood, Chatham, Barrington, Indefatigable, James, Duncan, Jervis, Albemarle, Abingdon. Weder auf Tower, noch auf Bindloe, noch auf Narborough sind Schildkröten beobachtet worden. Auf Charles, Hood, Chatham, Barrington, Jervis scheinen dieselben heute vollkommen ausgerottet zu sein. Vereinzelte Exemplare mögen noch auf James, Indefatigable und Abingdon existieren; auf Duncan sind sie sehr reduziert, während sie im Innern von Albemarle noch ziemlich häufig sind.

Ich kenne heute 7 verschiedene Rassen oder Arten dieser Schildkröten, aber nur von fünfen weiß ich, welchen Inseln sie angehören. Diese Inseln sind Albemarle, Charles, James, Duncan und Abingdon. Jede Insel enthält immer nur eine besondere Rasse. Die Rassen von Duncan und Abingdon sind sich ähnlich. Die Form von James steht in der Mitte zwischen den Formen von Duncan und Albemarle, während die Form von Charles gewissermaßen eine Mittelstellung zwischen denen von James und Albemarle einnimmt. Die zwei Rassen, deren Fundort unbekannt ist, stammen wahrscheinlich von Hood und Indefatigable. Wie dem nun sein möge, die Thatsache bleibt, jede oder beinahe jede der Inseln besitzt ihre eigene Rasse von Schildkröten. Wenden wir uns nun zu der Eidechse *Tropidurus*, so finden wir hier genau dasselbe. Ich konnte, als ich im April 1890 das vom „Albatross" gesammelte Material untersucht hatte, folgende zwei Sätze aufstellen: 1) Jede einzelne Insel hat nur eine einzige Varietät oder Art von *Tropidurus*. 2) Beinahe jede Insel hat eine verschiedene Varietät von *Tropidurus*. Später sprach ich die Vermutung aus, dass wahrscheinlich die anderen Inseln, die man noch nicht untersucht hatte, neue Rassen von *Tropidurus* enthalten würden. Meine Beobachtungen und Sammlungen haben Alles vollkommen bestätigt. Niemals findet sich auf einer Insel mehr wie eine Rasse oder Art von *Tropidurus*; und die Rassen der einzelnen Inseln sind immer mehr oder weniger von einander verschieden. Außer Unterschieden in der Färbung finden sich namentlich sehr charakteristische Differenzen in der Zahl der Schuppen um die Mitte des Körpers. Zählt man die Schuppen rund um die Mitte des Körpers, so findet man folgende Zahlen: Albemarle 53—63; Indefatigable 53—63; Chatham 55—65; James 59—65; Jervis 61—67; Charles ?—69; Barrington 63—71; Bindloe 69—75; Hood 69—77; Gardner 73—79; Duncan 83—89; Abingdon 91—101. Die

Zahl der Schuppen bei dieser Eidechse variiert demnach zwischen
53—101. Aber beinahe jede einzelne Insel hat ihre besondere Schuppenzahl. Bestimmt man die Mittelwerte der einzelnen Inseln, so findet
man: Albemarle 57; Indefatigable 57; Chatham 59; James 63; Jervis 63;
Charles 65?; Barrington 67; Bindloe 71; Hood 73; Gardner 75; Duncan 87; Abingdon 97. Es zeigt sich ferner, dass die größte Anzahl
der Individuen einer Insel eine Schuppenzahl besitzt, die mit dem
Mittelwert übereinstimmt. So zeigen z. B. 38 Exemplare von Barrington
die folgenden Schuppenzahlen: die Zahl 63 kommt zweimal, 65 dreimal,
67 einundzwanzigmal, 69 siebenmal, 71 fünfmal vor. 40 Individuen
von Bindloe zeigen 69 5mal, 71 17mal, 73 15mal, 75 3mal. Wie
bei den Schildkröten findet man, dass sich die Formen von Duncan
und Abingdon nicht allein in der Zahl der Schuppen, sondern auch
im Charakter derselben am nächsten stehen, die Form von Chatham
zeigt Besonderheiten, die bei den übrigen nicht vorkommen. Die
Formen von Albemarle, Indefatigable, James, Jervis, Charles, Barrington, Bindloe, Hood, Gardner, bilden eine gemeinsame Gruppe, in
welcher die Formen von Hood und Gardner, die sich kaum unterscheiden, und von Bindloe wieder eine mehr isolierte Stellung einnehmen.

Wir wollen nun die Spottdrossel *Nesomimus* betrachten. Hier
finden wir genau dieselben Verhältnisse, wie bei *Tropidurus*. Jede
Insel besitzt nur eine Art oder Rasse von *Nesomimus*, und beinahe
jede Insel hat eine ihr eigentümliche Rasse oder Art. *Nesomimus*
wurde auf allen Inseln mit Ausnahme von Charles und Duncan gefunden. Zur Zeit Darwin's und sogar noch im Jahre 1868, als
Dr. Habel Charles besuchte, war dieser Vogel noch auf Charles vorhanden, er scheint aber jetzt vollkommen ausgestorben, denn weder
der „Albatross", noch wir konnten trotz sorgfältigen Suchens eine
Spur desselben entdecken. Ob die Spottdrossel früher auf Duncan
existierte, ist mir nicht bekannt, jedenfalls haben weder der „Albatross" noch wir diesen Vogel daselbst angetroffen. Es ist eine sehr
wichtige und interessante Thatsache, dass dieser Vogel niemals von
einer Insel zur andern fliegt, sondern stets nur auf seiner Heimatinsel
sich findet. Dies gilt für alle Landvögel. Nur ein einziges Mal begegneten wir einem Waldsänger (*Dendroica*) etwa eine Meile von
Barrington auf dem Wasser. Wie *Tropidurus* in der Zahl seiner
Schuppen, so variiert *Nesomimus* in der Länge seines Schnabels. Ich
habe eine Anzahl Individuen gemessen, die Arbeiten sind noch nicht
abgeschlossen, und folgende Werte gefunden. Auf den verschiedenen
Inseln ist die Schnabellänge des *Nesomimus*: Albemarle 25,5 mm,
Indefatigable 26,2, Jervis 27,5, Chattam 28,5, Bindloe 28,6, James 29,
Tower 32,7, Abingdon 33, Charles 35, Hood 37. Außer der verschie-
denen Schnabellänge finden sich noch andere Unterschiede, namentlich in der Färbung. Es ist interessant zu bemerken, dass Hood den

größten *Nesomimus* und zugleich den größten *Tropidurus* enthält. Aber
nicht immer ist die Variation so stark ausgesprochen, wie bei *Nesomimus*; so findet man z. B., dass ein anderer Vogel, *Certhidia*, nur
seine nördlichen, mittleren und südlichen Rassen oder Arten besitzt.
Auf den Zentralinseln findet man *Certhidia olivacea*, auf den nördlichen *Certhidia fusca*, auf Hood *Certhidia cinerascens*. Der rotköpfige
Fliegenfänger *Pyrocephalus* variiert noch weniger, während *Myiarchus*
und *Dendroica* sich auf allen Inseln wohl ganz gleich bleibt. Es erhebt sich nun die Frage, woher stammt die Verschiedenheit der Formen
auf den einzelnen Inseln?

Vor allem unterliegt es gar keinem Zweifel, dass die Verbreitung
der Organismen auf den einzelnen Inseln eine vollkommen harmonische
ist; dies gilt nicht allein für die Fauna, sondern auch für die Flora;
für letztere will ich nur ein Beispiel, das mir besonders auffiel, er-
wähnen. Die große *Opuntia* hat einen verschiedenen Charakter bei-
nahe auf jeder Insel. Die *Opuntia* von Barrington, Indefatigable und
Süd-Albemarle z. B. entwickelt einen sehr hohen Stamm; die von
Hood und Charles besitzt einen verhältnismäßig niederen und dickeren
Stamm; die *Opuntia* von Jervis wiederum einen sehr niederen; die
Verzweigung beginnt schon kurz über dem Boden; die *Opuntia* von
Tower hat gar keinen Stamm, die Verzweigung beginnt sofort am
Boden, es ist ein niederer Busch, aber kein Baum. Die Form von
Bindloe zeigt Charaktere, die zwischen den Individuen von Tower
und Jervis liegen. Also auch hier finden wir dieselben Verhältnisse
wie bei den Tieren.

Ich habe im Anfang ausgesprochen, dass die Harmonie in der
Verteilung der Organismen nur durch Annahme einer Senkung erklärt
werden kann, und durch die Hebungstheorie vollkommen unerklärlich
ist. Wir wollen nun diesen Punkt etwas näher betrachten. Nach der
Hebungstheorie können wir nur annehmen, dass alle Organismen als
zufällige Einwanderer zu betrachten sind; denn die Inseln konnten
nur bevölkert werden, nachdem sie einmal genügend über den Meeres-
spiegel herausgehoben waren. Wie ist aber nach dieser Theorie die
Thatsache erklärbar, dass auf jeder oder beinahe jeder Insel nur
eine bestimmte Form einer Art oder Gattung vorkommt? Man sollte
es doch für möglich halten, dass, wenn z. B. die Eidechse *Tropidurus*
nach einer Reise von Hunderten von Meilen auf einer der Inseln
landete, sie auch von einer Insel zur anderen gelangen könnte; dies
ist aber nicht der Fall, denn wir finden stets nur eine Rasse dieser
Eidechse auf einer Insel, nie mehr. Wie äußerst unwahrscheinlich ist
ferner die Einfuhr der riesigen Landschildkröten, die für diese Inseln
so charakteristisch sind? Von den Menschen sind sie nicht importiert
worden, denn als die Spanier im 16. Jahrhundert die Inseln entdeckten,
waren dieselben in enormer Zahl vorhanden. Nach Darwin und
seinen Anhängern kann man nur annehmen, dass, nachdem einmal

die Inseln aus dem Wasser durch vulkanische Thätigkeit herausgehoben waren, es sich einmal ereignete, dass eine Landschildkröte von
dem einige Hundert Meilen weit entfernten Kontinent dorthin verschlagen wurde. War diese Schildkröte ein Männchen, so konnte es
die Inseln nicht bevölkern, wenn nicht zufällig ein Weibchen mit gekommen war, oder später zufälligerweise nach derselben Insel importiert wurde. Oder wir könnten auch annehmen, dass Tiere beiderlei
Geschlechts zur selben Zeit dorthin verschlagen wurden. Aber wie
wurden die übrigen Inseln bevölkert? Um dies nach der eben angeführten Theorie zu erklären, müssen wir den Zufall tausendmal in
zufälliger Weise walten lassen. Ferner, wie können wir verstehen,
dass die Formen einer Gattung alle Inseln erreichten, und die Formen
einer anderen Gattung wiederum alle Inseln u. s. f.? Kurzum, wie
können wir die Harmonie der Verteilung nach der Hebungstheorie
erklären? Ich behaupte, die Verhältnisse sind unvereinbar mit dieser
Theorie.

Die Theorie der Senkung aber macht Alles aufs einfachste klar.
Der ganze heutige Galápagos-Archipel bildete einst eine große Insel,
und diese Insel selbst stand in noch früherer Periode mit einem Teil
des amerikanischen Kontinents, der allerdings damals nicht die heutige
Konfigurasion zeigte, im Zusammenhang. Durch allmähliche Senkung
löste sich die große Insel nach und nach in immer mehr Inseln auf.
Auf diese Weise erklärt sich die Differenzierung der Formen auf den
verschiedenen Inseln ganz einfach. Als nur eine große Insel bestand,
war die Zahl der Arten und Rassen sehr klein; höchst wahrscheinlich
existierte nur eine Art von *Tropidurus*, von der Spottdrossel und von
der Landschildkröte auf der Insel. Wenn auch die Verhältnisse auf
dieser Insel verschieden waren, so wurde doch eine Differenzierung
der Species durch Kreuzung verhindert. Durch Senkung lösten sich
nun allmählich Inseln von der Hauptinsel ab. Die Formen der verschiedenen Inseln konnten sich nun nicht mehr unter einander kreuzen,
und minimale Unterschiede, die sich durch Kreuzung verloren hätten,
als die Inseln noch im Zusammenhang waren, erhielten sich nun.
Außerdem aber waren die Verhältnisse auf den einzelnen Inseln nicht
mehr dieselben; eine Insel reichte in die feuchte Region, die andere
nicht; bei einer war die Zusammensetzung des Bodens verschieden
von einer andern; diese Unterschiede, wenn auch noch so klein, mussten
im Laufe sehr langer Zeiträume, und solche müssen wir annehmen,
auch Unterschiede in den Formen hervorbringen, und nur so kann
ich mir die Erscheinung der verschiedenen Rassen und Varietäten
auf den einzelnen Inseln erklären.

Die Hauptfaktoren sind demnach die äußeren Umstände, das
Wort im weitesten Sinn genommen, und die Zeit. Die Verhältnisse
lassen sich mathematisch folgendermaßen ausdrücken. Angenommen,
eine ursprüngliche Art, als nur eine große Insel bestand, werde mit a

bezeichnet. Eine Spaltung der Insel z. B. in drei Inseln tritt nun ein und die Verhältnisse auf diesen drei Inseln wären ausgedrückt durch x, y, z. Die verschiedenen Verhältnisse x, y, z müssen, wenn auch noch so klein, im Laufe langer Zeiten verschieden auf a wirken; aus a wird also auf den drei Inseln:

a $+$ f (x), d. h. a $+$ einer Funktion von dem Verhältnisse
a $+$ f (y)
a $+$ f (z).

Die Zeit der Trennung ist aber außerdem ein Hauptfaktor, wenn der Effekt der Zeit t durch f (t) ausgedrückt wird, so erhalten wir für die Organismen auf den drei neugebildeten Inseln die Formeln

a $+$ f (x) . f (t)
a $+$ f (y) . f (t)
a $+$ f (z) . f (t).

Je verschiedener die Verhältnisse auf zwei Inseln und je verschiedener die Zeit der Isolierung, desto verschiedener die Formen auf den einzelnen Inseln.

Es gibt nun aber verschiedene Genera auf den Galápagos-Inseln, welche durch mehr als eine Species auf einer Insel vertreten sind; hierher gehören die Landschnecken z. B. und die Finken-Gattungen *Geospiza*, *Cactornis*, *Camarhynchus*. Von *Cactornis* wurden nie mehr als zwei Arten auf einer Insel angetroffen, auf Hood fehlte dieser Vogel vollständig. Die Inseln Indefatigable, Chatham, Albemarle, James und Jervis zeigten zwei Arten, die übrigen nur eine. Vergleicht man nun die verschiedenen Individuen, so findet man, dass sie zwei Gruppen angehören, von denen jede für sich auf den einzelnen Inseln mehr oder weniger variiert; man muss daher annehmen, dass dieser Vogel schon vor der Isolierung der Inseln in zwei Arten vorhanden war, von denen sich nur jede für sich auf den verschiedenen Inseln entwickelte. Dasselbe gilt für *Geospiza* und *Camarhynchus*.

Nach all diesem scheint es mir zweifellos, dass die Galápagos-Inseln nur durch Senkung entstanden sein konnten, und ich glaube, dass die Erhebungstheorie die verschiedenen Verhältnisse zu erklären vollständig unfähig ist. Es erhebt sich jetzt aber sofort die Frage: ist es nicht möglich, die Zeit der Trennung der Galápagos vom Hauptland zu bestimmen? Wahre Landschildkröten finden sich zum erstenmal im unteren Tertiär, wo sie schon eine bedeutende Größe erreichen (*Hadrianus*, *Cope*). Den Galápagos-Schildkröten ähnliche Formen finden sich im Miocän des nördlichen Nord-Amerika. Wir müssen annehmen, dass, da keine Landschildkröten vor der Tertiärzeit existierten, die Galápagos keinesfalls zu dieser Zeit isoliert wurden. Ich glaube, es ist nicht zu weit gegangen, wenn wir annehmen, dass diese Inseln zur Zeit des älteren Tertiär noch mit dem amerikanischen Kontinent, der damals natürlich eine ganz andere Form hatte, im Zusammenhang war. Es war die vollkommene Isolation, die Abwesen-

heit irgend welcher Feinde, welche diese Schildkröten am Leben erhielt, bis auf den heutigen Tag; gerade so wie wir heute noch uralte
Dialektformen in isolierten Thälern erhalten finden.

Nachdem ich nun nachgewiesen zu haben glaube, dass die Galápagos-
Inseln kontinentalen Ursprungs sind, erhebt sich natürlich die weitere
Frage: wie steht es mit anderen Inselgruppen, die man gewohnt ist
als ozeanische Inseln zu betrachten? Wie verhält es sich z. B. mit
den Sandwich-Inseln und anderen Inseln im Stillen Ozean, wie verhält
es sich überhaupt mit der Theorie von der Konstanz der Ozeane und
Kontinente? Steht diese Theorie auf fester Basis? Ich glaube nicht.
Wie ich schon früher bemerkt habe, ist die vulkanische Natur einer
Inselgruppe an sich gar kein Beweis für deren ozeanischen Ursprung.
Die vulkanischen Inseln können ebensogut als die Vulkane einer ver-
sunkenen kontinentalen Landmasse betrachtet werden. Die Geologie
lässt uns hier im Stich. Die Biologie dagegen hilft uns, das Rätsel
zu lösen. Durch ein sehr sorgfältiges Studium der Organismen einer
Inselgruppe und ihrer Verbreitung auf den einzelnen Inseln wird es
wohl beinahe immer möglich sein, zu bestimmen, ob die Gruppe durch
Hebung oder durch Senkung entstanden ist. Im ersten Fall werden
wir keine Harmonie in der Verbreitung finden, im zweiten Fall wird
das Bild der Verbreitung vollkommen harmonisch sein. Ich möchte
nur wünschen, dass die verschiedenen Inselgruppen einer möglichst
sorgfältigen biologischen Untersuchung unterzogen würden. Es dürfte
sich dann zeigen, dass die vielfach angefochtene Lemuria trotz alledem
existierte; dass zu früheren Zeiten die Azoren und Kanaren zusammenhingen; dass, wo heute der Stille Ozean sich erstreckt, früher mehr
oder weniger ausgedehnte Landmassen existierten; und dass es einen
antarktischen Kontinent gab, der sich von Neuseeland nach der Spitze
von Südamerika erstreckte. Es wird sich wohl sicher zeigen, dass
die gegenwärtige Verteilung von Wasser und Land nicht dieselbe gewesen ist seit paläozoischer Zeit, sondern dass wiederholte Schwankungen stattgefunden haben; hier wurde eine mächtige Bergkette
emporgehoben und dort versank eine ausgedehnte Ländermasse unter
den Wogen.

Worcester, Conn. Dezember 1891.

L. Brieger, S. Kitasato und A. Wassermann, Ueber Immunität und Giftfestigung.

Zeitschrift für Hygiene und Infektionskrankheiten, Bd. XII, 137—182.

Die Biologie der pathogenen Mikroorganismen betrachtet es als
ihre vornehmste Aufgabe, nach Mitteln zu suchen, welche geeignet
sind, den von einer Infektion bedrohten oder von einer solchen bereits
ergriffenen Tierorganismus im Kampf gegen die Krankheitskeime er-

folgreich zu unterstützen; sie strebt danach, der praktischen Medizin Mittel an die Hand zu geben, welche gegen die verheerendsten Krankheiten „Immunität" verleihen. Unter „Immunität" verstehen wir — angesichts der wenig scharfen Auffassung dieses Begriffs ist es notwendig dies hervorzuheben — lediglich die Unempfänglichkeit eines tierischen Organismus für einen pathogenen Mikroorganismus; ein Tier ist immun gegen einen Krankheitsträger, wenn dieser in dem tierischen Körper sich nicht vermehren kann. Nun beruht die verderbliche Wirkung pathogener Mikroorganismen entweder darauf, dass sie nach ihrer Invasion in den Tierkörper auf das üppigste in demselben wuchern und durch Verlegen der Kapillaren schwere, mit der Fortdauer des Lebens unvereinbare mechanische Hindernisse schaffen, oder darauf, dass sie, ohne als Fremdkörper die vegetativen Funktionen ihres Wirtes wesentlich zu stören, heftige Gifte erzeugen, welche, in das Blut des betroffenen Organismus übertretend, eine verhängnisvolle Intoxikation hervorrufen. Ein typisches Beispiel für die erste Art der Infektionskrankheiten bietet der Milzbrand. Die Milzbrandbacillen wachsen im Tierkörper zu so ungeheuren Mengen heran, dass sie den Fortbestand der vitalen Prozesse völlig unmöglich machen; eine spezifische Giftwirkung der Stoffwechselprodukte dieser Bakterien tritt gegen den mechanischen Effekt ganz in den Hintergrund. Anders liegt es bei den für die Menschen verheerendsten Seuchen wie Cholera, Typhus, Diphtherie, Tetanus. Die Entwicklung der Träger dieser Infektionskrankheiten ist mehr eine lokal beschränkte, und sie würden ebenso wie die Unzahl der Darmbakterien ohne Gefahr ertragen werden oder höchstens etwa lokale Reizerscheinungen hervorrufen, wenn sie nicht von ihrer Brutstätte aus ihre spezifischen Gifte in den Kreislauf ihres Wirtes hineinwürfen. Um die verschiedene Wirkungsweise der pathogenen Mikroorganismen zu kennzeichnen, unterscheidet man die Erreger des Milzbrands, Schweinerotlaufs u. ä. passend als septicämische von den Erregern der Cholera, Diphtherie, des Typhus und Tetanus als toxischen Mikroorganismen. Die Bekämpfung der septicämischen ist offenbar nur möglich durch Immunisierung des von der Infektion bedrohten tierischen Organismus oder durch rasche Tötung der Bakterien innerhalb desselben, eine toxische Infektionskrankheit kann aber auch noch dadurch bekämpft werden, dass man der Wirkung der Bakteriengifte entgegenarbeitet. Dies kann auf zwiefache Weise geschehen, durch Einverleibung von Gegengiften oder durch geeignete Vorbehandlung, welche dem bedrohten Organismus eine große Widerstandsfähigkeit gegen Bakteriengifte verleiht d. h. ihn „giftfest" macht. Ein gegen Tetanusgift gefestigtes Tier ist gegen Tetanusbacillen nicht notwendig immun, aber eine Infektion mit solchen schadet ihm nicht; die Bacillen mögen sich immerhin in ihm entwickeln und vermehren, das von ihnen erzeugte Krampfgift ist in dem giftfesten Körper machtlos. Anderseits kann Immunität vorhanden sein ohne Giftfestigkeit, es kann ein Tier gegen Tetanus immun sein, also jede Impfung mit frischen Tetanusbacillen reaktionslos ertragen und doch an typischen tetanischen Krämpfen zu Grunde gehen, wenn ihm aus einer abgetöteten Tetanuskultur eine genügende Menge Tetanusgift appliziert wird.

Die mit glücklichstem Erfolg ausgeführten Untersuchungen der Vff. haben vornehmlich die Giftfestigung zum Gegenstande. Nach mancherlei vergeblichen Bemühungen, aus Eiweißkörpern giftfestigende Mittel darzustellen, die Peptone und Nukleïne, die Verdauungsfermente in dieser Richtung zu verwerten, gelang es den Vff. in den Extrakten der Thymus, der Lymphdrüsen und des Fischspermas Substanzen zu finden, welche den bakteriellen Giften in hohem Grade feindlich sind. Bei der Mehrzahl der Versuche wurden Thymusauszüge verwendet.

Die aus frischer Kalbsthymus bereitete sterilisierte Bouillon diente, in Reagensgläsern aufbewahrt, einerseits als Nährboden für die Züchtung toxischer Bakterien, wie die gewöhnliche Nährbouillon, anderseits als Zusatz zu üppig gewachsenen Bouillonkulturen toxischer Bakterien von bekannter Virulenz. Die Vff. bezeichnen den Thymusauszug, auf welchem Tetanusbacillen gezüchtet worden waren, als Thymus-Tetanus-Bouillon und die aus frischem sterilisiertem Thymusauszug und vollentwickelten Nährbouillon-Tetanuskulturen bereiteten Mischungen als Thymus-Tetanus-Mischung. In analoger Weise sprechen sie von Thymus-Cholera-Bouillon u. s. w.

Bei dem Züchten von Tetanusbacillen auf Thymusauszug wurde zunächst die merkwürdige Beobachtung gemacht, dass die Bacillen auch bei längerem Verweilen im Brütofen sporenlos wuchsen. Sie hatten aber keinesfalls die Fähigkeit der Sporulation verloren, denn nach dem Ueberimpfen in tiefe Traubenzucker-Agarschichten kam es wiederum zur Sporenbildung.

An der Thymus-Tetanus-Bouillon trat die giftfeindliche Wirkung des Thymusextraktes in überraschender Weise zu Tage: die tötliche Dosis dieser Bouillon war für Mäuse 0,35—0,5 ccm, während sie bei einer gleichaltrigen Nährbouillon-Tetanuskultur nur 0,0001—0,001 ccm betrug. Die Giftwirkung erwies sich also durch den Thymusextrakt auf $^1/_{5000}$—$^1/_{3000}$ der gewöhnlichen Giftigkeit gemindert.

In gleicher Weise kam die antitoxische Wirkung der Thymuszellen zur Geltung, wenn eine hochgiftige Tetanusbouillonkultur mit Thymusauszug gemischt wurde. Von einer solchen Thymus-Tetanus-Mischung, die acht Tage im Eisschrank gestanden hatte, vertrugen Mäuse mehr als das Zehnfache der tötlichen Dosis der nicht mit Thymusextrakt gemischten Tetanuskultur. Am deutlichsten aber stellte sich die giftfestigende Wirkung des Thymusextraktes heraus, als in mehreren Versuchsreihen 35 Kaninchen, einem jungen Hammel und einer großen Anzahl von Mäusen allmählich steigende Dosen einer Thymus-Tetanus-

Mischung injiziert wurden. Die Tiere ertrugen nach dieser Vorbehandlung sämtlich ohne den geringsten Nachteil sowohl die Injektion
hochgiftiger Tetanusbouillon wie die Impfung mit frischen Tetanus-
Agarkulturen und die Infektion mittels Holzsplitter, die mit Tetanussporen imprägniert waren; während die Kontroltiere ausnahmslos an
typischem Wundstarrkrampf eingingen. Besonders auffallend ist, dass
dies Schutzverfahren auch bei Mäusen, die von allen Tieren gegen
Tetanus am empfindlichsten sind, seine Schuldigkeit thut. Die Vorbehandlung dauerte bei ihnen vier Wochen; sie erhielten während
dieser Zeit zehn von 0,03 bis 1,0 ccm steigende Dosen von Thymus-
Tetanus-Mischung intraperitoneal injiziert. Die alsdann vorgenommene
subkutane Impfung mit einer Oese frischer Tetanus-Agarkultur blieb
wirkungslos, während die Kontrolmäuse nach 24 Stunden starben.

In wie hohem Grade die Kaninchen giftfest geworden waren,
ließ sich auch daran erkennen, dass ihr Serum die Eigenschaft gewonnen hatte, beträchtliche Giftfestigkeit mitzuteilen. Drei Kaninchen,
die schließlich 10 ccm Thymus-Tetanus-Mischung erhalten und dann
1 ccm virulentester Tetanusbouillon reaktionslos ertragen hatten, wurden
je 10 ccm Blut aus der Carotis entnommen und am nächsten Tage
0,05—0,5 ccm des Serums mehreren Mäusen intraperitoneal injiziert.
Am nächstfolgenden Tage wurden die Mäuse mit einer Oese frischer
Tetanusagarkultur geimpft. Die Kontrolmäuse starben nach 24 Stunden
an schwerem Tetanus, während die mit dem Blutserum giftfester
Kaninchen behandelten dauernd munter blieben. Die gleiche antitoxische Wirkung besaß auch das Serum des giftfest gemachten
Hammels.

Diese Befunde bestätigen die Beobachtungen von Behring und
Kitasato über die Schutzkraft des Serums künstlich immunisierter
Tiere. Eine derartige Schutzkraft scheint seltsamer Weise dem Serum
solcher Tiere zu fehlen, welche von Natur einer Infektion mit gewissen toxischen Mikroorganismen widerstehen. So besitzt, wie
Kitasato gefunden hat, das Huhn[1]) eine natürliche Festigkeit gegen
Tetanus. 3 ccm einer Tetanuskultur, von welcher 0,5 ccm ein Kaninchen sicher töteten, alterierten ein Huhn nicht; die Dose konnte
allmählich sogar bis zu 10 ccm gesteigert werden. Man muss hiernach annehmen, dass das Huhn über sehr energisch wirkende anti-
tetanische Substanzen verfügt. Aber das Serum enthält von diesen

---

1) Es mag hier daran erinnert sein, dass, wie J. Rosenthal u. O. Leube
beobachtet haben, das Huhn dem Strychnin gegenüber eine auffallende Resistenz
zeigt. Strychnin ist unter den Alkaloiden das typische Krampfgift, die Strychnin-
krämpfe zeigen viel Aehnlichkeit mit Tetanuskrämpfen. Es liegt die Vermutung
nahe, dass dieselben Stoffe, welche das Huhn gegen das Tetanusgift fest machen,
ihm auch seine Strychninfestigkeit verleihen. cfr. Arch. f. Anat. u. Physiol.,
1867, 629.

Substanzen nichts, denn die mit Hühnerserum vorbehandelten Mäuse erlagen einer Impfung mit Tetanus ebenso rasch wie die Kontroltiere.

In ähnlicher Weise wie beim Tetanus haben die Vff. ihr Schutzverfahren bei Cholera, Diphtherie, Typhus, Erysipel, Schweinerotlauf und Milzbrand geprüft.

Bekanntlich werden die meisten Tiere, im Gegensatz zum Menschen, sehr selten von Cholera befallen. Aber man kann ein Tier leicht für Cholera empfänglich machen, wenn man die der Entwicklung der Choleravibrionen entgegenstehenden Hindernisse, die saure Reaktion des Magensaftes und die Darmperistaltik; beseitigt. So reagieren Meerschweinchen nach vorangängiger Alkalisierung des Magensaftes mittels Sodalösung und nach Ruhigstellung des Darms durch Opium sicher auf eine Einfuhr von Choleravibrionen; der Symptomkomplex der Krankheit ist derselbe wie beim Menschen. Die Vff. haben daher derartig vorbereitete Meerschweinchen (mehr als 100) zu ihren Versuchen verwendet.

Von einer Cholerabouillonkultur töten 0,5 ccm bei intraperitonealer Injektion ein Meerschweinchen innerhalb 12 bis 14 Stunden. Der Tod ist allein die Folge der Intoxikation mit Choleragift, zu einer Entwicklung der Vibrionen kommt es nicht; denn diese werden, wie Pfeiffer nachgewiesen hat, nach intraperitonealer Einverleibung im Tierkörper vernichtet. Bei Einführung des Choleragiftes in den Magen sind 5 ccm Cholera-Bouillonkultur die für Meerschweinchen tötliche Gabe; der Tod tritt dabei erst nach 1 bis 3 Tagen ein.

Auf Thymusextrakt wachsen die Choleravibrionen rasch und üppig, und die Thymus-Cholerabouillon wirkt noch überaus toxisch. Erhitzt man aber die Kulturen 15 Minuten auf 65^0 C, so nimmt die Giftigkeit beträchtlich ab, während die giftfestigende Kraft, das antitoxische Prinzip nicht gemindert wird. (Die Vff. sprechen an dieser Stelle von „immunisierender Kraft". Der Ausdruck ist nicht zutreffend, wenn die von den Vff. geforderte strenge Unterscheidung zwischen Immunisierung und Giftfestigung gewahrt bleiben soll).

Die schützende Kraft einer solchen auf 65^0 erhitzten Thymus-Cholerabouillon wurde an Meerschweinchen in 90 Einzelversuchen ermittelt. $80^0/_0$ der mit Schutzflüssigkeit vorbehandelten Tiere trotzten der wiederholten stärksten Intoxikation mit hochgiftiger Cholerabouillonkultur, während die Kontroltiere sämtlich an typischer Choleravergiftung starben. Der Giftschutz tritt sehr rasch ein, schon 24 Stunden nach der ersten Injektion von Thymus-Cholerabouillon sind die Tiere gegen das Doppelte der tötliche Dosis von Choleragift gefestigt. Falls also bei einem von Cholera befallenen Organismus der Krankheitsprozess sich über mehrere Tage ausdehnt, wie das ja beim Menschen der Fall ist, würde man selbst nach Ausbruch der Krankheit mit diesen Injektionen noch schützend eingreifen können.

Zur Bekämpfung der Diphtherie verwendeten die Vff. eine Thymus-Diphtheriebouillon, die 15 Minuten auf 65—70° C erhitzt worden war. Auch hier wird die toxische Substanz durch die Hitze zerstört, während das schützende Prinzip erhalten bleibt. Von 70 mit Thymus-Diphtheriebouillon vorbehandelten Meerschweinchen ertrug die weitaus größere Zahl die tötliche Infektion mit Diphtheriebouillon ohne Schaden, ein geringer Bruchteil derselben aber wurde gleich allen Kontroltieren hinweggerafft. Bei den überlebenden bildete sich an der Impfstelle ein Schorf, unter welchem noch nach Wochen lebende Diphtheriebacillen gefunden wurden. Die Tiere waren also nicht immunisiert gegen Diphtherie, aber sie waren fest gegen das Diphtheriegift.

Die Typhusbacillen, die für Kaninchen nicht pathogen sein sollen, erzeugen bei weißen Mäusen und Meerschweinchen nach Einverleibung in die Bauchhöhle ausnahmslos tötlich verlaufenden Typhus. Gegen Typhusgift sind diese Tiergattungen gleichfalls sehr empfindlich. So wird eine Maus von 0,1 ccm frischer Typhusbouillonkultur innerhalb 24 Stunden getötet. Die Versuche mit Typhus wurden daher an Mäusen und Meerschweinchen ausgeführt. Das Resultat derselben war folgendes: Die einmalige Vorbehandlung mit Thymus-Typhusbouillon schützt Mäuse und Meerschweinchen nach Verlauf von 10 Tagen ausnahmslos gegen den virulentesten Typhus — und ferner: Das Blutserum von Tieren, die künstlich gegen Typhusgift gefestigt sind, übt gegen Typhus Schutz und Heilwirkung aus.

Bei den septicämischen Seuchen Schweinerotlauf und Milzbrand war, wie von vornherein angenommen werden konnte, die Schutzwirkung des Thymusextraktes nur eine geringe. Ein sicherer Schutz gegen Schweinerotlauf ließ sich nur dann erzielen, wenn kombiniert eine Vorbehandlung mit Thymus-Schweinerotlaufbouillon und eine Vorinfektion mit einer alten abgeschwächten Rotlaufkultur, die Mäuse erst nach 8 bis 10 Tagen tötete, vorgenommen wurde. — Die mit einer sporenlosen Thymus-Anthraxmischung vorbehandelten Mäuse und Meerschweinchen zeigten zwar einer schwachen Anthraxinfektion gegenüber eine größere Resistenz als die Kontroltiere, gingen aber sämtlich zu Grunde, sobald ihnen ein Stück Milz einer an Anthrax gestorbenen Maus unter die Haut gebracht wurde.

Zum Schluss diskutieren die Vff. die Frage nach dem Ursprung und der Bildungsstätte der antitoxischen Substanzen, mit welchen sie das Tetanus-, Cholera-, Diphtherie- und Typhusgift zu bekämpfen vermochten. Der Thymusauszug für sich allein enthält das antitoxische Prinzip nicht, denn niemals gewährte die Injektion selbst sehr großer Mengen Thymusextrakt irgendwelchen Schutz gegen die toxischen Seuchen. Auch war der durch eine bestimmte Vorbehandlung erreichte Schutz immer nur ein ganz spezifischer, nur gegen die eine Seuche wirkender, gegen welche das betreffende Tier künstlich fest gemacht worden war. Wenn aber in dem Thymusextrakt das antitoxische Prinzip nicht enthalten ist, so muss es ein Produkt der Bakterien selbst sein. Dass dem so ist, bestätigte sich dadurch, dass aus Typhuskulturen durch Eindampfen und Fällen mit absolutem Alkohol ein Körper gewonnen werden konnte, der Mäusen Festigkeit gegen sehr starke Typhusintoxikation verlieh.

Die Zelle der toxischen Bakterien erzeugt also gleichzeitig ein spezifisches Gift und eine diesem Gift feindliche Substanz. Bei den Typhusbacillen bleibt letztere in den Leibern der Bakterien; denn wenn man Typhuskulturen durch Chamberlandfilter hindurchtreibt, gelangen nur geringe Mengen des schützenden Prinzips in das Filtrat. Aufgabe weiterer Versuchen wird es sein, Methoden zur Trennung des spezifischen Giftes und des giftfeindlichen und heilenden Prinzips aufzufinden.   **Oscar Schulz** (Erlangen).

Otto Zacharias, Direktor der Biologischen Station am Plöner See, Katechismus des Darwinismus. Mit dem Porträt D a r w i n 's, 30 in den Text gedruckten und 1 Tafel Abbildungen. 16⁰. X und 176 Seiten. Verlag von J. J. W e b e r in Leipzig.

Die Bezeichnung als „Katechismus" passt eigentlich für das Büchlein nicht, doch wollen wir daraus dem Herrn Verfasser keinen Vorwurf machen, da die Katechismusform für die Darstellung wissenschaftlicher Fragen nicht gerade die geeignetste ist. Als Zweck seines Buchs bezeichnet der Verf.: einen aus Laien bestehenden, also zoologisch nicht vorgebildeten Leserkreis mit den Thatsachen bekannt zu machen, welche zur Aufstellung der Lehre von der Entstehung der Tier- und Pflanzenarten durch natürliche Zuchtwahl geführt haben. Er hat sicherlich auch vollkommen Recht, wenn er eine solche Darstellung nicht für überflüssig erachtet, da man leider nach oft die Wahrnehmung machen kann, dass Leute, welche enthusiastisch von D a r w i n reden und sich als Anhänger der nach ihm benannten Lehre gerieren, trotzdem nur sehr ungenügend darüber orientiert sind, um welche Probleme es sich eigentlich bei dem scharfsinnigen Erklärungsversuch, der im sogenannten Darwinismus vorliegt, handelt. Dasselbe gilt aber auch von den meisten Gegnern, soweit dieselben nicht wirkliche Fachleute sind.

Dass sich Z. auf dem Gebiete populärer Darstellung schwieriger wissenschaftlicher Probleme schon oft bewährt hat, ist bekannt. Auch das vorliegende Werkchen rechtfertigt seinen guten Ruf und kann daher zur Einführung in die wichtige Frage warm empfohlen werden, zumal es durch seine gute Ausstattung auch äußerlich alles Lob verdient.   —l.

---

*Einsendungen für das Biol. Centralblatt bittet man an die **Redaktion, Erlangen, physiol. Institut, Bestellungen** sowie alle **geschäftlichen,** namentlich die auf **Versendung des Blattes,** auf **Tauschverkehr** oder auf **Inserate** bezüglichen Mitteilungen an die **Verlagshandlung E d u a r d B e s o l d, Leipzig, Salomonstr. 16,** zu richten.*

Verlag von Eduard Besold in Leipzig. — Druck der kgl. bayer. Hof- und Univ.-Buchdruckerei von Fr. Junge (Firma: Junge & Sohn) in Erlangen.

Biologisches Centralblatt

unter Mitwirkung von

Dr. M. Reess und Dr. E. Selenka

Prof. der Botanik Prof. der Zoologie

herausgegeben von

Dr. J. Rosenthal

Prof. der Physiologie in Erlangen.

24 Nummern von je 2 Bogen bilden einen Band. Preis des Bandes 16 Mark.
Zu beziehen durch alle Buchhandlungen und Postanstalten.

XII. Band. 15. Mai 1892. **Nr. 9 u. 10.**

Die Verbreitungsausrüstungen der Polygonaceen.

Von **Udo Dammer**.

Die Polygonaceen gehören, wie bereits Hildebrandt[1]) gezeigt hat, zu jenen Familien, deren Gattungen verschiedene Verbreitungsausrüstungen zeigen. Ascherson[2]) hatte hervorgehoben, dass bei den Polygonaceen oft gerade die nächsten Verwandten sich selbst bei Ausrüstungen für dieselbe Leistung sehr verschieden verhalten; als Beispiele erwähnt er indessen nur verwandte Gattungen. Ein eingehenderes Studium dieser Familie hat mir nun gezeigt, dass nicht nur die einzelnen Gattungen, sondern selbst die einzelnen Arten sich hinsichtlich ihrer Verbreitungsausrüstungen verschieden verhalten. Die Ergebnisse meiner Untersuchungen habe ich an anderer Stelle[3]) ausführlich niedergelegt. Hier will ich nur kurz die Hauptmomente derselben aufführen.

Zu unterscheiden sind bei den Polygonaceen Ausrüstungen, welche der Verbreitung der Art auf vegetativem Wege dienen und solche

1) Die Verbreitungsmittel der Pflanzen. Leipzig. Engelmann. 1873. S. 138.
2) „Subflorale Axen als Flugapparate" in: Jahrb. d. k. bot. Gart. u. bot. Mus. Berlin, I, 1881, S. 334.
3) Engler's botanische Jahrbücher, Bd. XV, S. 260 fg.

XII. 17

Ausrüstungen, welche eine Verbreitung der Sexualprodukte ermöglichen oder doch wenigstens begünstigen.

Zu den ersteren gehören die Bildung von Ausläufern und Brutknospen, die Fähigkeit, bei Knickung des Stengels am Blattknoten leicht Wurzeln zu bilden, kriechende resp. an den Boden angedrückte Stengel, rückwärts gekrümmte, steife Borsten am Stengel.

Ausläufer treten entweder oberirdisch oder unterirdisch auf. Erstere finden sich besonders bei Gebirgsbewohnern, letztere bei Wiesen- und Steppenbewohnern. Auf steinigem (Geröll-) Boden sind erstere für die Pflanze vorteilhafter, weil die Endknospe bei einem Wachstum über Steinen geschützter ist als bei einem solchen unter denselben. Andererseits finden auf Wiesen mit dichtem Pflanzenbestande unterirdische Ausläufer besser Gelegenheit zur Besetzung eines Erdfleckes durch die aus der Endknospe hervorgehende junge Pflanze, als oberirdische. Die Gefahr der Verletzung der Endknospe im homogenen Wiesenboden ist viel geringer als im Geröllboden. Auf trockenen, sandigen Plätzen ist der unterirdische Ausläufer eine Anpassung an das Klima. Er findet im Boden besseren Schutz gegen Austrocknen als über demselben. Als Anpassung an das Klima ist die bei oberirdischen Ausläufern häufig auftretende Verholzung anzusehen.

Brutknospen treten bei den Polygonaceen oberirdisch am Blütenstande und unterirdisch an der Wurzel auf. Ausbildung von Brutknospen am Blütenstande (z. B. *Polygonum viviparum*) tritt bei Arten auf, deren Fruchtbildung durch klimatische Einflüsse leicht in Frage gestellt werden kann, nämlich bei hochnordischen und Hochgebirgspflanzen. Beachtenswert ist, dass hier aber die Brutknospen meist auf die untere Region des Blütenstandes beschränkt sind und dass in dem oberen Teile der Inflorescenz Blüten und Früchte gebildet werden. Die Erhaltung der Art ist also durch vegetative und sexuelle Vermehrung gesichert. Als besondere Verbreitungsausrüstung der oberirdischen Brutknospen treten Flügelbildungen in Gestalt von kurzen Laubblättern auf. Unterirdische Brutknospen an Wurzeln wurden von Beyerinck[1]) an *Rumex* beobachtet. Es ist von hohem Interesse, dass hier die Funktion der Wurzel in die eines Stengels übergeht. Es kann dies nach Beyerinck soweit gehen, dass die Wurzelhaube abgestoßen wird und die Wurzelspitze zu einem Stengel auswächst.

Die vegetativen Verbreitungsausrüstungen dienen zum Teil einer allmählichen, schrittweisen Verbreitung, teils sind sie auch, wie die geflügelten Brutknospen und die mit rückwärts gekrümmten Borsten besetzten Stengel (*Polygonum sectio Echinocaulon*) zur Verbreitung der Art auf weitere Strecken geeignet; letztere, weil der Verbreitung durch Tiere angepasst, mehr als erstere, welche vom Winde nur ein geringes Stück fortgetragen werden und dann zur Ruhe gelangen.

1) Verhandl. d. Akademie von Amsterdam, 1886, S. 41.

Die Verbreitungsausrüstungen der Sexualprodukte sind entsprechend den Verbreitungsagentien: Anemochore, hydrochore und zoochore Ausrüstungen. Anemochore Ausrüstungen sind bei den Polygonaceen: Flügel, Windsäcke, Oberhautbildungen (Haare, Stacheln, Schwielen). Hydrochore Ausrüstungen sind: Flügel, Schwielen, unbenetzbare, glatte Fruchtschale. Zoochore Ausrüstungen sind: Haftorgane (Haare, Stacheln, Haken), fleischige Ausbildung der Blüten-(Frucht-)Hülle, glatte Fruchtschale.

Die anemochoren [1]) Ausrüstungen sind verschieden, je nachdem die Frucht bei der Reife aus größerer Höhe herabfällt oder vom Winde aus der Nähe des Erdbodens in die Höhe gehoben und dann erst weitergetragen wird. Es lassen sich danach zwei Typen unterscheiden: federballähnliche Früchte mit ausgesprochen exzentrischem Schwerpunkt (*Triplaris*, *Ruprechtia* [ähnlich auch die geflügelten Bulbillen von *Polygonum viviparum*]) und Früchte mit ziemlich konzentrischem Schwerpunkte. Bei letzteren dienen luftführende Gewebe und der Fruchtstiel nicht selten dazu bei, den Schwerpunkt zu verlegen.

Die Flügelbildungen treten auf als Leisten am Samen und an der Frucht, als häutige, breite Ränder an der Frucht, als trockenhäutig werdende Perigonzipfel, als häutige Kielfortsätze auf dem Rücken einiger Perigonzipfel, als Flügel am Fruchtstiel, als während der Fruchtreife heranwachsende und später trockenhäutig werdende Vor- und Tragblätter. Fast allen ist gemeinsam, dass sie erst mit der Ausbildung der Frucht zur Ausbildung gelangen.

Windsäcke treten als mehr oder minder vollkommene Höhlungen, in denen sich der Wind fängt, auf. Es dienen als solche zurückgeschlagene, trockenhäutig werdende Blütenhüllblätter, pantoffelförmige Bildungen am Fruchtstiele, umgerollte Ränder der Vorblätter, schüsselförmige Tragblätter. Luftsäcke treten in Gestalt von luftführenden Geweben auf den Perigonzipfeln („Schwielen" der Autoren) und an der Perigonröhre, sowie als Ausstülpungen der Tragblätter auf.

Dichte, wollige Haarbezüge als Flugvorrichtungen treten bei den Polygonaceen nur in der Umgebung der Frucht, nicht an dieser selbst auf. Dagegen finden sich direkt an der Frucht steife Stachelbezüge, hervorgegangen aus Wülsten („crista" der Beschreibungen) auf den Fruchtknotenkanten bei *Calligonum*. Ferner treten Stacheln als Flugausrüstungen, also in großer Zahl dicht beisammen, an den Rändern der Perigonzipfel bei *Rumex* auf.

„Schwielen" können unter gewissen Umständen ebenfalls als Flugausrüstung betrachtet werden, wenn sie an drei Perigonzipfeln besonders stark auf Kosten der Perigonzipfel zur Entwickelung gelangen.

Bei den hydrochoren [2]) Ausrüstungen ist zu unterscheiden zwischen solchen, welche dem Transport der Früchte dienen, und solchen,

---

1) ἄνεμος - χωρεῖν.
2) ὕδωρ - χωρεῖν.

welche den Samen vor der schädlichen Einwirkung des Wassers bewahren. Zu ersteren rechne ich die Flügelbildungen und die Schwielen,
zu letzteren die unbenetzbare, glatte Oberhaut der Frucht. Die als
Schwimmorgane dienenden Flügel sind von den als Flugorgane dienenden Flügeln durch kräftigere Nervatur verschieden. Zu Schwimm-
flügeln werden nur die Perigonzipfel gewisser *Rumex*-Arten ausgebildet. Die Ausbildung der Schwielen steht, wie ich glaube, im
Zusammenhang mit der Verbreitung durch fließendes oder stehendes
Wasser. Für erstere Verbreitungsweise sind diejenigen Arten ausgebildet, welche zwei oder drei Schwielen haben, so dass die Frucht
flach auf dem Wasser liegt, während Früchte, welche in stehendem
Wasser durch den Wind fortgeführt werden, nur eine Schwiele besitzen, so dass die gegenüberliegende Kante in das Wasser taucht
und wie ein Schiffskiel wirkt.

Neben der glatten, unbenetzbaren Oberhaut, welche als Schutzorgan gegen eindringendes Wasser zu betrachten ist, treten die
Schwielen zu dem gleichen Zweck in Wirkung, indem sie die eigentliche Frucht über das Wasser heben.

Als zoochore Ausrüstungen treten Haftorgane, fleischige Ausbildung des Perigons und unbenetzbare, glatte Fruchtwand auf. Als
Haftorgane dienen Haare (niemals direkt an der Frucht), Stacheln
und Haken.

Die Stacheln kommen entweder an der Frucht selbst oder in
deren Umgebung vor. Haken an der Frucht werden nur in Gestalt
trocken werdender, zurückgebogener Griffel ausgebildet, dürften aber
eher als Verankerungsorgane im Boden als als zoochore Ausrüstungen
aufzufassen sein. Dagegen sind sie in der Umgebung der Frucht,
(Fruchthülle, Tragblätter und Fruchtstiel) weit verbreitet.

Fleischige Ausbildung der Fruchthülle, bisweilen mit leuchtender
Färbung verbunden, findet sich bei *Coccoloba* und in geringerem Maße
bei *Polygonum*.

Die glatte Oberhaut, auf deren Bedeutung als hydrochore Ausrüstung bereits hingewiesen wurde, muss ferner auch als zoochore
Ausrüstung angesprochen werden, da sie sich, wie darauf hin ange
stellte Versuche ergaben, gegen Säureeinwirkungen außerordentlich
widerstandsfähig erweist.

Sehr häufig sind bei den Polygonaceen kombinierte Verbreitungsausrüstungen vorhanden, welche sich gegenseitig ergänzen oder in
ihrer Wirkung verstärken.

Von Interesse sind noch die Beziehungen der Verbreitungsausrüstungen zur Phylogenese der Familie. Unter der Voraussetzung,
dass Entomophilie phylogenetisch jünger als Anemophilie ist, komme
ich zu dem Schlusse, dass bei den Polygonaceen die Verbreitungsausrüstungen von der Umgebung der Frucht im Laufe der Phylogenese auf die Frucht übergegangen sind, mit andern Worten, dass

eine an der Frucht selbst auftretende cenogenetische Verbreitungsausrüstung phylogenetisch jünger ist als eine in der Umgebung der
Frucht auftretende cenogenetische Ausrüstung. Als Beispiel seien
die Gattungen *Rumex* — *Oxyria* — *Rheum* angeführt, von denen
Rumex und *Oxyria* anemophil, *Rheum* entomophil ist, *Rumex* die Perigonzipfel zu Flügeln ausgebildet, *Oxyria* und *Rheum* aber direkt an
der Frucht Flügel besitzen. Ist dieser Satz aber für die Polygonaceen richtig, dann folgt für dieselben aus ihm ferner, dass zoochore
Ausrüstungen phylogenetisch jünger sind als anemochore und hydrochore.

Betrachtet man als palingenetische Ausrüstungen diejenigen,
welche sämtlichen Vertretern der Familie zukommen, so ist bei den
Polygonaceen nur die unbenetzbare, glatte Oberhaut der Frucht und
des Samens hierher zu rechnen.

Histolyse und Histogenese des Muskelgewebes bei der Metamorphose der Insekten.

Von Professor A. Korotneff in Kiew.

Die Frage der Metamorphose der Insekten hat in den letzten
Jahren, wegen der Untersuchungen von Ganin, Viallanes, Kowa-
levsky und van Rees bedeutende Fortschritte gemacht; es bleibt
aber, um diesen Prozess ins Licht zu setzen, noch vieles zu betonen,
betreffend die histologischen Veränderungen, die dabei vorkommen.
Im großen und ganzen sind die Erscheinungen, die im Körper des
Insektes bei der Metamorphose vorkommen, in zwei verschiedene
Akte zu teilen: einen destruierenden (Degeneration der Organe und
Gewebe) und einen konstruierenden (Entstehung derselben).

Am wenigsten ist man ins klare gekommen in der Frage der
Veränderung des Muskelgewebes und in den vorliegenden Zeilen
werde ich mich darauf beschränken diese Frage zu erörtern und um die
Grenzen einer vorläufigen Mitteilung nicht zu überschreiten werde ich
nur die zwei letzten Arbeiten von Kowalevsky[1]) und van Rees[2]),
die diesen Gegenstand behandeln, erwähnen.

Die epochemachenden Untersuchungen von Kowalevsky scheinen
für die *Musca vomitoria* bewiesen zu haben, dass die Larvenmuskeln
von den Leukocyten zerstört und verzehrt werden und dass keiner ver-
schont bleibt. In dieser Weise hat das Larvenmuskelsystem nichts
mit dem definitiven zu thun: es sind zwei unabhängige Bildungen. Betreffend der Entstehung der definitiven, imaginalen Muskeln meint

---

1) Kowalevsky, Beiträge zur Kenntnis der nachembryonalen Entwicklung der Musciden. Zeitschrift der wissensch. Zoologie, T. 45.

2) van Rees, Beiträge zur Kenntnis der inneren Metamorphose von *Musca
vomitoria*. Zoolog. Jahrbücher, III. Band, I. Heft, 1888.

Kowalevsky, dass besondere, anfänglich zerstreute Mesodermzellen sich allmählich zu Stränge vereinigen und in dieser Weise die Anlage der künftigen Muskeln bilden. van Rees, der diesen Gegenstand an demselben Objekte untersuchte, hat einen weiteren Schritt gethan. Seine Ansichten werden so formuliert:

1) es gibt drei Paar Larvenmuskeln, welche durch eine besondere Umbildung zur Anlage der Brustmuskeln werden und

2) sämtliche in den künftigen Primitivbündeln (Muskeln) gelegenen Kerne stammen von den ursprünglichen Kernen den einstigen Larvenmuskeln ab.

Eine eingehende Analyse der Beobachtungen, welche zu den erwähnteu Postulaten geführt haben, beweist aber, dass vieles dem Dr. van Rees unklar geblieben ist. Die Sache steht so: die drei Muskelpaare, die als Larvenmuskeln erwähnt sind, unterscheiden sich von allen anderen nicht nur durch ihre längere Widerstandsfähigkeit gegen die Angriffe der Leukocyten, sondern durch die Lage und Form ihrer Kerne: diese werden kugelförmig und dringen ins Innere der Muskelsubstanz. „Es scheint somit, sagt van Rees, als wenn die nicht differenzierten Protoplasmareste des Muskels sich mit der kontraktilen Substanz vermischt haben". (!) Dieser Veränderung der Muskeln bleiben die Leukocyten ganz und gar fremd und die Degeneration geschieht ohne jeden Anteil derselben.

Hier wäre zu erwähnen, dass in der Leibeshöhle der *Musca* 3 Arten von Zellen vorkommen: Leukocyten, Mesenchymzellen und Körnchenkugeln. Die Mesenchymzellen umgeben die Muskeln, eine dichte Scheide um diese bildend. Weiter scheint es so zu sein, dass jeder der drei persistierenden Muskeln einige durch Teilung entstandene Plasmastränge (!) die in eine Mesenchymzellenmasse eingebettet sind, ausbildet. van Rees schließt seine Beschreibung mit folgenden Worten: „Aus den durch mächtiges Mesenchym getrennten Plasmasträngen sind nun die eng aneinander liegenden konstituierenden Teile der definitiven Flügelmuskeln entstanden" [1].

Eine Anzahl von Fragen drängt sich nach dieser Beschreibung uns auf:

1) Da die definitiven Muskelkerne von den Kernen der Larvenmuskeln direkt abstammen, was ist die eigentliche Rolle, welche die Mesenchymzellen und ihre Kerne bei der Ausbildung der Imagomuskeln spielen?

2) Wo und in welcher Weise entstehen die Muskelfibrillen? Die Plasmastränge, die nach van Rees daran Anteil nehmen müssen, sind sehr fragliche und ganz exklusive Bildungen.

3) Wie entstehen die übrigen Muskeln des Körpers? Wenn es nach dem Prinzip von Kowalevsky geschieht, so sind also die Plasmastränge vollständig entbehrliche Bildungen

---

1) l. c. p. 112.

und die Entwicklung der übrigen Muskeln der Imago ist
ganz und allein den Mesenchymzellen zu verdanken. Diese
so sonderbare und zweifache Entstehung der Muskeln bei
derselben Form scheint mir kaum annehmbar zu sein.

Meine eignen Untersuchungen beziehen sich auf die *„Tinea"*-
Motte, welche, als eine Lepidoptere, eine weniger komplete Metamorphose durchläuft und deswegen sind die dabei vorkommenden
histologischen Veränderungen weniger eingreifend, aber verständlicher
als bei der Fliege.

Die Hauptzüge der Metamorphose der Motte sind folgende:

1) die Abwesenheit von besonderen Mesenchymzellen in der
   Larve; die Leibeshöhle enthält nur Leukocyten und Körnchenkugeln;

2) die Leukocyten nehmen absolut keinen Anteil an der Degeneration der Gewebe;

3) die Entstehung aller Imaginalmuskeln ist als Reformation
   der Larvenmuskeln anzusehen;

4) im Thorax gehen einige Muskeln zu Grunde und nur die
   drei Paar von van Rees erwähnten Muskeln transformieren
   sich in die definitive Brustmuskulatur der Motte.

Die Resorption der Muskeln geschieht in folgender Weise: der
fibrilläre Teil wird körnig und zieht sich zusammen; die Kerne vermehren sich hauptsächlich an einer Seite des Muskels. Zum Schluss
bekommt der in Veränderung begriffene Muskel ein ganz besonderes
Aussehen: er besteht aus einem faserigen und kernigen Teil, die
einander parallel ziehen; anders gesagt es bildet sich der von vielen
Autoren in der Pathologie beschriebene Kernstrang. Zu derselben
Zeit resorbiert sich und schmilzt das Primitivbündel ohne, wie gesagt,
jeden Anteil der Leukocyten, die bei der Motte nie durch das Sarko-
lemma des Muskels hineindringen. Der Kernstrang trennt sich bald
von dem Muskel ab und fängt an sich von der Oberfläche zu entfernen;
er produziert bald, während er noch dem Primitivbündel gehört, neue
Fibrillen, die anfänglich kaum zu unterscheiden sind; wenn er sich
aber ganz und gar abgetrennt hat, erscheinen die Fibrillen als besondere rhomboidale Bildungen, die im Plasma des Kernstranges
zwischen den Kernen eingebettet sind. Bei einem Längsschnitte bilden
die beiden Muskeln, der frühere, der atrophiert ist und der, welcher
neu sich entwickelt hat, zwei parallele Streifen, welche neben einander dem Ektoderm anhaften und zwei verschiedene Sehnen, die
durch Längsteilung entstanden sind, besitzen.

Bei einer *Tinea*-Puppe die bedeutend vorgerückt und braun geworden ist, findet man schon keine Spur von Larvenmuskeln, die sich
Schritt für Schritt verkleinert haben endlich resorbiert worden sind;
anstatt dessen trifft man an Querschnitten bedeutende, sich stark mit

Hämatoxylin färbende Flecken, die einen Ausdruck der Kernstränge vorstellen, in denen die Muskelfibrillen sich schon angelegt haben. Bei der weiteren Entwicklung der definitiven Muskeln sammeln sich die Muskelfibrillen in Bündeln, die an Querschnitten von Muskelkernen umsäumt sind. Es kommt dabei vor, dass jeder große Muskel in mehrere Bündel zerfällt und alle diese sind von einander durch Kerne getrennt.

Figuren:

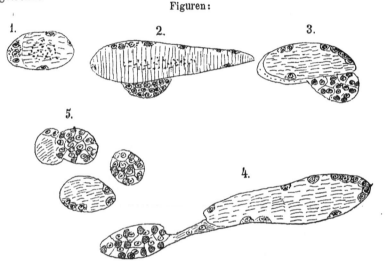

Fig. 1. Die Kerne der Muskel vermehren sich. — Fig. 2. Bildung des Kernstranges. — Fig. 3. Der Kernstrang fängt an sich vom Muskel abzutrennen. — Fig. 4. Der Kernstrang ist durch eine Sehne mit dem Muskel vereinigt; es legen sich im Kernstrang Muskelfibrillen ab. — Fig. 5. Der Kernstrang ist links mit dem Muskel vereinigt, rechts aber abgetrennt.

Diese Art der Metamorphose des Muskels scheint vom theoretischen Standpunkte logisch und ganz verständlich zu sein; in einer Muskelfaser muss man zwei verschiedene physiologische Elemente unterscheiden: einen aktiven, die Fibrille, und einen passiven, die Muskelzelle (Mesoblast), dessen Rolle eine rekonstruierende ist. Bezüglich der Fibrille ist wohl anzunehmen, dass seine Vitalität zu der Zeit der Metamorphose wegen der beständigen Funktionierung ermüdet und endlich erschöpft ist: es entsteht eine Degeneration der Fibrille, ohne dass die erzeugende Kraft der Muskelzelle dabei etwas verliert, sie behält 1) eine Fähigkeit sich zu vermehren und 2) eine Neigung wieder Muskelfibrillen zu erzeugen.

Meine Beobachtungen stehen im vollen Einklange mit den Erscheinungen, die pathologisch in den Muskeln der höheren Tiere vorkommen: nämlich wenn eine Anzahl Muskeln zu Grunde gehen[1]),

1) Dies kann künstlich durch Einspritzen von Alkohol, Chloroform etc. beim lebenden Tiere hervorgerufen werden.

einige Myoblasten dabei aber überbleiben, so vermehren sich diese rasch und bilden so gesagt den Boden, der eine Neubildung der Muskeln hervorruft: es entstehen in der gemeinsamen Masse der Zellen (Myoblasten) neue Fibrillen, die sich zu Bündeln vereinigen. Ich muss dabei auch betonen, dass die Degeneration ohne jeden Anteil der Leukocyten vor sich geht: die Fibrillen gehen selbständig zu Grunde, was mittels eines chemischen Prozesses geschieht.

Im Allgemeinen möchte ich bei dieser Gelegenheit einige Worte über die zerstörende Rolle der Leukocyten beifügen. Es fragt sich: wie kann man zwei so verschiedene Erscheinungen: eine mechanische Abolition der Gewebe mittels der Leukocyten (bei der Fliege) und eine chemische ohne Leukocyten (bei der Motte), welche beide praktisch zu denselben Resultaten führen, theoretisch versöhnen. Ich glaube, dass der Zeitraum, in dem diese beiden Erscheinungen vorkommen, eine bedeutende Rolle dabei spielte; die Metamorphose der Fliege verläuft kaum in einigen Tagen, während die der Motte mehr als zwei Wochen braucht. Im ersten Falle muss der Raum zu einer Rekonstruktion so schnell als möglich frei werden, anders gesagt, es müssen die alten abgeschwächten Organe rasch verschwinden, was bei der Motte gar nicht so dringlich erscheint. Der natürliche Prozess, eine allmähliche Degeneration (was äußerlich durch eine Verkleinerung der Organe, durch eine sogenannte Schmelzung sich manifestiert) ist ein lange dauernder Prozess, der bei der Fliege nicht anwendbar ist; es muss eo ipso etwas mehr aktives vorkommen: so entsteht das barbarische Auffressen der Gewebe durch die Leukocyten. Diese zwei verschiedenen Erscheinungen sind zu vergleichen mit dem was pathologisch im Körper vorkommt und einerseits als akuter und anderseits als chronischer Prozess anzusehen ist. Beim akuten, wo eine Entzündung vorkommt, spielen die Leukocyten eine bedeutende Rolle: sie verhindern die Entstehung oder die weitere Entwicklung eines nekrotischen Prozesses. Bei einem chronischen Prozesse, wo diese Gefahr keinen Platz hat, kann die Resorption des überflüssigen Gewebes in einer chemischen Weise geschehen, ohne jeden Anteil der Leukocyten.

Die periodische Regeneration der oberen Körperhälfte bei den Diplosomiden.

Von A. Oka.

(Aus dem zoologischen Institut zu Freiburg i./Br.)

Unter den Synascidien der japanischen Küste, die ich bis jetzt untersucht habe, kommt eine neue Species von *Diplosoma* vor, welche periodisch die obere Körperhälfte erneuert. Dieser merkwürdige und sehr interessante Vorgang ist, so viel ich weiß, bisher unbekannt geblieben, und da überhaupt die Lebensverhältnisse der Diplosomiden

noch lange nicht genügend studiert sind, so scheint es mir der Mühe
wert zu sein, über diesen Prozess und auch über den Bau des Tieres
im allgemeinen eine kurze Mitteilung zu machen; ich behalte mir
dabei vor, die genaue Beschreibung bei einer späteren Gelegenheit
zu bringen.

Diese neue Species, welche ich *Diplosoma Mitsukurii* benenne,
ist am nächsten dem *Dipl. chamaeleon* von Drasche[1] verwandt;
bei beiden Formen zeigt der Thorax oben eine kuppelförmige Anschwellung, welche sehr typisch ist. Die Stöcke bilden Ueberzüge
von ungleicher Dicke auf den Stengeln von *Saragassum*, und bestehen,
wie bei anderen Diplosomen, aus zwei parallelen Tunicaschichten,
einer Oberflächen- und Basalmembran, zwischen welchen die von
großen Hohlräumen umgebenen Einzelindividuen eingeschlossen sind.
Die Oberflächenmembran ist bei unserer Form sehr zart und leicht
zerreißbar. Die Färbung der einzelnen Individuen bewegt sich je
nach ihrem Alter zwischen hellgelb und schwarz, im Gegensatz zu
Dipl. chamaeleon, wo die verschiedenen Färbungsabstufungen verschiedenen Varietäten entsprechen. Die schwarzen Pigmentanhäufungen
treten bei beiden nur in den Ektodermzellen auf, während in der
gemeinsamen Tunica nur hellgelbe Pigmente vorhanden sind.

Wenn man die Einzeltiere genauer untersucht, so findet man, dass
jedes Individuum zwei Kiemensäcke und zwei Peribranchialsäcke von
verschiedenem Alter besitzt. Demgemäß sind zwei Einfuhr- und zwei
Ausfuhröffnungen, zwei Gehirne und zwei Hypophysen vorhanden, und
auch der Oesophagus sowie das Rektum zeigen eine entsprechende
dichotomische Verzweigung (s. Abbildung). Kurz, die ganze obere
Körperhälfte jedes Individuums ist doppelt vorhanden. An gefärbten
Schnitten erkennt man deutlich, dass der eine der Zwillinge[2] ein
größeres Alter zeigt und sichtlich in Degeneration begriffen ist,
während der andere durch seine tiefe Färbung und das frischere
Aussehen sich als der jüngere von beiden aufweist. In manchen
Fällen findet man auch eine dreifache Verzweigung des Oesophagus;
dann läuft der eine Ast gegen die äußere Ektodermschicht aus und
endigt daselbst blind, während der zugehörige Kiemenkorb bereits
vollständig verschwunden ist.

Jeder der Zwillingskiemensäcke besitzt eine stoloförmige, mit
Längsmuskeln versehene Ausstülpung der äußeren Ektodermschicht,
welche zuerst von Mac Donald[3] beschrieben wurde und für die
Gattung *Diplosoma* charakteristisch ist. Außer dieser „spurlike appen-

---

1) von Drasche, Die Synascidien der Bucht von Rovigno. Wien 1883.

2) Der Ausdruck Zwilling, den ich hier gebrauche, bezeichnet selbstverständlich nur die gegenseitige Lagerung und bezieht sich nicht etwa auf
das Alter.

3) Mac Donald, On the anatomical characters of remarkable form of
compound Tunicata. Transactions of the Linnean Society, XII, 1859.

dage" ist noch ein wurmförmiger Anhang an der basalen Seite der Doppelindividuen vorhanden; die Bedeutung dieses Organs ist mir aber nicht klar geworden.

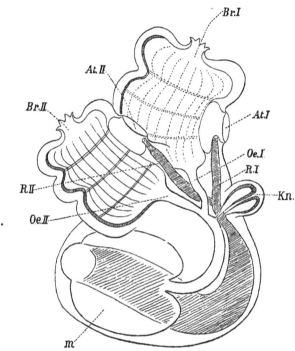

Schematische Darstellung eines Individuums von *Diplosoma Mitsukurii*. Br I = Aeltere Ingestionsöffnung. — Br II = Jüngere Ingestionsöffnung. — At I = Aeltere Egestionsöffnung. — At II = Jüngere Egestionsöffnung. — Oe I, Oe II = Oesophagus. — R I R II = Rektum. — Kn = Knospe. — m = Magen.

In der Figur habe ich nur die gegenseitigen Lagebeziehungen der beiden oberen Körperhälften zu einander und zu der unteren Körperhälfte schematisch wiedergegeben. Das jüngere Halbindividuum ist gewöhnlich seitwärts abgebogen und nimmt erst allmählich eine aufrechte Stellung an, während das ältere zusammengeschrumpft und schließlich obliteriert, bis auf eine Narbe, welche aber auch sehr bald in dem Ektoderm verschwindet. Unterdessen entwickelt sich aus einer seitlichen Knospe ein drittes Halbindividuum, welches zu dem noch übrig gebliebenen Halbindividuum dieselbe Lagebeziehungen zeigt, in welchen das letztere zu dem bereits obliterierten stand. In seiner schönen Arbeit über die Synascidien der Bucht von Rovigno hat von Drasche[1]) eine Abbildung von *Dipl. chamaeleon* wieder-

---

1) loc. cit. Taf. IX Fig. 14.

gegeben, in welcher man ziemlich deutlich zwei obere Körperhälften unterscheiden kann, wenn auch von dem Autor keine Bemerkung darüber gemacht wird. Vermutlich findet dieser Vorgang bei mehreren Species von *Diplosoma* statt; nur ist er bis jetzt übersehen worden.

Dass die Ascidien eine außerordentliche Fähigkeit sich zu regenerieren besitzen, ist durch die Experimente von Mingazzini[1]) bewiesen. Derselbe hat unter anderen den Kiemensack und das Gehirn einer *Ciona* weggeschnitten, und fand immer, dass das Tier nach kurzer Zeit die verlorene Teile vollständig regenerierte. Die Regenerationskraft, welche bei anderen Ascidien nur beim zufälligen Verlust eines Körperabschnitts in Wirksamkeit gerufen wird, tritt bei *Diplosoma* unter normalen Verhältnissen auf und so kommt die eigentümliche Thatsache zu Stande, dass periodisch die obere Körperhälfte abortiert, während gleichzeitig durch Knospung eine neue entsteht.

Zoologische Miscellen.
Von Dr. **Franz Werner** in Wien.

I. Konvergenz oder Verwandtschaft.

Als ich vor einiger Zeit die interessante Arbeit von Prof. Kükenthal in den „Zoologischen Jahrbüchern" (1891) über die Anpassung von Säugetieren an das Leben im Wasser durchlas, erinnerte ich mich eines seinerzeit mit Herrn Dr. Schmidtlein, Assistent am zoologischen Institut in Leipzig, geführten Gesprächs über die systematische Stellung einiger merkwürdiger Säugetiere und Vögel und namentlich der Pinguine. Schon damals war ich davon überzeugt, dass diesen die Alken, überhaupt die Taucher unter den Schwimmvögeln, ja sogar diese im Ganzen genommen nicht als gleichwertige Gruppe zur Seite gestellt werden dürfen; und beim Lesen des Kükenthal'schen Aufsatzes fiel mir sofort die Analogie zwischen den Zahnwalen und Pinguinen einerseits, den Bartenwalen und den Alken anderseits auf.

Ich will hier nicht mehr näher auf die Umstände eingehen, welche zu dem Schlusse berechtigen, dass die Pinguine phylogenetisch viel ältere Schwimmvögel sind als die Alken und dass sie eine ganz gesonderte Stellung unter den Carinaten verdienen. Kerbert hat schon [2]) darauf hingewiesen, wie sehr die Flügelfedern der Pinguine den Reptilienschuppen ähneln; und ich habe an den Flossen von *Spheniscus demersus* mich überzeugt, dass die darauf befindlichen Federn mehr den Charakter von Hornschuppen als von Federn besitzen, während das Federkleid des Rumpfes noch sehr an die Em-

---

1) Mingazzini, Sulla rigenerazione nei Tunicati. Bolletino della società di naturalisti in Napoli, 1891.

2) Ueber die Haut der Reptilien und anderer Wirbeltiere. Archiv für mikrosk. Anatomie, XIII, 1876, S. A. p. 52.

bryonaldunen anderer Vögel erinnert. Das Fehlen der Markzellen im
Schaft und das Persistieren der Federpapillen durch die ganze Lebenszeit (wie bei den Schuppenpapillen der Reptilien) ist ein weiterer
Beweis dafür, wie weit die Pinguine von den übrigen Vögeln sich
entfernt haben.

Auch osteologisch bieten die Pinguine auffallend viel Interessantes.
Von hohem Interesse ist vor allem der Umstand, dass das Tarso-
metatarsale noch aus drei deutlich unterscheidbaren Knochen besteht, was, wie Menzbier in seiner „Vergleichenden Osteologie der
Pinguine" (Moskau 1887) bemerkt, außer bei *Tachypetes aquila* bei
gar keinem lebenden Vogel und sogar nicht einmal bei den ältesten
fossilen Formen vorkommt. Ferner sind einige andere Eigentümlichkeiten von Bedeutung, welche zeigen, dass die Pinguine viel länger
an das Wasserleben angepasst sind, als die Alken; vor allem der
Bau der vorderen Extremität, deren Knochen in hohem Maße flach
gedrückt sind, sodass die ganze Extremität eine scharfschneidige,
sichelförmige Flosse bildet. Ich habe die Skelette von drei Arten
von *Endyptes chrysocoma*, von *Endyptula minor* [1]) und von *Spheniscus
demersus* untersuchen können, welche sich im Bau des Flügels nur
sehr wenig unterscheiden. Vergleicht man den Flügel einer dieser
Arten mit dem einer *Alca torda* oder einer *Fratercula arctica*, so fällt
der Unterschied sofort in die Augen; die Knochen des Pinguinflügels
haben einen flach linsenförmigen, die des Alkenflügels einen elliptischen Querschnitt. Ueberhaupt bieten die Alken in ihrem Skelett
durchaus nichts Auffallendes dar, es sind noch immer recht typische
Vögel und die Anpassung an das Wasserleben hat noch bei weitem
nicht so tief in ihre Organisation eingegriffen, wie bei den Pinguinen.

Wie kommt es nun, dass manche äußere Eigentümlichkeiten, die
aufrechte Stellung in der Ruhe, die weit nach hinten gerückte Lage
der Hinterextremitäten, die Reduktion der Steuerfedern des Schwanzes,
bei beiden so verschiedenen Gruppen vorhanden sind?

Wir werden gleich sehen, dass alle diese Eigentümlichkeiten
untereinander und mit der Anpassung an das Wasserleben aufs
innigste zusammenhängen, und dies auseinanderzusetzen ist eben der
Zweck dieser Zeilen.

Vor allem ist die fast vertikal aufgerichtete Stellung aus der
Lage der Hinterextremitäten unschwer zu erklären, denn sie ist eben
das einfachste Mittel zur Erhaltung des Gleichgewichtes. Warum
sind nun aber die Hinterextremitäten so weit nach hinten gerückt?
Aus demselben Grunde, aus dem wohl auch das Steuerruder eines
Bootes, die Schraube eines Dampfers am Hinterende desselben sich
befindet. Wer je selbst ein Boot gerudert oder gesteuert hat, wird
wissen, um wieviel geringer der Kraftaufwand ist, der dazu gehört

---

1) Wofür ich Herrn Dr. L. von Lorenz, Custos-Adjunkt am k. k. natur-
historischen Hofmuseum in Wien sehr zu Dank verpflichtet bin.

die Richtung eines Bootes mit dem Steuer, als mit den mehr in der
Mitte [1]) des Bootes „eingelenkten" Rudern zu verändern. Die Beweglichkeit ist durch die Verlegung des propulsatorischen Apparates
nach hinten bedeutend erhöht; dabei kann aber die Schnelligkeit der
Bewegung ganz ungeändert bleiben; daher sehen wir allenthalben bei
guten Schwimmern im Tierreich den die Lokomotion besorgenden
Apparat möglich weit nach hinten verlegt; also bei den Walen in
den Schwanz, bei den Robben in die Hinterextremitäten; bei Krokodilen, Monitoriden, Wassermolchen ist wieder der Schwanz das hauptsächlichste Bewegungsorgan beim Schwimmen, desgleichen bei den
Fischen. Die Wasservögel schwimmen aber mit den Hinterbeinen,
wie die Robben, denen die Pinguine und Alken unter den Vögeln
ganz analog sind und zwar entsprechen die Seehunde geographisch
den arktischen Alciden, die Seelöwen aber den antarktischen Pinguinen.
Bliebe nun der Ansatz der Hinterextremitäten in der Mitte des Rumpfes [1]),
so müssten, um dasselbe Ziel zu erreichen, die Unterschenkel mit
der Ferse bis zum Hinterende des Körpers reichen, also bedeutend
verlängert sein; lange Beine sind aber schlechte Schwimmbeine [2]),
und wenn auch Störche und Reiher schwimmen können, so thun sie
dies wohl nur im Notfall, nicht aber um ihre Beute im Wasser zu
erjagen; denn sie schwimmen herzlich schlecht.

Wir sehen darum auch, dass die Flosse der Pinguine im Vergleich zum Alkenflügel stark verkürzt ist, namentlich der Oberarm;
denn die Pinguine benutzen, wie ich selbst an einem *Aptenodytes* im
Berliner zoologischen Garten und mehreren Exemplaren von *Spheniscus demersus* im Wiener Vivarium gesehen habe und was übrigens
meiner Bestätigung gar nicht bedarf, da es eine wohlbekannte Thatsache ist, ihre Flossen in ganz ausgiebiger Weise beim Schwimmen,
was bei den Alken nur unter Umständen der Fall sein kann. Und
zwar lehrt eine einfache Ueberlegung Folgendes:

Die Pinguine schwimmen wegen der Schwere und Dichtigkeit
des Gefieders, wohl auch wegen der Schwere und Massigkeit der

----

1) Ich meine hier unter Mitte natürlich nur das Ende der vorderen Rumpf-
hälfte, zum Unterschiede vom Hinterende.

2) Da ihre einzelnen Teile infolge der Gelenksverbindung zu sehr gegen
einander beweglich sind, was die Kraftwirkung erheblich verringert. Alle
wirklich im Wasser lebenden und daselbst ihre Beute erjagenden Tiere haben
relativ kurze, kräftige Extremitäten; ja die Flossen vieler ausgezeichneter
Schwimmer unter den Wirbeltieren sind ganz einheitlich aussehend und platten-
förmig und besitzen nur so viel Gelenke um nach erfolgtem Druck auf das
Wasser sich so drehen zu können, dass sie bei ihrer Vorwärtsbewegung den
geringsten Widerstand durch das Wasser finden (Brust- und Schwanzflossen
der Wale, Flossen der Seeschildkröten). Daraus erklärt sich auch die beil-
artige Form des Ulnare und andere Vorrichtungen am Pinguinflügel, welche
eine Zusammenlegung desselben in der Weise wie sie noch beim Alkenflügel
in der Ruhe stattfindet, verhindert und ihm eine gewisse Unbeweglichkeit
verleiht.

Knochen [1]) sehr tief im Wasser, sodass nur Kopf, Hals und der oberste Teil des Rückens daraus hervorragen. Wäre dies nicht der Fall, so würden die Flossen beim gewöhnlichen Schwimmen nicht weit ins Wasser reichen und der größere Teil der Flosse ginge für die Fortbewegung verloren. Durch das tiefe Einsinken des Pinguins ins Wasser ist es ermöglicht, dass die ganze Oberfläche der Flosse unter Wasser sich befindet und daher eine größere Kraftentfaltung beim Schwimmen. Die Alken schwimmen aber, soviel mir bekannt ist, ziemlich hoch über dem Wasser, können daher ihre Flügel nur dann als Flossen gebrauchen, wenn sie tauchen.

Wenn nun also die Lage der Hinterextremitäten begründet ist, so erklärt sich daraus, resp. aus der daraus mit Notwendigkeit resultierenden aufrechten Haltung beim Stehen auf dem Lande auch die Reduktion der Steuerfedern; denn es ist leicht einzusehen, dass die steifen und, wenn sie für die Lokomotion von Bedeutung sein sollen, auch mehr weniger langen Steuerfedern das aufrechte Stehen geradezu unmöglich machen würden; da nun das Amt des Steuerns im Wasser ohnehin den Hinterextremitäten zufällt, so stand einer Rückbildung der Schwanzfedern nichts im Wege.

Wir sehen also, dass Alles, was in der Erscheinung der Pinguine und der pinguin-ähnlichsten Alken uns als ähnlich auffällt, nur aus der Anpassung an das Wasserleben zu erklären ist; dass aber diese beiden Gruppen außer den fundamentalsten Vogelcharakteren wenig mit einander zu thun haben und dass die Pinguine weit älter sind und sich von einer viel ursprünglicheren Vogelgruppe abgezweigt haben als die Alken, die noch mit den übrigen Tauchern, den *Colymbidae* und *Podicipidae* eine recht große Verwandtschaft zeigen. Ich habe hier manche sehr merkwürdige Besonderheiten im Bau des Pinguinskelettes nicht hervorgehoben, (so z. B. die große Flächenentwicklung der Scapula, die sich sonst bei gar keinem Vogel vorfindet und wie vieles andere auf die Reptilien-Vorfahren der Vögel zurückweist), da ich ja nur die wichtigsten Veränderungen, die sich durch das Leben im Wasser an diesen sonderbaren Vögeln ergeben, besprechen wollte. Jeder aber, der nur einmal ein Pinguinskelett mit den sichelförmigen platten Flossen, den äußerst kräftigen charakteristischen Hinterbeinen und den mächtigen Schulterblättern gesehen hat, wird es unter allen Vogelskeletten sofort wieder herausfinden können und er wird Menzbier recht geben, wenn er (S. 103) sagt, dass sie, „was ihre systematische Stellung betrifft, jedenfalls unabhängig von ihrer Abstammung und ihrer Entwicklung in eine Gruppe von gleicher taxonomischer Bedeutung wie die *Saururae*, *Ratitae*, *Odontotormae* und *Carinatae* ausgeschieden zu werden verdienen.“

---

1) Die oft nicht einmal mehr pneumatisch sind.

II. Noch etwas über die Zeichnung der Tiere.

In meinem im vorigen Jahre erschienenen Aufsatze „Bemerkungen zur Zeichnungsfrage" habe ich mir erlaubt, den Eimer'schen
Hypothesen einige mir bei meinen eignen Studien über diesen Gegenstand aufgetauchte Bedenken entgegenzustellen; und da Herr Prof.
Eimer darauf meines Wissens nicht erwiderte, so glaube ich annehmen zu dürfen, dass er nichts zu erwidern hat und jetzt meine
Ansichten über Entstehung und Bedeutung der Zeichnung angenommen hat.

Einstweilen hätte ich noch einige allgemeinere Bemerkungen dem
obenerwähnten Aufsatz hinzuzufügen und zwar vor allem über folgende Punkte:

1. Der Querstreifen zwischen den Augen ist phylogenetisch älter
   als der Längsstreifen hinter dem Auge.
2. Ueber die Zeichnung der Vogeleier.
3. Die Bauchseite mancher Tiere, welche diese Bauchseite niemals
   sehen lassen, trägt eine ganz deutliche Zeichnung.

Was den ersteren Umstand anbelangt, so halte ich ihn für nicht
unwichtig. Denn wenn eine Querbinde phylogenetisch älter ist als
ein Längsstreifen, so kann sich wohl kaum die Querstreifung aus
der Längsstreifung entwickelt haben. Dass aber die interokulare
Querbinde wirklich uralt ist, das ersehen wir daraus, dass sie bei
den Haien allgemein verbreitet ist, auch bei den Rochen noch zu
finden ist, während der Postokularstreifen daselbst noch durchaus fehlt.

Außerdem sind Querbänder zwischen den Augen bei vielen Am-
phibienlarven schon in recht früher Zeit zu beobachten und zwar zu
einer Zeit, wo von dem postokularen Längsstreifen noch keine Spur
zu bemerken ist. — Dass dieses Querband aus Flecken entsteht,
ist überall erkennbar.

Was die Zeichnung der Vogeleier anbelangt, so entsteht die
Frage: Hat sie eine schützende Bedeutung oder nicht?

Nehmen wir einmal an, es sei der Fall, so steht doch fest, dass,
wenn überhaupt durch die Zeichnung ein Schutz erzielt werden kann,
die Eier der Vögel dieses Schutzes bedürftiger sind, als die Vögel
selbst; denn sie können sich gegen Feinde nicht vertheidigen, noch
sich ihnen durch die Flucht oder sonstwie entziehen; sie sind hilflos
und nur durch die harte Schale vor kleinen, durch den Mut oder die
Schlauheit der Eltern vor größeren Feinden geschützt.

Sie wären also einer Hilfe durch die Zeichnung recht bedürftig.

Erfüllt nun ihre unregelmäßige Fleckenzeichnung — eine andere
habe ich bei keinem heimischen Vogelei noch gefunden — ihre Aufgabe oder nicht?

Wenn ja, so ist nicht einzusehen, warum überhaupt noch eine
andere Zeichnung existiert, wenn diese Fleckenzeichnung bei diesen

so sehr schutzbedürftigen Tierprodukten die Feuerprobe bestanden hat — notabene unter den verschiedensten Lebensbedingungen.

Wie viele Vögel brüten im Gras, Schilf und Rohr — und doch keine gestreiften Eier, weder längs- noch quergestreifte!

Erfüllt die Zeichnung der Eier ihren schützenden Zweck nicht, dann steht die Frage offen, warum sie noch immer so weit verbreitet ist, so wenig Tendenz nach Veränderung d. h. Verbesserung zeigt. Es müsste eine Ausrottung oder zum mindesten Verminderung der betreffenden Vogelarten konstatierbar sein. Für Mitteilungen in dieser Richtung wäre ich sehr dankbar. —

Ich glaube aber, dass die Zeichnung der Vogeleier nicht allein eine schützende Aufgabe hat. Es ist nicht zu leugnen, dass sie in vielen Fällen diese Aufgabe wirklich erfüllen muss — wenn es auch viele Eierräuber in der Tierwelt gibt und es nicht anzunehmen ist, dass sie ihren Nahrungsbedarf ausschließlich mit einfarbigen, ungefleckten Eiern decken.

Es scheint mir nicht ausgeschlossen, dass das Eierpigment entweder lediglich Stoffwechselprodukt des Embryos ist, oder dass die dunklen Flecken mit der Wärmeaufnahme des Eies in einer wichtigen Beziehung stehen. Da mir nun über die Embryonalentwicklung solcher Vögel, welche aus gefleckten Eiern entstehen, nichts bekannt ist — embryologische Studien werden ja wohl durchwegs an Hausvögeln gemacht, die einfarbige Eier legen — ist es vielleicht schwierig zu konstatieren, ob die Pigmentierung gefleckter Eier etwa mit der Brutdauer etwas zu thun hat oder eine andere physiologische Funktion besitzt. Da die Reptilieneier meines Wissens durchwegs einfarbig sind, so dürfte die Zeichnung der Eier phylogenetisch noch nicht gar alt sein.

Als drittes Moment hätte ich noch die Zeichnung der Unterseite bei vielen Tieren zu erwähnen, bei denen diese Unterseite niemals sichtbar ist, und zwar eine Zeichnung von oft ganz regelmäßiger Anordnung. Betrachtet man z. B. die Unterseite südlicher Ringelnattern, so findet man, dass die schwarzen Bauchflecken in zwei ganz regelmäßige Reihen geordnet sind. Dasselbe finden wir bei *Coronella girondica* und *C. Amaliae*. Dabei ist gerade die vorderste Partie der Unterseite, also der einzige Teil, der beim laufenden oder ruhenden Tiere sichtbar ist, immer einfarbig. Soll dadurch etwa ein Feind der Schlange überrascht werden, dass er beim Angriff, wenn dieselbe sich hin und her dreht und wendet, um ihm zu entkommen, plötzlich die ganz verschiedene Unterseite zu sehen bekommt? Abgesehen davon, dass die verschiedene Färbung der Unterseite allein für diesen Zweck hinreichen würde, legen schlangenfressende Tiere auf die Art und Weise, auf das Fehlen oder Vorkommen der Zeichnung ganz und gar kein Gewicht und werden daher von was immer für einer Zeichnungsveränderung durchaus nicht so erschreckt, dass sie deswegen ihre Beute fahren ließen.

XII.   18

Wir können also auch hier wieder annehmen, dass die Zeichnung
der Unterseite der Schlangen (längsgestreift, oder quergestreift wie bei
Tropidonotus quincunciatus var. *melanozostus*, *T. vittatus* oder gefleckt)
oder anderer Wirbeltiere mit dem Schutz oder der Abwehr oder der
Warnung kaum etwas zu thun haben und es bleibt auch hier wieder
eine physiologische Erklärung wahrscheinlicher als die biologische.

Man wird sich vielleicht wundern, dass ich mitunter bei den
sekundären Zeichnungen der Eidechsen, Schlangen und Anuren von
einer Auflösung von Längsstreifen in Flecken gesprochen habe,
während ich ja im Allgemeinen immer annehme, dass die Längsstreifen aus Flecken entstehen.

Diese Zerreißung von Längsstreifen habe ich solange zur Erklärung angenommen, als ich keine bessere und meinen sonstigen
Erfahrungen entsprechendere wusste. Ueberall entstehen auf den
primären Längsstreifen zuerst die sekundären Fleckenzeichnungen
und aus diesen, indem sie an den Rand der Streifen rücken und daselbst der Länge nach verschmelzen, die sekundären Längsstreifen,
oder indem sich die beiden Fleckenreihen desselben Doppelstreifens
(auf einfachen Streifen sind sekundäre Flecken eigentlich relativ
selten) die sekundären Querstreifen. Die Längsstreifen können
ohneweiters entstehen, die Querstreifen aber sind im Allgemeinen auf
die Area der primären Längsstreifen beschränkt, und können sich,
solange diese deutlich sind, nicht auf die Grundfarbe fortsetzen und
mit den entsprechenden, auf anderen Längssreifen entstandenen Quer-
bändern in Verbindung setzen. Daher sind längsgestreifte Ringelnattern zwar in der Regel auf den drei dunklen Längsstreifen noch
dunkler gefleckt, mitunter jeder dieser drei Streifen ziemlich regelmäßig quergestreift, aber niemals, auch wenn sie genau in einer
Linie liegen, verbinden sich drei solche Querstreifen miteinander,
solange die beiden hellen Streifen der Grundfarbe noch existieren;
sind diese verschwunden, so steht der Bildung einer geringelten
Varietät, die als var. *Cetii* bezeichnet wird, nichts mehr im Wege.
Dieses Gesetz erleidet bei Schlangen wohl kaum eine Ausnahme,
während bei den Eidechsen etwas derartiges, die Durchkreuzung der
primären Längs- und der sekundären Querstreifung nicht sehr selten,
z. B. bei *Tejus teguixin* vorkommt; dagegen kann ich mich nicht
erinnern, dass bei den anuren Amphibien diese Regel eine Ausnahme
erleidet.

In manchen Fällen, die bei den Eidechsen häufiger sind als bei
den Schlangen, bilden die primären Längsstreifen direkt eine dunkle
Grenzzone auf jeder Seite; aus solchen Längsstreifen entsteht keine
weitere Zeichnung mehr, sie können höchstens, wie dies z. B. bei
Zonosaurus der Fall ist, sich teilweise oder gänzlich der Länge
nach teilen, sie können ebenfalls sekundäre Fleckenzeichnungen erhalten—aber es können aus ihnen keine Zeichnungen mehr entstehen.

Wie erklären sich nun die sekundären [1]) Ocellenzeichnungen ohne Zuhilfenahme der Zerreißung der sekundären Längsstreifen? Ich habe diese Ocellenbildung früher so erklärt: Zwischen zwei sekundären Längsstreifen hellt sich die Grundfarbe zu Weiß oder Gelb auf. Die Längsstreifen zerreißen in Stücke, zwischen denen immer ein Stück der hellen Grundfarbe zu liegen kommt, die sich ebenfalls in Flecken aufgelöst hat; endlich umwachsen die beiden Stücke der Längsstreifen den zwischen ihnen gelegenen hellen Flecken und der Ocellus ist fertig. Diese Darstellung habe ich noch meiner letzten Arbeit über die Zeichnung der Eidechsen (in den Zoolog. Jahrbüchern 1892) zu Grunde gelegt Da aber die Annahme mit vielen Thatsachen nicht stimmen wollte, ich z. B. von *Lacerta agilis* und vielen andern Eidechsen aus der Lacertiden- und andern Gruppen Exemplare untersuchen konnte, deren Zeichnung auf diese Weise nicht zu deuten war, so suchte und fand ich eine mit der Wirklichkeit übereinstimmende und sehr naheliegende Erklärung und hiemit ist auch das letzte Moment, das mir für die Entstehung der Fleckenzeichnung durch Zerreißung von Längsstreifung zu sprechen schien, gefallen.

Die Erklärung, die ich später einmal durch Abbildungen zu illustrieren gedenke, ist folgende: Auf den primären [2]) Längsstreifen bilden sich sekundäre Flecken. Zwischen den beiden Streifen verläuft nun der (bei größerer Nähe der Streifen stets aufgehellte) Streifen der Grundfarbe. Die einfachste Form der Ocellenzeichnung geht aus dieser, die wir bei *Psammodromus hispanicus* genau so, wie eben geschildert, finden, dadurch hervor, dass die oben und unten an den hellen Streifen der Grundfarbe anstoßenden dunklen sekundären Flecken an einer oder an beiden Seiten Ausläufer entsenden, die einander entgegenwachsen; je nachdem beide Ausläufer beider Flecken einander treffen oder nur die der einen Seite oder dem einen Flecken an der andern Seite des hellen Streifens kein Flecken gegenübersteht, finden wir die verschiedenste Ausbildung der Ocellen; im ersteren Falle die vollkommenste; alle aber bei weiblichen Exemplaren von *Lacerta agilis*. Sind die dunklen Ränder der Ocellen breit, diese selbst zahlreich, so stoßen sie aneinander und ihre Ränder können sogar miteinander verschmelzen, während die hellen Mittelflecken getrennt bleiben; außerhalb der Ocellen verschwindet dabei die helle Grundfarbe schließlich vollständig. Alles dies kann an *Lacerta agilis* sehr gut beobachtet werden, namentlich an ♀. Sind die sekundären Flecken lang, so schließen sie auch lange Stücke der hellen Grundfarbe ein. Die Grundfarbe (grau, gelb, weiß), primäre (hellbraun) und sekundäre Zeichnung (schwarzbraun bis schwarz) sind von einander durch die Färbung leicht zu unterscheiden.

---

1) primäre bei Urodelen *(Molge viridescens)*, Geckoniden.
2) oder durch Teilung aus ihnen entstandenen sekundären

Wenn irgend ein Tier der Annahme irgend einer Zeichnungsform als der ursprünglichsten unangenehm ist, so ist es eine von mir schon abgebildete Schlange *Dromophis praeornatus*. Die Eimer'sche Theorie, welche die ursprünglichste Zeichnung am Vorderende eines Tieres sucht, findet daselbst Querstreifung, darauf Flecken, endlich an der Hinterhälfte Längsstreifung. Mir scheint das Hinterende im Allgemeinen die ursprünglichste Zeichnung zu tragen und damit stimmt es auch gut überein, dass bei der Schlange die Hinterhälfte die gewöhnliche Psammophiden-Zeichnung trägt ([D] [LMg]) und damit die in der Zeichnung sonst unkenntliche Zugehörigkeit zu dieser Familie dokumentiert; aber die nach vorn daran sich schließenden Flecken müssten dann als durch Zerreißung der Längsstreifen gedacht werden. Nehmen wir die Verwandtschaft der Psammophiden mit den quergestreiften Dipsadiden zur Deutung in Anspruch, so wäre vielleicht das Vorderende mit der für diese Schlange ursprünglichsten Zeichnung versehen, dann aber die Fleckenzeichnung aus der Querstreifung hervorgegangen, was ich mit Eimer verwerfe. Also ein Dilemma für beide Ansichten.

Noch etwas will ich hier erwähnen. Die Streifung (ob Längsoder Querstreifung, ist momentan gleichgiltig) ist an sich wohl kaum schützend. Wenn ein langes, dunkles Tier an einem Orte sich aufhält, wohin lange Monokotylenblätter ihren Schatten werfen, so wird das Tier in toto einem solchen Pflanzenschatten gleichen und wahrscheinlich übersehen werden. Wenn ein ebensolches Tier an einem langen Monokotylenblatte oder -Stengel von ähnlichen Dimensionen sitzt und von ähnlicher Färbung ist, dabei der Extremitäten entbehrt oder sie passend zu verwenden oder zu verbergen weiß, so kann man annehmen, dass auch diese Totalanpassung in hohem Grade nützlich ist. Aber wozu eine Streifung zu diesem Zwecke? Lebt das Tier wirklich unter diesen Pflanzen, so werfen diese ihren Schatten ohnehin darauf und der durch die Streifen angeblich vorgestellte Schatten ist total überflüssig; ja er kann sogar eher schädlich sein, da er sowohl durch Farbe und die Parallelität der Streifen das Tier auffallend macht — und dasselbe ist in noch höherem Grade der Fall, wenn sich das Tier nicht in dem Schatten der erforderlichen Pflanzen herumtreiben will. Ich kann daher nur eine Totalanpassung anerkennen; entweder vollkommene Gleichfarbigkeit mit der Umgebung und zwar in allen Fällen (Farbenwechsel: Laubfrosch, *Chamaeleon*) oder Anpassung an ein bestimmtes Aufenthaltsgebiet und zwar totale Anpassung: Aehnlichkeit mit Blättern, Aesten, Samen, tierischen Exkrementen (Byrrhus) etc., Phasmiden, manche Schmetterlinge etc.; mit anderen giftigen, wehrhaften, übelriechenden Tieren (Mimicry) und endlich Lokalanpassung: Gleichfarbigkeit mit einem bestimmten, in seiner ganzen Ausdehnung einförmig gefärbten Aufenthaltsort: Wüstenschlangen, Felsenschlangen, Baumschlangen etc.

Noch etwas wäre zu bemerken: Es gibt ja bekanntlich auch gezeichnete Pflanzen und die gefleckten Blätter von *Pulmonaria*, *Orchis*, die weiß und grün längsgestreiften des Bandgrases etc. sind allbekannt: wie ist diese Erscheinung zu erklären?

III. Die Epitrichialskulptur der Schlangenepidermis.

In seiner bekannten Arbeit „Ueber die äußeren Bedeckungen der Reptilien und Amphibien" (I. Die Haut einheimischer Ophidier) (Archiv f. mikroskop. Anatomie IX. 1873. S. 773) bemerkt Leydig nach Besprechung der merkwürdigen Schuppenskulptur der Schlangen, dass dieselbe vielleicht systematisch verwertbar sein könnte.

In Weiterverfolgung dieses Gedankens habe ich einen großen Teil der europäischen Schlangenarten auf ihre Schuppenskulptur untersucht und teile hier kurz mit, was ich darüber weiß, mir eine ausführlichere Beschreibung und Abbildung für die Zeit vorbehaltend, wo ich auch die Haut von *Macroprotodon cucullatus*, den ich nicht erhalten konnte, untersucht haben werde.

Zur Untersuchung kamen Häute, die entweder von der Schlange beim Häutungsprozess abgestreift wurden, teils solche, welche von in Alkohol konservierten Exemplaren abgelöst wurden; in letzterem Falle muss aber die Hornschuppe von dem (bei den in Alkohol konservierten Häuten sich mit ablösenden) Stratum Malpighii getrennt werden, da die oft sehr zahlreichen Chromatophoren des letzteren eine Untersuchung der Skulptur sehr erschweren würden. Für manche Skulpturen sind sehr starke Vergrößerungen erforderlich.

Das Ergebnis meiner Untersuchungen sprach gerade nicht sehr für die systematische Verwendbarkeit der Schuppenskulptur. Schon die drei Arten *Tropidonotus natrix*, *tessellatus*, *viperinus* sind eben nicht leicht nach Epidermisfragmenten (ich habe bei dieser Erörterung immer nur Schuppen des Rumpfes im Sinne; andere Partien der Schlangenhaut standen mir bisher nicht in ausreichendem Maße zu Gebote) zu unterscheiden. So oft ich auch glaubte, ein unzweifelhaftes Unterscheidungsmerkmal gefunden zu haben, so oft stellte sich heraus, dass dasselbe Merkmal auch den beiden anderen Arten in ähnlichem Grade zukommt und die Arten *natrix*, *viperinus*, *tessellatus* bilden eine Reihe, in welcher *natrix* durch die geraden, relativ schwach ausgeprägten und annähernd parallelen Längsleisten, sowie die ebenfalls schwachen Querleisten (welche nach Kerbert [1]) nichts anderes sind als die Konturlinien der Epitrichialzellen) den Anfang, *tessellatus* durch die mehr gewundenen, starken und deutlich als nicht parallel erkennbaren Längs- und starken Querleisten das Endglied der Reihe bildet, während *T. viperinus* den Uebergang zwischen beiden ziemlich genau herstellt. Es ist möglich, dass durch langjährige

---

1) Archiv f. mikroskop. Anatomie, Bd. XIII, 1876.

Untersuchung das Auge genügend geübt werden kann, um die drei
Arten nach ihrer Schuppenskulptur zu unterscheiden. Ich war bisher
nicht im Stande, auf Grund der mikroskopischen Untersuchung der
Haut ein sicheres Urteil über die Zugehörigkeit zu einer der drei
Arten zu fällen. Die Epitrichialzellen sind bei allen drei Arten am
Rande fein gezähnt, manche der Zähne sehr durch ihre Größe hervorragend. Sie lassen aber eine Unterscheidung der Arten um so
weniger zu, als sie sich bei allen untersuchten europäischen Schlangen
überhaupt nicht wesentlich, meist nur durch ihre verschiedene Größe
unterscheiden. Noch weniger ist dies bei den Epitrichialzellen der
Verbindungshaut der Fall. —

Die drei *Tropidonotus*-Arten zeigen aber in ihrer Schuppenskulptur auch mit *Coluber* (*Elaphis*) *quaterradiatus* eine nicht unbedeutende Aehnlichkeit und zwar in dem bei dieser Art namentlich
auf den hinteren Dorsalschuppen vorhandenen Längskiel, der Zwei-
zahl der sogenannten Schuppenporen [1]) und im Aussehen der Längsleisten. Doch sind diese mehr verästelt, die Pigmentierung des
Stratum corneum ist bei weitem stärker, und wenn man noch bedenkt, dass der *Coluber quaterradiatus*-Schuppe die Einkerbung an
der Spitze fehlt, so ist wohl eine Verwechslung nicht leicht möglich.
Jedenfalls ist es merkwürdig, dass die Schuppenskulptur dieser
Schlange der der *Tropidonotus*-Arten viel näher steht als der der
nahe verwandten *Coluber aesculapii* und *quadrilineatus*.

Aehnlich ist noch die Skulptur bei *Coelopeltis lacertina* mit geraden, dicken, höchstens dichotomisch verästelten Längsleisten und
wie bei allen vorigen gezackten, aber auffallend parallelen Querleisten. Da Schuppenporen fehlen, ein Kiel nicht vorhanden ist, so
ist eine Unterscheidung von den vorigen Arten leicht möglich.

Die Längsrippen bei den Schuppen der *Zamenis*-Arten sind
ziemlich gerade, stark, unverästelt, bei *Zamenis Dahlii* lang, bei den
anderen etwas kürzer; die Querrippen nur bei dieser Art sehr
deutlich wahrnehmbar, da die Pigmentierung schwächer ist als bei
den anderen Arten. Die Längsrippen der *Zamenis*-Arten sind ganzrandig, während sie bei allen vorher erwähnten Schlangen gezähnt
erscheinen. Zwei nahe nebeneinanderstehende Poren an der Spitze
der Schuppe, die sehr oft undeutlich sind.

Rhinechis scalaris besitzt ein System von feinen Längslinien, die
Epitrichialzellen sind sehr klein (bei *Zamenis Dahlii* groß und sehr
lang) und fein gezähnt. Zwei Schuppenporen, die um ihren dreifachen Durchmesser voneinander entfernt sind.

Von den beiden *Coluber*-Arten besitzt *C. aesculapii* lange, gerade,
vereinzelt stehende und nicht ganz parallele Längsleisten, die unter
einem Liniensysteme von ähnlicher Feinheit wie bei *Rhinechis* deutlich hervorstechen. Die durch die Konturen der Epitrichialzellen

---

1) Darüber siehe Leydig l. c. S. 768.

gebildeten Querleisten sind als solche nicht erkennbar, da sie durch
die starke Pigmentierung des Schuppenzentrums verdeckt und nur
an der Schuppenbasis sichtbar sind, wo die Längslinien wie bei
allen Arten aufhören. Zwei deutliche Schuppenporen, mitunter ein Kiel.

Coluber quadrilineatus besitzt ebenfalls zwei Schuppenporen, niemals einen Kiel; das Stratum corneum ist viel schwächer pigmentiert, Längsstreifensystem und Längsleisten ungefähr wie bei voriger
Art entwickelt. Die sogenannten Querleisten sehr zart, die Epitrichialzellen überhaupt klein, aber überall auf der Schuppe erkennbar.

Coronella austriaca und *girondica* besitzen Schuppen ohne Kiel,
mit feinem longitudinalem Liniensystem und stärkeren Längsleisten,
die ziemlich parallel verlaufen, gerade und ganzrandig sind, erstere
eine mediane Schuppenpore, letztere dagegen zwei sehr undeutliche.

Ohne Schuppenporen und Kiel ist die Schuppe von *Tarbophis vivax*;
das Längsleistensystem ist deutlich wahrnehmbar, während die Querleisten nicht sichtbar sind. Die Leisten sind gerade, ganzrandig.

Die Viperiden besitzen einen Kiel und zwei Poren auf jeder
Schuppe; *Vipera berus* weist ein System feinerer Längslinien in großer
Zahl auf — das Netzwerk, welches L e y d i g von den Schuppen dieser
Schlange anführt und abbildet, habe ich nicht sehen können, außer
auf der Verbindungshaut der Schuppen, wo es von den rundlichen,
mit der höckerigen Struktur[1]) versehenen Zellen des Epitrichiums
in gleicher Weise wie bei anderen Schlangen gebildet wird. Auffallend anders, aber untereinander ziemlich ähnlich verhalten sich
V. aspis und *ammodytes*, ihre Skulptur ist der der *Tropidonotus*-Arten
sehr ähnlich; bei *V. aspis* sind die Querleisten viel deutlicher als bei
ammodytes, daher bei letzterer die Längsleisten unverästelt und ganz
ohne Verbindung untereinander erscheinen.

Bei *Eryx jaculus* sind die Schuppen ohne Poren und Kiel und
ohne Längsleisten; sehr deutlich aber treten die Konturen der großen
Epitrichialzellen vor.

Die Häute unserer wichtigsten und häufigsten europäischen
Schlangen lassen sich demnach mikroskopisch folgendermaßen unterscheiden:

1) **Keine Schuppenporen (kein Kiel).**

Eryx jaculus. Keine Längsleisten, aber die Konturen der Epitrichialzellen sehr deutlich.

Tarbophis vivax. Gerade, ganzrandige[2]) Längsleisten, Konturen
  der Epitrichialzellen sehr undeutlich.

Coelopeltis lacertina. Starke, manchmal dichotomisch verästelte
  Längsleisten, Konturen der Epitrichialzellen (Querleisten) sehr
  deutlich.

1) L e y d i g. Archiv f. mikrosk. Anatomie, Bd. IX, S. 760.
2) bei starker Vergrößerung ziemlich undeutliche

2) Eine Pore.

Coronella austriaca. Schuppenpore in der Mittellinie der Schuppe
gelegen, feines Liniensystem.

3) Zwei Poren.
Schuppen mit Kiel.

Tropidonotus. Längsleisten der Schuppen mit deutlich gesägten
Rändern (oft ganz gefiedert). Spitze der Schuppen in der Mitte
eingekerbt.

Elaphis[1]) (*quaterradiatus*). Skulptur wie bei vorigen, doch Längsleisten stark verästelt; keine Einkerbung an der Schuppen-
spitze. Starke Pigmentierung.

Vipera. {Schuppen eingekerbt. / Schuppen nicht eingekerbt.}

Vipera berus: feines Längsliniensystem.

„ *ammodytes.* Längsleisten nicht in deutlicher
Verbindung mit einander, da
Querleisten undeutlich.

„ *aspis.* Längsleisten durch Querverbindungen
ein deutliches Netz miteinander bildend.

Coluber[1]) (*aesculapii*). Längsleisten gerade, vereinzelt, ganzrandig,
unverästelt, außerdem feines longitudinales Liniensystem. Starke
Pigmentierung. Keine Einkerbung.

Schuppen ohne Kiel.

Rhinechis scalaris. Schuppenporen weit von einander entfernt (um
den doppelten oder 3fachen Durchmesser), System feiner Längslinien.

Zamenis. Schuppenporen genähert (Entfernung kaum den Durchmesser einer Pore übersteigend), starke, ganzrandige, bei *Zamenis
dahlii* sehr lange Längsleisten, feine, bei *Z. dahlii* sehr deutliche Querleisten.

Coluber (*quadrilineatus*). Schuppenporen genähert (Entfernung ungefähr wie bei den vorigen), feine parallele Längslinien, einzelne
starke Längsleisten, die ganzrandig und gerade sind.

Coronella (*girondica*). Schuppenporen um fast das Doppelte ihres
Durchmessers von einander entfernt, sehr undeutlich; feines
Längsliniensystem, gerade, ganzrandige, schwach sichtbare
Längsleisten. Sehr schwache Pigmentierung.

Höchst merkwürdig ist die Skulptur der Schuppen bei der afrikanischen *Vipera arietans*. Sie besteht aus zahllosen kleinen an der
Spitze dunklen Stacheln, die teils ein-, teils zweispitzig sind oder
sogar eine beilförmige Schneide haben können.

---

1) Im Falle von diesen zwei Arten Schuppen ohne Kiel (also von Jungen,
vom Vorderrücken oder von den Seiten) zur Untersuchung gelangen, sind
erstere an der Skulptur, letztere an der starken Pigmentierung wohl meistens
von den Formen der 2. Gruppe zu unterscheiden.

Ueber den gegenwärtigen Stand der Lehre von der Zellteilung.

Vortrag, gehalten in der Biologischen Gesellschaft zu Königsberg i./Pr.

Von Dr. Richard Zander,
Privatdozent und Prosektor am anatomischen Institut.

Bei der großen Bedeutung der Zelle für alle Organisation ist es selbstverständlich, dass jeder Fortschritt in der Erkenntnis dieses Elementarorganismus das lebhafteste Interesse jedes Biologen zu erwecken geeignet ist.

Durch die Flut von Arbeiten, welche die Erforschung des Wesens der Zelle zum Gegenstand haben, sich hindurchzuarbeiten ist für jeden, dessen spezielles Arbeitsgebiet anderswo gelegen ist, so vollkommen unmöglich, dass es wohl berechtigt ist, wenn von Zeit zu Zeit in einer zusammenfassenden Uebersicht ein Bild von dem jeweiligen Stande unseres Wissens zu entwerfen versucht wird.

Es kann nicht meine Absicht sein, alles das, was über die morphologischen, chemischen und physikalischen Eigenschaften der Zellen, was über ihre Lebenserscheinungen unter physiologischen und pathologischen Verhältnissen mitgeteilt worden ist, besprechen zu wollen. Ich will im Folgenden nur über den gegenwärtigen Stand unserer Kenntnisse von der Vermehrung der Zellen durch Teilung sprechen.

Die gesamte Litteratur über diesen Gegenstand bis zum Jahre 1887 ist von Waldeyer (90)[1] übersichtlich zusammengestellt worden, und auf der letzten Versammlung der Anatomen zu München erstattete Flemming (27) ein Referat über Zellteilung. Bei dem großen Interesse, das diesem Gegenstand mit Recht von allen Seiten entgegengebracht wird, darf eine erneute, für weitere Kreise berechnete Besprechung nicht überflüssig erscheinen, weil seit der Veröffentlichung von Waldeyer nicht unerhebliche Fortschritte auf diesem Gebiet erzielt worden sind, und weil anderseits der von Flemming im Fachkreise gehaltene Vortrag vielerlei als bekannt voraussetzen durfte, was noch keineswegs Allgemeingut aller Biologen geworden ist.

Man unterscheidet heutzutage ganz allgemein zwei Hauptformen der Zellteilung, die mitotische (karyomitotische, karyokinetische, indirekte) und die amitotische (direkte)[2]. Das Wesen der ersteren ist, „dass während der Zellteilung eine Bildung regelmäßiger Fadenfiguren im Kern erfolgt" (s. 22 S. 193); bei der zweiten Form erleidet der Kern keine innere Metamorphose in diesem Sinne (s. 22 S. 343).

---

[1] Die in ( ) hier und weiterhin angeführten Zahlen beziehen sich auf die Litteraturangaben am Schlusse der Arbeit.

[2] Bezüglich des Ursprungs und der Berechtigung dieser und der sonst gebräuchlichen Bezeichnungen für die Zell- resp. Kernteilung sei verwiesen auf die Veröffentlichungen von Flemming (22, 23, 27), Hennegny (44), Carnoy (17), Waldeyer (90).

Diese Definition Flemming's aus dem Jahre 1882 hat in dieser Allgemeinheit auch noch heute Giltigkeit (s. Flemming 27 S. 127).

—————

„Die mitotische Form der Kernteilung ist — wie Rauber in dem allgemeinen Teil seines im Erscheinen begriffenen Lehrbuches der Anatomie des Menschen (69 S. 40) hervorhebt — die weitaus überwiegende und wichtigste, während der amitotischen Form eine mehr nebensächliche Bedeutung zukommt".

So groß im Einzelnen die Differenzen sind, welche bei der mitotischen Teilung zu Tage treten, so ist es doch den eifrigen Bemühungen zahlreicher Forscher gelungen, in dem Wirrsal der Erscheinungen gewisse, mit gesetzmäßiger Regelmäßigkeit auftretende Vorgänge nachzuweisen.

Wenn eine Zelle sich zur Teilung anschickt, so wandelt sich das Kerngerüst (Flemming 27 S. 100) in charakteristischer Weise um.

Dasselbe besitzt in der ruhenden, d. h. nicht in der Teilung begriffenen Zelle nicht immer das gleiche Aussehen. In der Mehrzahl der Fälle wurde es als ein unregelmäßiges Netzwerk von gröberen und zarteren Fäden, die stellenweise, besonders an den Knotenpunkten zu Netzknoten (Flemming) angeschwollen sind, beschrieben und abgebildet (vergl. Flemming 27).

Balbiani (9) fand in den Speicheldrüsenkernen von *Chironomus*-Larven an Stelle dieses unregelmäßigen Netzwerkes einen einzigen vielfach gewundenen Faden und meinte, dass diese knäuelartige Anordnung der Kerngerüstsubstanz überhaupt in allen Kernen die Regel, die netzartige stets Reagentienprodukt sei.

Auch Carnoy (16) nimmt in den typischen Kernen einen einheitlichen aufgeknäuelten Faden an; das Bild eines Netzwerkes ist seiner Meinung nach auf optische Täuschung oder auf vorübergehende Verklebung der Kreuzungsstellen des Fadens zurückzuführen, oder kann durch ungeeignete Untersuchungsmethoden veranlasst werden.

Strasburger, welcher schon früher (82) auf Grund von Untersuchungen an pflanzlichen und tierischen Zellen behauptet hatte, dass im ruhenden Zellkern nur ein einziger sehr langer aufgeknäuelter Faden vorhanden sei, überzeugte sich später (83) davon, dass die Fadenschlingen unter einander zu einem Fadennetzwerk verbunden sind, und in seiner neuesten Publikation (84) schließt er sich der inzwischen durch Rabl (66) ausgesprochenen Ansicht an, dass im ruhenden Kern nicht ein Faden, sondern mehrere Fäden enthalten sind. Bei höhern Pflanzen bleiben, wie Strasburger (84) zeigen konnte, im Tochterkern die Fadensegmente, die derselbe vom Mutterkern erhielt, getrennt, auch bis in die folgende Teilung hinein.

Rabl (66) hatte die Beobachtung gemacht, dass an jedem Kern, der sich zur Teilung anschickt oder aus einer Teilung hervortritt, die Fäden ganz charakteristisch geordnet sind. In übergroßer Mehrzahl ziehen sie nämlich von der einen Seite des Kernes, von der „Gegen-polseite", aus in kurzen unregelmäßigen Windungen entweder an der Kernoberfläche oder durch den Binnenraum zur entgegengesetzten Seite des Kernes, zu der „Polseite". Hier biegen sie, einen kleinen Bezirk, das „Polfeld", freilassend, schleifenförmig um und kehren dann in mehreren Windungen in die Nähe des Ausgangspunktes zurück. Rabl stellte nun die Hypothese auf, dass diese Fäden auch im Ruhezustand der Zelle als „primäre Fäden" erhalten bleiben, dass von ihnen als-dann feine „sekundäre Fäden" als seitliche Fortsätze ausgehen, von diesen vielleicht noch „tertiäre" etc., die unter einander in Verbindung tretend das bekannte Netzgerüst bilden. Je nach der verschiedenen Ausbildung und Rückbildung der primären Kernfäden und je nach der Art der Verbindungen, die sie oder ihre Ausläufer eingehen, müssen sehr verschiedene Kerngerüste zu Stande kommen. Bekannt-lich beteiligen sich an dem Aufbau des Kerngerüstes in sehr wech-selndem Grade die chromatische und die achromatische Substanz. In Fällen, wo letztere sehr spärlich ist, werden sich im ruhenden Kern nur einzelne scharf abgegrenzte Chromatinmassen, aber kein Kernnetz vorfinden, weil die zarten achromatischen Stränge der Beobachtung entgehen.

Die Rabl'sche Hypothese erscheint durchaus geeignet, für die mannigfaltige Anordnung, welche das Kerngerüst bei verschiedenen Objekten unzweifelhaft erkennen lässt, eine Erklärung zu liefern.

Sie findet auch eine Stütze in neueren Beobachtungen. Die von Rabl als charakterisch beschriebene Anordnung der Gerüstsubstanz könnte Flemming (24) an den ruhenden Kernen der Spermatocyten von *Salamandra maculosa* und Strasburger (84) bei *Fritillaria*, *Lilium* und anderen Pflanzenzellen nachweisen.

Dass die Hypothese in den neuen Handbüchern der Histologie (59, 71, 72, 69) einen Platz gefunden hat, kennzeichnet die Bedeu-tung, welche man ihr zumisst.

Ihren Hauptwert aber erlangt sie dadurch, dass sie eine einfache Erklärung dafür liefert, wie in der ersten Phase der Teilung aus dem Kerngerüst der Fadenknäuel entsteht. Man braucht nur anzunehmen, dass die chromatische Substanz auf vorgebildeten Bahnen in die primären Kernfäden ströme, um die Bildung des Knäuels zu verstehen.

Die Nukleolen (über deren Bau und Bedeutung die Ansichten noch weit auseinandergehen) und die verdickten Knotenpunkte des Kerngerüstes verschwinden, wenn die Zelle sich zur Teilung anschickt. Dickere Fäden markieren sich im Kerngerüst, von deren unregelmäßig zackigen Rändern zarte Fortsätze ausgehen. Während die Fortsätze kürzer und kürzer werden, verdicken sich die Fäden mehr und mehr. Schließlich sind die Fortsätze verschwunden und die Fäden, welche sich nun viel intensiver färben, erscheinen glattrandig. Anfangs bilden die im Innern des Kernes scheinbar regellos sich windenden Fäden einen „dichten Knäuel"; dann aber macht sich, wie Rabl (66) es zuerst beschrieb, und wie es später von Flemming (24), Strasburger (84) u. a bestätigt wurde, der charakteristische quere Verlauf der Fäden (d. h. senkrecht zum Längsdurchmesser des Kernes) und die typische Orientierung gegen das Polfeld hin mehr und mehr bemerkbar. Gleichzeitig wandelt sich der „dichte Knäuel" in einen „lockeren Knäuel" um, dadurch dass die Fäden ihre starken Schlängelungen verlieren, mehr gestreckt verlaufen und gleichzeitig sich verkürzen und verdicken.

In den älteren Angaben, welche von der Voraussetzung ausgingen, dass der Knäuel ursprünglich aus einem einzigen kontinuierlichen Faden besteht, wurde die Quersegmentierung in einzelne Fadenstücke in einen früheren oder späteren Abschnitt des Knäuelstadiums verlegt.

„In gröberen und mehr lockeren Knäueln sieht man, wie Flemming seinerzeit (22 S 202) angab, „immer deutlicher, dass eine Segmentierung des Gewindes in Längsabschnitte vor sich geht. Wann dieselbe beginnt, ob dies überhaupt an irgend einen bestimmten Zeitabschnitt gebunden ist, und ob von Anfang an die Stellen dafür irgend wie präformiert waren, ist in den engen Anfangsknäueln nicht zu erkennen".

Rabl (66 S. 237) bestritt entschieden, dass der Knäuel einen zusammenhängenden Faden darstelle, weil er auf der Gegenpolseite freie Enden zu konstatieren vermochte.

Da Flemming in seinen neueren Publikationen die Einwände Rabl's nicht zurückweist, so scheint er — und das wird auch durch seine Angaben über die Teilung der Spermatocyten von *Salamandra maculosa* (24) nicht wiederlegt — nicht mehr daran festzuhalten, oder wenigstens kein Gewicht darauf zu legen, dass das Kerngerüst am Anfang des Knäuelstadiums aus einem einzigen kontinuierlich zusammenhängenden Faden besteht.

Auch Waldeyer (90 S. 15) pflichtete Rabl darin bei, dass er von Anfang an mehrere getrennte Fadenschlingen annimmt und Strasburger erklärte in seiner jüngsten Veröffentlichung (84), dass er sich davon überzeugt habe, dass die im ruhenden Kern in Mehrzahl vorhandenen Kernfäden auch im Knäuelstadium getrennt bleiben.

Erwähnt sei, dass van Beneden (13) und Zacharias (92) im Ei von *Ascaris megalocephala* in jedem Kern zunächst einen kontinuierlichen Knäuel nachweisen konnten, der sich erst später in zwei Schleifen segmentiert. Boveri (15 S. 738) konnte dagegen einen ununterbrochenen Kernfaden nie sehen und hebt hervor, dass nach seinen Präparaten die Möglichkeit offen zu halten sei, dass in einem nur scheinbar einheitlichen Faden doch vom Anfang an die zwei Elemente bereits völlig gesondert bestehen und nur mit einander verklebt sind. In den beiden ersten Furchungskugeln gehen die einzelnen chromatischen Elemente mit von Anfang an völlig freien Enden aus dem

Kerngerüst hervor, es kann demnach der kontinuierliche Knäuel kein wesentliches Moment der Karyokinese darstellen.

Zweifellos gilt das gleiche ganz allgemein für alle Zellen.

Durch Verklebung der Fadenenden, kann, wie Rabl (66 S. 324) hervorhebt, ein kontinuierlich zusammenhängender Kernfaden entstehen, wie er von Balbiani (9) bei den *Chironomus*-Kernen nachgewiesen wurde.

Sollte aber nicht bloß eine scheinbare, sondern eine wirkliche Kontinuität des Kernfadens irgendwo vorkommen, so würde der thatsächlich von Rabl, Strasburger u. a. geführte Nachweis, dass in anderen Fällen von Anfang an getrennte Fäden auftreten, den Beweis erbringen, dass der zusammenhängende Faden keine prinzipiell bedeutungsvolle Bildung sein kann.

Darüber scheint kein Zweifel zu herrschen, dass eine Vermehrung der Fäden durch Querteilung während des Knäuelstadiums zu Stande kommt. Es erweisen das die positiven Beobachtungen von Flemming u. a. Nach der Ansicht von Rabl (66 S. 238) ist es „möglich und selbst wahrscheinlich, dass Anfangs eine geringere Anzahl von Fäden vorhanden war und erst allmählich durch weitere Querteilung größerer Fadenstücke" die definitive Zahl entstand.

Die Anzahl der chromatischen Fäden ist in den einzelnen Zellarten eine verschieden große. Jedoch ist nach den Beobachtungen von Rabl (66 S. 250) und Flemming (24 S. 441) die Zahl für eine jede Zellart eine ganz bestimmte. Nach Strasburger (84) soll eine absolute Konstanz nicht bei allen Pflanzenzellen vorhanden sein; nur in den Pollenmutterzellen von *Lilium*-Arten wurde stets dieselbe Fadenzahl gefunden.

Sämtliche Fadenschleifen des „lockeren Knäuels" erfahren eine Längsteilung, und so entsteht der „segmentierte Knäuel". Durch diese Längsteilung der Fäden wird die gesamte chromatische Kerngerüstsubstanz in zwei gleiche Hälften zerlegt.

Gleichzeitig schwindet die Kernmembran und es tritt die „achromatische Kernspindel" auf, ein aus feinen, in Kernfärbemitteln sich gar nicht oder nur schwach tingierenden Fäden zusammengesetztes Gebilde von spindelförmiger oder, was bei Pflanzen namentlich vorkommt, zylindrischer Gestalt. Die Bildung der Kernspindel hat die Forschung der jüngsten Zeit bedeutend aufgeklärt. Sie steht in naher Beziehung zu eigentümlichen Vorgängen im Zellkörper und wird später im Zusammenhang mit diesen behandelt werden.

Die beiden Spitzen oder Pole der zunächst sehr kleinen Spindel liegen anfangs im Polfeld des Kernes. Indem die Spindel anwächst, wandert der eine Pol mehr und mehr zur Gegenpolseite hin und die Spindel rückt so mit ihrem Aequator in die Mitte des Kernes hinein. Die Längsaxe der Spindelfigur fällt mit der Teilungsaxe des Kernes zusammen.

Die längsgespaltenen chromatischen Fadenschleifen gruppieren sich um den Aequator der Spindel derart, dass die Schleifenscheitel gegen die Spindelaxe gerichtet sind. Anfänglich liegen die Faden- schleifen der Spindel einseitig an, später verteilen sie sich gleich- mäßig auf ihren ganzen Umkreis. Betrachtet man nun den Kern von einem Spindelpole aus, so bilden die chromatischen Fäden einen Stern, in dessen Mitte die Spindelaxe liegt. Man hat darum dies Stadium als „Mutterstern" („Monaster")[1] bezeichnet. Gegen Ende dieses relativ sehr kurzen Stadiums sind die chromatischen Fäden am Aequator in eine Ebene zusammengerückt, die als „Aequatorialplatte" (Flemming) oder „Kernplatte" (Strasburger) bezeichnet wird.

In dem folgenden Stadium, der „Metakinesis", rücken die sekun- dären (Schwester-) Fäden, welche aus der Längsspaltung der chro- matischen Fadenschleifen hervorgegangen sind, auseinander und zwar — wie Heuser (55) für Pflanzen, E. van Beneden (13) und Rabl (66) für Tiere entdeckten — ganz gesetzmäßig die eine zu dem einen Spindelpol hin, die andere zu dem andern.

Sobald die offenen Schenkel der Fadenschleifen aus der Aequa- torialebene herausgerückt sind, spricht man von „Tochtersternen" („Dyaster")[2].

Die Fadenschleifen rücken weiter auseinander bis nahe an die Spindelpole heran, wo zwischen ihren Winkeln ein kleines Feld, das „Polfeld" des Tochterkernes frei bleibt. Die Schenkel der Schleifen werden kürzer und dicker und krümmen sich mit ihren freien Enden gegen die Spindelaxe hin. Gleichzeitig erscheinen die ersten Spuren einer neuen Kernmembran. In diesem Stadium, dem „Tochterknäuel" („Dispirem") vollzieht sich die Zellkörperteilung.

Erst nach deren Beendigung geht aus dem Tochterknäuel der ruhende Kern hervor, indem die chromatischen Fäden rauh und zackig werden und seitliche Ausläufer treiben.

Nicht immer wandelt sich das chromatische Kerngerüst während der Kernteilung in Fadenschleifen um. Wenn auch in der Mehrzahl der Fälle fadenförmige Gebilde auftreten, so sind doch bei einzelnen Zellenarten rundliche oder kurz-walzenförmige, ringförmige, bläschen- artige etc. „chromatische Elemente" (Boveri) gefunden worden. Der von Waldeyer (90d S. 27) vorgeschlagene terminus technicus „Chromo- somen", welcher die Gestalt der chromatischen Elemente unberück- sichtigt lässt, hat sich bereits ziemlich allgemein eingebürgert.

---

1) Flemming (30 S. 32) will fortan an Stelle der von Klein (58) für die Sternformen der chromatischen Figur zuerst benutzten Bezeichnungen „Monaster" und „Dyaster", „Asteroid" und „Dyastroid" sagen, weil Fol, das von ihm für die Strahlenbildung im Zellkörper des Eies eingeführte Wort „Aster" (31) hierfür reklamiert (32 u. 33).

2) Flemming (siehe die letzte Anmerkung) will statt dessen fortan „Dyastroid" sagen.

In Fällen, in denen die Chromosomen nicht Fadenform haben, gestalten sich natürlich die chromatischen Kernfiguren so abweichend, dass die Bezeichnungen Spirem, Dispirem, Aster, Dyaster nicht mehr zutreffend sind. Da diese Fälle jedoch die Ausnahmen darstellen, so liegt wohl vorläufig kein zwingender Grund vor, diese allgemein gebräuchlichen Bezeichnungen für die Teilungsstadien aufzugeben.

Während an dem Kern die geschilderten morphologischen Vorgänge sich abspielen, treten auch in der Zellsubstanz eigentümliche Erscheinungen zu Tage, die schon frühzeitig das Interesse der Forscher erregt haben.

Flemming hob schon in seiner Monographie über „Zellsubstanz, Kern und Zellteilung" (22 S. 199) hervor, dass bei der gewöhnlichen mitotischen Zellteilung die erste wahrnehmbare Erscheinung, mit der man rechnen kann, die Differenzierung zweier Stellen in der Zellsubstanz ist, nahe am Umfang des Kernes und einander gegenüber gelegen. Um diese Stellen, die „Pole" herum, sind die Körner der Zellsubstanz radiär geordnet. Bei Eizellen[1]), wo diese radiäre Gruppierung besonders deutlich ist, bietet sie das bekannte Bild der „Astern" oder „Radiensysteme". Sehr bald nach dem Auftreten der Pole wird im Kern die Anordnung des Fadenwerkes zum Knäuel deutlich. „Wer kann nun sagen" — fragt Flemming (22 S. 358) — „ob dies die konsekutive Erscheinung ist, oder die primäre?" Flemming neigt mehr zur letzteren Annahme: „Es könnten", fährt er fort, „molekular-mechanische Vorgänge im Kern, welche zur Knäuelbildung führen, schon lange vorhergegangen sein, ehe außen die Pole auftreten, wenn wir von solchen Vorgängen auch noch nichts sehen können, und die Spannkräfte, welche dadurch im Kern gesetzt werden, könnten erst die Ursache für das Auftreten der Pole sein".

Der von Strasburger (81) aufs nachdrücklichste vertretene Gedanke, dass die Zellsubstanz das veranlassende, Aktive und Leitende bei der Zell- und Kernteilung sei, fand in Flemming (22 S. 359) einen lebhaften Gegner.

Der Umstand, dass die Mehrzahl der Forscher gleich Flemming in dem Kern den „Teilungsapparat" der Zelle annehmen zu müssen glaubte, hat es verschuldet, dass, während die Vorgänge in dem Kerne selbst mit größter Nachhaltigkeit und aufs Erfolgreichste studiert wurden, die Erscheinungen in der Zellsubstanz mehr vernachlässigt wurden. Darin haben nun die letzten Jahre eine Veränderung gebracht. Dieselbe datiert von der Entdeckung der Attraktionssphären und Zentralkörper und der Rolle, die sie bei der Zellteilung spielen durch E. van Beneden (13).

---

1) Fol (31) beschrieb diese Strahlungen (Astern) schon 1873 an dem Geryonidenei und deutete dieselben als vom Kern unabhängige Anziehungspunkte.

Dieser Forscher (13 u. 14) sah in dem Ei von *Ascaris megalo-cephala* schon zu einer Zeit, wenn die Pronuclei noch netzförmig gebaut sind und weit von einander entfernt liegen, zwei kugelige Stellen im Protoplasma sich markieren. Er nennt sie „Attraktionssphären". In ihrer Mitte ist eine von einem hellen Hof umgebene kleine Anhäufung feiner Körnchen, der „Zentralkörper" erkennbar. Die anfangs dicht bei einander liegenden Attraktionssphären rücken auseinander. Während der Kernteilung treten um sie herum Protoplasmastrahlungen auf. Dieselben bilden um jeden Zentralkörper herum einen „Aster" oder eine „Sternfigur"; die zwischen den beiden Zentralkörpern gelegenen Strahlen stellen die achromatische Spindelfigur dar. Die Attraktionssphären sind, wie van Beneden an dem erwähnten Objekte nachweisen konnte (14 S. 262 fg.) bleibende Bildungen, welche sich bei der Furchung des Eies mit teilen. In dem Augenblick, wenn sich der Kern zu einer neuen Kinesis anschickt, erfolgt die Teilung der Attraktionssphäre, nachdem die Teilung des Zentralkörpers bereits vorangegangen ist.

van Beneden (14 S. 272 fg.) hält die Attraktionssphäre mit ihrem Zentralkörper für ein permanentes Organ der Zelle, gleich dem Zellkerne. Die Teilung des Zentralkörpers und der Attraktionssphäre geht der Teilung der Zelle voran und wirkt bei der letzteren auf Grund von Kontraktilität. Alle bei der Zellteilung sich zeigenden Bewegungen haben nach van Beneden's Meinung ihre Ursache in der Kontraktilität der Fibrillen der Protoplasmastrahlungen (Astern, Spindel) und in ihrer Anordnung nach Art eines radiären Muskelsystems, das aus antagonistischen Gruppen zusammengesetzt ist. Der Zentralkörper hat die Bedeutung eines Ansatzorganes. Er teilt sich zuerst. In Folge dessen ordnen sich die kontraktilen Elemente der Zelle in zwei Systeme mit besonderen Zentren. Die Gegenwart dieser beiden Systeme hat die Zellteilung zur Folge und bestimmt aktiv das Vorrücken der Tochterkerne in entgegengesetzter Richtung.

Boveri (15), welcher ebenfalls an dem Ei des Pferdespulwurms die Teilungsvorgänge studierte, kam, trotz mancher Differenzpunkte in den Einzelheiten doch im wesentlichen zu dem gleichen Resultat wie van Beneden. Die Spindelbildung wird eingeleitet durch die strahlige Metamorphose der beiden „Archoplasmakugeln" (Attraktionssphären van Beneden's). Die Fibrillen, welche sich aus der gleichmäßig granulierten Protoplasmamasse differenzieren, strahlen nach allen Richtungen in die Zellsubstanz aus und treten auch mit den Chromosomen in Verbindung. „Die Bewegung der (chromatischen) Elemente ist einzig und allein die Folge der Kontraktion der daran festgehefteten Fibrillen und die schließliche Anordnung derselben zur „Aequatorialplatte" das Resultat der mittels dieser Fäden ausgeübten gleichartigen Wirkung der beiden Archoplasmakugeln" (S. 784).

Flemming ist durch die Untersuchungen van Beneden's und

Boveri's bestimmt worden, seine alten Anschauungen aufzugeben. Er gesteht zu (27 S. 127), dass von diesen beiden Forschern der Beweis geliefert sei, „dass die Zerlegung des Kerns in zwei Teile durch aktive Beteiligung der Zellsubstanz bewirkt wird“.

Die Vermutung van Beneden's (14 S. 279), dass die Attraktionssphäre mit ihrem Zentralkörper nicht nur bei Furchungszellen sondern bei allen Zellen überhaupt und nicht nur während der Teilung, sondern auch während der Ruhe vorhanden sei, ist durch eine Reihe von Beobachtungen bestätigt worden.

Zuerst fand Kölliker (59 S. 50 u. 60) in den Furchungszellen von *Siredon* an der dem früheren Kernpole entsprechenden Seite des ruhenden Kernes „ein rundes, größeres Gebilde, ähnlich einer Attraktionssphäre, welche aus der früheren einen Polstrahlung entstanden ist und auch jetzt noch häufig, besonders an der Oberfläche feine radiär verlaufende Strahlen zeigt, andere Male aber mehr nur feinfeinkörnig oder unregelmäßig fibrillär erscheint und meist in der Mitte mehr homogen aussieht“. Ein gut ausgeprägtes „Polkörperchen“ oder Zentralkörperchen sah Kölliker in dieser mit Boraxkarmin sich färbenden Attraktionssphäre nicht. „Die Attraktionssphäre selbst ist an ihrer Peripherie nicht scharf begrenzt und verliert sich entweder in einen hellen, sie und die eine Seite des Kernes umgebenden Hofe, der faserig körnig erscheint oder im umgebenden Zellen-Protoplasma“. Kölliker konnte an diesem Objekt auch bestimmt beobachten, dass die Attraktionssphären sich zu einer Zeit teilen, wo die Kernmembran noch da ist.

Im Gegensatz hierzu fand Schultze (75) bei einer erneuten Untersuchung der Furchungskugeln von *Siredon pisciformis* im Ruhezustand der Kerne stets schon zwei genau gegenüberliegende Attraktionssphären dem Kerne dicht anliegend. Die Sphären waren ziemlich scharf gegen den umliegenden Dotter abgegrenzt und färbten sich nach Chromosmiumessigsäure-Behandlung sehr intensiv mit Karmin. Ein Zentralkörper ließ sich bei der intensiven Färbbarkeit der ganzen Attraktionssphäre nicht unterscheiden. Die Teilung des Zentralkörpers beginnt bereits auf dem Dyasterstadium der Zellteilung.

Eine Reihe von weiteren Beobachtungen, so die von Vialleton (89) bei *Sepia* und von Vejdovski (87) bei *Rhynchelmis* haben das Vorkommen der Attraktionssphären bei Eiern als zweifellos dargestellt.

Weiterhin machte Rabl (67) darauf aufmerksam, dass an den ruhenden Kernen der Epithelzellen von *Triton* sich eine polare Delle erhält, in deren Nähe, unmittelbar am Kern, eine stark lichtbrechende Partie sich findet, die wahrscheinlich der Attraktionssphäre entspricht.

Etwa gleichzeitig entdeckte Solger (76 u. 77) in den Pigmentzellen aus der Dorsalgegend des Hechtschädels einen pigmentfreien Fleck, um den häufig die Pigmentkörnchen radiär angeordnet sind, und deutete ihn als Attraktionssphäre.

XII.   19

Hermann (47) fand in den Spermatocyten des Salamanderhodens alle Protoplasmafäden des Zellleibes gegen eine den großen Kernen angelagerte Scheibe körnigen Protoplasmas, die Attraktionssphäre zentriert.

In allen erwähnten Fällen waren die Zentralkörper in den Atraktionssphären nicht erkennbar gewesen.

Zum ersten Mal gelang der Nachweis derselben Flemming (26 u. 28). Dieser Forscher fand mittels eines neuen Untersuchungsverfahrens (Fixierung in der Hermann'schen Lösung — 1 % Platinchlorid 15 Teile, 2 % Osmiumsäure für Säuger 4, für Salamander 2 Teile, Eisessig 1 Teil — oder in schwächeren Osmiumgemischen; Dreifachfärbung mit Safranin, Gentiana und Orange) die strahligen Attraktionssphären und ihre Zentralkörper in den Leukocyten von *Salamandra* außerhalb jeder Mitose der Zellen. An fixen Gewebszellen der Salamanderlarve, und zwar an den sehr flach geformten Epithelien der Lunge und an den flachen Bindegewebs- und Endothelzellen des Bauchfelles sind die Zentralkörper erheblich kleiner (höchstens 0,5 μ im Durchmesser) als an den Leukocyten (bis 1,5 μ); sie sind bisweilen von einem schwachen lichten Hof, umgeben, eine strahlige oder sonst besonders beschaffene Attraktionssphäre vermochte Flemming aber noch nicht regelmäßig wahrzunehmen. In den fixen Gewebszellen wurden in der Regel zwei Zentralkörper beobachtet, während in den Leukocyten nur ein solcher vorhanden ist. Nur einmal fand Flemming in einem Leukocyten zwei sehr nahe zusammenliegende Zentralkörper. An Präparaten jedoch, die in Hermann'schem oder in einem Osmiumgemische fixiert waren, erschienen die Zentralkörper vielfach nicht rund, sondern länglich (29 S. 707), so dass also eine Doppeltheit derselben oder doch ein Doppelbau nicht mit Sicherheit auszuschließen sind.

Von größter Bedeutung ist es, dass auch in ruhenden Pflanzenzellen der Nachweis der Attraktionssphären und der Zentralkörper geführt worden ist. Der Pariser Botaniker Guignard (40) fand in den Mutterzellen von *Lilium* und anderen Pflanzen, in der Mutterzelle des Embryosackes und in den Zellen des weiblichen Geschlechtsapparates innerhalb derselben bei verschiedenen Pflanzen, in den Mikrosporangien von *Jovetes* und den Sporangien der Farne vor und während der Bildung der Sporen dicht neben dem ruhenden Kern zwei sehr kleine, nahe bei einander liegende kugelige Körper, umgeben von einem hellen Hofe, der von einem Körnchenkreise umsäumt ist. Radiäre Streifen werden erst deutlich, wenn der Kern sich zur Teilung anschickt. Guignard fand, dass allgemein schon während der Mitose die Centralkörper sich teilen (in den Anaphasen) und dass demnach in der ruhenden Zelle die Attraktionssphären stets doppelt vorhanden sind.

Aus den angeführten Beobachtungen darf wohl schon jetzt der

Schluss gezogen werden, dass in den ruhenden Zellen von Tieren und Pflanzen Attraktionssphären mit Zentralkörpern konstant vorkommen. Der Mangel an geeigneten Untersuchungsmethoden, die Kleinheit der fraglichen Gebilde, die ungeeignete Beschaffenheit der Objekte (Größe der Zellen, Granulierung des Protoplasmas etc.) vor allem das Fehlen der verbesserten optischen Hilfmittel (Apochromate) machen es erklärlich, dass trotz der zahllosen eingehenden Untersuchungen diese Zellorgane bisher der Beobachtung entgehen konnten.

Aus den mitgeteilten Befunden erhellt ferner, dass das Aussehen der Attraktionssphären und der Zentralkörper bedeutende Verschiedenheiten darbieten kann. In einzelnen Fällen, wie bei den Leukocyten von *Salamandra* gelang der Nachweis von strahligen Sphären und deutlichen Zentralkörpern, bei den fixen Gewebszellen der Salamanderlarve war eine deutliche Sphäre nicht erkennbar, die Zentralkörper aber markierten sich deutlich; umgekehrt konnte bei den übrigen Objekten der Zentralkörper nicht nachgewiesen werden, während die Attraktionssphäre mehr oder minder klar hervortrat. Es scheint demnach allein wesentlich und bedeutungsvoll die Zentrierung des Protoplasmas zu sein.

Sehr merkwürdig ist es, dass die Attraktionssphären im ruhenden Kern bei einigen Zellformen in einfacher, bei anderen in doppelter Anzahl vorhanden sind. Dass sogar beides an demselben Objekte vorkommen kann, zeigen die obigen Angaben von Kölliker und Schultze. Der Umstand, dass Kölliker an ruhenden Kernen nur eine Attraktionssphäre fand, kann, wie Schultze (75 S. 4) meint, als eine zeitliche Verschiebung aufgefasst werden und zwar als durch niedrigere Temperatur veranlasste Verlangsamung des Ablaufes der Erscheinungen, während in den von Schultze beschriebenen Fällen bei höherer Wassertemperatur die Zellteilungen Schlag auf Schlag erfolgten, die einzelnen Phasen sich zusammendrängten und die Zentralkörperteilung an den Tochterkernen schon vor der Teilung der Mutterzelle eintrat. Da bei den Gewebszellen die Teilungen nicht in der rapiden Weise wie bei den Embryonalzellen auf einander folgen, so erkläre es sich, dass bei den ersteren an ruhenden Kernen nur selten zwei Attraktionssphären angetroffen werden.

Henneguy (45), der in den Furchungszellen des Forelleneies konstant auch im Ruhezustand zwei Attraktionssphären und zwei Zentralkörper beobachtete, führt dieses ebenfalls darauf zurück, dass die Zellteilung hier eine sehr lebhafte und die Ruheperiode für jede Zelle sehr kurzdauernde ist. Die Teilung der Zentralkörper vollzieht sich an diesem Objekt schon in dem Augenblick, wenn die Aequatorialplatte sich verdoppelt. Während bei der normalen Zellteilung auf die Kernteilung die Zellkörperteilung unmittelbar folgt, können beide Vorgänge auch ganz unabhängig von einander sein, wie z. B. in dem Embryonalsack der Phanerogamen und im Parablast der Knochen-

fische. Henneguy hält es für logisch, anzunehmen, dass das gleiche
Verhältnis auch zwischen der Teilung der Attraktionssphäre mit ihrem
Zentralkörper und derjenigen des Kernes bestehen könnte. Wenn die
Zellteilung lebhaft ist, teilen sich die Attraktionssphären und Zentral-
körper sehr frühzeitig vor der Bildung des Tochterkernes; wenn um-
gekehrt eine ziemlich lange Ruhepause zwei auf einander folgende
Zellteilungen trennt, so bleiben Attraktionssphären und Zentralkörper
ungeteilt, um sich erst später zu verdoppeln.

Flemming (29 S. 703) fand nun aber doppelte Zentralkörper
gerade in solchen Zellen, welche im Vergleich mit denen der furchen-
den Eier sehr lange Ruhepausen haben müssen. An den betreffenden
Präparaten betrugen die Mitosen, selbst da, wo sie am reichlichsten
auftraten, noch lange nicht 1 %/0 der vorhandenen Zellen und die Kerne
zeigten ganz die Ruheformen, wie sie auch bei völlig mitosenfreien
Geweben vorkommen. Die Beobachtung, dass an Sexualzellen vor
und bei der Mitose eine Teilung vorher einfacher Zentralkörper stattfindet, ferner der Umstand, dass bei den Leukocyten, die viel größere
Zentralkörper haben, diese meist einfach sind, hatte Flemming
(26 S. 4 S. A.) zunächst bewogen, anzunehmen, dass der Zentralkörper bei völliger Ruhe der Zelle einfach ist und sich erst verdoppelt, wenn diese der Teilung entgegengeht, wobei es dann freilich wunderbar blieb, dass die Verdoppelung schon so lange vor dem
Auftreten der Mitose sich vollzog. In der späteren und ausführlicheren
Publikation (29 S. 701 fg.) neigt sich Flemming mehr der Annahme
einer dauernden Duplizität der Zentralkörper zu, hauptsächlich deshalb, weil er in geeignet fixierten Leukocyten länglich geformte Zentralkörper und einmal zwei Zentralkörper bemerkte, und weil ferner bei
den Salamanderzellen der eine Zentralkörper größer als der andere
und in der Entwicklung weiter voraus ist. Sollte sich, meint Flemming, ganz sicher herausstellen, dass die Zentralkörper bei völliger
Ruhe der Zellen einfach sind oder sein können, so kann man sich
doch vorstellen, dass sie auch in solchem Zustand aus zwei nur eng
vereinigten Teilen bestehen. „Und selbst wenn auch diese Voraussetzung schon zu weit ginge und sich bei weiterer Untersuchung
zeigen sollte, dass es in ruhenden Zellen wirklich vollkommen einfache Zentralkörper gibt, so würde es immer noch denkbar bleiben,
dass es an einem solchen zwei verschieden beschaffene Pole gibt und
demnach, wenn er sich teilt, seine beiden Teilprodukte unter einander
ungleich ausfallen werden. Damit hätten wir aber dann auch dort,
wo solche Teilung noch nicht erfolgt ist, schon eine durch die Polarität
des Zentralkörpers vorgezeichnete Axe der Zelle".

Solger (78) meint, das Vorhandensein von einer oder von zwei
Attraktionssphären im Ruhezustand der Zellen nötige noch nicht dazu,
„einen fundamentalen Unterschied zwischen beiderlei Zellen zu statuieren, denn die Schwierigkeit ließe sich durch die Annahme einer

zeitlichen Verschiebung, einer Heterochronie im Sinne Haeckel's hinwegräumen".

In der schon vorher erwähnten Arbeit von Henneguy (45) sind äußerst wertvolle Beobachtungen betreffend die Teilung der Attraktionssphären und die Bedeutung derselben für die Kernteilung enthalten. Henneguy fand in den Furchungszellen des Forelleneies schon im Ruhestadium konstant zwei Attraktionssphären mit Zentralkörpern neben einander einer Seite des Kernes dicht angelagert. Sie rücken dann auseinander, bis sie auf die entgegengesetzten Enden der Kernaxe zu liegen kommen, wobei sie gleichzeitig sich von der Kernoberfläche entfernen. Die Attraktionssphären werden größer, ihre Strahlen länger. Sowie dieselben die Kernmembran treffen, verschwindet letztere. Die Strahlen dringen in den Kern ein und bilden die achromatische Spindel, in deren Aequator die Chromosomen sich zur Aequatorialplatte ordnen. Gleichzeitig bilden von der Attraktionssphäre ausgehende Strahlen in dem Kernkörper Sternfiguren. Wenn die Aequatorialplatte sich verdoppelt, teilen sich die Zentralkörper senkrecht zur Axe der achromatischen Spindel in zwei, die sich ihrerseits mit hellen Linien umgeben und die Mittelpunkte von Tochtersphären werden. Die Tochtersphären rücken auseinander, eine Zeit lang durch zarte achromatische Fäden verbunden, alsdann aber unabhängig werdend. Es liegen die beiden Tochtersphären mit ihrem Zentralkörper inmitten der um einen Punkt zentrierten Sternfigur, in welcher sich nun die Tochterkerne aus den Chromosomen rekonstituieren. In dem Parablast vermehren sich etwa in der Mitte des Furchungsprozesses die Kerne rapid durch mitotische Teilung, die in der Regel in normaler Weise vor sich geht. Da aber, wo die Kerne sehr nahe bei einander liegen, wird, wie Henneguy fand, der Vorgang alteriert. Entweder können zwei, ja selbst drei oder vier Kerne eine einzige Attraktionssphäre gemeinsam besitzen und es entstehen dann multipolare Gebilde, wie sie in pathologischen Geweben beschrieben worden sind, oder aber es treten in der Umgebung eines einzelnen Kernes drei oder vier Attraktionssphären auf und führen zur Bildung von multinukleären Zellen. Aus diesen Beobachtungen erhellt aufs deutlichste die Selbständigkeit der Attraktionssphären gegenüber den Kernen; es ergibt sich aus ihnen ferner, dass die Zahl der Attraktionssphären in Beziehung zum Kern variieren kann und dass die Form der Kernteilung von dieser Zahl abhängt, so dass zwei, drei oder vier Attraktionssphären den Kern in zwei, drei oder vier Tochterkerne teilen. Henneguy hält die von Strasburger und Guignard für Pflanzenzellen, von Fol und ihm selbst für Tierzellen vertretene Ansicht, dass die Zellsubstanz allein eine aktive Rolle bei der Kernteilung spiele, durch diese Beobachtungen für definitiv erwiesen.

Das Studium der Attraktionssphären und ihrer Zentralkörper hat

sich auch als äußerst fruchtbar erwiesen für das Verständnis der
achromatischen Spindel, über deren Bau und Entwicklung die
Ansichten bisher weit auseinander gingen. Während ein Teil der
Forscher (Strasburger, Guignard und die meisten Botaniker,
Henneguy) die Spindel aus in den Kern eindringender Zellsubstanz
hervorgehen ließen, leitete ein anderer Teil (Flemming, Bütschli,
Pfitzner, Carnoy, Rabl, Schewiakoff, O. Zacharias) sie
von der achromatischen Kernsubstanz (Lininfäden von Schwarz) ab.
Die zweite Ansicht fand ihre hauptsächlichste Stütze in der Beobach-
tung von Fällen, wo die Kernmembran erst nach der Bildung der
Spindel oder überhaupt nicht verschwindet. Dieses ist z. B. bei den
Protozoen der Fall. Bei *Euglypha alveolata*, wo nach der Mitteilung
von Schewiakoff (73) an eine völlig typisch verlaufende Kernteilung sich eine reguläre Zellteilung anschließt, entsteht die gewöhnliche Kernspindel, trotzdem die Kernmembran während des ganzen
Teilungsvorganges erhalten bleibt.

van Beneden (13) schloss aus seiner Beobachtung an *Ascaris
megalocephala* anfangs, dass die polaren Endel der Spindel aus den
Attraktionssphären, also aus der Zellsubstanz, die äquatorialen Bezirke
aber aus der Kernsubstanz stammen. Nach seiner letzten Mitteilung (14)
sind die Fibrillen der Spindel nichts anderes als differenzierte Teile
der Zellstrukturen; der größte Teil der Spindel bildet sich aus den
Sphären; ob auch achromatische Substanzen des Kernes für die Spindelbildung mit benutzt werden, bleibt unerörtert.

Nach Boveri's (15) Auffassung sind die Spindelfasern strahlige
Metamorphosen der Attraktionssphären, Strahlen, welche von den
Zentralkörpern aus gegen die Chromosomen hin ausgesandt werden.

Am eingehendsten hat in neuerer Zeit Hermann (46 u. 47) die
Bildung der Spindel behandelt. Er stellte seine Beobachtungen an
den großen Zellen der ersten Generation der Salamander-Spermatocyten
an. Beim Beginn der Längsteilung der Chromosomen im Anfang des
Knäuelstadiums markieren sich in der scheibenförmigen, dem Kern
dicht anliegenden Attraktionssphäre zwei Zentralkörper, welche durch
eine zarte Verbindungsbrücke zusammenhängen. Die Chromosomen
verkürzen und verdicken sich und rücken gleichzeitig von der Attraktionssphäre ab zu der gegenüber liegenden Seite des Kernes, wo sie
sich zu dem dichten Knäuel zusammenballen. Dadurch wird das
achromatische Kerngerüst, welches gegen die Attraktionssphäre zentriert ist, sichtbar. In der Nachbarschaft der Attraktionsphäre verschwindet die Kernmembran und von hier aus schreitet dieser Vorgang allmählich vor; auf der entgegengesetzten Seite des Kernes, da,
wo die Chromosomen liegen, bewahrt die Kernmembran ihre Selbständigkeit am längsten. Die Verbindungsbrücke zwischen den beiden
Zentralkörpern bildet sich darauf zu einer äußerst zierlichen kleinen
Spindel um, die im Zentrum der noch einheitlichen Sphäre liegt. Die

Spindel wächst nun an. Hat sie eine zwei- bis dreifache Länge erreicht, so treten von einem Zentralkörper ausgehende Fibrillenstrahlungen auf, deren Fäserchen sich mit den einzelnen Chromosomen verbinden. Diese Fäserchen wachsen aus dem Zentralkörper hervor und entstehen nicht aus den achromatischen Kernfasern. Die Zahl der von dem Zentralkörper zu einem Chromosom ziehenden Fasern beträgt, wie Hermann in Uebereinstimmung mit Rabl (67) fand, 16—20. Alsdann wachsen auch vom zweiten Zentralkörper Strahlenbündel aus und es scheint, dass jedes Chromosom von beiden Zentralkörpern her Fasern bezieht. Während nun die Spindel sich rasch vergrößert, kommen die von dem Polen derselben abgehenden Fibrillen in Kontraktion und so werden die Chromosomen mehr und mehr in die Nähe der Spindel gezogen.

Flemming (29) studierte die erste Anlage und das Wachstum der Spindel in jüngster Zeit an den sehr großen und platten Epithel- und Bindegewebszellen der Lunge und den Endothel- und Bindegewebszellen des Bauchfells von jüngeren Salamanderlarven. Im Gegensatz zu seinen früheren Angaben kam er zu dem Resultat, dass die Spindel eine doppelte Herkunft hat. Die Zentralspindel — so benennt Flemming mit Hermann die Fasern der Spindel, welche zwischen den auseinander rückenden Zentralkörpern ausgespannt sind — und die Spindelenden entstehen außerhalb des Kernes aus Zellsubstanz, der mittlere Teil dagegen aus den Lininsubstanzen des Kernes und der Kernmembran. Von Boveri und Hermann weicht Flemming also darin ab, dass er sich die Bildung der Spindelfasern nicht so vorstellt, „als ob sie gleich Rhizopodenstrahlen von den Zentralkörpern ausgesendet würden, sondern so, dass sie aus den vorhandenen Strukturen der Zelle, des Kerns und der Kernmembran durch Attraktion von den Zentralkörpern und durch eigene Kontraktion geprägt werden" (27 S. 134).

Hermann betont zwar ausdrücklich, dass die Fibrillen, welche die Zentralkörper mit den Chromosomen verbinden, nicht aus den achromatischen Kernfasern hervorgegangen sind. Er will damit jedoch keineswegs leugnen, dass sich die Polstrahlungen nachträglich mit den achromatischen Gerüstfasern in Verbindung setzen und letztere so bei der Bildung der Spindel verwendet werden können. In theoretischer Beziehung liegt für Hermann die Hauptsache darin (47 S. 578), „dass die Bildung der karyomitotischen Spindel von dem Protoplasma aus eingeleitet wird, indem von den sich teilenden Centrosomen nach dem Kerne hin kontraktile Fibrillenzüge sich entwickeln, die eventuell mit den achromatischen Gerüstfasern des Kernes eine sekundäre Verbindung eingehen können".

Dass es bei manchen Zellformen, speziell bei den Protozoen zur Bildung einer Spindel kommt, obgleich die Kernmembran während der Teilung erhalten bleibt, scheint gegen diese Ansicht zu sprechen.

Henneguy (45 S. 419) macht nun aber wohl mit Recht darauf aufmerksam, dass die Bilder, welche Schewiakoff (73) von der Kernteilung der *Euglypha alveolata* gibt, bezüglich der Spindelbildung
anders gedeutet werden können, als es seitens dieses Autors geschieht.
Schewiakoff sah in der Anfangsphase der Sternform das Cytoplasma
an zwei beliebigen Stellen der Kernoberfläche sich anhäufen und die
Kernwandung etwas vorstülpen. In den so entstandenen Dellen wurde
ein kleines stark lichtbrechender ellipsoidischer Körper bemerkbar,
der als „Polkörperchen" (van Beneden) anzusehen ist. Gleichzeitig
traten in dem Cytoplasma eine Strahlung und im Kern die achromatischen Spindelfasern auf. Letztere drangen von den Polen aus allmählich gegen den Aequator hin vor, woselbst sie mit einander verschmelzen. Da Schewiakoff in der Tiefe der Delle niemals Poren
sah, durch welche die Spindelfäden hätten in den Kern eingedrungen
sein können, so leitet er dieselben von der achromatischen Kernsubstanz ab. Henneguy's Meinung nach sind die Polkörperchen
wohl nichts anderes als Attraktionssphären, welche bei den Protozoen
mit dem Kern in Berührung bleiben und die achromatischen Spindelfasern durch die Kernmembran hindurch senden. „Wenn diese Hypothese durch neue Untersuchungen eine Bestätigung erhielte, so würde",
wie er glaubt, „die Kernteilung bei den Protozoen sich in das allgemeine Teilungsschema einfügen; sie würde sich von der Teilung
anderer Kerne nur dadurch unterscheiden, dass die Kernmembran
intakt bliebe ausgenommen an den Punkten, wo sie von den aus der
Attraktionssphäre ausstrahlenden achromatischen Fäden durchsetzt
wird".

Flemming hat in seiner jüngsten Publikation (29 S. 695) von
Neuem die Aufmerksamkeit auf Veränderungen im Zellkörper
während der Mitose gelenkt.

van Beneden (12) hatte schon 1876 beobachtet, dass die in
Teilung begriffenen Zellen des Kaninchenblastoderms durch Karmin
und Hämatoxylin stärker gefärbt werden als die ruhenden Zellen.
Flemming (22) hatte später an lebenden Objekten gefunden, dass
während der Kern durch die Knäuelform geht, die Zellsubstanz eine
stärker lichtbrechende Beschaffenheit annimmt und sich beim Uebergang des Kernes zur Sternform in eine dichte, stärker lichtbrechende
Außenschicht und eine helle lockerer beschaffene Innenschicht um den
Kern herum sondert. Dies konnte besonders deutlich gemacht werden
durch die Anwendung von Osmiumsäure und Farbstoffen. Es sind
die bezüglichen Beobachtungen Flemming's seitdem nur von Rabl
(66 S. 285) bestätigt worden, aber auch nur an wenig gelungenen
Hämatoxylinpräparaten. Flemming betont nun, da er die Angelegenheit von Neuem sorgfältig studiert hat, dass die Veränderung, welche
der Zellkörper während der Mitose erfährt, kein zufälliges Reagens-
produkt, sondern ganz typisch ist. In der hellen Innenmasse sind

die Fadenstrukturen und die Polradien zwar verdickt im Vergleich
mit ihrem Zustand in der ruhenden Zelle, dafür aber auch lockerer
und von viel größeren blassen Maschenräumen durchsetzt. In der
verdichtet erscheinenden Peripherie sind die Fadenwerke zwar nicht
verdickt aber verdichtet, zusammengedrängt. An recht gut bei Osmium-
säurebehandlung nachgedunkelten und stark tingierten Präparaten
sind die in Teilung begriffenen Zellen soviel stärker gefärbt als die
ruhenden Zellen, dass dies nicht durch eine Verdichtung der Filar-
masse allein sich erklären lässt. Flemming nimmt daher an, dass
die Zellkörper während der Teilung eine durch und durch besondere
physikalische und chemische Beschaffenheit annehmen.

Ueber die Gestaltsveränderungen des gesamten Zellkörpers bei
der Mitose sind seit den bekannten Beobachtungen van Beneden's
am *Ascaris*-Ei neuere Mitteilungen nicht gemacht worden.

Ein Aequivalent der pflanzlichen Zellplatte ist neuerdings mehrfach beschrieben worden. Bekanntlich vollzieht sich die Zellkörperteilung bei den Pflanzen in der Regel nicht durch Einschnürung
des Zellkörpers sondern durch Auftreten einer äquatorialen Platte,
die aus kleiner Körnchen besteht, welche sich zur trennenden Cellulose-
membran umwandeln. Ein Aequivalent dieser Zellplatte in mehr oder
weniger rudimentärer Form ist von Carnoy (17) und Henking (43)
bei Insektenzellen, von van Beneden (briefliche Mitteilung an Flemming s. 29 S. 693) bei der ersten Eiteilung von *Ascaris* zwischen
den beiden Blastomeren aufgefunden. Ein Zellplattenrudiment wurde
von Flemming (22 S. 246) für Knorpelzellen, (25 u. 29 S. 690) für
Bindegewebs- und Epithelzellen aus der Lunge und dem Bauchfell,
und für Spermatocyten von *Salamandra*, von L. Gerlach (Berliner
internat. mediz. Kongress) bei der ersten Furchung des Mause-Eies,
von Solger (79) im Amnion der Ratte und von Geberg (37) in
den Hornhautzellen von *Triton* nachgewiesen.

Flemming (24) beobachtete, dass die Mitose bei den Spermatocyten von *Salamandra maculosa* Abweichungen von dem üblichen
Schema zeigt. Es konnten zwei ganz verschiedene Typen konstatiert
werden, der „homöotypische" und der „heterotypische", welche auf
verschiedene Generationen verteilt sind. Beide stimmen trotz mannigfacher Differenzen doch in allen wesentlichen Punkten mit der Mitose
anderer Zellarten überein.

Man kennt aber auch schon ziemlich lange Mitosen, welche prinzipielle Unterschiede von der gewöhnlichen Form erkennen lassen, so
dass es berechtigt erscheint, dieselben als atypische, anormale, pathologische anzusehen.

Es sind das die asymmetrischen und pluripolaren Mitosen.

Asymmetrische Mitosen, d. h. ungleiche Verteilung der chromatischen Substanz des Mutterkernes auf die Tochterkerne beschrieb
Klebs (56 u. 57) mehrfach in bösartigen Geschwülsten und Hanse-

mann (41 u. 42) erklärte sie für die Epithelkrebse für geradezu charakteristisch. Ströbe (86) konnte in Uebereinstimmung mit Hansemann in Karzinomen konstant asymmetrische Figuren nachweisen. Diese Anomalie fand sich aber auch sehr häufig in Sarkomen, in verschiedenen gutartigen Geschwülsten und in wucherndem normalen Gewebe, kurz überall, wo eine stärkere Gewebsproliferation stattfindet.

Pluripolare Mitosen, d. h. solche, bei denen sich gleichzeitig drei und mehr Kerne bilden, beobachteten Arnold (1) und Martin (63) in Sarkomen und Karzinomen, Arnold (2, 5 u. 7) und Denys (21) bei der Teilung der Riesenzellen des Knochenmarkes, Cornil (18), Hansemann (41, 42) und Ströbe (86) in Geschwülsten, letzterer auch bei der Regeneration normaler Zellen, Schottländer (74) in dem Endothel der Descemet'schen Haut des Frosches nach Aetzung der Hornhaut, Hess (53) in den großen Zellen der Milz von Mäusen, die mit Milzbrand geimpft waren. Bei Pflanzen sind sie zuerst gesehen von Soltwedel (80) und Strasburger (82).

Arnold (7) ist nicht geneigt, diese pluripolaren Mitosen als anormale Bildungen aufzufassen, weil Schottländer (74) nachweisen konnte, dass die vielpoligen Figuren bezüglich ihrer Architektur und Struktur die typische Anordnung darbieten, welche durch die gleichzeitige Teilung in mehrere Kerne vorgezeichnet ist.

Dass die asymmetrischen und pluripolaren Mitosen atypische, anormale Bildungen sind, wird dadurch bewiesen, dass dieselben vollkommen übereinstimmen mit den pathologischen Kernfiguren, welche O. und R. Hertwig (48—53) auf experimentellem Wege willkürlich an befruchteten Echinodermeneiern hervorriefen. Die große Bedeutung dieser Experimente liegt darin, dass sie eine genaue Verfolgung der einzelnen Stadien der Entstehung dieser abnormen Kernfiguren gestatten.

Durch eine passende Anwendung von Chininum sulfuricum oder Chloralhydrat kann die in normaler Weise eingeleitete Kernteilung gehemmt und zurückgebildet werden. Wenn sich die Eier von der schädigenden Einwirkung der Gifte zu erholen anfangen, so beginnt der Teilungsprozess von Neuem. An der Oberfläche des Kernes treten nun aber an Stelle von zwei Attraktionssphären, wie bei dem unversehrten Ei, vier auf. Hierin ist, wie O. Hertwig betont, die Ursache für den weiteren abnormen Verlauf der Teilung gegeben. Zwischen den vier Attraktionssphären entwickeln sich in der Regel fünf Kernspindeln und der Kern zerfällt in vier bis fünf Tochterkerne. Wenn von den beiden normalen Attraktionssphären sich nur eine geteilt hatte, so wird sich die Kernsubstanz zwischen drei Polen zu einem Triaster mit drei Spindeln ordnen. Den Grund für diesen anormalen Entwicklungsgang sieht O. Hertwig in dem Umstand, dass die verschiedenen in der Zelle enthaltenen Substanzen, Protoplasma, Chromatin, Substanz der Zentralkörper, in ungleicher Weise von den chemischen Agentien getroffen werden und dass in Folge dessen ihr Zusammenwirken, welches beim Teilungsprozess ein sehr kompliziertes ist, bei dem Schwinden des Lähmungszustandes ein anormales ist. Insbesondere fällt hierbei ins Gewicht, dass die beiden Zentralkörper sich auf dem Wege der Teilung auf vier vermehren zu einer Zeit, wo das Protoplasma noch mehr oder minder gelähmt ist. Ebenso wie diese Gifte bewirkt die Kälte eine Lähmung des Protoplasma. Für die anormalen Teilungsfiguren in pathologischen und entzündlichen Geweben sind schädliche Stoffwechselprodukte oder die Einverleihung chemischer Substanzen (bei Aetzung) gewiss dieselbe bedingende Ursache wie für die Eiteilung die Gifte. O. Hertwig legt bei seiner Erklärung das Hauptgewicht auf die Vermehrung der Zentralkörper und Attraktionssphären. Dadurch wird es auch verständlich, dass, wenn in geschädigte Eier zwei, drei oder mehr Samenfäden eindringen, die Zahl der Zentralkörper vermehrt wird und so komplizierte Kernfiguren wie Triaster, Tetraster etc. entstehen. Dieselben gleichen den Kernfiguren, welche durch chemische Eingriffe hervorgerufen wurden, zum Verwechseln, obgleich hier die Abnormität dadurch veranlasst wurde, dass durch die Verschmelzung von mehreren Samenkernen mit dem Eikern der Teilungskern von Anfang an mehr als zwei Zentralkörper enthielt.

Die Bedeutung der experimentellen Studien von O. u. R. Hertwig liegt außer in der Erklärung einer Reihe von abweichenden Mitosen vor allem darin, dass sie einen weiteren wichtigen Beweis für die Bedeutung der Zentralkörper bei der mitotischen Teilung liefern.

Nachdem im Vorhergehenden über die Erweiterung unserer Kenntnisse von der mitotischen Teilung, soweit sie sich auf thatsächlich Beobachtetes gründet, berichtet worden ist, sei zum Schluss noch zusammengefasst, was sich hieraus für die mechanische Auffassung des Vorganges ergeben hat.

Als das wesentlichste Resultat ist an die Spitze zu stellen, dass die Zerlegung des Kernes durch aktive Beteiligung der Zellsubstanz bewirkt wird. Der leitende Mechanismus bei der Kernteilung ist in der Zellsubstanz zu suchen. Die Bildung der achromatischen Kernspindel nimmt von den Attraktionssphären und den Zentralkörpern ihren Ausgang, wird also von der Zellsubstanz aus eingeleitet, die achromatische Kernsubstanz hat nur eine sekundäre Bedeutung. Durch die Kontraktion der Spindelfasern werden die Chromosomen zunächst in den Aequator der Spindel gerückt. Von hier aus werden alsdann in der Metakinese ebenfalls durch die Kontraktion der Spindelfasern die Spalthälften der Chromosomen gegen die Spindelpole hin auseinander gezogen und damit das chromatische Material des Mutterkernes auf die beiden Tochterkerne verteilt. Es findet nicht, wie man früher annahm, ein Entlanggleiten der Chromosomen an den Spindelfasern statt. Es ist, wie Flemming in seinem Referat auf der Münchener Versammlung der Anatomen (27 S. 130) hervorhob, „soweit in dem Ausdruck Kontraktion eine Erklärung liegt, der Vorgang der Meta- kinese damit erklärt; wir haben eine neue und befriedigende Ein- sicht gewonnen in die Mechanik des Mittel- und Endteiles der Mitose. Die noch offen liegenden Fragen betreffen den Anfangsteil“. Sie lassen sich folgendermaßen formulieren: 1) Wodurch wird die Teilung der Attraktionssphären und der Zentralkörper veranlasst? Auf welche Weise wird von denselben aus die gesamte Zellmasse zentriert, warum entstehen die Spindeln und Astern? 3) Welches ist die Ursache der Chromosomen-Spaltung? 4) Wie kommt die Befestigung der Spindel- fasern an den Chromosomen zu Stande, welche es ermöglicht, dass die beiden Hälften nach verschiedenen Richtungen hin gezogen werden können?

Alle diese Fragen würden ihre Lösung gefunden haben, wenn die geistreiche Hypothese Rabl's (67) durch Beobachtungen bestätigt werden sollte.

Rabl geht von der Annahme aus, dass der Bau der ruhenden Zelle im wesentlichen derselbe ist wie der der jungen, eben aus der Teilung hervorgegangenen. Alle geformten Bestandteile der Zelle sind gegen den Zentralkörper hin zentriert zu denken. Der Zentral- körper steht mit allen Zellstrukturen in Verbindung und ebenso durch eine Lücke in der Kernmembran hindurch auch mit der chromatischen Kernstruktur. Ist eine Zelle zu einer gewissen Größe herangewachsen, so „wird auf irgend einen inneren oder äußeren Reiz eine Kontrak- tion sämtlicher geformter Bestandteile erfolgen. Infolge der Kon- traktion der Fäden des Zellleibes wird sich zunächst das Polkörperchen (Zentralkörper) und die dasselbe umgebende Attraktionssphäre in zwei Hälften teilen. Die Fäden des Zellleibes werden sich während und infolge der Kontraktion geradestrecken und dabei kürzer und dicker werden; sie treten nun als „Polstrahlungen“ oder „Sternfiguren des Zellleibes“ in die Erscheinung. An das Polkörperchen treten aber auch die Spindelfasern heran und diese heften sich anderseits wieder an die chromatischen Fäden an. Die Teilung des Polkörperchens wird eine Teilung der Spindelfasern nach sich ziehen; die wahrschein- lich unter dem Bilde einer Längsspaltung verlaufen wird; und diese selbst wird wieder eine Längsspaltung der chromatischen Fäden im Gefolge haben. Je mehr sich die Polkörperchen von einander ent- fernen, um so mehr werden auch die Spalthälften der Spindelfasern auseinander weichen. Diese aber werden infolge ihrer Kontraktion kürzer und dicker und werden dabei einen immer mehr gestreckten Verlauf annehmen. Da nun die Spindelhälften der Spindelfasern gleiche Länge haben, so werden sie, wenn ihre Verkürzung bis zu einem gewissen Grade gediehen ist und sich gleichzeitig die beiden

Pole bis zu einer gewissen Distanz von einander entfernt haben, notwendig die chromatischen Schleifen, an die sie sich anheften, in gleiche Entfernung von beiden Polen bringen müssen, mit anderen Worten, es wird die chromatische Figur aus dem Stadium des Knäuels in das Stadium des Muttersterns übergeführt werden. Macht die Kontraktion noch weitere Fortschritte, so werden endlich auch die Spalthälften der chromatischen Fäden in der bekannten Weise auseinander gezogen und den Polen entgegengeführt".

Gegen die Annahme Rabl's, dass die Längsspaltung der Chromosomen durch die Spindelfasern bewirkt wird, macht Flemming (27 u. 29) sehr gewichtige Einwände. Er sah vielfach die Spaltung der Chromosomen schon zu einer Zeit auftreten, da von gestreckten Spindelfasern noch keine Spur erkennbar war, wo vielmehr die achromatischen Faserwerke in dem Knäuel noch ganz locker, wellig und verästelt waren. Er beobachtete ferner, dass beim Uebergang vom Knäuel zum Stern die Chromosomen gelegentlich erst mit einem Spindelpol durch Fasern verbunden waren. Diese Angaben finden in der oben mitgeteilten Schilderung der Spindelbildung durch Hermann (47) eine vollkommene Bestätigung.

Die Hypothese von Schultze (75), welche die Zellteilung auf eine Teilung der Mikrosomen in der Zelle zurückführt, ist von dem Verfasser so kurz und andeutungsweise publiziert worden, dass sie keine Berücksichtigung erfahren hat. Gesetzt, sie ließe sich völlig durchführen, so würde sie doch keine Erklärung dafür liefern, warum die Mikrosomen sich teilen.

So genau auch im Einzelnen die Erscheinungen, unter denen die mitotische Teilung sich abspielt, erforscht sind, so wenig wissen wir bis jetzt über den ursächlichen Zusammenhang dieser Vorgänge und wir sind noch weit davon entfernt, eine wirklich mechanische Erklärung derselben zu besitzen.

Die zweite Hauptform der Zellteilung, die amitotische, unterscheidet sich von der mitotischen nach der neuesten Definition von Flemming (27 S. 136) dadurch, dass „eine Spindelbildung, eine Bildung regelmäßig geformter Chromosomen und eine Umlagerung dieser letzteren in bestimmter Form und Reihenfolge fehlt".

Das Studium dieses anfangs allein bekannten Teilungsmodus ist lange Zeit hindurch sehr vernachlässigt worden und erst in neuerer Zeit hat man demselben ein allgemeineres Interesse geschenkt. Es darf jetzt als feststehend angenommen werden, dass amitotische Kernteilungen unter physiologischen und pathologischen Verhältnissen bei Pflanzen und in allen Tierabteilungen vorkommen. In einer ganzen Reihe von Fällen, wenngleich nur in der Minderzahl, folgt auf die Kernteilung eine Zellteilung.

Arnold, der besonders eingehend die amitotische Teilung studiert hat, unterscheidet zwei Unterarten, die direkte Segmentierung und Fragmentierung. Als Segmentierung bezeichnet er eine Spaltung der Kerne in der Aequatorialebene in zwei oder mehrere nahezu gleiche Teile. Fragmentierung nennt er eine Abschnürung der Kerne an beliebigen Stellen in zwei oder mehrere, gleiche oder ungleiche Abschnitte, welche nicht durch regelmäßige Teilungsflächen sich abgrenzen.

Flemming (28) beschrieb vor kurzem an Leukocyten von *Salamandra* eine ganz besonders deutliche Attraktionssphäre mit Zentralkörper. Dieselben werden aber nicht während der Fragmentierung des Kernes geteilt. Wenngleich demnach eine Zerlegung der Attraktionssphäre bei der amitotischen Teilung eines Kernes offenbar nicht erforderlich ist, so scheint dieselbe dennoch nicht ohne Einfluss auf die Kernteilung zu sein. Sie findet sich nämlich immer an den Abschnürungsbrücken der Kerne, und liegt bei ringförmigen Kernen der Mitte des Ringes gerade oder doch ungefähr gegenüber.

Meves (64), ein Schüler Flemming's, fand in den Spermatogonien des Salamanderhodens amitotische Teilungen, die in Form einer einfachen Durchschnürung ablaufen und durch ein eigentümliches Verhalten der Attraktionssphäre charakterisiert sind. Der Kern wird durch eine ringförmige Einschnürung in zwei gleiche oder seltener zwei ungleiche Teile zerlegt. Diese Einschnürung wird höchst wahrscheinlich durch die ringförmig gewordene Attraktionssphäre mechanisch bedingt. Die Attraktionssphäre wird um so dicker, je weiter die Durchschnürung des Kernes fortschreitet. Nachdem die Brücke zwischen beiden Tochterkernen bereits durchgerissen ist, liegt die Attraktionssphäre der Mitte der Längsaxe der früheren Durchschnürung gegenüber. Derartige Amitosen kommen in etwas größerer Häufigkeit nur bei März-Fröschen vor. Unter den im Herbst häufig zur Beobachtung gelangenden Lochkernen wurden einige bemerkt, bei denen der äußere Kontur durch mehr oder weniger tiefe von der Attraktionssphäre ausgehende Stränge in drei Portionen geteilt wird, oder es fanden sich Zellen mit drei Kernen. Neben den Spermatogonien mit runden Kernen sah Meves besonders im Winterhoden auch solche mit polymorphen Kernen. Die Attraktionssphäre umgibt in Gestalt einer Hohlkugel allseitig diese Kerne. Im Frühjahre findet eine Umwandlung der polymorphen Kerne in runde statt; zu gleicher Zeit kontrahiert sich auch die Attraktionssphäre zu einem an einem Punkte der Kernperipherie gelegenen Haufen.

Während die Mehrzahl der Forscher die Mitose und die Amitose für zwei streng unterschiedene Formen der Kernteilung halten, nehmen einzelne Autoren Zwischenformen zwischen beiden an.

So hält Arnold (7) daran fest, dass eine Teilungsform, die sich charakterisiert durch „Abschnürung der Kerne an beliebigen Stellen, in zwei oder mehrere gleiche oder ungleiche Abschnitte, mit Zunahme und veränderter Anordnung der chromatischen Kernsubstanz" vorkommt. Er bezeichnet sie als indirekte Fragmentierung. Bei derselben ist niemals die gesetzmäßige Anordnung der chromatischen Fäden vorhanden, wie sie in so charakteristischer Weise der echten Mitose in den verschiedenen Stadien zukommt, von einer achromatischen Spindel ist nichts nachweisbar und die Vorgänge der Abschnürung der Kerne und Zellen vollzieht sich in wenig regelmäßiger Weise. Arnold wies indirekte Fragmentierung sowohl unter pathologischen, wie unter normalen Verhältnissen nach und zwar im Knochenmark, in Lymphdrüsen, in der Milz, an Wanderzellen und an Zellen von Geschwülsten (Sarkome und Karzinome). Eine Bestätigung und Erweiterung erfuhren die Arnold'schen Beobachtungen durch Werner (91) für die Riesenzellen des Knochenmarkes von Hund, Katze, Mensch, durch Schottländer (74) für das Endothel der Descemet'schen Haut, durch Hess (54) für die großen Zellen der Milz von Mäusen, welche mit Milzbrand geimpft waren, durch Geelmuyden (38) für Myeloplaxen im Knochenmark, durch Beltzow (11) für das in der Regeneration begriffene Harnblasenepithel des Kaninchens, durch Ströbe (85) für die Riesenzellen im Knochenmark junger Kaninchen und für Sarkome und Karzinome, durch Göppert (39) für die lymphatische Randschicht der Salamanderleber. Gegen die Arnold'schen Angaben ist aber anderseits eine ganze Menge von Einwendungen erhoben werden, so von Cornil (19), Denys (21), Ayoama (8), Löwit (61), Demarbaix (20).

Vor kurzem hat Reinke (70) Untersuchungen über die biologische Bedeutung der von Arnold beschriebenen Kernformen in den Zellen der Milz und ihr Verhältnis zur mitotischen und amitotischen Teilung angestellt, aus denen hervorging, dass ein großer Teil der Arnold'schen Kernfiguren eine bis dahin unbekannte Form der Mitose darstellt, die der Knäuelform voraufgeht resp. den Tochterkernen folgt und wie es scheint nur bei der Maus vorkommt (Speichen- oder Melonenform). Die Ringformen sind nach Reinke's Ansicht entweder Erscheinungen eines Reiz- oder Veränderungszustandes, die zur Fragmentierung des ruhenden Kernes führen können und namentlich durch Veränderung der Attraktionssphäre hervorgerufen wurden, oder sie sind durch derartige Vorgänge aus mitotischen Figuren entstanden.

Flemming (27 S. 137) erkennt die indirekte Fragmentierung Arnold's nicht als eine bestimmt gekennzeichnete Form der Amitose an, einmal mit Rücksicht auf die Ergebnisse der Untersuchung Reinke's, dann aber auch, weil er die stacheligen Formen, welche Arnold in seiner letzten Arbeit (7 Taf. XXVI) abbildet, als durch Reagentienwirkung erzielte Veränderungen betrachten muss, endlich weil er einen weiteren Teil der Kerne für ruhende und nicht in der Teilung begriffene hält.

Am weitesten ist Carnoy (17) gegangen, der auf Grund seiner
Studien an Arthropoden zu dem Resultat kam, dass Mitose und
Amitose nicht grundsätzlich verschiedene Teilungsmodi wären. Da
Platner (65) und Henking (43) an dem gleichen Objekt (Insekten,
Spermatocyten) die Beobachtungen Carnoy's nicht zu bestätigen ver-
mochten, so ist es wohl berechtigt, wenn auch die Schlussfolgerungen
vorläufig noch mit Zweifel angesehen werden.

Zum Schluss sei die gegenwärtig aufs lebhafteste erörterte Frage
nach der biologischen Bedeutung der beiden Teilungsmodi hier noch
in Kürze berücksichtigt.

Flemming (27 u. 28) hält nach dem jetzigen Stand unserer
Kenntnisse die Annahme für wohl zulässig, dass nur die mitotische
Teilung zur physiologischen Vermehrung und Neubildung von Zellen
führt, während die amitotische Fragmentierung des Kernes mit und
ohne nachfolgende Teilung der Zellen entweder eine Entartung oder
Aberration darstellt oder vielleicht in manchen Fällen (Bildung mehr-
kerniger Zellen durch Fragmentierung) durch Vergrößerung der Kernperipherie dem cellulären Stoffwechsel zu dienen hat.

H. E. Ziegler (93) schließt sich dieser Auffassung an. Er hebt
hervor, dass die Kerne, welche sich amitotisch teilen, stets durch besondere Größe ausgezeichnet sind. Wo solche „Meganuclei" vorkommen, da findet ein lebhafter Sekretions- oder Assimilationsvorgang
statt. Die Meganuclei haben eine beschränkte Teilungsfähigkeit und
gehen stets nach einiger Zeit zu Grunde. An einer Reihe von
eigenen und fremden Beobachtungen erläutert Ziegler, dass die
amitotische Kernteilung bei den Metazoen nur in solchen Fällen vorkommt, in welchen die Kerne an eine spezielle Funktion sich angepasst haben.

Gegen diese allgemeine Fassung haben Löwit (62), Verson (88)
und Frenzel (34, 35, 36) Widerspruch erhoben. Löwit stützt sich
auf seine Befunde an den Blutkörperchen des Flusskrebses und be-
harrt bei seiner Ansicht, dass neben der degenerativen amitotischen
Teilung auch eine regenerative besteht. Verson nimmt an, dass
amitotisch entstandene Kerne sich weiterhin mitotisch vermehren
können, weil bei der Spermatogenese vom *Bombyx mori* und anderen
Lepidopteren die Kerne der Samenmutterzellen jedes Hodenfaches
durch amitotische Teilung von einem einzigen großen Kern sich herleiten. Frenzel misst der amitotischen Teilung am Mitteldarm von
Crustaceen und Insekten und an der Mitteldarmdrüse der Crustaceen
eine große Rolle zu.

Hiergegen betonen Ziegler und vom Rath (94), dass bei
Arthropoden, bei denen die amitotische Kernteilung häufiger als bei
irgend einen andern Typus der Metazoen vorzukommen scheine, in
keinem Fall ein regenerativer Charakter der amitotischen Teilung

erwiesen ist. In der Leber des Flusskrebses und der Isopoden, im Epithel des Mitteldarmes der Crustaceen und Insekten und bei der Spermatogenese der Arthropoden (vom Rath 68) sind Mitosen nachgewiesen, und so wird der Schluss nahegelegt, dass bei den Arthropoden in allen Geweben, in welchen die amitotische Kernteilung vorkommt und bei welchen gleichzeitig ein reger Zellenverbrauch stattfindet, Regenerationszellen existieren, welche sich mitotisch teilen; freilich ist das Auffinden der Mitosen manchmal schwierig und vom Zufall abhängig.

In Uebereinstimmung hiermit ergaben auch die neuen umfangreichen Studien Barfurth's (10) über die Regeneration der Gewebe an der amputierten Schwanzspitze der Amphibien, dass die regenerativen Kernteilungen nach der typischen Mitose verlaufen.

Wenn trotzdem von einigen Untersuchern daran festgehalten wird, dass die Regeneration auch durch indirekte Fragmentierung zu Stande kommen kann, so ist eine gewisse Skepsis zweifellos am Platze; anderseits aber lehrt die neue Beobachtung von Reinke (70), dass ein Teil der Fragmentierungen als echte Mitosen aufzufassen ist, wie weit wir noch davon entfernt sind, ein endgiltiges Urteil fällen zu können.

Angezogene Litteratur.

1) Arnold J., Beobachtungen über Kernteilungsfiguren in den Zellen der Geschwülste. Virchow's Archiv, 78. Bd., 1879, S. 279.

2) Derselbe, Beobachtungen über Kerne und Kernteilungen in den Zellen des Knochenmarks. Virchow's Archiv, 93. Bd., 1883, S. 1—38.

3) Derselbe, Ueber Kern- und Zellteilung bei akuter Hyperplasie der Lymphdrüsen und Milz. Virchow's Archiv, Bd. 95, 1884, S. 46—69.

4) Derselbe, Weitere Beobachtungen über die Teilungsvorgänge an den Knochenmarkzellen und weißen Blutkörperchen. Virchow's Archiv, Bd. 97, 1884, S. 1—23.

5) Derselbe, Ueber Kernteilung und vielkernige Zellen. Virchow's Archiv, 98. Bd., 1884, S. 501—512.

6) Derselbe, Ueber Teilungsvorgänge an den Wanderzellen, ihre progressiven und regressiven Metamorphosen. Archiv f. mikr. Anatomie, 30. Bd., 1887, S. 205—310.

7) Derselbe, Weitere Mitteilungen über Kern- und Zellteilungen in der Milz; zugleich ein Beitrag zur Kenntnis der von der typischen Mitose abweichenden Kernteilungsvorgänge. Archiv f. mikr. Anatomie, 31. Bd., 1888, S. 541—564. .

8) Ayoama, Indirekte Kernteilung in verschiedenen Neubildungen. Virchow's Archiv, 106. Bd., 1886.

9) Balbiani E. G., Sur la structure du noyau des cellules salivaires chez les larves de *Chironomus*. Zool. Anzeiger, 1881, Nr. 99 u. 100.

10) Barfurth D., Zur Regeneration der Gewebe. Archiv f. mikrosk. Anat., 37. Bd., 1891, S. 406—491.

11) Beltzow A., Zur Regeneration des Epithels der Harnblase. Virchow's Archiv, 97. Bd., 1884, S. 279—288.

12) van Beneden E., La maturation de l'oeuf, la fécondation et les pre-mières phases du développement embryonnaire des mammifères d'après des recherches faites chez le Lapin. Bull. de l'Acad. roy. de Belgique, 2me Sér., T. XL, Nr. 12, 1875.

13) Derselbe, Recherches sur la maturation de l'oeuf, la fécondation et la division cellulaire. Gand et Leipzig 1883.

14) van Beneden, E. et A. Neyt, Nouvelles recherches sur la fécondation et la division mitosique chez l'Ascaride mégalocéphale. Bulletins de l'Académie royale des sciences, des lettres et des beaux arts de Belgique, 57me année, 3me série, T. XIV, 1887, p. 215—295.

15) Boveri T., Zellen-Studien. Jenaische Zeitschrift für Naturwissenschaft, Bd. 22, 1888, S. 685—882.

16) Carnoy J. B., La biologie cellulaire. Aachen 1884.

17) Derselbe, La cytodiérèse chez les arthropodes. La cellule, Tome I, S. 191—440, 1885.

18) Cornil V., Sur le procédé de division indirecte des noyaux et des cellules épithéliales dans les tumeurs. Archives de physiologie normale et pathologieque, III. Série, T. VIII, 1886, S. 310—324.

19) Derselbe, Sur la multiplication des cellules de la moelle des os par division indirecte dans l'inflammation. Archives de physiol. normale et pathol., 3. Série, T. 10, 1887, p. 46—70.

20) Demarbaix H., Division et dégénérescence des cellules géantes de la moelle des os. La cellule, T. V, 1889, p. 25—57.

21) Denys J., Quelques remarques sur la division des cellules géantes de la moelle des os d'après les travaux de Arnold, Werner, Loewit et Cornil. Anat. Anzeiger, III. Jahrg., 1888, Nr. 7, S. 190—204.

22) Flemming W., Zellsubstanz, Kern- und Zellteilung. Leipzig 1882.

23) Derselbe, Zur Orientierung über die Bezeichnung der verschiedenen Formen von Zell- und Kernteilung. Zool. Anzeiger, Nr. 216, IX. Jahrg., 1886, S. 109—112.

24) Derselbe, Neue Beiträge zur Kenntnis der Zellen. Archiv f. mikrosk. Anatomie, Bd. 29, 1887, S. 389—463.

25) Derselbe, Ueber Teilung von Leukocyten Verhandl. des X. inter-nationalen mediz. Kongresses. Berlin, 4.—9. August, 1890.

26) Derselbe, Attraktionssphären und Zentralkörper in Gewebszellen und Wanderzellen. Anatom. Anzeiger, 1891, Nr. 3.

27) Derselbe, Ueber Zellteilung. Verhandl. d. anatom. Gesellschaft a. d. V. Versamml. in München, 18.—20. Mai, 1891.

28) Derselbe, Ueber Teilung und Kernformen bei Leukocyten und über deren Attraktionssphären. Archiv f. mikrosk. Anatomie, Bd. 37, 1891, S. 249—298.

29) Derselbe, Neue Beiträge zur Kenntnis der Zelle. II. Teil. Archiv f. mikrosk. Anatomie, Bd. 37, 1891, S. 685—751.

30) Derselbe, Zur Nomenklatur der Zellteilung. Anat. Anz., VII. Jahrg., 1892, Nr. 1, S. 26—32.

31) Fol H., Die erste Entwicklung des Geryonideneies. Jenaische Zeitschrift für Naturwissenschaft, Bd. 7, 1873, S. 471.

32) Derselbe, Le Quadrille des Centres. Un Épisode nouveau dans l'histoire de la Fécondation. Archives des sciences phys. et nat., 3. pér., t. 25, 15. April 1891.

33) Fol H., Die „Centrenquadrille", eine neue Episode aus der Befruchtungs-
geschichte. Anat. Anz., VI. Jahrg., 1891, Nr. 9 u. 10, S. 266—274.

34) Frenzel J., Zur Bedeutung der amitotischen (direkten) Kernteilung.
Biolog. Centralbl., XI. Bd., 1891, Nr. 18, S. 558—565.

35) Derselbe, Die nukleoläre Kernhalbierung, eine besondere Form der
amitotischen Kernteilung. Biol. Ctbl., XI. Bd., 1891, Nr. 22, S. 701—704.

36) Derselbe, Die nukleoläre Kernhalbierung. Ein Beitrag zur Kenntnis
des Zellkernes und der amitotischen Epithelregeneration. Arch. f. mikrosk.
Anatomie, 39. Bd., 1892, S. 1—32.

37) Geberg A., Zur Kenntnis des Flemming'schen Zwischenkörperchens.
Anat. Anzeiger, VI. Jahrg., 1891, Nr. 22, S. 623—625.

38) Geelmuyden H. C., Das Verhalten des Knochenmarks in Krankheiten·
und die physiologische Funktion desselben. Virchow's Archiv, 106. Bd.,
1886, S. 136—169.

39) Göppert E., Kernteilung durch indirekte Fragmentierung in der lympha-
tischen Randschicht der Salamanderleber. Archiv f. mikrosk. Anatomie,
37. Bd., 1891, S. 375—391.

40) Guignard L., Sur l'existence des sphères attractives dans les cellules
des végetaux. Comptes rendus, Ac. d. sc. Paris, 9. Mars 1891.

41) Hansemann D., Ueber asymmetrische Zellteilung in Epithelkrebsen und
deren biologische Bedeutung. Virchow's Arch., Bd. 119, S. 299—326, 1890.

42) Derselbe, Ueber pathologische Mitosen. Virchow's Archiv, Bd. 123,
S. 356—370, 1891.

43) Henking H., Untersuchungen über die Entwicklungsvorgänge in den
Eiern der Insekten. Zeitschr. f. wissensch. Zoologie, Bd. 51, 1891.

44) Henneguy, L.-F., Sur la division cellulaire ou cytodiérèse. Assoc. fr.
pour l'avancement des sc. Congrès de la Rochelle. 1882.

45) Derselbe, Nouvelles recherches sur la division cellulaire indirecte.
Journal de l'anatomie, XXVIIe année, 1891, Nr. 5, p. 397—423.

46) Hermann F., Die Entstehung der karyokinetischen Spindelfigur. Münchener mediz. Wochenschrift, 1890, Nr. 47, S. 830—831.

47) Derselbe, Beitrag zur Lehre von der Entstehung der karyokinetischen
Spindel. Archiv f. mikrosk. Anatomie, 37. Bd., 1891, S. 569—586.

48) Hertwig O., Beiträge zur Kenntnis der Bildung, Befruchtung und Teilung des tierischen Eies. Morpholog. Jahrbuch, Bd. I, 1875, S. 347—434;
Bd. III, 1877, S. 1—86; Bd. IV, 1878, S. 156—175 u. S. 177—213.

49) Derselbe, Das Problem der Befruchtung und der Isotropie des Eies.
Eine Theorie der Vererbung. Jena 1884.

50) Hertwig O. und R., Ueber den Befruchtungs- und Teilungsvorgang des
tierischen Eies unter dem Einfluss äußerer Agentien. Jena 1887.

51) Hertwig O., Experimentelle Studien am tierischen Ei vor, während und
nach der Befruchtung. Jena 1890.

52) Derselbe, Vergleich der Ei- und Samenbildung bei Nematoden. Eine
Grundlage für celluläre Streitfragen. Archiv f. mikr. Anatomie, 36. Bd.,
1890, S. 1—138.

53) Derselbe, Ueber pathologische Veränderungen des Kernteilungsprozesses
in Folge experimenteller Eingriffe. Internat. Beiträge zur wissenschaftlichen Medizin. Festschrift. cf. R. Virchow, Bd. I, S. 194—212.

54) Hess, Ueber Vermehrungs- und Zerfallsvorgänge an den großen Zellen
in der akut hyperplastischen Milz der weißen Maus. Ziegler's Beitr.
zur pathol. Anat. u. zur allg. Pathol., Bd. VIII.

55) Heuser E., Beobachtungen über Zellteilung. Botanisches Centralblatt, Bd. 17, 1884, Nr. 1—5.

56) Klebs E., Allgemeine Pathologie, Bd. II, S. 524 fg., Jena 1889.

57) Derselbe, Ueber das Wesen und die Erkennung der Karzinombildung. Deutsche mediz. Wochenschrift, 1890, Nr. 24, 25 u. 32.

58) Klein E., Observations on the Glandular Epithelium and Division of Nuclei. Quart. Journ. of Microsc. Science, 1879, p. 414 fg.

59) Kölliker A., Handbuch der Gewebelehre des Menschen, 6. Aufl., Leipzig 1889, I. Bd.

60) Derselbe, Das Aequivalent der Attraktionssphären E. van Beneden's bei *Siredon*. Anatom. Anzeiger, IV. Jahrg., 1889, Nr. 5, S. 147—155.

61) Löwit A., Ueber Neubildung und Zerfall weißer Blutkörperchen. Ein Beitrag zur Lehre von der Leukämie. Sitzungsber. d. Wiener Akademie, Bd. 92, III. Abt., Juni 1885.

62) Derselbe, Ueber amitotische Kernteilung. Biolog. Centralbl., XI. Bd., 1891, Nr. 17, S. 513—516.

63) Martin W. A., Zur Kenntnis der indirekten Kernteilung. Virchow's Archiv, 86. Bd., 1881, S. 57.

64) Meves F., Ueber amitotische Kernteilung in den Spermatogonien des Salamanders und Verhalten der Attraktionssphäre bei derselben. Anat. Anzeiger, VI. Jahrg., 1891, Nr. 22, S. 626—639.

65) Platner G., Die Karyokinese bei den Lepidopteren als Grundlage für eine Theorie der Zellteilung. Internat. Monatsschr., III. Bd., 1885, S. 341—398.

66) Rabl C., Ueber Zellteilung. Morpholog. Jahrbuch, Bd. 10, 1885, S. 214—330.

67) Derselbe, Ueber Zellteilung. Anat. Anzeiger, IV. Jahrg., 1889, Nr. 1, S. 21—30.

68) vom Rath O., Ueber die Bedeutung der amitotischen Kernteilung im Hoden. Zool. Anzeiger, 1891, Nr. 373 S. 331—332; Nr. 374 S. 342—343; Nr. 375 S. 355—363.

69) Rauber A., Lehrbuch der Anatomie des Menschen. IV. Aufl. von Quain-Hoffmann's Anatomie, Heft 1: Allgemeiner Teil. Leipzig 1892.

70) Reinke F., Untersuchungen über das Verhältnis der von Arnold beschriebenen Kernformen zur Mitose und Amitose. Inaug. Dissertation. Kiel 1891.

71) Schäfer, General Anatomy or Histology, Vol. I, Part II von Quain's Elements of Anatomy, X. Edit., London 1891.

72) Schenk S. L., Grundriss der normalen Histologie des Menschen, II. Aufl., Wien und Leipzig 1891.

73) Schewiakoff W., Ueber die karyokinetische Kernteilung der *Euglypha alveolata*. Morpholog. Jahrb., 13. Bd., 1887, S. 193—258.

74) Schottländer J., Ueber Kern- und Zellteilungsvorgänge in dem Endothel der entzündeten Hornhaut. Archiv f. mikrosk. Anatomie, 31. Bd., 1888, S. 426—482.

75) Schultze, Ueber Zellteilung. Sitzungsberichte der Würzburger physik.-mediz. Gesellschaft, 1890, XV. Sitzung vom 26. Juli.

76) Solger B., Zur Struktur der Pigmentzellen. Zoolog. Anzeiger, 1889, Nr. 324, S. 671—673 und 1890, Nr. 328, S. 93—95.

77) Derselbe, Ueber pigmentierte Zellen und deren Centralmasse. Mitteilungen aus den naturwissensch. Verein für Neu-Vorpommern und Rügen in Greifswald, XXII. Jahrg., 1890, S. 1—34.

78) Solger B., Die radiären Strukturen des Zellkörpers im Zustande der Ruhe und bei der Kernteilung. Berliner klin. Wochenschr., 1891, Nr. 20.

79) Derselbe, Zur Kenntnis der „Zwischenkörper" sich teilender Zellen. Anatom. Anzeiger, VI. Jahrg., 1891, Nr. 17, S. 482—483.

80) Soltwedel F., Freie Zellbildung im Embryosack der Angiospermen, 1881, II.

81) Strasburger E., Ueber Zellbildung und Zellteilung, 3. Aufl., Jena 1880.

82) Derselbe, Ueber den Teilungsvorgang der Zellkerne und das Verhältnis der Kernteilung zur Zellteilung. Archiv f. mikrosk. Anatomie, Bd. 21, 1882, S. 476—490.

83) Derselbe, Die Kontroversen der indirekten Kernteilung. Archiv für mikrosk. Anatomie, Bd. 23, 1884, S. 246—304.

84) Derselbe, Histologische Beiträge. Heft I: Ueber Kern- und Zellteilung im Pflanzenreiche, nebst einem Anhange über Befruchtung. Jena 1888.

85) Stroebe H., Ueber Kernteilung und Riesenzellenbildung in Geschwülsten und im Knochenmark. Ziegler's Beiträge zur path. Anatomie und zur allgem. Pathologie, Bd. VII, 339.

86) Derselbe, Zur Kenntnis verschiedener cellulärer Vorgänge und Erscheinungen in Geschwülsten. Ziegler's Beiträge zur path. Anatomie und zur allgem. Pathologie, Bd. XI, S. 1—38, 1891.

87) Vejdovský F., Entwicklungsgeschichtliche Untersuchungen. Heft I: Reifung, Befruchtung und die ersten Furchungsvorgänge des Rhynchelmis-Eies. Prag, Otto. 1888.

88) Verson E., Zur Beurteilung der amitotischen Kernteilung. Biolog. Centralblatt, XI. Bd., 1891, Nr. 18, S. 556—558.

89) Vialleton M. L., Recherches sur les premières phases du développement de la seiche. Paris, Masson 1888.

90) Waldeyer W., a) Ueber Karyokinese. Deutsche mediz. Wochenschrift, 1886, Nr. 1—4.
    b) Ueber die Karyokinese und ihre Bedeutung für die Vererbung. Deutsche mediz. Wochenschrift, 1887, Nr. 43—47.
    c) Ueber Karyokinese. Archiv f. Anatomie u. Physiol., 1887, physiologische Abteilung.
    d) Ueber Karyokinese und ihre Beziehungen zu den Befruchtungsvorgängen. Archiv f. mikrosk. Anatomie, Bd. XXXII, 1888.
    e) Karyokinesis and its Relation to the Process of Fertilization. Quarterly Journal of Microscopical Science, Vol. XXX, P. 2, 1889.

91) Werner, Ueber Teilungsvorgänge in den Riesenzellen des Knochenmarkes. Virchow's Archiv, 106. Bd., 1886, S. 354—377.

92) Zacharias O., Neue Untersuchungen über die Kopulation der Geschlechtsprodukte und den Befruchtungsvorgang bei Ascaris megalocephala. Arch. f. mikrosk. Anatomie, Bd. 30, 1887, S. 111—182.

93) Ziegler H. E., Die biologische Bedeutung der amitotischen (direkten) Kernteilung im Tierreich. Biol. Centralblatt, XI. Bd., 1891, Nr. 12 u. 13, S. 372—389.

94) Ziegler H. E. und O. vom Rath, Die amitotische Kernteilung bei den Arthropoden. Biol. Centralbl., XI. Bd., 1891, Nr. 24, S. 744—757.

P. Ehrlich, Ueber Immunität durch Vererbung und Säugung.

Zeitschrift f. Hygiene und Infektionskrankheiten, Bd. XII, 184—203.

Immunität der Kinder immuner Eltern kann nach Verf. bedingt
sein 1) durch Vererbung im ontogenetischen Sinne, 2) durch eine
Mitgabe des mütterlichen Antikörpers d. h. der im Blut und in den
Körpersäften der Mutter vorhandenen, einer bestimmten Infektion oder
Intoxikation entgegenwirkenden Substanz, 3) durch eine direkte intra-
uterine Beeinflussung der fötalen Gewebe durch das immunisierende
Agens. Verf. hat für gewisse Fälle die Art der vererbten Immunität
festgestellt, indem er den Grad und die Dauer der Abrin- und Ricin-
festigkeit der Nachkommen abrin- und ricinfester Mäuse ermittelte.
Die giftigen Pflanzeneiweißstoffe Abrin und Ricin schienen für derartige Versuche wohlgeeignet, weil sie weitgehende Analogieen mit den
Toxinen und Toxalbuminen zeigen und weil der Grad der den Versuchstieren innewohnenden Resistenz gegen jene eigenartigen Giftstoffe
stets sicher bestimmt werden konnte.

Die Resultate der Versuche des Verf.'s sind kurz folgende:

Die Kinder von abrinimmunem Vater und normaler Mutter waren
normal d. h. nicht abrinimmun, woraus geschlossen werden kann,
dass das Idioplasma des Sperma nicht im Stande ist, die Immunität
zu übertragen. (Die Bezeichnungen „abrinfest", „ricinfest"..., welche
Verf. in seinen ersten Mitteilungen über diesen Gegenstand — Deutsche
mediz. Wochenschrift, 1891, Nr. 32 u. 44 — vorgeschlagen hat, werden
hier identisch mit „Abrin-immun", „Ricin-immun"... gebraucht. Zur
Vermeidung von Zweideutigkeiten wäre es zweckmäßig, die Resistenz
gegen eine Intoxikation immer nur mit „Giftfestigkeit" und allein
die Resistenz gegen eine Invasion pathogener Mikroorganismen mit
„Immunität" zu bezeichnen. Vergl. das Referat über „Immunität und
Giftfestigung", Biol. Centralbl., 1892, S. 250. Ref.)

Bei den Kindern von abrin-, ricin- oder robinimmuner Mutter
und normalem Vater ist etwa vier Wochen nach der Geburt eine
hohe Immunität nachzuweisen. Diese Immunität ist eine passive,
sie beruht allein auf einer Mitgabe des mütterlichen Antikörpers; im
Gegensatz hierzu würde von aktiver Immunität zu sprechen sein,
wenn eine spezifische Adaption der Nachkommenschaft stattgefunden
hätte. Das schützende Agens wird nicht etwa durch die Eizelle übertragen, ebensowenig wie dies durch die Spermatozoen geschieht, sondern es tritt während der Gravidität aus dem mütterlichen Kreislauf
durch die Placenta in die Föten über. Dass die Jungen einer künstlich immunisierten Mutter in der That nur passiv immun sind, geht
daraus hervor, dass sie ihre Immunität allmählich verlieren; im Verlaufe einiger Wochen nach der Geburt haben sie den maternen Antikörper vollständig ausgeschieden. Hiernach erscheinen die Versuche
von Chauveau u. A. über intrafötale Immunisierung in etwas anderem

Lichte. Wenn Chauveau von Schafen, die er während der Gravidität gegen Milzbrand immunisierte, Milzbrand-immune Lämmer erhielt, so hätte er die Prüfung der Lämmer nicht schon 14 Tage nach der Geburt, sondern viel später vornehmen müssen, um aktive Immunität für erwiesen halten zu können. So bleibt es bei diesen und anderen gleichartigen Versuchen (Thomas, Klemperer, Burchhardt), auf welche die fast allgemein angenommene Hypothese von der Vererbung der Immunität sich gründet, zum mindesten zweifelhaft, ob die geprüften Tiere wirklich aktiv immun oder nur für kürzere Zeit durch die Mitgift des mütterlichen Antikörpers geschützt waren.

Für die Beurteilung der Vererbung der Immunität kommt noch ein weiterer, bisher vernachlässigter Faktor in Betracht, der durch die Milch vermittelte Uebergang der maternen Antistoffe auf die säugenden Jungen. Wie groß die während der Säugezeit mitgeteilte Immunität ist im Vergleich zu der während der intrauterinen Entwicklung übertragenen, hat Verf. auf das unzweideutigste durch „Ammen- oder Vertauschungsversuche" feststellen können. Vertauscht man zwei nährende Mäuse, die nahezu gleichzeitig geworfen haben, und zwar eine hoch abrin- oder ricinimmune und eine normale Maus, so dass die normalen Jungen von immuner Amme, die Jungen der immunen Mutter dagegen von normaler Amme gesäugt werden, so erlangen die normalen Jungen im Verlaufe der Laktationsperiode eine beträchtliche Immunität, während den Kindern der immunen Mutter ihre ursprüngliche Widerstandskraft mehr und mehr verloren geht; am Ende der Säugezeit ist die von den normalen Jungen erworbene Immunität acht- bis zehnmal so groß als die Restimmunität der von normaler Amme genährten immun geborenen Mäuse.

Die Säugungsimmunität (gegen Abrin und Ricin) erreicht ihr Maximum am Schluss der Säugezeit; von da ab sinkt sie, ist aber wahrscheinlich erst nach 7—8 Wochen ganz erloschen. Diesen Ergebnissen gegenüber werden die bisherigen Beweise für das Gelingen einer persistierenden Immunisierung des Embryos unzulänglich. Erst wenn die Jungen immuner Eltern auch dann noch immun befunden werden, nachdem die von der Mutter an die Föten und später an die Säuglinge übertragenen Antikörper sicher wiederausgeschieden sind, kann von (aktiver) Vererbungsimmunität die Rede sein.

Von besonderer, praktischer Bedeutung ist die Beobachtung des Verf.'s, dass auch gegen Tetanus ein Schutz durch Säugung verliehen werden kann. Er behandelte eine normale säugende Maus 11 Tage lang nach der Methode von Brieger, Kitasato und Wassermann mit dem Serum eines gegen Tetanus gefestigten Kaninchens und fand, dass die Jungen sowohl auf Injektionen virulenter Tetanusbouillon wie auf Impfungen mit Tetanussporen nicht mehr reagierten, während die Kontrolmäuse nach 24 Stunden starben. Später konstatierte er den außerordentlich raschen Uebergang des gegen Tetanus schützenden Körpers von der Mutter auf die Säuglinge. Schon nach einer einzigen Injektion von Antiserum (von einem tetanusfesten Pferde) gab eine Maus, die 17 Tage zuvor geboren hatte, innerhalb 24 Stunden an ihre Jungen so viel Antikörper ab, dass die Säuglinge eine Impfung mit Tetanussporen, welche bei größeren normalen Mäusen nach 26 Stunden den Tod herbeiführte, reaktionslos ertrugen. Und ferner gelang es, eine nicht vorbehandelte junge Maus, der ein mit Tetanussporen imprägnierter Holzsplitter unter die Rückenhaut gebracht worden war, nach dieser Impfung noch dadurch zu retten, dass dem Tierchen eine tetanusfeste Amme gegeben wurde. Tetanische Symptome traten zwar in den ersten Tagen nach der Infektion auf, verloren sich aber im Verlauf einer Woche.

Dass die in der Milch künstlich immunisierter Tiere vorhandenen Schutz- und Heilstoffe im Körper der Säuglinge überhaupt ihre Wirkungen entfalten, erscheint auffällig, sofern nach den bisherigen Erfahrungen die Antitoxine als sehr labile Substanzen gelten müssen, welche mutmaßlich von den chemischen Vorgängen im Darm nicht unberührt bleiben können. Für die Unbeständigkeit dieser Stoffe fand Verf. einen neuen Beweis in dem Ergebniss einiger Fütterungsversuche. Er fütterte junge Mäuschen, die eben selbständig zu fressen anfingen, mit dem Fleisch ricin- und tetanusfester Tiere, brachte jedoch niemals auch nur eine Spur von Schutzeffekt hervor. Er kommt daher zu dem Schluss, das Auftreten der Säugungsimmunität lasse sich nur aus der eigenartigen Beschaffenheit der Milch erklären; die Muttermilch sei für eine vollständige und rasche Resorption seitens des Säuglings auf das zweckmäßigste eingestellt (Bunge), und es sei denkbar, dass auch die in ihr enthaltenen Antitoxine vermöge besonderer Bindungsverhältnisse und vermöge begleitender Eiweißkörper unangetastet aus dem Darm in die Blutbahn gelangten.

Oscar Schulz (Erlangen).

Behring und **Frank**, Experimentelle Beiträge zur Lehre von der Bekämpfung der Infektionskrankheiten. Ueber einige Eigenschaften des Tetanusheilserums.

Deutsche mediz. Wochenschrift, 1892, Nr. 16.

Nach den übereinstimmenden Resultaten zahlreicher Tierversuche wird man kaum mehr daran zweifeln, dass das Blutserum tetanusimmunisierter Tiere auch den Menschen gegen eine Tetanusinfektion zu schützen vermöchte. Aber selbst wenn dies sicher bewiesen wäre, so hätte die Therapie noch nicht viel gewonnen. Denn bei der großen Seltenheit des Wundstarrkrampfs würde Niemand daran denken, sich gegen Tetanus immunisieren zu lassen. Praktisch kommt es nicht darauf an, gegen die Tetanusinfektion zu schützen, sondern ausgebrochenen Tetanus zu heilen. Dieser Aufgabe sind die Vff. näher getreten, indem sie die Heilkraft des Serums eines tetanusimmunisierten Pferdes an tetanuskranken Mäusen prüften.

Das von ihnen verwendete Antiserum war zwei Monate alt; es war frisch mit Karbolsäure versetzt worden, und zwar mit soviel, dass es 0,5% davon enthielt, und hatte sich bis zu seiner Verwendung steril und unverändert schutzkräftig gehalten, obwohl es ohne besondere Kautelen, bei freiem Luftzutritt und bei wechselnden, bald niederen bald höheren Zimmertemperaturen aufbewahrt worden war. Mit diesem, teils mit destilliertem Wasser, teils mit physiologischer Kochsalzlösung verdünnten, teils auf 65° erhitzten Serum behandelten die Vff. 13 Mäuse, denen sie kurz zuvor die tötliche Dosis einer frischen Tetanusbouillonkultur eingespritzt hatten; 5 weiteren, zur selben Zeit mit Tetanus infizierten Mäusen gaben sie das Serum erst 24 Stunden später. Die ersten 13 Mäuse überstanden die Infektion, ohne Krankheitssymptome zu zeigen; von den 5 letzten verendeten 4 innerhalb 4 Tage und eine, bei welcher die Serumbehandlung fortgesetzt worden war, starb nach 9 Tagen. Die Heilwirkung des Serums blieb also, selbst einer nur 24 Stunden vorher erfolgten Infektion gegenüber, beträchtlich hinter seiner Schutzkraft gegen die frische Infektion zurück.

Die Vff. kommen auf Grund ihrer Beobachtungen zu folgenden Schlusssätzen:

Durch zwei Monate lange Aufbewahrung des mit Karbolsäure versetzten Serums wird sein Immunisierungswert nicht in nachweisbarer Weise verändert.

Es hat sich bis jetzt nicht nachweisen lassen, dass durch Verdünnung mit destilliertem Wasser eine Abnahme des Immunisierungswertes herbeigeführt wird.

Die bis jetzt angestellten Versuche sprechen nicht dafür, dass durch Temperaturen bis zu 65° der Immunisirungswert des Serums vernichtet wird.

Der therapeutische Wert des Serums beginnt erst bei außerordentlich viel höheren Dosen sich bemerkbar zu machen als der Immunisierungswert.   **Oskar Schulz** (Erlangen).

O. Langendorff, Physiologische Graphik.

Ein Leitfaden der in der Physiologie gebräuchlichen Registriermethoden. Gr. 8. XIV u. 316 Stn. Leipzig und Wien. Franz Deutike 1891.

Die Registriermethoden haben in der physiologischen Untersuchungstechnik nach und nach eine sehr ausgedehnte Verwendung gefunden. Seitdem C. Ludwig zuerst die Schwankungen des Blutdrucks mit seinem Kymographion graphisch aufzuzeichnen gelehrt hat, seit Helmholtz den zeitlichen Verlauf der Muskelkontraktionen mit seinem Myographion studiert hat, namentlich aber seitdem Marey die graphische Methode in vielfachen Abänderungen für das Studium physiologischer Vorgänge aller Art zu benutzen anfing, hat sich das Gebiet ihrer Anwendungen immer weiter ausgedehnt. Es ist daher eine dankenswerte Aufgabe, welche sich Herr L. gestellt hat, alle diese Anwendungen systematisch zusammenzustellen, die in vielfachen Abhandlungen zerstreuten Notizen zu sammeln, demjenigen, welcher von der Methode Gebrauch machen will, nützliche Winke zu geben. Herr L. hat dabei hauptsächlich Anfänger in der selbständigen Forschung im Auge gehabt. Aber auch der Fortgeschrittnere, der Fachmann im eigentlichen Sinne, wird sein Buch mit Nutzen gebrauchen, da er manches darin finden kann, was ihm bei seinen Studien entgangen ist. Dieser Nutzen wäre allerdings noch größer gewesen, wenn der Herr Verfasser Literaturangaben beigefügt hätte, die das Aufsuchen der im Buch nur angedeuteten Einzelheiten erleichtert hätten. Ein sorgfältiges Eingehen auf die Literatur hätte auch einige kleine historische Irrtümer vermeiden lassen, welche mir bei der Durchsicht aufgefallen sind, welche aber von so untergeordneter Bedeutung sind, dass sie dem Wert des Buches keinen Abbruch thun.

In einem allgemeinen Teil werden nach Erklärung des Funktionsbegriffs und des Prinzips der Selbstregistrierung die gebräuchlichsten Registrierapparate, Schreibvorrichtungen, optischen Mittel zur Kurvendarstellung besprochen. Im speziellen Teil folgen auf die Mittel zur Zeit- und Signalvermerkung die graphischen Untersuchungsmethoden der Herzthätigkeit, des Blutdrucks, des Pulses, Organvolumens und der Strömungsgeschwindigkeit des Blutes, der Atembewegungen, der Muskelkontraktion. Zahlreiche (249), zum Teil schematische Zeichnungen erläutern den Text auf das beste.

Bitte! lateinische Namen![1]

Den Gedanken der Brüderlichkeit und Gemeinschaft der Völker, welche große Philosophen und nach ihnen große Revolutionen in der Welt verbreitet haben, ist heute fast überall ein tiefgreifender Umschwung gefolgt. Man kann sich eines Gefühls der Traurigkeit nicht erwehren, wenn man sieht, dass von allen Seiten sich wieder Schranken erheben, die man für immer beseitigt glaubte: steinerne und moralische Schranken, Festungen, Schutzzölle, Klasseneifersucht, Rassenhass. Es scheint, dass am Schluss unseres Jahrhunderts jede Nation, jede Gesellschaftsgruppe, jede Interessengemeinschaft dabei angelangt ist, Ringe zu bilden, um ihre besonderen Interessen zu verfolgen und sich mehr und mehr abzuschließen. Als ob der Fortschritt für die Gesellschaft nicht ebenso gut wie für die Organismen darin bestände,

1) Aus den Comptes rendus de la Société royale de Botanique de Belgique.

das Band der Sympathie zwischen den verschiedenen Organen zu entwickeln, die Berührungspunkte mit der ganzen umgebenden Natur zu vervielfältigen.

Während so zahlreiche schöne Träume einer nach dem andern zerrinnen, bleibt uns eine Hoffnung. Mögen immerhin die politischen und ökonomischen Konflikte die Menschen trennen, die Wissenschaft verbindet sie. Sie ist weder gallisch noch germanisch, weder slavisch noch angelsächsisch, weder arabisch noch arisch: sie ist menschlich. Die Gelehrten aller Länder, jeder Rasse arbeiten alle an einem gemeinsamen Werk.

Es ist daher notwendig, dass sie sich gegenseitig verstehen, dass sie ihre Gedanken leicht austauschen, ihre Entdeckungen sich mitteilen können. Zweifellos wäre es nützlich eine wissenschaftliche Universalsprache zu haben — Latein, Novlatin, Volapük, einerlei welche. Aber ein solches Ideal scheint nicht erreichbar, wenigstens für lange Zeit nicht, und man muss sich mit einer vorläufigen Lösung begnügen. Man kann wohl sagen, dass es heute kaum einen Naturforscher gibt, der nicht ohne allzugroße Mühe irgend eine Arbeit seines Sonderfachs, ob französisch, deutsch, englisch, italienisch oder lateinisch lesen kann. Dies haben viele hervorragende Gelehrte in Russland, Skandinavien, Holland, Japan eingesehen; sie bedienen sich daher für ihre Veröffentlichungen einer dieser fünf Sprachen, und sie thun recht daran, zwiefach recht. Sie leisten der Mehrheit ihrer Leser einen Dienst, aber noch mehr sich selbst, denn ihre Ideen werden dadurch Allen zugänglich und werden ohne weiteres Teile des großen wissenschaftlichen Schatzes.

Aber es gibt einen Punkt, in welchem ein noch vollkommeneres Einverständnis erreicht zu sein schien, das ist die Benennung der Tier- und Pflanzenarten. Seit Linné nimmt man ohne Widerspruch an, dass diese Benennung zweinamig und lateinisch sein soll. Das ist unerlässlich. Man muss sofort wissen, von welcher lebenden Form ein fremder Kollege sprechen will. Wenn er hingegen die Arten mit ihren Vulgärnamen bezeichnet, zwingt er uns immerfort zum Wörterbuch zu greifen, wo wir in den meisten Fällen unvollständige und ungenaue Angaben finden.

Diese Bemerkungen werden banal erscheinen, weil sie selbstverständlich sind. Man sollte in der That glauben, dass in dieser Beziehung jede Meinungsverschiedenheit ausgeschlossen sei. Trotzdem sieht man mit Verwundern und Bedauern seit einigen Jahren, dass sowohl Elementarbücher wie auch Werke für den höhern Unterricht, ja sogar Originalmitteilungen sich der Vulgärnamen für Tiere und Pflanzen bedienen.

Warum will man mich nötigen zu wissen, dass „Herbstwasserstern" *Callitriche autumnalis* bedeutet, dass „Habichtskraut" einmal *Barbara vulgaris* bezeichnet, ein ander Mal *Hieracium* oder *Hypo-*

choeris maculata oder *Sisymbrium Sophia* oder *Taraxacum officinale*
und dass „Gundermann" einer der acht deutschen Namen für *Gle-
choma hederacea* ist, während „falscher Gundermann" die *Veronica
Teucrium* bedeutet? Ebensowenig sehe ich einen Vorteil darin, zu
sagen „Echinocacte", „Anthure", „Brésillet", „Gymnogramme lepto-
phylle", „Aspide en faux" statt *Echinocactus, Anthurium, Caesalpinia,
Gymnogramme leptophylla, Aspidium falcatum.*

Es ist ja wahr, dass die meisten Schriftsteller, welche diese
Neuerung ausüben, noch oft die lateinischen Namen in Parenthesen
beifügen. Aber die neue Mode ist noch im Anfangsstadium, und
wenn man nicht bei Zeiten einschreitet, muss man gewärtig sein,
dass diese heilsame Inkonsequenz verschwindet. Immerhin füllen
schon jetzt die Vulgärnamen den Text und ermüden die Aufmerksamkeit des Lesers. Was würden wir von einem Chemiker sagen,
dem es einfiele, von „Zinkblumen" oder von „philosophischer Wolle"
zu sprechen, wenn es sich um Zinkoxyd handelt? Aber es ginge
noch an, wenn man sich wenigstens nur derjenigen Vulgärnamen
bediente, die allgemein bekannt sind, falls es solche gibt. Aber sie
willkürlich erfinden und sie den überall gebräuchlichen lateinischen
Namen unterschieben, dafür gibt es doch keinen Schein von Ent-
schuldigung.

Es ist also hohe Zeit, dagegen Verwahrung einzulegen. Die Frage
ist nur scheinbar gleichgiltig und voraussichtige Geister haben Grund
zur Beunruhigung. Denn es handelt sich um die allerkostbarste
Form des Freihandels: den wissenschaftlichen Freihandel.

Also: Bitte, lateinische Namen!

Leo Errera.

J. Wickersheimer, Kurze Anleitung zur Verwendung der
Wickersheimer'schen Flüssigkeit für anatomische Präparate mit einem Anhange über Metallkorrosionen.

8. 32 Stn. u. 3 Lichtdrucke. Berlin, Boas & Hesse. 1892.

Um alle Interessenten in den Stand zu setzen, die schönen Präparate,
welche der Verf., Präparator am I. anatomischen Institut der Universität in
Berlin, seit Jahren anfertigt und welche auf der Ausstellung des X. internat.
mediz. Kongresses in Berlin so volle Anerkennung gefunden haben, selbst herzustellen, veröffentlicht Verf. die Zusammensetzung seiner Injektionsmasse
(Alaun 100, Kochsalz 25, Kali-Salpeter 12, Potasche 60, Arsenige-Säure 20,
Wasser 3000; nachdem die angegebenen Substanzen in warmem Wasser gelöst
und die Flüssigkeit wieder abgekühlt ist, wird die Lösung filtriert und auf je
10 Vol. 4 Vol. Glyzerin und 1 Volum Methylalkohol zugesetzt) und fügt eine
genaue Beschreibung des Injektionsverfahrens und der Herstellung der Präparate hinzu. Letztere zerfällt in die Beschreibung des Verfahrens bei Herstellung des Bänderskeletts, von Muskel- und Nerven- und Gefäßpräparaten,
der inneren Organe, der Lunge insbesondre, des Gehirns, pathologischer Präparate. Dann folgt die Anleitung zur Aufstellung der Präparate: Einbettung

in Glyzerin-Gelatine und deren Herstellung, der Injektionsmassen. Im Anhang bespricht er die Metallkorrosionen und empfiehlt als von ihm erprobt eine Legierung von (chemisch reinem) Blei 32, Zinn 16, Wismut 60, Kadmium 12 Teilen, denen nach dem Zusammenschmelzen 10 Teile Quecksilber zugefügt werden. Die Injektion wird nach Entfernung alles Bluts aus den Gefäßen durch Eingießen in einen in die Arterie eingebundenen Trichter nach Vorwärmung des Organs auf 70—80°C und Verflüssigung der Legierung in einem Bade von kochendem Wasser vorgenommen und dann das Organ durch Aufgießen kalten Wassers langsam abgekühlt. Die Mazeration erfolgt am besten im Brütofen bei 30—40°C, bei vielem elastischem Gewebe (z. B. Lungen) unter Zusatz von etwas Soda. Die mazerierten Gewebsfetzen werden zuerst mit einer feinen Pinzette entfernt und zuletzt durch einen feinen Wasserstrahl fortgespült.

Die Anleitung wird sicher Anatomen und andern, welche derartige Präparate gebrauchen, willkommen sein. —1.

W. Migula, Bakteriologisches Praktikum zur Einführung in die praktisch-wichtigen bakteriologischen Untersuchungsmethoden für Aerzte, Apotheker, Studierende.

Kl. 8. XIX und 200 Seiten. Mit 9 Abbildungen im Text und 2 Tafeln mit (8) Photogrammen. Karlsruhe, Verlag von Otto Nemnich. 1892.

Die immer zunehmende praktische Bedeutung, welche die Bakteriologie für alle möglichen Kreise erhalten hat, zeigt sich in der wachsenden Zahl von Anleitungen zur Bearbeitung der bakteriologischen Aufgaben. Die vorliegende, von dem Verf. für seine an der technischen Hochschule zu Karlsruhe abgehaltenen Kurse ausgearbeitet, wendet sich an Anfänger und besonders an solche, welche die Methoden zu praktischen Zwecken erlernen, ohne gerade tiefer eindringen zu wollen. Sie scheint mir für diese recht brauchbar, wenn gleich die Nachhilfe des Lehrers wohl nicht wird entbehrt werden können. Die Beschreibung der Methoden, besonders der Färbungen ist gut verständlich. Aufgefallen sind mir nur einige Stellen, die zu verbessern wären, so die ganz unbegründete Erklärung der Brown'schen Molekularbewegung durch elektrische Spannungen (S. 6), die Verwechslung der Begriffe Plasma und Serum (S. 18), die unrichtige Darstellung der Milzbrandkrankheit im Eingang zum 14. Pensum (S. 150), die Nichtübereinstimmung der Figurenerklärung auf S. 10 und 11 mit dem, was die Figur zeigt. Etwas genauer hätten trotz der gebotenen Kürze die Angaben über Glyzerin-Agar, verschiedene feste Nährböden (Reis-, Eiweiß u. a.) sein können, ebenso über die für gewisse Bakterien so wichtige Eigenschaft der Fluorescenz. Die beigegebenen Photogramme sind recht gut, doch würden daneben einige phototypische Reproduktionen noch andrer Formen von Nutzen sein. **R.**

Aus den Verhandlungen gelehrter Gesellschaften.
Niederrh. Gesellschaft für Natur- und Heilkunde zu Bonn.
Sitzung vom 15. Februar 1892.

Privatdozent Dr. Noll brachte die eigenartigen Bewegungen einer geotropisch sich aufrichtenden Keimpflanze in einem sogenannten Schnellseher

(Stroboskop, Zoëtrop) zur Anschauung. Diese Bewegungen vollziehen sich in Wirklichkeit im Verlauf von vielen Stunden so langsam, dass der Eindruck der Bewegung selbst ganz verloren geht. Die Pflanze scheint, wie der kurze Zeiger einer Uhr, auch bei genauerem Zusehen völlig stillzustehen und nur durch die vergleichende Betrachtung nach längeren Zeiträumen kann man sich von den thatsächlich stattfindenden Form- und Lageveränderungen überzeugen. Diese letzteren treten bei einer normal aufrecht wachsenden Pflanze, die nach erfolgter Niederbeugung auf den Boden bekanntlich aus eigenen Kräften mit dem Gipfelteil sich wieder aufrichtet, in merkwürdiger Weise auf Die Aufwärtskrümmung beginnt für gewöhnlich dicht hinter, der Gipfelknospe und schreitet von da basalwärts fort. Dadurch wird nach und nach eine immer längere Strecke des Stengels erhoben und sogar nach rückwärts, oft sehr bedeutend, übergekrümmt. Die Ueberkrümmung über die Lotlinie hinaus, einerseits Folge der in den basalen Teil fortschreitenden Krümmung, anderseits auch das Resultat von Nachwirkungen, wird dann durch entgegengesetzte Krümmungen oben wieder ausgeglichen und dies Spiel dauert so lange, bis der noch wachsende obere Teil des Stengels vollkommen senkrecht gestreckt ist. Eine scharfe Krümmung bleibt nur da zurück, wo die noch langsam wachsenden basalen Stengelteile an fertig ausgewachsene, nicht mehr bewegungsfähige, angrenzten. Die Erklärung dieser Bewegungsformen, die man wie ihre genaue Feststellung samt der Erkenntnis, dass hier typische Reizerscheinungen vorliegen, Julius Sachs verdankt, wurde mit Hilfe der von Sachs gezeichneten Tafeln[1]) gegeben.

Zur Aufnahme der Beobachtungs-Serie braucht man hier natürlich keinen Momentapparat wie bei laufenden oder fliegenden Tieren; es genügt, etwa von halber zu halber Stunde, oder von Stunde zu Stunde, je nach dem Verlauf der Bewegung, eine Aufnahme zu machen, für die ein genauer Schattenriss zur Not schon genügt. Die so im Laufe mehrerer Stunden gewonnene Bilderreihe durchläuft im. Apparat das Gesichtsfeld in etwa einer Sekunde und dementsprechend ist natürlich die Geschwindigkeit der Bewegung vervielfältigt, ihr Eindruck außerordentlich lebendig. Die sich folgenden Phasen der Bewegung, ihr Charakter als Reizerscheinung und das dabei zu erreichende Ziel gelangen so zu unmittelbarstem, gleichsam beredtem Ausdruck.

Der Schnellseher in seiner gewöhnlich gebräuchlichen Ausstattung zeigte sich für diese Anwendung zuerst sehr wenig geeignet. Er hat bei Tierbildern ja nur den flüchtigen Gesamteindruck sehr rascher, periodischer Bewegungen wiederzugeben, welche uns in ihren Einzelstadien überhaupt gar nicht zu Bewusstsein kommen, wie das der so fremdartige Eindruck von Momentbildern laufender Tiere ja auffallend beweist. Gerade auf diese Einzelstadien kommt es aber bei der Wiedergabe einfacher pflanzlicher Bewegungen an; sie müssen in ihrer charakteristischen Form und Folge klar zum Ausdruck gelangen.

Um dies zu erreichen, war es vor allem nötig, an dem, wie Vortragender darlegte, optisch sehr unvollkommenen Apparate einige Verbesserungen anzubringen. Die Wirkung des Apparates auf unser Auge beruht wesentlich auf einem physiologischen Momente, auf der Nachwirkung, welche ein empfangener Lichteindruck über die Dauer seiner physikalischen Einwirkung hinaus in unseren Sehnerven zurücklässt. Bei genügend rascher Umdrehung des Apparates kommt nun ein nächstfolgendes Bild bereits zu frischer Wirkung, während

---

1) Beigegeben den Arbeiten des botan. Instituts in Würzburg, III. Bd., Heft 4, 1888.

der Eindruck des vorhergehenden noch nicht erloschen ist. Damit setzt dann ein rein psychologisches Moment ein, welches die beiden Eindrücke in unserer Vorstellung so verbindet, dass der Schein einer, beide Eindrücke vermittelnden Bewegung entsteht.

Je ungestörter demnach die einzelnen Bilder zu ausschließlicher Einwirkung in unser Auge gelangen, um so vollkommener ist die optische Einrichtung des Apparates. Je geringer außerdem die Abweichung zwischen den aufeinanderfolgenden Stadien, desto leichter und vollkommener vollzieht sich die psychologische Vermittlung, die Täuschung einer zusammenhängenden Bewegung. Besonders bei der stroboskopischen Darstellung von Pflanzenbewegungen, deren Eindruck uns nicht so geläufig ist, wie z. B. der Anblick eines galoppierenden Pferdes und bei denen es, wie erwähnt, auch auf bewusstes Erfassen der Zwischenstellungen ankommt, muss diesem psychologischen Momente durch die Aufnahme einer großen Zahl von Zwischenstadien Rechnung getragen werden.

Was die rein optische Seite des Apparates betrifft, so ist dieselbe hauptsächlich in zwei Punkten verbesserungsfähig und verbesserungsbedürftig. Zwischen je zwei Schaulöchern der Trommel erstreckt sich die Trommelwand in einer Ausdehnung, die das 10—20 fache der Lochbreite beträgt. Der von der Trommelwand ausgehende Lichteindruck auf unser Auge hat deshalb eine 10—20 mal längere Dauer als der Lichteindruck, welcher durch ein Schauloch kommt. Ist die Trommelwand hell, bunt oder gar weiß, wie bei den im Handel eben erscheinenden Schnellsehern mit Anschütz'schen Serien, dann wird durch das Licht der äußeren Trommelwand der Bildeindruck auf der Netzhaut jedesmal gestört, die Nachwirkung desselben verwischt. Die theoretische Forderung, dass zwischen den Bild - Eindrücken kein anderer die Netzhaut affiziere, dass die letztere in der Zwischenzeit ruhe, beziehungsweise die Nachwirkung ungestört zur Geltung kommen lasse, wird praktisch am besten erfüllt durch Dunkelheit während der Pausen, wodurch auch anderseits die Reizempfänglichkeit für das nachfolgende Bild gesteigert wird. Die Trommelwand ist daher, wenigstens zwischen den Schaulöchern, tief mattschwarz zu halten, was durch einen Anstrich von Elfenbeinschwarz leicht erreicht werden kann.

Eine zweite sehr wesentliche Störung wird dadurch bedingt, dass für alle Beobachter, deren Pupillen nicht gerade so weit von einander entfernt sind, wie etwa die Mittellinien der Schaulöcher der Trommel[1]) und deren verlängerte Augenaxen (Blicklinien v. Helmholtz') daher nicht bequem auf einen gemeinsamen Punkt der Innenwand gerichtet werden können, das Bild eines Bewegungsstadiums in beiden Augen nicht gleichzeitig und nicht auf den sogenannten identischen Netzhautstellen erscheint. Da wir nun gewohnt sind, die Dinge mit beiden Augen zugleich zu betrachten und so zu fixieren, dass die Bildchen, auf identische Netzhautorte fallend, von uns zu einem einzigen Bilde kombiniert werden, so bringt die zeitliche und örtliche Differenz der auf beide Augen gesondert einwirkenden Bilder einen eigentümlich verwirrenden Eindruck hervor. Die Bilderreihe erscheint, wie das so manchem Betrachter eines Stroboskops schon aufgefallen sein wird, in der Bewegung unstet und zitternd, da in unserer Vorstellung sich in der That zwei diskordante Eindrucksfolgen vermengen. Entfernt man sich mit dem Gesichte von der Trommelwand, so wird diese verwirrende Störung auffallend verringert, wie das bei

---

1) Der Abstand der Pupillen von einander ist aber individuell sehr verschieden.

eingehender Erwägung der hier in Betracht kommenden Verhältnisse, die mit
der verkleinerten Parallaxe der Blicklinien zusammenhängen, erklärlich ist.
Die besagte Störung lässt sich aber auch ganz und gar vermeiden dadurch,
dass das jedem Schauloch gegenüber liegende Bild mit Hilfe zweier vertikaler
Spiegelpaare den beiden Augen gleichzeitig und mit entsprechender Strahlen-
divergenz zureflektiert wird. Es zeigte sich, dass damit der Eindruck der
Bewegung des nun bloß in der Einzahl erscheinenden Objekts ganz ungemein
an Klarheit gewann, dass nun aber das Bild, welches nur momentan beim
Passieren der Kante der vorderen spiegelnden Prismenflächen in die Augen
gelangt, bei gewöhnlicher Lampen- und Gasbeleuchtung zu lichtschwach wurde
und eben dadurch wieder viel an seiner Wirkung einbüßte. Aus diesem Grunde
wurde auf die vollständige Korrektion der genannten Störung mittels der
Spiegeleinrichtung ganz verzichtet und mit der schon recht wesentlichen Verbesserung vorlieb genommen, welche die bloße Entfernung der Augen von der
Trommelwand mit sich bringt. Um nun die Augen in derjenigen Entfernung
zu halten, die sich empirisch als die vorteilhafteste erwiesen hatte[1]), und um
außerdem alles fremde störende Licht von den Augen abzuhalten, wurde in
der Höhe der geschwärzten Schauloch-Zone ein Tubus vor dem Apparat angebracht. Dieser Tubus, mit breitgezogenem rechteckigem Querschnitt, innen
geschwärzt, schloss sich einerseits mit thunlich geringstem Zwischenraum an
die Rundung der Trommelwand an und erweiterte sich (etwa im Verhältnis
der verlängerten Trommelradien) nach außen so, dass er bequem beide Augen
umschließen konnte. Er war wie die Trommel aus Pappdeckel gefertigt und
mittels rechtwinklich umgebogener dünner Messingröhre direkt an dem Fuß-
gestell des Apparates befestigt. — Mit Hilfe dieser einfachen Verbesserungen
erschien dann die Bilderreihe recht klar in den Umrissen und wohlthuend
stetig und einheitlich in der Bewegung.

Im Sommer gedenkt der Vortragende noch Bilderserien von anderen
Pflanzenbewegungen, wie z. B. das Greifen und Aufrollen von Ranken, die
periodischen Bewegungen von Blattorganen (nyktitropische u. a.) aufzunehmen,
um dieselben in ihrem charakteristischen Verlauf in den Vorlesungen einmal
vollständig und in kurzer Zeit vorführen zu können.

---

1) Zu weite Entfernung lässt bei der bekannten Anordnung von Bildern
und Schaulöchern auch Teile der ersteren verschwinden.

---

*Einsendungen für das Biol. Centralblatt bittet man an die **Redaktion, Erlangen, physiol. Institut, Bestellungen** sowie alle
geschäftlichen, namentlich die auf **Versendung des Blattes,**
auf **Tauschverkehr** oder auf **Inserate** bezüglichen Mitteilungen
an die **Verlagshandlung E d u a r d B e s o l d, Leipzig,
Salomonstr. 16,** zu richten.*

Verlag von Eduard Besold in Leipzig. — Druck der kgl. bayer. Hof- und
Univ.-Buchdruckerei von Fr. Junge (Firma: Junge & Sohn) in Erlangen.

Biologisches Centralblatt

unter Mitwirkung von

Dr. M. Reess und **Dr. E. Selenka**

Prof. der Botanik Prof. der Zoologie

herausgegeben von

Dr. J. Rosenthal

Prof. der Physiologie in Erlangen.

24 Nummern von je 2 Bogen bilden einen Band. Preis des Bandes 16 Mark.
Zu beziehen durch alle Buchhandlungen und Postanstalten.

XII. Band. 15. Juni 1892. **Nr. 11 u. 12.**

Einige Beobachtungen über den Einfluss der Ernährung auf die Beschaffenheit der Pflanzenzelle.

Von Dr. **Th. Bokorny.**

Beobachtungen an Algenzellen zeigten mir aufs deutlichste, dass die Ernährung großen Einfluss auf die Form und innere Ausbildung derselben übt und Verschiedenheiten hervorzurufen vermag, die man von vornherein nicht vermuten möchte. Die Differenzen sind mitunter so groß, dass es schwer wird, die Identität auf den ersten Blick zu erkennen.

Freilich beziehen sich diese Beobachtungen auf Pflanzen, die in gewissem Sinne einzellig sind, d. h. aus lauter gleichartigen Zellen bestehen und unter bestimmten Bedingungen in einzelne Zellen, welche sich dann als Individuen verhalten, zerfallen können. Hier spielt sich das gesamte Pflanzenleben in einer Zelle ab, ein und dieselbe Zelle ist befähigt zur Ausübung sämtlicher pflanzlichen Thätigkeiten. Veränderungen, welche durch verschiedene Ernährung hervorgerufen werden, treten hier voll und ganz an der einzelnen Zelle zu Tage, während sie bei höher organisierten Pflanzen am Gesamtorganismus, der aus Tausenden von Zellen und vielerlei Zellen besteht, zum Ausdruck kommen, nur in beschränktem Maße an der einzelnen Zelle.

Spirogyren, meine hauptsächlichsten Versuchspflanzen, bilden in der Regel mehr oder weniger lange Fäden, die aus gleichartigen zylindrischen Zellen bestehen. Jede besitzt eine doppelte oder dreifache Zellhaut, ein dünnes wandständiges Cytoplasma mit spiralig

XII.

gewundenen seltener gerade verlaufenden Chlorophyllbändern, und
einen großen Saftraum, in dessen Mitte der Zellkern an Plasmodien-
strängen suspendiert liegt, welch letztere nach Pringsheim in die
Stärkeherde auslaufen. Die Stärkeherde oder Pyrenoide liegen in
den Chlorophyllbändern und treten dort in gewissen mehr oder weniger
großen Abständen auf; an ihrer Oberfläche entsteht die Stärke, das
erste sichtbare Assimilationsprodukt. Die Zahl der Chlorophyllbänder
ist je nach der Spirogyren-Art wechselnd. Der Zellkern besitzt häufig
Scheibenform mit allmählich sich verdünnenden Rändern (im optischen
Durchschnitt spindelförmig), mitunter auch rundliche Gestalt.

Wenn wir Spirogyren verschiedenen Ernährungsbedingungen aussetzen, so treten Schwankungen auf in der Gesamtform und Länge
der Zellen; der Lage, Breite und Färbung der Chlorophyllbänder sowie ihrem Stärkegehalt; im Eiweißgehalt des Cytoplasmas; endlich in der Zusammensetzung des Zellsaftes.

Ich experimentierte vorzugsweise mit *Spirogyra majuscula*, welche
gegen veränderte Ernährungsbedingungen empfindlicher ist als viele
anderen *Spirogyra*-Species.

Was zunächst die Gesamtform der Zelle anbetrifft, so ist
dieselbe normalerweise die eines Zylinders.

Im Stadium der Kopulation schwellen dieselben bauchig an und
gewinnen das Aussehen einer Tonne.

Auftreibung der Zellform lässt sich indess auch künstlich erzielen
durch bestimmte Ernährungsverhältnisse.

Bekanntlich gehören zur vollständigen Ernährung der Pflanzen
außer Kohlensäure folgende Mineralstoffe: Kaliumsalze, Nitrate, Phosphate, Sulfate, Calcium- und Magnesiumsalze, geringe Mengen Eisen,
vielleicht etwas Chlor.

Gewöhnlich gibt man nach Nobbe der Nährlösung folgende Zusammensetzung:

Chlorkalium	1	g
Salpetersaurer Kalk . .	2	„
Schwefelsaure Magnesia .	0,8	„
Eisenphosphat	0,12	„
Monokaliumphosphat . .	0,52	„

4,44 g auf 4 Liter Wasser.

Doch dürfte für Algenkulturen nach O. Loew folgende Mischung
zweckmäßiger sein:

Salpetersauren Kalk . .	2	g
Schwefelsaure Magnesia .	0,8	„
Eisenchlorid	0,02	„
Monokaliumphosphat . .	0,2	„

3,02 g auf 10 Liter Wasser.

Letztere Lösung zeigt andere Mengenverhältnisse der einzelnen Stoffe, hat kein Chlorkalium und ist verdünnter wie erstere, was für Algen mitunter vorteilhaft ist, da sie durch größere Konzentrationen leicht geschädigt werden. Selbstverständlich muss bei Gebrauch der letzteren Nährlösung eine größere Quantität derselben angewandt werden, was überhaupt, auch aus einem andern Grunde, anzuraten ist; denn die Spirogyren und andere Algen lieben es, recht locker zu liegen, so dass ziemlich große Abstände zwischen den einzelnen Fäden bleiben; ist das nicht der Fall, so ersticken leicht die inneren Fäden des Rasens und ziehen dadurch eine Unzahl von Spaltpilzen und Infusorien herbei, welche die Kultur schädigen.

Verwendet man nun die Nährlösung ganz, so findet normale Entwicklung statt. Lässt man aber das Kalium aus derselben weg, indem man statt Monokaliumphosphat Mononatriumphosphat hinzufügt, so zeigt sich eine merkwürdige Veränderung an den Fäden. Sie werden steif und zerbrechlich, zerfallen bald in kurze Stücke und schließlich in einzelne sich zu Boden setzende Zellen, so dass nun nicht mehr in der Flüssigkeit schwebende Fäden sichtbar sind, sondern statt dieser ein grüner pulveriger Satz. Die Zellen zeigen unter dem Mikroskop Auftreibungen, entweder in der Mitte oder häufiger am Ende, welche oft mit einer Krümmung verbunden sind. Es macht den Eindruck, als wäre der von innen auf die Zellwand wirkende Turgordruck stärker und in der Wirkung ungleichmäßiger geworden, als er zuvor gewesen war. Auf ein Steigen des Turgors ist wohl das Zerfallen der Fäden in kurze Stücke und einzelne Zellen zurückzuführen; er wird schließlich so stark, dass die äußere, benachbarte Zellen umschließende gemeinsame Zellhautschicht zerrissen wird. Im Moment des Zerreissens wölben sich dann die Enden der einzelnen Zellen vor, da sie nun frei an Wasser grenzen und nicht den Gegendruck der Nachbarzelle mehr auszuhalten haben; allmählich tritt die Auftreibung der Zellenden ein, die, wenn sie beiderseits stattfindet, der Zelle ein hantelförmiges Aussehen gibt.

Eigentümliche Formveränderungen bemerkte ich ferner an verschiedenen Spirogyren, als ich sie 8 Tage in gewöhnlicher mineralischer Nährlösung liegen ließ, der noch 0,25% Bittersalz beigemischt war. Die Fäden, welche 4 verschiedenen Arten (*Sp. Braunii, Weberi, decimina* und *jugalis*) angehörten, zeigten makroskopisch normales Aussehen; sie waren schön grün, schief (nach der Lichtseite hin) aufgerichtet, und lagen fast parallel in Schlangenkrümmungen neben einander. Unter dem Mikroskop bemerkte ich an einigen Zellen Verzweigungen ersten und sogar zweiten Grades, in welche auch die Chlorophyllbänder sich hinein erstreckten; die Zweige waren der einen Querwand genähert und schmäler als die ursprüngliche Zelle selbst.

In der Natur fand ich bis jetzt stets unverzweigte vegetative Spirogyrenzellen vor.

21 *

Die Länge der Zellen ist bei Spirogyren ungemein variabel, je nach der Art der Nährlösung, in welcher sie sich befinden.

So hat O. Loew[1]) hierüber folgendes beobachtet.

In zwei je 5 Liter haltende Glasflaschen wurden je 2 Liter Nährlösung von folgender Zusammensetzung gebracht:

Kaliumnitrat . . . 0,2 pro mille
Calciumnitrat . . 0,2 „   „
Natriumsulfat . . 0,1 „   „
Magnesiumsulfat . 0,1 „   „
Ferrosulfat . . . Spur.

Eine der Lösungen enthielt außerdem noch 0,1 p. m. Monokaliumphosphat und manchmal wurden ein paar Blasen Kohlensäure in beide Flaschen, die mit Glasstöpsel verschlossen wurden, eingeleitet.

Der Schwefel wurde außerdem noch in Form von Methylsulfid (je 0,05 p. m.), das sich bei anderen Versuchen als günstig erwiesen hatte, zugesetzt.

„Nach 4 Wochen ergab sich schon beim bloßen Anblick ein sehr großer Unterschied: Die Vegetation der Phosphatalgen nahm einen viel größeren Raum ein als die der Kontrolalgen und das schöne Dunkelgrün der ersteren kontrastierte sehr mit dem Gelblichgrün der letzteren".

Bei mikroskopischer Untersuchung ergab sich, dass die mit Monokaliumphosphat versetzten Algen fast doppelt so lange Zellen hatten als die Algen der phosphatfreien Nährlösung.

Sehr erhebliche Längenveränderung erzielte ich an den Zellen einer frisch gesammelten *Spir. majuscula*, als ich sie in Kultur nahm und 8 Tage ins Dunkle verbrachte.

Die Zellen der frisch eingebrachten *Spirogyra* waren außergewöhnlich kurz, etwa $^1/_3$ so lang als dick. Nach 8 tägigem Stehen im Dunkeln (zuerst unter Zusatz von mineralischer Nährmischung, dann mit bloßem Brunnenwasser) übertraf der Längendurchmesser um das 4 fache den Dickendurchmesser, also um das 12 fache den ursprünglichen. Es zeigten sich Hungererscheinungen an den Zellen; die Chlorophyllbänder waren jetzt ganz stärkefrei, oft nicht mehr als die halbe Länge der Zelle ausmessend.

Besonders empfindlich gegen Veränderungen der Nährflüssigkeit sind auch die Chlorophyllbänder.

Sie zeigen insbesondere bei *Spir. majuscula* Wandlungen, welche auf den ersten Blick staunenswert erscheinen.

Spir. majuscula hat früher den Artnamen „*orthospira*" geführt, weil in deren Zellen die Chorophyllbänder häufig fast gerade verlaufend, d. h. parallel zum Längsdurchmesser der Zellen, angetroffen werden, während sie sonst spiralig gewunden sind.

---

1) Biolog. Centralblatt, 1891.

Nun kann man aber schon in der Natur großen Schwankungen in dieser Hinsicht begegnen. Ich habe diese Art an ein und demselben Standort Jahre hindurch beobachtet und das einemal Fäden mit geraden Chlorophyllbändern, das anderemal solche mit sehr steilen Windungen, wieder ein andresmal solche mit sehr niedrigen Windungen vorgefunden.

Kulturversuche zeigten mir, dass dies mit den Ernährungsverhältnissen zusammenhängt.

Lässt man das Kalium aus der Nährlösung weg, schließt man also die Kohlensäureassimilation aus, so verkürzen sich die Chlorophyllbänder, besser gesagt, sie wachsen nicht mehr; und, indem das Wachstum der Zellen fortgeht, nehmen sie eine steile und allmählich ganz gerade Lage in der Zelle an.

Gleichzeitig tritt auch eine Verschmälerung der Chlorophyllbänder ein; sie ziehen zunächst ihre Zacken ein und schrumpfen dann zu schmalen Streifen zusammen.

Erfolgt nun nicht bald eine Nahrungszufuhr, so sterben die Chlorophyllbänder ab und werden damit funktionsunfähig, während die übrige Zelle noch längere Zeit fortleben kann.

Bei Spirogyren mit raschem Stoffwechsel kann man diesen Zustand bei vollem Licht- und Kohlensäurezutritt binnen 2 bis 3 Tagen herbeiführen, wenn man eine nur etwas Calciumnitrat und Magnesiumsulfat enthaltende Nährlösung anwendet. Durch diese beiden Salze wird rasch alles verfügbare Kohlehydrat in Eiweiß umgesetzt, welches zum Aufbau der Protoplasmaorgane dient, neue Kohlehydratmengen werden wegen Kaliummangels nicht oder nur in geringem Maße gebildet und so tritt rasch jener eben geschilderte Hungerzustand ein.

Aehnliches kann man durch Verdunkelung erreichen, da ja bei Lichtabwesenheit die Kohlensäureassimilation völlig aufhört.

Doch ist es von größter Wichtigkeit, jene beiden eben genannten Salze hinzuzufügen, da sonst der Verbrauch noch vorhandener Nahrungsvorräte außerordentlich langsam vor sich geht und Hungerzustände nur ganz allmählich eintreten.

Häufig werden Pflanzen oder Pflanzenteile behufs Aushungerung einfach mit etwas destilliertem Wasser oder Brunnenwasser ins Dunkle verbracht. Soweit meine Erfahrungen gehen, ist das ein sehr unvollkommenes Mittel zur Erreichung jenes Zweckes; ich musste oft mehrere Wochen, ja bisweilen Monate lang warten, bis der gewünschte Zustand eingetreten war.

Bei Anwendung von Calciumnitrat und Magnesiumsulfat dürfte man dieser Unannehmlichkeit nicht ausgesetzt sein; wenigstens kam ich bei Spirogyren unter solchen Umständen stets binnen wenigen Tagen zum Ziel.

Unterbricht man den Hungerzustand rechtzeitig, durch Belichtung, Kohlensäure- und Kaliumzufuhr, oder auch durch organische Ernährung, so dehnen sich die Chlorophyllbänder wieder aus, sie nehmen die ursprüngliche Breite an, zeigen wiederum Zacken und winden sich spiralig um die Zellen, indem sie länger werden.

Die Masse der Chlorophyllbänder kann bei guter Ernährung so zunehmen, dass die ganzen Zellen grün gefärbt erscheinen; dann sind die Chlorophyllbänder durch ungewöhnliche Verbreiterung so nahe an einander gerückt, dass kaum mehr farblose Stellen dazwischen übrig bleiben.

Ganz ähnliche Dinge konnte ich auch an Zygnemen bei künstlicher Ernährung wahrnehmen. Auch bei ihnen ist der Umfang der hier sternförmig gestalteten Chromatophoren, die Länge und Zahl seiner Strahlen etc. sehr wechselnd, je nach der Nährlösung, in welcher sich die Algen befinden.

Der Stärkegehalt der Chlorophyllbänder hängt von 2 Dingen ab, von der Neubildung von Kohlehydraten aus Kohlensäure oder aus dargebotenen organischen Verbindungen und von dem Verbrauch der Kohlehydrate.

Je nachdem der eine oder der andere Vorgang überwiegt, wird man bald viel, wenig oder auch gar keine Stärke in den Chlorophyllkörpern antreffen.

Thatsächlich findet man auch in Spirogyren, die man direkt nach dem Einsammeln untersucht, sehr verschiedenen Stärkegehalt.

Die Stärkeanhäufung kann sehr gesteigert werden, indem man außer der Kohlensäure noch zur Stärkebildung taugliche organische Stoffe hinzutreten lässt und den Verbrauch auf ein Minimum herabdrückt.

Verbringt man Spirogyren in eine (öfters zu wechselnde) Auflösung von 0,2 proz. Methylalkohol oder Glyzerin in aq. dest. — ohne weiteren Zusatz als etwas Monokaliumphosphat — und lässt sie in offenen Glasgefäßen am Lichte stehen, so sind die Bedingungen der Kohlensäureassimilation, der Stärkebildung aus organischer Substanz, und des geringen Stärkeverbrauches zugleich gegeben.

In solchen Kulturen findet man nach einigen Tagen enorme Stärkemengen vor. Die schon vorhandenen Stärkeherde haben sich mit einer mächtigen Hülle von Stärkekörnern umgeben und außerdem sind neue Stärkeherde aufgetreten, die ebenfalls Stärke produzieren. Das ganze Chlorophyllband ist so mit Stärke vollgepfropft, dass kaum mehr Zwischenräume zwischen den einzelnen Stärkekörnchen übrig bleiben.

Niemals konnte ich in der Natur eine solche Stärkeanhäufung in Spirogyren beobachten wie bei dieser künstlichen Ernährung.

Für den ersten Blick auffallend erscheint die öfters konstatierte Thatsache, dass Spirogyren, die vollkommen entstärkt sind, allmählich etwas Stärke ansetzen, wenn man sie in aq. dest. verbringt und ans Licht stellt. Da Kaliumsalze zur Assimilation nötig sind, wie schon von mehreren Forschern bestimmt erkannt wurde (zuerst von Nobbe), so sollte man denken, dass in destilliertem Wasser keine Stärkebildung erfolgen könne.

Indess findet sich doch in jedem Spirogyrenfaden von vornherein eine gewisse Kalium-Menge vor, welche vielleicht in Form eines Kaliumalbuminates in den Chlorophyllbändern steckt; sie wird natürlich durch das Aushungern nicht entfernt, und die Spirogyren werden also gemäß diesem Kaliumgehalt assimilieren.

Da in destilliertem Wasser fast kein Verbrauch von Kohlehydraten stattfindet, so wird dadurch das Auftreten von Stärkekörnern in den Chlorophyllbändern noch weiter begünstigt.

Von besonderem Interesse in gewisser Hinsicht ist die Thatsache, dass man Spirogyren, Zygnemen etc. zur Stärkebildung zwingen kann, indem man sie in eine Auflösung von 0,1 proz. formaldehydschwefligsaurem Natron + 0,05 proz. Dinatriumphosphat verbringt[1]. Auch wenn man nun die Kohlensäure vollständig ausschließt — durch Anwendung ausgekochten Versuchswassers, Einstellen in einem kohlensäurefreien Raum — tritt binnen wenigen Tagen reichlich Stärke in den Chlorophyllbändern auf.

Das formaldehydschwefligsaure Natron wird von den lebenden Algenzellen gespalten, und der frei werdende Formaldehyd sofort zu Kohlehydrat kondensiert und als Stärke niedergeschlagen.

Die Pflanzen vermehren dabei ihr Trockengewicht und die Nährflüssigkeit nimmt erheblich ab an Reduktionsvermögen gegen Kaliumpermanganat.

Hierin liegt eine teilweise experimentelle Bestätigung der Baeyer'schen Assimilationshypothese, wonach aus Kohlensäure bei der Assimilation zunächst Formaldehyd dann Kohlehydrat wird.

Die Zellen bleiben bei dieser Art der Ernährung ganz normal und ich konnte sie wochenlang bei Ausschluss von Kohlensäureassimilation kultivieren, ohne dass sie an gesundem Aussehen einbüßten.

Auch das Cytoplasma ist in Menge und Zusammensetzung sehr abhängig von der Ernährung.

Der Eiweißgehalt desselben schwankt je nach der Zufuhr stickstoffhaltiger und anderer Substanzen von außen.

Bei Spirogyren ist zwischen den beiden Organen des Cytoplasmas, der äußeren und inneren Hautschicht, von denen die erstere die Celluloseabscheidung besorgt, die letztere als Vakuolenwand funktioniert, mehr oder weniger flüssiges nicht organisiertes aktives Eiweiß abgelagert.

---

1) Th. Bokorny, Ueber Stärkebildung aus Formaldehyd. Ber. d. d. bot. Ges., 1891, Heft 4.

Dieses Eiweiß schwankt seiner Menge nach sehr je nach den Ernährungsverhältnissen; durch Aushungerung der Zellen kann man es soweit bringen, dass nur noch ganz geringe Mengen (mit Caffein, wodurch es in kleinen Kügelchen ausgeschieden wird) nachgewiesen werden können.

Ferner sind nach O. Loew[1]) Phosphate von großem Einfluss auf die Menge dieses Eiweißes. Dieselben bewirken einen Verbrauch desselben, indem wahrscheinlich eine Umbildung des aktiven Albumins in organisierte Materie eintritt.

Auch bezüglich des Fettgehaltes im Cytoplasma konnte O. Loew höchst auffallende Unterschiede konstatieren, je nachdem er die Phosphate aus der Nährlösung wegließ oder dieser zusetzte.

Er sagt[2]): „Was die Fettreaktion betrifft, so gaben die Phosphatzellen nach 12stündigem Aufenthalt in 1prozentiger Ueberosmiumsäure nur selten eine stärkere Reaktion, meist nur schwache Graufärbung; die Kontrolzellen aber gaben in der Regel so intensive Schwärzung, dass das Chlorophyllband nicht zu erkennen war. Bei denjenigen Kontrolzellen, welche etwas weniger intensive Reaktion zeigten, schien es, als ob jene minimalen nur bei 1000facher Vergrößerung sichtbaren Partikeln, welche im strömenden Plasma die Körnchen bilden, sich stärker geschwärzt hätten, als der Rest des Plasmas, was Fettspeicherung vermuten lässt. — Der Grund jenes auffallenden Unterschiedes im Fettgehalte der Zellen bei An- resp. Abwesenheit von Phosphaten mag entweder darin liegen, dass bei der bedeutenden Streckung der Phosphatzellen der aus dem Stärkmehl gebildete Zucker zur Cellulosebildung diente, während die entsprechende Menge bei den im Wachstum gehinderten Kontrolzellen in Fett umgewandelt wurde — oder dass bei der durch Phosphatzufuhr begünstigten Umwandlung von Fett in Lecithin das Fett leichter zur physiologischen Verbrennung gelangte, als in den Kontrolzellen. Möglicherweise wirkten beide Umstände zusammen".

Merkwürdige Wandlungen erleidet auch der Zellsaft, die Vakuolenflüssigkeit, in der Zusammensetzung, wenn man die Zellen verschiedenen Ernährungsbedingungen aussetzt.

Bekanntlich ist der Zellsaft eine wässerige Auflösung verschiedener Stoffe, von Salzen organischer Säuren, häufig Gerbstoff, bisweilen auch Eiweiß etc.

Der Gerbstoff (eine Kollektivname für gewisse physiologisch gleichwertige im Zellsaft gelöste aromatische Oxyverbindungen) tritt in Spirogyren in sehr verschiedener Menge auf (bis zu 5% der Trockensubstanz). Selten findet man solche, die fast gerbstofffrei sind.

Da die Natur selbst bald gerbstoffreiche, bald gerbstoffarme

---

1) Dieses Centralblatt, 1891, S. 280.
2) l. c. S. 279.

Spirogyren erzeugt, muss es möglich sein, durch künstliche Züchtung den Gerbstoffgehalt derselben zu beeinflussen.

O. Loew und Verf. stellten vor einiger Zeit Versuche in dieser Hinsicht an und fanden, dass es durch geeignete Züchtung möglich ist, gerbstoffhaltige Spirogyren von Gerbstoff völlig zu befreien.

Wir beschrieben die erhaltenen Resultate damals folgendermaßen[1]):

„Nachdem wir schon 1881 beobachtet hatten, dass in nitrathaltiger Nährstofflösung der Gerbstoff abnimmt (chem. Kraftquelle S. 87), glaubten wir, durch Begünstigung der Eiweißbildung einen starken Verbrauch von Gerbstoff herbeiführen zu können. Zwar ist nachgewiesen worden, dass der Gerbstoff kein Reservestoff ist und weder als Atemmaterial noch als Eiweißbildungsmaterial normalerweise im Pflanzenkörper verbraucht wird; allein wir dachten, dass bei Mangel zur Eiweißbildung geeigneter Stoffe, wie Kohlehydrate und Asparagin, wohl auch Gerbstoff verwendet werden könnte, vorausgesetzt, dass alle übrigen für die Eiweißbildung wichtigen Umstände günstig gelagert seien.

„Zudem bewiesen Versuche mit Schimmelpilzen, dass Gerbstoff zur Eiweißbildung dienen kann. In einer Lösung von Tannin (1 g), Monokaliumphosphat (2 g), Diammonphosphat (1 g), Magnesiumsulfat (0,01 g), Natriumsulfat (0,10 g) und Calciumchlorid (0,01 g) in 200 g aq. bildete sich innerhalb 8 Tagen aus einer kaum sichtbaren angesäeten Schimmelsporenmenge eine Schimmeldecke, welche mit Sporen dicht bedeckt war. Nach 4 Wochen betrug das Gewicht der bei 100° getrockneten Schimmelmasse nach Abzug der Asche = 0,124 g.

Bei Spirogyren lieferte nach längerer Versuchsreihe folgende Nährlösung ein über alles Erwarten günstiges Resultat: Zu destilliertem Wasser wurden je 0,1 pro mille Kalium- und Natriumnitrat, Bittersalz und Glaubersalz gesetzt. In diese Lösung wurde eine relativ kleine Menge *Spirogyra nitida* gebracht, welche mäßigen Gehalt an Stärkemehl, Fett und Gerbstoff aufwies. Das Gefäß wurde an einer nicht zu hellen Stelle des Zimmers belassen, um die Assimilationsthätigkeit auf ein Geringes herabzusetzen; denn, dass bei lebhafter Assimilation Gerbstoff als Nebenprodukt entstehen kann, haben Westermayer und G. Kraus dargethan. Nach 12 Tagen waren die Fäden gesund und völlig frei von Fett und Gerbstoff, arm an Stärkemehl. Eisenvitriol (bei Luftzutritt) und Eisenchlorid ergaben völlige Abwesenheit von Gerbstoff im Filtrat des Decoctes".

Von größerem Interesse dürfte endlich auch noch die Thatsache sein, dass der Zellsaft der Spirogyren bisweilen große Mengen von gelöstem Eiweiß enthält, welches bei Einwirkung einer 0,1 prozentigen Coffeïnlösung in ziemlich stark lichtbrechenden Kugeln ausgeschieden wird.

---

1) Botan. Centralblatt, 1889, Nr. 39.

An einer im Dezember gesammelten *Spirogyra* fand ich einmal so große Mengen von Eiweiß im Zellsaft vor, dass die mit Coffein ausgefällten Kugeln den Zellsaftraum mehr als zur Hälfte anfüllten, was einen merkwürdigen Anblick gewährte. Die Kugeln ergaben die üblichen mikrochemischen Eiweißreaktionen.

Mitunter trifft man auch Spirogyren an, die mit Coffein kaum Spuren von Ausscheidungen im Zellsaft geben; sie enthalten fast kein Eiweiß im Zellsaft und nähern sich mit diesem Verhalten dem sehr vieler anderer Pflanzenzellen.

Durch welche Ernährungsverhältnisse das mehr oder weniger reichliche Auftreten von Eiweiß in der Vakuolenflüssigkeit bedingt ist, darüber sind Studien beabsichtigt.

Ueber die Vorgänge beim Einfrieren und Austrocknen von Tieren und Pflanzensamen.

Von Dr. W. Kochs, Privatdozent.

Die in früheren Arbeiten[1]) von mir berichteten Versuche und Beobachtungen über die Möglichkeit der zeitweisen Unterbrechung der Lebensvorgänge durch Kälte oder Austrocknen ergaben, dass Tiere und Pflanzen nicht in wirklichen Scheintod verfallen können. Kühlt man Tiere soweit ab, dass alles Wasser in ihrer Leibessubstanz krystallisiert, so werden dieselben beim Auftauen niemals mehr lebendig. Trocknet man Tiere und Pflanzen selbst ohne stärkere Erwärmung z. B. über Phosphorsäureanbydrid, so quellen dieselben beim Befeuchten zwar wieder auf, ohne jedoch wieder lebendig zu werden. Sporen und Samenkörner können hingegen durch Abkühlen oder Trocknen in einen Zustand gebracht werden, wo unsere feinsten Hilfsmittel keinen Stoffwechsel mehr nachweisen können. Dennoch behalten dieselben und zwar für wahrscheinlich sehr lange Zeit die Fähigkeit unter geeigneten Verhältnissen wieder lebendig zu werden. In der pflanzlichen und tierischen Eizelle allein scheint das Leben längere Zeit schlummern zu können. Ist dasselbe aber einmal erwacht, hat sich ein Wesen mit Stoffwechsel gebildet, dann kann das Werden und Vergehen des Lebens erst wieder in einer von diesem Wesen gebildeten Eizelle zum zeitweiligen Stillstand kommen.

Durch unsere jetzigen Hilfsmittel ist über die Natur dieses Still-standes, ob er wirklich mit der Ruhe eines Krystalles vergleichbar ist, oder ob es sich doch um minimales Leben handelt, schwerlich eine weitere Kenntnis zu erlangen. Weshalb aber das Leben, wenn es durch Kälte oder Eintrocknen erloschen ist, durch Wärme oder

---

1) W. Kochs, Kann die Kontinuität der Lebensvorgänge zeitweilig völlig unterbrochen werden? Biol. Centralbl., 1890, X, Nr. 22.

Derselbe, Ueber die Ursachen der Schädigung der Fischbestände im strengen Winter. Biol. Centralbl., 1891, XI, Nr. 15 u. 16.

Feuchtigkeit nicht mehr angefacht werden kann, ist einer näheren Untersuchung zugänglich und ich glaube im Folgenden einiges zur Aufklärung der Thatsachen beibringen zu können.

Die prinzipielle und in mancher Hinsicht auch praktische große Wichtigkeit der betreffenden Fragen, sowie der Umstand, dass einige Gelehrte die Anabiose für lebende Wesen noch für möglich halten [1] und dafür angeblich richtige Beobachtungen beibringen, veranlasste mich von Neuem die Vorgänge beim Einfrieren und Austrocknen lebender Wesen zu studieren um in diesen vielfach seit lange umstrittenen Fragen eine Entscheidung herbeizuführen. Scheinbar handelt es sich nur um die relativ einfachen Vorgänge des Einfrierens oder Austrocknens; bei lebenden Wesen können sich aber, wie wir sehen werden, diese Vorgänge recht verwickelt gestalten und sind bei Beobachtung der betreffenden Phänomene leicht Täuschungen möglich.

Zunächst ist zu erwähnen, dass Preyer besonders hervorhebt, dass Frösche nur auf — 2,5° im Inneren abgekühlt werden dürfen, um beim Auftauen wieder lebendig zu werden. Wenn wirklich in den Geweben des Frosches ein Krystallisieren des Wassers bei dieser Temperatur stattgefunden haben sollte und die Struktur des Protoplasmas nicht in einer das spätere Leben unmöglich machenden Weise zerstört ist, dann kann doch eine weitere Abkühlung der festen krystallinischen Masse morphologisch oder chemisch nichts mehr ändern. Wenn aber nicht überall der feste Zustand eingetreten ist, was meiner Erfahrung nach bei — 2,5° nie der Fall ist, dann kann man Erscheinungen beobachten wie die von Romanes 1877 an vielen durch und durch hartgefrorenen Medusen wahrgenommenen. Die durch Eiskrystalle verursachte partielle Zerreißung des Gewebes verhinderte nicht die Anabiose beim Auftauen, nur der Rhythmus der Kontraktionen war eben wegen der Gewebszerstörung nicht derselbe wie vorher. Wenn auch zahlreiche Partien eines Tierkörpers nicht mehr funktionieren können, kann derselbe noch eine Weile leben oder die zerstörten Teile wieder ersetzen, da eben nicht der ganze Tierkörper, respektive alle seine zelligen Elemente, durchgefroren waren. In solchen Fällen kann aber nicht von Anabiose gesprochen werden. Preyer berichtet, dass Davaine Rädertiere fünf Tage im Vakuum verweilen ließ und nach Anfeuchtung in der Luft viele wieder aufleben sah und sagt: Hierbei muss aber das vermeintliche Vakuum noch Luft enthalten haben, denn ich habe trockene Rotatorien im vollkommenen Vakuum der Geißler'schen Quecksilberluftpumpe über

1) Preyer Ueber die Anabiose. Biol. Centralbl., 1891, XI, Nr. 1.

Felix Hoppe-Seyler, Rede: „Ueber die Entwicklung der physiologischen Chemie. Straßburg 1884. S. 19.

Müller-Erzbach, Die Widerstandsfähigkeit des Frosches gegen das Einfrieren. Zool. Anz., 1891, S. 383.

K. Knauthe, Zur Biologie der Amphibien. Zool. Anz., 1892, S. 20.

Schwefelsäure lange vor Ablauf der vierten Woche jedem Wieder-
belebungsversuch unzugänglich gefunden.

Versuche über die Vorgänge beim Einfrieren von Wassertieren und Ermittelung
der Gründe, weshalb das erloschene Leben nicht wieder angefacht werden
kann.

Im vergangenen Winter habe ich zu meinen Versuchen nicht
mehr Frösche, Fische und Wasserkäfer wie bisheran verwendet,
sondern Blutegel, Schnecken und kleine Krebse. Zunächst zeigte
sich wieder beim langsamen Abkühlen des Wassers, dass bis gegen 0^0
die Tiere ruhiger werden. Die Blutegel liegen meist wie tot auf dem
Rücken mit wenig kontrahierter Muskulatur; die Weinbergschnecke
ist in das Innere des Gehäuses zurückgezogen, nachdem sie ein mehr
oder minder solides Epiphragma gebildet hat; die kleinen Muschelkrebse (*Cypris*) haben ihre Schalen fest geschlossen; Wasserasseln
sitzen ganz bewegungslos da. Beim Einfrieren in Gläsern bei — 5^0
bis — 8^0 Lufttemperatur zeigte sich ganz wie früher bei den Käfern,
dass in einem Glase von 1 Liter Wasserinhalt nach 10 Stunden der
oder die Blutegel im Inneren des Eisblockes saßen und lebhaft an
den Wänden ihres eiförmigen Wasserraumes von etwa 200 cbcm Inhalt
herum krochen, oder nachdem sie sich mit ihren Saugscheiben angeheftet hatten unausgesetzt in Bewegung blieben. Das Eis hatte eine
Temperatur von — 2^0.

Folgender Versuch zeigt die Vorgänge im Einzelnen.

Drei Bechergläser à 1 Liter Inhalt hatte ich mit Wasser gefüllt
und in das erste 1 Blutegel, das zweite 2 Blutegel und das dritte
3 Blutegel gesetzt. Nach 24 Stunden war der einzelne Blutegel in
Mitten des Glases fast vom Eise umschlossen und hatte bei seinen
Bewegungen so viel Gas abgeschieden, dass er in dem unmittelbar
um ihn befindlichen stark mit Gasblasen durchsetzten Eise nicht mehr
sichtbar war. Die 2 Blutegel hatten noch einen hühnereigroßen Wasserraum, dessen Wände milchig und mit zahlreichen Gasblasen ebenso wie
ihre Leiber besetzt waren. Die 3 Blutegel hatten noch einen erheblich größeren Wasserraum von gleichem Aussehen. Nach 48 Stunden
waren auch die 2 Blutegel ganz eingeschlossen vom Eise. Die 3 Blutegel hatten noch einen kleinen Wasserraum, was ich aber wegen der
Luftblasen im Eise nur durch Anbohren feststellen konnte. Da die
Lufttemperatur während der letzten Nacht auf — 7^0 gesunken war,
glaubte ich, dass der einzelne Blutegel sicher tot wäre und stellte
die drei Gläser in meine Stube zum Auftauen. Der einzelne Blutegel
erwies sich als tot. Auf der Bauchseite war die sonst gleichmäßig
dunkelgrüne Haut von zahlreichen blutigen Flecken durchsetzt. Elektrische Reize vermochten nur die Saugscheibe ein wenig zur Kontraktion zu bringen, der Körper war und blieb schlaff. Die 2 und 3 Blutegel waren nach dem Auftauen völlig wohl. Sie waren eben durch ihre

gemeinsame im selben Raume verwertete Wärmeproduktion im Staude gewesen die Temperatur ihres Gefängnisses auf einer höheren Temperatur wie 0° während 48 Stunden zu erhalten.

Um nun das Einfrieren noch langsamer zu gestalten setzte ich darauf am Abend über eines der Gläser, in welchem sich wiederum 1 Blutegel befand, eine Glasglocke. Kein kalter Luftzug konnte nun das Wasser direkt treffen. Die beiden anderen Gläser, welche ich mit je 1 Blutegel ohne Glasglocke hinstellte, waren am andern Morgen sehr stark zugefroren so, dass ich die Tiere im Eise nicht mehr sehen konnte, nur die milchige Trübung zeigte an, wo sie sich befanden. Das dritte Glas war zu meiner Verwunderung gar nicht gefroren.

Ich nahm dasselbe herein um mit dem Thermometer die Temperatur des Wassers zu bestimmen und fand — 3°. Zuerst glaubte ich das Thermometer sei unrichtig. Als ich ein anderes holte, fand ich die ganze Wassermasse zu einer strahligen Eismasse erstarrt, welche aber gleich zu schmelzen anfing und der am Boden liegende Blutegel begann sich alsbald in dem Schmelzwasser zu bewegen. Durch günstige Bedingungen, welche, wie ich mich später überzeugte, nicht leicht herzustellen sind, hatte ich überschmolzenes Wasser von — 3° erhalten und diese Abkühlung hatte dem Blutegel nichts geschadet. Diesen Versuch wiederholte ich dann noch mehrere Male und nahm zur Sicherheit des Gelingens ausgekochtes ziemlich luftleeres Wasser, in dem bei 0° ein Blutegel sehr lange lebendig bleibt, wenn er vorher in anderem Wasser auf 0° abgekühlt wurde. Bei dieser Temperatur hat er nur ein sehr geringes Sauerstoffbedürfnis.

Wenn man Wasser — am besten destilliertes, welches gut filtriert ist so, dass keine kleinen Körperchen darin herumschwimmen — eine halbe Stunde tüchtig gekocht hat, ist dasselbe fast absolut luftleer und wenn man dasselbe dann ruhig abkühlen lässt, nehmen nur die obersten Schichten wenig Luft auf. Solches Wasser kann man in einem glatten Glasgefäße unter Abhaltung jeden Luftzuges durch Bedecken mit einer Glocke oder Zuschmelzen der Oeffnung bis auf — 10° ja selbst — 15° abkühlen, ohne dass das Gefrieren eintritt. Befindet sich aber ein Tier, welches durch vorherige Abkühlung ruhig gemacht wurde, darin, so gelingt wohl nur in seltenen Fällen eine Abkühlung bis — 5° ohne Gefrieren. Jeder fremde Körper, stets aber das kleinste Eisstückchen, bedingen bei überschmolzenem Wasser sofortige Krystallisation, wobei die Temperatur in Folge der damit verbundenen Wärmeentbindung schnell auf den Gefrierpunkt steigt.

Die oben beschriebenen Versuche zeigen, dass nicht die Abkühlung der betreffenden Tiere auf — 3°, einmal habe ich — 4,5° erreicht, sie tötet, sondern die zumeist damit verbundene Krystallisation des Wassers um sie herum und vor allem in ihren Geweben.

Bevor wir die beim Krystallisieren des Wassers innerhalb der tierischen Gewebe eintretenden Vorgänge näher betrachten, wird es zweckmäßig sein auf die physikalischen Verhältnisse, welche beim Frieren des Wassers von Wichtigkeit sein können, etwas einzugehen.

Der Tierkörper besteht an keiner Stelle aus destilliertem Wasser, vielmehr zumeist aus salzhaltigen Eiweißlösungen, welche nicht bei 0⁰ gefrieren, die dazu noch durch Kapillarität und Adhäsion am Gefrieren bei geringeren Kältegraden verhindert werden.

Inbetreff des Einflusses von Kapillarität und Adhäsion erwähne ich nur folgendes: In einer horizontalen Glasröhre, welche mit einer längeren freiendenden Wassersäule versehen und beiderseits geschlossen ist, tritt selbst bei — 7⁰ bis — 10⁰ kein Gefrieren ein, wenn ihr Durchmesser 0,3—0,4 mm nicht übersteigt, bei 0,1—0,2 mm Weite selbst dann nicht, wenn man das eine Ende in gefrierende Flüssigkeit taucht. Aehnliches beobachtet man mit Glasplatten, deren mit Wasser gefüllter Zwischenraum durch Festschrauben hinreichend verkleinert wird. Bei einer Wasserschicht zwischen Eisplatten siegt dagegen immer die Wirkung gleichartiger Ansatzpunkte. Krystalle gleicher Art scheinen überhaupt das einzige Mittel zu sein, jede Ueberschmelzung zu hindern[1]). Dufour[2]) brachte Wasserkügelchen auf — 20⁰, indem er sie in einer gleich schweren Flüssigkeit (Chloroform mit Mandelöl oder Steinöl) von allen festen Anhaltspunkten befreite. Selbst beim Berühren mit einem festen Körper blieb das Erstarren oft aus, wogegen der Kontakt mit einem gleichartigen Eisstückchen dasselbe stets hervorrief. Auf einer ähnlichen Erscheinung beruht die Bildung des sogenannten Glatteises, wobei die in der Luft bis unter 0⁰ abgekühlten Wassertropfen durch Berührung mit dem festen Erdboden plötzlich erstarren und denselben mit einer Eisrinde überziehen. Dass die Abkühlung der Regentropfen auf unter 0⁰ nicht durch den kalten Erdboden erfolgt, sondern hoch in der Luft stattfand, geht daraus hervor, dass auf einem geöffneten Regenschirm sich auch Glatteis bildet.

Wie verläuft nun die Eisbildung im einzelnen und ist aus diesem Vorgange allein der Tot erklärlich?

Einen quadratischen Paraffinblock von 2 cm Dicke und 4 cm Breite habe ich in der Mitte 1 cm weit durchbohrt, und diese Oeffnung durch beiderseitig warm aufgeklebte große Deckgläschen geschlossen. In diesen so gebildeten durchsichtigen Hohlraum mündeten von den Seiten her 2 Glasröhren zum Einfluss und Ausfluss einer aus Schnee und Kochsalz entstandenen, gegen — 12⁰ bis — 15⁰ kalten Salzlösung. Das ganze legte ich auf den Objekttisch des Mikroskopes. Brachte ich einen Tropfen destillierten Wassers auf diesen hohlen Objektträger und ließ dann die Salzlösung der Kältemischung

---

1) A. Mousson, Die Physik auf Grundlage der Erfahrung, III. Auflage, 2. Bd., S. 133.

2) Dufour, Compt. rend., LII, 878.

fließen, so erstarrte der Wassertropfen momentan in seiner ganzen
Masse. Bei schwacher Vergrößerung fand kein Beschlagen der Ob-
jektlinse statt und waren die Krystallnadeln des Eises genau erkennbar. Zwischen ihnen befanden sich jedoch, wie dieses besonders
deutlich beim Auftauen sichtbar war, die beim Frieren aus dem
Wasser plötzlich ausgeschiedenen absorbierten Gase. Wurde der
Tropfen dann wieder ganz flüssig, so wurden die Gase nicht etwa sofort wieder absorbiert, sondern es bildeten sich Bläschen, welche an
der Oberfläche zum Teil zerplatzten. Durch Frieren wird Wasser
von Luft und den meisten absorbierten Gasen fast ganz befreit. Ganz
klares Eis gibt aufgetaut fast luftleeres Wasser. Meine Absicht, kleine
Krebschen (*Cypris*) unter dem Mikroskop während des Einfrierens zu
beobachten, war nicht ausführbar, da das sie umgebende Eis stets
undurchsichtig war in Folge ausgeschiedener Gase.

Ein Tropfen dünner 1—2prozentige Kochsalzlösung brauchte viel
längere Zeit zum Frieren. Zuerst schieden sich mikroskopisch kleine
Kochsalzkrystalle ab, und erst nachdem alles Salz in Krystallform
ausgeschieden war, fror das Wasser. Konzentrierte Salzlösung konnte
ich auf die angegebene Weise überhaupt nicht zum Frieren bringen,
weil nicht alles Salz sich abschied. Meerwasser gefriert erst bei
einer Abkühlung unter — 3⁰. Das gebildete Eis liefert beim Auftauen süßes Wasser. In dem — 3⁰ kalten Wasser der Polargegenden
leben große und kleine Fische und andere Meertiere. Hierdurch sowie
durch meinen oben beschriebenen Versuch mit Blutegeln in überschmolzenem Wasser von — 3⁰ dürfte wohl bewiesen sein, dass die
Lebensvorgänge selbst bei Temperaturen unter 0⁰ noch nicht durch
die Abkühlung zum Stillstand kommen, sondern nur dann, wenn damit
eine Zerstörung der Struktur des Protoplasmas, wie beim Frieren,
verbunden ist. Ein Tropfen frischen menschlichen Blutes war nur
durch energische Abkühlung mit sehr guter Kältemischung von
— 15⁰ zum Hartfrieren zu bringen, wobei völlige Abscheidung der
Gase und Salze stattfand. Die Blutkörperchen lösten sich auf und
das Blut war später lackfarben. Auf dieser Schwierigkeit beruht
offenbar die Angabe der physiologischen Lehrbücher, dass man Blut
häufiger müsse gefrieren und auftauen lassen um dasselbe lackfarben
zu machen.

Das Protoplasma der Zellen, an dessen Integrität sich die Lebensvorgänge knüpfen, ist eine Eiweiß- und Salzlösung, welche Gase absorbiert und locker chemisch gebunden enthält. Da nun beim Hartfrieren die Salze und Gase stets abgeschieden werden, so muss dadurch
die ganze Struktur des Protoplasmas total zerstört werden im chemischen und physikalischen Sinne.

Plötzliches schnellstes Einfrieren lebender Gewebe dürfte hiernach das beste Tötungsmittel sein, besonders, wenn es sich darum
handelt die intra vitam vorhandenen Stoffe möglichst unzersetzt zu

erhalten oder vielmehr die chemischen Vorgänge des Lebensprozesses jäh zu unterbrechen ohne Neubildung komplizierter Körper. Hiernach dürfte wohl Niemand mehr das Hartfrieren lebendigen Protoplasmas ohne Zerstörung seiner innersten Struktur für möglich halten. Es sind aber stärkere Kältegrade nötig um Protoplasma, abgesehen von seiner Wärmeproduktion, wirklich hartfrieren zu lassen. Größere Krystalle entstehen nicht und mikroskopisch ist die Struktur für unsere jetzigen optischen Hilfsmittel nicht besonders verändert. Bei der vielfachen Benützung der Gefriermikrotome würde man dieses jedenfalls bereits bemerkt haben.

Versuche über das Eintrocknen von Tieren und Pflanzensamen.

Ueber das Eintrocknen von Tardigraden, Rotiferen u. dgl., ja sogar Schnecken und nachherige Wiederbelebung durch Befeuchtung finden sich die widersprechendsten Angaben. Es scheint als wenn sehr viele Naturforscher noch heute solche Wiederbelebungsversuche eines völlig trockenen Tieres, welches ohne jeden Stoffwechsel längere Zeit aufbewahrt wurde, für möglich halten. Seit 2 Jahren habe ich durch genaues Beobachten der Vorgänge beim Eintrocknen der fraglichen Tiere und verschiedener Pflanzensamen versucht das Thatsächliche klar zu stellen.

Bei der Herstellung Geißler'scher Spektralröhren behufs Kontrolierung der Atmung von Pflanzensamen in stark luftverdünnten Röhren hatte ich mich überzeugt, dass die Entfernung des Wassers aus ganz reinen leergepumpten Glasröhren so, dass mit bloßem Auge an der intensiv roten Farbe des Lichtes geschweige spektroskopisch keine Wasserdämpfe mehr nachweisbar sind, nur durch öfteres sehr starkes Erhitzen und tagelanges Verweilen der Röhren an einer guten Quecksilberpumpe mit frischem Phosphorsäureanhydrid möglich ist.

Befinden sich Samenkörner in einer solchen Röhre, so ist eine Entfernung der Wasserdämpfe ohne Erhitzen ganz unmöglich selbst in einem Zeitraume von 16 Monaten und trotzdem ich die Schalen der kleinen Bohnen und Rettigsamen angeschnitten hatte. Nach dieser Zeit bewirkte Erhitzen auf 100° weitere Wasserabscheidung, die nicht erhitzte Partie keimte am 26. Dez. 1891 auf feuchtem Fließpapier bei etwa 20° in der Nähe des Ofens nach drei Tagen ganz vorzüglich. Es scheint mir sogar als ob für die verwandten Samen eine trockene Aufbewahrung in evakuierten Röhren die Keimkraft sicherer und länger erhält, als die wechselnden Feuchtigkeitsgrade der freien Luft.

Ein Samenkorn, welches durch Erhitzen getötet wurde, trocknet über Phosphorsäureanhydrid wohl ziemlich vollständig. Ganz bin ich jedoch mit diesen ziemlich subtilen Versuchen nicht zu Ende gekommen.

Jedenfalls halten noch lebensfähige Samenkörner die Feuchtigkeit so fest, dass man wohl eine chemische Bindung des Wassers annehmen muss.

Noch keimfähige völlig wasserfreie Samen können demnach nicht existieren. ·

Vielfache Versuche, kleine Krebschen (*Cypris*), sowie Rotiferen nach wirklichem Eintrocknen an der Luft oder unter einer Glocke über Aetzkalk oder im Exsikkator über Phosphorsäureanhydrid durch Befeuchten wieder zu beleben, waren resultatlos. Gegenteilige ältere Beobachtungen beruhen offenbar darauf, dass die Eier der getrockneten Tiere allerdings später beim Befeuchten vielfach aufkommen.

Wenn man Schlamm eines mit kleinen Krebschen u. dgl. besetzten Aquariums selbst einige Zeit an der Luftpumpe trocknet, wird man bei genauem Zusehen in wenigen Tagen nach dem Befeuchten zwar keine eingetrockneten Krebschen lebendig werden sehen, aber oft zahllose schnell wachsende junge Brut.

Ich habe den Schlamm mehrerer Aquarien im vorigen Herbst in einer offenen Kiste der Sonne, dem Regen und dem Froste ausgesetzt, indem ich die Kiste in einer Dachrinne meines Hauses aufstellte. Als ich Anfangs März dann Proben in Gläser mit ausgekochtem Wasserleitungswasser in meine geheizte Stube stellte, entwickelten sich in 3 Wochen zahlreiche *Cypris*, Daphnien und mikroskopische Rädertiere, speziell *Hydatina seuta*, und Infusorien. Jedenfalls sind die betreffenden Eier mehrfach 10^0 kalt gewesen.

Vielfach trifft man die Angabe, dass die Eier niederer Tiere im völlig trockenen Schlamme der Tümpel ein oder mehrere Jahre aushalten. Hierzu ist zu bemerken, dass selbst der durch den Sonnenbrand gerissene Schlamm stets noch mehrere Prozente Wasser enthält. Wirklich trocken wird solcher Schlamm nur bei 150^0. Abgesehen von Bodenfeuchtigkeit, Thau und Regen kommt in der Natur ein Austrocknen der betreffenden Eier demnach überhaupt nicht vor. Speziell mit den Eiern von *Branchipus* habe ich genaue Versuche gemacht. Schon das Aufbewahren des eierhaltigen Schlammes in einer trockenen Stube während des Winters genügt, alle zu töten. Im Exsikkator sterben dieselben sehr bald ab unter starkem Schrumpfen in Folge der Wasserentziehung. Der folgende Versuch mit einer Anzahl von großen Weinbergschnecken dürfte wohl durch seinen Verlauf befriedigende Aufklärung geben.

Am 10. Juli und 1. August 1890 habe ich eine Anzahl Weinbergschnecken (*Helix pomatia*) in ein Kistchen mit Luftlöchern, bedeckt mit einem Stück schwerer Spiegelscheibe, in meine Stube gestellt.

Zuerst erfogten zahlreiche Fluchtversuche, wohl weil die Tiere Hunger bekamen nach frischem Grün, und gelang es den Tieren mehrfach die 1 cm dicke Spiegelscheibe, welche fast 1 Kilo wog, wegzudrücken, so dass ich dieselbe beschweren musste. Noch einige Tage krochen die Tiere umher, dann fand mehrfache Defäkation statt und hiernach hingen sich sämtliche Schnecken an der Glas-

scheibe auf und bildeten zwischen Scheibe und Gehäuse eine wasser-
helle ziemlich feste Membran, wodurch sie vor Wasserverlust in denkbar bester Weise geschützt waren. Einige Tiere brach ich ab und
band sie mittels Draht, den ich am Gehäuse befestigte, fest am Boden des Kistchens an, die Oeffnung nach oben. In wenigen Tagen
bildeten diese Schnecken mehr oder minder durchsichtige Deckel.
Nach zwei Monaten befanden sich alle Schnecken sehr wenig mehr
eingetrocknet und, wie ich mich an einer überzeugte, ganz lebendig.
Dieses Tier kroch auf feuchten Rasen gesetzt alsbald aus dem Gehäuse und suchte Futter. Bis 15. November hatten die Tiere nur
sehr wenig Wasser verloren trotz der großen Trockenheit meiner mit
Füllofen geheizten Stube. Das Hygrometer zeigte in der Folge den
ganzen Winter nur 25—30% Feuchtigkeit, während es im Sommer
oder Herbst ohne Ofen stets 60—90% anzeigt. Mehrfache Wägungen
zeigten, dass kaum noch weiteres Eintrocknen stattfand.

2 Schnecken mit Deckelchen legte ich dann in einen Exsikkator
über Schwefelsäure. Nach 2 Tagen waren die Deckelchen bei diesen
Tieren geplatzt und die Schnecken trockneten sichtlich unter fortwährend Bildung neuer Deckelchen weiter ein und zogen sich
immer tiefer in das Gehäuse zurück. Am 15. Dezember bemerkte
ich, dass plötzlich eine große Veränderung stattgefunden hatte. Unter
dem Deckelchen befand sich eine braune Masse, die aus der Schnecke
hervorgequollen und schnell getrocknet war und aus Fäces bestand.
Ein Exemplar zersägte ich und erwies sich das Innere als keineswegs
ausgetrocknet und lebendig. Ende Januar war bei dem zweiten noch
im Exsikator befindlichen Exemplar die Farbe der Schale merklich
brauner geworden und erwies die genauere Untersuchung, dass diese
Schnecke ganz horntrocken und nicht mehr belebbar war.

Die noch übrigen in dem Kistchen seit 1. August 1891 aufbe-
wahrten Schnecken, 3 Stück, habe ich am 5. April, wo dieselben
gegen Januar kaum verändert erschienen, mit Wasser gut befeuchtet
und auf den von der Sonne beschienenen Rasen gesetzt. In 2 Stunden waren alle ausgekrochen und suchten anscheinend ganz wohl
nach Futter.

Nach dem Verlaufe dieses Versuches glaube ich wohl sicher die
Möglichkeit einer Anabiose mit Schnecken ausschließen zu können.
Meine nach 8 Monaten nicht eingetrockneten Schnecken kann man
doch nicht als scheintot betrachten. Sehr merkwürdig ist nur, dass
die Schnecke sich durch Bildung von Deckelchen oder selbst ohne
solche, nachdem viele zerrissen sind, so gut gegen das Eintrocknen
schützen kann. Ihre Leibessubstanz hat aber nur diese Fähigkeit,
solange sie lebendig ist, wie aus dem Versuch im Exsikkator deutlich
hervorgeht Auch nachdem keine Deckelchen mehr gebildet werden
konnten, trocknete das Tier sehr langsam; erst nachdem der Tod
eingetreten war, wurde die Leibessubstanz schnell trocken.

Meine Absicht die Leibessubstanz einer trocknen und einer lebendigen Schnecke hinsichtlich der Schnelligkeit des Eintrocknens zu untersuchen war bis jetzt unausführbar, da ich noch kein Mittel fand eine Schnecke ohne erhebliche Verletzung in einer für den Versuch zulässigen Weise zu töten.

Für einen Teil der Versuche war Herr Geheimrat Binz wiederum so freundlich mir die Mittel seines Institutes zur Verfügung zu stellen, wofür ich ihm an dieser Stelle besonders danken möchte.

Das Ergebnis der in diesem Aufsatze beschriebenen Versuche ist kurz zusammengefasst folgendes:

Nicht die Abkühlung unter 0° tötet die Tiere In überschmolzenem Wasser und im Wasser der Polarmeere von — 3° ist Leben möglich.

Wenn aber durch die Abkühlung oder besondere Verhältnisse das Wasser in den Geweben krystallisiert, werden im selben Augenblicke die absorbierten Gase in Bläschen abgeschieden und die gelösten Salze krystallisieren aus. Hierdurch wird eine solche Zerstörung bewirkt, dass ein Wiederbeginn der Lebensfunktionen nach dem Aufthauen unmöglich ist.

Durch physikalische und chemische Ursachen kann allerdings der Vorgang des Auskrystallisierens des Wassers im tierischen Körper oder in Eiern lange verhindert werden.

Pflanzensamen und manche Tiere, speziell Schnecken werden unter gewöhnlichen Verhältnissen überhaupt nicht trocken, weil ihre Leibessubstanz das Wasser so festhält, dass es ihr durch nicht künstlich getrocknete Luft nicht entzogen werden kann.

Das Absterben künstlich getrockneter Tiere findet statt, bevor alles Wasser entzogen ist.

Schnecken können vielleicht länger als ein Jahr hungern.

Ueber das Verhalten der Körperflüssigkeiten gegen pathogene Mikroorganismen.

Von H. Kionka in Breslau

Mancherlei Mittel stehen dem tierischen Organismus zu Gebote, um sich gegen das Eindringen pathogener Keime zu schützen. Den allgemeinsten Schutz besitzt er in der Epidermis. Ein Eindringen von Mikroorganismen in dieselbe ist, sofern sie unverletzt ist, für gewöhnlich nicht möglich, doch muss man eine Invasion pathogener Keime durch die Haarbälge und Schweißdrüsen in die tieferen Schichten zur Aetiologie einer großen Zahl der sogenannten „Hautkrankheiten" heranziehen. Anders liegt die Sache, wenn die Epidermis Verletzungen besitzt. Durch diese sind den Mikroorganismen weite Eintrittspforten

geöffnet, und es treten hier die unter dem Namen der „Wundinfektion"
zusammengefassten Erscheinungen auf, sobald die Wundstellen mit
pathogenen Keimen in Berührung geraten.

Bei weitem größer, als an der äußeren Körperoberfläche ist die
Gefahr der Infektion an den Wandungen des Respirations-, Verdau-
ungs- und Genitaltraktus. Alle diese Körperhöhlen sind mit Schleimhäuten ausgekleidet und entbehren des bakteriensicheren Schutzes
einer verhornten Epidermiszellschicht. — Am günstigsten liegen hier
noch die Verhältnisse im Respirationstraktus. Da die Atmungswege
zum größten Teile mit Flimmerepithel ausgekleidet sind, so können
unter Umständen die durch den Atmungsluftstrom hineingelangten
Mikroorganismen durch die oralwärts gerichtete Flimmerbewegung
der Flimmerhaare der Epithelzellen wieder nach außen geschafft
werden. Indess ist es doch möglich, dass pathogene Keime mit der
Atmungsluft auch gegen den Flimmerstrom weiter nach innen mit
fortgerissen und auf Stellen abgesetzt werden, welche nicht mit
Flimmerepithel bekleidet sind. Hier kann alsdann eine Ansiedelung
der eingeatmeten Keime und ein Eindringen derselben in die Lymphbahnen oder in die umgebenden Gewebe stattfinden. Dass auf diesem
Wege eine Infektion, z. B. durch Tuberkelbacillen zu stande kommen
kann, ist eine schon häufig gemachte Erfahrung. Experimentell wurde
diese Thatsache u. a. von Weichselbaum[1]) nachgewiesen, der
Hunde zerstäubtes Tuberkelbacillen-haltiges Sputum und Cavernen-
inhalt inhalieren ließ. Er fand dann bei der später vorgenommenen
Obduktion in den Lungen je nach der Menge der eingeatmeten Keime
mehr oder weniger zahlreiche tuberkulöse miliare Herde, welche
meist von den Alveolen ausgingen.

Anders liegen die Verhältnisse im Verdauungstraktus. Hier finden
die parasitären Mikroorganismen nicht in einer direkten aktiven Bethätigung der denselben auskleidenden Epithelzellen, wie in den
Flimmerzellen des Respirationskanals einen Widerstand, welcher ihr
Eindringen verhindert. Ja es besitzt die Schleimhaut des Verdau-
ungskanals einige Stellen, welche den Mikroorganismen als stets
offene Eingangspforten dienen. So hat Stöhr nachgewiesen, dass
an den Tonsillen des Rachens und den Peyer'schen Platten im
Darme ein fortwährender Wechselstrom von ein- und austretenden
Leukocyten stattfindet. Mit diesem Strome können auch eventuell
pathogene Mikroorganismen mit durch die Lücken der Schleimhaut
passieren und so ins Innere dringen. Es ist auch eine dem praktischen Arzte schon lange bekannte Thatsache, dass Diphtheritis u. a.
entzündliche Krankheiten des Rachens sehr oft ihren Anfang an den
Mandeln nehmen. Außer den Diphtherie-Bacillen spielen hier vor
allem Eiterkokken — bei der parenchymatösen Angina — und die

---

1) Wiener mediz. Jahrb., 1883.

Erysipelkokken eine Rolle. Letztere setzen sich bei der Gesichtsrose in den Tonsillen fest und wandern von dort aus in der Rachenschleimhaut weiter, um schließlich an einer der nächstliegenden Gesichtsöffnungen: Nasenloch, innerer Augenwinkel, Mundöffnung, Ohrmuschel, das Exanthem auf die äußere Haut zu übertragen, von wo aus sich dann das typische Erysipelas faciei ausbreitet. — Ebenso bekannt ist es, dass die Typhusbacillen meist die Peyer'schen Platten in der Darmschleimhaut zu den Punkten ihrer Ansiedelung wählen.

Ueberhaupt ist es im Verdauungstraktus nicht das Schleimhautepithel, welches einen Schutz gegen das Eindringen von Mikroorganismen gewährt, sondern die von den Drüsen ausgeschiedenen Sekrete enthalten Stoffe, welche für etwa eingedrungene Bakterien giftig sind und dieselben töten. Von dem ersten Sekret, dem wir beim Vorgehen von der Mundöffnung aus in dem Verdauungskanal begegnen, dem Speichel, ist durch Versuche von Stern, auf welche wir später noch zurückkommen werden, nachgewiesen worden, dass demselben absolut keine bakterientötende Eigenschaft zukommt. Stern[1]) gewann die zur Untersuchung benützten Speichelmengen auf die Weise, dass er die Mundhöhle und die Zähne kräftiger Personen auf mechanischem Wege gründlich reinigte und dann den Speichel auffing. Er erhielt auf diese Weise einen Speichel, der nur verhältnismäßig wenige Keime enthielt, die sich leicht durch Anlegen von Kontrolplatten zählen ließen und welche die Versuche in keiner Weise beeinträchtigten. Schon die Thatsache, dass sich jeder Zeit massenhafte Bakterien in der Mundhöhle, also in fortwährendem Kontakt mit der Speichelflüssigkeit befinden, sowie die Beobachtungen einzelner Forscher, welche sogar pathogene Mikroorganismen, wie den Diplokokkus pneumoniae (Fränkel) und den Bacillus diphtheriae (Löffler) unter den Mundhöhlenbewohnern ganz gesunder Personen gefunden haben, ließen dieses durchaus negative Resultat der Untersuchungen erwarten.

Aehnlich, wie beim Speichel, dürften die Verhältnisse auch bei dem Nasensekret liegen, dessen Verhalten gegen Bakterien wohl noch nicht geprüft ist. Jedoch sind auch in diesem Sekret stets Mikroorganismen enthalten und öfters auch schon pathogene Keime beobachtet worden. So wurde einmal bei Schnupfen der Bacillus pneumoniae (Friedländer) gefunden. Anderseits muss man aber dagegen die Thatsache berücksichtigen, dass, während doch beim Schnupfen große Menge dieses Sekretes gebildet und oft auch lange Zeit vor ihrer Entleerung in der Nase zurückgehalten werden, dasselbe doch niemals — abgesehen von *Ozaena*, bei welcher wohl noch andere Momente, wie Schwund der Bowman'schen Drüsen u. a. mitspielen mögen — einen fötiden Geruch annimmt. Man könnte also hierbei sehr

1) Ueber die Wirkung des menschlichen Blutes und anderer Körperflüssigkeiten auf pathogene Mikroorganismen. Zeitschrift f. klin. Medizin, Bd. XVIII, Heft 1 u. 2.

wohl an eine abtötende Wirkung des Nasensekretes' gegenüber eindringenden Fäulnisbakterien denken. — Weit häufiger ist das Verhalten des Magensaftes gegen pathogene Mikroorganismen Gegenstand
der Untersuchung gewesen. Schon lange vor der bakteriologischen
Zeit fand Abt Spallanzani[1]) in einer Reihe von sehr einfachen
Experimenten, dass der Magensaft eine fäulnis- und gärungshemmende
Wirkung besitze. Diese Entdeckung geriet aber bald in Vergessenheit. Erst als später durch die Physiologen das Vorhandensein von
freier Salzsäure im Magensafte, sowie der Prozentsatz derselben festgestellt war, kam man wieder auf die interessante Frage nach der
desinfizierenden Wirkung des Magensaftes zurück. Und so machte
im Jahre 1887 Bunge in seinem „Lehrbuche der physiologischen
und pathologischen Chemie" darauf aufmerksam, „dass der Salzsäure-
gehalt des Magensaftes genau der Menge entspricht, welche erforderlich ist, die Entwicklung der Fermentorganismen zu hemmen". Diese
Vermutung, dass es die Salzsäure im Magensaft sei, welche ihm die
desinfizierende Wirkung verleihe, lag schon deswegen so nahe, da
man bisher absolut nicht wusste, was für eine Funktion die freie
Salzsäure des Magensaftes besitze. Denn es war sowohl durch Experimente nachgewiesen, dass Tiere, denen der Magen exstirpiert war,
trotzdem weiter leben und auch ohne das Sekret der Magendrüsen
die Speisen normal verdauen konnten, als auch wurden allmählich
immer mehr Fälle bekannt von gesunden Personen mit normaler Verdauung, welche in ihrem Magensafte keine freie Salzsäure besaßen. —
Die desinfizierende Wirkung der im Magensafte frei vorkommenden
Salz- und Milchsäure wurde zuerst von Koch, Gaffky und Löffler[2])
bewiesen. Hierbei zeigte sich, dass wenigstens für die Milzbrandbacillen die Säuren ein sehr verschiedenes Verhalten gegen die ausgewachsenen Bacillen und gegen Sporen besitzen, indem sich die
letzteren bei weitem resistenter gegen Säureeinwirkung erwiesen.
Diese Beobachtungen wurden bald durch eine lange Reihe von Arbeiten
von Falk[3]), Wesener[4]), Miller[5]), Dyrmont[6]), Macfadyen[7])

1) Ueber das Verdauungsgeschäfte des Menschen und verschiedener Tierarten nebst einigen Bemerkungen des Herrn Senebier. Uebersetzt von Dr.
Chr. Fr. Michaelis. Leipzig 1785.
2) Mitteilungen aus dem kais. Gesundheitsamt, 1881: Bd. I u. 1884: Bd. II.
3) Virchow's Archiv, 1883, Bd. 93.
4) Kritische und experimentelle Beiträge zur Lehre von der Fütterungs-
tuberkulose. Habilit.-Schrift. Freiburg i./B. 1885.
5) Ueber Gärungsvorgänge im Verdauungstraktus und die dabei beteiligten
Spaltpilze. Deutsche mediz. Wochenschrift, 1885, Nr. 49.
Derselbe, Einige gasbildende Spaltpilze des Verdauungstraktus, ihr
Schicksal im Magen u. s. w. Deutsche mediz. Wochenschrift, 1886, Nr. 8
6) Archiv für experiment. Pathologie und Pharmakologie, 1886.
7) The behaviour of Bacteria in the digestive tract. Journ. of Anatom.
and Physiol., Vol. XXI, Part. II, 1887.

und Kitasato[1]) bestätigt und auch auf die Tuberkelbacillen (Falk, Wesener, Macfadyen), Milchsäurebacillen (Miller), Cholerabacillen (Macfadyen, Kitasato), Typhusbacillen (Macfadyen, Kitasato), *Sta hylococcus pyogenes aureus* (Macfadyen), sowie auf zwei Schimmelpilze: *Penicillium glaucum* und *Aspergillus fumigatus* (Falk) ausgedehnt. Die verschiedenen Mikroorganismen zeigten eine sehr verschiedene Resistenz gegen die Wirkung der Säure. Dieselbe ist bei den untersuchten Arten am schwächsten bei den Cholerabacillen, was auch schon Koch bei seinen Infektionsversuchen durch Fütterung bemerkt hatte. Eine stärkere Resistenz besitzen in aufsteigender Reihe sporenfreie Milzbrandbacillen, *Staphylococcus*, Typhusbacillen, sporenhaltige Milzbrandbacillen, Tuberkelbacillen, ferner die Milchsäurebacillen, und völlig resistent sind die beiden Schimmelpilze. Salzsäure und Milchsäure waren in ihrem Verhalten gegen die verschiedenen Arten ziemlich gleich, nur waren bei letzterer weit höhere Konzentrationsgrade nötig. Noch einige andere interessante Thatsachen wurden durch diese Versuche ans Licht gebracht. So fand Miller, dass sämtliche von ihm untersuchten Pilzarten den Magen passieren könnten, wenn sie am Anfang der Mahlzeit verschluckt würden, hingegen teilweise zu Grunde gingen, wenn die Verdauung auf dem Höhepunkt sei. Ferner stellten Frank[2]) und Macfadyen Versuche mit Pepsinlösung und Pepsin- und Säuregemischen an. Durch dieselben wurde übereinstimmend festgestellt, dass allein die Salzsäure, resp. Milchsäure, das wirksame Prinzip sei, doch dass auch deren Wirksamkeit eine beschränkte sei und überhaupt erst bei Konzentrationen von ungefähr 0,05—0,1 % für Salzsäure, und 0,2 % für Milchsäure beginne. — Zu etwas von denen der übrigen Forscher abweichenden Resultaten kamen Strauss und Wurtz[3]), welche das Verhalten von Milzbrand-, Typhus- und Tuberkelbacillen gegen Magensaft prüften. Doch sind dieselben bis jetzt noch von keiner Seite bestätigt, sondern im Gegenteil durch einige andere Versuche zum Teil schon widerlegt worden. — Ferner ist es eine bekannte Thatsache, dass die im Magensafte vorhandene Salzsäure nur zum Teil frei ist, zum Teil dagegen an andere Substanzen: Eiweißkörper, Peptone etc. gebunden ist. Letztere zeigt ein von der ersteren verschiedenes Verhalten in ihrer chemischen Wirksamkeit, und ebenso gibt sie einige der bekannten Farbenreaktionen nicht mehr, welche für die erstere charakteristisch sind. Dass sie auch ein verschiedenes

---

1) Zeitschrift für Hygiene, Bd. III.

2) Ueber das Verhalten von Infektionsstoffen gegenüber den Verdauungssäften. Deutsche mediz. Wochenschrift, 1884, Nr. 20.

3) J. Strauss et R. Wurtz, De l'action du suc gastrique sur quelques microbes pathogènes. Archives de Médecine expérimentale et d'Anatomie pathologique. Paris 1889. Bd. L. Nr. III.

Verhalten gegen Mikroorganismen zeigt, wies Hamburger[1]) durch eine Reihe diesbezüglicher Untersuchungen nach. Er wich hierbei in der Versuchsanordnung von Kitasato u. a. ab, welche der Nährbouillon Salzsäure in verschiedenem Verhältnis zusetzten und diese dann, nachdem sie geimpft, direkt in Gelatine erstarren ließen. Da aber anzunehmen war, dass sich in der Nährbouillon Stoffe befänden, welche im Stande wären, gewisse Mengen, Säure zu binden, so wurden hierdurch Fehlerquellen für die Resultate geschaffen. Hamburger versetzte daher entsprechende Salz- oder Milchsäurelösungen mit 0,1 oder 2 g Pepton, sterilisierte dieselbe und füllte sie zu je 1 ccm in Reagensgläschen, die er mit Aufschwemmungen der zu untersuchenden Bakterienarten impfte. Bei den Versuchen mit Cholerabacillen ergab sich, dass dieselben in reiner Salzsäure bis 0,01 $\%$ herab nicht mehr fortkommen können, jedoch noch bei 0,0375 $\%$, wenn 2 $\%$ Pepton zugesetzt sind. Für Milchsäure war die Grenze des Wachstums bei 0,045 $\%$, auch bei Zusatz von 2 $\%$ Pepton. Ein ähnliches Verhalten, nur verschieden nach dem Grade ihrer Resistenzfähigkeit gegen Säurewirkung zeigten Typhus-, sporenfreie und sporenhaltige Milzbrandbacillen, *Staphylococcus pyogenes aureus* und *albus*, mit denen Hamburger ebenfalls Versuche anstellte. Seine weiteren Versuche mit menschlichem Magensafte ergaben, dass Magensäfte, welche freie Säure enthielten, stets frei von Mikroorganismen waren und dass sie Typhus- und Cholerabacillen absolut sicher töteten, Milzbrandsporen gegenüber hingegen völlig machtlos waren. Ferner zeigte sich, dass Magensäfte, welche ungebundene Salzsäure nicht enthalten, gleichfalls im stande sind, Bakterienwachstum zu hindern, wenn die gebundene Säure in genügender Menge vorhanden ist. Erwärmen des Magensaftes auf 55^0 hatte keinen Einfluss auf die Stärke der bakterien-vernichtenden Kraft desselben; hingegen war dieselbe sofort aufgehoben, wenn die gesamte freie und gebundene Säure durch Zusatz von Natronlauge neutralisiert wurde. Es ist also allein die im Magensafte vorhandene Säure, welche das Bakterienwachstum hindert, während das Sekret der Magendrüsen an sich, ebenso wie es Stern für das der Speicheldrüsen nachgewiesen hat, keine antibakteriellen Eigenschaften besitzt. — Zu wesentlich denselben Resultaten gelangte Kabrehl[2]), welcher ebenfalls den Unterschied der Einwirkung freier und gebundener Salzsäure auf pathogene Mikroorganismen konstatierte. Seine Versuche stellte er an künstlichen Magensaftgemischen, welche er sich durch Zusatz von Verdauungsflüssigkeit zu Fibrin oder Blutserum herstellte, an. — Mit Tuberkelbacillen wurden außer von den

---

1) Ueber die Wirkung des Magensaftes auf pathogene Bakterien. Inaug.-Dissertation. Breslau 1890.

2) G. Kabrehl, Ueber die Einwirkung des künstlichen Magensaftes auf pathogene Mikroorganismen. Archiv f. Hygiene, Bd. X, Heft 3, 1890.

oben zitierten Forschern auch von Zagani[1]) Versuche angestellt. Derselbe fand, dass die Bacillen bei Hunden, die mit Phthisikersputum gefüttert wurden, stets im Kot wiederzufinden waren, also auf ihrem Wege durch den Verdauungstraktus der Einwirkung des Magensaftes widerstanden. Wenn er hingegen Tuberkelbacillen mit dem Magensafte des Hundes außerhalb des Organismus bei 38° C verschieden lange Zeit in Berührung brachte, so besaßen die Bacillen zwar nach 3 bis 4 Stunden noch ihre volle Virulenz, waren aber nach 18 bis 24 Stunden völlig unwirksam. Die Tuberkelbacillen scheinen also beim Passieren des Magens nur deswegen am Leben zu bleiben, weil sie der Wirkung des Magensaftes hierbei zu kurze Zeit ausgesetzt sind. — Hierzu im Widerspruche stehen die Resultate, welche Kurloff und Wagner bei ihren Versuchen erhielten. Diese beiden Autoren fanden, dass Tuberkelbacillen, ebensowenig, wie sporenhaltige Milzbrandbacillen und Staphylokokken aus älteren Kulturen im normalen menschlichen Magensafte abgetötet oder auch nur abgeschwächt werden. Hingegen wurden, was auch schon von anderen Autoren festgestellt worden ist, sporenfreie Milzbrand-, Cholera-, Typhus-, Rotz-, Tetanusbacillen und die Bacillen des blauen Eiters bereits innerhalb der ersten halben Stunde vernichtet. — Von besonderem Interesse sind auch die Versuche, welche Kianowsky[2]) ebenfalls am Menschen anstellte. Hiernach enthält der nüchterne Magen — 14 bis 18 Stunden nach der letzten Mahlzeit — zahlreiche Mikroorganismen. Je länger der Magensaft wirkt, desto mehr derselben gehen zu Grunde; jedoch findet keine strenge Proportionalität zwischen der Steigerung der Acidität des Mageninhaltes und dem Zugrundegehen der Mikroorganismen statt

Die Drüsensekrete, welche im weiteren Verlauf des Darmkanals abgeschieden werden, wurden von Leubuscher[3]) auf ihre bakterientötende Eigenschaft hin untersucht. Und zwar wurde das Verhalten des Darmsaftes, d. h. des Sekretes der Lieberkühn'schen Drüsen, des pankreatischen Saftes und der Galle geprüft. Leubuscher verwandte hierzu Typhus-, Cholera-, Finkler'- und Prior'sche, Kartoffel- und Milzbrandbacillen und außerdem noch bei den Versuchen mit Galle das *Bacterium coli commune*, *Proteus vulgaris*, *Bacillus butyricus*, Milchsäurebacillen und zwei Hefearten: *Saccharomyces cerevisiae* und *S. elipsoides*. Hierbei ergab sich, dass sich im Darmsaft und im pankreatischen Saft, resp. der angewandten Trypsinlösung,

1) Zagani, Sul passagio del virus tuberculare pel tubo digerente del cane. Giorn. internazion. delle scienze med., 1889.
2) B. Kianowsky, Zur Frage über die antibakteriellen Eigenschaften des Magensaftes. Wratsch 1890, Nr. 38—41 (russisch), ref. im Centralbl. f. Bakteriol. u. Parasitenkunde, Bd. IX.
3) G. Leubuscher, Einfluss von Verdauungssekreten auf Bakterien (aus dem hygien. Institut zu Jena). Zeitschr. f. klin. Medizin, Bd. XVII, S. 472.

sämtliche untersuchte Bakterienarten sehr gut entwickelten, am besten in der Trypsinlösung, im Jejunumdarmsaft noch etwas reichlicher, als in dem aus dem Ileum stammenden Darmsafte. Die frische Galle zeigte ebenfalls keine desinfizierende Wirkung. Jedoch verhielten sich die angewandten Bakterien der Galle gegenüber nicht gleich. Während sich die pathogenen Bakterien, sowie *Proteus, Bacterium coli commune* und die Milchsäurebacillen sehr gut entwickelten, fanden der *Bacillus butyricus* und die Hefearten nur schlechte Entwicklungsbedingungen. Die ebenfalls geprüften freien Gallensäuren erwiesen sich stets von stark desinfizierender Wirkung. — Diese Sekrete der Darmdrüsen zeigen also das gleiche Verhalten, wie die Sekrete der Speichel- und Magendrüsen — nicht des Magensaftes. Außerdem spricht gegen eine bakterientötende Eigenschaft auch die ungeheure Menge von Bakterien, die stets im Darminhalt enthalten ist, sowie die Versuche von Koch, welchem eine Infektion der Versuchstiere mit Cholera asiatica gelang, sobald er die Salzsäure des Magens durch Neutralisieren unschädlich machte oder die Bacillen direkt in den Darm injizierte. Ueberhaupt findet bei Cholera, Ruhr, Typhus (s. o.) u. a. infektiösen Krankheiten eine Infektion vom Darm aus statt, welche bei Anwesenheit von desinfizierenden Stoffen in demselben nicht möglich wäre. Es muss daher auch die Therapie dieser Krankheiten besonders darauf gerichtet sein, eine Desinfektion des Darmkanals zu bewirken. — In ähnlicher Weise günstig für das Eindringen von Mikroorganismen liegen die Verhältnisse im Genitaltraktus, welcher auch keine Sekrete von desinfizierender Wirkung absondert. Es gibt daher auch wohl kaum eine Stelle in den Wegen des Urogenitalsystems, welche einer Infektion nicht zugänglich wäre. — Das Verhalten des Harns gegen Mikroorganismen wird weiter unten noch genauer besprochen werden.

Einen weit ausgiebigeren und allgemeineren Schutz, als in dem Verhalten von Epithelzellen und deren Sekreten besitzt der tierische Organismus in der bakterienfeindlichen Eigenschaft des Blutes Schon M. Traube und Gscheidlen[1]) hatten darauf hingewiesen, dass Bakterien, welche man Tieren intravenös injiziert, sehr rasch aus dem Blute derselben verschwinden. Diese Thatsache wurde später durch Versuche von Fodor[2]) bestätigt, der zugleich nachwies, dass im Blute gesunder Tiere keine züchtungsfähigen Bakterien enthalten sind. — Auf einem anderen Wege näherte sich Grohmann[3]) der

---

1) M. Traube und Gscheidlen, Ueber Fäulnis und den Widerstand der lebenden Organismen gegen dieselbe. Jahresber. d. schlesischen Gesellschaft für vaterl. Kultur, 1874, S. 179.

2) Deutsche mediz. Wochenschrift, 1886, Nr. 36 und Archiv für Hygiene, Bd. IV, Heft 2.

3) Ueber die Einwirkung des zellenfreien Blutplasma auf einige pflanzliche Mikroorganismen. Inaug.-Dissertation. Dorpat 1884.

vorliegenden Frage, der das Verhalten einiger pflanzlicher Mikroorganismen gegen filtriertes Pferdeblutplasma untersuchte. Es kam ihm hierbei darauf an, zu beobachten, ob sich irgend welcher Einfluss der geimpften Mikroorganismen auf den Eintritt der Gerinnung zeigen würde, und er glaubte auch eine in der Gerinnung ihren Abschluss findende Wechselwirkung zwischen dem tierischen Plasma und dem Protoplasma der Bakterien gefunden zu haben. Die weitere Frage, welchen Einfluss die chemische Einwirkung des Blutplasma auf die Vermehrungsfähigkeit und Virulenz der pflanzlichen Mikroorganismen besitzt, beantwortete Grohmann auf Grund seiner Versuche dahin, dass das Wachstum der der Wirkung des Plasma ausgesetzten Pilze stets bedeutend verlangsamt wurde. Zu einem gleichen Resultat führten ihn die allerdings nur spärlichen Tierversuche, welche er mit Milzbrandbacillen anstellte. Auch hier erwiesen sich die Bacillen, auf welche er Blutplasma hatte einwirken lassen, in ihrer Virulenz bedeutend herabgesetzt.

Somit schien die von den oben genannten Forschern aus ihren Versuchen vermutete Thatsache, dass die ins Blut gelangten Mikroorganismen zu Grunde gingen oder wenigstens eine Schädigung erlitten, durch die Versuche von Grohmann eine experimentelle Bestätigung gefunden zu haben. Jedoch wies Wyssokowitsch[1], der sich die Aufgabe gestellt hatte, zu untersuchen, was denn aus den ins Blut der Versuchstiere injizierten Mikroorganismen werde, nach, dass eine Ausscheidung derselben durch die Nieren, den Darm und die Milchdrüsen in die entsprechenden Exkrete nicht stattfinde. Hingegen fand er, dass die ins Blut injizierten Bakterien ebenso, wie in das Blut gelangte kleinste, nicht organisierte Partikelchen, in gewissen Organen, namentlich Milz, Leber und Knochenmark massenhaft festgehalten und dadurch dem Blutstrome entzogen werden. Die in den Organen abgelagerten Bakterien gehen dann, wie die Versuche zeigen, daselbst zu Grunde.

Dass aber dem Blute selbst eine bakterienvernichtende Kraft zukomme, dafür war es erst möglich, einen exakten Beweis zu liefern, als man begann, eine eingehende und auf Benützung der Koch'schen Kulturmethoden gestützte Bearbeitung der Frage an dem Tierkörper entnommenen Blutproben anzustellen. Schon Fodor[2] führte eine Reihe derartiger Versuche aus; doch defibrinierte er zu denselben das Blut vorher nicht, so dass die bald darauf eintretende Gerinnung eine sichere Beobachtung störte. Seine Versuche konnten daher keine unzweifelhaften Resultate liefern.

---

1) W. Wyssokowitsch, Ueber die Schicksale der ins Blut injizierten Mikroorganismen im Körper der Warmblüter. Zeitschrift für Hygiene, Bd. I, 1886, S. 3.

2) Jos. Fodor, Die Fähigkeit des Blutes, Bakterien zu vernichten. Deutsche mediz. Wochenschrift, 1887, Nr. 34, S. 745.

Völlig unanfechtbare Beweise brachten erst die Versuche, welche Nuttall[1]) und später Nissen[2]) und Buchner[3]) anstellten. Ihre durchaus positiven Resultate fanden in den letzten Jahren auch noch von den verschiedensten anderen Seiten eine volle Bestätigung, und es wird auf diese Arbeiten später im Einzelnen noch genauer eingegangen werden. Hierbei bildeten sich im Wesentlichen zwei Untersuchungsmethoden aus, nach denen die Versuche angestellt wurden:

1) Die Untersuchungsmethode im hängenden Tropfen, welche besonders von Nuttall angewandt wurde. Dieselbe besteht darin, dass man ein Tröpfchen Blut (Lymphe, Serum etc.) mit einer vorher geglühten Platinöse auf ein sterilisiertes Deckglas bringt und dieses Tröpfchen am Rande mittels einer Nadel mit den zu untersuchenden Bakterien impft. Statt des nachträglichen Impfens kann man auch schon vorher eine Vermischung des Blutes mit einem oder mehreren Tropfen einer Aufschwemmung von einer Reinkultur in einem sterilisierten Reagensglase vornehmen und alsdann erst mit einer geglühten Platinöse einen Tropfen aus der Blut-Bakterienmischung auf das Deckglas bringen. Das Deckglas wird alsdann mit dem Tropfen nach unten auf einen ausgeschliffenen Objektträger gelegt und am Rande mit Paraffin zugeschmolzen. Es ist dann zu jeder beliebigen Zeit der Beobachtung mit dem Mikroskope zugänglich. Die Beobachtung muss auf einem geheizten Objekttische oder, wie Nuttall seine Versuche anstellte, in einem Wärmekasten des Mikroskopes vorgenommen werden. Natürlich müssen die Präparate auch in der Zwischenzeit in Kästchen auf Körpertemperatur gehalten werden.

Die zweite Methode ist die Kulturmethode, welche meist in zweierlei Formen angewandt wurde: 1) 5 bis 10 ccm Blut werden aus einer aseptisch freigelegten Arterie oder Vene (meist die Carotis oder Jugularis) des Versuchstieres in einem sterilen Glasgefäß aufgefangen, unter Vermeidung jeder Abkühlung in einer sterilisierten Glasflasche durch Schütteln mit geglühtem Kies oder nach Buchner ebenfalls durch Glühen sterilisierten Glasperlen defibriniert und alsdann in Mengen von 8 bis 12 Tropfen mittels sterilisierter Pipette in sterile, schon vorgewärmte Reagensgläser verteilt. In diesen Blutproben wird je eine Platinöse einer konzentrierten Aufschwemmung der zu untersuchenden Bakterien gut verrührt, und dieselben werden

---

1) G. Nuttall, Experimente über die bakterienfeindlichen Einflüsse des tierischen Körpers. Zeitschrift für Hygiene, Bd. IV, 1888.

2) F. Nissen, Zur Kenntnis der bakterienfeindlichen Eigenschaft des Blutes. Inaug.-Dissertation. Breslau 1889.

3) Untersuchungen über die bakterienfeindlichen Wirkungen des Blutes und Blutserums. I. Vorbemerkungen von H. Buchner. II. Ueber den bakterientötenden Einfluss des Blutes von H. Buchner u. Fr. Voit. III. Welchen Bestandteilen des Blutes ist die bakterientötende Wirkung zuzuschreiben? von H. Buchner u. G. Sittmann. Archiv für Hygiene, Bd. X, Heft 1 u. 2.

alsdann bei 38° C im Thermostaten gehalten. Von Zeit zu Zeit werden einige dieser infizierten Blutproben herausgenommen, mit ca. 8 ccm verflüssigter Nährgelatine vermischt und zu Platten ausgegossen. Zugleich mit dem Blute werden auch zwei oder drei Reagensgläser Gelatine mit je einer Platinöse der Aufschwemmung geimpft und zu Platten ausgegossen, um die Menge der ausgesäten Keime zu bestimmen. — Die zweite Form dieser Methode ist folgende: Es werden ebenfalls 5 bis 10 ccm Blut aseptisch gewonnen und defibriniert, alsdann jedoch nicht verteilt, sondern direkt mit den betreffenden Bakterien geimpft. Hierauf wird sofort nach kräftigem Umschütteln eine Platinöse dieses geimpften Blutes entnommen, zu verflüssigter Nährgelatine gesetzt und zu einer Platte ausgegossen. Dieser Vorgang wird nach verschieden langer Zeit in der gleichen Weise wiederholt, und somit die Anzahl der mit je einer Platinöse des geimpften Blutes entnommenen Keime ersehen. —

Beide Methoden, sowohl die Kulturmethode, als die Untersuchungsmethode im hängenden Tropfen, ergaben fast stets dieselben Resultate, was für die Brauchbarkeit derselben spricht. Allerdings lässt sich eine partielle Abtötung der geimpften Bakterien im hängenden Tropfen nicht erkennen. Bei allen diesen Versuchen stellten sich auch noch eine Anzahl anderer bemerkenswerter Eigentümlichkeiten heraus. So ist die Wirksamkeit des Blutes abhängig von der Menge der ausgesäten Bakterien, und sie erlischt bei großer Aussaat viel rascher. Auch durch längeres Verweilen — nach 4 bis 16 Stunden nach Nuttall und Nissen, nach den Beobachtungen von Buchner und Stern jedoch erst nach 2 bis 4 Wochen — außerhalb des Tierkörpers verschwindet die bakterienfeindliche Eigenschaft des Blutes allmählich, und sie kann sofort aufgehoben werden durch ein halbstündiges Erwärmen auf 55° C, resp. $^{1}/_{4}$ stündiges Erwärmen auf 60° C, oder durch Gefrieren und Wiederauftauen. Auch die länger anhaltende Einwirkung niedrigerer Temperaturen kann eine Herabsetzung der bakterientötenden Kraft verursachen. Wenigstens beobachtete Stern eine merkliche Abschwächung jener Eigenschaft, wenn er Blut vor der Impfung mehrere Stunden einer Temperatur von 43 bis 44° C aussetzte. Fodor[1]), welcher das bereits geimpfte Blut auf verschiedenen Temperaturen hielt, fand, dass die bakterientötende Eigenschaft desselben am stärksten bei einer Temperatur von 38 bis 40° C hervortrete, bei Temperaturen über 40° hinaus jedoch immer schwächer werde. — Außer mit dem durch Schütteln mit Sand oder Glasperlen defibrinierten Blute wurden auch Versuche mit nicht defibriniertem Blute (Buchner) vorgenommen, sowie mit Blut, welches dadurch zu einem langsameren Gerinnen gebracht war, dass seiner

---

1) J. v. Fodor, Neuere Untersuchungen über die bakterientötende Wirkung des Blutes und über Immunisation Centralblatt f. Bakteriol. u. Parasitenk., Bd. VII, 1890, Nr. 24, S. 753.

Entnahme aus dem Tierkörper eine intravenöse Peptoninjektion vorausgeschickt war (Buchner, Nissen). Eine zweite Art ungerinnbaren Blutes stellte sich ferner Nissen noch dadurch her, dass er das der Carotis entströmende Blut in einer 25 proz. Lösung von Bittersalz (SO_4Mg) auffing. Sowohl das Vollblut, als auch das „Peptonblut" zeigten die gleiche bakterientötende Eigenschaft, wie das defibrinierte Blut, hingegen hatte das SO_4Mg-Blut seine Wirkung völlig verloren.

Die Versuche, für diese auffallenden Eigentümlichkeiten eine Erklärung zu finden, deckten sich mit der Aufgabe, die Ursache der bakterientötenden Kraft im Blute selbst zu entdecken. Zur Lösung dieser Frage sind schon mancherlei Hypothesen aufgestellt worden. Wohl die meisten Anhänger hat seiner Zeit die von Metschnikoff[1]) aufgestellte besessen. Metschnikoff verlegte die Ursache für das Zugrundegehen der in das Blut gebrachten Bakterien in eine aktive Thätigkeit gewisser Zellen. Es sollen nämlich die Leukocyten und andere vom Mesoderm abstammende Zellen des Körpers die Fähigkeit besitzen, eingedrungene Bakterien aufzunehmen und intracellulär zu verdauen. Seit lange schon kennt man die Fähigkeit der Leukocyten, ins Blut gelangte kleinste Teilchen körniger Substanzen, wie Zinnober, chinesische Tusche etc. sich einzuverleiben und auf diese Weise aus dem Blutkreislaufe auszuschalten. Denselben Vorgang nimmt Metschnikoff an, wenn Leukocyten, oder wie er diese Zellen infolge ihrer „fressenden" Thätigkeit nennt, „Phagocyten" mit Bakterien in Berührung kommen, und sieht hierin die hervorragendste Schutzvorrichtung des Organismus gegen von außen auf ihn eindringende schädliche körperliche Elemente. Bleiben in diesem Kampfe, der sich zwischen den Zellen und den Bakterien abspielt, erstere Sieger, so ist, wenn die Bakterien z. B. Träger einer Infektionskrankheit waren, der Verlauf der Krankheit ein günstiger, sind die Phagocyten infolge irgend welcher Umstände nicht im stande, die Bakterien zu überwinden, ein ungünstiger. Die grundlegenden Untersuchungen für diese Theorie stellte Metschnikoff an Daphnien an, welche er einmal an einer durch Sprosspilze erzeugten Krankheit massenhaft zu Grunde gehen sah, und die ihm wegen ihres völlig durchsichtigen Körpers zu seinen Versuchen am geeignetsten erschienen. Ferner stellte

---

1) Metschnikoff, Untersuchungen über die intracelluläre Verdauung bei wirbellosen Tieren. Arbeiten a. d. zool. Inst. d. Univ. Wien, 1884, Bd. V.

Ders., Ueber die pathologische Bedeutung der intercellulären Verdauung. Fortschritte der Medizin, 1884, Bd. II.

Ders., Sur la lutte de l'organisme contre l'invasion des microbes. Annales de l'Instit. Pasteur, 1887, Tome I.

Ders., Sur l'atténuation des bactéridies charbonneuses. Ebenda. — Siehe auch dieses Centralblatt, 1883 u 1884.

Fortschritte der Medizin, 1888, Bd. V.

Virchow's Archiv Bd. XCVI, XCVII, CVII, CIX und a. a. O.

Metschnikoff Versuche mit Milzbrandbacillen an Fröschen an, welche gegen Milzbrand immun sind, und bei denen früher schon Koch nach Impfung mit einem Stück milzbrandigen Organes an der Impfstelle bacillenhaltige Zellen gefunden hatte. Bei den von ihm vorgenommenen Untersuchungen fand nun Metschnikoff, dass die Milzbrandbacillen, welche von den massenhaft zugewanderten Leukocyten aufgenommen wurden, in denselben degenerierten. Sie wurden blass und durchscheinend, bekamen einen schärferen Umriss, der allmählich unregelmäßig und zackig wurde; schließlich traten an einzelnen Stellen Ausbuchtungen und Anschwellungen auf, bis die Bakterien endlich in unregelmäßig gestaltete Körnchen zerfielen. Außerhalb der Leukocyten liegende Bacillen sah Metschnikoff niemals degenerieren. Zur Unterscheidung der abgestorbenen und der noch lebenden Bacillen bediente sich Metschnikoff einer Farbenreaktion. Er setzte zu dem eben entnommenen, bacillen- und leukocytenhaltigen Exsudate einen Tropfen einer alten Vesuvinlösung, durch welche nur die abgestorbenen Bacillen gefärbt werden sollten, während die übrigen ungefärbt blieben. — Aehnliche Resultate erhielt Metschnikoff bei Versuchen mit Eidechsenblut, desgleichen bei Warmblütern. Jedoch gelang es ihm bei letzteren nur in der Milz bacillenhaltige Leukocyten nachzuweisen. Dieselben scheinen also nur eine geringere bakterienvernichtende Thätigkeit zu entfalten, weshalb auch diese Tiere im Allgemeinen für Milzbrand sehr empfänglich sind. — Schließlich untersuchte Metschnikoff noch die Vorgänge bei einer Anzahl von Infektionskrankheiten, bei Wunderysipel, Malaria, Febris recurrens, Gonorrhöe, Lepra und Tuberkulose, deren Verlauf ihm ebenfalls die Richtigkeit seiner „Phagocytentheorie" zu bestätigen schien. — Neuerdings ist diese Lehre von Capparelli[1]) noch weiter ausgesponnen worden. Derselbe schließt aus den von ihm angestellten Beobachtungen, dass der Phagocyt, während er die vegetabilischen Elemente zerstört, selbst mit in die Zerstörung hineingezogen, also selbst zerstört wird. Die letzte Phase des Phagocytismus wäre also vollständige Vernichtung der Phagocyten selbst und der von ihnen verschluckten Bakterien. —

Diese von Metschnikoff aufgestellte Lehre fand bald von den verschiedensten Seiten eingehende Nachprüfungen. So kam Hess[2]), der Fröschen 1 ccm einer dicken Milzbrandanschwemmung in physiologischer Kochsalzlösung intravenös injizierte, zu denselben Resultaten, wie Metschnikoff. Er bediente sich, um Färbungsunterschiede zwischen den noch lebenden und den schon abgestorbenen Bacillen zu erhalten, der Gram'schen Methode. Außer mit Milzbrandbacillen operierte Hess noch mit *Staphylococcus pyogenes aureus*. Auch diesen

---

1) Beitrag zum Studium der Phagocyten. Centralblatt f. Bakteriol. und Parasitenk., Bd. X, Nr. 9.
2) Hess, Untersuchungen zur Phagocytenlehre. Virchow's Arch., Bd. CIX.

Kokkus sah Hess die Leukocyten aufnehmen und verdauen. — Ebenfalls mit *Staphylococcus pyogenes aureus* experimentierten Ribbert[1]) und dessen Schüler Haasler[2]) und Lähr[3]). Auch sie kamen zu gleichen Resultaten, wie Hess und Metschnikoff. — In ganz ähnlicher Weise äußert sich auch Lubarsch[4]) in seiner 1888 erschienenen experimentellen Arbeit zu dieser Frage. — Gleichfalls eine Bestätigung der Metschnikoff'schen Phagocytenlehre fand Pawlowsky[5]), welcher eine Heilung des Milzbrandes durch subkutane und intravenöse Injektionen von *Bacillus prodigiosus, pneumoniae* etc. und die dadurch bewirkte massenhafte Leukocytenansammlung zu erreichen suchte.

Bald wurden jedoch auch Stimmen laut, welche die „Phagocytenlehre" scharf kritisierten und bekämpften. So traten Baumgarten[6]), Weigert[7]) und vor allem Bitter[8]) und Flügge[9]) der Auffassung Metschnikoff's entschieden entgegen. Unter anderem bestreiten sie, dass die Phagocyten im stande wären, ausgewachsene lebende Bacillen aufzunehmen. Denn auch bei der von Metschnikoff angeführten Sprosspilzerkrankung der Daphnien waren stets nur Sporen, niemals die wachsenden Gonidien in den Zellen eingeschlossen, und ebenso ist es zweifelhaft, ob bei den anderen Versuchen die in den Zellen eingeschlossenen Bacillen erst nach ihrer Aufnahme degeneriert sind. Wahrscheinlicher dürfte die Annahme sein, dass die Bacillen durch irgend welche andere außerhalb der Phagocyten wirkende Schädlichkeiten zur Degeneration gebracht werden und dann im abgestorbenen Zustande von den Leukocyten in gleicher Weise, wie Farbkörner oder andere leblose kleinste Körperchen aufgenommen werden. Besonders spricht hierfür auch das Auffinden degenerierter Bacillen außerhalb

---

1) Ribbert, Der Untergang pathogener Schimmelpilze im Körper. Bonn 1887. — Siehe auch: Deutsche mediz. Wochenschrift, 1884.

Derselbe, Der jetzige Standpunkt der Lehre von der Immunität. Deutsche mediz. Wochenschrift, 1890, Nr. 31.

2) Haasler, Beitrag zur Histologie der akuten Entzündung der Niere. Inaug.-Dissertation. Bonn 1887.

3) Lähr, Ueber den Untergang des *Staphylococcus pyogenes aureus* in den durch ihn hervorgerufenen Entzündungsprozessen in der Lunge. Inaug.-Diss. Bonn 1887.

4) Lubarsch, Ueber Abschwächung der Milzbrandbacillen im Froschkörper. Fortschritte der Medizin, 1888, Bd. VI.

5) Pawlowsky, Die Heilung des Milzbrandes durch Bakterien etc. Virchow's Archiv, Bd. CVIII.

6) Berliner klin. Wochenschrift, 1884, Nr. 50 u. 51.

7) Fortschritte der Medizin, 1887, Bd. V.

8) Bitter, Kritische Bemerkungen zu E. Metschnikoff's Phagocytenlehre. Zeitschrift für Hygiene, Bd. IV, 1888.

9) Flügge, Studien über die Abschwächung virulenter Bakterien und die erworbene Immunität. Ebenda.

von Leukocyten, eine Thatsache, die M e t s c h n i k o f f völlig übersehen zu haben scheint, wenigstens wird ihrer nirgends Erwähnung gethan. Auch die von M e t s c h n i k o f f angewendete Vesuvinreaktion zum Nachweis von Degenerationsformen der Bacillen, ist, wie B i t t e r hervorhebt, ein sehr unvollkommenes Hilfsmittel. Denn wenn man dadurch auch die noch ganz lebensfähigen von den schon völlig abgestorbenen Bacillen unterscheiden kann, so ist es doch absolut unmöglich, durch diese Farbenreaktion auch die Zustände der erst beginnenden Degeneration zu erkennen. Wenn also auch die Möglichkeit, dass die Phagocyten z u w e i l e n in dem von M e t s c h n i k o f f angegebenen Sinne wirken, nicht auszuschließen ist, so hat doch weder M e t s c h n i k o f f noch einer seiner Nachfolger bis jetzt einen Beweis für die a l l g e m e i n e Giltigkeit der Phagocytenlehre erbringen können. —

Auch einer experimentellen Nachprüfung wurde die M e t s c h n i - k o f f'sche Lehre von einer Anzahl Autoren unterzogen, welche die von B a u m g a r t e n , W e i g e r t , F l ü g g e u. B i t t e r ausgesprochene Ansicht voll bestätigen. C h r i s t m a s - D i r k i n c k - H o l m f e l d [1]) gelang es, durch Impfung von Ratten mit sporenfreier Milzbrandkultur den Beweis zu liefern, dass entgegen den Beobachtungen M e t s c h n i k o f f's auch die freien, nicht in Zellen eingeschlossenen Bacillen so vollständig degenerierten, dass sie durch Verimpfungs- und Kulturversuche als tot nachgewiesen werden konnten. E m m e r i c h [2]) und E. d i M a t t e i [3]) kamen durch Versuche mit Milzbrandbacillen und Erysipelkokken zu den gleichen Resultaten. Ferner zeigte P e t r u s c h k y [4]), dass, wenn Milzbrandbacillen entweder direkt in den Rückenlymphsack des Frosches injiziert oder in eine diffusible Membran eingeschlossen in den Lymphsack eingeführt werden, die Degenerations- und Auflösungserscheinungen größtenteils an den extracellulär gelegenen Bacillen sich vollzogen. Somit war durch diese Untersuchungen die stärkste Stütze der Phagocytenlehre, welche grade in dem Verhalten des Milzbrandbacillus zu dem Organismus des Frosches wurzeln sollte, gefallen. Auch F o d o r spricht sich in seiner oben zitierten Arbeit in demselben Sinne aus. Am vollständigsten und am meisten überzeugend sind jedoch die Versuche von N u t t a l l , welcher die Versuche M e t s c h n i - k o f f's wiederholte. Außerdem stellte N u t t a l l , wie schon oben erwähnt, auch Kulturversuche an. Sowohl durch die letzteren, als durch seine Versuche an Fröschen und Kaninchen nach den von M e t s c h n i - k o f f angegebenen Methoden und durch seine Untersuchungen im

---

1) Ueber Immunität und Phagocytose. Fortschr. d. Medizin, 1887, Bd. V, Nr. 13.

2) Die Heilung des Milzbrandes. Archiv f. Hygiene, Bd. VI, Heft 4.

3) Fortschritte der Medizin, 1887, Bd. V.

4) P e t r u s c h k y , Ueber die Ursache der Immunität des Frosches gegen Milzbrand. Inaug.-Dissertation. Königsberg 1888.

hängenden Tropfen auf dem heizbaren Objekttisch bewies N u t t a l l, dass Blut eine Degeneration der eingebrachten Milzbrandbacillen u n - a b h ä n g i g von der Mitwirkung der Leukocyten bewirke. Und zwar wird ein großer Teil der Bacillen, welche mit Blut in Berührung ge- bracht werden, in mehr oder weniger kurzer Zeit wirklich abgetötet. — In gleicher Weise deuten auch F o à und B o n o m e [1]) ihre Resultate, welche sie bei Impfversuchen von Kaninchen mit *Proteus vulgaris* er- hielten, und auch H e n k e [2]) gelangte zu dem Ergebnis, dass bei Gonorrhöe, bei welcher doch stets in Zellen liegende Kokken be- obachtet werden, eine Phagocytose nicht stattfinde. Im Gegenteil werden die Zellen durch die eindringenden und sich in ihnen ver- mehrenden Gonokokken aufgefressen. — Es ist also die Behauptung M e t s c h n i k o f f's, dass die Vernichtung der Bacillen im lebenden Organismus a u s s c h l i e ß l i c h eine Folge der Phagocytenthätigkeit sei, unrichtig.

Außerdem hat man auch eine anderweitige, mehr indirekte Beweis- führung gegen die Richtigkeit der Phagocytenlehre und der daraus gezogenen Konsequenzen eingeschlagen, indem man nachwies, dass Bakterien auch durch die Einwirkung völlig zellenfreier Flüssigkeiten zu Grunde gehen, wobei also eine Beihilfe von Leukocyten absolut ausgeschlossen ist. Es wurden nämlich dieselben Versuche, wie mit Blut, auch mit Blutplasma und Blutserum angestellt. Schon G r o h - m a n n führte eine Anzahl seiner Versuche mit filtriertem Pferdeblut- plasma aus. Ihm folgte N i s s e n, der ebenfalls Pferdeblutplasma benützte, das er sich nach der von B r ü c k e angegebenen Methode durch Stehenlassen des Blutes in einem auf 0^0 abgekühlten Zylinder verschaffte. Eine größere Anzahl ausführlicher Versuche stellte B u c h - n e r [3]) an zellenfreiem Blutserum an, ebenso B e h r i n g und N i s s e n [4]). Hierbei stellte sich, wie schon hervorgehoben, heraus, dass dem Serum resp. Plasma dieselbe bakterientötende Eigenschaft wie dem Blute zukomme, dass also dieselbe nicht auf die Wirkung der Leukocyten zurückgeführt werden könne. — Auch die Bakterienfeindlichkeit des Serums kann, wie die des Blutes, aufgehoben werden durch ein halb- stündiges Erwärmen auf 55^0 C oder 20stündiges Erwärmen auf 46^0 C, hingegen nicht durch Gefrieren und Wiederauftauen. Die Wirkung des Serums ist ebenso, wie die des Vollblutes, eine begrenzte, und es vermag eine bestimmte Portion Serum nur eine bestimmte Menge

---

1) F o à u. B o n o m e, Ueber Schutzimpfung. Zeitschr. f Hygiene, Bd. V.

2) H e n k e, Die Phagocytenlehre M e t s c h n i k o f f's und der *Gonococcus Neisseri*. Inaug -Dissertation. Würzburg 1889.

3) B u c h n e r l. c. und: Ueber die bakterientötende Wirkung des zellen- freien Blutserums Centralbl. f. Bakt. u. Parasitenk., Bd. V Nr. 25 u. Bd. VI, Nr. 1.

4) B e h r i n g und N i s s e n, Ueber bakterienfeindliche Eigenschaften ver- schiedener Blutserumarten. Zeitschrift für Hygiene, Bd. VIII, 1890.

Bakterien zu vernichten. Buchner berechnete, dass 1 cmm Kaninchenserum etwa 1000 Typhuskeime abzutöten im stande ist. Die interessante Thatsache, dass Blut durch Gefrieren und Wiederauftauen seine bakterienvernichtende Eigenschaft verliere, Serum hingegen nicht, sucht Buchner dadurch zu erklären, dass durch das Gefrieren des Blutes die Blutzellen vernichtet würden und die so gelösten Blutzellenbestandteile ein Nährmedium für die Bakterien abgeben. Ebenso fände in einer mit Bakterien besäten Blutprobe unter der Wirkung derselben ein allmählicher Zerfall der Blutkörperchen statt, so dass bei einer größeren Aussaat die bakterientötende Wirkung hierdurch schließlich aufgehoben wird. — Neuerdings ist auch von Gottstein[1]) eine ähnliche Ansicht ausgesprochen worden. Derselbe impfte Tiere, welche sonst gegen bestimmte Bakterienarten immun sind, grade mit diesen Mikroorganismen, nachdem er ihnen toxische Stoffe, welche die roten Blutkörperchen zerstören, subkutan injiziert hatte. Die so geimpften Tiere wurden infiziert, resp. starben. Aehnliche Versuche stellte er zur Klärung der Vorgänge bei der gewöhnlichen Wundinfektion an und schloss daraus, „dass die Zerstörung roter Blutkörperchen ein Moment für das Zustandekommen sekundärer Septikämie abzugeben vermag". — Noch mehr wurde Buchner in seiner Anschauung durch die Beobachtung bestärkt, dass er sichere Resultate erst erlangen konnte, als er sich zu seinen Versuchen ein Serum verschafft hatte, das möglichst oder fast völlig frei von allen körperlichen Bestandteilen war. Ferner vermochte Buchner auch die bakterientötende Wirkung des Serums durch Zusatz von Nahrungsstoffen (Fleischpeptonlösung) aufzuheben.

Diese Thatsachen führten Buchner[2]) dazu, nach der Ursache der bakterientötenden Kraft des zellenfreien Serums zu suchen. Durch mehrmaliges Gefrieren und Wiederauftauen wurde Hundeblutserum zur Schichtung gebracht, indem sich bei dieser Prozedur die festeren Bestandteile nach und nach mehr in den unteren Schichten anhäuften. Hierauf wurden mit dem Serum der verschiedenen Schichten Versuche angestellt, und es ergab sich, dass fast ausschließlich den untersten Schichten die bakterientötende Wirkung zukomme. Es scheint danach dieselbe, meint Buchner, an die Eiweißkörper des Serums gebunden zu sein. Außerdem zeigte sich aber noch, dass das Serum bei Dialyse gegen Wasser oder durch eine sehr starke Verdünnung

---

1) Gottstein, Beiträge zur Lehre von der Septikämie. Deutche mediz. Wochenschrift, 1890, Nr. 24.

2) Buchner l. c. und: Ueber die nähere Natur der bakterientötenden Substanz im Blutserum. Centralbl. f. Bakt., Bd. VI, Nr. 21.

Untersuchungen über die bakterienfeindlichen Wirkungen des Blutes und Blutserums. IV. Versuche über die Natur der bakterientötenden Substanz im Serum von H. Buchner und M. Orthenberger. Archiv f. Hygiene, Bd. X, 1890, Heft 2.

mit Wasser seine Wirksamkeit gegen Bakterien vollkommen verliere. — Eine derartig reichliche Wasserverdünnung des Blutes erreichte Bonome[1]) durch zahlreiche intravenöse Wasserinjektionen der Versuchstiere. Auch er fand alsdann die antibakterielle Eigenschaft des Blutes herabgesetzt. — Bei einer derartigen Dialyse oder Verdünnung findet nun eine Entziehung der Mineralsalze statt. Es könnte also mithin die bakterientötende Kraft den Mineralsalzen innewohnen. Bestätigt schien diese Ansicht noch durch eine Anzahl von weiteren Versuchen Buchner's zu werden, in denen die Dialyse nicht gegen Wasser, sondern gegen eine 0,75 bis 0,8 prozentige Kochsalzlösung mit Zusatz von soviel Natriumbikarbonat, dass die Alkalescenz der Kochsalzlösung jener des betreffenden Serums genau entsprach, vorgenommen wurde. Bei dieser Dialyse blieb die Wirksamkeit des Serums ebenso, wie bei Verdünnung mit dieser Kochsalzlösung völlig erhalten. Die Bakterienfeindlichkeit des Serums scheint daher an die Anwesenheit der Salze geknüpft zu sein, aber nur insofern, als dieselbe eine unerlässliche Bedingung für die normale Beschaffenheit der Albuminate des Serums darstellt. Es sind demnach, meint Buchner, die Eiweißkörper die eigentlichen Träger der bakterienfeindlichen Eigenschaft des Serums, aber nur solange, als sie sich in „wirksamen Zustande" befinden, welchen sie z. B. durch Erwärmen auf 55° C verlieren. — Dies ist die Hypothese Buchner's über die Ursache der bakterienvernichtenden Kraft des Blutes, die er auch den Angriffen Behring's und Nissen's gegenüber aufrecht erhält[2]). —

Auch von anderen Autoren wurden verschiedene Theorien über diese Frage aufgestellt, so von Petruschky die sogen. Assimilationstheorie. Nach derselben befinden sich die Körpersäfte und somit die Nährstoffe normaler Weise in einem Zustande, in welchem sie von den Bacillen nicht assimiliert werden können. Die Folge davon ist, dass die Bacillen aus Mangel an Nährstoffen zu Grunde gehen. — Wäre dies der Fall, so müsste z. B. Blut oder andere Körperflüssigkeiten mit guten Nährlösungen versetzt einen brauchbaren Nährboden für Bakterien abgeben. In diesem Sinne stellte Nissen eine Anzahl Versuche mit Blutproben an, denen er Nährflüssigkeiten in verhältnismäßig kleinen Mengen zugesetzt hatte. Und zwar benützte er eine Salzlösung, bestehend aus 1 Teile schwefelsaurer Magnesia, 1 Teile Calciumchlorid und 1000 Teilen Leitungswasser, außerdem die gewöhnliche alkalische Bakteriennährbouillon. Doch zeigte sich in dem Verhalten des Blutes gegen Bakterien weder durch den Zusatz der Salzlösung, noch durch den der Nährbouillon irgend welche Veränderung. Man kann also nach diesen Versuchen die Bakterienfeindlichkeit des Blutes

---

1) A. Bonome, Ueber einige experimentelle Bedingungen, welche die bakterienvernichtende Eigenschaft des Blutes verändern. Centralbl. f. Bakt. und Parasitenk., Bd. VIII, S. 149.

2) Zeitschrift für Hygiene, 1891, Bd. IX.

nicht, wie es Petruschky that, durch einen Mangel an Nährstoffen erklären. — Nissen fasste sie damals als eine spaltende Eigenschaft des Blutplasmas auf. Aehnlich glaubte auch Nuttall, dass es sich hierbei um eine Fermentwirkung handle. — Grohmann hatte sie, wie erwähnt, schon früher dem Gerinnungsvorgange des Blutes zugeschrieben. Letzterer Auffassung trat Buchner näher, welcher Untersuchungen darüber anstellte, ob vielleicht doch die fibrinogene Substanz bei dem Vorgange der Bakterienabtötung eine Rolle spiele. Es ergaben auch in der That seine Versuche mit Peptonblut und Peptonplasma vom Hunde, wie es auch Nissen beobachtet hatte, eine tötende Wirkung auf Typhusbacillen; jedoch war dieselbe keine besonders starke und eher geringgradiger, als sie durch zellen-freies Kaninchenblutserum auf Typhusbacillen ausgeübt wurde. Ebenso zeigte auch eine nach dem Verfahren von Wooldridge aus Thymus-drüse vom Kalb direkt hergestellte Fibrinogenlösung keine Spur einer bakterientötenden Wirkung.

Bei allen diesen Versuchen, welche von den verschiedenen Forschern mit verschiedenen Blut- respektive Serumarten vorge-nommen wurden, zeigte es sich, dass die Blut- und Serumarten der verschiedenen Tierspecies unter einander ziemlich bedeutende Differenzen in ihrer Fähigkeit, Bakterien zu vernichten, zeigten. So beobachtete Nuttall bei seinen Versuchen der Untersuchung im hängenden Tropfen, dass am schnellsten die Degeneration der Milz-brandbacillen bei Menschenblut eintrat, fast ebenso schnell bei Blut von immunisierten Hammeln, ebenfalls in nahezu gleicher Stärke bei Hundsblut. Hingegen hat Vogelblut nur geringe bakterientötende Kraft. Langsam, aber sehr vollständig trat die Degeneration beim Kaninchenblut ein; gar keine Degeneration, sondern unverzögertes Wachstum zeigten die Versuche mit Mäuseblut. Wyssokowitsch und Nissen stellten ihre Versuche mit Hunde- und Kaninchenblut an, Nissen außerdem noch mit Pferdeblutplasma, ebenso Buchner. Es konnte zwar der Letztere in dem Verhalten dieser beiden Blut-arten keine wesentlichen Unterschiede wahrnehmen; doch schienen ihm manche Serumarten ihre bakterientötende Wirkung viel eher zu verlieren, als andere. Wenigstens beobachtete Buchner diese Er-scheinung bei Rinder- und Pferdeserum im Gegensatz zu dem meist angewandten Hunde- und Kaninchenserum. Ferner hat Behring[1]) gezeigt, dass durch Blutserum von Meerschweinchen das Wachstum der Milzbrandbacillen nicht im geringsten beeinträchtigt werde, dass hingegen im Serum von Ratten diese Bacillen überhaupt nicht wachsen. Stern endlich stellte Versuche über die bakterienvernichtende Eigen-schaft des menschlichen Blutes an, welches er sich durch Setzen von Schröpfköpfen und Aderlass, natürlich unter streng aseptischen Kau-

---

1) Behring, Ueber die Ursache der Immunität von Ratten gegen Milz-brand. Centralblatt für klin. Medizin, 1888, Nr. 38.

telen, verschaffte. Des Weiteren bediente er sich dann der schon
oben angegebenen Kulturmethode. — Durch diese Beobachtungen,
welche an den verschiedenen Blut- und Serumarten gemacht worden
waren, angeregt, stellten Behring und Nissen eine große Anzahl
von Versuchen mit den verschiedensten Serumarten an. Und zwar
führten sie die erste Versuchsreihe mit Milzbrandbacillen aus. Dieselben
wurden geprüft in ihrem Verhalten gegenüber dem Blute von Rindern,
Kälbern, Hammeln, Schweinen, Pferden, Ratten, Kaninchen, Meerschweinchen, Mäusen, Hunden, Katzen, Hühnern, Tauben, Fröschen
und außerdem noch von 3 milzbrandimmunen Hammeln und in einzelnen Versuchen auch vom Menschen. Hierbei ergab sich, dass im
Serum der Meerschweinchen, Hammel — auch der immunen —, Mäuse,
Pferde, Hühner, Tauben, Frösche und Katzen die Milzbrandbacillen
stets kräftiges Wachstum zeigten, ebenso in dem Serum von 2 Hunden,
während das der dritten eine wachstumshemmende Kraft zeigte; Ka-
ninchen- und Rinderserum verhielt sich verschiedenartig, und Rattenserum schließlich zeigte ausnahmslos Wachstumshemmung. Außer
mit Milzbrandbacillen wurden auch noch mit einer Anzahl anderer
Bakterien Versuche mit denselben Serumarten angestellt.

Es hatten nämlich auch die Beobachtungen der früheren Autoren
mit Sicherheit festgestellt, dass die Wirkung ein und desselben Blutes
resp. Serums auf verschiedene Bakterienarten durchaus nicht dieselbe
sei, sondern dass im Gegenteil die eine Bakterienart schnell und
prompt abgetötet werden könne, während die andere einen guten
Nährboden finde. So hatte schon Wyssokowitsch konstatiert, dass
die verschiedenen Bakterienarten, Versuchstieren ins Blut injiziert,
verschieden schnell daraus verschwinden. Er stellte die untersuchten
Bakterienarten zu fünf Gruppen zusammen. 1) Schimmelpilze: *Aspergillus fumigatus, Pencillium glaucum*; 2) saprophytische Bakterien:
*Bacillus subtilis, Bacillus acidi lactici, Micrococcus aquatilis, Spirillum
Finkler et Prior, Spirillum tyrogenum*; 3) Bakterien, die für den
Menschen oder andere Tiere pathogen, für die benutzten Versuchstiere aber unschädlich sind: *Micrococcus tetragenus, Bacillus typhi
abdominalis, Spirochaëte Cholerae asiaticae, Streptococcus pyogenes*;
4) für die Versuchstiere pathogene Bakterien: *Staphylococcus pyogenes
aureus, Bacillus cuniculicida, Bacillus anthracis*; 5) Bakterien, welche
in kleinen Dosen nicht pathogen sind, in größeren aber toxisch wirken:
*Bacillus indicus ruber, Bacillus pneumoniae, Bacillus crassus sputigenus,
Bacillus oxytokus perniciosus*. Bei seinen Versuchen ergab sich nun,
dass am schnellsten die Bakterien der Gruppe 1) und 2) aus dem
Blute verschwanden, ebenfalls noch ziemlich rasch die der Gruppe 3);
bei Gruppe 4) trat zuerst eine bedeutende Abnahme ein, die bis zum
völligen Verschwinden führen konnte, alsdann jedoch wieder eine
allmähliche Zunahme. Am schwierigsten war die Eliminierung bei
den Bakterien der 5. Gruppe. Es werden also die Bakterien der für

die Versuchstiere pathogenen Arten zwar auch aus dem Blutstrome in den verschiedenen Organen abgelagert, gehen aber dort nicht zu Grunde, sondern vermehren sich dort wieder und beladen das Blut von hier aus ihrerseits wieder von neuem. — Auch Nuttall stellte nach seinen Versuchen mit Milzbrandbacillen noch einige wenige Kulturversuche mit *Bacillus megaterium*, *Bacillus subtilis* und *Staphylococcus pyogenes aureus* an, von denen sich die ersten beiden ebenso, wie die Milzbrandbacillen verhielten; auf den *Staphylococcus* hingegen war eine Einwirkung des Blutes nicht zu konstatieren. — Eine große Anzahl von Bakterien-Arten prüfte Nissen in ihrem Verhalten gegen Blut. Von pathogenen Bakterien benützte er Cholera-, Milzbrand-, Typhus- und Friedländer'sche Pneumonie-Bacillen, welche sämtlich in frischem Blute in kurzer Zeit vernichtet wurden, sowie *Staphylococcus pyogenes aureus* und *albus*, Erisypelkokken, Hühnercholera, Schweinerotlauf und *Proteus hominis*, welche in ihrer Entwicklung vom Blute nur wenig oder gar nicht gehemmt wurden. Von Saprophyten wurden untersucht: ein Wasserkokkus, Milchsäurebacillen, *Bacillus subtilis*, *Bacillus megaterium*, welche schnell und sicher durch Blut abgetötet wurden, ferner *Proteus vulgaris*, *Bacillus fluorescens liquefaciens*, *Bacillus aquatilis*, *Bacillus prodigiosus*, die der vernichtenden Wirkung des Blutes nicht unterlagen, sondern sich im Gegenteil in demselben sehr gut vermehrten. — Auch Buchner fand die bakterientötende Wirkung am deutlichsten ausgeprägt in dem Verhalten gegen Typhus- und Cholerabacillen, *Bacterium coli commune* und *Bacillus foetidus*, während ein typhusähnlicher Darmbacillus und *Bacillus pyocyaneus* nur sehr schwer getötet wurden, und gegen Milzbrand und Schweinerotlauf die Wirkung des Blutes eine mittlere war.

Zu ganz gleichen Resultaten kam Stern bei seinen Versuchen mit menschlichem defibrinierten Blute. Dasselbe wirkt am stärksten auf Cholerabacillen, etwas weniger auf Typhusbacillen, noch weniger auf den Friedländer'schen Pneumonie-Bacillus. Andere pathogene Mikroorganismen — Milzbrand- und Diphtheriebacillen, *Staphylococcus pyogenes aureus* und *albus*, *Streptococcus pyogenes* — zeigten entweder sofort nach dem Einbringen in das Blut oder nach einer anfänglichen Verzögerung reichliches Wachstum in demselben. Es werden also vom menschlichen Blute grade die Bacillen des Typhus und der Cholera abgetötet; und diese Bacillen werden auch niemals, selbst bei schweren Fällen, in denen der menschliche Organismus schließlich erliegt, im zirkulierenden Blute aufgefunden. Andrerseits sind die widerstandsfähigen Eiterkokken bei pyämischen Erkrankungen sicher zeitweise im Blute vorhanden. Und auch die Erreger der Tier-Septicämien, welche durch ihre massenhafte Wucherung im Blute eine Verlegung fast sämtlicher Kapillaren hervorrufen, werden, soweit dies bis jetzt untersucht ist, von dem Blute der betreffenden Tierspecies nicht abgetötet. Diese interessante Thatsache könnte man, wie Stern hervorhebt, vielleicht dadurch erklären, dass die einen Mikroorganismen deswegen nie im Blute zu finden sind, weil sie daselbst abgetötet werden, wohingegen die Staphylokokken, Streptokokken und Septicämie-Bacillen sich grade deshalb im Blute entwickeln und vermehren können, weil sie der Einwirkung des Blutes Widerstand leisten.

Da sich Behring und Nissen die Aufgabe gestellt hatten, zu entscheiden, „ob und inwieweit überhaupt sich Beziehungen zwischen Immunität gegen eine bakterielle Krankheit und abtötende Kraft des Serums immuner Tiere erkennen lassen", so zogen sie außer den Milzbrandbacillen, wie schon oben erwähnt, auch noch andere Bakterien in den Kreis ihrer Untersuchungen. Die Fränkel'schen Pneumoniebakterien und die „wahrscheinlich mit ihnen identischen" Bacillen der Sputumsepticämie zeigten sich durch keine der angewandten Serumarten in ihrem Wachstum irgendwie beeinflusst, obwohl sie für Mäuse, Kaninchen und Ratten sehr stark pathogen sind[1]). Im Gegensatz hierzu wurden die Bakterien der *Cholera asiatica* — in Uebereinstimmung mit den Beobachtungen fast aller andern Autoren — in allen Serumarten in kürzerer oder längerer Zeit abgetötet, nur besitzt das Mäuseblutserum die abtötende Wirkung nicht in gleich intensiver Kraft, wie das Serum der andern untersuchten Tiere. Der *Vibrio Metschnikovi* (*Gamaleïa*) zeigte ein höchst-interessantes Verhalten. Er wurde nämlich im Blutserum aller normalen Meerschweinchen, für die er ebenso, wie für Tauben, Hühner, Kaninchen und Ratten stark pathogen ist, nicht abgetötet, hingegen in dem Blutserum von 7 gegen diesen *Vibrio* immunisierten Meerschweinchen, welche den Autoren zur Verfügung standen, in demselben Grade, wie die Bakterien der *Cholera asiatica* abgetötet. — Aus diesem letzteren Verhalten, sowie aus der Thatsache, dass kein milzbrandempfängliches Tier ein Serum lieferte, das eine in gleicher Weise milzbrandfeindliche Wirkung gehabt hätte, als das der gegen Milzbrand sehr widerstandsfähigen Ratten, glauben Behring und Nissen schließen zu dürfen, dass zwischen der Immunität eines Tieres gegen eine Bakterienkrankheit und zwischen der bakterienfeindlichen Wirkung seines Serums sich gesetzmäßige Beziehungen nachweisen lassen. Doch glauben sie, dass die Stoffe, welche in den verschiedenen Serumarten im stande sind, die verschiedenen Bakterienarten abzutöten, unter sich ganz differenter Natur sind. Man dürfe also durchaus nicht nach der Ursache der bakterientötenden Wirkung des Blutes im Allgemeinen suchen, sondern es handelt sich hier sicher um verschiedenartige Stoffe und Ursachen.

---

1) Anm. Auch Lacatello (Rivista clinica, 1889, punt III; ref. in Baumgarten's Jahresbericht, Jahrg. V, 1889) fand, dass sich der Fränkel'sche *Diplococcus pneumoniae* — ebenso wie *Streptococcus pyogenes* — in Blutserum gebracht, welches er aus Blut gewann, das er an krupöser Pneumonie leidenden Personen mittels Aderlass entzog, nicht entwickelte.

Neuerdings sind wieder noch eine ganze Anzahl anderer Hypothesen aufgestellt, aber zum Teil schon wiederlegt werden. So spricht
Hafkine[1]) — und in allerneuester Zeit kommt Christmas[2]) wieder
darauf zurück — die Vermutung aus, die Bakterientötung im Blut
und Serum sei zum größten Teil eine bloße Konzentrationswirkung,
welche durch den raschen Uebergang der eingeimpften Bakterien aus
einem Medium geringerer in ein Medium höherer Dichtigkeit hervorgebracht werde. Jedoch wird diese Auffassung von Buchner[3]) in
sehr energischer Weise zurückgewiesen. — Schon früher hatte Behring die bakterientötende Eigenschaft des Rattenserums seiner großen
Alkalescenz zugeschrieben. Fodor suchte daher durch Alkalisierung
des Organismus eine künstliche Immunisierung zu stande zu bringen.
Jedoch wird eine therapeutische Wirkung derselben neuerdings von
Behring[4]) und Chor[5]) bestritten.

Jedenfalls sind wir heutzutage über die Ursache der Bakterienfeindlichkeit des Blutes, mag sie nun auf einer oder auf mehreren
Ursachen beruhen, noch fast völlig im Unklaren. Zum Teil dürfte
man dieselbe wohl allerdings der Thätigkeit der Phagocyten zuschreiben. Sicherlich stehen auch die Eiweißkörper des Serums in
einer gewissen Beziehung zu derselben. Es sprechen dafür die schon
oben erwähnten Versuche Buchner's und vor allem die einiger
neuer Autoren. So hat Hankin[6]) eine bakterienvernichtende, alka-
lisch reagierende Eiweißart aus Rattenmilz und Rattenserum isoliert,
die zu den Globulinen gehört. Aehnliche Versuche gelangen Ogata[7])
und Tizzoni und Cattani[8]). Hankin führt für diese „schützenden
Eiweißkörper" die Namen: Sozine und Phylaxine ein, je nachdem

1) W. M. Hafkine, Recherches sur l'adaptation au milieu chez les Infusoires et les bactéries. Annales de l'Instit. Pasteur, IV. année, 1890, p. 363.

2) de Christmas, Études sur les substances microbicides. Annales de
l'Inst. Pasteur, Tom. 5, 1891, Nr. 8.

3) Buchner, Ursachen der Immunität etc. Hygien. Rundschau, Jahrg. I,
Nr. 16; s. auch Centralbl. f. Bakteriol. u. Parasitenk., Bd. X, 1891.

4) Behring, Ueber Desinfektion, Desinfektionsmittel und Desinfektions-
methoden. Zeitschrift für Hygiene, 1890, S. 463.

5) Centralblatt für Bakteriol und Parasitenk , Bd. VII, Nr. 24.

6) Hankin, On the conflict between the organism and the microbe. Brit.
Med. Journ., XII, 1890, Nr. 1541.

Derselbe, A Bacteria Killing Globulin. Proceed. of the Roy. Societ. of
London, Vol. XLVIII, 1890

Derselbe, Ueber den schützenden Eiweißkörper der Ratte. Centralblatt
für Bakteriol. u. Parasitenk., Bd. IX, 1891, S. 336.

Derselbe, Ueber die Nomenklatur der schützenden Eiweißkörper. Centralblatt für Bakteriol. u. Parasitenk., Bd. X, 1891, Nr. 11 u. 12.

7) Ogata, Ueber die bakterienfeindliche Substanz des Blutes. Centralblatt für Bakteriol. u. Parasitenk., Bd. IX, S. 599.

8) Tizzoni u. Cattani, Ueber die Eigenschaften des Tetanus-Antitoxins.
Centralblatt f. Bakteriol. u. Parasitenk., Bd IX, S. 685.

dieselben schon im normalen Tiere vorkommen oder in Tieren, welche durch künstliche Mittel Immunität erworben haben. Hieran schließen sich auch die Versuche von Mya und Sanarelli[1]), welche beobachteten, dass — allerdings nicht konstant — eine durch Blutgifte hervorgerufene intravaskuläre Globulinzerstörung die Tiere weniger widerstandsfähig gegen Infektionskrankheiten oder nachträgliche Infektion mit virulenten pathogenen Mikroorganismen mache, resp. ihnen mehr oder weniger ihre natürliche Immunität nehme.

Vorläufig bleibt demnach also eine sichere und vollständige Beantwortung der Frage nach der bakterienvernichtenden Kraft im Blute noch der Zukunft vorbehalten. Bis jetzt ist es noch nicht einmal durch exakte Versuche bewiesen, dass auch dem im Tierkörper kreisenden Blute dieselben bakterienfeindlichen Eigenschaften zukommen, und dass nicht vielmehr dieselben sich, wie behauptet worden ist, erst nach oder beim Verlassen des Gefäßes in dem extravaskulären Blute ausbilden. So meint z. B. Lubarsch[2]), dass dieselben jedenfalls weit geringer seien, als es die Versuche mit dem dem Tierkörper entnommenen Blute anzeigten. Zwar ist Lubarsch, wie Stern gezeigt hat, durchaus nicht berechtigt, dieses Resultat aus den von ihm angestellten Versuchen zu ziehen, jedoch haben die von anderen Autoren am lebenden, zirkulierenden Blute bisher angestellten Versuche noch durchaus keine befriedigenden Resultate gezeigt. Buchner und Stern versuchten die Abtötungsvorgänge in einem abgebundenen Gefäßstücke zu untersuchen. Jedoch trat bei den Versuchen beider Forscher Gerinnung innerhalb des abgebundenen Gefäßstückes ein; und es ist deshalb denselben keine volle Beweiskraft beizulegen, da die Abtötung auch erst nach dem Vorgange der Gerinnung eingetreten sein kann. Ebensowenig ist die Methode einwandfrei, welche Nissen anwandte, um die antibakterielle Eigenschaft auch im lebenden zirkulierenden Blute zu prüfen. Nissen impfte eine Anzahl Tiere mit konzentrierten Aufschwemmungen von Reinkulturen und entnahm dann einige Zeit nach der Injektion Blutproben von den injizierten Tieren zur Prüfung auf ihre bakterienfeindlichen Eigenschaften. Es ergab sich hierbei die Thatsache, dass durch diese Einführung sehr großer Mengen von Bakterien in die Blutbahn eine entschiedene Abschwächung der bakterienvernichtenden Kraft des Blutes herbeigeführt wird. Aber „diese Experimente beweisen doch nur, wie Stern hervorhebt, „dass das Blut durch die massenhafte Bakterieninjektion eine derartige Veränderung erfahren hat, dass es nunmehr nach dem Defibrinieren weniger energisch Bakterien abtötete. Ob dies aber deshalb

---

1) Mya u. Sanarelli, Ueber hochgradige Hämatolyse als begünstigende Ursache für Infektionskrankheiten. Fortschr. d. Med., Bd. IX, Nr. 22.

2) Lubarsch, Ueber die bakterienvernichtenden Eigenschaften des Blutes und ihre Beziehungen zur Immunität. Centralblatt f. Bakteriol., Bd. VI, 1889, S. 481 u. 529.

der Fall war, weil im lebenden Blute schon sehr viele Bakterien abgetötet worden waren, ist durch jene Versuche nicht entschieden". —
Interessant ist noch die von Nissen bei diesen Versuche beobachtete
Thatsache, dass fast bei allen nach der Bakterieninjektion entnommenen Blutproben eine mehr oder weniger bedeutende Verlangsamung
der Gerinnung eintrat. — Enderlen[1]) untersuchte ebenfalls die
bakterienvernichtende Kraft des zirkulierenden Blutes. Er injizierte
einem Hunde 2 ccm einer Typhuskultur in die Jugularis und prüfte
hierauf das Karotidenblut auf seinen Gehalt an Bakterien. Er fand
hierbei durch den Einfluss des zirkulierenden Blutes die Zahl der
Bakterien verringert. Jedoch ist diese Versuchsanordnung derartig,
dass man diesem Resultate keine Bedeutung beilegen kann, zumal
wir schon seit langer Zeit wissen, dass in den Kreislauf gelangte
Bakterien binnen kurzer Zeit wieder daraus verschwinden. — Es sind
also die Resultate der bis jetzt angestellten Versuche mit zirkulieren-
dem Blute noch vollkommen ungenügend, und der Schluss, welchen
Buchner neuerdings erst wieder daraus gezogen hat, dass dem
zirkulierenden Blute dieselbe abtötende Kraft, wie dem extravaskulären zukomme, ist deshalb durchaus nicht berechtigt. Die gleichfalls
dagegen angeführten Versuche seiner Schüler, der Herren Ibener
und Roeder, welche fanden, dass Keime, die nicht direkt, sondern
in Wattepäckchen der Wirkung von Blutserum ausgesetzt werden,
weniger abgetötet wurden, als die frei suspendierten, erklärt Buchner auf folgende Weise: Durch die infolge der Versuchsanordnung
bedingte ungleiche Verteilung der Bakterien könne der Fall eintreten,
dass eine Anzahl derselben irgendwo mit weniger Serum zusammen-
käme, als zu ihrer Abtötung nötig wäre. Diese Bakterien würden
infolge dessen auswachsen können und sich an dieser Stelle ein In-
fektionsherd bilden. Ganz ähnlich müssten die Verhältnisse im Kapillar-
netze des Körpers sein. Auf diese Weise ließe sich auch sehr leicht
die von Lubarsch hervorgehobene Thatsache erklären, dass „extra-
vaskuläres Kaninchenblut weit mehr Anthraxbacillen zu vernichten
vermag, als andrerseits zur Tötung des Tieres bei Injektion in den
Kreislauf erfordert werden".

Auch für die Annahme, dass in dieser bakterientötenden Kraft
des Blutes ein Grund für die Immunität mancher Tiere gegen gewisse
Krankheiten liege, sind uns bis jetzt die Forscher den Beweis schuldig
geblieben. Denn wenn auch die Versuche von Behring und Nissen
mit Milzbrandbacillen und dem *Vibrio Metschnikovi* einen solchen Zusammenhang vermuten lassen, so haben doch sehr zahlreiche Versuche
anderer Autoren, die in diesem Sinne angestellt wurden, so zweifel-
hafte und zum Teil negative Resultate geliefert, dass man auch diese
Frage vorläufig noch als völlig unentschieden bezeichnen muss.

---

1) E. Enderlen, Versuche über die bakterienfeindliche Wirkung normalen
und pathologischen Blutes. Münchener med. Wochenschr., 1891, Nr. 13, S. 235.

Es sind im Vorstehenden nur die Versuche über das Verhalten des normalen Blutes, d. h. des Blutes normaler, nicht gegen gewisse Krankheiten immunisierter Tiere besprochen worden. Letzteres, sowie die Wirkung des Blutes von Natur immuner Tiere gegen gewisse pathogene Keime ist gleichfalls der Gegenstand zahlreicher Untersuchungen gewesen. Jedoch ist auf diese ebensowenig, wie auf die zahlreichen Arbeiten über Immunität näher eingegangen worden, da sie außerhalb des Rahmens des vorliegenden Referates liegen. —

Den Versuchen mit zellenfreiem Blutserum stehen die Versuche sehr nahe, welche eine Anzahl Autoren mit verschiedenen Ex- und Transsudatflüssigkeiten anstellten. Schon Nuttall operierte mit Humor aqueus und Liquor pericardii vom Kaninchen, sowie mit einem sehr zellenarmen pleuritischen Exsudat vom Menschen. Eine größere Anzahl von pleuritischen und peritonealen Transsudaten und pleuritischen Exsudaten, sowie je einmal Hydrocelenflüssigkeit und den Inhalt einer Brandblase prüfte Stern auf ihre bakterienfeindlichen Eigenschaften, ebenso Mitchell Prudden[1]) Ascites- und Hydrocelenflüssigkeit. Alle diese Flüssigkeiten zeigten dieselbe bakterienfeindliche Eigenschaft, wie Blut und Serum, und zwar in ungefähr derselben Intensität. Jedoch lassen sich, wie besonders aus den zahlreichen Versuchen von Stern hervorgeht, sehr wohl bestimmte, wenn auch nur sehr geringe Unterschiede in der Fähigkeit dieser verschiedenen Körperflüssigkeiten, Bakterien abzutöten, erkennen. Es ist offenbar das pleuritische Transsudat (Versuch 4) in seiner Wirkung auf Typhusbacillen schwächer, als die pleuritischen Exsudate (Versuch 12 u. 17) und auch, wenn auch nicht in so bedeutendem Grade, schwächer als das peritoneale Transsudat (Versuch 7). Da wir nun in diesen Trans- und Exsudaten Flüssigkeiten von verschiedenem Eiweißgehalt besitzen[2]), so dürfte die Vermutung gerechtfertigt erscheinen, dass wenn die Eiweißkörper in diesen Körperflüssigkeiten irgend welche Rolle bei der Abtötung der Bacillen spielen, sich bei in größerer Anzahl vorgenommenen Versuchen vielleicht irgend eine Beziehung ergeben möchte zwischen der Menge der vorhandenen Eiweißkörper und der Fähigkeit der einzelnen Flüssigkeiten, Bakterien abzutöten. Aus den zwar ziemlich zahlreichen Versuchen von Stern lassen sich aus dem Grunde keine diesbezüglichen Schlüsse herleiten, weil hierzu eine annähernd gleich große Bakterienaussaat bei den verschiedenen Versuchen notwendig ist, was bei den Stern'schen Versuchen durchaus nicht der Fall ist.

In jüngster Zeit sind auch Versuche über die Wachstumsverhältnisse von *Staphylococcus pyogenes aureus*, *Bacillus anthracis*, *Streptococcus pyogenes* und *Str. Erysipelatos* im keimfreien Eiter von Bonome

---

1) Medical Record 1890; ref. in der Deutschen Medizinalzeitung, 1890, Nr. 25.

2) Anm. Nach Reuss beträgt der Albumingehalt von Transsudaten der Pleura 22,5; des Perikardium 18,3; des Peritoneum 11,5; des Unterhautgewebes 5,8; der Gehirn- und Rückenmarkshöhle 1,4 pro Mille.

und besonders von Eichel[1]) angestellt worden. Und zwar gingen die Staphylokokken und Milzbrandbacillen zu Grunde, während die Streptokokken in dem Eiter einen günstigen Nährboden fanden.

Dass das Körpereiweiß eine bakterienvernichtende Eigenschaft besitzt, ist auch durch die Versuche von Lehmann[2]) und Wurtz[3]) bewiesen, welche fanden, dass frisches Hühnereiweiß Typhus- und Milzbrandbacillen, nach Wurtz auch Cholerabacillen, ferner die Bacillen der Hühnercholera und des grünen Eiters, den *Bacillus subtilis* und *Staphylococcus pyogenes aureus* in kurzer Zeit abtöten. Im Gegensatz hierzu ist der Dotter des Hühnereies, wie Lehmann konstatierte, ein ausgezeichneter Nährboden für Bakterien.

Da auch die Milch eine eiweißreiche Flüssigkeit darstellt, so lassen sich auch die Beobachtungen Fokker's[4]) leicht erklären, dessen Versuche eine desinfizierende Wirkung der frischen Milch ergaben. Fokker beobachtete zunächst, dass sterilisierte Milch mit kleinsten Mengen reingezüchteter Milchsäurebacillen infiziert schneller gerinne, als mit derselben Menge geimpfte frische Milch. Er glaubte hieraus auf das Vorhandensein desinfizierender Substanzen in der Milch schließen zu können. Plattenkulturversuche, welche er hierauf anstellte, ergaben, dass die Zahl der aus geimpfter Milch wachsenden Kolonien anfänglich abnimmt. Diese Erscheinung konnte durch kurzdauernde Erhitzung der Milch nicht aufgehoben werden, hingegen sicher durch anhaltendes Erhitzen, wie es beim Pasteurisieren angewandt wird. Diese Resultate scheinen allerdings für eine abtötende Wirkung der frischen Milch, wenigstens den geprüften Milchsäurebacillen gegenüber zu sprechen. — Das Verhalten der Cholerabacillen in der Milch wurde von Kitasato[5]) untersucht. Derselbe fand, dass die Lebensdauer der Cholerabacillen, mit denen er die Milch geimpft hatte, von der Reaktion derselben abhing. Je schneller die Milch sauer wird, um so schneller gehen die hineingebrachten Cholerakeime zu Grunde. Wurde durch Sodazusatz das Sauerwerden der Milch verlangsamt, so hielten sich zugesetzte Cholerabacillen bei 36° C noch bis 55 Stunden nach der Impfung am Leben. Versuche mit sterilisierter Milch führten zu demselben Resultate. Denn, wie auch später von Lazarus[6]) außer für die Cholerabacillen noch für den

---

1) Virchow's Archiv, Bd. CXXI, Heft 1.
2) Ueber die pilztötende Wirkung des frischen Harns des gesunden Menschen. Centralbl. f. Bakteriol., Bd. VII, 1890, Nr. 15. — (Anhang).
3) De l'action bactéricide du blanc d'oeuf. La Semaine médicale, 1890, Nr. 3, p. 21.
4) Ueber die bakterienvernichtenden Eigenschaften der Milch. Fortschr. der Medizin, 1890, Nr. 1.
5) Das Verhalten der Cholerabacillen in der Milch. Zeitschr. f. Hygiene, Bd. V, S. 491.
6) Die Wirkungsweise der gebräuchlichen Mittel zur Konservierung der Milch. Inaug.-Dissertation. Breslau 1890.

Bacillus Neapolitanus (Emmerich), die Finkler'- und Prior'schen und die Typhusbacillen nachgewiesen wurde, bewirken diese Arten, sterilisierter Milch zugesetzt, nach einiger Zeit besonders bei günstigen Temperaturbedingungen (30—35⁰ C) eine lebhaft saure Reaktion und bringen unter Umständen auch Gerinnung der Milch zu stande. Im Uebrigen fand Lazarus, dass die angeführten pathogenen Arten, sowie der gleichfalls untersuchte Ribbert'sche Bacillus der Darmdiphtherie des Kaninchen ebenso, wie die gewöhnlichen Saprophyten der Milch in sterilisierter Milch gut fort kamen. Anders war das Verhalten der Cholera- und Typhusbacillen in roher, nicht sterilisierter Milch. Diese beiden pathogenen Arten wurden regelmäßig nach längerer oder kürzerer Zeit, je nach der Größe der Aussaat, durch die viel schneller wachsenden Saprophyten überwuchert, in ihrer Entwicklung gehemmt und schließlich abgetötet, wenn auch bei sehr starker Aussaat anfangs eine allerdings nur sehr geringe Vermehrung auch der pathogenen Keime zu konstatieren war. — Ganz ähnliche Befunde über das Verhalten der Cholerabacillen in der Milch erhielt neuerdings Cunningham [1]). Derselbe fand, dass in veruneinigter und daher leicht sauer werdender Milch die Cholerabacillen zu Grunde gingen, in gekochter Milch sich dagegen zuerst vermehrten und erst allmählich durch Ueberwucherung des beim Kochen nicht mit abgetöteten *Bacillus subtilis* abstarben. In sterilisierter Milch konnten sie sich unbeschränkt vermehren.

Ueber das Vorhandensein und das eventuelle Fortkommen pathogener Mikroorganismen in der Milch innerhalb des Organismus, so lange sie sich noch in der Milchdrüse befindet, ist bis jetzt nur sehr wenig bekannt. Dass Tuberkelbacillen, deren Verhalten hierbei natürlich in erster Reihe in Betracht kommt, sich auch in der Milch perlsüchtiger Rinder nachweisen lassen, ist schon öfters konstatiert worden. Jedoch ist hierbei die Möglichkeit nicht ausgeschlossen, dass die Bacillen erst nach dem Melken durch Verunreinigungen mit Kotpartikelchen oder mit Sekret aus dem Maule des tuberkulösen Rindes in die Milch hineingelangt sind. Versuche von Ernst [2]), bei welchen das Melken mit der größten Sorgfalt vorgenommen wurde, um ein accidentelles Hineingelangen von Bacillen zu verhindern, ergaben, dass sich in der Milch tuberkulöser Kühe, auch ohne dass tuberkulöse Veränderungen am Euter weder makroskopisch noch mikroskopisch nachzuweisen waren, Tuberkelbacillen vorfanden. Es scheinen also danach die Tuberkelbacillen schon in der noch im Euter befindlichen Milch vorhanden zu sein. Ueber die Frage, wie sie dort hineingelangen können, steht die Entscheidung noch offen. Schmidt-Mühl-

---

1) Die Milch als Nährmedium für Cholerakommabacillen. Archiv f. Hygiene, Bd. XII, Heft 2.

2) How far may a cow be tuberculous, before her milk becomes dangerous as an article of food. The amer. Journal of the med. sciences, 1889, Nov.

heim[1]) nimmt zwar an, die im Kote perlsüchtiger Kühe befindlichen Tuberkelbacillen gelangten beim Liegen der Kühe mit dem Euter in Berührung und könnten durch den nur 0,5 cm langen Zitzenkanal in das Innere des Euters eindringen und die Infektion der Milch bewirken; jedoch ist, wie J a h n e bei Besprechung dieser Arbeit hervorhebt, nicht einzusehen, auf welche Weise die Tuberkelbacillen bei jedem Mangel einer Eigenbewegung durch den Zitzenkanal in die Milchzysterne einzudringen vermögen. —

Ferner ist von Körperflüssigkeiten noch der Harn auf sein Verhalten gegen Mikroorganismen geprüft worden. L e h m a n n[2]) impfte Proben frisch gelassenen Harnes vom gesunden Menschen mit Milzbrand-, Cholera- und Typhusbacillen und hielt sie dann bei 30° C im Brütschrank. Platten, die er hiervon sofort und 1 bis 2, sowie 24 Stunden nach der Impfung goss, zeigten deutlich eine abtötende Wirkung des Harns den Milzbrand- und Cholerabacillen gegenüber, während sich der Urin in seiner Wirkung auf Typhusbacillen verschieden verhielt. Neutralisieren und Sterilisieren nahm dem Harn die desinfizierende Wirkung, welche L e h m a n n in der Acidität des Harnes begründet glaubt. Denn auch beim Sterilisieren nimmt letztere durch Bildung von kohlensaurem Ammoniak auf kosten von Harnstoff ab. — Zu genau denselben Resultaten kam R i c h t e r[3]), welcher das Verhalten des Urins gegen dieselben Bakterienarten untersuchte. Auch er hält die saure Reaktion des Harnes für die Ursache seiner bakterientötenden Kraft. —

Dies sind im Wesentlichen die bis jetzt erschienenen Arbeiten, welche sich mit dieser interessanten Frage des Verhaltens der Mikroorganismen den Körperflüssigkeiten gegenüber beschäftigen. Doch es werden gegenwärtig in diesem Sinne von den verschiedensten Seiten Versuche angestellt, und fast jede Woche bringt uns Veröffentlichungen teils alter, teils neuer Beobachtungen hierüber, so dass man wohl annehmen darf, auch die bis jetzt noch dunklen Punkte dieser Frage werden in kürzester Zeit ihre Lösung finden.

Breslau im Januar 1892.

Neurologische Untersuchungen.

K. S c h a f f e r, Vergleichend - anatomische Untersuchungen über Rückenmarksfaserung. Archiv für mikroskopische Anatomie. Bd. 38.

Sowohl im Rückenmark der Blindschleiche (*Anguis fragilis*), wie in dem der Ringelnatter (*Tropidonotus natrix*) fanden sich Fasern,

---

1) Ueber den Nachweis und das Verhalten von Tuberkelkeimen in der Kuhmilch. Archiv für animal. Nahrungsmittelk., 1889, Jahrg. V, Nr. 1 u. 3.

2) Centralblatt f. Bakteriol., 1890, Bd. VII, Nr. 15.

3) Studien über die pilztötende Wirkung des frischen Harnes. Archiv f. Hygiene, Bd. XII, Heft 1.

die vom Seilenstrang zum gekreuzten Vorderstrang gehen, wie auch
Fasern aus dem Hinterhorne zur Vorderkommissur. Die Ringelnatter
besitzt sicher direkte mediale Hinterwurzelfasern zur Vorderkommissur; bei der Blindschleiche scheinen die Fasern der lateralen
Portion in die Längsbündel resp. in die Grenzschicht des Seiten-
stranges überzugehen und durch die Vorderkommissur in den cen-
trallateralen Vorderstrang zu gelangen. — Bei höheren Vertebraten
(Kaninchen, Katze, Fledermaus) muss eine doppelte Hinterwurzel-
kreuzung angenommen werden: eine kürzere (die Edinger'sche
(d. h. Hinterwurzel, Vorderkommissur, Vorderstrang) und eine längere
(Hinterwurzel, Seitenstrang, Vorderkommissur, Vorderstrang). —

Bechterew und Mislawski, Ueber die Gehirnzentren für Bewegungen der Vagina an Tieren. (Medicinsk. Obosrenje 1891.
Nr. 15).

Die Experimente wurden an Kaninchen und Hündinnen angestellt.
Die Ergebnisse zeigen, dass in der Großhirnrinde zwei Zentren für
die Innervation der Vagina enthalten sind, sowohl für die Anregung
wie für die Hemmung derselben; beide liegen beim Kaninchen im
vorderen motorischen Gebiet, beim Hunde im Gyrus sigmoides. Beide
Kategorien von Zentren sind nicht topographisch getrennt, sondern
durcheinander gemengt. Bei einzelnen Tieren bewirkte die Reizung eines bestimmten Punktes der Hirnrinde bald Anregung bald
Hemmung der Vagina-Bewegung. Es gelang ferner durch Reizung
im vorderen Gebiet des Sehhügels Bewegungen der Vagina auszulösen, ebenso durch Reizung des verlängerten Marks. Die Leitungsbahnen verlaufen bis zur Lumbalregion im Rückenmark, später in
den Sacralnerven. Außerdem ließen sich die Bewegungen durch
Reizung des peripheren Abschnittes der Nn. splanchnici auslösen,
während Reizung der Nn. vagi Hemmung derselben zur Folge hatte.

J. Langley, On the course and connections of the secretory fibres
supplying the sweat glands of the feet of the cat. (Journ. of
Physiology Bd. XII. 4).

L. konnte nachweisen, dass die zur Schweißsekretion der Vorder-
und Hinterpfoten der Katze in Beziehung stehenden Sympathikus-
fasern das Rückenmark in der 4. bis 10. Dorsalwurzel resp. in der
12. Dorsal- und der 1. bis 3. Lumbarwurzel verlassen. Die sekretorischen Fasern der Vorderpfote gelangen aus den Rami communic.
in das Ganglion stellatum und von dort zu den Armnerven. Die
sekretorischen Fasern der Hinterpfote treten aus dem 6. und 7. Lum-
bar- und aus dem 1. und 2. Sakralganglion des Grenzstranges aus
und gehen zum Ischiadicus. Es gibt direkte sekretorische spinale
Fasern. Die vasomotorischen und vasodilatorischen Sympathicusfasern treten an denselben Stellen ein und aus.

L. Breisacher, Zur Physiologie des Schlafes. Archiv für Anatomie und Physiologie 1891.

B. untersuchte dreimal in 24 Stunden seinen eigenen Harn auf den Gehalt an Stickstoff und Phosphorsäure; er arbeitete täglich 13 bis 14 Stunden und schlief von 12 bis 8 Uhr. Das Resultat ergab, dass eine relative Zunahme der Phosphorsäure während der Nacht stattfinden kann. Er hält es für möglich, dass Phosphorsäure- und Stickstoffausscheidung nicht zugleich erfolgen, dass also die Mengen von Harnstoff, welche am Tage entleert worden, erst mit denjenigen geringen relativen Phosphorsäuremengen zusammentreffen, welche schon in der Nacht zur Absonderung kamen.

H. Holm, Die Anatomie und Pathologie des dorsalen Vaguskernes. (Norsk. Mag. for Laegere 1892. Nr. 1. Norwegisch).

Zur Untersuchung dienten Schnittserien aus der Medulla oblongata von menschlichen Föten, Säuglingen, Katzen, Hunden, Kaninchen, Geisteskranken u. s. w. Vom dorsalen Vaguskern liegt vom kaudalen Ende des 4. Ventrikels gerechnet die kleinere Hälfte des Kernes unterhalb dieser Stelle, die größere oberhalb. Distalwärts kann er in der Med. oblong. ebensoweit verfolgt werden wie der Hypoglossuskern. Er geht distalwärts nicht in den Accessoriuskern über und hat nichts mit dem Nucleus IX zu thun. Man kann an dem dorsalen Vaguskern 2 Gruppen deutlich unterscheiden, eine ventro-mediale mit größeren Zellen und eine dorso-laterale mit kleineren. — Die Fortsetzung des Nucleus ambiguus ist distalwärts die Seitenpartie des Vorderhorns, proximalwärts der Facialiskern. — In dem Fasciculus solitarius finden sich auch Fasern, die sich nicht dem Nucl. IX, sondern der direkten, sensorischen Kleinhirnbahn anschließen. Außer den IX-Fasern führt das solitäre Bündel nach der Reihenfolge der Entwicklung 1) Fasern von dem sensitiven IX. Kern, 2) Fasern zur direkten sensorischen Cerebellarbahn, 3) Fasern von oder zu den Vorderhörnern, 4) Fasern, die durch die Raphe gekreuzt zentripetal verlaufen, 5) Fasern von den Kernen der Hinterstränge, 6) Fasern vom dorsalen Vaguskern. — Bei 5 totgeborenen Früchten war der dorsale IX. Kern nicht zur Entwicklung gekommen; derselbe hat keine Beziehungen zur Herzthätigkeit und wird als Atmungszentrum angesprochen; um atmen zu können, genügt die ventromediaie Gruppe. Die dorso-laterale Gruppe ist das Zentrum für die Sensibilität der Atmungsorgane. — Das solitäre Bündel ist immer degeneriert, wenn der dorsale Vaguskern zerstört ist. Der Nucleus ambiguus steht in keinen Beziehungen zum Kehlkopf.

H. Munk, Sehsphäre und Raumvorstellungen. Internat. Beiträge zur wiss. Medizin. Festschrift, Rud. Virchow gewidmet. Bd. I.

Hunde, denen die Sehsphäre vollständig exstirpiert war, welche also rindenblind waren, hatten auch die Orientierung im Raume verloren; sie verhielten sich anders wie in finstere Räume gesetzte oder peripher geblendete Tiere. Es sind an die Sehsphären des Hundes nicht nur die Gesichtsvorstellungen gebunden, sondern auch die Gesichtserinnerungsbilder, welche ihm die Gesichtsvorstellungen des Raumes verleihen. Da, wo diese letzteren abhanden gekommen sind, tritt wohl der Gefühlssinn zur Orientierung im Raum vicariierend ein; doch bedarf es langer Zeit, bis dieser untergeordnete Sinn diesen Ersatz leistet.

M. E. G. Schrader, Ueber die Stellung des Großhirns im Reflexmechanismus des centralen Nervensystems der Wirbeltiere. Archiv für experimentelle Pathologie und Pharmakologie Bd. 29.

Das Unvermögen, sich selbständig zu ernähren, (Fressstörung) bei Vögeln, deren Großhirn entfernt war, beschreibt S. als Aphagie und ordnet diese Erscheinungen nach dem Schema der Aphasie. Ein junger Falke mit doppelseitiger Verletzung des Stirnhirns war motorisch aphagisch d. h. er erkennt die Nahrung, Zungen- und Kaumuskulatur ist nicht gelähmt, und doch ist èr außer Stande seinen Hunger zu stillen. Nach Einbüßung der Hinterhauptslappen (oder Lobi optici bei der Taube) tritt sensorische (resp. optische) Aphagie ein, d. h. das Tier sieht den Fressnapf, erkennt aber nicht die Nahrung, und würde ohne Hilfe des Geruchs nicht fressen können. — Ohne Großhirn war der Falke völlig aphagisch. Die motorische Aphagie beruht nicht auf einer Parese der Muskulatur, sondern auf dem Verlust einer bestimmten Art ihrer Verwendung.

Turner, On hemisection of the spinal cord. Brain. Winter-Part. 1891.

T. nahm 5 halbseitige Rückenmarksdurchschneidungen an Affen vor. Er schließt, dass die Ansicht Brown-Séquards, dass alle sensiblen Fasern sich gleich nach dem Eintritt in das Mark kreuzen, für die unteren Extremitäten zutrifft, während für die oberen Extremitäten im Halsmark die Fasern für taktile Empfindungen zunächst nach beiden Seiten verlaufen, während die für Schmerz- und Temperaturempfindung sich sofort total kreuzen. Deshalb ist meist das Tastgefühl auf der der Läsion entgegengesetzten Seite erhalten. Das Muskelgefühl schien auf der anästhetischen Seite zu fehlen. Auffällig war die Restitution der Funktion, sowohl was Motilität wie Sensibilität anbetrifft, obwohl in der Narbe niemals neue Nervenfasern gefunden wurden. Die nicht lädierte Stelle muss einen Teil der Funktionen übernehmen. — Das gelähmte Bein war anfangs viel wärmer wie das anästhetische.

F. W. Mott, Hemisections made at different levels in the dorsal region of the monkey. Proc. of the Physiology Soc. 1891. Nr. 1. Journ. of Physiol. XII. 2.

Die Halbdurchschneidungen des Rückenmarks bei Affen ergaben eine Herabsetzung oder Aufhebung der Sensibilität auf der Seite der

Operation für Schmerz, Wärme und Druck; auf der gekreuzten Seite wurde ein Verlust der Sensibilität nie gefunden. Die Restitution der Motilität erfolgte für eine bestimmte Bewegung um so rascher, je mehr sie bilateralen Charakters ist und je höher der Schnitt angelegt ist. In der ersten Zeit nach der Operation wurde Rötung, Schwellung und Trockenheit der Haut auf der gelähmten Seite gefunden; auch war die Hauttemperatur erhöht.

B. Lange, Inwieweit sind die Symptome, welche nach Zerstörung des Kleinhirns beobachtet werden, auf Verletzungen des Acusticus zurückzuführen? Pflüger's Archiv Bd. 55. Heft 11 und 12.

L. nahm bei Tauben Kleinhirnexstirpationen vor. Die unmittelbaren passageren Folgeerscheinungen waren die bekannten; als stationäres Symptom zeigte sich schwankender, unsicherer Gang neben unwillkürlichen krampfhaften Streckungen der Zehen und Beine. Störungen der Erhaltung des Gleichgewichtes wie bei Labyrinthoperationen kommen nicht vor. Der Flug ist schon bald nach der Operation normal. Nachdem ein stationärer Zustand sich herausgebildet hatte, wurden an den operierten Tieren Plombierungen der Bogengänge (nach Ewald) und Exstirpationen des Labyrinths vorgenommen. Die Störungen glichen den von Ewald beschriebenen. Es ist zwischen Kleinhirnsymptomen und Bogengangsymptomen streng zu unterscheiden. Verlust des einen Organs hindert nicht das Zustandekommen der Symptome, die nach Zerstörung des anderen Organes auftreten. Nur kann jedes der beiden Organe nach Verlust des anderen die dadurch verursachten Störungen bis zu einem gewissen Grade durch seine eigene besondere Funktion kompensieren. Weder sind mit Baginsky in den Acusticussymptomen nur Gehirnstörungen zu erblicken, noch mit Loeb die Kleinhirnsymptome auf Acusticusverletzung zu beziehen.

Borgherini e Gallerani, Sull' ativita funzionale del cervelletto. (Rivisla speriment. di freniatria etc. Vol. 17. Fasc. III. 1891.

Die Autoren kommen zu dem Resultate, dass das Kleinhirn das wesentliche Organ für die Koordination der willkürlichen Bewegungen sei. Eine Beschädigung seiner Oberfläche (des oberen hinteren Teiles) verursacht ein konstantes und permanentes Zittern des Kopfes und Halses. Eine totale Zerstörung hat eine Ataxie aller freiwilligen Bewegungen des Körpers zur Folge. Krankheiten des Cerebellums erzeugen keine Verminderung der Muskelkraft, noch Störungen der Sensibilität.

L. Luciani, Il cervelletto. Nuovi Studi di Fisiologia normale et Patologica. Firenze 1891. 320 Stn.

Teils kritische Erörterungen der bisherigen Anschauungen und Befunde, teils zahlreiche neue Experimente und Erfahrungen lassen

24 *

L. zu dem Schlusse kommen, dass selbst eine ausgedehnte und tiefe
Läsion des Kleinhirns bis zur völligen Entfernung des Organs keinerlei Lähmungserscheinungen, weder partielle noch allgemeine, weder in sensibler und motorischer noch in sensorieller und intellek-
tueller Hinsicht zur Folge habe. Das Kleinhirn ist ein kleines selbständiges Organ, das nicht intermediär, einfach in die cerebrospinale
Bahn eingeschaltet ist; es ist ein Appendix, ein Endorgan, das durch
zuführende Bahnen mit den peripheren Sinnesorganen (direkt oder
indirekt) in Beziehung steht und durch ableitende Bahnen direkt
verbunden ist mit der grauen Substanz und den Zentren des cerebro-
spinalen Nervensystems und indirekt mit den peripherischen Be-
wegungsorganen. Es hat histologisch wie funktionell eine bilaterale,
vorwiegend direkte, resp. gleichseitige, ungekreuzte Aktion und Funktion, wie es auch die Degenerationen nach halbseitiger Exstirpation
bei den verschiedenen Klassen der Vertebraten erweisen. Diese Wirkung erstreckt sich auf alle willkürlichen Muskeln, wenn auch die
der Extremitäten mehr beeinflusst werden. Der Mittellappen (Wurm)
hat weder eine andere, noch eine stärkere, größere funktionelle Wirkung wie die Seitenlappen; im Allgemeinen haben die verschiedenen
Teile des Kleinhirns die gleiche Wirkung und der Verlust des Wurms
kann zum großen Teil in seiner Wirkung durch die Seitenlappen
organisch kompensiert werden. Die Verletzungen des Kleinhirns,
symmetrische wie asymmetrische, circumskripte wie ausgedehnte zeigen ihrer Natur nach keine Differenz in den Ausfallserscheinungen;
sie unterscheiden sich nur in der Stärke, Dauer und in dem Ueberwiegen der einen oder andern Körperhälfte; jeder Teil dieses in der
Funktion homogenen Organs hat die gleiche Funktion Dieselbe ist
in keiner Weise sensibler oder sensorieller Natur. Der Verlust resp.
Funktionsmangel des Kleinhirns äußert sich in neuromuskulärer Beziehung in dreifacher Hinsicht, indem die 3 normalen Funktionen
desselben ausfallen: 1) die krafterhöhende Wirkung (azione stenica),
2) die tonisierende Wirkung (azione tonica) Erhöhung des Tonus in
der Ruhe, 3) die statische Wirkung (azione statica) d. h. die Regulierung der normalen Ausdehnung und Aufeinanderfolge der Bewegungen, wie die Vermehrung der Zahl der Impulse u. s. w. Eine
trophische Wirkung des Kleinhirns äußert sich direkt in den nach
seiner Zerstörung auftretenden Degenerationen und Sklerosen; und
indirekt äußert sich der trophische Einfluss in langsamer Haut- und
Muskel-Dystrophie (verminderte Widerstandskraft, verlangsamte Regeneration) und Atrophie. Ebenso wie die trophische ist auch die
sonstige normale funktionelle Wirkung des Kleinhirns auf die motorischen Nervenzentren und Muskeln eine langsame, allmähliche und
kontinuierliche. Bei Erkrankung und Reizung der Kleinhirnteile
können sich diese Wirkungen so steigern, dass heftige Rückwir-
kungen auf andere sensorielle, motorische und trophische Nerven-

zentren eintreten, wie Schwindel, motorische Koordinationsstörungen, Polyurie, Glykosurie, Acetonurie, schneller Verlust des Körpergewichts. Die trophischen, stenischen, tonischen und statischen Wirkungen des Kleinhirns sind unzertrennliche und beruhen auf einem gemeinsamen fundamentalen Prozess, der dem gesamten Nervensystem eigen ist.

S. Kalischer (Berlin).

Aus den Verhandlungen gelehrter Gesellschaften.

Gesellschaft
zur Beförderung der gesamten Naturwissenschaften zu Marburg.

In der wissenschaftlichen Sitzung vom 19. Februar 1892 sprach Herr G. R.-R. Prof. Greeff:

Ueber Amöben.
Dritte Mitteilung[1]).

In den Sitzungen vom 19. Dezember 1890 und 18. Februar 1891 habe ich über einige Ergebnisse erneuerter Untersuchung der Erdamöben berichtet, nämlich:

1) Ueber eine den Amöbenkörper umgebende äußere, vom Plasma verschiedene Haut.

2) Ueber die Form und Lebenserscheinungen des Protoplasmas und zwar:

    A. Ueber das zähfeste, im Leben hyaline, homogene, durch Behandlung mit Reagentien (Osmium-Alkohol), nachweisbar radiärstreifige Ektoplasma und seine damit zusammenhängende Bedeutung als motorische Zone.

    B. Ueber das mehr weiche und flüssige, die Granula (Bioblasten, Altmann) tragende Entoplasma, unter denen ich zwei, ihrem äußeren Verhalten und ihrer Bedeutung nach verschiedene Elemente erkannte, die veränderlichen, wahrscheinlich als Stoffwechselprodukte anzusehenden, meist dunklen Glanzgranula und die in Form und Vorkommen beständigen, das Entoplasma erfüllenden und für das Leben desselben bedeutungsvollen blassen Elementargranula.

3) Ueber die Form- und Bewegungserscheinungen und mutmaßliche funktionelle Bedeutung der kontraktilen Behälter bei den Erdamöben.

4) Ueber die bisher von mir unterschiedenen fünf, teils einkernigen teils mehrkernigen Arten der Erdamöben nämlich: 1) *Amoeba terricola*, 2) *A. similis*, 3) *A. sphaeronucleosus*, 4) *A. fibrillosa*, 5) *A. alba*.

In gelegentlichem Anschluss an diese Mitteilungen über die Erdamöben habe ich gleichzeitig auch einige Bemerkungen über Beobachtungen an anderen Rhizopoden, namentlich Heliozoen und Süßwasser-Amöben angefügt.

Ich habe seitdem den Süßwasser-Amöben aus einem reichen, aus der Umgebung von Marburg stammenden Material eine nochmalige eingehende und mit den bisherigen Ergebnissen vergleichende Prüfung widmen können und endlich durch einen Aufenthalt in Ostende im Herbst des verflossenen Jahres erwünschte Gelegenheit gefunden, eine Anzahl mariner Amöben zu untersuchen. Ueber diese will ich heute zunächst berichten, da ich glaube durch sie und insbesondere durch genaue Beobachtung der unter dem Namen *Amoeba fluida* Gruber zuerst behandelten Art einige weitere bemerkenswerte Fort-

---

1) Erste und zweite Mitteilung s. Biol. Centralblatt, XI Bd., S. 599 und S. 633 fg.

schritte in der Erkenntnis der Form- und Lebenserscheinungen der Amöben
gewonnen zu haben, dieser merkwürdigen Organismen, die, zu den einfachsten
des Tierreiches gehörend, doch bei jedem Versuch in ihr Wesen tiefer einzudringen, neue Fragen und Rätsel vorlegen.

See-Amöben von Ostende:

1) *Amoeba fluida* Gruber. (Gestalt, Größe, Färbung, Bewegung, äußere
    Haut, Mündung derselben, Zottenanhang, Protoplasma,
    Nukleus, Fortpflanzung.)
2) *Amoeba crystalligera* Gruber.
3) *Amoeba radiosa* Ehrbg.
4) *Amoeba verrucosa* Ehrbg.
5) *Amoeba flava* Gruber.

1) *Amoeba fluida* Gruber.

In kleinen Aquarien mit Diatomeenschlamm und Algen, meist den Austernparks von Ostende entnommen, entwickelten sich, entsprechend früheren Versuchen, nach einiger Zeit verschiedene Amöben in ganz erstaunlicher Menge,
so dass aus jedem, dem Grunde entnommenen und auf dem Objektträger aus-
gebreiteten Tropfen eine größere Anzahl derselben hervorkroch. Während
indessen die meisten Arten allmählich wieder zurücktraten oder bald ganz
verschwanden, überdauerte eine sie alle und hat sich während des Winters
bis heute in fast ungeschwächter Häufigkeit hier in Marburg in meinen Gläsern
erhalten. Ich glaube dieselbe trotz einiger auffallender Abweichungen, insbesondere aber auf Grund der Uebereinstimmung in einem der am meisten
hervortretenden Charaktere, nämlich der sehr dünnflüssigen Konsistenz des
Protoplasmas, der von A. Gruber als *Amoeba fluida* kurz beschriebenen Art[1])
gleich stellen zu dürfen. Gruber fand sie in Seewasser-Aquarien des zoologischen Institutes in Freiburg, deren Inhalt aus dem zoologischen Garten
von Frankfurt stammte, und im Hafen von Genua[2]), ich selbst kenne sie seit
länger als zwanzig Jahren durch mehrfachen Aufenthalt in Ostende als eine
der dort häufigsten, namentlich die Austernparks bevölkernden Amöben und
ich vermute, dass auch die von K. Moebius aus der Kieler Bucht als *Amoeba
villosa* beschriebene Art[3]) mit jener identisch sei.

Gestalt, Größe, Färbung.

Die äußere Form dieser Amöbe ist bei der ersten Begegnung meist eine
mehr oder minder kugelige, ovale, birnförmige oder breit gelappte, wobei der
breitere Umfang in der Regel nach vorne gerichtet ist, während der hintere
Teil sich etwas verjüngt und in ein abgerundetes oder etwas hervorgezogenes
und dann häufig papillenartig angeschwollenes Ende übergeht, das den auch
von anderen Amöben beschriebenen merkwürdigen „Zottenanhang" trägt, auf
dessen eigentliche Natur und Bedeutung wir später noch ausführlich zurückkommen werden, den Gruber aber von seiner *Amoeba fluida* auffallenderweise
nicht erwähnt, obgleich er für die Ostender Form einen sehr hervortretenden
äußeren Charakter bildet.

---

1) Studien über Amöben. Zeitschr. f. wiss. Zool., 41. Bd., 1885, S. 219.
2) Ueber einige Rhizopoden aus dem Genueser Hafen. Berichte d. naturf.
Gesellschaft zu Freiburg i B., Bd. IV S. 35 und in: Res Ligusticae, IV. Enu-
merazione dei Protozoi raccolti nel Porto di Genova, p. 537.
3) Bruchstücke einer Rhizopodenfauna der Kieler Bucht. Abhandl. d. k.
preuß. Akademie d. Wissensch. zu Berlin, 1888, S. 25.

Die Größe steigt bis zu 0,08 — 0,09 mm Durchmesser, beträgt im Mittel
aber nur ungefähr die Hälfte und geht von da abwärts bis zu minimalen
Formen, die aber natürlich rücksichtlich ihrer Entstehung ein ganz besonderes
Interesse beanspruchen und deren wir ebenfalls später noch gedenken werden.

Die größeren und mittelgroßen zeigen meist, namentlich bei schwacher
Vergrößerung betrachtet, eine leicht ockergelbe Färbung, indessen kommen
auch, abgesehen von den durch Nahrungs- oder sonstige Inhaltsstoffe bedingten
braunen, grünen, gelben und anderen Färbungen, auch völlig farblose Individuen
vor, insbesondere unter den kleineren.

Bewegungen.

Die im Allgemeinen ziemlich lebhaften Bewegungen erfolgen entweder
durch gleichmäßiges Fortfließen des ovalen, birnförmigen oder breit ausgebuchteten Körpers oder noch häufiger durch ruckweises Hervorstoßen von
blasen- oder lappenartigen Fortsätzen, in die dann die Inhaltsmasse wie „in
einen Bruchsack" einströmt und bis zum äußersten Umfang fortgetrieben wird.
Hin und wieder quellen auch von verschiedenen Stellen des Körpers solche
blasenartige Fortsätze hervor, wodurch derselbe dann eine unregelmäßige gelappte Gestalt erhält. In seltenen Fällen sind die Fortsätze finger- oder stab-
förmig. Auch nadel- und fadenförmige Pseudopodien bis zu den feinsten nur
mit starken Vergrößerungen erkennbaren Fäden und fadenförmigen Verzweigungen
kommen vor, aber ausschließlich an dem schon oben erwähnten Zottenanhang,
der bei diesen Bewegungen meist nach hinten gerichtet ist, bei besonders
lebhaften Gestaltsveränderungen aber auch mehr oder minder nach vorne gedrängt wird oder auf der unteren Seite der Amöbe liegt. In diesem Falle
ist er zuweilen nicht oder schwer sichtbar, so dass die Amöbe alsdann zottenlos
erscheint.

Aeußere Haut. Mündung derselben. Der „Zottenanhang".

Ich habe, wie oben schon hervorgehoben, bei den Erdamöben eine den
Körper umgebende dünne, von dem Protoplasma verschiedene, äußere Haut,
an die sich nach innen das zähe, radiär-streifige Ektoplasma als eigentliche
motorische Zone anschließt, auf das Bestimmteste nachgewiesen. Seitdem
habe ich an allen anderen von mir hierauf untersuchten Amöben, sowohl
an den im Süßwasser als im Meere lebenden, diese äußere Haut bestätigen
können und darf deshalb wohl annehmen, dass sie einen allgemeinen Charakter
dieser Organismen bilde. Auch bei *Amoeba fluida* tritt sie, wenngleich hier
feiner als bei anderen Amöben, klar zu Tage, gleichzeitig aber führen die
übrigen hiermit im Zusammenhang stehenden Erscheinungen bei diesem Rhizopoden zu dem überraschenden Ergebnis, dass diese Haut an einer Stelle
konstant unterbrochen und durch eine Oeffnung ersetzt ist, die
direkt in das Innere des Körpers führt und aus der, und zwar
hier allein am ganzen Umfang, das nackte Protoplasma unter
Pseudopodien-Ausbreitung nach außen hervortritt. Diese Stelle
liegt in dem sogenannten „Zottenanhang". Da durch sie Nahrungskörper
und sonstige Stoffe aufgenommen und anderseits solche ausgeführt werden, im
Uebrigen aber der Körper durch die ihn umgebende Haut völlig abgeschlossen
ist, so gehört *Amoeba fluida* und die mit ihr rücksichtlich jener Charaktere übereinstimmenden Amöben, wie wir im Folgenden noch bestimmter nachweisen werden, wie aber hier schon ausgesprochn werden muss, nicht zu
den nackten, sondern zu den beschalten resp. den monothalamen

Rhizopoden, die man direkt der bekannten Gattung *Lieberkühnia* würde
anschließen können, wenn sie von dieser nicht durch andere Charaktere und
a priori als eigentliche Amöben getrennt wären.

Schon an den kriechend sich fortbewegenden Amöben lässt sich bei genauer Beobachtung mittels guter Immersionen diese äußere Haut erkennen.
Zuweilen findet man Exemplare, die unverhältnismäßig große Nahrungskörper
aufgenommen haben, wie Diatomeen und Algenfäden, deren Länge den Durchmesser ihres Körpers übersteigt, so dass derselbe oft weit ausgebuchtet wird.
Lässt man nun das Auge sorgfältig prüfend an den seitlich hervorstehenden
Enden dieser Objekte vorbeigehen, so sieht man, dass dieselben oft nur von
einer dünnen Hautschicht schlingenartig oder kappenförmig umfasst werden
und durch sie ganz allein in dem Körper der Amöbe zurückgehalten werden.
Unmöglich auch würde zu einem solchen Umfassen und Festhalten weit nach
außen hervorgetriebener und oft zugespitzter Gegenstände (Diatomeen etc.)
das, wie wir später sehen werden, dünnflüssige Protoplasma im Stande sein.

Mit überzeugender Beweiskraft aber wird die Anwesenheit einer den
Körper umgebenden festen, von dem Protoplasma durchaus verschiedenen Haut
dargethan, wenn man eine solche Amöbe, die eine ihren Körperdurchmesser
an Länge weit übersteigende stabförmige und an ihren Enden zugespitzte
Diatomee aufgenommen hat, bei ihren Bewegungen eine Zeitlang verfolgen
kann, zumal wenn es hierbei glückt auch den Wiederaustritt der Diatomee zu
beobachten und dadurch gleichzeitig festzustellen, dass nur eine Stelle an
dem ganzen Umfang des Körpers vorhanden ist, die derselben Austritt gewähren kann, nämlich die oben hervorgehobene Unterbrechung in der Haut
resp. Mündung derselben in den Zottenanhang. Ich knüpfe zur Darlegung dieser
Thatsachen an einen Beobachtungsfall, der es mir gestattete, eine sich lebhaft
bewegende Amöbe mit einer ihren Durchmesser um mehr als das Doppelte an
Länge übertreffenden Diatomee fast eine halbe Stunde lang aufmerksam im
Auge zu behalten. Die Diatomee wurde bald nach dieser, bald nach jener
Seite weit hervorgetrieben, ohne selbst im extremsten Fall die Oberfläche zu
durchbrechen. Das flüssige Protoplasma durchglitt sie stets mit Leichtigkeit,
oft durch dasselbe fast hindurchschießend, sobald sie aber gegen den äußeren
Umfang stieß, fand sie Widerstand und wurde nun durch weiteren Druck von
der entgegengesetzten Seite oft als langer stabförmiger Fortsatz, die biegsame
und elastische Haut kappenförmig vor sich hertreibend, nach außen vorgestoßen.
Dann wurde sie, einerseits vielleicht durch die Elastizität der Haut, andererseits
durch die Bewegungen des Protoplasma wieder zurückgedrängt und das Spiel
wiederholte sich an der entgegengesetzten Seite etc. Der Zottenanhang erschien dabei meist an einer mehr oder minder ausgebuchteten Seite oder
wurde undeutlich oder unsichtbar, indem er auf die obere oder untere Fläche
der Amöbe gedrängt wurde. Als er gerade mit seinen strahlenden Pseudopodien hervortrat, bemerkte ich, wie die Diatomee mit dem einen Ende nach
dieser Gegend hinglitt und alsbald war das Zottenfeld durchbrochen und die
Diatomee nach außen gestoßen.

Auch durch die direkte Beobachtung an der lebenden Amöbe lässt sich
erkennen, dass die Haut nicht in den Zottenanhang übergeht resp. das dasselbe
bildende Feld nicht umhüllt. Verfolgt man nämlich beiderseits die Körperhaut
bis zu der Stelle des Zottenanhangs, so erhält man den Eindruck, dass die
Erstere hier endigt und in eine andere Schicht übergeht, die weniger scharf
konturiert ist, ein etwas anderes Lichtbrechungsvermögen besitzt und auch
dadurch ausgezeichnet ist, dass sie äußerst beweglich und daher in ihren Um-

rissen und ihrer äußeren Gestaltung sehr veränderlich und eben Träger der meist nach hinten gerichteten Zotten resp. Pseudopodien ist.

In überraschender Weise wird die durch alle diese Erscheinungen bedingte Annahme einer Verschiedenheit jener beiden Schichten, der Haut und des Zottenfeldes, und gleichzeitig der Bedeutung des Letzteren als Hautmündung durch Behandlung der Amöbe mit Reagentien bestätigt. Tötet man nämlich eine *Amoeba fluida* durch Einwirkung von Osmium oder Alkohol etc., so bläht sie sich zu einer kugeligen Blase auf, an der man nun schärfer als an dem lebenden Objekt die sie bildende äußere Wandung erkennt. Das Zottenfeld aber ist verschwunden, an seine Stelle ist eine mehr oder minder weite Lücke, eine Oeffnung in der Blasenwand entstanden, aus der der unbedeckte krümelige Inhalt hervortritt. Verfolgt man beiderseits die Wandung der Blase bis zu dieser Stelle, so sieht man, wie sie plötzlich hier aufhört, die Enden erscheinen wie abgerissen. Liegt diese Stelle auf der nach oben gerichteten Fläche, so erkennt man bei aufmerksamer Prüfung hier eine mehr oder minder weite rundliche Oeffnung.

Nach allen den oben angeführten und ähnlichen Erscheinungen kann es meiner Meinung nach nicht zweifelhaft sein, dass der Körper von *Amoeba fluida* von einer dünnen, sehr biegsamen, resistenten, vielleicht chitinigen Haut umgeben ist und dass diese von einer durch Vermittelung des Zottenanhangs in das Innere des Körpers führenden Mündung unterbrochen ist. Der Zottenanhang und die ihm zu Grunde liegende Substanzschicht wird aber, wie sowohl die direkten Beobachtungen des lebenden, als des mit Reagentien behandelten Objektes erweisen, von einer hyalinen, zähweichen, sehr beweglichen Ektoplasma-Schicht eingenommen, dem einzigen Protoplasma, das ohne äußere Hautumhüllung nach außen tritt und aus der die Zotten resp. Pseudopodien hervorgesteckt werden Dass die „Zotten" der *Amoeba fluida* Pseudopodien und nicht, wie man bisher im Allgemeinen rücksichtlich dieser Bildungen angenommen hat, starre Fäden sind, lässt sich durch die genaue Beobachtung auf das unzweideutigste erkennen. Bald erscheinen sie kurz nadelförmig, bald in längeren unregelmäßigen und dichten Strahlungen, die den nach hinten gerichteten papillen- oder knopfförmigen Anhang umgeben oder als mehr oder minder unregelmäßige, zuweilen sich verzweigende und im Gewirre durcheinander laufende Faserbüschel oder endlich in seltenen Fällen in langen, den Körper-Durchmesser weit übersteigenden Fäden. In die Fäden sieht man häufig, diesen folgend und an ihnen oder durch sie sich bewegend, kleine, in Abständen folgende Protoplasma-Tröpfchen (keine Körnchen) eingestreut.

Wie die Pseudopodien, so zeigt auch das Plasmafeld selbst, aus dem sie hervorgehen, eine große Wandelbarkeit in der äußeren Gestaltung und Größe. In der Regel ist es bei den Kriechbewegungen der Amöbe nach hinten gerichtet als mehr oder minder halbkugeliger, zuweilen fast kugeliger, nur durch eine Brücke mit dem Amöbenkörper verbundener oder auch als unregelmäßiger, knollen- oder höckerförmiger Anhang, zuweilen trichter- oder röhrenförmig nach hinten ausgezogen, namentlich dann, wenn Nahrungskörper etc. aufgenommen oder, was häufiger zur Beobachtung gelangt, abgegeben werden etc. Wie schon früher bemerkt, kann bei lebhaften Bewegungen, namentlich bei mehrfachen Aenderungen der Richtungen der Anhang auch auf die obere oder untere oder an eine der Seitenfläche, in seltenen Fällen und dann immer nur kurz vorübergehend, nach vorne rücken.

Welche Bedeutung dem sogenannten Zottenanhang der *Amoeba fluida*
zukommt, ergibt sich aus den obigen Wahrnehmungen und Erörterungen wohl
als selbstverständlich, er entspricht der in ihren Formerscheinungen so mannigfachen, hier aber nadel- und fadenförmig sich gestaltenden Pseudopodien-
Ausbreitungen der monothalamen Rhizopodeu und das Feld, aus dem sie hervortreten, ihrer Schalenmündung, durch welche mittels der Pseudopodien die
Nahrung ergriffen und in den Körper eingeführt wird, wie ich dieses schon
im Jahre 1866 für die Erdamöben ausgesprochen habe.

Außerdem aber ist dem Zottenanhang und der Ektoplasmaschicht, aus
der er entsteht, meiner Meinung nach noch eine andere wichtige Rolle zu-
erteilt, nämlich für die Bewegung der Amöbe und das führt uns zu der
Betrachtung des Protoplasmas der *Amoeba fluida*.

Protoplasma. Granula. Vakuolen. Nukleus.

Ein sehr merkwürdiger und bei genauer Beobachtung alsbald auffallender
Charakter unserer Amöbe, den auch Gruber von seiner *Amoeba fluida* hervorhebt und der mich zunächst bestimmte, jene mit dieser zu identifizieren,
liegt in der völlig dünnflüssigen Konsistenz des Protoplasmas, so
dass die darin suspendierten Granula und sonstigen feineren Inhaltsteile in
lebhafter Molekularbewegung sich befinden, eine Erscheinung, die unter gewissen Umständen auch bei anderen Amöben und Rhizopoden vorkommt und
die ich schon vor Jahren an *Pelomyxa palustris* beobachtet und genau beschrieben habe [1]). In überraschender Klarheit tritt dieselbe bei *Amoeba fluida*
erst bei genauer Prüfung mittels guter Immersion zu Tage. Das bei der
kriechenden Amöbe in die nach vorne gerichtete Bahn oder in die aus derselben hervorgestoßenen Fortsätze, wie in einen, um dieses bezeichnende Bild
zu wiederholen, „Bruchsack" einstürzende Protoplasma, dringt in wirbelnder
Bewegung bis zum äußersten Umfang des Körpers vor, um dann gegen diesen
anstoßend nach rechts und links wieder zurückzufließen. Man gewinnt hierbei
den Eindruck, dass die gleichmäßig und stetig fortschreitenden und scharfen
äußeren Grenzen der Amöbe unmöglich diejenigen des lebhaft an ihnen vorbei-
sprudelnden Protoplasmas sein können. Es hat vielmehr den Anschein, als ob
eine eigenwandige, prall gefüllte Blase durch den gegen sie andrängenden
Inhalt ruckweise oder wellenartig fortbewegt werde. In der That führen auch
diese Beobachtungen zunächst wieder zu der Erkenntnis, dass der Amöbenkörper von einer dünnen, biegsamen und elastischen, den Bewegungen des
Protoplasmas nachgehenden und ihnen folgenden Haut umgeben ist.

Welches aber ist nun die motorische Kraft der Amöbe, die den Impuls
abgibt für den strömenden Inhalt und die durch ihn gebildeten, nach außen
tretenden wellenartigen Fortsätze? Ich darf wohl zunächst hervorheben, was
schon aus den obigen Erörterungen hervorgeht, dass die von mir nachgewiesene
Haut der *Amoeba fluida* und anderer Amöben nichts zu thun hat mit einer an
der äußeren Peripherie des Amöben- resp. Protoplasmakörpers durch chemische
Prozesse stetig sich bildenden ölartigen, optisch nicht wahrnehmbaren Grenzschicht, die G. Quinke auf Grund seiner interessanten Versuche als die
mechanische Ursache jeder Protoplasma-Bewegung, auch der amöboiden ansieht [2]). Ebenso wenig kann jene Haut dadurch entstehen, dass durch die

---

1) Archiv f. mikr. Auatomie, Bd. X, S. 54.
2) Ueber periodische Ausbreitung an Flüssigkeits-Oberflächen und dadurch
hervorgerufenen Bewegungserscheinungen. Sitzungsber. der k. preuß. Akad
der Wissensch., 1888, S. 791.

Berührung des Protoplasmas mit dem umgebenden Wasser an den Berührungs-flächen durch eine Art Erhärtung eine immer von Neuem entstehende und wieder vergehende protoplasmatische Grenzschicht sich bilde, denn gerade an der Stelle, nämlich der Mündung der Haut, aus der das nackte Protoplasma zu Tage und in direkter Beziehung mit dem Wasser tritt, ist solche Grenz-schicht resp. die Haut, wie wir gesehen haben, nicht vorhanden. Sodann lässt sich die völlige Selbständigkeit, Unveränderlichkeit und Unverschmelzbarkeit derselben sowohl an der lebenden als den mit Reagentien getöteten Amöbe nachweisen. Niemals habe ich bei den oft sehr lebhaften Bewegungen der Amöbe eine Verschmelzung der einander sich berührenden Flächen der aus-gestreckten und oft gegen und umeinander fließenden Fortsätze mit Sicherheit wahrgenommen. Häufig sah ich zwei mit ihren Flächen dicht sich berührende Amöben längere Zeit nebeneinander herkriechen, ohne dass eine Verschmelzung stattfand, — nur in dem Falle, wenn die beiden Schalenmündungen mit dem aus ihnen hervorgestreckten „Zottenanhang" sich berührten, erfolgte zuweilen eine Pseudopodien-Verbindung zwischen Beiden, die selbst dann, wenn die Amöben sich wieder von einander entfernten, durch zwischen Beiden ausge-spannte, lang ausgezogene Plasmafäden erhalten wurde.

Ob an der äußeren oder inneren Oberfläche dieser Amöbenhaut eine Oelschicht sich bilde, die mit einer an dieser wiederum auftretenden Schicht von Eiweißseife sich kombiniere, wie dieses Quinke annimmt, vermag ich nicht zu sagen. Die an solchen Oelblasen auftretenden Bewegungserscheinungen zeigen nach der auf eingehende Beobachtungen gegründeten Darstellung Quinke's in der That eine merkwürdige, geradezu überraschende Aehnlich-keit mit den mannigfachen Bewegungen protoplasmatischer Substanzen bei niederen Organismen, vor Allen mit den stoßweise hervorgetriebenen Plasma-Wellen unserer Amoeba fluida, so dass mir bei meiner Untersuchung jene Quinke'sche Erklärung der amöboiden Bewegung häufig nahe getreten ist. Aber es wird doch zunächst hierdurch nur eine verbindende Aehnlichkeit in der äußeren Erscheinungsform zwischen leblosen Substanzen und belebten organisierten Wesen dargethan, ohne dass die jene bewegenden Ursachen auch bei diesen erwiesen werden könnten. Ich kann wenigstens für meinen Teil nach allen meinen an niederen Organismen bisher gewonnenen Beobachtungen und Erfahrungen nicht annehmen, dass die Bewegungen derselben nach der obigen Quinke'schen Theorie auf mechanischem Wege erfolge, sondern muss dieselben nach wie vor für eine Lebensäußerung des Protoplasmas halten.

Wo liegt nun aber die Quelle für die Bewegungen unserer Amoeba fluida, ist es das ganze den Innenraum ausfüllende Protoplasma, von welchem die-selben ausgehen, oder gewisse Regionen desselben? Zunächst lässt sich bald konstatieren, dass eine Sonderung des Protoplasmas in Ekto- und Entoplasma im Sinne anderer und namentlich der Erdamöben, bei welchem das Erstere die eigentliche motorische Zone darstellt und eine dieser entsprechende Konsistenz und Organisation zeigt, hier nicht vorhanden ist. Das bei den Bewegungen bis gegen die äußerste Grenze des Körpers vorausströmende Plasma zeigt gerade bei Amoeba fluida jene oben hervorgehobene sprudelnde Bewegung am auffallendsten und ist somit die am meisten dünnflüssige Substanz, während der innere und hintere, den Nukleus, fast ausnahmslos reichliche Vakuolen, Granula-Massen, Nahrungsstoffe etc. enthaltende Teil im Allgemeinen mehr zusammenhängend und zäher erscheint. Hierdurch entsteht zuweilen, nament-lich bei schwächeren Vergrößerungen, das mehr oder minder deutliche Bild einer Sonderung in ein helleres vorausströmendes Ektoplasma und dunkleres

Entoplasma. Beide aber gehen wie die genaue Beobachtung der kriechenden
Amöbe lehrt ohne jegliche Grenze in einander über. Die Granula und sonstigen
Inhaltskörper des den mehr zentralen Raum einnehmenden Plasmas fließen auch
in die peripheren Bahnen über oder werden bei Aenderungen der Stromrichtung
wieder nach innen zurückgeführt; und zwischen den Inhaltsteilen dieser ento-
plasmatischen Region erkennt man außerdem fast überall die tanzende Molekularbewegung der Granula. Die protoplasmatische Grundsubstanz des gesamten
Amöbenkörpers, in welche die Granula, Nukleus, Vakuolen etc. eingebettet
sind, erscheint somit von mehr oder minder dünnflüssiger Beschaffenheit. Da
ich nun nicht anzunehmen vermag, dass eine Substanz von solcher Konsistenz,
abgesehen von der Frage, ob dieselbe überhaupt noch als Protoplasma im gewöhnlichen Sinne angesehen werden kann, eine mit den lebhaften Kriechbewegungen der *Amoeba fluida* in ursächlichem Zusammenhang stehende Kraft-
äußerung durch Kontraktilität etc. ausüben könne, so muss, wenn man nicht
der oben erwähnten Quinke'schen Erklärung der amöboiden Bewegung sich
anschließen oder eine innere der Bewegung zu Grunde liegende hier aber nicht
nachweisbare Protoplasma-Struktur voraussetzen will, wohl angenommen werden,
dass außer jenem dünnflüssigen Protoplasma noch eine andere protoplasmatische
Substanz als Trägerin der motorischen Kraft im Amöbenkörper vorhanden sei.

Wenn man die Bewegungen der Amöbe aufmerksam verfolgt, so erhält
man, wie ich dies schon in meiner ersten Abhandlung über die Erdamöben
hervorgehoben und beschrieben habe, den Eindruck, dass der Impuls für dieselben von dem hinteren Teile des Körpers, also bei *Amoeba fluida* von der
Region des Zottenanhangs ausgeht. Und in der That zweifle ich nicht, dass
hier die Haupt- wenn nicht die einzige Quelle der Bewegungen der *Amoeba
fluida* liegt. Diese Region d. h. die die Schalenmündung einnehmende und
aus ihr hervortretende zähe Ektoplasma-Schicht zeigt, wie wir früher ausführlich erörtert haben, eine außerordentliche und selbständige Beweglichkeit,
teils durch mannigfache Pseudopodien-Entwicklung, teils durch Gestaltsveränderungen. Ausdehnung und Zusammenziehung und damit Erweiterung und
Verengerung der Schalenmündung etc. Hierdurch wird auch das auf dieses
Zottenfeld folgende und von ihm sowie von dem hinteren Teil der Schalenhaut
eingeschlossene Innenplasma in Bewegung gesetzt und nach vorne geschoben.

Eine auffallende Erscheinung ist, dass gerade dieser hintere Teil fast
ausnahmslos mit reichlichen, oft dicht zusammengedrängten Granula und zwar den von mir vorläufig sogenannten Elementargranula erfüllt
ist. Besonders ist das Zottenfeld selbst an seiner inneren Fläche meist ganz
ausgekleidet mit diesen Granula, die außerdem zuweilen eine mehr oder minder
deutliche kurz-stäbchen- oder eiförmige Gestalt zeigen, mit dem äußeren Ende
direkt gegen das Zottenfeld stoßend. Ob denselben eine bestimmte Bedeutung
zukommt, was ich bei dem merkwürdigen, fast regelmäßigen Auftreten zu
glauben geneigt bin, insbesondere ob sie in direkter Beziehung stehen zu dem
Zottenfeld und dessen Funktionen muss weiteren Prüfungen vorbehalten bleiben.

Was die Granula betrifft, so unterscheide ich wie bei den Erdamöben
und anderen Amöben und Rhizopoden auch bei *Amoeba fluida* zunächst zwei
Formen derselben, nämlich erstlich die von mir früher sogenannten Glanzgranula, die, soweit ich dieses bisher habe ermitteln können, in zwei verschiedenen Abstufungen vorkommen, nämlich größere rundliche dunkelglänzende
Körner und äußerst feine, nur bei starker Vergrößerung wahrnehmbare Körnchen,
deren Mengen- und besondere Gestaltsverhältnisse aber bei der wirbelnden
Molekularbewegung, in der sie sich in lebenden Amöbe befinden, schwer zu

bestimmen sind. Wie bei anderen Amöben treten auch bei *Amoeba fluida* die Glanzgranula in sehr wechselnder Menge auf, im Allgemeinen aber spärlich gegenüber den den Körper meist mehr oder minder erfüllenden blassen, rundlichen oder ovalen Elementargranula, die, wie früher schon bemerkt, namentlich im mittleren und hinteren Teil angehäuft sind. In seltenen Fällen enthält der Körper außerdem reichliche Mengen größerer, mattglänzender, Fetttröpfchen-ähnlicher Kügelchen, wie sie auch bei anderen Amöben konstant oder zeitweise vorkommen.

Fast ausnahmslos ist das Protoplasma der *Amoeba fluida* mehr oder minder von Vakuolen erfüllt, meist Blasen von verschiedener Größe, die den mittleren und hinteren Teil des Körpers einnehmen. Zuweilen sind nur eine oder wenige größere und eine Anzahl kleinerer oder auch fast nur kleinere vorhanden, die in seltenen Fällen durch den größten Teil des Innenraums zerstreut sind. Kontraktile Vakuolen habe ich unter denselben trotz mancher hierauf gerichteter Aufmerksamkeit niemals wahrgenommen.

Gruber bezeichnet den Nukleus seiner *Amoeba fluida* „als homogen und aus einer Vielheit von Körnchen zusammengesetzt", während ich den Kern der hier behandelten und mit jener identifizierten Amöbe niemals homogen gefunden. Derselbe zeigt zunächst eine sowohl am lebenden, noch mehr an dem mit Reagentien behandelten Objekte deutlich sich abhebende Kernmembran, die den eigentlichen Kern, eine aus zwei konzentrischen Schichten bestehende chromatische Substanz, einschließt, nämlich eine periphere körnige und eine fast hyaline zentrale Schicht, die aber bei genauer Betrachtung mit Immersion auch im Leben als mit feinen punktförmigen Körnchen durchsetzt erscheint. Durch Behandlung mit Reagentien sondern sich die beiden Schichten schärfer gegeneinander. Die zentrale ist dann deutlicher granuliert und als Nukleolus von der peripheren durch einen feinen hellen Zwischensaum getrennt, während die periphere ebenfalls dunkelkörniger ist und sich ihrerseits schärfer von der Kernmembran nach innen abhebt. Die periphere Schicht ist bald mehr oder minder breit, so dass der zentrale Raum dem entsprechend eingeengt ist, bald schmaler; im Allgemeinen findet das Erstere bei den größeren, das Letztere bei den kleineren Amöben statt. Meistens auch ist die periphere Schicht ungleich breit, so dass dann der Innenraum mehr oder minder exzentrisch liegt. Teilungen des Nukleus habe ich direkt niemals beobachtet, nur einmal zwei völlig gleich gestaltete, von einander getrennte Kerne in einer größeren Amöbe.

Ob die Gruber'sche *Amoeba fluida* in Rücksicht auf diese Verschiedenheit des Kernes und ihren früher erwähnten Mangel des charakteristischen „Zottenanhangs" doch spezifisch verschieden ist von der unsrigen, muss ich vorläufig unentschieden lassen.

Fortpflanzung.

Ebensowenig wie bei den Erd- und Süßwasser-Amöben habe ich bei *Amoeba fluida*, abgesehen von jenem oben erwähnten Fall eines zweifachen Kernes in einer Amöbe, über deren Entstehung ich aber nichts anzugeben weiß, eine zweifellose Vermehrung durch Zweiteilung wahrgenommen. Bei der früher schon erwähnten, erst allmählich auftretenden und dann monatelang sich erhaltenden oder auch wieder abnehmenden und von Neuem anwachsenden, oft geradezu staunenswerten Fülle dieser Organismen in meinen Gläsern, ohne dass neues Material, als zeitweise frisches Seewasser zugeführt wurde, darf man wohl von vorne herein mit einiger Berechtigung annehmen, dass, wenn in der That die Vermehrung in der Regel durch Zweiteilung erfolge, sie bei einer aufmerksamen Beobachtung, wie ich sie immer wiederholt und anhaltend hierauf gerichtet habe, gesehen werden müsste.

Dahingegen deuten andere, früher schon erwähnte Beobachtungen, nämlich das Vorkommen kleiner und kleinster Amöben, die mit *Amoeba fluida* mehr oder minder übereinstimmen und die ich deshalb glaube mit dieser in genetischem Zusammenhang bringen zu dürfen, auf eine andere Vermehrungsweise hin. Während, wie früher berichtet, unsere Amöbe im Mittel ungefähr eine Größe von 0,05 mm zeigt, findet man bei Durchmusterungen häufig solche bis zu 0,02 mm, die noch alle wesentlichen Charaktere der *Amoeba fluida* zeigen, sowohl in der äußeren Gestalt und Bewegungen, als in der Beschaffenheit des Protoplasmas, des Nukleus, der Haut, des Zottenanhangs, so dass kaum zu zweifeln ist, dass dieselben zu *Amoeba fluida* gehören. Bei weiterer Prüfung aber trifft man auf noch viel kleinere Organismen, die ebenfalls eine gewisse Gleichartigkeit mit *Amoeba fluida* zur Schau tragen, deren Erkenntnis freilich zunächst oft mehr auf vielseitige Uebung und Erfahrung in der Anschauung des ganzen Kreises von Varietäten und Entwicklungsstadien beruht, als auf der Möglichkeit eines Nachweises durch Vergleich mit der von ihnen oft weit entfernten typischen *Amoeba fluida*. Der Durchmesser dieser kleinsten mutmaßlichen Stadien der *Amoeba fluida* beträgt nur ungefähr 0,008 mm und geht von da allmählich wachsend aufwärts bis in die Größe der oben erwähnten kleinen Amöben. Von den wesentlichen Charakteren einer Amöbe ist zunächst nicht viel zu erkennen, namentlich fehlt die Haupt-Lebenserscheinung, nämlich die amöboide Bewegung, die ich wenigstens bei diesen kleinsten Formen nicht gesehen habe. Es sind mehr oder minder kugelige Körper von einer deutlichen äußeren Membran umschlossen. Das Protoplasma zeigt schon den der *Amoeba fluida* eigenen und merkwürdigen Charakter der Dünnflüssigkeit. Die Granula stimmen mit der jener überein und bewegen sich lebhaft tanzend in der hyalinen Grundsubstanz. Auch kleine Vakuolen kommen vor, aber einen Nukleus konnte ich mit Bestimmtheit nicht erkennen, möglicherweise deshalb, weil es mir nicht gelungen ist, die meist einzeln zur Beobachtung gelangenden minimalen und zarten Objekte noch nach der Behandlung mit Reagentien im Auge zu behalten resp. mit Sicherheit wieder zu finden. Von dem der *Amoeba fluida* eigenen Zottenanhang war nichts zu sehen. Dahingegen traten von dem Umfang einzelne äußerst zarte und blasse Plasmafäden aus, die sich oft weit ausstreckten, sich krümmend bewegten und auch wohl am Ende dichotom verzweigten. Alle waren, und das war für dieselben eine charakteristische Erscheinung, mit kleinen hellen Plasmatröpfchen perlschnurartig besetzt. Ich betone ausdrücklich, dass dieselben Plasmatropfen und keine Granula waren, sowohl ihrem ganzen Aussehen als der Verschiedenheit in der Größe nach, und weil im Innern des Körpers, von dem Fäden ausgingen, keine ähnlichen Gebilde resp. Granula sich fanden. Wie die Fäden aus dem von einer Membran umschlossenen Innern hervortraten, ob durch eine einzige oder mehrere Oeffnungen, habe ich nicht ermitteln können.

Außer durch die Beobachtung einer allmählichen Stufenfolge von diesen kleinsten Stadien bis zu den wirklichen kleinen Amöben, die, wie oben ausgeführt, schon mit einer gewissen Berechtigung der *Amoeba fluida* zugesellt werden können, ist es mir geglückt auch auf direktem Wege die genetische Zusammengehörigkeit Beider wahrscheinlich zu machen. Bei häufiger Durchmusterung größerer Exemplare von *Amoeba fluida* behufs Ermittelung von Anzeichen ihrer Vermehrungsweise traf ich einst auf eine solche, die kugelig gestaltet und völlig bewegungslos erschien. Das Innere war in auffallendem

Maße erfüllt mit größeren und kleineren vakuolenartigen Plasmablasen, zwischen und in denen Granula tanzend sich bewegten. Der Nukleus lag zwischen ihnen und schien unverändert, völlig in den Charakteren desjenigen der typischen *Amoeba fluida*. Einen Zottenanhang konnte ich nicht bemerken. Nach einiger Zeit sah ich an der Peripherie der Amöbe eine Plasmablase halbkugelig und dann ganz aus dem Inneren über die Oberfläche hervortreten. Statt sich von dieser zu lösen, blieb sie durch einen fein-bandartigen Plasmafaden mit dem Amöbenkörper verbunden. Der Faden verlängerte sich allmählich und erreichte bald ungefähr den Halbdurchmesser der Amöbe, ohne dass der Plasmakörper sich löste. Während dem traten zwei sehr merkwürdige neue Erscheinungen auf, erstlich streckten sich aus dem Plasmakörper selbst zwei, dem erst entstandenen Verbindungsfaden durchaus ähnliche und ebenfalls allmählich sich verlängernde Fäden hervor und zweitens tauchten in allen dreien kleine Plasma-Tröpfchen auf, hier vereinzelt, dort perlschnurartig sich aneinander reihend, übereinstimmend mit den oben beschriebenen Fäden jener kleinsten isolierten Stadien. Der eine der von dem Plasmakörper ausgestreckten Fäden verlängerte sich nun ganz erstaunlich, so dass er fast den zweifachen Durchmesser der Amöbe erreichte und endigte dann in zwei dicht aneinander liegende Plasmatröpfchen, von denen das äußere allmählich anschwellend größer wurde und knospenartig hervortrat. Plötzlich verschwand das ganze Gebilde, das bis dahin durch jenen Faden mit dem Mutterboden verbunden war, meinem Auge und zwar, wie mir schien, dadurch, dass es sich mittels eines hervorgetretenen Geißelfadens losriss und fortschwamm. Nur noch einmal beobachtete ich eine ähnliche Erscheinung, wie die oben beschriebene, nämlich eines Zusammenhangs eines jener kleinen knospenförmigen Plasmakörpers mit einer Amöbe durch einen Faden. Auch von diesem traten wiederum Fäden mit Plasmatröpfchen aus. Bei dem Versuch dem allmählich eintrocknenden Präparat neues Wasser zufließen zu lassen, wurde indessen das ganze Objekt meinen Blicken entzogen. Hoffentlich gelingt es, für diese, in ihren Ergebnissen noch unsicheren Beobachtungen Ergänzungen und so festeren Boden zur Erkenntnis der rätselhaften Fortpflanzung der Amöben, namentlich ob in der That hier eine Schwärmerbildung stattfindet, zu gewinnen.

Amoeba crystalligera Gruber.

Die unter dem obigen Namen zuerst von Gruber[1]), dann von Möbius[2]) beschriebene Amöbe erschien auch in meinen kleinen Aquarien von Ostende mit *Amoeba fluida*, anfangs, wie diese, äußerst zahlreich, nach einiger Zeit aber abnehmend oder ganz verschwindend. Sie unterscheidet sich von *Amoeba fluida* schon bei schwacher Vergrößerung alsbald durch ihr dunkleres Aussehen, herrührend von den dunkelglänzenden Krystalloiden, mit denen sie erfüllt ist, die indessen keine alleinige Eigentümlichkeit dieser Form bilden, sondern, wie bekannt, auch bei manchen anderen Amöben mehr oder minder konstant gefunden werden. Gruber bezeichnet dieselben als „rechteckige Krystallplättchen", Möbius als „quadratrische Krystalle". Beide Formen kommen vor, quadratische und mehr oder minder länglich rechteckige, meist gemischt in ein und demselben Exemplar, doch überwiegen bei den Ostender Amöben im Allgemeinen die quadratischen. Auch in der Größe sind diese Gebilde sehr verschieden. Verfolgt man dieselben in der Amöbe, so bemerkt man bei ihren Wendungen,

1) Studien über Amöben. Zeitschr. f. wiss. Zool., Bd. 41, 1885, S. 219.
2) Bruchstücke einer Rhizopodenfauna der Kieler Bucht. Abhandl. d. k. preuß. Akad. d. Wiss. z. Berlin, 1888, S. 26.

dass dieselben meistens keine Plättchen darstellen, sondern mehr oder minder
kubische Körper, wie sie Möbius auch in einer seiner Figuren (Fig. 62) an
einem dieser Gebilde angedeutet hat. Bei genauer Betrachtung mittels Immersion erkennt man außerdem, dass diese Körperchen nicht homogen sind, sondern
in gewissen Lagen, namentlich deutlich von den Breitflächen betrachtet, eine
sehr merkwürdige Struktur aufweisen. Zunächst schließen dieselben
einen von einer rahmenartigen, ziemlich dicken und scharf begrenzten Wandung
gebildeten Innenraum ein. Dieser erscheint wiederum durch Leistchen in
eine Anzahl von rechtwinkligen Fächern eingeteilt, die bei den
oblong rechtwinkligen Krystalloiden quergestellt sind.

Neben den Amöben mit mehr oder minder regelmäßigen Krystalloiden
kommen aber auch solche vor mit völlig unregelmäßig gestalteten, bald glatt,
bald zerklüftet oder zu kleinen Haufen zusammengeklebt, Sandpartikelchen
ähnlich, die aber meiner Meinung nach rücksichtlich ihrer Natur den regelmäßigen sich anschließen, zumal hier und dort zwischen den unregelmäßigen
auch einzelne quadratische oder rechteckige auftreten.

Was im Uebrigen die Organisation der *Amoeba crystalligera* betrifft, so
lässt sich auch bei ihr eine den Körper umgebende Haut mit Sicherheit erkennen, zumal sie hier noch stärker ist, als bei *Amoeba fluida*. Ebenso findet
sich eine dem Zottenfeld dieser entsprechende Region am hinteren Körperende.
Dieselbe erscheint in der Regel halbkugelig nach hinten hervor-
gewölbt und ist statt mit Zotten resp. Pseudopodien ringsum besetzt mit
dicht zusammengedrängten, kleinen papillenartigen Schlingen.
Wie bei *Amoeba fluida* findet sich auch hier an dieser Stelle eine größere oder
geringere Menge Elementargranula. Ich zweifle nicht, dass dieser Region dieselbe Bedeutung zukommt wie dem Zottenfeld der *Amoeba fluida*.

Das Plasma ist, wie auch Gruber und Möbius beobachteten, dünn-
flüssig, aber bei Weitem nicht in dem Maße, als dasjenige von *Amoeba fluida*.
Im ruhenden Zustande und ohne Deckglasdruck betrachtet scheint der Körper
meist in ein hyalines Ekto- und dunkleres Entoplasma gesondert. Sobald lebhaftere Bewegungen eintreten und man nun bei stärkerer Vergrößerung unter
Deckglas beobachtet, erkennt man wie die Krystalloide und Granula durch
den hyalinen Außensaum bis zum äußersten Umfang vordringen, zu gleicher
Zeit auch, dass die kleinen Krystalloide etc. in zitternder Bewegung sich befinden. Außer den Krystalloiden finden sich auch hier zwei verschiedene Granula-
Formen: rundliche mehr oder minder dunkelglänzende Glanzgranula und
blasse ovale, kurz-stäbchenförmige oder auch rundliche Elementargranula.

Gruber schien der in der Einzahl vorhandenen Nukleus „eine ganz
homogene Masse zu bilden", während derselbe nach Möbius körniges Chromatin
enthält und einen kugeligen Nukleus umschließt. Meine Beobachtungen rücksichtlich des Nukleus der *Amoeba crystalligera* schließen sich denen von
Möbius an. Indessen fand ich immer nur einen Nukleus, während Möbius
einmal in einem Exemplare acht Kerne beobachtete.

Außerdem fand ich in meinen Gläsern auch die ebenfalls von Gruber
und Möbius beobachteten und charakterisierten *Amoeba radiosa* Ehrberg,
Amoeba flava Gruber und *Amoeba verrucosa* Ehrberg, sowie eine Anzahl
anderer hiervon verschiedener Amöben, über die ich bei einer anderen Gelegenheit hoffe ausführlicher berichten zu können.

Verlag von Eduard Besold in Leipzig. — Druck der kgl. bayer. Hof- und
Univ.-Buchdruckerei von Fr. Junge (Firma: Junge & Sohn) in Erlangen.

Hierzu eine Beilage der Verlagsbuchhandlung Wilhelm Engelmann in Leipzig.

Biologisches Centralblatt

unter Mitwirkung von

Dr. M. Reess   und   Dr. E. Selenka

Prof. der Botanik   Prof. der Zoologie

herausgegeben von

Dr. J. Rosenthal

Prof. der Physiologie in Erlangen.

24 Nummern von je 2 Bogen bilden einen Band. Preis des Bandes 16 Mark.
Zu beziehen durch alle Buchhandlungen und Postanstalten.

XII. Band.   **15. Juli 1892.**   **Nr. 13.**

Fortschritte auf dem Gebiete der Pflanzenphysiologie.

Von Dr. **Robert Keller** in Winterthur.

(IV. Stück. 2. Teil.)

Fayod's oben zitierte Arbeit „Structure du protoplasma vivant" soll, wie Verf. sagt, zum Gegenstande eines einlässlichen Werkes gemacht werden. Dennoch scheint es uns gerechtfertigt schon an Hand dieses Artikels, der mehr den Charakter einer vorläufigen Mitteilung hat, die Leser mit **Fayod's** Vorstellungen bekannt zu machen.

Verf. glaubt, dass das Protoplasma nicht eine Emulsion sei, sondern ein netzförmiges Gewebe, gebildet aus röhrenförmigen und spiralig aufgewundenen Fibrillen, deren Wände hyalin und durch außerordentliches Quellungsvermögen ausgezeichnet sind. Er nennt diese Röhrenfasern **Spirofibrillen**. Sie haben etwa die Dimension eines *Spirillum tenue*. Wahrscheinlich sind sie selbst wieder aus Spiralfasern zusammengesetzt. Gemeinschaftlich sind sie um eine röhrenförmige Axe gewunden „à la manière des serpents d'un caducée". Diese Stränge sind des Verfassers **Spirosparten**. Sie sind zu einem Netze verflochten.

Die sichtbare Substanz des Protoplasmas, das granulierte Plasma, der tinktionsfähige Teil des Protoplasmas, ist nichts anderes als der Inhalt der Kanäle. Seine chemische Zusammensetzung ist nicht nur je in verschiedenem Alter und in den verschiedenen Organen des Individuums ungleich, sondern auch in ihren verschiedenen physiologischen Zuständen verschieden.

XII.   25

Die hyaline Substanz, also die Wände des Fasernetzes, die den wichtigsten Teil des Protoplasmas ausmachen, widersteht der Einwirkung färbender Reagentien. Sie ist aber durch Injektion mit farbigen Pulvern, z. B. Indigo, Karmin sichtbar zu machen. Verf. imprägnierte z. B. mit Indigo das Protoplasma, indem er die Zellen rasch in einen leicht erwärmten flüssigen Indigobrei eintauchte. Man beobachtet dann (z. B. an den Zellen eines Tulpenstieles), dass die Indigokörnchen rosenkranzähnlich angeordnet oder selbst zu Fibrillen von flockigem Aussehen verdichtet sind. Leicht aber lassen sich unter diesen Fibrillen auch solche finden, welche eine Spirale beschreiben. Häufig bildet die mit Indigo injizierte Spirofibrille, wenn sie gepresst wird, feine blaue Querstreifen am Spirospart. Die Axe dieses letztern ist selten injiziert. Man sieht alsdann ein regelmäßiges Netz, das aus den Axen verschiedener Spirosparten gebildet wird.

Der Kern ist wahrscheinlich nichts anderes als ein Knoten mehrerer Spirospartenstränge, welche ihn in verschiedenen Richtungen durchdringen. Der nukleogene Strang, welcher die Zelle in der Längsrichtung durchzieht, besteht wahrscheinlich nur aus zwei Spirosparten, welche sich beim Eintritt in den Kern trennen, längs seiner Oberfläche sich hinziehen, den Kernsaft bildend, um bei ihrem Austritt sich wieder zu vereinigen. In ungefähr querer Richtung wird der Kern von einem Strang durchdrungen, der in seinem Bau einer Nervenfaser gleicht. Seiner Quellung und wahrscheinlich seiner Vergrößerungen durch Teilung seiner Elemente schreibt Verf. die Zellteilung zu und nennt ihn deshalb den schizogenen Strang. In querer oder mehr oder weniger diagonaler Richtung durchzieht er mehrere Zellen und ihre Wände um in einen andern Kern auszulaufen. Ein dritter Strang, der Nukleolarstrang, feiner als die vorigen, besteht wahrscheinlich aus einem einzigen Spirosparten. Er geht in den Nukleolus über. Außerhalb des Zellkernes ist er selten scharf zu erkennen.

Für die Beurteilung der hyalinen Protoplasmasubstanz der Röhrchenwände ist die Einwirkung des Sauerstoffes auf das Protoplasma von besonderer Wichtigkeit. Es erweist sich, wie Versuche mit Kaliumchlorat, Kaliumpermanganat, Wasserstoffsuperoxyd und Sauerstoff im Entstehungszustande lehren, als inoxydabel, während die granulierte Substanz sich unter dem Einfluss des Sauerstoffes im Entstehungszustande vollständig in hyalines Plasma verwandelt. Werden z. B. Sporen von *Mucor* der Sauerstoffeinwirkung ausgesetzt, dann quellen sie auf. In ihrem Innern erscheint alsdann ein ganzes System von mehr oder weniger netzförmigen Fasern. Diese Quellung, an welcher Haut und Protoplasma Teil haben, dauert so lange an bis die ganze granulierte Substanz verschwunden ist. Wird sie nun getrocknet und lässt man auf sie eine Anilinfarbe einwirken, dann erfolgt kaum mehr eine Färbung. Zu ganz analogen Veränderungen führt die Oxydation von Infusorien. Auch hier verschwindet unter dem Einfluss des Sauerstoffes der granulierte Teil des Protoplasmas. Dieses quillt sehr stark, es entsteht hyalines Plasma. Es ist also ein Oxydationsprodukt, ein durch die Atmung erzeugter Körper. Die Atmung würde danach der Schöpfungsakt der Fundamentalsubstanz der Lebewesen sein.

Aus dem Umstande, dass das hyaline Protoplasma fast nicht oxydierbar ist, schließt Verf., dass es ein sehr sauerstoffreicher organischer Körper ist.

Die wichtigste Eigenschaft, seine bedeutende Imbibitionsfähigkeit, findet in der röhrigspiraligen Struktur des Plasmas seine Erklärung. Verlängerung und Verkürzung der Spiralröhren des Plasmas unter dem Einfluss der Quellung oder Füllung lassen, wie Verf. glaubt, eine große Zahl physiologischer Erscheinungen unserem Verständnis näher treten. Ihre Darlegung versparen wir auf die Skizierung des später erscheinenden Hauptwerkes.

So glaubt Verf. sagen zu dürfen „la spirofibrille est la seule vraie caracteristique de la substance organisée".

In einlässlicher Weise bespricht D o d e l in der oben zitierten Abhandlung die Entwicklungsgeschichte der Generationsorgane der *Iris sibirica* vom Momente der Bestäubung an bis zur Bildung des mehrzelligen Embryos.

Der innere Winkel der Taschen, welche die empfängnisfähige Stelle der einzelnen Narbe darstellen, mündet in eine Furche, die sich auf der obern Seite des Narbenblattes bis zum Griffel hinunterzieht. Dies ist der Leitweg für die Pollenschläuche. Stärkeführende Grundgewebezellen begleiten ihn. In den Griffel setzen sich die Furchen als kleine Röhrchen fort, die in der Nähe der Griffelaxe verlaufen. Sie sind mit papillösen Zellen ausgekleidet.

Lange bevor der Pollenschlauch den Fruchtknoten erreicht hat, sind bisweilen im langgestreckten generativen Kern, der von einer spindelförmigen Zelle umschlossen ist, Teilungserscheinungen zu beobachten.

Hunderte schlanker Pollenschläuche wachsen gegen die Placenta. Die Aenderung der Wachstumsrichtung, welche nötig ist, wenn der Pollenschlauch in die Mikropyle hineinwachsen soll, wird, wie Verf. glaubt, durch eine chemische Substanz bewirkt, „welche vom Scheitel der Samenknospe aus in die Placentarfeuchtigkeit hinüber diluiert und die Wachstumsrichtung der Schläuche derart beeinflusst, dass die Pollenschlauchenden gegen den geöffneten Mikropylengang streben, in denselben eintreten und von der, wohl aus dem Eiapparat stammenden Substanz in ihrer Richtung bestimmt, durch den langen Mikropylengang bis zum Scheitel des Knospenkernes vordringen". Häufig wachsen mehrere Schläuche in die Mikropyle ein. Das Wachstum des Pollenschlauches durch die scheitelständigen Kernwarzenzellen hindurch bis zum Embryosack scheint darauf hinzuweisen, dass vom Eiapparat aus eine den Pollenschlauchscheitel zu weiterem Wachstum

25*

anreizende Substanz durch die Kernwarzenzellen einwirkt. Gerade
dieser durch das Kernwarzengewebe durchtretende Schlauch ist durch
besonderes Wachstum ausgezeichnet; denn oftmals ist er an seinem
Ende zwiebelartig verdickt. Ob aber dieses das Wachstum bestimmende
Sekret den Synergiden entstammt, ist noch eine offene Frage. Am
Scheitel des Pollenschlauches liegen die zwei fast fädlichen Kerne.

Eizelle und Synergiden sind, wenn der Eiapparat empfängnisfähig
geworden ist, abgesehen von der Größe, durch eine Reihe von Merkmalen von einander unterschieden. Der Kern des empfängnisfähigen
Eies ist scharf umschrieben, besitzt ein scharf-hervortretendes Kernkörperchen; er ist dem Embryosack zugekehrt im obern Teil der Eizelle. In seiner Nähe liegt die Hauptmasse des an Vakuolen reichen
Cytoplasmas. Die Kerne der Synergiden sind zu gleicher Zeit gewöhnlich undeutlich, ihr Kernkörperchen wenig scharf umschrieben,
die Kerne liegen im basalen Teile der Zellen dem Scheitel des Embryosackes zugekehrt. Das vakuolenarme Plasma liegt ebenfalls basal.
Die Teile der Synergiden werden von den Tinktionsmitteln der Eizelle
schwächer gefärbt, als die entsprechenden Teile dieser.

Oft ist schon vor der Befruchtung die eine oder beide Synergiden-
zellen desorganisiert, „was allerdings mit ein Moment abgibt, um in
den Synergiden die Präparateure jener oben besprochenen Substanz
zu vermuten, welche richtungsbestimmend durch die Kernwarzenzellen
hindurch auf den wachsenden Pollenschlauch einwirkt".

Die Befruchtung erfolgt, indem aus dem am Scheitel sich öffnenden
Pollenschlauch ein kleiner, langgestreckter Spermakern in die Eizelle
eintritt. Auf seiner Wanderung zum Eizellkern wird er diesem an
Form und Größe gleich. Die beiden so morphologisch gleich ge-
wordenen Kerne treten in Kopulation. Im rasch sich vergrößernden
Keimkerne verschmelzen schließlich auch die beiden Kernkörperchen.
Der so entstandene Embryo entwickelt sich bald darauf zum mehr-
zelligen Keim.

Die Dodel'schen Beobachtungen sind demnach eine wertvolle
Bestätigung der Strasburger'schen Darlegungen des Befruchtungs-
vorganges der Phanerogamen.

Neben dieser normalen Befruchtung nehmen nun gewisse abnorm
verlaufende Vorgänge das größte Interesse in Anspruch. Ausnahmsweise kann auch der zweite generative Kern des Pollenschlauches in
die Eizelle eintreten, sei es nun zu einer Zeit, wo sich die Kopulation
zwischen dem ersten und dem Eizellkern bereits vollzogen hat, sei
es gleichzeitig mit dem ersten. In diesem letzteren Falle ist alsdann
die Möglichkeit vorhanden, dass die zwei generativen Kerne mit dem
Eizellenkern in Kopulation treten.

Eine andere Anomalie besteht darin, dass sich der Pollenschlauch
auch gegen die Synergiden öffnen kann. Dass wirklich eine Synergiden-
befruchtung eintritt, geht daraus hervor, dass Verf. in 2 Eiapparaten

zwei, einmal sogar drei Embryonen wahrnehmen konnte, 2 Synergiden-embryonen und einen zwischen ihnen hervorragenden Ovularembryo. „Nach Eröffnung dieser Thatsache kann es kein Zweifel mehr sein, dass bei *Iris sibirica* nicht selten die Synergiden noch unzweifelhaft Eicharakter besitzen, indem sie befähigt erscheinen Spermakerne auf-zunehmen und eine veritable Befruchtung zu erfahren, in Folge welcher sogar mehrzellige Embryonen resultieren können". Aus dieser Syner-gidenbefruchtung zieht Verf. den Schluss, „dass die Synergiden in den Embryosäcken der Angiospermen nichts anderes sein können, als rückgebildete Eizellen resp. rückgebildete Archegonien". —

Overton verfolgt in der angeführten Arbeit ein ähnliches Ziel wie Dodel in der zitierten. Er will in möglichst erschöpfender Weise die Veränderungen statuieren, die sich durch alle Entwicklungsphasen der Geschlechtsprodukte von *Lilium Martagon* vor, während und nach der Befruchtung abspielen. Da namentlich die Entwicklung der Pollen-körner, sowie des Eiapparates zu einlässlicher Darstellung kommt, bildet die Arbeit in vielen Punkten eine willkommene Ergänzung zu der vorigen.

Das in der Mutterzelle eingeschlossene Pollenkorn besitzt anfäng-lich ein fast homogenes Plasma. Dem Kerne fehlt zunächst das Kern-körperchen. Es erscheint zu der Zeit, wo der Kern eine exzentrische Lage angenommen hat und zugleich eine Differenzierung im Zellinhalt sich zeigt, indem sich das Cytoplasma im kernhaltigen Teil der Zelle sammelt, während der kernfreie Teil von einer großen Vakuole ein-genommen wird. 2—3 Tage nach der Isolierung teilt sich der Kern, wobei die verkürzten und verdickten 12 Kernfadensegmente sich der Länge nach spalten. Von den beiden entstandenen Kernen wird der dem Pole des Pollenkerns zugekehrte zum generativen Kern, der mehr zentralliegende ist der vegetative. Die generative Zelle entsteht da-dadurch, „dass durch eine uhrglasförmige Wand, die sich an die Intine innere Pollenhaut des Pollenkornes anlegt, eine den generativen Kern enthaltende Plasmapartie von dem übrigen Cytoplasma abge-sondert wird". Sie löst sich später ganz ab und wächst rasch zu einem sichelförmigen Gebilde heran. Das Cytoplasma der vegetativen Zelle ist körnerreich, das der generativen homogen.

Ausnahmsweise führt die Kernteilung nicht zur Bildung einer generativen Zelle. In solchen Fällen differenzieren sich auch die Kerne nicht.

Ist das Pollenkorn auf die Narbe gelangt, dann wächst es zum Pollenschlauche aus, der etwa nach 4 Tagen die Mikropyle erreicht hat.

Schon frühzeitig, wenn die Samenknospe erst als gekrümmter Wulst zu erkennen ist, entsteht die erste Embryosackanlage in Form einer Zelle, die von den umgebenden durch die bedeutendere Größe verschieden ist und einen fast vollkommen kugeligen Kern besitzt. Die Teilungsvorgänge des primären Embryosackkernes konnten nicht

beobachtet werden. Bezüglich der Teilung der beiden Tochterkerne
bestätigt Verf. die Angabe Guignard's „dass, während die Zahl der
Muttersegmente in dem obern Embryosackkern zwölf beträgt, die Anzahl der Segmente in dem untern Kerne eine beträchtlichere sei" (12—16).

Nach dem 2. Teilungsprozesse bildet sich zwischen den beiden
obern kleinern und den beiden untern größern Kernen eine große
Vakuole. Der letzte Teilungsvorgang, welcher zur Bildung des Eiapparates, der Antipoden und der beiden primären Endospermkerne
führt, vollzieht sich gewöhnlich erst während des Oeffnens der Blüte,
bisweilen erst, wenn schon Pollenschläuche in die Fruchtknotenhöhle
gelangt sind.

Von den beiden untern Kernen teilt sich gewöhnlich nur der
obere. Dabei zeigen sich wieder mehr Kernsegmente (16—20). Der
untere bleibt ungeteilt oder degeneriert während der Teilung.

Auch Verf. fand in seinem Untersuchungsmaterial eine Samenknospe mit zwei Embryonen und er ist geneigt dies auf die Befruchtung einer Synergide zurückzuführen. —

Die ernährungsphysiologische Rolle, welche Westermeier den
Antipoden zuschreibt, kann nach Verf. für *Lilium Martagon* keine
Giltigkeit haben. Kurz nach der Befruchtung verholzt das unterste
Ende des Embryosackes. „Die völlig desorganisierte Antipodenzelle
erscheint dann als homogener, sichelförmiger Körper", der seinem
ganzen Verhalten nach ein rückgebildeter Körper ist.

Die Einschaltung einer Uebersicht über Weismann's „Amphimixis" in unser Referat „über Fortschritte auf dem Gebiete der
Pflanzenphysiologie" dürfte wohl gerechtfertigt sein, wennschon sich
Weismann bei seinen überaus interessanten und weittragenden
theoretischen Erörterungen fast ausschließlich auf Beobachtungen im
Tierreiche stützt. Handelt es sich doch um Erscheinungsformen, in
denen beide Gebiete, Zoologie und Botanik, im Prinzipe sich decken.
Sind die Beobachtungen der Zoologie nun auch in wichtigen Punkten
den botanischen Erkenntnissen vorausgeeilt, so scheint doch die weitgehende Analogie der Karyokinese pflanzlicher und tierischer Geschlechtszellen sehr dafür zu sprechen, dass wenigstens im Prinzipe
den nachfolgenden Erörterungen auch für das Pflanzenreich Giltigkeit
zukommt.

Die einlässliche Abhandlung bezeichnet Weismann selbst als
den „Schlussstein" seiner im Laufe des verflossenen Jahrzehntes veröffentlichten Untersuchungen über biologische Probleme, die die Dauer
des Lebens, Vererbung und Fortpflanzung zum Gegenstande hatten.
Das Ziel aber, das er sich in diesem letzten Gliede der so bedeutungsvollen Serie stellte, welches „dem Probleme der sogenannten geschlechtlichen Fortpflanzung" gewidmet ist, deutet er in folgenden Worten an.
„Dass das, was wir so zu nennen gewohnt sind, im Grunde eigentlich
gar keine bloße Fortpflanzung ist, sondern ein Vorgang sui generis

der mit Fortpflanzung verbunden sein k a n n und bei höhern Tieren
und Pflanzen auch meist verbunden i s t, bei niedern aber getrennt
von ihr abläuft, dass seine Bedeutung nicht in der Erhaltung der
Lebensbewegung liegt, sondern in der Vermischung der Individualitäten — diese Gedanken besser noch als in den frühern Aufsätzen —
zu begründen, war das Endziel dieser letzten Abhandlung".

Ihr erster Teil befasst sich mit der „B e d e u t u n g d e r R e i f u n g s-
v o r g ä n g e d e r K e i m z e l l e n".

Die Befruchtung fasste man, nachdem man erkannt hatte, dass
sie in einer Vereinigung der Kerne von Samenzelle und Eizelle bestehe, als eine Vereinigung gegensätzlicher Kräfte, eines männlichen
und weiblichen Prinzips, auf. Die vorbereitende Veränderung der Eizelle, das Ausstoßen der Richtungskörperchen, deutete man gewissermaßen als die geschlechtliche Differenzierung der Eizelle. Denn die
Richtungskörper schienen Träger des männlichen Prinzips zu sein,
durch dessen Entfernung das Ei erst zum weiblichen Prinzipe werde.
Die Verbindung beider Prinzipien, die sich bei der Befruchtung vollzieht, facht neues Leben an, welches ohne diese Verjüngung allmählich auslöschen müsste.

Gegen diese Vorstellung, dass die Befruchtung ein Lebensweckers
sei, sprach die anfänglich nur aus dem Tierreich bekannt gewordene
Parthenogenese. Um auch diese der angedeuteten Befruchtungstheorie
anzupassen, hielten viele Forscher, sofern sie überhaupt die Parthenogenese zu Recht bestehend anerkannten, dieselbe „für den Nacherfolg
einer ihr in früherer Generation vorausgegangenen Befruchtung und
stellten sich vor, dass diese Nachwirkung niemals auf unbegrenzte
Generationen hinaus anhalten könne, sondern dass der „belebende"
oder „verjüngende" Einfluss der Befruchtung immer wieder von Zeit
zu Zeit eintreten müsse, wenn die Fortpflanzungsfähigkeit nicht erlöschen solle".

In Einklang mit den Thatsachen der Befruchtung kam die Thatsache der Parthenogenese dann, wenn angenommen wurde, dass deren
Bedeutung nicht in der Belebung des Eies liege, sondern „in der
Vereinigung zweier Vererbungstendenzen, in der Vermischung also der
Eigenschaften zweier Individualitäten". Nicht dem innersten Wesen
nach verschiedenes verbindet sich bei der Befruchtung, sondern dem
Wesen nach gleiches. Diese W e i s m a n n'sche Befruchtungstheorie
fand eine bedeutende Stütze in der Thatsache, dass auch parthenogenetische Eier durch Ausstoßen von Richtungskörperchen reifen. Alle
Geschlechtsdifferenzierung war als ein Mittel aufzufassen um die beiden
zum Geschlechtsakte notwendigen Zellkerne, die beiden individuell
aber nicht dem innersten Wesen nach verschiedenen Vererbungstendenzen, zusammenzuführen.

Worin könnte nun die Bedeutung der Richtungskörper liegen?
.W e i s m a n n glaubte, dass das Idioplasma der Richtungszellen das

histogene Idioplasma der Eizelle sei, welches die Keimzelle während
ihres Wachstums und während der Ausbildung ihrer spezifischen
histologischen Charaktere beherrscht. Die Abschnürung der Richtungszellen bewirkte also die Entfernung des histogenen Keimzellenidio-
plasmas. So scharf durchdacht diese Vorstellung war, die Thatsachen
erheischten doch auch ihre Preisgabe und heute erklärt Weismann
die Bildung der Richtungskörper als einen Reduktionsprozess
der Vererbungssubstanz.

Bei allen befruchtungsbedürftigen Eiern werden zwei primäre
Richtungskörper abgetrennt, bei den regulär parthenogenetischen dagegen nur einer. Die Abtrennung des einen Richtungskörpers konnte
also als der identische Vorgang mit der Entfernung des Richtungskörpers aus dem parthenogenetischen Ei aufgefasst werden. Sie allein
konnte die Entfernung des histogenen Idioplasmas darstellen. Die
zweite Richtungsteilung wurde „als eine Reduktion der Vererbungssubstanz gedeutet, in dem Sinne nämlich, dass bei der Halbierung
der Kernsubstanz für beide Tochterkerne eine Verminderung der Zahl
der darin enthaltenen Ahnenplasmen auf die Hälfte eintrete".

Die Richtigkeit dieser Vorstellung vorausgesetzt musste ein der
Ausstoßung der Richtungszellen des reifenden Eies entsprechender
Vorgang auch an den Samenzellen sich vollziehen, indem auch diese
eine Herabsetzung ihrer Ahnenplasmen auf die Hälfte erfahren mussten.

Die Entdeckung der Reifungsvorgänge der Samenzelle (von *Ascaris
megalocephala*) lehrte in der That einen der Ausstoßung der Richtungskörperchen aus der Eizelle analogen Vorgang kennen. Die Ursamenzelle enthält 4 Kernstäbchen. Sie werden bei der Muttersamenzell-
bildung verdoppelt und nun durch zwei aufeinanderfolgende Teilungen
je halbiert, so dass aus der Muttersamenzelle vier Enkelzellen entstehen, die je nur halb so viel Kernstäbchen enthalten als die Ursamenzelle. Der Vorgang steht also ganz im Einklang mit den Richtungsteilungen der Eizelle. In einem Punkte differieren die Vorgänge.
Denn während dort die Teilungsvorgänge 4 funktionsfähige Samenzellen erzeugen, können hier nicht alle Tochterzellen als Eier funktionieren. Eine Analogie zwischen beiden Vorgängen besteht auch
darin, dass „hier keine Längsspaltung d. h. Verdoppelung der Kernstäbchen eintritt, durch welche jedes ursprüngliche Stäbchen der
Aequatorialplatte beiden Tochterkernen zugeführt wird, sondern statt
dessen die halbe Zahl der Stäbchen nach dem einen, die andere halbe
Zahl derselben nach dem andern Pol der Spindel geführt wird".

Die Beobachtung, dass in der Eimutterzelle wie in der Samen-
mutterzelle die doppelte Zahl von Stäbchen wie in der Ureizelle und
Ursamenzelle vorhanden ist, bedingt die Preisgabe der Annahme, es
sei die eine Teilung durch die Ausscheidung des histogenen Idioplasma
bedingt. Die doppelte Teilung ist notwendig um eine Halbierung zu
erzielen. Worin aber liegt die Bedeutung dieses Umweges der Ver-

dopplung zur Erzielung der Reduktion? Warum wird nicht direkt das Kernplasma der Urzelle halbiert, sondern, erst verdoppelt, wenn es doch zuletzt auf die Hälfte herabgesetzt werden muss?

Die Samenzellenbildung scheint den Vorgang in sehr einfacher Weise zu deuten. Er bewirkt eine bedeutende Erhöhung der Zahl der Samenzellen. Dass aber hierin seine Bedeutung nicht liegen kann, zeigt die Entstehung der Eizelle, da je von den 4 Abkömmlingen der Eimutterzelle nur einer zur normalen Ausbildung gelangt.

Weismann versucht die Lösung des Rätsels durch seine Ahnenplasmentheorie. Er stellt sich vor, dass die Vererbungssubstanz der beiden Eltern bei der durch die Befruchtung erzielten Vereinigung nicht zu einer Masse verschmilzt, sondern wie die beiderlei Kernstäbchen zeigen, nur im Kern in nächste Nachbarschaft zu liegen kommt. Die beiderlei Kernstäbchen, in gleicher Zahl in der Zelle vereint, beeinflussen während der ganzen Entwicklung die Zelle, indem jedes Kernstäbchen die Entwicklungstendenz der Art voll und ganz enthält. Für sich allein wäre jedes befähigt beim Fehlen der andern das Ei zur Entwicklung zu bestimmen, sofern es in genügender Menge vorhanden wäre, also ein vollständiges Individuum der Art aus diesem Ei hervorgehen zu lassen. Die Vererbungssubstanzen sind also Einheiten, von denen jede sämtliche Anlagen enthält, welche zur Herstellung eines Individuums erforderlich sind, der Art nach gleich, doch von individueller Färbung. Diese Einheiten sind die Ahnenplasmen oder Ide. Ide setzen die Kernstäbchen oder Idanten zusammen. Durch die Befruchtung würde die Zahl der Einheiten je verdoppelt, wenn nun eben nicht vor der Vereinigung der Geschlechtszellen eine Halbierung ihrer Zahl eintreten würde. —

Die Beobachtung, dass das Kind bisweilen dem einen der Eltern allein in hohem Maße gleicht, scheint für die Kontinuität der Idanten zu sprechen, d. h. anzudeuten, „dass die Anordnung und Zusammensetzung der Idanten aus Iden von der elterlichen bis zur kindlichen Keimzelle gleich bleibt". Die Auflösung der Chromatinstäbchen oder Idanten bei jedem einzelnen Ruhestadium dürfte also nur eine scheinbare sein. Eine regellose Mengung der Ide ließe sie sich doch kaum wieder zu den ursprünglichen Idanten zusammenfinden. Der Wechsel der Individualitäten im Laufe der Generationen deutet darauf hin, dass die Anordnung der Ide innerhalb eines Idanten jedoch von Zeit zu Zeit sich ändert.

Die Bedeutung der anfänglichen Verdopplung der Idanten der Keimzellen (der Ursamenzellen und Ureizellen) sieht Weismann „in dem Bestreben eine möglichst vielgestaltige Mischung der vom Vater und von der Mutter herstammenden Vererbungseinheiten herbeizuführen", um also die Zahl der möglichen Kombinationen der Idanten zu vergrößern. Ist die Zahl der ursprünglichen Idanten eine große — und man kennt thatsächlich Fälle, wo 32 (viele Mollusken) und

mehr (viele Crustaceen) Idanten in der Urzelle vorkommen, dann wird
allerdings die Zahl der möglichen Kombinationen, wie Prof. Lüroth
berechnete, eine sehr große. „Bei 8 Idanten erhält man ohne Verdoppelung 70 Kombinationen, mit Verdoppelung 266; bei 12 Idanten
ohne Verdoppelung 924, mit Verdoppelung 8074 Kombinationen; bei
16 Idanten ohne: 12870, mit Verdoppelung 258570; bei 20 ohne Verdoppelung 184756 Kombinationen mit Verdoppelung 8433660; bei 32
Idanten würde man mit Verdoppelung das 500fache an Kombinationen
erhalten, wie ohne Verdoppelung".

Die Befruchtung führt von beiden Seiten her die gleiche Zahl
von Idanten zusammen und jede der elterlichen Idantengruppen stellt
nur eine der zahlreichen für die betreffende Art möglichen Kombinationen dar. Daraus folgt, dass die Zahl der Keimplasmavariationen,
welche ein Elternpaar möglicherweise zu liefern im Stande ist, eine
ganz ungeheure sein muss, denn sie wird durch Multiplikation der
mütterlichen und väterlichen Kombinationszahl erhalten". Die Wahrscheinlichkeit also, dass die gleiche Kombination sich mehrfach wieder-
hole, ist demnach äußerst gering, so dass „wir uns nicht wundern
dürfen, wenn noch niemals unter den successiven Kindern eines
menschlichen Elternpaares identische beobachtet wurden".

„Mir scheint deshalb, schreibt Weismann, dass die Verdoppelung
der Idanten vor der Reduktionsteilung den Sinn hat, eine fast unend-
liche Zahl von verschiedenen Keimplasmamischungen zu ermöglichen
und dadurch die individuellen Unterschiede in so vielen verschiedenen
Kombinationen der Naturzüchtung zur Verfügung zu stellen, als Individuen entstehen". Die außerordentliche Zahl von Keimplasma-
kombinationen bringt es mit sich, dass die die Artentwicklung leitende
Naturzüchtung die bestmögliche Anpassung aller Teile und Organe
zu Stande bringt. Wohl möchte man denken, dass all das auch ohne
die vorangehende Verdoppelung möglich wäre, durch welche ja erst
recht eigentlich die Zahl der möglichen Kombinationen ins ungeheuere
gesteigert wird. Doch ist zu bedenken, dass in Wirklichkeit die
Zahl der möglichen Kombinationen bei weitem nicht erreicht wird,
indem es sehr wahrscheinlich ist, dass gewisse Kombinationen leichter
eintreten, also häufiger vorkommen als viele andere und endlich wird
die mathematische Kombinationsmöglichkeit auch dadurch herabgesetzt, „dass in dem Keimplasma identische Ahnenplasmen (Iden) und
ganze identische Idanten vorkommen werden". —

Wie vollzieht sich nun die Vererbung bei parthenogenetischer
Fortpflanzung?

Aus dem vorangehenden ergibt sich, dass die spezifische Entwicklung eines Eies zum ausgebildeten Individuum von der Kernsubstanz,
den Idanten, abhängig ist, welche dem vor der Befruchtung indifferenten
Zellkörper eine bestimmte Differenzierung aufnötigte. Diese Vorstellung
legt es nahe zu sagen, dass je dieser die Entwicklungsrichtung be-

stimmende Einfluss nur dann sich geltend machen kann, wenn eine bestimmte Menge von Kernsubstanz vorhanden ist. Die Fähigkeit einer Eizelle ohne Befruchtung sich zu entwickeln müsste also dadurch begründet sein, dass dieselbe die doppelte Menge von Keimplasma besäße, die den befruchtungsbedürftigen Eiern zukommt oder dass sie durch Wachstumsprozesse Keimplasma erzeugen könnte. So erklärten Weismann und Strasburger die Möglichkeit parthenogenetischer Entwicklung. Nun zeigen auch die parthenogenetischen Eier die Ausscheidung eines Richtungskörpers. Weismann's ursprüngliche Ansicht, dass damit das histogene Plasma ausgeschieden werde, muss, wie schon erwähnt, der Analogie der Spermatogenese mit der Ovogenese wegen hinfällig werden.

Wie durch die Bildung der 4 Samenzellen aus der Ursamenzelle jede derselben die halbe Idantenzahl — also das halbe Keimplasma — erhält wie die Ursamenzelle, so muss auch das Idioplasma der 4 Deszendenten der Ureizelle, der Eizelle und der 3 Richtungskörper, auf die Hälfte herabgesetzt werden. In der Ausstoßung eines Richtungskörpers möchte man vielleicht eine „phyletische Reminiscenz" sehen. Warum aber sollte nun von beiden Reduktionsteilungen die eine wegfallen, die andere, so weit die Beobachtung geht, stets bestehen bleiben? Die volle Uebereinstimmung in dem Verhalten der Repräsentanten verschiedener Tiergruppen (Daphniden, Brachiopoden, Ostracoden, Rädertiere und Insekten) macht allerdings diese Deutung höchst zweifelhaft.

(Schluss folgt.)

Die Beziehungen der Biologie zur Systematik.
Von Dr. Udo Dammer.

Man ist bisher gewöhnt, in der Systematik in erster Linie den morphologischen und allenfalls den anatomischen Verhältnissen Wert beizulegen. Die biologischen Verhältnisse dagegen finden mit ganz vereinzelten Ausnahmen in der Systematik keine Beachtung. Es mag dies zum Teil daran liegen, dass es bisher an Arbeiten fehlt, welche die biologischen Verhältnisse einer ganzen Familie erschöpfend behandeln. Es will mir sowohl aber nach den Erfahrungen, welche ich bei einem hierauf gerichteten Studium der Polygonaceen gemacht habe, als auch aus rein theoretischen Gründen scheinen, dass gerade die Biologie in erster Linie dazu berufen ist, auf die systematische Forschung befruchtend einzuwirken. Ich will im Folgenden versuchen, einige Punkte anzudeuten, welche meiner Ansicht nach im Stande sind, diese Meinung zu bekräftigen.

Jeder, der auf dem Boden Darwin'scher Lehre steht, wird zugeben, dass die heute existierenden Pflanzenarten aus dem Kampfe

um das Dasein siegreich hervorgegangene Varietäten sind, sowie
dass unsere Gattungen, *Tribus* etc. im Grunde nichts anderes als erweiterte Artbegriffe, Artbegriffe höherer Ordnung, wenn ich so sagen
darf, sind. Aeußere Einflüsse haben ohne Frage an ihrer Ausbildung
einen Ausschlag gebenden Anteil gehabt. Nur dadurch, dass die
Varietäten Charaktere besaßen, welche sie geeignet machten, unter
den betreffenden äußeren Einflüssen zu leben, konnten sie den Kampf
mit anderen Varietäten siegreich bestehen. Eine Aenderung der
äußeren Einflüsse musste notwendig einen neuen Kampf entfachen.
Diese Aenderungen der äußeren Einflüsse brauchen nicht an der Ursprungsstelle der Art eingetreten sein, vielmehr können die Samen
an andern Lokalitäten mit andern äußern Verhältnissen gelangt sein.

Infolge der Erblichkeit können nun aber sehr wohl Eigentümlichkeiten erhalten geblieben sein, welche unter den neuen Verhältnissen nicht mehr von so einschneidender Wichtigkeit für die Erhaltung der Art sind, wie sie es ursprünglich waren. Diese vererbten
Eigentümlichkeiten rein biologischer Natur besitzen für die Systematik
einen hohen Wert. Ein Beispiel möge dies erläutern.

Ein Jahr aus Jahr ein feuchtwarmes Klima wird die Vegetation
beständig in Thätigkeit erhalten. Es liegt kein Grund vor, welcher
eine Ruheperiode veranlassen könnte. In Klimaten mit einer Regen-
und einer Trockenzeit dagegen müssen die Pflanzen notgedrungen
eine Ruheperiode durchmachen, wenn sie nicht in einer Regenperiode
ihren ganzen Vegetationszyklus vollenden. Und selbst dann machen
sie als Samen die Ruheperiode durch. Die ausdauernden Pflanzen
aber müssen ihren Vegetationskegel während der Trockenzeit in
irgend einer Weise vor der verderblichen Einwirkung der Trockenheit
schützen. Es entwickeln sich Laubknospen.

In einem Klima endlich, welches im Laufe eines Jahres zwei
Regen - und zwei Trockenzeiten hat, wird sich dieser Einfluss auch
auf das Pflanzenwachstum geltend machen. Während die Pflanzen
eines Klimas mit nur einer, aber langen Regenperiode längere Zeit
hindurch ihre Triebe entwickeln können und erst gegen Ende derselben zur Knospenbildung zu schreiten brauchen, müssen die Pflanzen
in einem Klima mit zwei Regenzeiten, welche naturgemäß um Vieles
kürzer sind als jene Eine, zweimal Knospen anlegen. Wenn nun in
einem Klima der letzteren Art von zwei Pflanzen die eine ihre Triebe
während der Trockenperiode oder doch kurz vorher mehr oder minder vollständig vorbereitet, während die andere nur wenige Blätter
am Ende der Regenzeit in der Knospe anlegt, so wird erstere vor
der letzteren entschieden im Vorteile sein, weil sie bei dem Beginne
der neuen Regenzeit den bereits angelegten Trieb nur zu strecken
braucht und sich in kürzester Frist mit einem vollständigen Laub-
kleide versehen kann, während die zweite erst nach längerer Zeit
eine ebenso große Laubmasse besitzt. Es ließen sich mit Leichtig-

keit aus der großen Zahl der in unseren Gärten kultivierten Gehölze
für alle drei Fälle zahlreiche Beispiele anführen. Wir haben sowohl
Gehölze, welche während des ganzen Sommers treiben und ihre Laubbildung erst bei eintretendem Froste ohne Endknospenbildung unterbrechen, als auch Gehölze, welche gegen Ende des Sommers von der
Laubblattbildung zur Knospenschuppenbildung übergehen, und endlich
solche Gehölze, welche bereits Ende Mai ihren Trieb beendet und mit
einer Endknospe[1]) abgeschlossen haben, aber im Hochsommer noch
einmal einen Trieb, den sogenannten „Johannistrieb", machen.

Diejenigen Gehölze, welche während des ganzen Sommers treiben
und keine Endknospe bilden, stammen meiner Ansicht nach von
Formen ab, welche in einem dauernd feuchtwarmen Klima einheimisch
waren; diejenigen Gehölze, welche nur einmal im Laufe des Jahres,
und zwar gegen Ende des Sommers zur Endknospenbildung schreiten,
sind Abkömmlinge von Formen, welche in einem Klima mit einer
Regen- und einer Trockenzeit, oder, was im Effekt auf dasselbe
hinausläuft, mit einer warmen und einer kalten Periode heimisch
waren; diejenigen endlich, welche einen Johannistrieb bilden, doku-
mentieren damit ihre Herkunft aus einem Klima mit zwei Regen-
und zwei Trockenzeiten.

Werden nun Pflanzen der letzten Art in ein Klima mit nur einer
Regenzeit verschlagen, so können sie sehr wohl ihre Eigentümlichkeit
beibehalten, ohne dass dieselbe gerade für sie jetzt von so hoher
Bedeutung ist wie damals, als sie in ihrer Heimat mit dieser Ausrüstung den Kampf ums Dasein ausfochten. Es werden nun aber
andere Eigenschaften, welche bisher vielleicht von untergeordneter
Bedeutung gewesen sind, zu wertvollen Eigenschaften werden und
Veranlassung zur Ausbildung neuer Formenreihen geben. An anderer
Stelle können dieselben Eigenschaften ebenfalls zur Bildung von Formenreihen Veranlassung gegeben haben, aber an Pflanzen, welche in
ihrer Ahnenreihe keine Bewohner eines Klimas mit zwei Regen- und
zwei Trockenzeiten, sondern nur mit einer Regen- und einer Trockenzeit aufweisen. Morphologisch können also die beiden Formenreihen
große Aehnlichkeit, ja geradezu Uebereinstimmung zeigen, und unsere
heutige Systematik wird deshalb kein Bedenken tragen, beide als
nur eine Formenreihe anzusehen und Verwandtschaftsverhältnisse
finden, die in Wirklichkeit gar nicht vorhanden sind.

An anderer Stelle[2]) habe ich versucht darzulegen, dass bei den
Polygonaceen die Verbreitungsausrüstungen einen hohen systematischen Wert besitzen. Ich habe dort gezeigt, wie die Verbreitungsausrüstungen nach und nach von der Umgebung der Frucht auf die

---

[1]) Es sei hier noch besonders auf die pseudoterminalen Knospen, wie sie
z. B. bei der Linde auftreten, hingewiesen.
[2]) Engler's bot. Jahrb., Bd. XV, S. 282; s. a. Biol. Centralbl., XII, S. 260.

Frucht selbst übergegangen sind, und habe für die Polygonaceen den
Satz aufgestellt, dass „eine Verbreitungsausrüstung an der Frucht
phylogenetisch jünger als eine solche in der Umgebung der Frucht"
ist. Daraus habe ich auf Grund meiner Erfahrungen weiterhin geschlossen, „dass anemochore Ausrüstungen phylogenetisch ein höheres
Alter anzeigen als zoochore Ausrüstungen". Ob diese Sätze in dieser
Form für das ganze Pflanzenreich Geltung haben, wage ich nicht zu
behaupten. Ich möchte hier aber auf einen andern Punkt aufmerksam machen, welcher mir gerade bei diesem Studium aufgefallen ist
und, wie mir scheint, bisher nicht genügend gewürdigt worden ist.

Die Verbreitungsausrüstungen bei den Polygonaceen werden fast
stets erst mit der Entwicklung der Frucht ausgebildet, selbst dann,
wenn das betreffende Organ, welches als Verbreitungsausrüstung dient,
zur Blütezeit vorhanden gewesen ist. Seine Eigenschaft als Verbreitungsausrüstung erlangt es erst nach der Blüte, im Laufe der
Fruchtbildung treten an ihm die die Ausrüstung bedingenden Aenderungen auf. Blütenhüllblätter z. B., welche später als Flugorgane
dienen, wachsen erst während der Fruchtbildung aus, der bereits auf
dem Fruchtknoten von *Atraphaxis* vorhandene Kamm (crista der Beschreibungen) wird erst während der Fruchtbildung zum Borstenpelz.
Derartige nachträgliche Aenderungen finden sich im Pflanzenreiche
vielfach. Sie sind aber nicht auf die Frucht und die dieselbe umgebenden Organe beschränkt. Diese Bildungen, welche erst auftreten,
wenn das betreffende Organ von denjenigen mechanischen Einwirkungen befreit ist, welche bei der Anlage der Organe wirksam sind,
wie der lückenlose Kontakt und die Streckung des Vegetationskegels,
sind meiner Ansicht nach ganz speziell im Kampfe um das Dasein
ausgebildete biologische Eigentümlichkeiten. Die Ursache ihrer Entstehung entzieht sich vollständig unserer Kontrolle. Es sind Eigenschaften, welche, einmal entstanden, von der Pflanze vererbt wurden,
weil sie ihr dienlich waren. Einen ganz besonderen Wert erlangen
sie für die Systematik dadurch, dass sie fixierte Variationserschei-
nungen sind, welche einen Teil eines ganzen Variationskreises bilden.
Wenn man z. B. die Arten der Gattung *Rumex* miteinander vergleicht,
so findet man, dass drei Blütenhüllblätter nach der Blütezeit einen
außerordentlichen Formenreichtum aufweisen, dass aber für jede Art
eine ganz bestimmte Form charakteristisch ist. Dabei lassen sich
nun einige wenige Typen sehr deutlich unterscheiden, welche gewissermaßen kleinere exzentrische Kreise in jenem großen Kreise darstellen. Ja es lässt sich sogar erkennen, dass der große *Rumex*-Kreis
wiederum nur ein Kreis von mehreren gleichwertigen, dem *Rheum*- und
Oxyria-Kreise ist, welche in ihrer Gesamtheit eine einzige Gruppe bilden.
In der ganzen Familie der Polygonaceen kehrt stets dasselbe Thema,
die Verbreitungsausrüstung wieder, es geht von verschiedenen Punkten
aus, hier von der weiteren, dort von der näheren Umgebung der

Frucht, da endlich von der Frucht selbst, es variiert als anemochore, hydrochore und zoochore Ausrüstung und wird in diesen Gruppen in der mannigfaltigsten Weise erschöpft. Es ist ganz unverkennbar, dass bei den Polygonaceen die Verbreitungsausrüstung dasjenige Moment ist, welches die Differenzierung der Arten herbeigeführt hat. In anderen Familien sind es andere Momente, doch will es mir scheinen, als ob gerade dieses sehr häufig wiederkehrt. Es sei z. B. an die Ranunculaceen, an die Kompositen, an die Dipterocarpaceen · erinnert. Weil diese Momente auf die Phylogenese einwirken, möchte ich sie phylogenetische Momente nennen.

Ein dritter Punkt endlich, ebenfalls biologischer Natur, der für die Systematik von Bedeutung ist, betrifft die Jugendformen der Pflanzen. Vergleicht man die Sämlinge der verschiedenen Nymphaeaceen, so findet man bei allen eine große Uebereinstimmung in der Blattbildung bis zu einem gewissen Stadium, welche umsomehr auffällt, als die späteren Laubblätter eine von den Jugendblättern sehr abweichende Gestalt annehmen. Ganz ähnlich liegen die Verhältnisse bei den Palmen nur mit dem Unterschiede, dass nicht ein, sondern drei Typen auftreten, von denen zwei wieder nur Modifikationen eines Typus sind. Alle Palmen machen dieses Stadium durch, bei allen tritt zunächst eine der drei Blattformen auf und erst in späteren Entwicklungsphasen werden die charakteristischen Blätter gebildet, doch auch erst, nachdem bestimmte Uebergangsformen gebildet worden sind. Bekannt sind auch die Jugendformen der Coniferen und der Phyllodien tragenden Akazienarten. Indessen nicht nur von den Kotyledonen zu den Laubblättern lässt sich eine solche konstante Reiterierung verfolgen. Auch die einzelnen Zweige zeigen, wenn auch in weniger deutlicher Form, eine derartige Wiederholung. Eines der auffallendsten Beispiele bietet *Monstera deliciosa*. Zwingt man eine Pflanze dieser Art durch Entfernung der Stammspitze zur Bildung von Seitenzweigen, so entwickeln diese keineswegs sofort Laubblätter, welche mit den vor der Operation gebildeten übereinstimmen. Es fehlen sowohl die Perforationen als auch die Einschnitte der Blattfläche. Erst nach und nach werden Altersblätter ausgebildet. Hildebrand (1892, Nr. 1) hat kürzlich gezeigt, dass man auch andere Pflanzen durch Köpfen zur Bildung von Jugendblättern veranlassen kann. In beiden Fällen glaube ich den Ausdruck eines biogenetischen Grundgesetzes erblicken zu müssen, wonach das Individuum die Stadien seiner Ahnenreihe wiederholt. Mir fehlt zur Zeit noch das Material, um dieses Gesetz fest begründen zu können. Diese Mitteilung soll dazu anregen, die Richtigkeit meiner Vermutung zu prüfen, wie ich selbst bemüht bin, Thatsachen pro und contra[1]) zu sammeln.

---

1) z. B. Anemone; s. Hildebrand a. a. O.

Bestätigt sich meine Vermutung, so gewinnt die Systematik eine wertvolle Handhabe zur Prüfung ihrer phylogenetischen Ableitungen. In einem zweiten Aufsatze will ich darlegen, wie die Systematik direkt auf experimentellem Wege zur Lösung phylogenetischer Fragen gelangen kann.

Ueber die Entstehung und Entwicklung des Säugetierstammes.

Von Prof. Dr. W. Kükenthal in Jena.

Vortrag, gehalten am 28. Mai 1892 in der Aula der Universität zu Jena, entsprechend den Bestimmungen der Paul von Ritter'schen Stiftung für phylogenetische Zoologie.

Bei der großen Arbeitsteilung, welche in unserer Wissenschaft eingetreten ist und den Forscher zwingt sich mit einzelnen Problemen zu beschäftigen, ist es gut, wenn man einmal den Blick weiter schweifen lässt, das Verhältnis des gelieferten Einzelbeitrags zu dem großen Ganzen betrachtet und aus diesen allgemeinen Betrachtungen heraus neue Ideen schöpft, gewissermaßen Pläne macht, nach denen man weiter zu arbeiten sich vornimmt. Oft sind diese Ideen weit verschieden von dem, was sich dereinst als Resultat sich anschließender mühsamer Einzelforschung herausstellt. Ist man sich aber dieses Unterschiedes recht bewusst, so darf man wohl wagen, solche Ideen einmal auszusprechen, besonders wenn man, wie bei dieser alljährlich wiederkehrenden Gelegenheit, nicht in der Lage ist, jedesmal gesicherte Resultate eigener Forschung, welche einen größeren Hörerkreis zu fesseln vermöchten, vorzuführen.

Von diesem Gesichtspunkte aus möchte ich bitten meine Ausführungen über die Entstehung und Entwicklung des Säugetierstammes aufzufassen.

Unter allen Wirbeltieren treten die Säugetiere zuletzt auf der Erde auf, ihre ersten spärlichen Reste finden wir in triassischen Formationen. Während sie sich sehr bald die Herrschaft sicherten, so dass wir unser geologisches Zeitalter als das der Säugetiere bezeichnen können, hatte vor ihrem Auftreten der Stamm der Sauropsiden das Uebergewicht. Es ist daher ganz natürlich mit der Betrachtung dieses Stammes zu beginnen, wenn wir der Frage nach der Entstehung der Säugetiere näher treten wollen.

Von dem außerordentlichen Formenreichtum der Reptilienklasse vermögen wir uns keine Vorstellung zu machen, wenn wir die jetzt lebenden Eidechsen, Schlangen, Schildkröten und Krokodile heranziehen. Sie sind nur die letzten kümmerlichen Sprossen eines einst weitverzweigten Baumes, der über die doppelte Anzahl von Ordnungen enthielt; einen Ueberblick gewinnen wir erst an der Hand der Reste,

welche uns die Erdschichten aufbewahrt haben. Auf Grund der
paläontologischen Funde, welche sich von Jahr zu Jahr mehren, sind
wir in den Stand gesetzt die Stammesgeschichte der Reptilien wenigstens in ihren Hauptzügen mit einiger Sicherheit zu verfolgen.

Die erst nach den Fischen und Amphibien auf unserer Erde erschienenen Reptilien haben ihre ältesten bekannten Vertreter in der
dem Paläozoicum angehörenden permischen Formation. Die Progonosaurier, wie sie genannt werden, sind noch wenig spezialisierte Typen,
die in ihrer Organisation Merkmale aller anderen Reptilienordnungen
vereinigen. Wie eine Reliquie aus der Urzeit ragt ein Nachkomme
dieser alten Formen in die Gegenwart herein, die nur auf Neuseeland
vorkommende *Hatteria*.

Fast gleichzeitig mit den Progonosauriern und in ihren frühesten
Vertretern sich an sie anschließend, tritt eine zweite Ordnung auf,
die eine außerordentlich vielseitige Entwicklung aufweist, die Ordnung
der Theromorphen, auf die wir noch näher einzugehen haben. Ebenfalls auf Progonosaurier zurückzuführen sind die beiden Ordnungen
der Sauropterygier und Ichthyosaurier, welche auf hohen Meere pelagisch lebten, und in ihrem Bau tiefgreifende Umformungen erlitten
haben, ganz analog wie in einer späteren Erdepoche unter den Säugetieren die Wale. Sehr alt ist auch die Ordnung der Krokodile, von
denen sich ein Zweig bis auf die Jetztzeit erhalten hat. Ihre Stammesgeschichte gilt auf Grund der paläontologischen Thatsachen für recht
gut bekannt. Die ersten Krokodile sind triassisch, dann treten Formen
von stark verändertem Aussehen wieder im obersten Jura auf, die
sich durch alle darauffolgenden Schichten hindurch bis zur Gegenwart
verfolgen lassen. Es ist nun ganz lehrreich zu sehen, wie unvollständig selbst die besten paläontologischen Urkunden sind; auf Grund
entwicklungsgeschichtlicher Untersuchungen an Krokodilen [1] muss ich
nämlich schließen, dass ihre Vorfahren zu einer gewissen Zeit pelagische
d. h. auf hoher See lebende Tiere mit charakteristischen morphologischen Merkmalen solcher waren und erst allmählich zu den heutigen Küsten- und Flussbewohnern wurden. Von solchen pelagischen
Vorfahren weiß aber die Paläontologie nichts; erst durch die Entwicklungsgeschichte wird sie darauf aufmerksam gemacht, und hoffentlich
gelingt es dereinst Reste der vermuteten Vorfahren in den dem obersten
Jura vorausgehenden Schichten zu finden. An die ältesten Krokodile
sowie an die Progonosaurier (Rhynchocephalen) schließt sich eine
Ordnung an, welche dadurch das allgemeine Interesse erregt, dass
sie die größten landlebenden Formen enthält, welche jemals die Erde
hervorgebracht hat. Die Länge des amerikanischen *Atlantosaurus*
z. B. betrug 115 Fuß, seine Höhe 30 Fuß, sein Oberschenkel war über
6 Fuß lang und maß an seinem oberen Ende über 2 Fuß im Durch-

---

1) In einer im Drucke befindlichen Arbeit habe ich diese Behauptung auf
Grund der Entwicklungsgeschichte des Handskelets zu beweisen unternommen.

messer. Da diese Tiere ausschließlich die Hinterbeine zum Gehen verwendeten, so wurde durch die Uebertragung der Körperlast auf die hinteren Extremitäten eine Umformung derselben, sowie des Beckens hervorgerufen, wie wir sie auf Grund derselben physiologischen Ursache bei den Vögeln sehen. Trotzdem es nicht ohne weiteres angeht, solche Aehnlichkeiten zur phylogenetischen Verknüpfung zu verwerten, ist es immerhin denkbar, dass Dinosaurier und Vögel gemeinsame Ahnen haben. Jedenfalls haben die Vögel nichts zu thun mit der Ordnung der fliegenden Reptilien, zu denen der merkwürdige *Pterodactylus* gehört. Die Abstammung der Pterosaurier ist durchaus noch nicht aufgeklärt. Während die Schildkröten ein stark spezialisierter, vielleicht von einer Theromorphen-Gruppe abzuleitender Zweig sind, haben die Eidechsen ihre Wurzel in den uralten Rhynchocephalen. Von ihnen zweigten sich zur Kreidezeit die bald darauf wieder ausgestorbenen pelagischen Pythonomorphen ab, sowie die noch heute lebenden Schlangen.

Nachdem wir so die Stammesgeschichte der Reptilien, wie sie jetzt ziemlich allgemein angenommen wird, in kurzen Zügen skizziert haben, müssen wir uns nunmehr der Frage zuwenden, aus welcher ihrer Ordnungen der Stamm der Säugetiere entsprossen sein könnte. Diese Frage hat man dahin beantwortet, dass man die bereits erwähnten Theromorphen als Säugetiervorfahren annimmt, da sie die größte Aehnlichkeit mit ihnen aufzuweisen haben. In der That zeigt eine Vergleichung der Skelette, nach denen allein wir gehen können, da uns keine anderen Reste überkommen sind, eine größere Anzahl der gleichen Merkmale bei beiden Gruppen[1]).

Besonders auffällig und oft hervorgehoben ist die Aehnlichkeit in der Differenzierung des Gebisses. Wie bei den Säugetieren so finden wir auch bei den Theromorphen eine morphologische Verschiedenheit innerhalb der Zahnreihe; auch hier können wir von Schneidezähnen, Eck- und Backzähnen sprechen, zum Unterschiede von anderen Reptilien, wo nur gleichmäßige konische Zähne im Kiefer stehen. Es erscheint daher geboten eine nähere Betrachtung des Theromorphengebisses vorzunehmen.

Von den 4 Unterordnungen der Theromorphen zeigen die Pareiasaurier in ihrer Bezahnung noch die meisten Anklänge an die anderen Reptilien. Alle Zähne, deren Zahl ziemlich hoch war (bei *Pareiasaurus bombidens*: 76), wurden zu ziemlich gleichmäßiger Funktion herangezogen, und zeigen demgemäß in ihrem Bau nur geringe Verschiedenheiten. Nach innen von der Zahnreihe sind bei allen von Owen beschriebenen Gattungen (*Tapinocephalus*, *Pareiasaurus* und *Anthodon*) deutliche Ersatzzahnkeime vorhanden.

---

1) Cope, The relations between the theromorphous reptiles and the monotrema Mammalia. Proceed. of the am. Assoc. for the Advancement of Science, Vol. XXXIII, 1885.

Viel weiter differenziert ist das Gebiss der *Theriodontia*, deren Zähne nach dem Raubtiertypus gebaut sind. Von Ersatzzahnanlagen ist bei keinem dieser Raubreptilien etwas gefunden worden.

Die beiden anderen Unterordnungen haben ein sehr abweichend gestaltetes Gebiss; die *Anomodontia* besaßen nur ein paar mächtige Fangzähne im Oberkiefer (ähnlich den Stoßzähnen vom Walross) oder waren gänzlich zahnlos.

Die *Placodontia*, deren Zugehörigkeit zur Ordnung der Theromorphen indess nicht sicher steht, waren noch sonderbarer ausgestattet, indem vorn Schneidezähne, hinten im Oberkiefer rundliche Backzähne, im Unterkiefer große Pflasterzähne standen, und der Gaumen außerdem mit großen Pflasterzähnen bedeckt war. Eine ganz ähnliche Bezahnung findet sich übrigens bei fossilen Fischen, den Pycnodonten, zu denen diese Reptilien zuerst gestellt wurden.

Lassen wir die beiden letzterwähnten Gruppen zunächst bei Seite und betrachten wir *Pareiasauria* und *Theriodontia*, so fällt besonders auf, dass wir hier nicht, wie es bei anderen Reptilien der Fall ist, eine Aufeinanderfolge mehrere Dentitionen vor uns haben, die bei Fossilien vortrefflich erhalten sein können (vergl. z. B. die Abbildung von *Diplodocus longus* Marsh in: Zittel, Handbuch der Paläontologie, III. Bd., S. 716), wo nicht weniger als 6 aufeinanderfolgende Ersatzzähne ausgebildet sind), sondern dass hier nur ein einmaliger oder überhaupt kein Ersatz stattfindet, letzteres bei den am meisten spezialisierten Gebissen. Innerhalb der Theromorphenordnung geht also mit der höheren Spezialisierung der einzelnen Zähne die Bildung von Ersatzzähnen verloren.

Ganz analoge Verhältnisse finden wir bei den Säugetieren wieder [1]. Auch bei den Marsupialiern ist die zweite Dentition bis auf einen Prämolaren unterdrückt, obwohl sie in der Anlage (der Zahnleiste) vorhanden ist, auch hier sind die Zähne der allein zur Entwicklung kommenden ersten Dentition hoch spezialisiert.

Einen sehr wesentlichen Fortschritt in der Vervollkommnung des Gebisses zeigen erst die Placentaltiere (mit einigen gleich zu besprechenden Ausnahmen), bei denen sowohl hoch spezialierte Zähne der ersten wie der zweiten Dentition zur Ausbildung kommen. Damit haben wir die höchste uns bekannte Stufe der Zahnentwicklung erreicht. Was die Ausnahmen, die Zahnwale und die Edentaten anbetrifft, so habe ich bereits in meiner vorjährigen, bei dieser Gelegenheit gehaltenen Rede nachgewiesen, dass der Zustand ihres Gebisses ein sekundärer ist, indem die ursprüngliche Spezialisierung der Zähne in Folge Verminderung ihrer verschiedenen Funktionen nicht mehr notwendig erschien, und die ursprünglich vorhanden gewesene zweite

---

1) Siehe meine Arbeiten im anat. Anzeiger, 1891, S. 364 u. S. 658, sowie meine am 30. Mai 1891 gehaltene Rede: Ueber den Ursprung und die Entwicklung der Säugetierzähne. Jen. Zeitschrift, 1892.

Dentition sich zwar noch embryonal anlegte, aber nicht mehr zum Durchbruch kommt. Die Aehnlichkeit des Gebisses dieser beiden Placentaltierordnungen mit dem der Beuteltiere beruht also auf dem Persistieren der ersten Dentition, der große Unterschied ist aber der, dass bei den Beuteltieren die zweite Dentition deshalb nicht erscheint, weil die Zähne der ersten sich hoch spezialisiert haben, bei den Edentaten und Zahnwalen dieselbe Erscheinung aber auf einer Rückbildung beruht, hervorgerufen durch eine Verringerung der Funktionen.

Betrachten wir also die besprochenen Gruppen mit unbefangenem, nicht durch phylogenetische Hypothesen voreingenommenem Blicke, so sehen wir wie bei Theromorphen, Marsupialiern und Placentaliern der ursprüngliche Zustand des Gebisses der polyphyodonte respektive diphyodonte war, wie aber durch die gleiche Ursache, Spezialisierung der einzelnen Zähne, bei den Theromorphen, alle Dentitionen bis auf die erste unterdrückt wurden, bei den Marsupialiern wenigstens ein Zahn der zweiten Dentition zum Durchbruch kam, bei den Placentaliern aber trotz der Spezialisierung beide Dentitionen erscheinen. ·

Wir haben also in den drei Gruppen der Theromorphen, Marsupialier und Placentalier drei verschieden hohe Stufen der Zahnentwicklung vor uns, die sich nach denselben Gesetzen, aber von immer höherer Basis aus bildeten.

Es macht den Eindruck, als ob die Höhe der Gebissentwicklung jedesmal der Höhe der Organisationsstufe der betreffenden Tiergruppen entspräche, ein Gedanke, der ja durch das Prinzip der Korrelation der Organe durchaus wahrscheinlich gemacht wird. Damit ist zugleich ausgesprochen, dass die Aehnlichkeiten, welche sich in den drei verschieden hoch entwickelten Gebissformen finden, auf Konvergenzerscheinungen beruhen und zu phylogenetischen Verknüpfungen nicht verwandt werden können. In der That sehen wir, wie das Gebiss der Theriodontier wohl dem der Raubbeutler und Raubplacentalier, nicht aber dem der niedersten Säugetiere ähnlich ist, welche wir durch paläontologische Funde kennen, und zu deren Betrachtung wir nunmehr übergehen wollen.

Die ältesten Reste der Säugetiere kennen wir aus der Trias, und zwar weisen sie schon eine große räumliche Verbreitung auf, da man vereinzelte Zähne oder unvollständige Schädel in Schwaben, Nordkarolina, im Basutoland und im Kaplande gefunden hat. Dies allein spricht schon für ein höheres Alter des Säugetierstammes, und macht seine Entstehung im Palaeozoicum wahrscheinlich. Bei der Untersuchung der triassischen Säuger sind wir fast ausschließlich auf die Zähne angewiesen, deren Bau ein höchst eigentümlicher ist. Zwar sind sie in mancher Hinsicht noch reptilienähnlich, besonders durch die geringe Ausbildung der Wurzel, es tritt aber nicht nur eine Spezialisierung des Gebisses in Schneidezähne, Eckzahn und Backenzähne ein, sondern letztere sind auch höchst auffällig gebaut. Ein jeder Backzahn setzt sich nämlich zusammen aus zahlreichen Höckern, die in zwei oder drei Reihen geordnet und durch Längsthäler getrennt sind. Man hat diesen alten Säugetieren deshalb den Namen „Multituberkulaten" gegeben.

Vor einem Jahre habe ich die Ansicht aufgestellt, dass die Backzähne der Säugetiere aufzufassen sind als entstanden durch gruppenweise verschmolzene, ursprüngliche, konische Reptilienzähne[1]), und diese Auffassung besonders aus der Beobachtung des entgegengesetzten Prozesses gewonnen, da bei Bartenwalen aus ursprünglichen mehrhöckerigen Backzähnen durch im Laufe der Entwicklung erfolgende Teilung eine große Anzahl einspitziger Zähne entsteht. In dem Backzahne der Multituberkulaten finde ich nun eine wichtige Stütze für meine Ansicht. Ich fasse einen solchen Zahn auf, als entstanden durch die Verschmelzung einer Anzahl konischer Reptilienzähne und gleichzeitig damit eine Verschmelzung deren entsprechender Ersatzzähne mit einander und der ersten Reihe. Bei den mit drei Längsreihen von Höckern ausgestatteten Multituberkulatenbackzähnen kommt noch eine Verschmelzung entsprechender Zähne der dritten Dentition hinzu. Die Verschmelzung von Zähnen aufeinander folgender Dentitionen ist an sich nichts wunderbares. Die zeitliche Differenz des Auftretens ist ja eine durchaus sekundäre Erscheinung, und auch bei den höchsten Säugetieren tritt eine Verschmelzung der Anlagen beider Dentitionen bei der Bildung der echten Molaren ein[2]).

---

1) Dieser von mir mit der nötigen Reserve aufgestellte Gedanke wurde von O. Thomas (Notes on Dr. W. Kükenthal's discoveries in mammalian dentition. Ann. and Mag. Nat. Hist., Vol 9, Nr. 52, p. 312) als wenig glücklich zurückgewiesen, und zwar stützt sich Thomas in seiner Zurückweisung hauptsächlich darauf, dass die Zahl der Zähne der primitiven Säugetiere größer ist, als die, welche man bei vielen *Anomodontia*, den säugetierähnlichsten Reptilien, findet „This fact is alone sufficient to discredit Dr. Kükenthal's theory". Obwohl ich nach wie vor weit davon entfernt bin meine Idee als eine sicher begründete Theorie anzusehen, möchte ich doch hier darauf hinweisen, dass ich nach dem, was ich oben über die Stellung der Theromorphen gesagt habe, diesen Einwand unmöglich gelten lassen kann. In einem während der Drucklegung dieser Arbeit erschienenen Aufsatze (Ueber die Entstehung der Formabänderung der menschlichen Molaren. Anat. Anz., 3. Juni 1892) eignet sich Herr Röse meine Auffassung an, und bezeichnet sie als seine Theorie, ohne mich nur zu erwähnen, obwohl er Kenntnis von meinen diesbezüglichen Arbeiten hat.

2) Auch diesen von mir an der Hand meiner Untersuchungen ausgesprochenen Gedanken hält Thomas l. c. p. 311 für eine „extraordinary and to all appearance most unlikely theory". Ohne mich hier auf weitere Erörterungen einzulassen, verweise ich nur auf Hertwig's Lehrbuch der Entwicklungsgeschichte des Menschen und der Säugetiere (S. 231) wo gesagt wird: Außerdem entwickeln sich die Schmelzorgane der hinteren Backzähne (der Molarzähne), welche keinem Wechsel unterworfen sind, sondern überhaupt nur einmal angelegt werden, am rechten und linken Ende der beiden Epithelleisten". Diese beiden Epithelleisten sind aber nichts anderes als die ersten Anlagen der Schmelzorgane der ersten und zweiten Dentition, die bei den Prämolaren gesondert bleiben.

Sind die Multituberkulatenbackzähne auf diese Weise entstanden, so müssen sie in sehr geringer Zahl vorhanden sein, da ja jedesmal ein Zahn einer ganzen Anzahl einfacher Reptilienzähne entspricht. In der That finden sich in jeder Kieferhälfte nur 1 oder 2 Molaren, von den ähnlich gebauten Prämolaren höchstens 4, meist weniger vor. Wie der Prozess der Verschmelzung vor sich gegangen ist, ist schwer zu verstehen, da er. aus der Verkürzung der langen Reptilienkiefer zu kurzen Säugetierkiefern allein nicht zu erklären ist; dennoch ist die Verschmelzung von. Zähnen bei den Wirbeltieren eine Thatsache, und daher meine Anschauung durchaus nicht mit Zahnbildungsvorgängen bei niederen Wirbeltieren in Widerspruch.

Ist die von mir angegebene Entstehung der Säugetierbackzähne richtig, so verliert die jetzt allgemein angenommene, besonders von Cope und Osborn ausgebaute Hypothese bis zu einem gewissen Punkte ihre Geltung. Von dem einfachen Kegelzahn der Reptilien ausgehend, wie er nach ihnen beim Delphin erhalten ist[1]), soll die Entwicklung der Säugetiermolaren durch Aussprossen eines vorderen und hinteren kleinen Höckers entstanden sein. Auf die Schwierigkeit, ein solches Auswachsen mechanisch zu begreifen, hat bereits Fleischmann[2]) hingewiesen, da die versuchte Erklärung Cope's durch die größere Zufuhr von Bildungsstoff die Entwicklung dieser Höcker zu erklären, durchaus verfehlt ist. Nimmt man dagegen mit mir den triconodonten und trituberkularen Zahn nur als eine besondere Abteilung der multituberkularen Zähne, also als ursprünglich durch Verwachsung entstandene Bildungen an, so ist die Schwierigkeit gehoben. Die weiteren an den trituberkularen Zahntypus anschließenden Hypothesen der amerikanischen Paläontologen werden dadurch nicht berührt.

Es würde demnach zwischen den Backzähnen der Reptilien und denen der Säuger ein durchgreifender Unterschied wahrzunehmen sein. Die theromorphen Reptilien, deren Backzähne schon Owen meist als einfache konische Zähne beschreibt, sind nur homolog einem einfachen Reptilienzahne, oder aber es kommt, wie bei den Theriodontiern, zu einer Verschmelzung. Diese Verschmelzung aber betrifft stets nur den einzelnen Zahn, und seine entsprechenden Ersatzzahnanlagen, welche in der Zahnleiste enthalten sind. (Deutlich illustriert wird meine Ansicht durch die Abbildung des Schädels von *Empedocles molaris* Cope, welche Zittel in seinem Handbuch die Paläontologie, Bd. III, S. 581 gibt.) Die Backzähne der Säugetiere dagegen stellen viel kompliziertere Gebilde dar, sie sind entstanden aus Verschmelzung einer größeren oder geringeren Anzahl konischer Reptilienzähne, die hinter einander liegen, und meist treten dazu noch die entsprechenden

---

1) Thomas irrt, wenn er meint, dass diese Anschauung nur von Baume geteilt werde; siehe z. B. Schlosser, Die Differenzierung des Säugetiergebisses. Biol. Centralblatt, 1891, S. 238.

2) Fleischmann, Die Grundform der Backzähne bei Säugetieren und die Homologie der einzelnen Höcker. Sitzungsber. d. k. Akad , Berlin 1891.

Zahnreihen der zweiten eventuell der dritten Dentition hinzu. Der Prozess der Kieferverkürzung muss bei diesem Prozesse ein wichtiges mechanisches Moment gewesen sein.

Ich möchte meine Hypothese noch durch folgende die anderen Wirbeltierklassen mit umfassende Betrachtung stützen. Zunächst stelle ich für die Entwicklung der Zähne innerhalb der gesamten Wirbeltierreihe das Prinzip auf, dass die Ausbildung der Zähne in erster Linie auf die Verschmelzung von Einzelzähnen zurückzuführen ist.

Als ursprüngliches Element ist der einfache Dentinzahn der Fische anzusehen. Wie durch das Verwachsen der Basalplatten dieser Elementargebilde nach O. Hertwig die Belegknochen der Mundhöhle entstanden sind, so haben sich auch durch Verschmelzung der Zähne selbst kompliziertere Zahnformen gebildet.

Dieser Vorgang lässt sich bei Selachiern vergleichend-anatomisch verfolgen. So hat z. B. *Cladodus*, eine der ältesten Haifischformen folgenden Zahnbau aufzuweisen; auf einer langgestreckten Basis erheben sich eine Anzahl konischer Spitzen, von denen die mittelste und die beiden äußeren die längsten sind (siehe Zittel, Bd. III,. S. 67). Die Entstehung dieses Zahngebildes würde ganz unverständlich sein, wenn wir annehmen wollten, dass es durch allmähliche Differenzierung einer einzigen Zahnspitze entstanden sein soll; es erscheint vielmehr ganz selbstverständlich, diese Bildung aus einer Reihe verschmolzener Einzelzähne bestehend anzunehmen. Durch immer inniger werdende Verschmelzung der Einzelelemente sind dann die anderen Zahnformen entstanden. Es ist ja dabei keineswegs ausgeschlossen, dass auch ohne Verschmelzung einzelne Zähne in Folge erhöhter Inanspruchnahme an Größe zunehmen, nur lassen sich daraus nicht die mehrspitzigen Zähne erklären. Ich stelle also den ursprünglichen Einzelzahn der Fische als Zahn erster Ordnung, den durch Verwachsung mehrerer entstandenen Gebilden, wie wir sie bereits innerhalb der Fischklasse finden, als Zähnen zweiter Ordnung gegenüber. Mit dieser Komplikation erfolgt naturgemäß eine Verringerung in der Zahl der sich anlegenden Dentitionen. Bei Fischen ist im allgemeinen der Zahnwechsel unbegrenzt, er hört aber bereits innerhalb dieser Klasse bei Ausbildung sehr großer Einzelzähne, also bei eintretender Spezialisierung auf (z. B. bei *Chimaera* oder *Ceratodus*).

Auch bei den Reptilien ist die Zahl der Dentitionen eine begrenzte. Wollen wir den Einzelzahn eines Reptiles mit den Zähnen der Fische vergleichen, so werden wir sie besser mit den Zähnen zweiter Ordnung zusammenstellen. Wie diese so zeigen auch manche Reptilienzähne Komplikationen, die auf eine ehemals erfolgte Verschmelzung hindeuten (z. B. die Zähne von *Scelidosaurus Harrisoni* Owen [Zittel, Bd. III, S. 741] oder von *Anthodon* oder *Galesaurus* unter den Theromorphen).

Zu einer nochmaligen Verschmelzung kam es bei der Entstehung der Säugetiere aus reptilienähnlichen Vorfahren. Die Backzähne der

Säugetiere sind also Zähne dritter Ordnung, entstanden durch Verschmelzung von Reptilienzähnen. In schönster Ausbildung zeigt sich das Resultat dieses Prozesses bei den ältesten bis jetzt bekannten Säugetieren, den Multituberkulaten.

Einfacher Fischzahn, Reptilienzahn und Säugetierbackzahn sind also miteinander nicht homologisierbar, sie repräsentieren vielmehr drei verschiedene, durch Verschmelzung hervorgegangene Stadien der Zahnentwicklung. Damit ist zugleich der einfache mechanische Grund der allmählichen Abnahme der Dentitionen gegeben.

So erklärt also das Prinzip der Zahnverschmelzung die stetig zunehmende höhere Ausbildung des Gebisses innerhalb des Wirbeltierstammes. Ein zweites innerhalb jeder einzelnen Gruppe wirkendes Prinzip ist: die Zähne möglichst zweckmäßig umzugestalten und den von Seiten der Funktion gestellten Anforderungen anzupassen. Die Funktion richtet sich nach der Art der Nahrungsaufnahme, diese ist aber bei den verschiedenen Tierklassen wenig variabel und so lässt sich auch die große Aehnlichkeit der Gebisse vieler, verschiedenen Wirbeltierklassen angehöriger Formen erklären, wie z. B. bei Theriodontiern, Raubbeuteltieren, Raubplacentaltieren. Meinen Ausführungen zufolge ist also eine phylogenetische Verknüpfung der betreffenden Formen auf Grund der Bezahnung durchaus unzulässig.

Die Frage nach dem Ursprunge der Säugetiere beantworten wir nunmehr folgendermaßen. **Die Vorfahren der Säugetiere waren nicht, wie meist angenommen, theromorphe Reptilien, sondern uralte zur paläozoischen Zeit lebende Formen (von denen ja die Theromorphen ebenfalls ihren Ausgang genommen haben können) mit weniger spezialisiertem, noch aus gleichmässigen konischen Zähnen bestehendem Gebiss. Aus ihnen heraus entwickelten sich zuerst Säugetiere mit Multituberkulatengebiss.**

Welche Gründe die Entstehung der Säugetiere bewirkt haben können, darüber lässt sich mancherlei denken. Ganz plausibel klingt was Haacke[1] darüber sagt. Nach ihm können die im Gegensatz zu den wechselwarmen Reptilien warmblütigen Säugetiere nur zu einer Zeit entstanden sein, als die Temperatur eine andauernd merkliche Abkühlung erfuhr, und es wird eine von den Geologen als permische (?) Eiszeit bezeichnete Kälteperiode als mutmaßlicher Zeitpunkt angegeben. Mit der Erwerbung höherer Blutwärme war die Ausbildung eines schlechten Wärmeleiters, des Haarkleides[2], erforderlich, an das sich die Bildung von Talgdrüsen zur Einfettung der Haare, von Schweißdrüsen zur Regulierung der Körpertemperatur anschloss.

---

1) Haacke, Ueber die Entstehung des Säugetiers. Biol. Centralbl., 1889, S. 8.

2) In einer demnächst erscheinenden unter meiner Leitung ausgeführten Arbeit wird von Herrn stud. Römer auf Grund entwicklungsgeschichtlicher Untersuchungen der Nachweis erbracht werden, dass der Hautpanzer der Gürteltiere eine sekundäre Erwerbung ist, und der ursprüngliche Zustand der mit einem Haarkleid versehene war.

Mit der Erniedrigung der Temperatur im Zusammenhang stand ferner die Bebrütung der Eier, die nunmehr durch eigene Körperwärme ausgebrütet werden mussten. Daran knüpft sich die Ausbildung und weitere Entwicklung des Brutapparates, wie wir ihn heute noch bei den eierlegenden Monotremen sehen.

Wir kommen nunmehr zu dem zweiten Teile unseres Themas, der Entwicklung des Säugetierstammes. Die jetzt lebenden Säugetiere werden in drei Unterklassen eingeteilt, die Monotremen, die Beuteltiere und die Placentaltiere. Der Körperbau der noch eierlegenden Monotremen zeigt, obwohl durch Spezialanpassung mannigfach modifiziert, so primitive Charaktere, dass wir sie als Abkömmlinge der primitivsten Säugetiere ansehen müssen. Nun hatten wir als primitivste Säugetiere, auf Grund unserer Betrachtungen über das Gebiss, die Multituberkulaten hingestellt, es müssten also die Monotremen Nachkommen der alten Multituberkulaten sein. Diese Annahme hat vor kurzem eine Bestätigung erfahren durch die Entdeckung, dass, während die erwachsenen beiden Formen, das Schnabeltier und der Ameisenigel, zahnlos sind, die jungen Schnabeltiere unterm Zahnfleisch verborgen zwei Backzähne besitzen, welche einen deutlichen multituberkularen Bau aufweisen. Die Monotremen scheinen also in der That ein spezialisierter Seitenzweig der Multituberkulaten zu sein.

Die Vertreter der zweiten Unterklasse, die Beuteltiere, haben sich schon sehr frühzeitig von diesem alten Stamme abgezweigt, ihr Gebisstypus lässt sich auf eine Modifikation des Multituberkulatentypus zurückführen. Ihr Körperbau zeigt im allgemeinen eine zwischen Monotremen und Placentaltieren stehende Ausbildung, und man sieht sie als ein mittleres Säugetierstadium an, aus dem sich die letzteren entwickelten. Nach manchen Autoren stammen die einzelnen Ordnungen der Placentaltiere von den entsprechenden Beuteltierordnungen ab, sind also polyphyletisch entstanden, nach anderen nahm die Unterklasse der Placentalier von einem mehr generalisierten Beuteltiertypus aus ihren Ursprung.

Prüfen wir zunächst die Beweise, welche überhaupt dafür sprechen, die Placentaltiere von den Beuteltieren abzuleiten. Da sind es zunächst allgemeine Aehnlichkeiten, der verschiedene Ausbildungsgrad der einzelnen Organe, welche herangezogen werden. Von vornherein können wir diese Gründe als nicht stichhaltig zurückweisen, denn der verschiedene Grad der Aehnlichkeit der Organe mit denen der beiden anderen Unterklassen lässt sich auch erklären, wenn wir die Placentaltiere nicht auf die Beuteltiere, sondern direkt auf die Monotremen zurückführen. Die Aehnlichkeiten wären dann eben nur Konvergenzerscheinungen, entstanden durch die Anpassung an gleiche Lebensweise.

Ein zwingenderer Grund, die Beuteltiere als Vorfahren der Placentaltiere anzusehen, würde die Entdeckung von spezifischen Beuteltiercharakteren in der Entwicklung von Placentaliern sein. Eine solche Entdeckung glaubt man in der Auffindung von Resten

der Beutelknochen, welche bei den Marsupialiern zur Stütze des
Beutels dienen, und ganz charakteristische Bildungen sind, gemacht
zu haben. Nun schreibt aber der neueste Autor über diesen Gegenstand, Wiedersheim[1]) über das Verbleiben der Beutelknochen bei
den Placentaltieren: „Da muss ich vor Allem bemerken, dass ich
dieselben bei keinem Embryo, geschweige denn bei einem erwachsenen Tier — und ich habe Vertreter aller Hauptgruppen untersucht —
aufzufinden im Stande gewesen bin". Was bei den Placentaliern verbleibt, ist eine Knorpelzone, welche bei den Amphibien und Reptilien
das Bildungsmaterial des Epipubis repräsentiert, bei den Marsupialiern
die diesem homologen Beutelknochen liefert.

Sind so die Gründe für eine Ableitung der Placentalier von den
Beuteltieren nicht stichhaltig, so gibt es anderseits solche, welche
direkt dagegen sprechen. Der ursprünglichste Zustand des Brutapparates wird durch zwei sogenannte Mammartaschen repräsentiert,
wie sie sich beim Ameisenigel finden, der Brutbeutel ist eine davon
abzuleitende Erwerbung, indem die Mammartaschenränder ganz (zeitweilig bei *Echidna*) oder teilweise (bei den Marsupialiern) miteinander
verschmelzen.

Neuerdings hat nun Klaatsch[2]) die bei manchen Huftieren
vorkommenden Hauttaschen als Mammartaschen erkannt, die er als
außer Funktion gesetzte Mammarapparate ansieht, während die übrigen
Mammartaschenpaare sich gänzlich in Zitzen umwandelten. Klaatsch
hält es daher für denkbar, dass die Huftiere niemals ein Marsupial-
stadium durchliefen, und schließt jedenfalls, dass die Huftiere eine
Beutelbildung wie die der jetzt lebenden Beuteltiere niemals besessen
haben.

Ein weiterer schwerwiegender Einwand ist in der Beschaffenheit
des Gebisses zu finden. Wie ich zuerst nachgewiesen habe, ist das
Gebiss der erwachsenen Marsupialier der ersten Dentition zugehörig,
während das der erwachsenen Placentalier die zweite Dentition repräsentiert. Das allein ist schon ein tiefgreifender Unterschied, der jede
Homologisierung verbietet. Ferner weist das Beuteltiergebiss einen
fest in sich geschlossenen Typus auf, aus dem eine Weiterentwicklung
unmöglich erscheint. Ganz charakteristisch ist das Eintreten eines
von der zweiten Dentition gebildeten Prämolaren in das Gebiss, ein
Merkmal, welches von den jurassischen Formen bis auf die recenten
sich erhalten hat.

Fassen wir das Resultat dieser Betrachtungen kurz zusammen,
so sehen wir, dass stichhaltige Gründe für eine Ableitung der Placentalier von den Beuteltieren nicht vorhanden sind, wohl aber da-

---

1) Wiedersheim, Die Phylogenie der Beutelknochen. Eine entwick-
lungsgeschichtlich-vergleichend anatomische Studie. Zeitschrift für wissenschaftliche Zoologie, LIII, Suppl., 1892.

2) Klaatsch, Ueber Mammartaschen bei erwachsenen Huftieren. Morph.
Jahrbuch, Bd. 18, Heft 2, S, 349.

gegensprechende. Es lässt sich wohl denken, dass die Placentalier ihren Ursprung von dem alten Säugetierstamme nahmen, der in den Monotremen noch am wenigsten verändert fortlebt, und dass einzelne ihrer Ordnungen die Placenta unabhängig von einander erworben haben [1]. Ein den Placentaliern parallel laufender, ebenfalls aus dem Hauptstamme entstandener Zweig sind die Beuteltiere. Die Aehnlichkeiten innerhalb der einzelnen Ordnungen beider Unterklassen sind nur Konvergenzerscheinungen.

Es liegt nicht in meiner Absicht die Entwicklung des Säugetierstammes im Einzelnen zu verfolgen, so verlockend es auch wäre, zu zeigen, wie die auf vergleichend-anatomischem und entwicklungsgeschichtlichem Wege gewonnenen Hypothesen durch die von Jahr zu Jahr sich mehrenden paläontologischen Funde gestützt werden. Es kam mir vielmehr darauf an einige Probleme vorzuführen, welche mit der Erforschung des Säugetierstammes verbunden sind, und die Methode klar zu legen, nach welcher wir heutzutage arbeiten.

Weit davon entfernt die Aufstellung einer Art Ahnengalerie als das zu erstrebende Endziel unserer Wissenschaft zu betrachten, suchen wir vielmehr den verwickelten Ursachen auf die Spur zu kommen, welche die ungeheure Mannigfaltigkeit der Tierformen verursacht haben. Wir wollen die Gesetze finden, denen die organische Welt gehorcht.

Dabei möchte ich aber dem fundamentalen Irrtume entgegentreten, als ob das Problem des Lebens gelöst sein würde, wenn man vermöchte die mechanischen Gesetze zu erkennen, welche bei der Entwicklung und Umbildung der organischen Körper thätig sind. Die Erkenntnis der Lebensvorgänge selbst wird dadurch nicht im geringsten gefördert, mit demselben Rechte könnte man, nach dem Gleichnis Bunge's, die Bewegung der Blätter und Zweige am Baume, der vom Sturme gerüttelt wird — als Lebenserscheinungen auffassen. Das was wir erkennen können ist nichts anderes als die Art und Weise, wie die lebendige Substanz auf von Außen kommende Kräfte reagiert. Diese von der heutigen Physiologie in vollem Umfange in Angriff genommene Aufgabe wird neuerdings von einer Anzahl meist jüngerer Forscher als das alleinige Ziel in Anspruch genommen, dem sich die biologische Wissenschaft zuzuwenden habe. Indem sie annehmen, eine durchaus neue Methode der biologischen Forschung entdeckt zu haben, glauben sie, dass nur diese mechanisch-ätiologische Methode allein der Weg ist, den man zur Lösung biologischer Fragen betreten darf, und dass die auf der Descendenztheorie beruhende bis dahin allgemein angewandte „morphologisch-historische" Methode zu verlassen sei, ja von einer Seite wird vom „Unwerte der Descendenztheorie" gesprochen!

---

1) Marsh vertritt auf Grund seiner paläontologischen Forschungen denselben Standpunkt; siehe Marsh, American jurassic Mammals. Am. Journ. of Science, Vol. XXXIII, 1887.

Wie konnte diese Ansicht entstehen? Zuvörderst ist zu bemerken, dass die sogenannte „morphologisch-historische" Methode ein künstlich konstruierter Begriff ist, der sich durchaus nicht mit der „phylogenetischen", die doch damit gemeint sein soll, deckt. Unzweifelhaft richtig ist, dass die Morphologie eine Zeitlang im Vordergrunde gestanden hat, und fast ausschließlich bei phylogenetischen Untersuchungen angewandt worden ist. Indem noch dazu einzelne Zweige der Morphologie mehr oder minder ausschließlich zur Lösung phylogenetischer Probleme herangezogen wurden, drohte unsere Wissenschaft zu verflachen. Ich erinnere nur an die Unzahl Arbeiten auf dem Gebiete der Entwicklungsgeschichte, welche ihre einseitigen Befunde zu phylogenetischen Spekulationen verwenden. Ein Vertiefung unserer Wissenschaft kann erst dann eintreten, wenn nicht nur die drei Zweige der Morphologie, die vergleichende Anatomie, Entwicklungsgeschichte und Paläontologie, sondern auch die Physiologie gleichzeitig als Wege zur Erkenntnis benutzt werden. Das Ziel zu dem wir dadurch kommen, ist das Verständnis der Stellung eines jeden Tieres in der Natur, die Feststellung seiner Beziehungen zu der umgebenden organischen und anorganischen Welt, die Auffindung immer allgemeinerer Gesetze des organischen Werdens. Nach wie vor unberührt von dieser Art Forschung bleibt das Problem des Lebens selbst, wir rechnen bei unseren Untersuchungen mit den lebendigen Eigenschaften eines organischen Körpers als mit einer Thatsache, die wir freilich nicht erklärt haben, die aber nichts destoweniger feststeht.

Wohl aber glauben Anhänger der neuen Richtung dieses letzte Problem seiner endgiltigen Lösung entgegenführen zu können, wenn sie die von ihnen erwählte Methode anwenden, alles Geschehende im Tierkörper auf physikalisch-chemische Gesetze zurückzuführen. Nun ist aber jeder Tierkörper das Resultat zweier ihn bildender und umformender Kräftegruppen. Die eine ist noch unerklärt und wurde früher als Lebenskraft bezeichnet, die andere ist die Gesamtheit der physikalisch-chemischen Kräfte der Außenwelt. Um zu dem erstrebten Endziele zu gelangen, ignorieren die Vertreter der neuen Richtung die Thatsache vollständig, dass in jedem Organismus, in jeder Zelle desselben, sich Vorgänge abspielen, die wir als Leben bezeichnen und nicht erklären können.

Darin liegt also der große Irrtum der mechanisch-ätiologischen Richtung, dass sie glaubt das Leben selbst erklären zu können, während ihr Endziel doch nur sein kann, zu zeigen, wie bereits vorhandene organische Bildungen den physikalisch-chemischen Kräften ebenso wie die anorganischen Körper unterworfen sind. Das Neue, was die mechanisch-ätiologische Richtung bringt, ist also falsch, das Richtige in ihr ist längst als Physiologie bekannt.

Trotzdem ist ihre besondere Betonung von großer Wichtigkeit, sie vermag unsere historische Methode erheblich zu vertiefen, und muss ein integrierender Teil der phylogenetischen Forschung werden.

Sie in einen einander ausschließenden Gegensatz zur historischen Methode zu bringen, wie es geschehen ist, ist durch nichts begründet. Ohne den Gedanken der Descendenz lässt sich der Bau eines Tierkörpers nicht verstehen. Ein Beispiel wird genügen. Bei den Bartenwalen kommen in der ersten Embryonalzeit Zähne vor. Diese brechen nicht durch das Zahnfleisch, sind gänzlich funktionslos und werden nach einiger Zeit, noch im Embryo, vollkommen resorbiert. Wie sollen wir nun auf mechanisch-ätiologischem Wege zu einem Verständnisse dieses Phänomens kommen? Wird nicht unser Kausalbedürfnis bis zu einem gewissen Grade befriedigt, wenn wir auf Grund der phylogenetischen Forschung nachweisen können, dass die Keime dieser Zähne von Vorfahren der Bartenwale geerbt sind, bei denen sie funktioniert haben, während sie bei den heutigen Walen in Folge veränderter Lebensweise durch zweckentsprechendere Organe, die Barten, ersetzt sind?

Zum Schlusse möchte ich betonen, dass auch ich überzeugt bin, dass die als Lebenskraft bezeichneten Vorgänge denselben Gesetzen gehorchen, welche die anorganische Welt beherrschen. Auch ich erblicke in der Einführung einer uns unbekannten geheimnisvollen Lebenskraft nur eine unnötige Zuthat und halte die Zurückführung des Lebens auf physikalisch-chemische Gesetze, wenn auch nicht für eine bewiesene Thatsache, so doch für ein wissenschaftliches Postulat.

Jena den 24 Mai 1892.

G. Retzius, Biologische Untersuchungen.

Neue Folge II. 16 Taf. 53 S. Gr. Folio. Stockholm und Leipzig.
(F. C. W. Vogel) 1891.

Retzius gibt die versprochene Fortsetzung seiner Untersuchungen über das Zentralnervensystem der niederen Tiere (s. Biol. Centralbl., XI. Bd., Nr. 17). Er hat mit der Verwendung der Methylenblaumethode seit seinen früheren Veröffentlichungen besonders bei Würmern und in geringerem Grade bei den niedersten Wirbeltieren Erfolg gehabt. Diesen 2 Klassen sind deshalb auch die zwei Abschnitte des neuen Bandes gewidmet. In der Vorrede aber sagt er, dass die Misserfolge, die er bisher bei Mollusken, Cölenteraten und Echinodermen gehabt, ihn nicht abschrecken werden, andere Species aus diesen Tierstämmen zu untersuchen und Modifikationen der Methode zu erproben, welche bessere Resultate ergeben könnten. Denn er hat auch bei den Würmern beobachtet, wie verschieden nah verwandte Arten sich gegen diese Färbung verhalten, und wie fast für jede Art ein nur wenig abgeändertes Verfahren die besten Resultate liefert.

Im ersten Abschnitt behandelt Verf. das Zentralnervensystem der Würmer; er hat von Polychäten hauptsächlich je eine Species von *Nephtys*, *Nereis*, *Aphrodita* und *Lepidonotus* in ausreichender Zahl

untersucht, von Hirudineen *Aulostomum gulo* und *Hirudo medicinalis*.
Bei den Hirudineen ist ihm Biedermann mit der Anwendung des
Methylenblaus vorangegangen, der seine schönen Untersuchungen zur
selben Zeit veröffentlichte, als der I. Band von Retzius biol. Untersuchungen erschien. R. hat keinem Punkte in den Resultaten seines
Vorgängers zu widersprechen, nur hat seine geschickte Hand mit der
vitalen Methylenblaufärbung noch vollkommnere Bilder erzielt, als
sie B. mit der Färbung des herauspräparierten Bauchstranges erhielt,
und so hat er manche Einzelheit dem Bekannten zuzufügen. Nicht
ganz so günstige Objekte sind die genannten Polychäten, bei denen
Verf. als erster die Methylenblaumethode gebraucht hat.

Verf. selbst fasst die Ergebnisse dieser Untersuchungen etwa
folgendermaßen zusammen: es ergibt sich eine prinzipielle Uebereinstimmung in der typischen Gestalt der Elemente des Nervensystems
unter den Würmern, ja, im Hinblick auf Verf. frühere Untersuchungen,
auch zwischen diesen und den Crustaceen. Bei allen, Würmern wie
Crustaceen, ist die Ganglienzelle mit seltenen Ausnahmen unipolar
und sendet ihren einzigen „Stammfortsatz" direkt oder indirekt nach
der Peripherie, um ihn dort als Nervenfaser zu ihren Endverästlungen
laufen zu lassen; während ihres Verlaufs durch die Ganglien geben
diese Stammfortsätze „Nebenfortsätze" nach verschiedenen Richtungen
ab. Diese feinen Nebenfortsätze verästeln sich meist dichotomisch
und wiederholentlich; durch ihre reichliche Verästelung und durch die
Nebenfortsätze der das Ganglion durchlaufenden Nervenfasern und die
Endäste der aus der Peripherie stammenden Fasern entsteht die Hauptmasse der „Punktsubstanz". Sie ist ein außerordentlich reichliches
intrikates Geflecht, ein „Neuropilem", aber kein Netz anastomosieren-
der Fortsätze.

Die Zusammensetzung und Anordnung dieser Punktsubstanz ist
bei den verschiedenen Würmern sehr verschieden, ebenso wie die
Anordnung des Nervensystems überhaupt: bei den Polychäten sind
die Ganglien bald deutlich (bei *Aphrodite*), bald undeutlich (bei *Nephtys*,
Nereis), bald gar nicht differenziert (bei *Lepidonotus, Arenicola* u. a.).
Bei *Nephtys, Nereis, Lepidonotus* u. s. w. ist die Punktsubstanz auch
nicht in der Mitte, sondern, in der Hauptmasse wenigstens, in der
Peripherie gelegen. Dabei zeigen auch ihre Elemente verschiedene
Formen: bei *Nephtys* sind es verhältnismäßig dicke, knotige, und ziemlich regelmäßig angeordnete Seitenzweige, welche von den longitudinalen Fasern aus zur Peripherie laufen und dabei mit den Ganglienzellen zusammenliegen; bei *Nereis* laufen eigentümliche Seitenfortsätze
bis zur äußersten peripherischen Schicht des Bauchstranges hinaus
und verästeln sich dort in einer, außerhalb der Ganglienzellen gelegenen Schicht baumkronenartig. Bei *Aphrodite* dagegen und noch
viel mehr bei den Hirudineen gleicht die Anordnung im großen wie
im kleinen dem Bau der Crustaceenganglien. Es sind also recht große
Unterschiede in Anordnung und Bau der Punktsubstanz bei den Würmern

vorhanden. Doch lassen sich alle Formen auf einen Grundtypus zurückführen, der den Würmern und Crustaceen gemeinsam ist.

R. widmet den 2. Teil seiner Untersuchungen dem Nervensystem
von *Amphioxus lanceolatus* und *Myxine glutinosa*; er hat auch *Petromyzon* untersucht, aber die Verhältnisse denen bei *Myxine* so ähnlich
gefunden, dass er auf genauere Untersuchungen verzichtete.

Verf. gibt ein ausführliches Referat von allen früheren Veröffentlichungen über das Nervensystem von *Amphioxus*. Die Resultate
derselben widersprechen sich in verschiedenen Punkten. R. konnte
nur den mittleren und hinteren Teil des Rückenmarks färben; besonders gut gelang die Färbung aller peripherer Nerven. Er stellt
nun zunächst gegenüber den Angaben mancher Vorgänger fest, dass
an den hinteren sensiblen Wurzeln weder irgend welche Kommissuren
noch Ganglien oder einzelne Ganglienzellen in denselben zu sehen
sind. Jede dieser Nervenwurzeln versorgt ein Segment. Im Rückenmark selbst lassen sich 2 Bündel Nervenfasern unterscheiden, welche
auf beiden Seiten verlaufen, aber nicht scharf begrenzt sind. Man
sieht viele, quer oder schief von der einen zur andern Seite des Marks
verlaufende Fasern. In der Mitte liegen die Ganglienzellen um den
Zentralkanal gruppiert.

Verf. sah alle Arten Ganglienzellen: zuerst „echte" und „unechte"
unipolare Zellen; unecht-unipolar nenut er Zellen, welche einen dicken,
nach kurzem Verlauf verzweigten Fortsatz entsenden, weil er infolge
vieler Uebergangsformen, die er hier (und auch bei Würmern) beobachtet hat, annimmt, dass dieser Fortsatz dem Zellleib zuzurechnen
sei. Zu diesem Typus gehören die meisten der im hintern Abschnitt
des Marks gelegenen „Riesenzellen". Die von ihnen entspringenden
und nach vorn verlaufenden „kolossalen Fasern", verschmälern sich
weiter vorn und lassen sich dann in der Menge der aufsteigenden
Fasern nicht mehr unterscheiden, so dass ihre Bedeutung unbekannt
bleibt. Die Kolossalfasern, wie überhaupt alle als Nervenfortsätze
zu deutenden Hauptfortsätze, geben verzweigte Nebenfortsätze ab, die
denen der Crustaceen und Würmer gleichen.

Neben den Riesenzellen sah R. kleine, spindelförmige, bipolare
Zellen. Dieselben liegen gewöhnlich quer zu den Längsfasern: der
eine Fortsatz kreuzt das Mark, und scheint regelmäßig dort verzweigt
zu enden; der andere tritt in eine sensible Wurzel oder in das Längsbündel derselben Seite, auf der die Zelle liegt. Im Mittelfeld sah
Verf. größere bipolare Zellen: zuweilen sah er den einen Fortsatz
derselben mit T-förmiger Gabelung in eine sensible Wurzel treten.
Er sah noch viele solcher T-förmiger Fasern, deren Zusammenhang
mit Zellen sich nicht beobachten ließ. Zuweilen schien es, als ob von
ein und derselben Faser in zwei hintereinander gelegene Wurzeln
T-förmig Aeste abgingen. Diese Bilder werden dadurch wahrscheinlicher, dass Verf. bei Würmern (*Aulastomum*) deutlich und häufig gesehen hat, dass der Hauptfortsatz einer Nervenzelle sich dichotomisch

teilte und die zwei einander ganz gleichen Fasern in zwei verschiedene Wurzeln traten.

Verf. sah bei *Amphioxus* auch noch multipolare Zellen, aber in geringerer Zahl. Zuweilen ließ sich der Hauptfortsatz in seinem weiteren Verlauf erkennen. Auch bei den größeren „bipolaren Zellen" beobachtete er kurze seitliche Fortsätze, so dass diese eigentlich multipolar zu nennen sind.

Von einer gewissen Art multipolarer, dreieckiger Zellen kann Verf. nicht entscheiden, ob sie Ganglien- oder Epithelzellen seien, obgleich sie sich mit Methylenblau färben. Ebenso lässt er unentschieden, ob der eine Typus der „Pigmentzellen", von denen er zwei Arten unterscheidet, nervöser Natur sei.

Sehr eigentümlich stellten sich R. die motorischen Wurzeln dar: dieselben entspringen aus niedrigen, mit „körniger" Substanz erfüllten Hügeln an der Oberfläche des Markes. Von außen kann man die Fasern verfolgen, bis sie in diesen Hügeln häkchenförmig zu endigen scheinen, aber durchaus keinen Zusammenhang mit den feinen, aus dem Mark zu diesen Hügeln tretenden Fasern nachweisen. Muss Verf. den Ursprung der motorischen Fasern ganz unaufgeklärt lassen, so hat er ihren peripheren Verlauf desto besser verfolgen können: sie enden, selten dichotomisch verzweigt, in gewundenem Verlauf zwischen den Muskelbündeln, besondere Endapparate gibt es nicht, aber die Endpartien sind dichtkörnig varikös und erscheinen dadurch gebändert. So erklärt sich der Irrtum früherer Forscher, welche einen Uebergang der Nervenfasern in quergestreifte Muskeln zu sehen glaubten.

Bei *Myxine* kann Verf. die Angaben Nansen's, der allein vor R. hier das Nervensystem genau untersucht hat, bestätigen. Die meisten Nervenzellen scheinen bipolar und klein zu sein. So große Zellen, wie die Riesenzellen des *Amphioxus*, sah er bei *Myxine* nicht. Von den 2 Fortsätzen der bipolaren Zellen, die meist quer liegen, endet der eine, nach innen gewandte, bald verzweigt, der andere tritt an die Oberfläche des Markes und endigt dort verzweigt; zuweilen ließ sich aber erkennen, dass diese Verästelungen nur einen Nebenfortsatz darstellen und der Hauptfortsatz in das Längsbündel eintritt. Diese Hauptfortsätze sind schwer zu verfolgen, doch scheinen auch hier die Verhältnisse dieselben wie bei den andern niedern Tieren: von einem Hauptfortsatz gehen verzweigte Nebenfortsätze ab. Die Kolossalfasern zu färben gelang nicht. Der T-förmige Ursprung der Fasern der Dorsalwurzeln ist sehr schön zu sehen. Auch die ventralen Wurzeln färben sich, können aber nicht bis zum Zusammenhang mit Zellen verfolgt werden. Das Gehirn zu färben missglückte auch hier.

W.

Verlag von Eduard Besold in Leipzig. — Druck der kgl. bayer. Hof- und Univ.-Buchdruckerei von Fr. Junge (Firma: Junge & Sohn) in Erlangen.

Biologisches Centralblatt

unter Mitwirkung von

Dr. M. Reess und **Dr. E. Selenka**

Prof. der Botanik   Prof. der Zoologie

herausgegeben von

Dr. J. Rosenthal

Prof. der Physiologie in Erlangen.

24 Nummern von je 2 Bogen bilden einen Band. Preis des Bandes 16 Mark.
Zu beziehen durch alle Buchhandlungen und Postanstalten.

XII. Band.   **1. August 1892.**   **Nr. 14 u. 15.**

Fortschritte auf dem Gebiete der Pflanzenphysiologie.

Von Dr. **Robert Keller** in Winterthur.

(Schluss vom IV. Stück. 2. Teil.)

Wie wir aus früherem wissen, ist die Bedeutung der Reduktionsteilung bei männlichen und weiblichen Keimzellen eine doppelte, Verminderung der Iden auf die halbe Zahl und Zusammenstellung der Idanten zu neuen Kombinationen. Gerade dadurch, dass nun der Reduktion die Verdoppelung vorangeht, wird der letztere der beiden Vorgänge erst vollkommen erreicht werden. Ist die Richtungsteilung als Reduktionsteilung aufzufassen, dann muss ihr eine Verdoppelung vorangegangen sein, sonst müsste bei einer gegebenen Art im Verlaufe einer bestimmten Zahl von parthenogenetischen Generationen die Zahl der Idanten auf eine einzige verringert sein.

Die direkte Beobachtung gibt bis jetzt über die berührten Vorgänge keinen sichern Aufschluss. Dagegen machen es die Beobachtungen an den parthenogenetischen Eiern von *Artemia salina* wahrscheinlich, „dass sie in den parthenogenetischen Kolonien — die Art kann sich nämlich auch geschlechtlich fortpflanzen —, in welchen ihre Eier die zweite Richtungsteilung aufgegeben, die erste aber beibehalten haben, diese erste auch in ihrer ursprünglichen Form, d. h. als Reduktionsteilung erhalten geblieben sei“. Dieselbe wird auch für das parthenogenetische Ei gleichbedeutend, wie für das befruchtungsbedürftige sein, sie wird bewirken, dass eine Veränderung in der Zusammensetzung des Keimplasmas von Generation zu Generation stattfinden kann. Die fortgesetzte reine Parthenogenese bringt es mit sich, dass die Zahl der im Idioplasma enthaltenen differenten Idanten immer mehr abnehmen, bis im Laufe vieler aufeinander folgender parthenogenetischer Generationen nur noch 2 Arten von Idanten im Keimplasma vorhanden sind". Sobald dieser Punkt erreicht ist, dreht sich die Sache um, denn nun wird die Wahrscheinlichkeit, dass durch die Reduktionsteilung bloß Idanten a oder bloß Idanten b dem Ei-kerne zugeteilt werden, weit geringer als die, dass neben a- auch noch b-Idanten vorkommen werden". Die Verminderung auf eine Idantenart wird nur bei wenigen unter den zahlreichen Eiern ein-treten. Fortgesetzte Parthenogenese vereinfacht also das Keimplasma in Bezug auf seine Zusammensetzung aus Iden bis es nur aus zweierlei Idanten besteht. Lange kann sich alsdann diese Zusammensetzung aus 2 Idantenarten erhalten, „hin und her schwankend zwischen einer wechselnden Majorität bald der einen, bald der andern Art", vereinzelte mit nur einer der beiden Idantenarten.

Die unmittelbare Beobachtung über Vererbung bei Parthenogenese zweier verschieden gezeichneter Varietäten von *Cypris reptans*, die sich über viele Generationen (bis jetzt 40) und viele tausende von Individuen erstreckt, also wohl geeignet ist ein Prüfstein der im vorangehenden skizzierten theoretischen Vorstellungen W e i s m a n n's zu sein, ergaben „eine ungemein große Aehnlichkeit der Nachkommen einer Mutter sowohl unter sich als mit der Mutter". Völlige Uebereinstimmung zeigten sie zwar nicht, „aber die Unterschiede waren häufig so geringe, dass man zweifelhaft sein muss, ob sie auf verschiedener Anlage oder nur auf verschiedener Ernährung u. s. f. beruhen, die ja niemals bei zwei verschiedenen Individuen, nicht einmal bei identischen Zwillingen des Menschen v ö l l i g gleich sein können". Doch bis zur 40. Generation trat keine Aenderung des Zeichnungstypus der Stamm-tiere ein. Durch die künstliche Züchtung der beiden Formen konnte nicht mit Bestimmtheit aus den Abkömmlingen der Varietät A eine mit den Deszenten von B übereinstimmende Form erzielt werden. Dagegen zeigte sich, dass ganz spontan in einzelnen Generationen Deszendenten der hellen Abart A die dunkelgrüne Abart B waren, und dass zwischen beiden Abarten Uebergänge auftraten. Auch das umgekehrte trat einmal ein, Abkömmlinge der dunkeln Abart waren hell. Ein verändernder Einfluss äußerer Bedingungen ist ausgeschlossen, da sie alle unter genau den gleichen Bedingungen erzogen wurden. Innere Ursachen, d. h. Veränderungen in der Zusammensetzung des Keimplasmas können allein die Erscheinung erklären. „Die Thatsache, dass sowohl die Form A in B übergehen kann, als auch umgekehrt B in A, lässt schließen, dass beide Typen zu einer Zeit entstanden sind, als sie sich noch nicht ausschließlich durch Parthenogenese fort-pflanzten; andernfalls könnten nicht die Ide a im Keimplasma von

Tieren des Typus *B*, und umgekehrt nicht die Ide *b* im Keimplasma von Tieren des Typus *A* enthalten sein. Nur durch die in einer wohl nicht weit zurückgelegenen Zeit noch stattfindende geschlechtliche Fortpflanzung kann das Nebeneinander beider Id-Arten seine Erklärung finden".

„Nehmen wir die Verhältnisse möglichst einfach an. Es seien nur 4 Idanten im Keimplasma; davon seien drei gänzlich aus Iden des Typus *A*, eins ganz aus Iden des Typus *B* zusammengesetzt. Die 4 Idanten der Urkeimzellen *aaab* verdoppeln sich in den Mutterkeimzellen durch Längsspaltung und ergaben also die acht Stäbchen *aa aa aa bb*. Setzen wir nun den für den Rückschlag in die Abart *B* günstigsten Fall, so werden wir diesen in einem Ei sehen müssen, bei welchem die Reduktionsteilung so erfolgt, dass die Stäbchen-Kombination *aaaa* in die Richtungszelle zu liegen kommt, während die Kombination *aabb* den Keimkern des Eies bildet. Die Tochter, welche aus diesem Ei hervorgeht, enthält in ihren Urkeimzellen wieder die Kombination *aabb*, in ihren Mutterkeimzellen die verdoppelten Stäbchen *aaaabbbb*, und nun liegt schon die Möglichkeit einer Reduktionsteilung vor, welche die 4 Idanten *b* zusammen in den Keimkern einer Eizelle führt; aus einem Ei mit dem Keimplasma *bbbb* muss aber unzweifelhaft ein Individuum der Abart *B* hervorgehen".

Der schnelle Rückschlag einer Abart in die andere ist nun allerdings thatsächlich in den *Cypris*-Kolonien nicht beobachtet worden, was ganz natürlich ist, sobald die Zahl der Idanten eine größere ist, als im Beispiel angenommen wurde. Das Idant *b* bildet alsdann einen viel kleinern Bruchteil sämtlicher Idanten, also muss es auch viel länger dauern, bis es durch günstige Kombinationen vorherrscht oder ausschließlich vorhanden ist. Die Deszenten eines aus *A* in *B* übergesprungenen Individuums gleichen genau der Mutter, bleiben also gerade so *B*, wie die Abkömmlinge der ursprünglichen Varietät *B* in unendlich überwiegender Zahl *B* sind. Es lehrt also die unmittelbare Beobachtung, dass auch bei der Parthenogenese eine individuelle Variation stattfindet, die auf Vererbung beruht und selbst wieder vererbt werden kann. Die Fähigkeit der Umbildung durch Selektionsprozesse ist also, wenn auch gering, immerhin noch vorhanden. Die unmittelbare Beobachtung lehrt ferner, dass in der That bei reiner Parthenogenese das Keimplasma sehr einfach wird, da ja die auffallende Gleichförmigkeit der Nachkommen durch viele Generationen hindurch nur hierauf begründet sein kann.

Wir schließen diese Darlegungen über die Vererbung bei der Parthenogenese, indem wir an Hand der Darlegungen des Verf. noch kurz die Frage der Entstehung der parthenogenetischen Eier erörtern. Es sind weibliche Keimzellen, also setzt die Parthenogenese das ursprüngliche Vorhandensein geschlechtlicher Fortpflanzung voraus. Da das befruchtungsbedürftige Ei zwei Richtungsteilungen durchmacht, wird es ärmer an Keimplasma als das parthenogenetische Ei, welches nur ein Richtungskörperchen ausstößt. Es liegt also nahe anzunehmen, dass die Unterdrückung der zweiten Richtungsteilung eines ursprünglich befruchtungsbedürftigen Eies die Fähigkeit parthenogenetischer Entwicklung verleihe. Ist dieser Vorstellung große Wahrscheinlichkeit auch nicht abzusprechen, so deuten doch gewisse Thatsachen an, dass die Entstehung auch noch auf anderen Wegen vor sich gehen konnte.

Nicht regelmäßig parthenogenetische Eier, wie sie bei vielen Insekten vorkommen, können den gleichen Reifungsprozess zeigen, wie er befruchtungsbedürftigen Eizellen eigen ist. Sie können zwei Richtungsteilungen durchmachen, wodurch gleich wie bei diesen die Quantität des Keimplasmas des Eies auf die Hälfte herabgemindert wurde. Dies scheint darauf hinzuweisen, „dass das Kernplasma einzelner Eier einer Art das Vermögen des Wachstums in größerem Maße besitze, als die Majorität derselben oder — in dem Falle der Biene —, dass jedes Ei die Fähigkeit besitze, sein auf die Hälfte reduziertes Kernplasma, wenn es nicht durch Befruchtung wieder auf das normale Maß gebracht wird, durch Wachstum wieder auf die doppelte Masse zu bringen". Dass die Beherrschung der Zelle von der Quantität des Kernplasmas abhängt, scheinen auch jene Beobachtungen aufs schönste zu bestätigen, welche uns lehren, dass die unbefruchteten Eier verschiedener Tierarten zwar in die Embryonalentwicklung eintreten können, sie aber nicht zu Ende führen, sondern auf früherer oder späterer Stufe stehen bleiben. Je nach der Wachstumskraft des durch die Ausstoßung der Richtungszellen auf die Hälfte herabgesetzten Keimplasmas kann sich dessen Quantität wieder so weit vermehren, dass es hinreicht einen mehr oder weniger großen Teil der Embryogenese zu beherrschen.

So deuten also die Thatsachen an, dass die regelmäßige Parthenogenese durch Unterdrückung der zweiten Richtungsteilung, die fakultative dadurch entstand, dass das Keimplasma eine erhöhte Wachstumsfähigkeit erwarb. —

Die Einsicht in das Wesen des Befruchtungsprozesses eröffnet uns zugleich einen neuen Einblick in das Wesen der Konjugation. Die Thatsachen, auf welchen die Theorie aufbaut, sind allerdings zur Zeit wieder ausschließlich auf dem Boden der Zoologie zu suchen. Es sind die bedeutungsvollen Beobachtungen vor allem von Maupas über die Konjugation des *Paramaecium caudatum*. Im Körper dieses Infusoriums befinden sich zwei Kerne, ein größerer, der Makronukleus, und ein kleinerer, der Mikronukleus. Treten zwei Individuen mit einander in Konjugation, dann beobachtet man, dass sich der Mikronukleus teilt. Es entstehen aus ihm zwei Tochterkerne, die sich wieder teilen und so 4 Enkelkerne erzeugen. Drei derselben lösen sich auf; der 4. und zwar je der der Substanzbrücke zwischen beiden

sich konjugierenden Individuen am nächsten liegende, teilt sich abermals. Es entstehen so zwei Kopulationskerne. Der eine derselben,
die Funktion der männlichen Keimzelle ausübend, wandert aus dem
einen Individuum in das andere hinüber, so dass sich in jedem Individuum zwei Kopulationskerne zu einem Keimkerne vereinen.

Bekanntlich hat man früher schon in der Konjugation der Einzelligen eine gewisse Analogie zur Befruchtung der Metazoen gesehen.
Die Beobachtungen von Maupas lehren uns, „dass sowohl Konjugation als Befruchtung im wesentlichen nichts anderes sind als eine
Vermischung der Vererbungssubstanz zweier Individuen“, eine Idio-
plasmamischung, die Weismann Amphimixis nennt. Wie der bei
der Befruchtung entstandene Keimkern die Entwicklungsrichtung bestimmt, so auch der Keimkern des *Paramaeciums*. Durch zweimalige
Teilung erzeugt er, nachdem der alte Makrokern zerfallen ist, zwei
Makro- und zwei Mikrokerne, der Anfang der nun eintretenden ersten
Zweiteilung des Tieres. Darin liegt nun allerdings ein Unterschied
zwischen beiden Vorgängen, dass die beiderlei Vorgänge, welche die
mannigfachen Thätigkeiten jedes Organismus dienen, die Erhaltung
des Individuums einerseits, die Erhaltung der Art anderseits, bei der
Konjugation von zwei Kernen bestimmt werden. Der Makrokern kann
als der vegetative Kern bezeichnet werden, welcher hauptsächlich die
vegetativen Vorgänge bestimmt, der Mikronukleus ist der Vermittler
der Kontinuität des Keimplasmas. Ein anderer Unterschied besteht
darin, dass während bei den Metazoen die Kerne der Ei- und Samen-
Zellen aus zweimaliger Teilung der Mutterzelle entstehen, die Kopulationskerne aus dreimaliger Teilung des Mikronukleus hervorgehen. —
Der Mikronukleus der Infusorien enthält Kernstäbchen oder Idanten,
ist also gerade wie der Kern bei den Metazoen der Träger des Idioplasmas. Die erste Vorbereitung des Mikronukleus zur Konjugation
besteht in einer bedeutenden Vergrößerung. Weismann sieht ihre
Ursache darin, dass zu dieser Zeit eine Verdoppelung der Idanten
durch Längsspaltung sich vollzieht. Er sieht also in den beiden
Teilungen des Mikronukleus eine Reduktionsteilung, „welche die vorher verdoppelte Zahl der Idanten auf die Hälfte der Norm herabsetzt,
genau entsprechend den beiden Reduktionsteilungen der Samen und
der Eimutterzelle. Die 3. Teilung, eine Aequationsteilung, bei welcher
die Tochterkerne die gleiche Zahl der Idanten erhalten wie der
Mutterkern, hat bei den Metazoen keine Analogie, da bei diesen die
Keimzellen immer entweder männlich oder weiblich sind, während
hier beide Kopulationskerne aus einem hervorgehen. Die Beobachtung,
dass je derjenige der 4 Enkelkerne sich entwickelt, welcher dem
andern Tiere am nächsten liegt, weist wohl darauf hin, dass nicht in
der Verschiedenheit ihrer Natur die Erhaltung bezw. Auflösung begründet ist, dass die bewirkende Ursache vielmehr in irgend einem
Einfluss zu suchen ist, welcher von dem entsprechenden Kerne des

andern Tieres ausgeht und dann natürlich den nächstliegenden am
stärksten trifft. Wie die Reduktionsteilung bei den Metazoen zugleich
eine Neugruppierung der Idanten eintreten lässt, so ist diese auch
hier bei den Einzelligen ermöglicht. Es liegt also die tiefere Bedeutung der Konjugation wie bei der Befruchtung im wesentlichen darin,
dass sie die Vermischung der Vererbungstendenzen zweier Individuen,
diesen Quell der individuellen Variabilität, die unentbehrliche Voraussetzung aller Selektionsprozesse, vollzieht. Das aber führt zu der weitern
Vorstellung, dass auch bei den Protozoen die phylletischen Umbildungs-
prozesse vom Keimplasma ausgehen, dem Idioplasma des Kernes. So
erscheinen also nicht alle Einzelligen als „der Urquell der individuellen
Ungleichheit, in dem Sinne, dass bei ihnen jede durch äußern Einfluss
oder durch Gebrauch hervorgerufene Abänderung erblich sein muss",
sondern nur jene niedersten Organismen, welche noch keine Differenzierung in Kern und Zellkörper besitzen.

Wenden wir uns zum Schlusse der Erörterung der Frage nach
dem Auftreten der Amphimixis in der Organismenwelt zu, die uns
namentlich erkennen lässt, ob, wie viele Forscher glauben, die Amphimixis als ein Verjüngungsprozess aufzufassen ist, oder wie Weismann will, „ein Vorgang, der zwar von tiefgreifender Bedeutung,
aber kein die Fortdauer des Lebensprozesses bedingender ist".

Das Auftreten der Amphimixis in unzweideutiger Abhängigkeit
von äußern Lebensbedingungen, der Umstand mit andern Worten,
dass sie auf Anpassung beruht, dass ihr sogar eine ungemeine Anpassungsfähigkeit innewohnt, steht mit der Annahme, dass sie eine
Verjüngung darstelle nicht im Einklang. Weitgehendsten Schwankungen ist ihre Wiederholung im Lebenslauf einer Art unterworfen,
indem sie bald in jeder Generation wiederkehrt, bald 2, 3, 10 Generationen und selbst das 4fache hiervon überspringt. Ist sie eine An-
passungserscheinung, dann sind diese Verschiedenheiten leicht zu erklären. „Wir nehmen nichts an, als dass Amphimixis vorteilhaft ist
für die phylletische Entwicklung des Lebens, inklusive die Erhaltung der
einmal erreichten Anpassungshöhe jeder Lebensform (Art), denn diese
hängt ebenso sehr von der unausgesetzten Thätigkeit der Naturzüchtung ab".

Im einfachsten Falle musste die Amphimixis als völlige Verschmelzung zweier Bionten zu Einem auftreten (Einzellige). „Da
dieser Vorgang der Fortpflanzung, d. h. der Vermehrung direkt ent-
gegengearbeitet, so konnte er nur in größern Perioden sich wieder
holen, sollte nicht die Vermehrung einer solchen Kolonie wesentlich
beeinträchtigt werden". Bei den Metazoen war die Amphimixis nur
dadurch möglich, „dass sich dieselbe wieder mit allen ihren Anlagen
in den winzigen Raum der Kernsubstanz einer einzigen Zelle zurückzog
oder konzentrierte". Eine sehr verwickelte Ontogenese wurde dadurch nötig. So konnte es natürlich für die Art unter Umständen

von Bedeutung werden, dass die Entstehung eines neuen Individuums nicht notwendig und ausschließlich auf dem umständlichen Wege sich vollzog. Damit im Zusammenhang steht die große Ausdehnung der ungeschlechtlichen Fortpflanzung bei den niedern Metazoen und den Pflanzen.

Doch auch da, wo der Kompliziertheit des Baues wegen, wie bei den höhern Metazoen, die Vermehrung durch Teilung und Knospenbildung nicht mehr möglich ist, erscheint nicht jeder Vermehrungsakt mit der Amphimixis verbunden. Es wird die ursprüngliche Verbindung beider Akte aufgegeben. „Die Umwandlung der ursprünglich gerade für die Ermöglichung der Amphimixis geschaffenen weiblichen Geschlechtszellen zu Keimen, welche der Befruchtung nicht mehr bedürfen, ist der Kunstgriff, dessen sich die Natur bedient hat, um die Amphimixis zu vermeiden, wo eine Fortpflanzung durch Teilung oder Knospenbildung wegen allzu hoher Differenzierung des Körperbaues nicht mehr möglich ist".

Das Fehlen der Parthenogenese bei höhern Tierkreisen wird uns die Frage nahe legen, welche Momente es sein mochten „die sie bei so vielen Gliedertieren vorteilhaft erscheinen ließen". Als solche Momente sind zu nennen periodische Ungunst der Lebensbedingungen. Nur eine rasche Vermehrung während der günstigsten Periode schützte die Art vor dem Untergang. Konjugation und Befruchtung aber sind gewisse Verzögerungsmomente in der Fortpflanzung, abgesehen davon, dass natürlich die Vermehrung in dem Maße intensiver wird, als mehr Individuen Weibchen sind. Wenn wir nun sehen, dass bei einzelnen Arten vielleicht unter der überwuchernden Entwicklung der Parthenogenese die Amphimixis sogar völlig aufgegeben wird, dann spricht das jedenfalls auch nicht dafür, in ihr einen Verjüngungsprozess des Lebens zu sehen. Eine einlässliche Vergleichung des Auftretens agamer Fortpflanzung mit den Lebensbedingungen lässt uns erkennen, „dass die seltenere oder häufigere Wiederholung der Amphimixis im Lebensgang einer Art nicht der physischen Natur der Art, sondern ihren Lebensbedingungen entspringt". —

Der phantasiereiche Erfinder der kosmozoischen und pyrozoischen Lebewesen, Prof. Preyer, versucht die Lösung des Rätsels der Entstehung des Lebens dadurch zu umgehen, dass er die lebende Substanz als das primäre erklärt. Denn die unorganische Materie ist die tote; das aber, was tot ist, kann nur das Residuum dessen sein, was gelebt hat. Dieser Hypothese reiht er eine andere an, die er das Gesetz von der Erhaltung des Lebens nennt.

Nach dem Gesetze von der Erhaltung des Stoffes ist die Gesamtheit der Materie im Weltall konstant. Der Stoff setzt sich aber aus zwei Formen der Materie zusammen. Der eine Teil lebt, ist also organisiert, der andere ist leblos, nicht organisiert. Das Gesetz von der Erhaltung der Materie drückt deshalb Preyer durch die Gleichung

Mz $+$ Mn $=$ C aus, d. h. lebende plus tote Materie gleich einer
Konstanten.

Ein Teil der toten Materie wird durch die Nährstoffe der lebenden
gebildet. Je mehr von dieser assimilierbaren Substanz an einem gegebenen Orte sich befindet, um so mehr Pflanzen entwickeln sich dort,
um so mehr Tiere werden da leben. Die Entwicklung des Lebens
wird aber bald ihren Kulminationspunkt erreichen und überschreiten.
Denn je mehr Pflanzen und Tiere an einem Orte sind, um so mehr
werden sie sich eingeengt fühlen. Sie treten in Konkurrenz. Nicht
alles Lebensfähige wird leben bleiben, wird sich entwickeln. Der
Kampf ums Dasein hat den Tod vieler Lebewesen im Gefolge. Ein
großer Teil der lebenden Substanz wird wieder zu toter. Wie in den
Gezeiten das Meer steigt und fällt, so folgen sich in ununterbrochenem
Wechsel Leben und Todes. Die extreme Entwicklung des Lebens wird zur
Ursache des Todes der Vermehrung toter Materie. Ueberfluss an dieser
zieht eine lebhafte Entwicklung lebender Materie nach sich. So wechseln
beide Größen mit einander periodisch und höchst gesetzmäßig, wie
Preyer sagt, ab. Er drückt das, da ja das mathematische Gewand
zum mindesten den Schein der mathematischen Sicherheit verleiht,
durch die Formel Mz:Mn $=$ K aus. Er fügt erläuternd hinzu: Das
Verhältnis der Gesamtmenge lebender Materie zur Gesamtheit der
nichtlebenden gleichzeitig existierenden Materie ist ungefähr konstant. Er führt weiter aus, dass die Stoffmenge, welche alle lebenden
Teile aller lebender Organismen des Universums bildet, unveränderlich sei, und da die lebende Materie nichts anderes ist als Protoplasma,
so lässt sich das Gesetz von der Erhaltung des Lebens in die Worte
kleiden: Die totale lebende Protoplasmamenge im Universum ist unveränderlich.

Gegen diese Darlegung wendet sich Errera in der erwähnten
Abhandlung. Der Parallelismus, auf den der Wortlaut des Preyer'-
schen Gesetzes hinweisen soll, besteht thatsächlich nicht, wie ihn
denn auch Preyer selbst im Grunde genommen, aufgibt. Denn weder
das Gesetz von der Erhaltung der Kraft, noch das Gesetz von der
Erhaltung der Materie ist ein ungefährer Ausdruck. Hält Preyer's
Vorstellung von der Beziehung zwischen lebender und toter Materie
den Vergleich mit den Wechselbeziehungen aus, wie sie bei einem
einfachen chemischen Vorgang statthaben z. B. bei der Verbrennung
von Kohlenstoff? In dem Maße als eine bestimmte Menge von Kohlendioxyd entsteht, verschwinden bestimmte Mengen der freien Elemente
Kohlenstoff und Sauerstoff. Das Gesetz der Erhaltung der Materie
bedeutet nun, dass das Gewicht des entstandenen Kohlendioxydes
gleich ist der Summe der Gewichte des als freies Element verschwundenen Kohlenstoffes und des Sauerstoffes. Ganz analog verhält es
sich mit dem Gesetze von der Erhaltung der Kraft. Die eine Form
der Energie z. B. die Bewegung verschwindet nicht, um sich bald in

den, bald in jenen Wert einer andern Energie z. B. der Wärme umzuwandeln, sondern um stets eine äquivalente Menge dieser neuen
Form der Energie zu bilden.

Weder die Präzision noch die Tragweite des Gesetzes von der
Erhaltung des Lebens sind die der physikalisch-chemischen Gesetze.
In einem Aquarium kann durch zahlreiche Pflanzen und Tiere eine
gewisse Masse lebender Materie verkörpert sein. Wenige Tropfen
einer konzentrierten Sublimatlösung genügen, um mit einem Schlage
das Bild zu ändern. Die ganze Lebewelt, der Makrokosmus, dessen
buntes Treiben sich vor unsern Augen abspielte zugleich mit dem in
ihm verborgenen Mikrokosmus, dem ungezählten Heere mikroskopischer
Lebewesen, das in dem Wasser sich eben noch tummelte, ist im Momente vernichtet. Kein Leben kehrt wieder, so lange das Sublimat
im Aquarium bleibt. Während dort das Verschwinden der brennenden
Kohle von der Bildung einer bestimmten Menge von Kohlendioxyd
begleitet wird, die Bewegung einer Kugel, deren Lauf plötzlich gehemmt wird, sich in eine bestimmte Wärmemenge verwandelt, so
tritt für das plötzlich vernichtete Leben kein Aequivalent ein. Das
Leben ist verschwunden, aber kein neues Leben ist als direktes not-
wendiges Resultat der verschwundenen wieder entstanden. Mancherlei
Faktoren fällt in der Natur die Rolle des Sublimates im Versuche
zu. Unabsehbare Mengen lebender Materie kann z. B. ein Waldbrand
zerstören, ohne dass die unmittelbare Konsequenz hiervon das Erscheinen einer äquivalenten Menge neuer lebender Substanz, neuer
Organismen wäre. Es ist also keineswegs das Verhältnis lebender
Materie zu toter stets konstant. Mit Vernichtung von Leben ist nicht
die Verminderung toter Materie verbunden, wie es Preyer's mathe-
matischer Ausdruck $Mz : Mu = K$ aussagt, sondern umgekehrt zieht
die Vernichtung lebender Materie die Vermehrung toter, die Ver
mehrung lebender die Verminderung toter nach sich.

Im Entstehen und Untergang lebender Materie haben wir einen
Kreislauf des Lebens, der in nahem Parallelismus zum Kreislauf des
Wassers steht. Immer flüssiges Wasser und Wasserdampf ist vorhanden.
In jedem Momente entstehen Wolken und schlagen sich nieder. Wäre
es zutreffend deshalb von der Konstanz des Gewölkes zu sprechen?
Der Niederschlag, der an einem Orte die Menge des Wassers ver-
mindert, zieht nicht notwendig gleichzeitig anderwärts eine ent-
sprechend vermehrte Verdunstung nach sich.

Unaufhörlich verwandelt sich tote Materie in lebende und fällt
wieder in den Zustand toter Materie zurück. Doch ein dauerndes
Gleichgewicht zwischen der Summe entstehenden und sterbenden
Protoplasmas anzunehmen, dafür spricht keine Erscheinung. Wie der
Kreislauf des Wassers nicht die Konstanz der gesamten Menge des
Gewölkes bedingt, so lässt auch der Kreislauf des Lebens die Konstanz
der Summe lebender Materie nicht als notwendige Folge erscheinen. —

Voegler's Beiträge zur Kenntnis der Reizerscheinungen sind gewissermaßen eine Ergänzung zu Pfeffer's Untersuchungen über „Lokomotorische Reizbewegungen". Verf. verfolgt
vor allem die schon durch Pfeffer festgestellte Empfindlichkeit der
Spermatozoiden gewisser Farne gegen Apfelsäure und deren Salze.
Er weist nach, dass der Schwellenwert bei Vertretern verschiedener
Farnenfamilien annähernd der gleiche ist, nämlich meist 0,001%;
d. h. eine Apfelsäurelösung von dieser Konzentration bewirkt eben
noch eine sichere Ablenkung und Anlockung der Samenfäden. Analog
verhält sich die Apfelsäure in ihren neutralen Salzen.

Die Empfindlichkeit der Samenzellen ist nicht während der ganzen
Zeit ihrer Bewegung gleich groß. Je längere Zeit seit der Entleerung
der Antheridien verstrichen ist, um so höher ist der Wert der Reizschwelle, um so geringer also die Reizbarkeit. Die eben entschwärmten
Spermatozoidzellen von *Dicksonia antarctica* werden durch eine 0,0008%
Apfelsäurelösung noch deutlich angelockt. 12 Minuten später vermag
eine Lösung von 0,001% nur noch unbestimmte Reize zu erzielen.
Ein Eindringen der Zellen in die die Lösung enthaltenden Kapillaren
wird wenigstens fast nie beobachtet, während eine Ablenkung gegen
den Kapillarmund erfolgen kann. Der Schwellenwert liegt alsdann
bei 0,00125%. Nach 25 Minuten ist er auf 0,1% gestiegen, nach
30 Minuten vermag selbst diese über 100mal größere Konzentration,
als die ursprüngliche war, keine bestimmte Reaktion auszulösen.

Der Einfluss der Temperatur auf den Schwellenwert ist nach
Verf. folgender. Für *Blechnum occidentale* ergab sich zwischen den
Temperaturen 16°—25° der Schwellenwert 0,001%. Bei 30,5° reagierten
die Samenfäden erst auf eine Lösung von 0,00125%. Eine weitere
Temperaturerhöhung verminderte die Reizbarkeit sehr schnell, so dass
bei 35,5% erst eine 0,05proz. Apfelsäurelösung die Bewegungsrichtung deutlich beeinflusst, bei 36,8° sogar erst eine 0,1prozentige. Bei
höherer Temperatur sind die Reaktionen unbestimmt. Aehnlich wie
die über 25° liegenden Temperaturen verhalten sich die unter 16°
sinkenden. Bei 10° z. B. liegt die Reizschwelle bei 0,0025%. Für
die verschiedenen Arten, die zur Untersuchung kamen, ergab sich,
dass die Reizschwelle zwischen 15—28° die kleinste ist, dass also
diese Temperatur das Optimum der Empfänglichkeit darstellt.

Das Verhalten der Samenfäden verschiedener Arten gegen das
Archegonium einer Art ist insofern ein gleiches, als sie in jedem Falle
bis zur Zentralzelle einzudringen vermögen. Die Verschmelzung der
männlichen und weiblichen Geschlechtselemente tritt aber, sofern sie
verschiedenen Arten angehören, nur äußerst selten ein. Verf. konnte
eine Befruchtung einer Art durch die Spermatozoiden einer andern
Art direkt nicht beobachten. So gleichmäßig die vom *Archegonium*
einer Art ausgeschiedenen Schleimmassen die Bewegungsrichtung der
Samenzellen verschiedener Arten beeinflussen, so sehr begegnen bei

ihren Bohrversuchen an der Wand der Zentralzelle die Spermatozoiden
der nicht zugehörigen Art den Eintritt erschwerenden Schwierigkeiten.
Worin diese bestehen, weiß der Verf. indessen nicht zu sagen. —

Ueber die Abhängigkeit der Reizerscheinungen
höherer Pflanzen von der Gegenwart freien Sauerstoffes liegen nur wenige Untersuchungen vor. Da die einlässlichste
derselben, die Versuche von Kabsch „über die Einwirkung verschiedener Gase und des verdünnten Luftraumes auf die Bewegungserscheinungen im Pflanzenreiche" vor fast drei Dezennien zur Ausführung kam, zu einer Zeit, wo die physiologische Methodik von der
heutigen Präzision noch weit entfernt war, ist es als ein sehr ver-
dienstliches Unternehmen zu bezeichnen, dass Correns dieser Frage
seine Aufmerksamkeit zuwandte, selbst wenn auch seine Versuche die Rolle des Sauerstoffes beim Zustandekommen einer Reizbewegung nicht durchgängig in völlig abschließender Weise erkennen
ließen.

Bezüglich der Methode mag die eine Bemerkung genügen, dass
alle Versuche in höchst sorgfältiger Weise alle jene Fehlerquellen zu
vermeiden suchen, die notwendig zu irrigen Vorstellungen führen
müssen. Nur auf zwei Umstände, die die Quelle falscher Deutung
der Versuche früherer Experimentatoren wurden, mag speziell hingewiesen sein.

Dutrochet, der sich mit vegetabilischer Reizbarkeit des einlässlichen befasste, gibt z. B. auf Grund seiner Versuche an, dass
„an seinen eingetopften unter den Recipienten einer Luftpumpe gebrachten Pflanzen nach dem ersten Kolbenzug ein Zusammenklappen
der Blättchen (von *Mimosa pudica*), wie auf einen mechanischen Reiz"
eintrat. Er schrieb diese Reizbewegung der veränderten Luftdichte
zu. Nun gehört die Versuchspflanze zu jenen Arten, die auf mechanische Reize außerordentlich empfindlich sind. Die unmittelbare Verbindung des Recipienten mit der Luftpumpe legt daher die Vermutung
nahe, dass die eingetretene Reaktion, das Zusammenklappen der Blätter
nicht zufällig „wie auf einen mechanischen Reiz" sich vollzog, sondern,
dass sie eben wirklich die Folge eines mechanischen Reizes, der den
ersten Kolbenzug begleitenden Erschütterung war.

Thatsächlich hat schon Kabsch die Beobachtung gemacht, dass
erst, als der Luftdruck auf 15 mm gesunken war, also zweifelsohne
nicht bloß auf die durch den ersten Kolbenzug bewirkte Verdünnung,
eine Bewegung der Blättchen eintrat, „der durch mechanische Reize
bedingten ähnlich, nur dass die Blättchen sich nicht vollständig an
einander legten".

Die Anwendung der Wasserstrahlluftpumpe bei den Versuchen
von Correns ließ jede Erschütterung völlig vermeiden. Mit dem
Ausschluss dieser Fehlerquelle steht zweifellos das abweichende Ergebnis dieser Versuche im engsten Zusammenhang, d. h. erst diese

Versuche geben uns das wirkliche Bild des Einflusses, den die Gegenwart geringer Sauerstoffmengen auf die Reizerscheinungen der *Mimosa pudica* ausübt. Correns konnte evakuieren bis zu einem Drucke von 1,5 mm, ohne dass eine Stellungsänderung der Blätter eintrat. Bei dieser Verdünnung war der Sauerstoffgehalt noch etwa 0,2 % der ursprünglichen Menge. Eine mechanische Reizung, die nun in diesem stark verdünnten Raume ausgeführt wurde, hatte eine deutliche Reaktion im Gefolge, die sich selbst auf den primären Blattstiel ausdehnte. Die rückgängige Bewegung, welche nach einiger Zeit eintrat, führte jedoch nicht mehr zur völligen Entfaltung der Blättchen. Die zwei opponierten Blättchen bildeten statt des Winkels von 180° einen solchen von etwa 60°. Nach einer halben Stunde der Ruhe, wobei der Druck unter dem Recipienten sich nicht änderte, trat auf eine kräftige Erschütterung hin aufs neue Reaktion der Blättchen ein, eine Senkung des primären Blattstieles blieb zweifelhaft. Wieder nach Verlauf einer Stunde hatten sich die Blättchen geöffnet, doch weniger stark als vorher. Kräftiges Schütteln führte keine Auslösung einer Bewegung herbei. „Als jedoch beim plötzlichen Einströmen der Luft die Pflanze hin und her und gegen den Draht (der zur mechanischen Reizung diente) geschleudert wurde, gingen die Blättchen in volle Reizstellung über".

Danach muss also gesagt werden, dass entgegen dem Schluss, zu dem Dutrochet's und Kabsch's Versuchsergebnisse führten, auch eine weitgehende Luftverdünnung nicht als Reiz auf die Pflanze wirkt und die Reizbarkeit auch nicht ohne weiteres aufhebt.

Um nun noch eine stärkere Verdünnung des Sauerstoffes zu erzielen, als wie sie durch ein einmaliges Evakuieren möglich ist, bediente sich Correns des Wasserstoffes. Der Recipient wurde mit diesem Gase gefüllt und nachdem dasselbe einige Zeit in ihm gestanden hatte um durch Diffusion den noch im Pflanzengewebe enthaltenen Sauerstoff möglichst aufzunehmen, aufs neue evakuiert. Nachdem diese Manipulation mehrfach ausgeführt war, gelang es eine Verdünnung von 0,0000003 % der anfänglichen Sauerstoffmenge zu erzielen. Bei dieser weitgehenden Verdünnung hatten sich die Blättchenpaare bis zu einem Winkel von etwa 30° genähert, die sekundären Blattstiele gesenkt. Der Versuch lehrt also, dass ein genügend starker Sauerstoffentzug einen Reiz ausübt, der die Blätter in eine Stellung überführt, „die im Aussehen ganz der Stellung im wärmestarren Zustande entspricht". Im weitern ergaben die Versuche, dass der Grad der Luftverdünnung, der als Reiz wirkt, bei verschiedenen Individuen ein ungleicher ist. Vor allem aber zeigte sie, „dass die Raschheit des Luftentzuges einen Einfluss zu haben scheint in dem Sinne, dass bei raschem Evakuieren die Stellungsänderung, das äußere Anzeichen der eintretenden „Vakuumstarre", erst bei einer Verdünnung höhern Grades eintritt, als bei langsamen. Es geht daraus hervor, dass die Vakuumstarre nicht durch die Abnahme des Luftdruckes, sondern direkt oder indirekt durch die des Sauerstoffes bedingt wird. Sie braucht immer einige Zeit, bis sie deutlich zu werden beginnt.

Dieses eine Beispiel zeigt uns, dass eine wichtige Fehlerquelle, von der frühere Versuche nicht frei waren, namentlich auch darin liegt, dass zu einem sicheren Resultate unter Umständen eine Sauerstoffverdünnung gehört, wie sie bei früheren Experimenten nicht erreicht und auch nicht angestrebt wurde.

Wird die Verdünnung nicht durch besseres Evakuieren der Luft, sondern auch dadurch erzielt, dass man die Luft mit einem andern Gase mischt, dann kann auch die Anwendung dieses verdünnenden Gases zu einer wichtigen Fehlerquelle werden. Correns' Versuche ergeben, dass Wasserstoff indifferent, also zu solchen Verdünnungen wohl geeignet ist, während z. B. Kohlendioxyd, dessen Anwendung nahe liegen möchte, zu falschen Ergebnissen führte; denn Kohlendioxyd wirkt lähmend auf die Pflanze ein.

Ueberblicken wir nun die von Correns erzielten Resultate, so ergibt sich zunächst, „dass die verschiedenen Typen von Reizerscheinungen auch die Gegenwart verschieden großer Mengen von Sauerstoff zur Ausführung der ihnen eigenen Bewegung beanspruchen".

Wir wählen aus den mannigfaltigen Versuchen die beiden Extreme aus, die durch verschiedene Uebergänge mit einander verbunden werden, das Verhalten der Tentakel des *Drosera*-Blattes im sauerstoffarmen Raume einerseits und der Ranken der Passionsblume anderseits.

Bei ersterem Blatte wirkt die Evakuation an und für sich nicht als Reiz. Um die chemische Reizbarkeit des im evakuierten Raume befindlichen Blattes zu prüfen bediente sich Correns einer stark verdünnten Ammoniumphosphatlösung; um einen mechanischen Reiz auszuüben eines dünnflüssigen Breies ausgestoßenem Glas oder Bimssteinpulver und Wasser. Dabei wurde darauf geachtet, dass nicht etwa durch Assimilation freigewordener Sauerstoff vorhanden sein konnte, der Apparat also vom Lichte ausgeschlossen. 5—10mal wurde die Evakuierung nach jeweiligem Ausfüllen mit Wasserstoff bis auf einen Druck von 1,5 mm gebracht. Nach 10maliger Evakuierung befinden sich nach den Berechnungen des Verf. unter dem Recipienten noch 0,000000000000000000000002 % des ursprünglich vorhandenen Sauerstoffes oder je nach der Größe des Recipienten 0,0000000001— 0,000000000000000000000008 cm. Trotz dieser weitgehendsten Verdünnung, die wohl berechtigt zu sagen, dass sich die Blätter im sauerstofffreien Raume befanden, war die Reizbarkeit der Tentakel, die chemische wie die mechanische, erhalten. Selbst nach 6 Stunden reagierten die Blätter noch. Nach 12 Stunden war die Vakuumstarre eingetreten, wennschon die Blätter dem Aussehen nach unverändert waren. Der Uebergang in die Vakuumstarre vollzog sich hier also ohne merkliche Bewegung.

Ganz anderer Art ist das Verhalten der Ranken, vor allem der
Ranken der *Passiflora gracilis*. Auch hier wirkt die Evakuation selbst
noch nicht als Reiz. Befanden sich aber die Versuchspflanzen in
möglichst sauerstofffreiem Raume, dann ließ sich „durch keine auch
noch so lange dauernde Berührung mit dem Holzstäbchen oder dem
Drahte eine Reizbewegung hervorrufen“. Blieb das Versuchsobjekt
längere Zeit in diesem sauerstoffarmen Raum, dann war auch nach
dem erneuten Zutritt der Luft die Ranke noch eine Zeit lang für
Kontaktreize unempfindlich und zwar um so länger, je länger der
Aufenthalt im sauerstoffarmen Raum gedauert hatte oder je vollständiger der Sauerstoff verdrängt worden war. „Dieser Starrezustand
beschränkt sich jedoch augenscheinlich nicht bloß auf die Reizpercep-
tion und die durch eine solche induzierte Krümmung, sondern hemmt
auch die mit dem Alter eintretende hypnastische Einrollung. In der
atmosphärischen Luft begann namentlich auch diese nicht sogleich
wieder; erst nach einiger Zeit nahm die Ranke die durch die Evakuation unterbrochene Bewegung wieder auf und führte sie zu Ende“.
Verf. bestimmte den Grad der Verdünnung, der die Objekte eben noch
deutliche Reizbewegung zeigen lässt. Wenn nun natürlich auch da
gewisse individuelle Schwankungen nicht ausgeschlossen sind, so ergibt sich immerhin das eine, dass der Sauerstoffgehalt ein relativ bedeutender sein muss. Die untere Grenze liegt für *Passiflora gracilis*
bei 20—30 mm Quecksilberdruck, d. h. bei 3—4% der ursprünglichen
Sauerstoffmenge.

Bis zu einem gewissen Grade ist diese Verschiedenheit wohl
darauf zurückzuführen, dass das Sauerstoffbedürfnis der verschiedenen
Pflanzenarten ein ungleiches ist, unabhängig vom Charakter der Reizbewegung. Darauf scheinen die Versuche, welche den Einfluss des
Sauerstoffes auf den Geotropismus prüfen, hinzuweisen. Es zeigten
dieselben, dass so lange sich noch Wachstum konstatieren ließ, die
geotropische Krümmung auch ausgeführt wurde. Mit intensivem Wachstum fallen auch die deutlichen geotropischen Krümmungen zusammen.
Nun aber ist die das Wachstum ermöglichende Sauerstoffmenge nicht
nur für verschiedene Species, sondern auch für verschiedene Individuen gleicher Art ungleich. So beobachten wir denn auch, dass
die geotropische Krümmung bei den einen Objekten früher aufhört
als bei den andern. Bei *Helianthus*-Keimlingen lag die Grenze sehr
tief. „Noch nach fünfmaliger Evakuation, schreibt Correns, mit
darauf folgenden Einleiten von Wasserstoff, erhielt ich merkliche
Krümmungen“. Bei *Sinapis alba* dagegen lag die untere Grenze der
Reizbarkeit bei einem Drucke von 30—37,5 mm, d. h. bei einem Sauerstoffgehalt von 4—5% der anfänglichen Sauerstoffmenge.

Dass aber doch nicht alle Unterschiede auf die spezifischen oder
individuellen Eigentümlichkeiten zurückzuführen sind, vielmehr auch
durch den Charakter der Reizerscheinung bedingt werden, ergeben

namentlich die Versuche des Einflusses luftverdünnter Räume auf den Geotropismus und Heliotropismus gleicher Objekte.

Ueber das Verhalten von Keimlingen im sauerstoffarmen Raume hat Wiesner eine Reihe von Untersuchungen angestellt, aus denen hervorgeht, „dass bei sämtlichen untersuchten Objekten sowohl die positiv als die negativ heliotropische Krümmung im luftverdünnten Raume ausbleiben". Correns wies nach, dass *Helianthus*-Keimlinge, welche, wie wir sahen, bei sehr weitgehender Sauerstoffarmut doch noch die geotropischen Krümmungen zeigen, nur dann heliotropische Krümmungen ausführen, wenn der Druck im Recipienten 7,5 mm beträgt, d. h. der Pflanze noch etwa 1 °/₀ der ursprünglichen Sauerstoffmenge zur Verfügung steht. *Sinapis* hat ebenfalls für die Auslösung heliotropischer Krümmungen ein größeres Sauerstoffbedürfnis als für die geotropischen. Die untere Grenze liegt bei 6 °/₀ der ursprünglichen Sauerstoffmenge. Die Verschiedenheit zeigt sich vor allem auch, wenn gleichzeitig beide Reize auf das gleiche Objekt wirken. Keimlinge der Kresse und von Senf wurden in einer Atmosphäre, die gerade so viel Sauerstoff enthielt, dass das Wachstum noch möglich war, gehalten und einseitigem Lichteinfall ausgesetzt. „So behandelt krümmten sich die etiolierten Keimlinge der Kresse mit 3 °/₀ der ursprünglichen Menge Sauerstoff (gleich 22,5 mm Druck) unter lebhaftem Wachstum sehr deutlich geotropisch ohne die geringste heliotropische Krümmung nach der Seite des Lichteinfalls hin auszuführen. Die Keimlinge des Senfs verhielten sich gleich, brauchten aber etwas mehr Sauerstoff".

Von Interesse musste die Prüfung der Wirkung des Sauerstoffmangels auf die verschiedenen Phasen des Vorgangs einer Reizbewegung sein. Die Gruppe der Phasen von der Einwirkung des Reizes bis zur Vollziehung der Reaktion kann in Reizperzeption und in Reizreaktion geteilt werden. Eine Notwendigkeit für die Annahme, dass Anwesenheit von Sauerstoff für die Aufnahme des Reizes von Seite des Protoplasmas eine gleiche Vorbedingung ist wie für die Reaktion besteht natürlich nicht. Ganz wohl können wir uns vorstellen, dass für jeden dieser beiden Vorgänge eine verschiedene Menge Sauerstoff nötig ist. Es ist auch die Möglichkeit a priori nicht auszuschließen, dass vielleicht der eine der beiden Vorgänge von der Anwesenheit des Sauerstoffes ganz unabhängig ist. Die experimentelle Prüfung dieser Möglichkeiten, welche natürlich sehr vielen Schwierigkeiten begegnet, ist bis jetzt noch sehr lückenhaft. Immerhin scheint es für eine Gruppe von Reizerscheinungen thatsächlich, dass die Bedingungen beider Prozesse bezüglich des Sauerstoffgehaltes nicht die gleichen sind. Correns schreibt hierüber: „Die untere Grenze für das Einrollen, das spontane sowohl wie das durch einen noch unter normalen Verhältnissen applizierten Reiz bedingte, scheint bei *Sicyos* tiefer zu liegen als die für die Reizperzeption.

Wenigstens sah ich die Einrollung (der Ranken) bei 15 mm Druck
noch fortdauern, während vergleichende Versuche das Erloschensein
der Reizempfänglichkeit zeigten".

Schon früher wurde darauf hingewiesen, dass sobald der Pflanze
der Sauerstoff nicht nur vorübergehend entzogen wird, ein Zustand
eintritt, welchen Verf. als die Vakuumstarre bezeichnet. In diesem
Zustande ist die Reizempfänglichkeit reizbarer Organe bedeutend
herabgesetzt oder völlig erloschen. Durch das Versetzen in atmosphärische Luft wird die Pflanze nicht sofort normal. Dies deutet
darauf hin, dass der Eintritt der Vakuumstarre mit einer Veränderung
des Organismus verbunden ist. Oft zeigen die reizbaren Organe beim
Eintritt der Vakuumstarre charakteristische Stellungsänderungen. Bisweilen gleichen sie, wie wir bei der *Mimosa* erwähnten, der Stellung
des gereizten Organes.

Dass dieser Reiz nicht direkt durch den Sauerstoffentzug ausgelöst wird, scheint z. B. das Verhalten der Staubgefäße von *Berberis*
anzudeuten. Spontan tritt bei ihnen dann eine der Reizbewegung
genau entsprechende Reaktion ein, sobald der Luftdruck hinlänglich
weit gesunken ist. Die individuellen Verschiedenheiten sind hierbei
allerdings sehr bedeutend. Verf. beobachtete z. B. in einem Falle
die Bewegung schon bei einem Drucke von 300 mm, selten erst, wenn
der Druck unter 20 mm gesunken war, gewöhnlich schon bei einem
Drucke von 20—40 mm. Dabei zeigten die Staubgefäße der gleichen
Blüte ein verschiedenes Verhalten. Verf. glaubt, dass die Staubgefäße
mit eben geöffneten Staubbeuteln am schnellsten auf den Sauerstoffentzug reagierten. Die Verschiedenheit lag aber auch zum Teil zweifelsohne darin, „dass bei bereits genügend geringem Luftdruck das eine
Filament viel längere Zeit brauchte, bis es die Bewegung ausführte
als ein anderes. Dies ging daraus hervor, dass bisweilen, aber nicht
immer, die Reizbewegung einiger oder aller übriger, bisher noch un-
veränderten Filamente eintrat, wenn nach der Reaktion des ersten
der Recipient abgesperrt wurde, der Luftdruck also gleich blieb".

Aus der Reizstellung kehrten die Staubgefäße im Recipienten,
der unter dem gleichen Druck gehalten wurde, in ihre ursprüngliche
Stellung zurück. Ihre Reizempfänglichkeit für mechanische Reize war
noch voll vorhanden. Wurde die Evakuation sehr langsam ausgeführt,
dann konnte die Reizbewegung ein zweites Mal ohne äußern Anstoß eintreten, der Sauerstoffentzug wirkte also in diesem Falle direkt als Reiz.

Viel später erst tritt der Zustand der Vakuumstarre ein. Der
Effekt dieses Reizes ist auch ganz anderer Art. „Die vakuumstarren Staubgefäße, schreibt Correns, unterscheiden sich im Aussehen fast gar nicht von den reizbaren, nur scheinen sie mir unter
einem etwas kleinern Winkel vom Griffel abzustehn".

Worin die durch den Sauerstoffentzug bewirkte Aenderung im
Organismus besteht, lässt sich allerdings nicht sagen. Die Vermutung

liegt aber nahe, dass es sich dabei nicht um eine einfache Erscheinung handelt, sondern wahrscheinlich um eine ganze Reihe von Einzel-
änderungen. Denn man beobachtet, dass die Wiederbelebung der
vakuumstarren Pflanze um so länger dauert, je länger der Aufenthalt
im sauerstoffarmen, bezw. sauerstofffreiem Raume dauerte. Ein zu
langes Verweilen in diesem führt den Tod der Pflanze herbei.

Die Vakuumstarre tritt übrigens nicht plötzlich ein. Stets braucht
es eine gewisse Zeit, bis sie bemerkbar wird. So erklärt es sich
denn auch, dass sie bei raschem Verdrängen der atmosphärischen
Luft — wie oben für *Mimosa* erwähnt — bei einem viel geringeren
Sauerstoffgehalt eintritt als bei langsamer Verdünnung. Dies zeigt
sich namentlich auch an den reizbaren Narbenlappen von *Mimulus
moschatus* und *luteus*. „So standen nach viermaligem sehr schnellem
Evakuieren auf 3 mm Druck, mit jedesmaligem Einleiten von Wasserstoff, noch einige Narben offen, während einige andere sich bei ganz
langsamen Evakuieren schon bei 12 mm Druck zu schließen begannen.
Das Auspumpen hatte eine halbe Stunde gedauert. Wieder andere
Narben schlossen sich sogar nach längerem Verweilen in einer Atmosphäre, die durch Auspumpen auf nur 200 mm Druck gebildet worden war".

Aus dem Umstande, dass z. B. bei *Mimosa* auch dann, wenn die
Blätter bereits in der Starrestellung sich befanden, doch auf starke
Erschütterung noch eine Reaktion eintrat, ergibt sich, dass nicht die
zur Ausführung einer Reizbewegung nötigen Prozesse durch den Sauerstoffentzug zuerst erlöschen, dass ferner das Erlöschen der Funktionen,
durch welche die Starre entsteht, nicht gleichwertig sein kann mit
dem Ausfall jener Funktionen, welche die Reizbewegung oder die
Reizperzeption bewirken.

In Verbindung mit seiner Untersuchung über den Einfluss des
Sauerstoffentzuges auf die Reizbarkeit stellte Verf. einige Versuche
an über das Verhalten reizbarer Organe zu bestimmten Gasen. Sie
verdienen um so eher auch an dieser Stelle erwähnt zu werden, als
so ziemlich alles, was wir hierüber wissen auf den ältern Versuchen
von Kabsch beruht, die durch Correns' Experimente eine Reihe
von Korrekturen erfuhren.

Wie wirkt der reine Sauerstoff? Die Reizbarkeit der Staubgefäße
von *Berberis* und der Narben von *Mimulus* wurde hierauf geprüft.
Bei dieser Art traten nach einem Aufenthalt von 28 Stunden im reinen
Sauerstoffe noch ganz deutliche Reaktionen ein, nach 40 Stunden
wurden sie schwächer. Immer aber wurde die Bewegung wieder
rückgängig gemacht. Die Reizbarkeit war also ganz normal, gleich
der Reizbarkeit in der atmosphärischen Luft. Nach 56 Stunden war
sie erloschen, die Narbenlappen gespreizt und nicht, wie bei der
Vakuumstarre, geschlossen. Entgegen der Ansicht von Kabsch,
dass ein kürzerer Aufenthalt der *Berberis*-Blüten im reinen Sauerstoff

XII. 28

die Staubgefäße reizunempfänglich mache, und dass nach mehrstündigem Aufenthalt dieselben getötet würden, zeigen C o r r e n s' Versuche, dass dieselben noch nach 24 Stunden reizempfänglich blieben.

Die Kohlensäure wirkt als Hemmungsmittel. Ein sehr kurzes Verweilen (5 Minuten) von *Berberis*-Blüten in einem Gasgemenge von 50 proz. Kohlensäure und 50 proz. Luft führte ihre Reizunempfänglichkeit herbei. Blieben sie nicht zu lange in der hemmenden Atmosphäre, dann kehrt an der Luft die Reizbarkeit schnell wieder.

Ganz gleich verhält sich *Helianthemum*, dessen Staubgefäße ebenfalls reizbar sind.

Dass die hemmende Wirkung der Kohlensäure eine sehr rasche ist, lehrten namentlich auch die Versuche mit *Mimulus*. Die Narben schlossen sich in der Kohlensäureatmosphäre nicht und hatten ihre Reizbarkeit eingebüßt. An der Luft zeigte sie sich wieder. Die Schlafbewegung vollführte sich in einer Atmosphäre von 20 proz. Luft und 80 proz. Kohlensäure nur langsam. Bei 99 proz. Kohlensäure trat keine Bewegung mehr ein. Ein 24 stündiges Verweilen in dieser Atmosphäre vermochte die Pflanze nicht dauernd empfindungslos zu machen, wenn schon sie an der atmosphärischen Luft erst nach längerer Zeit sich wieder erholte.

Sehr eigentümlich ist das Verhalten der Ranken (von *Sicyos*) in der Kohlensäure. Der Aufenthalt in einem Gemisch von 12 proz. Luft und 88 proz. Kohlensäure hebt bald die Reizempfänglichkeit durch Berührung mit dem Holzstäbchen auf. Bald aber rollten sich die Ranken von der Spitze an ganz allmählich spiralig ein. Dass diese Bewegung nicht durch einen vorangehenden mechanischen Reiz durch das Stäbchen bedingt war, lehrten jene Versuche, bei denen (in einem Gasgemenge von 60 proz. atmosphärischer Luft und 94 proz. Kohlensäure) ohne Reizung durch das Stäbchen das Einrollen sich zeigte. „Nach 4 stündigem Verweilen im Recipenten an die atmosphärische Luft gebracht, schienen die Ranken ihre Reizbarkeit dauernd eingebüßt zu haben. Sie wurden mit den im Beginn ihres Aufenthaltes in der Kohlensäure gebildeten Windungen über Holzstückchen gewickelt; statt dass sie diese aber zu ergreifen suchten, wickelten sie sich in den folgenden 18 Stunden ganz ab und erwiesen sich auch fernerhin für Kontaktreize ganz unempfänglich. Schließlich rollten sie sich spontan ein". Es scheint also die Kohlensäure in diesem Falle einen Reiz auszuüben. Anderseits lehrt der Versuch, dass die Perzeption für Kontaktreize früher aufhört als die Reaktionsfähigkeit.

Die Wirkung des Stickstoffoxydes geht jener des Wasserstoffes ganz parallel. Beides sind also indifferente Gase.

Verschiedene Objekte prüfte C o r r e n s auf ihr Verhalten zu Ammoniak. Eine heftige Reizung auf die Blättchen von *Mimosa* bewirkte das Gas, ohne dass eine Schädigung der Pflanze einzutreten brauchte, wenn nur die Einwirkung unter gewissen besonderen Vorsichtsmaßregeln vollzogen wird. Das gleiche Blatt kann durch Ammoniakdämpfe mehrfach hintereinander gereizt werden, ist also chemisch reizbar. Dasselbe gilt für die Staubgefäße von *Berberis*, die Narbenlappen von *Mimulus*, während z. B. die Filamente der *Centaurea*-Arten nicht chemisch reizbar sind. Das Gas vermag sie zu töten, ohne dass eine merkliche Reizbewegung zur Auslösung käme. — Zu überraschenden Resultaten führten Frank's fortgesetzte Untersuchungen über die Symbiose zwischen Pilzen und Phanerogamen. Es sind dieselben in einer Abhandlung „Ueber die auf Verdauung von Pilzen abzielende Symbiose der mit endotrophen Mikorrhizen begabten Pflanzen, sowie der Leguminosen und Erlen"[1] niedergelegt.

Die Rindenzellen der Wurzeln und Rhizome der Orchideen enthalten häufig eine knäuelförmige gelbliche Pilzmasse aus aufgewundenen vielfach verschlungenen Hyphen. In zahlreichen andern humusbewohnenden Kräutern konnte Schlicht die gleiche Mykorrhizenform nachweisen. Die Fadenknäuel der einzelnen Zellen stehen miteinander durch Hyphen in Verbindung, welche die Zellwände durchbohrend von einer zur benachbarten Zelle gehn.

Vom ersten Augenblicke seiner Entstehungen bis an sein Lebensende wird der Pilzkörper in dem lebenden Protoplasma der Wurzelzelle völlig eingeschlossen. „Wenn man an ganz frisch hergestellten Längsschnitten die unversehrt gebliebenen pilzführenden Zellen beobachtet, so sieht man einen meist von kleinen Körnchen durchsäeten Protoplasmasack die Innenseite der Zellwand auskleiden; wo die kommunizierenden Pilzhyphen die Zellwand durchbrechen, setzt sich die Protoplasmahaut auf die Hyphen und von diesen über die ganzen in der Zelle liegenden Pilzkörper fort. Zwischen dem wandständigen Primordialschlauch und der die Hyphen und Pilzkörper überziehenden Protoplasmahaut ist ein reiches Netz aus sehr zahlreichen und überaus feinen Protoplasmafäden ausgespannt, in denen die kleinen Körnchen fehlen, an denen man aber . . . eine sehr lebhafte Strömung und zitternde Bewegung wahrnimmt. Der Zellkern, welcher entweder von dem Pilzfadenknäuel umwachsen ist oder auch seitlich desselben liegt, bleibt beständig deutlich, ja er ist sogar im Vergleich zu denjenigen der unverpilzten gleich großen Zellen um ungefähr das Doppelte vergrößert. Diese Thatsachen lassen wohl ahnen, dass hier das Protoplasma eine ungewöhnliche Energie in seiner Thätigkeit entfaltet".

Welcher Art sie ist, sieht man an ältern, dem Absterben nahen Wurzeln. Die Pilzklumpen sind chemisch sehr wesentlich verändert. Den großen Eiweißgehalt, der ihnen eigen war, haben sie, wie die chemischen Reaktionen erkennen lassen, verloren. Kern und Plasmahaut sind aber in diesen Zellen noch vorhanden, also hat das lebende

---

1) Anm. Berichte der deutsch. botan. Gesellsch., IX. Jahrg., 7. Heft, 1891.

Plasma den Pilz seines Eiweißes beraubt. „So hängt er also aus-
gesogen in dem Protoplasma der Zelle, wie die Fliege im Spinnen-
netze oder wie die Blattlaus in den Digestionsdrüsen des *Drosera*-
Blattes". Es sind also die Orchideen und mit ihnen viele andere
humusbewohnende Pflanzenarten „pilzfressende" Pflanzen. Seine Entwicklungsfähigkeit hat der von seinem Wirte gefangene Pilz schon
früh verloren, indem er unfähig ist a u ß e r h a l b des Wurzelplasmas zu vegetieren. „Der Pilz wird unter dem Einfluss des ihn
hegenden Protoplasmas der Wurzelzelle degeneriert".

Den Ericaceen sind, wie wir durch F r a n k 's Untersuchungen
wissen, eigentümliche Wurzelorgane eigen, „in deren besonders weiten
Epidermiszellen konstant Nester von Pilzfadenknäueln liegen, welche
durch Fäden unter sich und mit den epiphyt-wachsenden Pilzfäden
zusammenhängen". Auch hier ist der Eiweißreichtum des Pilzes in
den jungen, seine größte Eiweißarmut in den ältern Wurzeln nachweisbar.

Die Pilzsymbiose der Leguminosen haben wir in einem frühern
Referate einlässlicher besprochen. Die neuen Forschungen vorab auch
F r a n k 's haben zu folgenden neuern Erkenntnissen geführt. „Ein
Spaltpilz, dessen Keime allgemein in den Vegetationsböden verbreitet
sind, wird durch gewisse Anlockungsmittel, die von der Leguminosen-
wurzel ausgehen, gleichsam eingefangen. In einem Organe, welches
aus den Zellen der primären Wurzelrinde, in die der Pilz übergeleitet
worden ist, sich entwickelt, in den Wurzelknöllchen, wird der Pilz
zu enormer Vermehrung veranlasst". Dabei haben die Wurzelzellen
selbst den Reiz zu sehr bedeutender Vermehrung empfangen. „Das
Wurzelknöllchen ist also seinem wesentlichen Charakter nach eine
auf Erzeugung großer Pilzmassen angelegte Pilzbrutstätte".

Auch hier sind die in diese Wurzelzellen eingeführten Bakterien
während ihres ganzen Lebens im Plasma eingeschlossen, unter dessen
Einwirkung der Spaltpilz Umwandlungen erfährt, die ihn zu den
„Bakteroiden" werden lassen. „Die letztern sind gleichsam hyper-
trophierte Spaltpilze". Ihr Körper ist gleichsam mit Eiweißmaterial
gemästet. Seine Vegetationsfähigkeit außerhalb des Wurzelplasmas
ist ebenfalls völlig verloren gegangen oder doch sehr geschwächt.
Zur Zeit der Ausbildung der Früchte werden diese Eiweißspeicher
gleich echten Reservestoffen zum großen Teil verbraucht. „In den
Zellen, aus denen die Bakteroiden resorbiert sind, bleiben zahlreiche
entwicklungsfähige Keime des Spaltpilzes von der Beschaffenheit derjenigen, wie sie bei der Einwanderung in die Wurzel beobachtet
werden, zurück und gelangen bei der Verwesung der Knöllchenüber-
reste wieder in den Boden". Ein Teil der Bakterien vermag sich
also dem degenerierenden Einflusse des Plasmas zu entziehen.

Gewisse Parenchymzellen der Wurzelrinde der E r l e n enthalten
ebenfalls Komplexe von Pilzfäden. Sie laufen durch die trennende

Wand von Zelle zu Zelle, eine Verbindung zwischen den verschiedenen Fadenknäueln herstellend. „Gegen den Vegetationspunkt hin dringen die Fäden schrittweise weiter vor, so dass man in günstigsten Fällen Zellen findet, in welche eben erst einige Fäden aus der nächstältern Zelle eingewandert sind, aber noch nicht zu einem Fadenknäuel sich verflochten haben". Ist der Pilz in das Zellplasma eingetreten, dann tritt eine Vergrößerung des Zellkernes ein, volle Analogie zu den Verhältnissen der Orchideen. Und diese Uebereinstimmung erstreckt sich auch auf das Schicksal des Pilzes. Nachdem der Pilz zu einem sehr kräftigen Fadenknäuel in der Zelle herangewachsen ist, blähen sich die peripheren Fäden blasenförmig auf. Der nun traubenförmige Pilzkörper zeigt die Eiweißreaktion in sehr ausgesprochenem Maße. „Der Pilz ist nun durch den Einfluss des Erlen-Protoplasmas degeneriert, zu einem von Eiweiß strotzenden Monstrum verbildet". Bald wird es seines Eiweißes durch das umschließende Plasma beraubt. In ältern Wurzelpartien tritt an seine Stelle ein zusammengeschrumpfter eiweißloser Körper „Die Wurzelanschwellungen sind von vieljähriger Dauer; jedes Jahr wachsen sie an ihre Spitzen weiter, mit ihnen aber auch der Pilz, und so wiederholt sich das Spiel immer von Neuem". Der Verlust der selbständigen Entwicklungsfähigkeit ist auch hier eine Folge der Degeneration.

So ist also die überaus eigenartige Symbiose zwischen verschiedensten Phanerogamen und Pilzen, in welchen diese bezw. ihr Degenerationsprodukt die Rolle eines Eiweißreservestoffes spielen, allem Anschein nach sehr verbreitet. „Die pilzfressenden Pflanzen wissen mit noch raffinierteren Einrichtungen Pilze als ihre auserkorenen Opfer in ihr Protoplasma einzufangen, darin groß zu züchten und schließlich zu verdauen um so von der reichen Eiweißproduktion gerade der Pilze, die die letzteren ja auch als menschliches Nahrungsmittel wertvoll macht, Nutzen zu ziehn. Es geht hierbei also der eine der beiden Symbionten im Organismus des andern derart auf, dass er wie ein stofflicher Bestandteil des letzteren erscheint, der im Stoffwechsel schließlich verbraucht wird'. —'

Eine Berichterstattung über die wichtigsten Erscheinungen jenes Zweiges der Pflanzenphysiologie, der den Inhalt der Teratologie ausmacht, gehörte bisher zu den schwierigen Dingen, sobald sie sich nicht an speziellste Fachkreise wandte. Nicht dass die teratologischen Publikationen besonders dünn gesät wären. Es umfasst im Gegenteil die Pflanzenteratologie eine umfangreiche, wenn auch sehr zerstreute Litteratur. Doch diese Publikationen beziehen sich in ihrer überwiegenden Zahl auf Einzelbeobachtungen, sind Studien und Beschreibungen zufällig aufgefundener Objekte. Ausgedehntere, auf breiter Basis aufbauende Forschungen über in sich abgeschlossene Gruppen von Bildungsabweichungen, die zur Quelle gründlicher Erkenntnis bestimmter abnormer Bildungsvorgänge werden könnten, sind vereinzelte Erscheinungen. Dass aber auch das Studium der Bildungsabweichungen die monographische Darstellung ermöglicht, die auf methodisch geschaffenem Materiale fußt, zeigt uns die Monographie der Zwangsdrehungen von Hugo de Vries in schönster Weise.

Zwei tordierte Exemplare von *Dipsacus silvestris* macht Verf. zu den Stammeltern einer großen Zahl von Individuen, die diese Bildungsabweichung mehr oder weniger ausgesprochen in mancherlei Stadien und Uebergängen zeigen, indem er deren Kreuzung mit normalen Individuen verunmöglicht. Unter 1643 unmittelbaren Descendenten treten wieder 2 tordierte Individuen auf, die Stammhalter einer folgenden Generation. Dabei wird darauf Bedacht genommen, dass jede Bestäubung mit normalen Individuen ausbleibt. Aus nichttordierten Exemplaren ließ sich ebenfalls ein reiches Beobachtungsmaterial gewinnen. Ueber dem Wurzelhals wurden sie abgeschnitten. Aus den Achseln der Wurzelblätter trieben zahlreiche kräftige Schösslinge, von welchen sehr viele kleinere Torsionen und andere Bildungsabweichungen lieferten. Von 1616 Individuen, welche die Abkömmlinge des vollkommener tordierten Exemplares der zweiten Generation waren, zeigten 67 Individuen Zwangsdrehung, d. h. 4,1%. Daneben traten 46 Exemplare mit 3gliederigen Wirteln auf, während in der vorangegangenen Generation nur zwei Individuen diese Bildungsabweichung zeigten. Rechtsläufige und linksläufige Zwangsdrehung war in ungefähr gleicher Individuenzahl vertreten. Von den Individuen, welche die Zwangsdrehung am schönsten zeigten, wurden in einer folgenden Generation bis 10% tordierter Exemplare erhalten. Von den Stockausschlägen der 3. Generation zeigten im Maximum 29% der Seitenäste Bildungsabweichungen in der Blattstellung und 9% Seitenäste mit lokalen Zwangsdrehungen.

Die Zwangsdrehung ist also eine erbliche Erscheinung. Durch Zuchtwahl ist sie zu fixieren. So ist es nicht unwahrscheinlich, dass durch geeignete Kulturen auch bei anderen teratologischen Erscheinungen eine erbliche Rasse gewonnen werden kann und damit eben ein für monographische Zwecke geeignetes Material.

Der Begriff der Zwangsdrehung ist von Braun in folgendem Sinne verstanden worden. „Zu den abnormen Drehungen, schreibt er, welche dem kurzen Weg der Blattstellung folgen, gehört die Zwangsdrehung, welche bei vielen Pflanzen eintritt, wenn die normal paarige oder quirlständige Anordnung der Blätter in eine spiralige übergeht. Wenn nämlich in solchen Uebergangsfällen die in spiraliger Ordnung sich folgenden Blätter an der Basis einseitig, der Spirale folgend, zusammenhängen, so muss der Stengel, in seiner allseitigen Streckung behindert, durch ungleiche Dehnung eine spiralige Drehung annehmen, die so weit gehen kann, dass die Blätter mit senkrecht gestellter Basis eine einzige Reihe bilden. Der im Längenwuchs behinderte Stengel dehnt

sich dabei oft stark in die Dicke und erscheint dann monströs auf-
geblasen".

Wie stellt sich nun das reiche Beobachtungsmaterial auf das
de Vries sich stützen kann, zu dieser Braun'schen Theorie.

Die normalen Pflanzen von *Dipsacus silvestris* haben dekussierte
Blattstellung von den Kotyledonen an bis hinauf in die Inflorescenz.
Unter den Descendenten der tordierten Vorfahren finden sich Individuen mit 3 zähligen Quirlen, selten mit 4 zähligen. An allen Individuen
aber, deren Axen Zwangsdrehung zeigen, sind die Blätter in spiraliger
Anordnung vorhanden. Die Untersuchung der Anordnung der Blätter
in der Knospe zeigt, dass diese abnorme Blattstellung lange vor dem
ersten Anfang der Torsion auftritt. Die Divergenz beträgt gewöhnlich 138°, entspricht also der Formel $5/13$. Wie bei der normalen
Pflanze die breiten Flügel der Blätter mit einander verwachsen sind,
wobei jedes Blatt den halben Umfang des Stengels umfasst, so sind
sie bei spiraliger Anordnung der Blätter ebenfalls verwachsen, $5/13$ des
Stengels umfassend. Die am Vegetationskegel in spiraliger Anordnung angelegten Blätter sind also zu einem einzigen Bande vereint.
Auf den Bau des Stengels übt dies natürlich einen bestimmten Einfluss aus. Die gürtelförmigen Gefäßstrangverbindungen sind auch bei
den Blättern der tordierten Axen vorhanden. Sie liegen außerhalb
des Gefäßbündelkreises, sind somit noch zum Blatte zu rechnen Das
Diaphragma der Knoten teilt durch seinen queren Verlauf den hohlen
Stengel einer normalen *Dipsacus*-Pflanze. Durchschneidet man den
Stengel einer tordierten Pflanze, dann beobachtet man, dass zwar der
Stengel auch hohl ist, die Fächerung aber fehlt. Dafür sieht man im
innern des Hohlzylinders, einer Wendeltreppe ähnlich, eine hervorragende Leiste. Sie entspricht genau dem Ansatz der Blattspirale,
also muss sie als die Vereinigung der Diaphragmastücke der einzelnen
Blätter angesehen werden.

Vergleichen wir diese abnorme Blattspirale von *Dipsacus* mit der
normalen Blattspirale z. B. einer Umbellifere, so fällt sofort auf, dass
hier das Diaphragma als Querwand durch den Stengel geht. Dem
entsprechend können sich hier die Internodien ungehindert strecken.
Die spiralige Blattstellung an sich bedingt also eine Zwangsdrehung
nicht. Notwendig ist vielmehr, was wohl bei Pflanzen mit gegen-
ständigen Blättern das gewöhnlich Verhalten ist, dagegen spiraligen
Blättern fehlt, dass die Blätter mit einander verwachsen seien.

Dass die spiralige Blattstellung vor dem Beginn der Torsion am
Vegetationskegel zu beobachten ist, wurde bereits erwähnt. Die
Torsion aber fängt erst an, sobald sich die Internodien bedeutend zu
strecken beginnen. Das Blatt hat zu dieser Zeit bereits eine anschu-
liche Größe, 15—20 mm, erreicht.

Eine endgiltige Entscheidung über die Ursache der Zwangsdrehung ist natürlich nur auf Grund von Versuchen möglich. Diese

galten in erster Linie der Prüfung der Theorie von Magnus. Er
hat die Ansicht ausgesprochen, dass die Zwangsdrehung auf eine
Hemmmung des Längenwachstums zurückzuführen sei, welche der
jugendliche Stengel durch den Druck der abgehenden Blätter erfahre.
Um diesen vermuteten Druck aufzuheben schnitt Verf. die Blätter
während des Drehens am drehenden Stengel dicht über der Insertions-
stelle ab. Ein merklicher Einfluss auf die Torsion wurde nicht beobachtet. Die Verdunklung tordierender Individuen, durch welche die
Festigkeit der Blätter geschwächt, also das Vermögen einen Druck
auszuüben vermindert werden sollte, hatte auf die Zwangsdrehung
des Stengels ebenfalls keinen Einfluss.

Der Verlauf der Zwangsdrehung lässt eine Periode schneller Drehung erkennen, die mit der Periode der starken Streckung zusammenfallen dürfte. Ist also vielleicht in der Gürtelverbindung der Gefäßbündel der Blätter die Ursache der Torsion zu sehen? Sie stellt ein
ununterbrochenes Schraubenband um die junge Stengelspitze dar und
ist, wie oben bereits erwähnt wurde, im Blattgrunde außerhalb des
Stengels. Wenn man also die Verbindung der benachbarten Blattflügel
am Stengel wegschneidet oder abkratzt, dann kann man diese Gürtelverbindung entfernen. An verschiedenen Pflanzen wurde, während der
kräftigen Streckung des untern Abschnitts des sich drehenden Stengels
alle Gürtelverbindungen über mehrere Umgänge der Blattspirale abgetragen und zwar je vor oder im allerersten Anfang der Torsion. Dennoch
ging diese in ganz normaler Weise vor sich. In zweiter Linie wurde
der allfällige Einfluss des schraubenförmigen Diaphragmas geprüft.
Wohl enthält es keine Gefäßbündel. Es konnte aber doch als kon-
tinuierliches Band die Hemmung bedingen, welche nach Braun's
Auffassung die Drehung herbeiführt. Wurden von außen Einschnitte
zwischen je 2 Blättern gemacht, dann wurde dadurch die Kontinuität
aufgehoben Sobald sich aber die Schnitte nicht wesentlich aufwärts
oder abwärts von der Ansatzlinie der Blätter erstrecken, geht die
Drehung ungestört weiter. Anders sobald sich die Einschnitte eine
kleinere oder größere Strecke weit von der Ansatzstelle ausdehnen.
Da gelang es denn die Drehung stellenweise völlig aufzuheben, während sie oberhalb und unterhalb der Versuchsstrecke eine sehr starke
blieb. Die getrennten Blätter wurden durch das Wachstum in vertikaler Richtung auseinander geschoben und zwar bis zu 2 cm, wobei
der Stengelteil gerade gestreckt wurde, die Insertion der Blätter
nahezu quer zur Stengelaxe standen.

Um noch größere Strecken gerade zu erhalten wurden längere
und zahlreichere Einschnitte gemacht und sie wurden von 1—2 In-
sertionen in derartiger Entfernung von einander angebracht, dass sich
ihr Einfluss auf die dazwischen liegenden Partien des Stengels summieren konnte. Durch solche Versuche ergab sich, dass die von
zwei parallelen Schnitten isolierten Streifen keine Torsion erfuhren.

„Als Schlussergebnis zeigt sich, dass als mechanische Ursache der Torsion nicht allein die spiralige Verwachsung der Blattbasen mit ihren Gürtelverbindungen und dem Diaphragma in der Höhlung des Stengels betrachtet werden muss, sondern die spiralige Anordnung der Blattbasen nebst den von ihren Blattspuren durchlaufenen Abteilungen des Stengels (für jedes Blatt bis zum nächst untern Umgang der Spirale gerechnet). Erst wenn, oder soweit diese Abteilungen von einander losgelöst werden, bleibt die Drehung aus".

Die mannigfachen Erscheinungsformen an *Dipsacus silvestris torsus* bestätigen also Braun's Theorie von der Zwangsdrehung.

H. Molisch, Die Pflanze in ihren Beziehungen zum Eisen, eine physiologische Studie.

Jena, G. Fischer, 1892.

Dem Verf. war es vor allem darum zu thun, über das Vorkommen des Eisens im Pflanzenreiche und über die Verteilung desselben in der Pflanze, in Organen und Zellen, ins Klare zu kommen.

Die Chemie bietet dazu hochfeine Reaktionen dar (Blutlaugensalzreaktion etc.); trotzdem hätte M. die gestellte Frage nur unvollständig lösen können, wenn es ihm nicht geglückt wäre, eine über alles Erwarten empfindliche und sichere Methode ausfindig zu machen, die es gestattete, „auch jenes mit organischen Körpern fest verbundene Eisen direkt unter dem Mikroskop nachzuweisen, das für die gewöhnlichen Reaktionen nicht zugänglich war, weil es, um mit dem Chemiker zu reden, im maskierten Zustand vorliegt".

Die meisten organischen Verbindungen, welche Eisen in maskierter Form enthalten, lassen selbst in ganz außerordentlich geringen Mengen ihr Eisen erkennen, wofern man die betreffenden Objekte ein oder mehrere Tage oder Wochen in gesättigter wässeriger (eisenfreier) Kalilauge liegen lässt und dann nach dem raschen Auswaschen in reinem Wasser den gewöhnlichen Eisenreaktionen, am besten der Ferrocyankaliumprobe, unterwirft.

Mit Hilfe dieser Methode konnte gezeigt werden, dass das Eisen kurze Zeit nach seinem Eintritt in die Pflanze sich an organische Substanz kettet und dann in maskierter Form auftritt, und ferner, dass in der Regel die Hauptmasse des in der Pflanze vorkommenden Eisens uns in solchem Zustande begegnet.

Im II. Abschnitt legt Verf. seine Untersuchungen über Vorkommen und Verbreitung des locker gebundenen Eisens (direkt nachweisbar durch 2proz. Blutlaugensalzlösung + 10proz. Salzsäure) dar. Er konnte bei Objekten der verschiedensten Abteilungen des Gewächsreiches auf diese Weise Eisen auffinden, doch auch bei sehr vielen

nicht; so ergaben von etwa 100 untersuchten Algengattungen nur 20
Eisen in unbedeutenden, seltener in größeren oder gar beträchtlichen
Mengen. Unter den Flechten sind es besonders die als „formae oxy-
datae, ochraceae" oder als Flechten „thallo ferrugineo" bekannten
Arten, welche direkte Eisenreaktion geben; Verf. nennt sie „Eisen-
flechten". Auch bei den Moosen lernte M. einige bemerkenswerte
Beispiele eisenreicher Pflanzen kennen. In den Samen der Phanerogamen lässt sich Eisen ebenfalls häufig direkt nachweisen, insbesondere gelingt das gut bei den Cruciferen, beispielsweise bei dem weißen
Senfsamen. Während der Keimung verschwindet die Eisenverbindung
(eine Oxydverbindung) innerhalb der ersten oder zweiten Woche völlig,
gleichgiltig ob man die Keimlinge im Licht oder im Finstern erzieht.
„Das Eisen tritt eben in die maskierte Form ein".

Der III. Abschnitt handelt von Vorkommen und Verbreitung des maskierten Eisens. Während das locker gebundene
Eisen nicht gerade häufig auftritt, wurde das maskierte (in organischer Verbindung befindliche nicht direkt fällbare) Eisen von Verf.
in keiner der untersuchten Pflanzen vermisst, womit auch
die analytische Thatsache im Einklang steht, dass das Eisen in keiner
Pflanzenasche fehlt. Die Hauptmasse, ja man kann sagen, nahezu
das ganze Eisen steckt in organischer maskierter Form in der Pflanze.
Alle Erfahrungen des Verf. zusammengenommen gestatten den Schluss,
dass jede Pflanze Eisen enthält, und wenn diese mehrzellig ist, auch
die meisten ihrer Zellen, bald im Inhalt, bald in der Wand, bald in
beiden. Die verholzten Zellwände enthalten stets maskiertes Eisen
in relativ großer Menge; in den Globoiden der Proteinkörner ist Eisen
aufgespeichert und zwar in Verbindung mit einer organischen Substanz. Obwohl das Eisen alle Organe und Gewebe der Pflanze bald
in größerer bald in geringerer Menge durchdringt, wird es überdies
noch an bestimmten Orten zur Reserve aufgespeichert, um gelegentlich wieder verbraucht zu werden.

Im IV. Abschnitt, welcher die Eisenbakterien behandelt, tritt
Verf. den bekannten Aufstellungen Winogradsky's über die Bedeutung des Eisens für jene Pilze entgegen. Die Eisenbakterien haben
braune Scheiden, welche mit Eisenoxyd durchsetzt sind. Nach W. nun
soll der Gehalt an Eisenoxyd von einer Lebensthätigkeit der Bakterien
herrühren, bei welcher Eisenoxydul zu Eisenoxyd oxydiert wird; das
Eisenoxydul soll unentbehrlich für diese Bakterien sein, indem durch
dessen Oxydation Wärme frei wird und die Lebensprozesse der Eisenbakterien hauptsächlich auf Kosten dieser Oxydation im Gange erhalten werden. Ferner soll die Entstehung von Sumpf- und Wiesen-
Erz oder Raseneisenstein auf die Thätigkeit dieser Organismen zurückzuführen sein.

Verf. weist nun nach, dass die Eisenbakterien auch ganz gut
gedeihen, wenn man ihnen keine Gelegenheit zur Eiseneinlagerung

gibt (in eisenfreien Lösungen), womit der wichtigste Satz der Winograd sky 'schen Abhandlung[1]) fällt, demzufolge die Eisenbakterien eine Art Ausnahmestellung in der Reihe der Pflanzen einnehmen, insofern ihre Lebensprozesse durch die Oxydation von Eisenoxydul zu Eisenoxyd unterhalten werden sollen. Nach M. liegt das Auffallende der Eisenbakterien gar nicht in einem spezifischen Oxydationsvermögen, sondern vielmehr in einer merkwürdigen Anziehungskraft der Gallertscheide für Eisenverbindungen. Dass dieselben hier als Oxyde niedergeschlagen werden, kann in Anbetracht der außerordentlich leichten Oxydationsfähigkeit des Eisenoxyduls Niemand Wunder nehmen.

Bezüglich der Entstehung der Raseneisenerze führt Verf. an, dass von 34 von ihm untersuchten Erzen nur 2 wirklich Eisenbakterien enthielten. „Wir müssen also schließen, dass die Entstehung der Raseneisenerze nicht ursächlich an die Thätigkeit von Eisenbakterien geknüpft ist, sondern dass dieselbe in der Regel ohne Intervention der genannten Organismen von Statten geht, dass sich aber diese unter Umständen an der Entstehung und Zusammensetzung der Raseneisenerze beteiligen, ja daran sogar hervorragenden Anteil nehmen können".

Im V. Abschnitt wird die Frage diskutiert, ob der Chlorophyllfarbstoff eisenhaltig ist. Nach des Verf. Untersuchungen enthält das Chlorophyllmolekül kein Eisen und sind alle gegenteiligen Resultate anderer Forscher auf den Eisengehalt der zum Ausziehen des Chlorophylls angewandten Lösungsmittel zurückzuführen. „Zweifellos haben die beiden Thatsachen, dass zur Chlorophyllentstehung Eisen notwendig ist und dass der im tierischen und menschlichen Stoffwechsel eine so hervorragende Rolle spielende Blutfarbstoff eine Eisenverbindung ist, die Forscher verlockt, die in der Chlorophyllasche aufgefundenen Eisenspuren dem Chlorophyll selbst zuzuschreiben".

Verf. verwandte zu seinen Versuchen gewöhnlich 200 bis 500 g frischer Blätter und zur Extraktion derselben ca. $^1/_2$—1 Ltr. Alkohol. 100 cm³ Benzin genügten zur Ausschüttelung; gewonnen wurden auf 100 g etwa 1 g Farbstoff. Das zur Verdünnung des Alkohols verwendete destillierte Wasser, der Alkohol und das Benzin wurden, weil sie nachweisbare Eisenmengen enthielten, vor ihrem Gebrauch nochmals mit aller nur möglichen Sorgfalt überdestilliert, das Filtrieren der Chlorophylllösung geschah nur durch aschefreie Filter. So wurde ein Chlorophyll gewonnen, dessen Asche entweder kein Eisen oder höchstgeringe Spuren desselben enthielt.

Der VI. Abschnitt ist der Chlorose gewidmet. Verf. führt darin aus, „dass mit dem Mangel an Eisen im Organismus, gleichgiltig ob

---

1) Ueber Eisenbakterien. Bot. Zeitung, 1888, S. 261 fg.

grün oder nichtgrün, Störungen eintreten, die eine normale Funktion des Plasmas überhaupt nicht zulassen. Trifft dies für die grüne Pflanze zu, dann wäre die Chlorose höchstwahrscheinlich nicht eine direkte Folge dieser Störungen und mithin bloß ein Symptom eines krankhaften Zustandes des Protoplasmas".

Im Anschluss hieran setzt Verf. im VI. Abschnitt „über die Notwendigkeit des Eisens für die Pilze" auseinander, dass das Eisen ein normaler Bestandteil auch der Pilze sei, für welche mehrfach eine Entbehrlichkeit des Eisens behauptet wurde. Alle von M. geprüften Pilze enthalten Eisen und zwar ebenso wie die andern Pflanzen gewöhnlich in fester organischer Bindung, d. h. in maskierter Form. Kulturversuche mit sorgfältig hergestellten Nährlösungen thaten ebenfalls die Wichtigkeit des Eisens für die Pilze dar; besonders wichtig scheint es für die Fruchtbildung zu sein.

Damit ist der herrschenden Lehre, wonach dem Eisen nur eine Funktion, nämlich die der Chlorophyllbildung zukommt, der Boden entzogen.

Hiemit schließt die wertvolle Arbeit, welche uns zwar über die spezielle physiologische Funktion des Eisens im Dunkeln lässt, aber alte Irrtümer in dieser Hinsicht beseitigt, und durch den allgemeinen mikrochemischen Nachweis des Eisens in Pflanzengeweben eine geeignete Basis zu weiterer Untersuchung liefert.

T. Bokorny (Erlangen).

Zum Integument niederer Wirbeltiere abermals.
Von **F. Leydig**.

In neueren, den Bau der Amphibienhaut berücksichtigenden Arbeiten kommen so manche Angaben und Behauptungen vor, welche ich nach dem, was ich über den Gegenstand zu wissen glaube, für unrichtig erklären darf. Auf dergleichen Punkte einzugehen, nehme ich mir hiermit die Freiheit, indem ich der Meinung bin, dass sowohl das wissenschaftliche Interesse an sich, als auch der Wunsch die Kenntnis der Sache zu fördern, dies rechtfertigen kann.

Cuticula der Epidermis.

Seit Langem verteidige ich die Ansicht, dass auch bei Amphibien im fertigen Zustande eine Cuticula zugegen sei, entweder so, dass sie sich an gewissen Körperstellen in Form eines zusammenhängenden homogenen Häutchens — eigentliche Cuticula — abheben lässt, oder in der Art, dass sie sich nur als dünne doppellinige Schicht — Cuticularsaum — der obersten platten Epidermiszellen darstellt.

Aus verschiedenen der mir gemachten Gegenbemerkungen empfange ich den Eindruck, als ob meine Auseinandersetzungen[1] nicht

---

1) z. B. in: Allgemeine Bedeckungen der Amphibien. Archiv f. mikrosk. Anatomie, 1876.

immer völlig verstanden worden seien, was ich mir zum Teil daraus
erkläre, dass die Autoren jene Arbeiten, welche die erläuternden Abbildungen brachten, gar nicht angesehen haben[1]. Auch meine letzten
die Cuticula betreffenden Studien[2] sind von den Gegnern nicht beachtet worden. Bevor daher die Unrichtigkeit meiner Einzelbeobachtungen nicht nachgewiesen werden kann, sage ich mich von meiner
Auffassung keineswegs los, ja ich fühle mich im Gegenteil darin bestärkt durch das, was mir unterdessen an der Epidermis eines Fisches
zu Gesicht kam.

Die Karpfenart *Discognathus* zeigt nämlich auf ihrer Epidermis,
bei starker Vergrößerung und von der Fläche betrachtet, ein gewisses
streifiges Wesen, das sich für die weitere Prüfung als eine Art Skulptur
ergibt. Die Membran der sehr platten obersten Zellen erscheint als
homogener Saum, dessen Verdickungen das Streifenwesen erzeugt.
Von diesem Cuticularsaum weg erheben sich alsdann an gewissen
Körperstellen, insbesondere auf den Flossenstrahlen, neue Verdickungen
in Form von Spitzen, Dörnchen oder Stächelchen, die jetzt für unbe-
zweifelbare Cuticularbildungen anzusprechen sind. Der Uebergang der
streifigen Skulptur in die Dörnchen lässt sich gut verfolgen: am Rande
des Flossenstrahles z. B. entstehen ganz allmählich die feinen Spitzen
der Epidermiszellen, werden größer auf der Wölbung des Strahles,
um zuletzt wieder, gegen die Zwischenhaut der Strahlen hin, sich zu
verlieren. Was man sieht, schließt also genau an das bei Amphibien[3]
vorkommende an: ein doppelliniger homogener Saum bildet das Anfangsstadium einer Cuticula, woraus dann weiterhin an bestimmten
Körperstellen dickere Erhebungen hervorgehen. Noch mag hierzu,
wenn auch im Augenblick als etwas Nebensächliches, erwähnt sein,
dass sich besagte Dörnchen des *Discognathus* in eine Art Sockel und
Endspitze gliedern, wovon die letztere, weil mehr erhärtet, etwas
Glänzendes an sich hat; übrigens steht auf der Zelle das Dörnchen
gerade dort, wo in der Tiefe der Kern liegt.

Seiner Zeit hatte ich auch zu berichten über auffallende Veränderungen, welche an der Cuticula von *Triton*, nach dem Wechsel
von Land- und Wasseraufenthalt, sich vollziehen. Bei der genannten Molchgattung nämlich verbreiten sich in der Epidermis Zellen,
welche durch Größe und körniges Protoplasma etwas eigenartiges an
sich haben und wovon jede ein Cuticularkäppchen über sich trägt.

---

1) Ich habe hiebei insbesondere im Auge die Tafeln zu: Bau der Zehen
bei Batrachiern. Morphol. Jahrb., Bd. II; dann: Hautdecke und Hautsinnesorgane der Urodelen. Morphol. Jahrb., Bd. II; endlich auch die histologischen
Zeichnungen in: Anure Batrachier der deutschen Fauna, 1877.

2) In: Zelle und Gewebe. Bonn 1885.

3) Vergl. namentlich die Abbildungen über die Skulpturen von *Bufo, Bombinator, Rana, Triton, Geotriton* in: Bau der Zehen bei Batrachiern. Morph
Jahrb , Bd. II, Taf. VIII, IX u. X.

Beim Wasseraufenthalt, während der Laichzeit, sind die Cuticularkäppchen niedrig, rundlich und glattflächig, hingegen während des
Landaufenthaltes, im Herbst und Winter, ändern sich die Käppchen
dahin um, dass sie an Höhe zunehmen und zu abgestumpften Kegeln
werden, und zugleich auf den früher glatten Flächen jetzt Kanten
und Furchen entstehen lassen. Mit dieser Umformung der Cuticularkäppchen vergesellschaftet sich auch zeitlich eine Leistenbildung,
welche von der ganzen übrigen Cuticula der Epidermis entwickelt
wird. Das durch Beides hervorgerufene und geradezu merkwürdige
Aussehen habe ich in Abbildungen festgehalten, welche von der Fläche
und im senkrechten Schnitt die Rückenhaut veranschaulichen[1]).

Es will mir scheinen, dass die gemeldeten Thatsachen den Vorstellungen, welche wir uns über die „Entstehung der Landtiere" zu
bilden versuchen, in manchem Betracht einigen Anhalt gewähren[2]).
Denn es liegt auf der Hand, dass von einem allgemeineren Gesichtspunkt aus dergleichen Umformungen auf Rechnung der austrocknenden
Eigenschaft der atmosphärischen Luft zu bringen sein möchten.

Stiftchenzellen der Epidermis.

Eine bestimmte Ansicht darüber, unter welchen Teilen des Organismus, ob unter die Sinneszellen, oder unter die Drüsenzellen
man die Stiftchenzellen einzureihen habe, hat sich noch nicht festsetzen lassen. Ich selber bleibe bei meiner Auffassung, dass ein verwandtschaftlicher Zug durch „Sinneszellen" und „Drüsenzellen" überhaupt geht[3]), demgemäß aber auch die Grenze zwischen beiden
schwer zu ziehen ist.

An den Elementen in der Epidermis der fertigen Frösche, Kröten
und Molche, welche andre und ich für „Drüsenzellen" halten, sah ich
beim Landsalamander aus der Oeffnung der Zelle einen pfropfartigen Körper hervorragen, von einem gewissen glänzenden oder
spiegelnden Wesen[4]). Diesem pfropfartigen Gebilde in den Drüsenzellen der Epidermis ausgebildeter Tiere babe ich den kegeligen Vor-
sprung wie er an der Mündung der „Stiftchenzellen" bei Larven gesehen wird, verglichen[5]). Nach dieser Seite hin wären demnach die

---

1) Morph. Jahrb., Bd. II, Taf. XX, Fig. 14 u. 15. Ein Stückchen der einen
Figur findet sich, zwar nur dürftig nachgebildet, in: Pagenstecher, Allgemeine Zoologie, 1881, S. 720.
2) Das anregende Werk von Simroth, Entstehung der Landtiere, 1891,
hat freilich davon noch keinen Gebrauch gemacht
3) Zelle und Gewebe, 1885, S. 103 („Sinneszellen verglichen mit Drüsenzellen").
4) Hautdecke und Hautsinnesorgane der Urodelen. Morph. Jahrb., Bd. II,
Taf. XX, Fig. 18. — Rippenstacheln des *Pleurodeles*. Archiv f. Naturgesch.,
1879, S. 225.
5) Zool. Anzeiger, 1885.

Stiftchenzellen den Drüsenzellen anzuschließen und eine solche Zusammenstellung würde noch mehr gerechtfertigt erscheinen, wenn man in dem von mir angegebenen pfropfartigen Teil, welcher in echten Hautdrüsen vorkommt, eine gleichwertige, ins Große gehaltene Bildung, erblicken dürfte, wozu ich allerdings geneigt wäre.

Andrerseits darf sich aber der Gedankengang auch dahin wenden, dass Sinneszellen das näher verwandte sein möchten, weil man Ursache hat, die Knöpfchen oder Höckerchen, welche den Becherorganen der Fische zukommen [1]), und ebenso die Stifte in den Hautsinnesorganen der Larven von Urodelen [2]) gleichfalls für Bildungen anzusehen, welche dem „Pfropf" verwandt sein können.

Man könnte zur Stütze der Ansicht, wonach die Stiftchenzellen doch den Sinneszellen näher stünden als den Drüsenzellen, auch heranziehen, dass man Nervenfäden sich daran verlieren sah. Eine Beobachtung die ich zwar nicht wiederholen konnte, aber nicht entfernt anzweifeln möchte. Ein ausschlaggebendes Gewicht kann ich aber der Thatsache deshalb nicht beilegen, weil mir bei Fischen an einzelnen Schleimzellen deren Verbindung mit Nerven sehr wahrscheinlich geworden war [3]), während doch die Mehrzahl dieser Elemente kaum als Endpunkte von Nerven gelten können. Hinwiederum bin ich bei Mollusken auf einzellige Hautdrüsen gestoßen, welche das Ende von Nerven aufnehmen [4]). Danach wäre also wieder zu schließen, dass die Stiftchenzellen und die einzelligen Hautdrüsen in dem einen, wie es scheint, selteneren Fall, mit Nerven sich verbinden, in den meisten Fällen dies aber nicht thun.

Wie sehr es auch Andern schwer wird, Stellung in gegenwärtiger Frage zu nehmen, ersieht man aus den Aeußerungen von Looss, dem einzigen Beobachter, welcher sich meines Wissens unterdessen, nach eigener Besichtigung, über die Stiftchenzellen ausgesprochen hat. Schwankend ist auch dieser Autor geblieben, doch hebt er hervor, dass seine Wahrnehmungen der von mir vertretenen Auffassung, es bestehe ein „verwandtschaftlicher Zug zwischen Sinneszellen und Drüsenzellen" das Wort reden [5]).

---

1) Hautdecke und Hautsinnesorgane der Fische. Halle 1879. z. B. Fig. 26.

2) Hautdecke und Hautsinnesorgane der Urodelen. Morph. Jahrb, Bd II, Fig 1, 2 u. 3. — Ueber die Lage der Stiftchen und ihre kantige Oberflächenbildung habe ich spätere Mitteilungen gegeben in: Zelle und Gewebe, Fig. 50, 51 u. 52.

3) Hautdecke und Hautsinnesorgane der Fische, 1889, S. 138.

4) Vergl. z. B. auf Taf. XIV, Fig. 29 in: Hautdecke und Schale der Gastropoden. Archiv f. Naturgesch., 1876.

5) Looss, Degenerationserscheinungen im Tierreich, besonders aber die Reduktion des Froschlarvenschwanzes und die im Verlaufe derselben auftretenden histolytischen Prozesse, 1889.

Epidermiszellen zusammenhängend mit Elementen des Coriums.

Schon vor Jahren bin ich auf die Frage eingegangen, ob die untersten Epidermiszellen der Fläche der Lederhaut bloß aufliegen oder in einer innigeren Beziehung zu den Gewebselementen der Cutis stehen. Es geschah dieses besonders im Hinblick auf Angaben von Billroth, welcher erklärt hatte, dass in der Zunge des Frosches längere und kürzere Endfortsätze der Zellen kontinuierlich in die Fasern der Papillen übergehen. Auch bezüglich der menschlichen Zunge sei wahrscheinlich das gleiche Verhalten anzunehmen; an der Lederhaut könne man vorläufig noch zu keinem bündigen Abschluss kommen [1]. Bei den von mir vorgenommenen Untersuchungen des Coriums verschiedener Säugetiere konnte ich ebenfalls nicht zu rechter Klarheit vordringen; doch war ich wenigstens zu dem Ergebnis gelangt, dass die tiefsten, fadig ausgezogenen Zellen der Epidermis „fest angewachsen" sind, also nicht einfach aufsitzen, welche Behauptung ich durch Anführung verschiedener Thatsachen begründete [2].

Jahre nachher vermochte ich an der Hand besserer Hilfsmittel in der Haut von Fischen und Amphibien, sowie auch bei Säugetieren am Eierstocksepithel des Kalbes, den Zusammenhang zwischen den zelligen Elementen des Epithels und dem Bindegewebe bestimmt aufzuzeigen [3]. Das Gleiche erkannten auch die beiden Sarasin an den Larven des Amphibiums *Ichthyophis* [4].

Obschon nun ein derartiges Kontinuitätsverhältnis in morphologischer und physiologischer Hinsicht für bedeutsam gelten darf, so hatten doch bis vor Kurzem die vorstehenden Angaben keine Beachtung gefunden. Erst jetzt hat ein jüngerer Beobachter, Schuberg, seine Aufmerksamkeit der Frage zugewendet und mit aller Schärfe den Zusammenhang von Epithel- und Bindegewebszellen dargethan. Einstweilen gelang der Nachweis an der Haut vom Laubfrosch, Axolotl und Neunauge [5].

---

1) Billroth, Ueber die Epithelialzellen der Froschzunge, sowie über den Bau der Zylinder- und Flimmerepithelien und ihr Verhältnis zum Bindegewebe. Archiv f. Anatomie u. Phys., 1858.

2) Ueber die äußeren Bedeckungen der Säugetiere. Archiv f. Anatomie u. Phys., 1859.

3) Beiträge zur anatomischen Kenntnis der Hautdecke und Hautsinnesorgane der Fische, 1879, Naturf. Ges. in Halle a/S. — Zelle und Gewebe. Bonn 1885. — Beiträge zur Kenntnis des tierischen Eies im unbefruchteten Zustande. Zool. Jahrb., 1889.

4) Fritz Sarasin und Paul Sarasin, Ergebnisse naturwissenschaftlicher Reisen auf Ceylon, 1887.

5) Schuberg, Ueber Zusammenhang von Epithel- und Bindegewebszellen. Sitzungsber. d. Würzburger phys.-med. Ges., 1891. — Ueber den Bau und die Funktion der Haftapparate des Laubfrosches, mit 2 Tafeln. Arbeiten aus dem zool.-zoot. Institut in Würzburg, Bd. X (1891).

Man darf wohl die Ansicht hegen, dass das bezeichnete Verhältnis zwischen Epithel und bindegewebiger Unterlage ein allgemeineres ist, wenigstens vermag ich einen weiteren Beitrag zu liefern, der sich mir gelegentlich andrer Untersuchungen an *Salmo fontinalis* darbot. In der Haut dieses Knochenfisches, welcher größere zellige Elemente besitzt, als z. B. die Cyprinoiden, bekomme ich ebenfalls die Verbindung der Epidermis mit der Lederhaut deutlich vor Augen.

Stehen an senkrechten Schnitten die untersten Zellen noch in unverschobener Lage, so biegen ihre Enden, anscheinend in einen einzigen Faden ausgehend, in leichter, beinahe geknickter Krümmung zur obern Fläche der Lederhaut herab. Hiebei könnte es auffallend erscheinen, dass das bogig-fadige Zellenende ein gegen den übrigen Zellenkörper etwas scharfliniges Aussehen hat, was sich aber alsbald aufklärt, wenn die Zellen in Unordnung geraten sind und so von verschiedenen Seiten sich darstellen. Man überzeugt sich jetzt, dass der scharfe Strich durch die Profilansicht bedingt ist: der untere Teil der Zelle ist nämlich bandartig platt und ruft mit seiner Kante die scharfe Linie hervor. Sonach handelt es sich um richtige Deutung eines optischen Bildes, auf welches ich schon vor Jahren aufmerksam machte[1]). Weiterhin wird bei genauem Zusehen erkannt, dass das Ende der Zellen nicht mit bandartiger Fläche in die Lederhaut sich einpflanzt, sondern es löst sich zuvor der Endsaum in kurze Fäserchen auf und diese erst sind es, welche in die Spitzen der rauhen Oberfläche des Coriums übergehen, genauer in das Plasma der obersten Zellenlage. Und auch das scheint mir noch erwähnenswert, dass die obersten Bindegewebszellen, durch Größe und rundliche Form der Kerne, den Zellen der Epidermis selber sehr ähnlich sind, und von der Fläche gesehen ein annähernd epitheliales Wesen an sich haben. Man wird an das gemahnt, was ich aus der Haut von *Triton* seiner Zeit zu veranschaulichen für gut befunden habe[2]).

Bindegewebe der Lederhaut.

In Rücksicht auf dasjenige, was nachher über die Muskeln der Lederhaut zu erörtern sein wird, halte ich für passend zunächst der Ergebnisse zu gedenken, zu welchen ich durch wiederholte Beschäftigung mit dem Bau des Coriums gelangt war.

Das Gewebe der Lederhaut scheidet sich in derbe wagrechte Lagen, die gewissermaßen den Grundstock des Coriums bilden, und zweitens in ein mehr weiches, lockeres Bindegewebe, welches zwei Grenzschichten herstellt, eine obere nach der Epidermis zuge-

1) Histologie, S. 39, Fig. 21 C, Epithelzellen von *Triton*, „nach unten so komprimiert, dass sie bei gewisser Stellung in einen Faden auszulaufen scheinen".

2) Schwanzflosse, Tastkörperchen und Endorgane der Nerven bei Batrachiern. Archiv f. mikrosk. Anatomie, Bd. XII (1876), Taf. XXI, Fig. 3.

kehrte und eine untere, das Corium einwärts abschließende Lage.
Beide Grenzschichten zeigen sich verbunden durch aufsteigende Züge,
wodurch der senkrechte Schnitt der Lederhaut ein eigentümliches,
wie in Felder geteiltes Aussehen erhält[1]).

Zum geweblichen Charakter des Grundstockes der Lederhaut gehört es, dass in fertigem Zustande die Züge hauptsächlich aus homogenen Platten bestehen, in jüngeren Tieren hingegen haben auch
die wagrechten „Bündel" noch ein zelliges Wesen. An der Larve
vom Erdsalamander z. B. zeigt sich, dass das, was man herkömmlich
als „Bindegewebsfibrillen" beschreibt, Zellen sind, deren Substanz vom
Kern weg flügelartig verbreitert ist. In der Profilansicht glaubt man
gekräuselte Fibrillen vor sich zu haben, in Wirklichkeit handelt es
sich aber um den Rand dünner Zellplatten, welche durch dichte
Kräuselung wie Fasern erscheinen.

Das lockere, die Grenzschichten und die säulenartigen Züge erzeugende Bindegewebe behält zeitlebens eine eher zellige Natur,
schon durch die zahlreichen, netzig zusammenfließenden Pigmentzellen,
die hier ihren Hauptsitz haben. Außerdem hat dieses Gewebe näheren
Bezug zu den Blut- und Lymphgefäßen und trägt auch die Nerven.

Nach den Tierarten und nach den Körpergegenden des Einzel-
tieres kommen mancherlei bemerkenswerte Verschiedenheiten vor in
der Ausbildung des derben und des lockeren Bindegewebes. Bei
Menopoma z. B. scheint hauptsächlich die Dicke der Haut bedingt zu
sein nicht durch die derben wagrechten Lagen, sondern durch das
lockere, gefäßtragende Bindegewebe, wohl im Zusammenhang mit den
großen weiten Blutkapillaren, welche aus dieser Schicht aufsteigen
und über die freie Fläche hinaus die Papillen erzeugen. Bei *Salamandra* ist die Lederhaut der Fußballen in ein Bindegewebe von sehr
weicher Art umgewandelt, ohne regelmäßige Schichtung, die Balken-
züge in verschiedener Richtung verflochten, der Hand- und Fußfläche
etwas Geschwollenes verleihend[2]).

---

1) Zu welch wunderlicher Deutung das dadurch entstandene Bild Andere
verführen konnte, habe ich in: Organe eines sechsten Sinnes, 1868, S. 29, Anmerkung 1, leicht gestreift. Der dort nicht genannte „berühmte Zoologe" ist
der unterdessen verstorbene v. Siebold gewesen.

2) Mit Untersuchung der Lederhaut des Grotten-Olms und des Frosches
beginnend (Anat. histol. Untersuchungen über Fische und Reptilien, 1853 und
Histologie, 1857), ließ ich ein Decennium später zur genaueren Darstellung einen
Schnitt durch das Corium von *Bombinator* und *Bufo* folgen. (Organe eines sechsten
Sinnes; zugleich ein Beitrag zur Kenntnis des feineren Baues der Haut bei
Amphibien und Reptilien, 1868.) Aus dem Bemühen, immer weiter in den Bau
des Integumentes einzudringen, entstand die Arbeit: Ueber die allgemeinen
Bedeckungen der Amphibien (Arch. f. mikrosk. Anat., 1876), welche sich über
eine größere Anzahl anurer und urodeler Amphibien erstreckt. Auch schon
früher hatte ich die Lederhaut mancher Urodelen (*Triton, Salamandra* in:
Molche der Württembergischen Fauna, Arch. f. Naturgesch., 1867; *Pleurodeles*,

Muskeln der Lederhaut.

Vor mehr als drei Jahrzehnten — im Jahre 1853 — hatte Harless die horizontal geschichteten Bindegewebslagen des Coriums für glatte Muskeln genommen, ein Fehler auf den ich bald nachher aufmerksam gemacht habe [1]). Darf man sich aber nicht höchlich verwundern, dass der gleiche Irrtum, trotz der vielen Untersuchungen welche unterdessen über den Bau der Amphibienhaut ans Licht getreten sind, sich auch jetzt noch wiederholen kann?

So lässt Haller [2]) die Lederhaut bestehen aus einer bindegewebigen oberen Lage, dann aus einer „Muskularis", unter welcher alsdann das subkutane Bindegewebe sich vorfinde. Mehr als einmal kommt der Genannte auf die „Muskelschicht" zu reden und es geht allemal unzweifelhaft daraus hervor, dass damit die wagrechtziehenden, derben Bindegewebsschichten für Muskellagen angesprochen worden sind.

Auch noch Andre scheinen in gegenwärtiger Sache nicht klar gesehen zu haben, was sich z. B. in dem Durchschnitt der Haut offenbart, den Howes veröffentlicht hat. In der Erklärung der Figur wird der untere Teil der derben Bindegewebszüge ebenfalls frischweg als „muscular layer of derme" bezeichnet [3]).

Dem gegenüber scheint es mir nicht ganz überflüssig zu sein, Einiges über die wirklichen Muskeln in Erinnerung zu bringen.

Die ersten, welche glatte Muskeln im Corium des Frosches auffanden, waren Hensche [4]) und Eberth [5]). Dann habe ich [6]) bei den Studien über die Hautdecke einheimischer Frösche und Kröten die Muskeln gesehen bei *Rana* und *Bufo* und dabei auf zweierlei hin-

---

Arch. f. Naturgesch., 1879) in den Kreis der Untersuchung gezogen, dann zusammenfassend und erweiternd in: Hautdecke und Hautsinnesorgane der Urodelen, Morph. Jahrb., Bd. II behandelt. Letztre Blätter, sowie der Artikel: Ueber den Bau der Zehen bei Batrachiern, Morph. Jahrb., Bd. II liefern auch die Abbildungen zu den früheren Angaben. Endlich findet sich noch in: Anure Batrachier der deutschen Fauna, 1877, der Bau der Lederhaut vielfach berücksichtigt. Vergl. auch: Zelle und Gewebe, 1885, Taf. II, Figg. 36 u. 37 („Fibrilläres Bindegewebe von der Larve der *Salamandra*; Zellen von Plattenform mit gekräuseltem Rande").

1) Histologie, 1857, S. 100.
2) B. Haller, Ueber das blaue Hochzeitskleid des Grasfrosches. Zool. Anzeiger, 1885.
3) G. B. Howes, Atlas of practical elementary Biology, 1885, Plate VI, Fig. XXIV.
4) Hensche, Ueber die Drüsen und glatten Muskeln in der äußeren Haut von *Rana temporaria*. Zeitschr. f. wiss. Zool., 1856.
5) Eberth, Untersuchungen zur normalen und pathologischen Anatomie der Froschhaut, 1869.
6) Allgemeine Bedeckungen der Amphibien. Archiv f. mikr. Anat., 1876. Sonderabdruck, S. 89.

gewiesen: einmal die Muskelelemente lägen in dem lockeren Bindegewebe, namentlich in den säulenartig aufsteigenden Zügen, und
zweitens die Muskeln seien nicht gleichmäßig über die ganze Haut
verbreitet, sondern hielten bestimmte Linien ein und besonders zahlreich seien sie in der Inguinalgegend. Eine sehr stark entwickelte
Muskulatur fand ich ferner noch in der, eine Fortsetzung und Umbildung der äußeren Hautdecke bildenden, Schleimhaut der Kloaken-
wülste von *Triton* und gab nähere Aufschlüsse über Anordnung und
Verbreitung.

Daran reiht sich dann weiter die jüngst von S c h u b e r g gemachte
Entdeckung, dass in den Haftballen des Laubfrosches (*Hyla arborea*)
eine reiche Muskulatur zugegen ist, bestehend aus zwei starken
Bündeln, welche symmetrisch auseinander weichend, von der Spitze
der Endphalanx zur plantaren Grenzfascie gehen; wozu dann noch
dünnere Züge kommen, welche den zentralen Lymphraum des End-
ballens durchziehen; endlich auch noch einzelne Muskelzellen in dem
die Schlauchdrüsen umgebenden Bindegewebe[1]).

In physiologischer Hinsicht brachte ich das Vorhandensein der
glatten Muskulatur in der Lederhaut in Verbindung mit der Thatsache, dass an einem und demselben Individuum die Haut bald
höckerig, bald glatt, je nach der Stimmung des Nervensystems, getroffen wird. Das Höckerigwerden verglich ich dem Auftreten der
„Gänsehaut“ der menschlichen Cutis, entstanden durch Spannung und
Nachlass der kontraktilen Elemente. Die reiche Muskulatur in den
Kloakenwülsten hängt wohl zweifellos zusammen mit den Verrichtungen der Teile im Geschlechtsleben. Die Bedeutung der glatten
Muskeln in den Haftballen des Laubfrosches findet S c h u b e r g darin,
dass die Muskeln hauptsächlich auf den zentralen Lymphraum wirken,
dessen Verkleinerung und Schwellung das Haftenbleiben des Zehen-
ballens und dann wieder seine Ablösung beeinflusse.

Aus Erwägung des Vorgesagten scheint zu folgern, dass bestimmte Lebensbedürfnisse es sind, welche an dieser und jener Körper-
gegend die Entwicklung der Muskelelemente hervorrufen und ihre
stärkere Entwicklung bedingen können.

Es möchte sich nach dem, was man über Muskeln in der Haut
der Amphibien weiß, empfehlen, von Neuem auch das Corium der
R e p t i l i e n zu durchgehen mit der Frage, ob nicht vielleicht auch
hier das Vorkommen von glatten Muskeln ebenfalls ein allgemeineres
sei. Denn obschon bei meinen früheren Untersuchungen der einheimischen Saurier (*Lacerta* und *Anguis*) nichts über Anwesenheit von
Muskeln zu melden war, so bin ich in letzterer Zeit doch an einem

---

1) S c h u b e r g , Ueber den Bau und die Funktion der Haftapparate des
Laubfrosches in: Arbeiten des zool.-zoot. Instituts in Würzburg, 1891.

fremdländischen Saurier auf solche Elemente gestoßen und zwar am Scheitelfleck von *Varanus nebulosus*[1]). An jener Stelle findet sich unter der Haut eine Lymphhöhlung und die Streifung des Coriums in der Umgebung der Höhlung hatte „den Charakter von Zügen glatter Muskeln".

Und früher schon, als ich das Integument der Schlangen auf den Bau prüfte, sah ich, wenigstens bei einer Art und an bestimmter Hautstelle, glatte Muskeln ins Bindegewebe eingeflochten. Es war das Schnauzenhörnchen der Sandviper, *Vipera ammodytes*, das von mir zum erstenmal auf seine Struktur untersucht worden war[2]).

Zur Zeit der Abfassung des „Lehrbuches der Histologie" glaubte ich aussprechen zu können, dass in der Haut der Fische Muskeln nicht zugegen seien. Im Großen und Ganzen möchte ich auch jetzt noch dies für zutreffend halten, aber zweifelhaft bin ich doch geworden, ob nicht nebenbei in gewissen Körpergegenden immerhin Muskelfasern vorhanden sind. An Schnitten aus der Haut von *Salmo fontinalis* nämlich begegnen mir Stellen, in der Nähe der Seitenlinie, allwo ich Muskelfasern zu erblicken glaube. Es sind Züge, welche nach dem ganzen Aussehen und in der länglich walzigen Form der Kerne mit „Faserzellen" übereinstimmen. Ich würde mich in dieser Annahme noch sicherer fühlen, wenn ich mich einstweilen nicht auf Präparate, die mit Harzen behandelt und daher nicht ganz geeignet sind, beschränkt sähe; es müssen zuvor noch andere Untersuchungsmethoden in Anwendung gezogen werden.

Harnsäurehaltiges Pigment der Lederhaut.

Seit Langem wurde von mir in der Haut der Amphibien und Reptilien ein eigenartiges aus Körnchen gebildetes Pigment unterschieden, das sich gleich dem braunen oder dunkeln ebenfalls in Netzform ausbreiten kann. Die physikalischen Eigenschaften dieses Pigmentes bestimmten mich zu der Annahme, dass Ablagerungen harnsaurer Verbindungen die Körnchen bilden möchten, welche Ver-

---

1) Parietalorgan der Amphibien und Reptilien. Abhandlungen der Senkenbergischen naturf. Ges., 1890, S. 486.

2) Aeußere Bedeckungen der Reptilien und Amphibien. Erster Artikel: Haut einheimischer Ophidier, Arch. f. mikr. Anat., 1873, S. 35. — Der Bau des Schnauzenhörnchens der *Vipera ammodytes* bietet, wie ich in Wort und Bild gezeigt, in mehr als einem Betracht recht bemerkenswerte Verhältnisse dar, von denen indess die „Herpetologie" des Tages, ganz zeitgemäß, keine Notiz nimmt, sondern den Teil als „hornartigen Zapfen" hinstellt. Meine litterarischen Nachweise (a. a. O. S 88) können lehren, wie selbst ältere Autoren, obschon sie ebenfalls nur mit freiem Auge untersuchten, bereits bemerkt hatten, dass es sich nicht um ein eigentliches Horn handle, sondern um eine weiche Warze oder Spitze.

mutung später Kruckenberg durch chemische Untersuchung als richtig erwiesen hat [1]).

Gedachtes Pigment ist bald von gelblichem, bald weißlichem, auch bläulichem Farbenton, auch wohl von erzfarbenem Schimmer. Für gewöhnlich nicht irisierend, besonders so lange nicht, als seine Elemente nur die Größe von Körnchen haben. Doch können bereits die letzteren eine krystallinische Zuschärfung annehmen und selbst hin und wieder eine ausgesprochen krystallinische Form gewinnen. Damit nähern sie sich den irisierenden Plättchen oder Flitterchen, welche bei Fischen den Metallglanz bedingen und in welchen längst von Barreswil ein Harnkörper, Guanin, nachgewiesen worden war.

Während ich nun das Vorkommen des harnsäurehaltigen Pigmentes im Integument bei allen von mir untersuchten Arten von Amphibien und Reptilien aufzeigte, soll nach Haller [2]) das von mir auch be-züglich des „Grasfrosches" erwähnte weißliche leicht bläulich irisierende Pigment in den obersten Schichten der Lederhaut an dem von ihm untersuchten Tiere nicht zugegen sein, auch nicht einmal in der ge-ringsten Spur. Diese kuriose Aussage steht in der zweiten Mitteilung unsers Autors, indessen er in der ersten angibt, dass an jeder be-liebigen Stelle der Körperoberfläche unter dem Epithel — also in der oberen Schicht der Lederhaut — ein bei durchfallendem Licht semmel-gelbes, bei auffallendem Licht milchweißes Pigment vorhanden sei.

Es bedarf wohl keiner weiteren Auseinandersetzung, dass das von mir angezeigte weißliche, leicht bläulich irisierende Pigment der obersten Schicht der Lederhaut und das Haller'sche milchweiße Pigment unter der Epidermis eins und dasselbe ist. Bei keinem unsrer braunen Frösche (*Rana fusca, R. arvalis, R. agilis*) fehlt eben, wie ich behaupten darf, das harnsäurehaltige Pigment in der Hautdecke.

Zu den Lebenserscheinungen der Chromatophoren.

An absterbenden Fischen kann durch die Kontraktilität der Zell-substanz, welche die Elemente des Pigmentes umschließt, eine mehr oder weniger lebhafte Veränderung der Hautfarbe hervorgerufen werden, wozu ich [3]) vor Kurzem aus eigner Erfahrung einen kleinen

---

1) Ueber Vorkommen des harnsäurehaltigen Pigmentes in verschiedenen Tierklassen: Leydig, Pigmente der Hautdecke und der Iris. Verh. d. phys.-mediz. Ges. zu Würzburg, 1888.

2) B. Haller, Ueber das blaue Hochzeitskleid des Grasfrosches. Zool. Anzeiger, 1885; Ergänzung hierzu, Zool. Anz., 1886. — Nur im Vorbeigehen mag bemerkt sein, dass Wiedersheim in dem Lehrbuch der vergleichenden Anatomie der Wirbeltiere, mit Außerachtlassen meiner Ermittelungen über das Zustandekommen des blauen Reifes, Haller als Gewährsmann anführt, ob-schon meine Untersuchungen acht Jahre vorher erschienen und, wie ich dafür halte, auch richtiger sind.

3) Blaufarbiger Wasserfrosch; Leuchtflecken der Ellritze, Zool. Garten, 1892.

Beitrag lieferte. Seitdem habe ich aber außerdem wahrgenommen, dass noch lange nach dem Tode des Tieres wenigstens die das dunkelkörnige Pigment bergenden Chromatophoren in hohem Grade reizbar bleiben. Und es ist wieder die Ellritze, *Phoxinus laevis*, an der die Erscheinung sich kund gab.

Fische der genannten Art, welche bereits stundenlang tot im Wasser eines Tellers vor mir lagen, hellten die dunkle Farbe ihres Rückens auf einmal auf, als ich mit der Lupe darüber gebeugt, die Tiere betrachtete. Man muss annehmen, dass der warme Hauch aus dem Munde des Beobachters hinreichte, um die Zellsubstanz zur Kontraktion zu bringen, woraus zugleich hervorging, dass, während das zentrale oder eigentliche Nervenleben des Tieres bereits erloschen ist, das Plasma in den Chromatophoren der Peripherie des Körpers noch fortlebt, daher auch die Fähigkeit sich zusammenzuziehen auf längere Zeit behält.

Die gleiche Erscheinung ruft auch der Druck hervor. Fischchen, welche nach dem Tode im trockenen Teller auf der Seite liegen, hellen sich an der unteren, die Tellerfläche berührenden Haut derartig auf, dass sie an diesen Stellen weiß werden.

Uebrigens ist das so eben bezüglich der Ellritze Gemeldete nur eine Bestätigung dessen, was Siebold bei Salmoniden vor Jahren schon bekannt gemacht hat[1]). „Bei den bezahnten Salmoneern, bei denen sich die schwarze Färbung besonders veränderlich zeigt, dauert die Reizbarkeit der schwarzen Chromatophoren auch nach dem Tode noch sehr lange fort. Sehr dunkel gefärbte, frisch getötete Forellen, welche ich in einem groben Fischnetze längere Zeit getragen habe, hatten allmählich einen vollständigen weißen Abdruck dieses Netzes auf ihrer Haut derjenigen Seite des Körpers erhalten, welche von den Maschen und Knoten des Netzes gedrückt worden war, indem sich hier durch den ausgeübten Druck die schwarzen Chromatophoren auf ein Minimum zusammengezogen hatten. Abgeschlachtete und in Körbe verpackte sehr dunkelfarbige Fische bekommen nach einiger Zeit immer ein sehr buntscheckiges Ansehen, weil auch hier alle gedrückten Hautstellen sich durch das scheinbare Verschwinden der schwarzen Chromatophoren weißlich färben".

Aus den mannigfachen Erscheinungen, welche ich bezüglich des Farbenwechsels an einheimischen Amphibien und Reptilien vor die Augen bekam[2]), ergibt sich mit Notwendigkeit der Schluss, dass die Chromatophoren durch die Thätigkeit des Nervensystems zu ihrer Thätigkeit aufgerufen werden. „Alles spricht deutlich aus, dass es bei Amphibien und Reptilien außer den Verschiedenheiten der Färbung nach Alter, Geschlecht und Jahreszeit, sowie außer dem lebhafteren

---

1) v. Siebold, Die Süßwasserfische von Mitteleuropa, 1863, S. 17.
2) Allgemeine Bedeckungen der Amphibien, Sonderabdruck, S. 61, mit Hinweisen auf früheres.

Hervortreten der Farbentöne nach dem Abwerfen der Epidermis, noch einen Farbenwechsel gibt, welcher unter dem Einfluss des Nervensystems steht: insofern Aufregung, Angst, Schreck, höhere oder niedere Temperatur, stärkerer oder geringerer Lichtreiz die Stimmung desselben umändert und auf die beweglichen Farbzellen oder Chromatophoren wirkt". Und dieser zusammenfassenden Aeußerung schloss ich noch die weitere beweisende Erfahrung an, dass ich am Laubfrosch nach Zerstörung des Rückenmarkes das schöne Grün erst ins Dunkelgrüne, dann ins Spangrüne, zuletzt ins Fahlgelbe übergehen sah.

Vergleicht man nun jetzt hierzu dasjenige, was vorhin über ganz örtliche Farbenveränderungen an Fischen erwähnt wurde, so drängt sich beinahe die Betrachtung auf, dass auch eine unmittelbare Einwirkung auf das Plasma der Chromatophoren durch Wärme und Druck erfolgen könne. Selbst meine an ganz jungen Tieren von *Rana esculenta* gemachten Wahrnehmungen über fast plötzliche Kontraktion der Farbtupfen, gerade soweit als sie vom grellen, durch den Fensterspalt einfallenden Lichtstrahl getroffen wurden[1]), könnten wohl auch diesem Gesichtspunkt untergeordnet werden[2]).

Kalkablagerung in der Lederhaut.

Bereits im Jahre 1868 habe ich[3]) angezeigt, dass in der Lederhaut von *Bufo cinereus* Kalkkonkremente sich finden, und gab darüber nähere Aufschlüsse. Später wurde ich gewahr, dass bereits aus den 20ger Jahren des Jahrhunderts Angaben von Heusinger und Davy vorliegen, welche auf dieses Vorkommen von Kalk hindeuten[4]).

Mit gedachter Eigentümlichkeit der Lederhaut mich weiter beschäftigend, untersuchte ich alle einheimischen Krötenarten und eine Anzahl außereuropäischer, wie sie mir gerade in einer Sammlung zu Gebote standen. Es blieb bezüglich des Vorkommens dabei, dass von einheimischen Arten nur *Bufo vulgaris* die Kalkkonkremente besitze und von fremden Arten fand ich sie nur bei *Bufo japonicus*, was mir zu Gunsten der Ansicht zu sprechen schien, dass diese japanische Kröte bloß als Varietät unsres *Bufo vulgaris* anzusehen sei.

Meine Mitteilungen beziehen sich ferner auf Form und Lage der Kalkkörper, sowie auf die Gegend ihres Vorkommens; auch auf die

---

1) a. a. O S. 64.

2) Aus dem mir nicht zu Gesicht kommenden Centralblatt für Physiologie, Bd. 5, 1891, finde ich zitiert: Steinach, Ueber Farbenwechsel bei niederen Wirbeltieren, bedingt durch direkte Wirkung des Lichtes auf die Pigmentzelle. Dem Titel nach zu urteilen, ist der Verfasser zu Ergebnissen gelangt, welche mit obiger Auffassung zusammentreffen.

3) Organe eines sechsten Sinnes. Zugleich ein Beitrag zur Kenntnis des feineren Baues der Haut bei Amphibien und Reptilien, S. 37.

4) Die in Deutschland lebenden Arten der Saurier, 1872, S. 16, Anmkg. 4.

Zeit, in welcher die Kalkkörper aufzutreten beginnen[1]). Ich habe die Kalkkonkremente in dem Falle, dass sie so groß sind, um schon fürs freie Auge erkennbar zu werden, auch „Kalkdrusen" genannt, weil sie sich „dem Maulbeerförmigen nähernd" von „drusiger Beschaffenheit" sind.

In einer Inauguralabhandlung, welche jüngst an der Dorpater Universität unter der Leitung des Prof. v. Kennel erschienen ist[2]), ersieht man nicht ohne einiges Befremden, dass Lehrer und Schüler von dem in der Mineralogie doch gang und gäben Ausdruck „Druse, Kalkdruse" nichts wissen, so dass sie dazu kommen, mir die Verkehrtheit unterzuschieben, dass ich die Kalkkörper für „Kalkdrüsen" gehalten habe und mich deshalb berichtigen zu können meinen. Hätten die Kritiker nur einen Blick in meine ihnen freilich unbekannte erste Mitteilung[3]) geworfen, so hätten sie sehen können, dass ich schon damals die Kalkablagerungen von *Bufo vulgaris* für Anfänge einer Organisation betrachtete, welche bei andern Arten (*Ceratophrys*) Hautknochen daraus entstehen lässt. Daneben verglich ich auch die Kalkkonkremente der Kröte den Anhäufungen von Kalkkugeln im Schilde von *Arion*. Endlich habe ich später[4]) nicht nur ausdrücklich hervorgehoben, dass die Ablagerung des Kalkes „in die Grundsubstanz des Bindegewebes" erfolge, sondern im „Rückblick" der unten zitierten Abhandlung gebe ich meine Meinung dahin ab, dass die Erhärtung der Haut durch Kalkkonkremente bei Kröten an die Verkalkung der Haut niederer Tiere erinnere; noch näher läge es die Kalkkonkremente an der Unterfläche der Schuppen der Knochenfische und der Hautstacheln der Selachier zum Vergleiche heranzuziehen. Man dürfe in dieser Ablagerung von Kalkkörpern das Vorspiel der wahren Verknöcherung der Haut erblicken, wozu unter den einheimischen Batrachiern *Pelobates fuscus* ein Beispiel liefere.

In der bezeichneten Dissertation wird auch gesagt, dass unter den einheimischen Kröten außer dem *Bufo vulgaris* noch *Bufo calamita* die Kalkkonkremente der Haut besitze. Da mir in den Exemplaren hiesigen Landes dies bisher nie zu Gesicht gekommen ist, so wäre die Beobachtung, wenn sie sich bestätigen sollte, von Interesse, weil auf abändernde Einflüsse der Oertlichkeit hinweisend; einstweilen kann ich aber die Vermutung nicht ganz unterdrücken, dass eine Verwechslung der Art stattgefunden haben möge.

---

1) Allgemeine Bedeckungen der Amphibien. Arch. f. mikr. Anat., 1876, Sonderabdruck, S. 73. Abbildungen hierzu gab ich das Jahr darauf: senkrechter Schnitt durch die Haut des Rückens von *Bufo vulgaris* in: Anure Batrachier der deutschen Fauna, 1877, Tab. VII, Fig. 66e; Flächenschnitte: Taf. VI, Fig. 61c, Taf. VII, Fig. 67b.

2) S e e c k, Ueber Hautdrüsen einiger Amphibien, 1891.

3) Nov. act. acad. Leop.-Carol., 1868, p. 38.

4) Allgemeine Bedeckungen der Amphibien, Sonderabdruck, S. 120.

Hautdrüsen.

Auf die Hautdrüsen immer wieder zurückzukehren ergab sich für mich mehr als eine Veranlassung und ich erlaube mir meine auch diesen Organen gewidmeten Arbeiten unten [1]) zusammenzustellen, da, wie ich sehe nur einige derselben das Glück haben, in den zoologischen und histologischen Laboratorien bekannt zu sein. Vielleicht ist dies mit ein Grund, warum ich genötigt bin, nach verschiedenen Seiten hin Berichtigungen eintreten zu lassen.

Die Drüsen können, was die F o r m betrifft, die Gestalt eines kugligen, länglichen oder eirunden Säckchens haben, auch wohl von linsenförmiger Gestalt sein, wie ich solches bei *Alytes* sah; dann gibt es auch Hautdrüsen von Schlauchform, z. B. in den Haftballen von *Hyla*, im Endglied der Zehen von *Salamandra*. Für Schlauchdrüsen im Großen lassen sich auch die Drüsen des Daumenwulstes an-sprechen. Jene Drüsen von langhalsiger Retortenform, wie ich sie aus der Zehenspitze von *Bufo variabilis* abgebildet, nähern sich eben-falls der Schlauchform.

Die M ü n d u n g s s t e l l e der Drüsen auf der Fläche der Leder-haut scheint weiterer Untersuchung wert zu sein. Bei *Salamandra maculosa* stellt sich die Oeffnung nicht als schlichtes Loch in der Ebene der Lederhaut dar, sondern zunächst in Form einer rundlichen Einsenkung, aus der sich wieder eine kraterförmige, kreisrund ge-öffnete Papille erhebt. Mulde und Papille sind noch in der untern Hälfte pigmentiert, der mittlere Teil und die Spitze haben kein Pigment mehr [2]). Sollte nicht das Verhalten, welches ich [3]) ferner vom *Bufo cinereus* zeichnete, allwo ein Raum über der Drüse in der Epidermis entstand, nachdem das Tier in kochendem Wasser getötet worden war, auf etwas Aehnlichem beruhen? Ja man möchte fragen, ob der trichterförmig nach unten sich erweiternde Gang durch die Epidermis, wie ich von *Coecilia* abgebildet babe [4]), nicht minder einen gewissen Zusammenhang mit dem Angegebenen hat.

---

1) Anatomisch - histologische Untersuchungen über Fische und Reptilien, 1853. — Histologie des Menschen und der Tiere, 1857, S. 84. — Molche der Württembergischen Fauna, 1867, Taf. VII, Fig. 26 u. 27. — Organe eines sechsten Sinnes, 1868, Taf. I. — Allgemeine Bedeckungen der Amphibien, Arch. f. mikr. Anat., 1876. — Hautdecke und Hautsinnesorgane der Urodelen, Morph. Jahrb., Bd. II, Taf. XVIII, XX u. XXI. — Bau der Zehen bei Batrachiern und die Be-deutung des Fersenhöckers, Morph. Jahrb., Bd. II, Taf. VIII, X u. XI. — Rippen-stacheln des *Pleurodeles Waltli*, Arch. f. Naturgesch., 1879, Taf. XIV u. XV. — Anure Batrachier der deutschen Fauna, 1877, Taf. VI, VII u. VIII.

2) Hautdecke der Urodelen, S. 296, Taf. XVIII, Fig. 5.

3) Nov. act. acad. Leop.-Carol., 1868, Taf. I, Fig. 3 (Hautschnitt der Kehle). — Auch andere sprechen von einer „ampullenförmigen Erweiterung des Ausfüh-rungsganges innerhalb der Epidermis".

4) Ueber die Schleichenlurche (*Coeciliae*). Zeitschr. f. wiss. Zool., Bd. XVIII, Taf. XIX, Fig. 9.

Anbelangend den Bau des Drüsenkörpers, so ist von mir an mehr als einem Orte erwähnt worden, dass die bindegewebige Haut der Drüse von der oberen lockeren Pigmentschicht der Lederhaut stamme, und es verhalte sich die Tunica propria ähnlich, wie die gleiche Haut etwa der Nierenkanälchen: sie sei, was besonders an Querschnitten deutlich sichtbar werde, die Grenzschicht des weichen Bindegewebes. Der Stock der Lederhaut sei an der „Ohrdrüse“ (*Bufo vulgaris*), allwo die Drüsensäcke äußerst dicht stünden, „zu einem bloßen Fachwerk zurückgebildet“. Neuere Autoren sagen dasselbe aus, stehen aber in dem Glauben, dass sie diese Thatsachen zuerst ans Licht gesetzt hätten.

Zu den Muskeln der Drüsenwand mich wendend, so finden meine Angaben über Lage und Form der Muskelzellen Zustimmung in den Arbeiten von P. Schultz [1]) und Seeck [2]), doch meldet keiner etwas von der Sonderung der Zellsubstanz, welche ich bei *Salamandra* angezeigt [3]). Es zerlegt sich nach meiner Wahrnehmung dort die Substanz der langgezogenen Spindelzellen in „homogene Rinde und körnige Axe“. Die gleiche Sonderung stelle ich auch von *Pleurodeles* dar [4]). Bei früherer Untersuchung der Daumendrüse von *Bufo calamita* bemerkte ich ferner eine querstreifige Sonderung der zelligen Elemente der Drüsenwand und schrieb sie den Sekretionszellen zu. Später [5]) stiegen mir Zweifel auf, „ob nicht die auf die Drüsenzellen bezogene querstreifige Sonderung vielmehr den kontraktilen Faserzellen angehören möge“.

Außer den Faserzellen, welche wie Meridiane am Globus verlaufen, soll nach P. Schultz noch im Drüsenhals eine zweite Lage von kontraktilen Fasern vorkommen, die ringförmig verliefen und einen Sphinkter darstellten. Wenn der genannte Autor Recht hätte, so müsste ich diesen Muskelzug völlig übersehen haben, was aber doch von vorne herein, wie ich glaube, dem unwahrscheinlich dünken wird, welcher meine Abbildungen über die Hautdrüsen der Urodelen ins Auge fassen mag [6]).

Und ich nehme, indem ich Zeichnung und Beschreibung bei P. Schultz aufmerksam vergleiche, keinen Anstand mich dahin auszusprechen, dass hier derselbe Fehler begangen worden ist, dessen seiner Zeit Wiedersheim in der gleichen Sache sich schuldig gemacht hat [7]). Letzterer bildet nämlich die Hautdrüse von *Plethodon*

---

1) Paul Schultz, Ueber die Giftdrüsen der Kröten und Salamander. Arch. f. mikr. Anat., Bd. XXXIV.

2) O. Seeck, Ueber die Hautdrüsen einiger Amphibien, 1891.

3) Hautdecke der Urodelen, S. 296, Taf. XVIII, Fig. 7.

4) Archiv f. Naturgesch., 1879, Taf. XV, Fig. 6.

5) Anure Batrachier, S. 124.

6) Morph. Jahrb., Bd. II, Fig. 5, 6 u. 7.

7) Wiedersheim, Die Kopfdrüsen der geschwänzten Amphibien und die

glutinosus ab und spricht von „dicht ineinander gefilzten glatten
Muskelfasern", welche den „Drüsenkorb" bilden. Besieht man nun
aber die Zeichnung, so besteht nicht der mindeste Zweifel, dass der
Autor die eigentlichen Muskeln gar nicht kannte, sondern die horizontal laufenden, dabei leicht bogig gekrümmten, bindegewebigen
Züge des Coriums für Muskeln genommen hat. Als er dann später[1])
einen Durchschnitt der Haut des S a l a m a n d e r s gab, hat er meine
Darstellung der Muskellage[2]) aus der Hautdrüse des Salamanders
stillschweigend benutzt, obschon sie doch in grellem Widerspruch zu
seiner Zeichnung von *Plethodon* steht!

Noch sei darauf hingedeutet, dass in dem Teil der bindegewebigen
Wand, welche P. S c h u l t z für Muskeln erklärt, dieselben hellen Lücken
eingetragen sind, wie sie in den horizontalen Lagen des Coriums sich
abheben und dort „Kerne" sein sollen[3]).

Für die Auffassung der Hautdrüsen im Ganzen ist von besonderer
Wichtigkeit die Beschaffenheit ihrer zelligen Auskleidung.

Längst schon habe ich aufmerksam gemacht, dass in der „Parotis"
gewisser Arten ein Epithel im gewöhnlichen Sinne nicht zugegen sei;
die Zellsubstanz sei zusammengeflossen zu einer Punktmasse, in der
die Kerne lägen. Für diese Erscheinung hat man gegenwärtig den
Ausdruck „Syncytium" in Anwendung gebracht.

In den meisten Drüsen aber ist ein echtes Epithel zugegen und
die Neueren pflegen seit den Untersuchungen von E n g e l m a n n[4]) die
Hautdrüsen der Batrachier in zwei Gruppen zu scheiden, in solche
von h e l l e m und in solche von d u n k l e m Aussehen. Die ersteren
nennen sie Schleimdrüsen, die zweiten Körnerdrüsen und Giftdrüsen.
Warum ich nun selber, da ich ja die Arten und Formen des Epithels
im Einzelnen behandelt habe und dabei ebenfalls ausdrücklich darauf
hinweise, dass die Zellen bald von heller Beschaffenheit seien, bald
durch Körnchen trüb geworden, dieser Einteilung doch nicht folgte,
geschah aus einem nahe liegenden Grunde, den aber die Andern gar
nicht bemerkt zu haben scheinen.

Es war mir nämlich nicht gelungen, die Ueberzeugung zu gewinnen, dass die kleineren kugligen Drüsen in dem einen Fall immer
dunkel und in dem andern immer hell seien, sondern es wollte mir
scheinen, dass in e i n e r und d e r s e l b e n Drüse der helle und der
dunkle Zustand vorkomme und also ein wechselnder sei. Selbst in
den großen Säcken der Daumendrüse sah ich, dass die langen Zylinder-

---

Glandula intermaxillaris der Anuren. Zeitschr. f. wiss. Zool., Bd. XXVII, 1876,
Taf. II, Fig. 8.

1) W i e d e r s h e i m, Vergleichende Anatomie der Wirbeltiere, 1886, Fig. 18.
2) Molche der Württembergischen Fauna, Tab. VI, Fig. 26.
3) a. a. O. Fig. 6.
4) E n g e l m a n n, Die Hautdrüsen des Frosches, 1872.

zellen des Endbeutels, welche ich bei *Bufo calamita* „körnig gefüllt, daher dunkel" antraf, bei *Bufo viridis*, an dem hierauf untersuchten Exemplar, von mehr hellem Aussehen waren. Dazu kam, dass ich längst den gleichen Wechsel an einer andern Drüsenart, an den Magendrüsen nämlich, wahrgenommen hatte [1]). Auch diese Organe der Batrachier trifft man in verschiedenem Zustande, bald hell, bald dunkelkörnig, und so war es für mich wahrscheinlich geworden, dass auch die Drüsen der Haut nach Umständen vom Hellen ins Trübkörnige und umgekehrt sich verändern können.

Und es scheint auch einen Batrachier zu geben, bei dem der Zustand gar nicht eintritt, dass „Körnerdrüsen" entstehen, sondern alle Hautdrüsen hell bleiben. Es ist der Grottenolm. Dies lässt sich den Mitteilungen von Bugnion [2]) entnehmen, welcher ausdrücklich sagt: „A l'opposé de l'axolotl, des salamandres et des batraciens, le protée n'a qu'une seule espèce des glandes peaucières; ce sont des glandes à mucus qui correspondent aux petits glandes à contenu transparent des autres amphibies". In Uebereinstimmung damit bot der Saft der Drüsen nichts von giftigen Eigenschaften dar: die Zunge oder das Auge mit dem Hautsekret befeuchtet, empfand nichts Aetzendes.

In der oben erwähnten Dorpater Dissertation wird der Satz aufgestellt, dass in den „Schleimdrüsen" der Inhalt ein „Zellensekret" sei und die Epithelzellen Becherzellen wären; in den „Körnerdrüsen" hingegen sei der Inhalt „metamorphosiertes Protoplasma". Die Richtigkeit einer derartigen Unterscheidung will mir zufolge des von mir Gesehenen nicht einleuchten. Das Verhältnis, in welchem Zellplasma und Sekret zu einander stehen, zeigt sich mir vielmehr in sämtlichen Drüsen in der Weise, dass man das Sekret allzeit für eine umgewandelte Partie des Protoplasmas anzusprechen sich berufen fühlen darf. Das vordere in den Raum des Drüsensackes reichende Ende der Zellen wandelt sich in das Sekret um und die Zellen, in diesem Vorgang begriffen, erscheinen in ihrem oberen Abschnitt derart ohne Grenze, dass ihr Körper mit der Substanz, welche den Innenraum des Sackes erfüllt, zusammenfließt. Das habe ich schon in meinen frühsten Abbildungen festgehalten [3]), und deutlich erscheint das Gleiche in der Zeichnung der Hautdrüse von *Salamandra maculosa*, welche Nussbaum seiner Abhandlung beigegeben hat [4]).

In den riesigen Zellen der großen Drüsen, wie ich sie von *Sala-*

---

1) Histologie, 1857, S. 317. — Moritz Nussbaum hat später die hiebei sich abspielenden Vorgänge im Einzelnen verfolgt. (Bau und Thätigkeit der Drüsen, Arch. f. mikr. Anat., Bd. XXI.)

2) Bugnion, Rech. sur les organes sensitifs, qui se trouvent dans l'epiderme du Protée et de l'Axolotl. Bull. d. l. soc. vaudoise d. sc. nat., 1873.

3) Nov. act. acad. Leop.-Carol., 1868, Taf. I, Fig. 3 („Hautschnitt der Kehle von *Bufo cinereus*").

4) Moritz Nussbaum a. a. O. Fig. 31.

mandra[1]), *Triton*[2]) und *Pleurodeles*[3]) veranschaulicht habe, stellt sich
die eine Hälfte des Zellenkörpers hell und homogen dar, die andré
körnig. Bei *Pleurodeles,* wo die Zellen das Aussehen von stattlichen,
schollenähnlichen Gebilden hatten, zeigten sie eine breite homogene
Rinde, während die einwärts gerichtete Partie von dichtkörniger
Natur war.

Eine weitere Umwandlung kann der oberste, in der Drüsenmündung
steckende Teil des Sekretes insofern noch erfahren, dass er durch
Verdichtung und Härtung zu einer Art Pfropf wird, auf den bereits
oben gelegentlich der „Stiftchenzellen" hingedeutet wurde, da er mir
mit dem stiftchenartigen Gebilde dieser Zellen Verwandtschaftliches
zu haben scheint. Erwähnt mag auch sein, dass ich aus den Hautdrüsen von *Limax* ebenfalls etwas Aehnliches angezeigt habe[4]).

Noch habe ich seiner Zeit auf die mir bedeutsam dünkende
Thatsache hingewiesen, dass im Sekret der Hautdrüsen mehrer Batrachier sich geformte Körper vorfinden, die den neueren Autoren,
wie es scheint, gar nicht vor die Augen gekommen sind, es müsste
dann das, was Kennel-Seeck über „Kerne" im Drüsensekret berichten, hieher einbezogen werden dürfen. Eine kurze Hindeutung
mag daher am Platze sein.

Bei *Salamandra maculosa* sah ich im frischen milchigen Sekret
nur „fadigkörniges Gerinnsel". An *Bufo variabilis* und *B. calamita*
ließen sich in der weißlichen, zähen, hautartig zusammenhängenden
Schicht, welche nach dem Eintauchen des Tieres in Weingeist die
Körperfläche bedeckte „außer feinen Körnchen und durch die Gerinnung entstandenen Streifen, noch zahlreiche feine Stäbchen erkennen".
Die Prüfung des weißlichen Sekretes, wie es zwischen den Warzen
der Haut beim geängsteten Tier von *Bombinator* hervorgetrieben wird,
ergab, dass hier, abgesehen von einer homogenen Substanz, noch dicht
beisammenliegende eigentümliche Körperchen zugegen sind: von Gestalt eirund, brechen sie das Licht stark, sind anfangs ganz homogen,
lassen aber bald eine Art Querstreifung oder Querschichtung sehen,
können auch noch von einer besonderen Substanz hüllenartig umgeben
sein[5]). Auch in frischem, aus der Ohrdrüse stammenden Sekret von
Bufo vulgaris begegnen wir wieder den besonderen Körpern, welche
hier das Licht brechen etwa wie Kalk oder Fett. Bemerkenswerte
Veränderungen stellen sich nach Einwirkung von Reagentien ein,
wozu man die Zeichnungen vergleichen wolle[6]).

---

1) Molche der Württembergischen Fauna, 1867, Tab. VI, Fig. 26 u. 27.
2) Hautdecke der Urodelen. Morph. Jahrb., Bd. II, Taf. XX, Fig. 14.
3) Archiv f. Naturgeschichte, 1879, Fig. 8.
4) Hautdecke und Schale der Gastropoden, 1876.
5) Abgebildet in: Anure Batrachier der deutschen Fauna, Tab. VIII, Fig. 74.
6) Anure Batrachier, Taf. VII, Fig. 67 u. 68.

Gedachte Körper im Hautsekret der Batrachier gewinnen an
Interesse, wenn man damit die Gebilde zusammenhält, welche sich
im Hautschleim einheimischer Nacktschnecken finden, so dass
ich seiner Zeit schon zur Ansicht kam, dass dieses Hautsekret morphologischerseits der milchfarbigen Feuchtigkeit aus der Haut der Batrachier in mehr als einem Punkte nahe stehe [1]). Nicht nur zeigen
sich in den Drüsen eigenartige Gebilde in Form länglich runder,
schleifsteinähnlicher Körper, sondern ein andermal trifft man auf eine
Zerlegung in zylindrische Züge, die einem zu einem Knäuel zusammen-
geschobenen Byssusfaden ähnlich werden. Im frisch hervorgetretenen
Hautschleim können ebenso, neben Kalkmolekülen und Pigmentkörnern,
auch die spindel- oder schleifsteinähnlichen Körper, sowie die Byssus-
fäden sich wieder finden.

Ferner habe ich aufmerksam gemacht, dass auch zum Nesselsaft
der Zoophyten Verwandtschaftliches erblickt werden kann, insofern
ich bei gewissen Arten von *Helix* eine Sonderung der Substanz der
Hautdrüsen beschreiben konnte, welche an Nesselfäden erinnern dürfte [2]).

In der Frage, welcher Art von Drüsen im Integument der Säugetiere man die Hautdrüsen der Batrachier vergleichen solle, habe ich
meine Ansicht dahin zusammengefasst, dass sie den Schweiss-
drüsen angereiht werden mögen [3]), indem ich mir noch dachte,
dass einzelne Gruppen dieser Hautdrüsen in ähnlicher Weise umge-
bildet seien, wie bei Säugetieren oftmals die Schweißdrüsen zu anscheinend Drüsen von eigener Art geworden sind [4]).

Wenn man in neuerer Zeit die „Körnerdrüsen" den Talgdrüsen
der Säugetiere entsprechen lässt, so kann ich dies aus dem Grunde
nicht für richtig halten, weil die Talgdrüsen in nächster Beziehung
zu den Haarfollikeln stehen, Haare und Haarfollikel aber, deren
Vorhandensein ein die Klasse der Säugetiere in hohem Grade aus-
zeichnender Charakter ist, den Amphibien völlig abgehen. Und dann
wirkt auch schon auf mich bestimmend dasjenige, was oben über den
wechselnden Zustand einer aus derselben Drüse dargelegt wurde.
Wenn wirklich ein und dieselbe Drüse vom Hellen ins Dunkle sich
umsetzen kann, so müssen „Talgdrüsen" und „Schweißdrüsen" in
Eins zusammenfallen.

Mit den morphologischen Unterschieden in der Beschaffenheit der
Sekretionszellen gehen Hand in Hand die Verschiedenheiten der

---

1) Hautdecke und Schale der Gastropoden. Arch. f. Naturgesch., 1876.
2) a. a. O.; vergl. auch meine Befunde an *Ancylus lacustris* in: Zelle und
Gewebe, S. 91, Anm. 2.
3) Allgemeine Bedeckungen der Amphibien, Sonderabdruck, S. 120.
4) Histologie S. 88 und: Aeußere Bedeckungen der Säugetiere. Arch. f.
Anat. u. Phys., 1859.

physiologischen Leistung. Aus meinen Beobachtungen ergab
sich, dass in dem einen Fall, wenn das Sekret z. B. beim Laubfrosch
die ganze Haut beständig etwas einölt oder wie mit einem leichten
Firniss überzieht, auf solche Weise dem während des Sommers außer
Wasser, frei in der Luft, sich aufhaltenden Tier eine gegen allzugroße
Verdunstung schützende Hülle erwächst. Sodann springt in die Augen
der Nutzen, welchen die Klebrigkeit des Sekretes dem Tier leistet
beim Sichanheften an glatten Flächen und beim Klettern. Der Laubfrosch sitzt z. B. am Glase bloß mit dem Bauche angeheftet, während
die Zehen von der Glasfläche abgewendet sind; ganz junge Tiere von
Bufo calamita bedienen sich der hinteren Bauch- und Weichengegend,
um sich mittelst derselben an glatten Flächen festzuhalten. Endlich
kann auch das Drüsensekret durch seine scharfe, ätzende, betäubende
Eigenschaft ein Verteidigungsmittel werden und ich hatte aus persön-
licher Erfahrung Manches zur Bestätigung dieser Ansicht beizutragen[1]).

Und wie ich vorhin morphologischerseits das Hautsekret der
Weichtiere mit jenem der Batrachier in Vergleich brachte, so
könnte dies auch vom physiologischen Gesichtspunkt aus geschehen;
namentlich ist es eine Haupteigenschaft des Hautschleimes der Nacktschnecken, dass derselbe sehr klebrig, ja bei manchen Arten geradezu
von firnissartiger Zähigkeit ist. Und bezüglich der Zoophyten
reden die von Spallanzani über die Wirkung des Nesselsaftes
mitgeteilten Beobachtungen[2]) einer gleichen Auffassung das Wort,
selbst bezüglich der Phosphorescenz. Den dicklichen klebrigen Nesselsaft gewisser Medusen sieht man leuchten und ich habe auf eine
bis dahin ganz vergessene Abhandlung von Boie hingewiesen[3]), aus
der hervorgeht, dass bei manchen Arten exotischer Batrachier dem
Hautsekret ebenfalls die phosphoreszierende Eigenschaft zukommt.

Das Hervortreten des Sekretes ans den Drüsen auf die Oberfläche der Haut scheint durch verschiedene kontraktile Elemente zu
erfolgen, die vielleicht einzeln oder nach Bedarf alle auf einmal zusammenwirken.

Zunächst darf man vermuten, dass das Plasma der Sekretionszellen an sich bewegungsfähig sei. Obschon ich nun einstweilen
für den gegenwärtigen Fall keine eigenen Erfahrungen anführen kann,
sei doch an meine und die Beobachtungen Andrer über Kontraktilität
von Epithelzellen bei Wirbeltieren erinnert[4]). In gewissen Drüsen
von Wirbellosen, z. B. in Speicheldrüsen und Malpighischen Gefäßen
der Insekten, sah ich aber Vorgänge, welche für die Annahme ent-

---

1) Allgemeine Bedeckungen der Amphibien, Sonderabdruck, S. 100.
2) Siehe meine Arbeit: Hautdecke und Schale der Gastropoden, Sonderabdruck, S. 27 Anm.
3) Allgemeine Bedeckungen der Amphibien, Sonderabdruck, S. 99.
4) Zelle und Gewebe, 1885, S. 39.

schieden sprechen, dass die Drüsenzellen kontraktil sein können [1]).
Sollte sich nachweisen lassen, dass in der That die Sekretionszellen
in den Hautdrüsen der Batrachier die gleiche Fähigkeit besitzen, so
würde daraus verständlicher werden, wie das Sekret stetig in zu-
sagender Menge die Haut einölen oder mit dünnem Firniss überziehen
könnte.

Es treten aber zweitens Umstände ein, wo das Sekret als milchiger
Saft reichlich auf die Hautfläche hervorquillt. Diese Erscheinung
möchte ich auch jetzt noch von glatten Muskeln abhängen lassen,
und zwar einerseits von jenen, welche einen Teil der Drüsenwand
bilden, und andrerseits solchen, welche im Corium sich verbreiten.

Kennel-Seeck wollen zwar die „Kontraktionsfähigkeit" der
Zellen, welche man seit Hensche als Muskelelemente in der Drüsenwand anspricht, nicht leugnen, wohl aber bringen sie in Abrede, dass
dieselben „eine besondere Funktion bei der Ausstoßung des Drüsen-
sekretes" ausüben sollten. Sie seien nicht Muskelzellen, sondern „Ersatzzellen" des Sekretionsepithels der Drüsen, welches sich in seiner
Thätigkeit nach und nach erschöpfen müsse. Ebensowenig seien die
in den Schweißdrüsen bei Säugetieren vorkommenden „Spindelzellen"
für muskulöse Elemente zu halten.

Schwerlich werden die beiden Autoren fortfahren, die bisherige
Auffassung als unrichtig zu verwerfen, wenn sie selber mit den
Schweißdrüsen der Säugetiere sich werden vertraut gemacht haben.
Vielleicht hätte sie schon etwas zurückhaltender gestimmt, wenn sie
auch nur die von mir gegebenen Abbildungen der Schweißdrüsen von
Vespertilio murinus [2]) sich hätten ansehen mögen. Sind doch die
„bandartig glatten Elemente, welche schräg um den Follikel herum-
ziehen", himmelweit verschieden von dem zu innerst folgenden „schön
polygonalen Epithel". Und um zu den Amphibien zurückzukehren,
wie weichen doch auch an *Salamandra maculosa* die Muskelzellen und
die Drüsenzellen von einander ab [3]). Auch besteht keineswegs, wie
irrig gesagt wird, die Muskelschicht der Drüse „aus spärlichen Zellen",
vielmehr stellt sie, was ich längst vorbrachte, eine zusammenhängende
Muskelhaut dar. Und spricht nicht unter Anderm auch meine von
P. Schultz bestätigte Beobachtung [4]), wonach den Drüsen durch
einen bestimmten Grad der Zusammenziehung der gedachten Schicht

---

1) Untersuchungen zur Anatomie und Histologie der Tiere, 1883, S. 151.
2) Aeußere Bedeckungen der Säugetiere. Arch. f. Anat. u. Phys., 1859,
Taf. XX, Fig. 9.
3) Hautdecke und Hautdecke der Urodelen. Morph. Jahrb., Bd. II, z. B.
Fig. 6. — . Die Verfasser der Dorpater Dissertation haben diese Arbeit nicht
gekannt. —
4) Allgemeine Bedeckungen der Amphibien, S. 87. Abbildungen gefächerter
Drüsen in: Anure Batrachier der deutschen Fauna, Taf. VI, Fig. 62, Taf. VIII,
Fig. 79, von *Bufo variabilis, B. calamita, Pelobates.*

ein wie gekerbtes Aussehen erwächst, und die sonst einfach gestalteten Säckchen jetzt wie gefächert erscheinen, dafür, dass Muskelelemente und nicht „Ersatzzellen des Epithels" im Spiele sein werden?

Dass weiterhin die im eigentlichen Corium vorhandenen glatten Muskeln, von denen ich die Runzelung („Gänsehaut") des Integumentes bedingt sein lasse, nicht minder auf das Hervorquellen des Sekretes Einfluss haben mögen, darf man deshalb für wahrscheinlich halten, weil diese Muskeln hauptsächlich innerhalb der senkrecht aufsteigenden oder säulenartigen Bündel liegen, so dass durch ihre Verkürzung wohl ein Druck auf die Drüsensäckchen stattfinden kann. Für die Beteiligung solcher Hautmuskeln am Ausstoßen des Sekretes kann auch sprechen, dass nach S c h u b e r g in dem Bindegewebe, welches die Schlauchdrüsen der Zehenballen beim Laubfrosch umgibt, ebenfalls glatte Muskelzellen eingebettet sind, während den Schlauchdrüsen selbst die Muskellage fehlt.

K e n n e l - S e e c k wollen die Ansicht begründen, dass nur die Thätigkeit der unter der Cutis liegenden q u e r g e s t r e i f t e n Stamm-Muskulatur für die Entleerung der Drüsen für maßgebend zu halten sei. Nun habe ich selber vor Jahren als ich zuerst mich über den Bau der Haut zu unterrichten suchte und noch nichts von Muskeln in der Drüsenwand und im Corium wusste, die Auffassung ausgesprochen, dass wohl die energisch erfolgende Entleerung der Drüse durch Kompression von Seiten der darunter gelegenen, quergestreiften Stamm-Muskulatur geschehen müsse[1]). Und später hatte ich hierzu noch zu melden, dass bei *Bufo vulgaris* von der Stamm-Muskulatur Bündel sich ablösen und an die untere Fläche des Coriums, dort wo es die Ohrdrüse umschließt, sich ansetzen: sie seien jenen Hautmuskeln zu vergleichen, welche vorn an der Brust und in der Lendengegend vorkommen[2]).

Den Verfassern der berührten Dissertation kann ich mich, wie aus dem Bisherigen schon zu erwarten ist, nur darin anschließen, dass ich jetzt wie früher für die Fälle, in denen das Sekret aus den Drüsen bei Kröten und dem Salamander kräftig hervorgespritzt wird, der Thätigkeit der quergestreiften Muskulatur eine solche gewaltsame Ausstoßung zuschreibe, die ich übrigens, meiner Erinnerung nach, nur an der „Parotis" von *Bufo* und *Salamandra* erfolgen sah, nicht aber bei Froscharten und den Wassermolchen. Wird hingegen das Sekret unter ruhigem Hervorquellen auf die Hautfläche geliefert, so halte ich dafür, dass dieses durch die glatten Muskeln geschieht, vielleicht auch unter Mitwirkung der Zusammenziehungsfähigkeit der Sekretionszellen selbst.

---

1) Anatomisch-histologische Untersuchungen über Fische und Reptilien, 1853, S. 111.

2) Allgemeine Bedeckungen der Amphibien, Sonderabdruck, S. 87.

Oberfläche der Lederhaut.

Meine Studien über den Bau des Coriums ließen mich als etwas durchgreifendes erkennen, dass die der Epidermis zugewandte Fläche in ein System feinster Leisten sich erhebt, welche dicht nebeneinander herziehen und von Stelle zu Stelle zusammenfließen [1]). Der Schnitt der Lederhaut erscheine dadurch feinzackig oder kurzhaarig. Außerdem hatte ich auch das Vorkommen von größeren Leisten angezeigt, welche eine Art von zierlichem Blattwerk auf der Oberfläche der Lederhaut erzeugen. Diese Reliefverhältnisse wurden in einer Anzahl von Figuren veranschaulicht, welche, wie ich meine, für naturgetreu gelten können [2]). An der Zehenspitze von *Bufo variabilis* z. B. zieht sich die Lederhaut in hohe blattartige Leisten aus [3]) und auf diesen stehen dann die Leistchen zweiter Ordnung, welche in der Profilansicht sich wie Härchen oder Wimpern ausnehmen, und „es bedürfe genaueren Zusehens, um sich zu überzeugen, dass jedes Haar sich über die Fläche weg als Leiste verlängert". Noch andere an angezeigter Stelle befindliche Abbildungen lassen Aehnliches sehen. Mit Rücksicht auf die gleich zu erwähnende gegnerische Bemerkung sei auch hingewiesen auf „einen senkrechten Schnitt durch die Haut des Rückens von *Bufo vulgaris*", dessen Abbildung ich zuletzt gegeben [4]), und allwo die feine Leistenbildung der Lederhaut, im Schnitt und von der Fläche, abermals ausgedrückt erscheint.

In der unter Anleitung des Prof. Fritsch hervorgegangenen Abhandlung von P. Schultz [5]) wird ausgesprochen, dass die Leisten als solche nicht bestünden, sondern sie wären nur „scheinbare Hervorragungen zwischen den Vertiefungen, in welche die Zellenfortsätze der Epidermis sich einfügen".

Ich glaube überhoben zu sein, das Irrige dieser Behauptung auseinandersetzen zu müssen, da ich mir denke, dass die Genannten ein anderes Urteil würden gefällt haben, wenn sie die zwei letzten vorhin erwähnten Arbeiten, insbesondere die Abbildungen hierzu gekannt hätten, was aber, wie ihr Literaturverzeichnis bekundet, nicht der Fall war. Und ich möchte mit dem Wunsche schließen, dass, wem darum zu thun ist in der fraglichen Sache sich durch eigene Anschauung zu unterrichten, sich nicht auf Anfertigung von Schnitten beschränken, sondern daneben Hautstücke nach älterer Untersuchungsmethode vornehmen möge, insbesondere die Oberfläche auch solcher Partien, deren Epidermis zuvor entfernt worden war.

Würzburg, im Mai 1892.

---

1) Allgemeine Bedeckungen der Amphibien, Sonderabdruck, S. 30 u. 121.
2) Bau der Zehen der Batrachier. Morph. Jahrb., Bd. II.
3) a. a. O. Fig. 1.
4) Anure Batrachier der deutschen Fauna, Fig. 66.
5) Paul Schultz, Ueber die Giftdrüsen der Kröten und Salamander. Archiv f. mikrosk. Anatomie, Bd. XXXIV.

Kalorimetrische Untersuchungen an Säugetieren.
Von J. Rosenthal[1]).
Fünfte Mitteilung.

In meiner ersten und zweiten Mitteilung[2]) habe ich auseinandergesetzt, warum bei kurzdauernden kalorimetrischen Untersuchungen
an Säugetieren keine Proportionalität zwischen der gemessenen
Wärmeausgabe und den in den gleichen Zeiten erfolgenden chemischen
Ausscheidungen (CO_2, H_2O u. s. w.) beobachtet werden kann. Ich
habe jedoch an einigen Beispielen gezeigt, dass trotzdem aus der
Vergleichung der Wärmeausgabe und der gleichzeitigen CO_2-Aus-
scheidung wertvolle Aufschlüsse über die Stoffwechselvorgänge im
Tierkörper gewonnen werden können, welche über das hinausgehen,
was uns die Bestimmung der Ausscheidungen allein zu lehren im
Stande ist.

Ich habe seitdem diese Untersuchungen wieder aufgenommen und
namentlich das Verhalten der Wärmeausgabe und der CO_2-Ausschei-
dung im Verlaufe der 24stündigen Fütterungsperiode genauer verfolgt.
Ich habe mich dabei auf die Untersuchung des regelmäßig und ausreichend ernährten Hundes beschränkt, d. i. eines Tieres, welches
seit vielen Wochen bei gleichmäßiger Fütterung, die gerade ausreicht,
es auf seinem Körperzustand zu erhalten, sich mit dieser Nahrung in
vollkommenes physiologisches Gleichgewicht gesetzt hat.

Eine solche Beschränkung ist um so notwendiger, als auch noch
dabei Einflüsse aller Art Schwankungen der Wärmeausgabe wie der
respiratorischen Ausscheidungen herbeiführen, welche ein deutliches
Erkennen ihrer gegenseitigen Beziehungen sehr erschweren. Je längere
Perioden man der Untersuchung unterwirft, desto mehr gleichen sich
viele jener Schwankungen aus, desto leichter gelangt man zu festen
Zahlenverhältnissen. Aber gerade die Schwankungen zu studieren
schien mir von Wert, da es darauf ankam, zu sehen, ob sich auch
in ihnen bestimmte Gesetzmäßigkeiten würden erkennen lassen.

Angesichts der missglückten Versuche von Dulong und von
Despretz, den rechnerischen Nachweis zu führen, dass die Wärmeproduktion der Tiere auf den im Tierleibe vor sich gehenden Oxy-
dationsprozessen beruhe, war es Aufgabe der physiologischen Ge-
wissenhaftigkeit, die Ursachen jenes Misslingens nachzuweisen und
die gelassene Lücke auszufüllen. Dazu waren langdauernde Versuche
notwendig. Sie konnten aber, abgesehen von dem vorauszusehenden
Ergebnis, dass auch bei den chemischen Prozessen im Tierleib das
Gesetz der Erhaltung der Energie gelte, sonst weiter nichts lehren.
Dagegen war es von vornherein nicht vorauszusehen, wie sich innerhalb kürzerer Perioden jene beiden Erscheinungen, die Wärmepro-

---

1) Aus den Sitzungsberichten der k. preuß. Akademie d. Wissenschaften
zu Berlin. Vorgelegt am 31. März 1892.

2) Sitzungsbericht vom 13. Dezember 1888 und 28. März 1889.

duktion einerseits und die Ausscheidung der im Tierkörper entstandenen Oxydationsprodukte andererseits verhalten würden.

Da die Ausscheidung dieser Produkte durchaus nicht ihrer Entstehung im Körper parallel verläuft und auch die einzelnen Produkte sich in Bezug auf den zeitlichen Verlauf ihrer Entstehung und ihrer Ausscheidung durchaus verschieden verhalten, so muss man sich auf eine getrennte Untersuchung jedes einzelnen dieser Produkte beschränken, ehe man daran gehen kann, aus den Ergebnissen dieser Einzeluntersuchungen etwaige Schlüsse auf den Gesamtstoffwechsel und seine Beziehungen zur Wärmeproduktion zu ziehen. Eine eingehende Betrachtung lehrt aber, dass die Untersuchung nur hinsichtlich eines jener Produkte, der Kohlensäure, überhaupt einen Sinn hat. Die beiden anderen, neben der CO_2 wichtigsten Ausscheidungsprodukte, Wasser und Harnstoff, sind in ihrer Ausscheidung und Bildung von so vielen Bedingungen abhängig, dass gar keine Aussicht vorhanden ist, irgend eine Gesetzmäßigkeit zu finden. Anders bei der CO_2. Wir dürfen, wie ich wiederholt hervorgehoben habe, durchaus nicht voraussetzen, dass alle in einem bestimmten Zeitraum produzierte CO_2 auch sofort zur Ausscheidung kommt. Zwar muss im Allgemeinen mit der Produktion auch die Ausscheidung steigen. Doch darf man nicht außer Acht lassen, dass die Spannung der CO_2 nicht einfach proportional ihrer Menge sein kann, da sie u. A. auch von der Alkalescenz des Blutes abhängt, und dass außerdem die Geschwindigkeit der Blutströmung und die Zusammensetzung der Luft in den Alveolen der Lunge von Einfluss auf die Ausscheidung sein müssen.

Ich habe deshalb in einer längeren Versuchsreihe, welche im ganzen etwas mehr als zwei Monate dauerte, Bestimmungen der ausgeschiedenen CO_2 in zahlreichen kürzeren oder längeren Perioden gemacht und mit den gleichzeitigen Wärmeproduktionen verglichen. Die Dauer jeder einzelnen Bestimmung wechselte zwischen 30 Minuten und $3-3^1/_2$ Stunden. Alle Werte wurden auf eine Stunde umgerechnet, ebenso die gleichzeitigen Wärmeproduktionen auf Stunden-Kalorien. Die Division dieses letzteren Wertes (n) durch den ersteren (c) ergibt den sogenannten „Kohlensäurefaktor" $\left(\dfrac{n}{c}\right)$ d. h. die auf je 1 g ausgeschiedener Kohlensäure kommende Wärmemenge [1]).

Gingen CO_2-Ausscheidung und Wärmeausgabe stets parallel, so müsste der Wert $\dfrac{n}{c}$ eine Konstante sein. Das ist aber, wie ich schon

---

1) Außer der Kohlensäure wurde immer auch das von dem Ventilationsluftstrom fortgeführte H_2O bestimmt. Man bedarf dieser Bestimmung zur Korrektur der von dem Kalorimeter angegebenen Wärme. Aber ich muss ausdrücklich bemerken, dass diese Zahlen nicht die ganze von dem Tier abgegebene Wassermenge, sondern nur einen kleinen Teil derselben darstellen, den Teil nämlich, welcher nicht im Kalorimeter selbst kondensiert wird.

früher gezeigt habe, durchaus nicht der Fall. Die Schwankungen sind im allgemeinen um so größer, je kürzer die Versuchsdauer ist. Bei meinem gleichmäßig ernährten Hunde war bei halbstündiger Versuchsdauer der kleinste Wert von $\frac{n}{c} = 1.6$, der größte $= 7\,4$; bei dreistündiger Dauer der Versuche war der kleinste Wert $= 2.3$ und der größte $= 6.4$.

Es fragt sich, ob trotzdem ein vollkommener Parallelismus von Wärme- und CO_2-Produktion angenommen werden darf, und ob jene Unregelmäßigkeiten nur auf Schwankungen in der Wärme- und CO_2-Ausgabe zurückzuführen sind Dass Wärmeausgabe und Wärmeproduktion nicht ohne weiteres gleich gesetzt werden dürfen, habe ich in meinen früheren Mitteilungen bewiesen. Die Schwankungen, welche unter normalen Verhältnissen vorkommen, reichen aber bei weitem nicht hin, jene großen Unterschiede der Werte von $\frac{n}{c}$ zu erklären. Ein Unterschied von 25 Prozent zwischen Wärmeausgabe und Wärmeproduktion würde bei meinem Versuchshunde eine Veränderung der Eigenwärme um rund 1^0 C bewirkt haben. Solche Schwankungen der Eigentemperatur kommen aber unter den Versuchsbedingungen, bei denen ich gearbeitet habe, niemals vor. Wir werden also keinen merklichen Fehler begehen, wenn wir die kalorimetrisch gemessene Wärmeausgabe als gleichbedeutend mit der Wärmeproduktion ansehen und nur in denjenigen Fällen, wo eine wirkliche Aenderung der Körpertemperatur auftritt, dieselbe zur Berichtigung der Rechnung verwerten.

Anders ist es mit dem Verhältnis der CO_2-Ausgabe zur CO_2-Produktion. Dass erhebliche Schwankungen in dem CO_2-Vorrat des Körpers stattfinden können, ist nicht nur möglich, sondern auch bis zu einem gewissen Grade wahrscheinlich. Wir dürfen also aus Veränderungen der CO_2-Ausscheidung nicht ohne weiteres auf Veränderungen der CO_2-Bildung schließen, sondern müssen in jedem einzelnen Falle untersuchen, ob die Schwankungen der CO_2-Ausgabe auch ohne die Annahme von Aenderungen in der CO_2-Bildung erklärt werden können.

Dagegen muss ich wiederholt mit Nachdruck hervorheben, dass die Bildung der CO_2 durchaus nicht proportional der Wärmeproduktion vor sich zu gehen braucht. Das würde nur dann der Fall sein, wenn stets das gleiche Material und stets in gleicher Weise verbrennen würde. Dass diese Voraussetzung auf den Tierkörper nicht zutrifft, habe ich schon früher bewiesen.

Hält man sich dies alles vor Augen, so kann man gerade aus der Untersuchung der Schwankungen des Wertes $\frac{n}{c}$ sehr wertvolle Aufschlüsse über die Vorgänge im Tierkörper erhalten, wie ich dies schon in meiner zweiten Mitteilung an einem Beispiel gezeigt habe. Mittels derselben kann man Thatsachen erkennen, welche durch ausschließliche Untersuchung der Ausscheidungen allein unerkannt bleiben.

Man darf sich aber hierbei nicht auf die Untersuchung längerer Perioden beschränken. Je länger man dieselben nimmt, desto übereinstimmendere Werte erhält man; aber mit der Elimination aller zufälligen und störenden Einflüsse werden auch die gesetzmäßigen Schwankungen eliminiert, und man kann zu keiner tieferen Einsicht in die Vorgänge gelangen. Verlaufen die chemischen Prozess innerhalb des Tierkörpers nicht mit jener einfachen Gleichförmigkeit, welche Lavoisier, Dulong, Despretz und viele Andere stillschweigend vorausgesetzt haben, so wird man zu einem näheren Verständnis jener Vorgänge und der von ihnen abhängigen Wärmeproduktion nur gelangen können, indem man sie Schritt für Schritt, Stunde für Stunde verfolgt und die nicht zu vermeidenden Unregelmäßigkeiten der einzelnen Versuchsergebnisse auf statistischem Wege zu eliminieren versucht, d. h. durch Vergleichung von Mittelwerten aus sehr vielen Versuchen. Dieser Weg ist sehr mühsam und zeitraubend, er ist aber der allein gangbare. Indem ich ihn seit mehreren Jahren verfolge, soweit es meine Zeit und meine Mittel gestatten, bin ich schrittweise vorwärts gelangt und bin so in der Lage, von Zeit zu Zeit einen kleinen weiteren Beitrag zur Lösung der zahlreichen noch vorliegenden Aufgaben zu liefern.

Wenn man einen Hund regelmäßig alle 24 Stunden einmal füttert, so zeigt seine Wärmeproduktion einen ziemlich regelmäßigen Verlauf. Sie steigt nach der Nahrungsaufnahme ziemlich stark auf, erreicht in der Regel zwischen der 5. und 7. Stunde ein Maximum, sinkt dann wieder und erreicht etwa zwischen der 21. und 23. Stunde ein Minimum [1]). Dass auch die CO_2-Ausscheidung eine von der Nahrungsaufnahme abhängige periodische Funktion darstellt, ist aus zahlreichen Beobachtungen vieler Physiologen bekannt. Es schien mir deshalb wichtig festzustellen, wie sich diese beiden Funktionen zu einander verhalten.

Ich benutzte zu dieser Untersuchung eine längere Versuchsreihe an dem schon erwähnten, in vollständigem Ernährungsgleichgewicht befindlichen kleinen Hunde. An 48 Versuchstagen waren an demselben im Ganzen 142 CO_2-Bestimmungen von kürzerer oder längerer Dauer ($1/_2$—$3^1/_2$ Stunden) gemacht worden, die sich auf alle Teile der 24stündigen Ernährungsperiode verteilten. Die Werte der CO_2-Ausgabe wurden auf eine Stunde berechnet und mit den gleichzeitigen Wärmeproduktionen zusammengestellt. Aus allen in dieselbe Fütterungsstunde entfallenden Werten wurden die Mittelwerte berechnet.

---

1) Vergl. Kalorimetrische Untersuchungen. Von J. Rosenthal. Archiv f. Physiologie, 1889, S. 1 fg.

Man erhielt so eine Tabelle für den Gang der Wärmeproduktion und der CO_2-Ausscheidung für die 24stündige Ernährungsperiode. Die Werte dieser Tabelle waren, wenn ich so sagen darf, „Idealwerte", d. h. sie waren schon von den zufälligen Schwankungen der einzelnen Versuche gereinigt.

Die Werte dieser Tabelle wurden zur Erleichterung der Uebersicht in ein rechtwinkliges Koordinatensystem graphisch eingetragen, in welchem die Abscissen die Stunden nach der Fütterung, die Ordinaten der einen Kurve (n) die berechneten Werte der Wärmeproduktion, die der anderen (c) die Werte der Kohlensäure-Ausscheidung für jede Stunde darstellten. Außerdem wurde eine dritte Kurve hinzugefügt, derer Ordinaten den Werten $\frac{n}{c}$ entsprachen.

Die Kurve n zeigt, übereinstimmend mit meinen früheren Angaben, ein sehr steiles Ansteigen in den ersten Stunden nach der Fütterung. Das Maximum wird in der 7. Stunde erreicht und hält sich nahezu unverändert bis zur 11. Stunde [1]). Dann fällt die Kurve zwischen der 11. und 13. Stunde sehr steil ab, ungefähr auf den Wert, welchen sie in der ersten Stunde gehabt hatte und schwankt bis zum Schluss der Periode innerhalb enger Grenzen auf und nieder.

Die Kurve c zeigt unmittelbar mit Beginn der Futtereinnahme ein starkes Steigen und bleibt auf diesem hohen Wert bis zur 5. Stunde; sie sinkt dann allmählich bis zur 9. Stunde, zeigt zwischen der 9. und 11. Stunde ein zweites Ansteigen, sinkt zwischen der 11. und 13. Stunde ziemlich steil ab, um dann bis zum Schluss der Periode wieder mit geringen Schwankungen nahezu parallel der Abscissenaxe zu verlaufen und in den drei letzten Stunden wieder ein wenig anzusteigen.

Die Kurve $\frac{n}{c}$, welche das Verhältnis der CO_2-Ausscheidung zur Wärmeproduktion darstellt, müsste, wenn beide Vorgänge vollkommen parallel zu einander verliefen, eine der Abscissenaxe parallel verlaufende gerade Linie sein. Da aber jene Voraussetzung, und ganz besonders für die erste Zeit nach der Nahrungsaufnahme, nicht zutrifft, so zeigt diese Kurve folgenden Verlauf: Sie steigt in den ersten Stunden nach der Fütterung langsam und stetig, vom Schluss der 2. Stunde fast geradlinig an, erreicht in der 10. Stunde ein Maximum,

---

1) Dieses lang anhaltende Maximum ist, zum Teil wenigstens, dadurch bedingt, dass der benutzte Hund, welcher im Uebrigen wegen seines ruhigen Verhaltens für diese Versuche sich sehr gut eignete, nur langsam fraß und nicht, wie es meine früher benutzten Hunde gethan hatten, das vorgesetzte Futter innerhalb weniger Minuten auf einmal hinunterschlang. Die Verdauungsperiode wurde von der Zeit, in welcher er den größten Teil des Futters verzehrt hatte, gerechnet. Da er aber auch in der darauf folgenden Zeit langsam zu fressen fortfuhr, musste sich der zeitliche Ablauf aller von der Verdauung abhängigen Erscheinungen natürlich etwas verzögern.

sinkt dann wieder bis zur 13. Stunde und verläuft von da an mit
kleinen Schwankungen nahezu parallel der Abscissenaxe mit einer
geringen Steigung in den letzten 4 Stunden.

Die Maßstäbe für die Ordinaten dieser drei Kurven sind vollkommen willkürlich. In meinen Zeichnungen waren dieselben so gewählt, dass für die Kurve n je 1 cm einer Stunden-Kalorie entsprach,
für die Kurve c aber 1 cm 1 g CO_2 in der Stunde bedeutete. Für die

Kurve $\dfrac{n}{c}$ ergaben sich Werte von 2.5 im Minimum, 5.3 im Maximum.

Der Mittelwert aller Werte $\dfrac{n}{c}$ für die ganze 24stündige Periode war
= 4.01.

Es wurde deshalb die Kurve c nochmals konstruiert, aber so dass
alle Ordinatenwerte mit vier multipliziert wurden. Das heißt mit
anderen Worten, die Kurve c wurde auf denselben Maßstab gebracht,

mit welchem die Kurve n entworfen war. Wäre $\dfrac{n}{c}$ eine Konstante,

so hätten sich jetzt die Kurven n und c vollkommen decken müssen.
Die Ausführung der Konstruktion ergab nun folgendes: Der Anfang
der Kurve c liegt höher als der Anfang der Kurve n; nach der
5. Verdauungsstunde schneiden sich die Kurven und das Verhältnis
kehrt sich um, n liegt jetzt höher als c. Zwischen der 11. und
13. Stunde fallen beide Kurven steil ab und von da bis zum Schluss
verlaufen sie nahe bei einander mit unregelmäßigen Schwankungen,
indem sie sich mehrmals schneiden. Die Schwankungen von n sind
etwas größer als die von c. Gegen Ende der Periode, von der
21. Stunde an, zeigen beide eine geringe Steigung.

Was können wir nun aus diesen Versuchen schließen? Zunächst
bestätigen sie nochmals den von mir schon des öfteren nachdrücklich
betonten Satz, dass Wärmeausgabe und CO^2-Ausscheidung nicht einfach parallel verlaufen, dass man aus der einen nicht auf die andere
schließen darf. Sie lehren ferner, dass ein solcher Parallelismus,
wenn auch nicht streng, doch in gewissen Grenzen besteht für ein
im Ernährungsgleichgewicht befindliches und regelmäßig alle 24 Stunden einmal gefüttertes Tier für die letzten 12 Stunden der
Fütterungsperiode, in welcher sich die Einflüsse der Verdauung
nicht mehr bemerkbar machen.

Ueberblickt man den ganzen Verlauf der Kurven für die 24stün-
dige Ernährungsperiode, so heben sich zwei getrennte Teile von
durchaus verschiedenem Charakter scharf von einander ab. Ich will
den einen Teil der Periode als den Zustand der Sättigung, den
zweiten Teil als den Zustand der Nüchternheit bezeichnen. Im
letzteren sind sowohl die Wärmeproduktion als auch die CO_2-Aus-
scheidung einigermaßen konstant; zwar können sie in einzelnen
Versuchen immerhin noch erhebliche Schwankungen aufweisen; wenn

man aber Mittelzahlen aus vielen Versuchen zieht, so bekommt man
für die einzelnen Stunden dieses Teils Werte, die nur um etwa
20 Prozent von dem Gesamtmittel dieser Zeit nach oben und unten
abweichen. In Folge dessen ist auch der Wert $\frac{n}{c}$ für diese Zeit nahezu
konstant. Es herrscht zwar trotzdem keine vollkommene Uebereinstimmung zwischen den Schwankungen der Wärmeausgabe und CO_2-
Ausscheidung. Es zeigt sich nämlich, dass bei jeder Steigerung der
Wärmeproduktion die CO_2-Ausscheidung in viel schnellerem Maße
steigt und bald konstant wird und dass ebenso beim Sinken der
Wärmeproduktion die CO_2-Ausscheidung schneller sinkt und dann bald
wieder konstant wird. So wiederholt sich hier in kleinerem Maßstab
das, was ich früher für längere Zeiträume nachgewiesen habe, nämlich dass mit steigender Wärmeproduktion der Kohlensäurefaktor
größer wird.

Der Zustand der Sättigung seinerseits zerfällt wieder in zwei
scharf getrennte Hälften. In der ersten, etwa fünf Stunden dauernden,
ist die CO_2-Ausscheidung sehr hoch, während die Wärmeproduktion
erst langsam und dann ziemlich schnell ansteigt; in der zweiten, eben
so lang dauernden, sinkt die CO_2-Ausscheidung wieder ein wenig,
während die Wärmeproduktion noch etwas steigt und dann nahezu
konstant bleibt. In Folge dessen steigt der Faktor $\frac{n}{c}$ in dieser
ganzen Zeit nahezu gleichmäßig an und erreicht am Ende desselben
seinen höchsten Wert.

Beide Zustände werden mit einander verbunden durch eine kurze
Zwischenstufe von etwa zweistündiger Dauer (der 11. bis 13. Stunde entsprechend), in welcher sowohl die Wärmeproduktion wie die CO_2Ausscheidung ziemlich schnell von ihren hohen Werten auf den nahezu
konstanten des zweiten (nüchternen) Zustandes herabsinken.

Diese Verschiedenheiten in dem Verlauf der Wärmeausgabe und
der CO_2-Ausscheidung sind zum Teil wenigstens durch die physikalischen Verhältnisse bedingt. Nehmen wir zunächst an, dass jeder
Steigerung der Wärmeproduktion sofort eine streng proportionale
Zunahme der CO_2-Bildung entspreche. Der Ueberschuss der gebildeten CO_2 wird dann sehr schnell auch zu einer vermehrten Ausscheidung derselben führen. Der Zuwachs an gebildeter Wärme aber
muss erst nach und nach den ganzen Tierleib und namentlich seine
äußeren Teile erwärmen, ehe es zu einer vermehrten Wärmeausgabe
kommen kann. So würde sich erklären, warum die gesteigerte CO_2-
Ausscheidung der gesteigerten Wärmeausgabe vorauseilt, wie wir es
bei den kleinen Schwankungen innerhalb des nüchternen Zustands
gefunden haben. Aber diese Erklärung reicht nicht aus, die großen
Unterschiede zu erklären, welche in dem Zustand der Sättigung,
namentlich in den ersten Verdauungsstunden auftreten. Wäre hier

die Wärmeproduktion von Anfang an in dem Maße gesteigert, wie die CO_2-Ausgabe es anzeigt, so müsste sich die Eigentemperatur des Tieres um 2—3° C. erhöhen. Solche Temperatursteigerungen kommen nicht vor; höchstens erwärmt sich der Körper um einige Zehntelgrade.

Es bleibt also nur übrig anzunehmen, dass die vermehrte CO_2-Ausscheidung aus dem vorhandenen Vorrat des Körpers herrühre, oder dass in den ersten Stunden der Verdauung auch vermehrte CO_2-Bildung stattfinde, und zwar in einem stärkeren Verhältnis, als der Steigerung der Wärmeproduktion entspricht. Die erstere Annahme erweist sich aber bei näherer Betrachtung als unmöglich. Der Ueberschuss an CO_2, welchen mein Hund in den ersten 10 Stunden der Verdauung mehr abgab als in der gleichen Zeit der Nüchternheit, betrug rund 20 g oder reichlich 10 l. Die Gesamtmenge des Blutes dieses Tieres konnte höchstens 400 cm³ betragen und die Menge der in diesem enthaltenen CO_2 höchstens 200 cm³. Selbst wenn wir annehmen wollten, dass in den Gewebssäften noch das vierfache dieses Volums an vorrätiger CO_2 stecke, so kämen wir doch immer nur auf ein Liter. Es bleibt uns also nur die andere Möglichkeit. Im satten Zustand wird mehr CO_2 p r o d u z i e r t als im nüchternen. Auch die Wärmeproduktion ist vermehrt, aber die erstere in viel höherem Grade als die letztere. Ist dem aber so, dann finde ich nur e i n e E r k l ä r u n g : d i e S t o f f e , w e l c h e w ä h r e n d d e s Z u s t a n d e s d e r S ä t t i g u n g v e r b r e n n e n , m ü s s e n e i n e a n d e r e c h e m i s c h e K o n s t i t u t i o n h a b e n a l s d i e j e n i g e n , w e l c h e w ä h r e n d d e s Z u s t a n d e s d e r N ü c h t e r n h e i t z u r V e r b r e n n u n g g e l a n g e n ; s i e m ü s s e n e i n e g e r i n g e V e r b r e n n u n g s w ä r m e b e s i t z e n , a b e r r e i c h l i c h CO_2 e r z e u g e n .

Versuchen wir uns die Vorgänge klar zu machen, welche während der Verdauung und nachher in dem Tierkörper Platz greifen. Eine große Menge verbrennlicher Stoffe gelangen durch Resorption aus dem Darm in den Kreislauf und mit diesem in alle Gewebe. Sie kommen hier in das Bereich der lebenden Zellen, deren physiologische Eigenschaften darin gipfeln, dass sie gewisse organische Stoffe, Eiweißkörper, Fette, Kohlehydrate fähig machen, sich mit dem dort vorhandenen Sauerstoff zu verbinden und unter CO_2-Bildung Wärme zu produzieren. Je reichlicher der Zufluss verbrennbarer Substanz, desto größer wird die Verbrennung, desto mehr steigt die Wärmeproduktion und die CO_2-Bildung. Aber nicht alle zugeführten Stoffe sind gleich verbrennlich. Aus dem zugeführten Gemenge verbrennen zuerst diejenigen, welche am leichtesten verbrennen können. Nach und nach sind diese aufgezehrt. Nun beginnt der zweite Abschnitt, die langsame Verbrennung mit geringerer Wärmeproduktion und geringerer CO_2-Bildung. Die Zusammensetzung dieses Teiles muss eine gleichförmigere sein als die des ersten, denn dieser ändert fortwährend seine Zusammensetzung, erstens wegen des fortdauernden

Nachschubs vom Darm her, dann wegen der allmählichen Abnahme
der leichter verbrennlichen Anteile des Gemenges. Die anderen Stoffe
aber, diejenigen, welche in der zweiten Hälfte der täglichen Periode
verbrennen, sind viel gleichmäßiger zusammengesetzt; sie werden
langsamer verbrennen und daher in gleichen Zeiten weniger Wärme
und weniger CO_2 liefern, aber relativ zu letzterer mehr Wärme, und
das Verhältnis beider zu einander wird nahezu konstant sein.

Es scheint mir wahrscheinlich, dass jene leicht verbrennlichen
Bestandteile der Nahrung vorzugsweise durch die Peptone, die
schwer verbrennlichen vorzugsweise durch die Fette vertreten seien.
(Kohlehydrate kommen bei unserem Versuchstier nicht in Betracht.)
Die Peptone, welche gerade in der ersten Zeit der Verdauung reichlich in das Blut gelangen, werden meiner Ansicht nach nur zum
allergeringsten Teil in Eiweiß zurückverwandelt. Sie verbrennen
vielmehr schnell und dienen dazu, das Organeiweiß vor dem Zerfall
zu schützen. Ich will jedoch auf die weitere Verfolgung dieser Betrachtungen jetzt nicht eingehen. Meine späteren Mitteilungen werden
zu erweisen haben, welchen Wert die hier vorgetragene Hypothese
für das tiefere Verständnis der Stoffwechselvorgänge beanspruchen kann.

Neurologische Untersuchungen.

H. Gudden-München, Beitrag zur Kenntnis der Wurzeln der
  Trigeminusnerven. Allgem. Zeitschr. für Psych. Bd. 48.

Eine lückenlose Serie von Frontalschnitten durch ein Kalbsgehirn,
dem der rechte Tractus olfactorius und der rechte N. trigeminus
fehlen, sowie ein mehrfach lädiertes Kaninchenhirn mit nachfolgenden
Atrophien zeigten, dass die motorische Wurzel aus dem motorischen Kern
derselben Seite entspringt, die absteigende Wurzel aus den groß-
blasigen im zentralen Höhlengrau um den Aquaeductus gelagerten
Zellen. Die partielle Kreuzung der motorischen und der absteigenden Wurzel bezieht sich nur auf wenige Fasern. Die aufsteigende
Wurzel entsteht im untern Halsmarke bereits aus der Substantia gelatinosa.

F. Sgobbo, Sulla rigenerazione del middolo spinale nei vertebrati.
  La Psychiatria 1890. fasc. 344.

Nach Versuchen an Tritonen, Eidechsen, Froschlarven, Fröschen,
Tauben, Hunden konnte S. feststellen, dass bei den Tritonen die
Reflexzentren in der ganzen Spinalaxe, einschließlich des Kaudalteils
liegen und sich in den wieder gewachsenen Schwänzen regenerieren.
Die Integrität der ganzen Medulla ist für die Regeneration des
Schwanzes nicht unbedingt nötig, jedoch erfolgt dieselbe nach Ver-
letzung des Rückenmarks langsamer und weniger ausgiebig. Die
Regeneration des Nervengewebes geht vom Epithel des Zentralkanals
aus. Bei Tauben fand sich nirgends eine Spur von Regeneration von
Nervengewebe; transplantierte Stücke wurden ganz resorbiert und

durch Bindegewebe ersetzt. An 15 neugeborenen Hunden, an denen die Eichhorst-Naunyn'schen Versuche wiederholt wurden, ergaben die physiologischen Resultate nichts Neues. Anatomisch zeigt sich nirgends ein Zeichen von Regeneration.

J. Ott, The Function of the Tuber cinereum. The journal of nervous and mental disease. July 1891.

Durch 16 Experimente an Kaninchen kommt O. zu dem Schluss, dass das Tuber cinereum ein Zentrum für Polypnoe und Wärmeregulierung sei. Punktierung des Tuber cinereum bei einem Kaninchen im Wärmekasten beseitigte die Polypnoe und bewirkte Temperatursteigerung.

J. Ott, The Interbrain: its relations to thermotaxis, polypnoëa, vasodilatation and convulsive action. The journal of nervons and mental disease. July 1891.

Versuche an Kaninchen und Katzen zur Bestimmung der Funktion des Zwischenhirns lassen ein vaso-tonisches Zentrum in den Thalami optici annehmen. In der Rinde finden sich Wärme-Hemmungs-Zentren, in dem Nucleus caudatus und Umgebung thermogene Zentren; im Zwischenhirn finden sich thermo-lytische Zentren neben solchen für die Polypnoe und vaso-tonische Funktion. Im Nachhirn sind respiratorische, vasomotorische und thermolytische Zentren, im Rückenmark thermolytische, thermogene und Schweißzentren.

Borgherini e Gallerani, Contribuzione allo studio dell attirita del cerveletto. — Riv. speriment. di freniatria e di med. leg. Bd. 17. H. 3.

Durch das Studium der Ausfallserscheinungen an 5 lädierten Hunden kommen die Verfasser zu dem Resultate, dass das Kleinhirn für die Koordination der willkürlichen Bewegungen wichtig ist. Jede tiefere Läsion ruft Ataxie hervor; bleibt ein Stück Kleinhirn noch mit seinen normalen Verbindungen mit den übrigen Hirnteilen zurück, so übernimmt es die Funktionen des lädierten Teiles und die experimentell erzeugten Störungen können wieder schwinden. Oberflächliche Kleinhirnverletzungen verursachten Zittern des Kopfes und des Halses; vollständige Zerstörung hatte dauernde Ataxie zur Folge. Wird dabei noch der Gesichtssinn ausgeschaltet, so verzichtet das Tier auf alle willkürlichen Bewegungen. Die Kleinhirnverletzung hat auch trophische Störungen zur Folge, doch bleibt die Muskelstärke und die allgemeine Sensibilität wie die Funktion der Sinnesorgane unbeeinflusst.

Ewald, Demonstration einiger Tiere ohne inneres Ohr. Deutsche med. Wochenschrift Nr. 34. 1891.

Eine Taube, welcher beiderseits die Canales extern. und posteriores durchtrennt waren, zeigte starke Gleichgewichtsstörungen, während eine andere Taube, welcher dieselben Kanäle mit der Plombenmethode durchschnitten waren, ganz gut fliegen konnte und nur ganz geringe Störungen zeigte. — Tauben mit doppeltem Verlust des Labyrinths lernen nie wieder fliegen, wohl aber geht die Fressstörung u. s. w. wieder zurück; es besteht dabei keine vollständige Taubheit. Nach einseitiger Labyrinth - Entfernung sieht man Unterschiede im Gebrauch und Haltung der Extremitäten beider Seiten. —

A. Spanbock, Einige Versuche an den motorischen Rindenzentren nach Unterbindung der Harnleiter. Neurologisches Centralblatt 1891. Nr. 21.

Versuche an Hunden über die elektrische Erregbarkeit der motorischen Rindenzentren vor und nach der Unterbindung beider Harnleiter zeigten, dass abgesehen von einer manchmaligen Zunahme der Erregbarkeit im Anfange der Urämie die Erregbarkeit mit dem Fortschreiten des urämischen Prozesses regelmäßig abnimmt. Durch Ausschneiden der entsprechenden Hirnrinde wurde nachgewiesen, dass diese Erscheinungen auf Veränderungen der Rindenzentren selbst zu beziehen sind. Nach anderen Experimenten ist, ganz abgesehen von der Chloroformnarkose und dem Operationseingriff, dem Hungern und der Abkühlung dabei nur eine unwesentliche Bedeutung zuzuschreiben, vielmehr ist die Veränderung der Erregbarkeit der Hirnrinde eine Folge der für die Urämie charakteristischen Stoffwechselstörungen. Die Beobachtung, dass die Krämpfe (besonders die tonischen) in den Fällen am stärksten sind, wo das Sinken der Erregbarkeit der Hirnrinde ganz besonders erheblich ist, führt zur Vermutung, dass die vom regulierenden Einfluss der Rindenapparate freigewordenen subkortikalen Zentren zum Ausgangspunkt der Krämpfe werden.

J. Nori e R. Brugia: Variazioni del tempo di reazione muscolare durante l'elettrotono dei nervi ed alterati. Rivista sperimentale di freniatria 1891. Bd. 17. H. 1—2.

Die Versuche beziehen sich auf den Einfluss des Nerven im electrotonischen Zustand auf die Zeitdauer, welche zwischen Reiz und Reaktion liegt. Der Anelektrotonus ruft eine deutliche Verlangsamung in der Geschwindigkeit der Uebertragung hervor. Der Katelektrotonus beschleunigt die Uebertragung des Reizes außer bei starken Strömen, bei denen die Uebertragung verzögert wird. Die Leitungsveränderungen des Katelektrotonus schwinden zuerst, während die des Anelectrotonus länger andauern. Eine Verstärkung des Reizes vermag die Leitungserschwerung beim Katelektrotonus weitmehr auszugleichen als beim Anelektrotonus. —

John Ferguson, Der Nervus phrenicus (Brain, Summer and Autumn number 1891).

In einem Fall von progressiver Muskelatrophie mit Atrophie des Diaphragmas wurden die Phrenici post mortem zum Teil vollständig degeneriert gefunden; ein anderer Teil der Fasern war noch in der Degeneration begriffen und ein Drittel des Nerven war ganz normal. Die nicht degenerierten normalen Fasern wurden als sensible Fasern des Phrenicus angesehen. Bei einer Katze wurde 3 Wochen nach einseitiger Phrenicusdurchschneidung eine Sensibilitätsherabsetzung auf derselben Seite des Zwerchfells festgestellt. Bei einer Durchtrennung der hintern 3. bis 6. Spinalnervenwurzeln (nach außen von den Spinalganglien) wurde ein Drittel der Fasern des Phrenicus — ohne Zweifel die sensibeln — degeneriert gefunden. —

S. Kalischer (Berlin).

H. Ambronn, Anleitung zur Benützung des Polarisationsmikroskops bei histologischen Untersuchungen.

Gr. 8. 59 S. 27 Texttabellen. 1 Farbentafel. Leipzig. J. H. Robolsky.

Der Zweck des kleinen Buches ist, diejenigen, welche sich mit tierischer oder pflanzlicher Histologie beschäftigen, aber vor der Untersuchung ihrer Objekte im polarisierten Licht zurückschrecken, weil sie sich in der physikalischen Optik nicht heimisch fühlen, mit den hierher gehörigen Erscheinungen und Methoden vertraut zu machen, ohne irgendwie mathematische Formeln zu benutzen. Die Kenntnis der Undulationstheorie und verschiedener geometrischer und stereometrischer Begriffe freilich setzt der Verf. voraus, aber er ersetzt durch anschauliche Erklärung der Erscheinungen die rechnerische Ableitung der Gesetze; denn er hat gewiss recht, wenn er in der Scheu vor mathematischen Formeln die Ursache sieht, warum so wenige Histologen sich die von Valentin und Nägeli schon vor 30 Jahren entwickelten Methoden angeeignet haben.

Verf. wünscht, dass seine Anleitung in doppelter Weise zur Verbreitung dieser Methoden diene; sie soll als Leitfaden es erleichtern, dass in histologischen Kursen die Erscheinungen im polarisierten Licht demonstriert werden, wie es jetzt gewiss nur sehr selten geschieht. Und zweitens glaubt er, dass der Anfänger in der histologischen Forschung, wenn er erst mit den Erscheinungen und Untersuchungsmethoden im polarisierten Licht vertraut ist, ihre streng wissenschaftliche Begründung, wie sie in den Arbeiten der genannten Forscher und in den Handbüchern über das Mikroskop zu finden ist, leicht und gern sich aneignen wird.

Seiner Absicht folgend, beschreibt Verf. zuerst einfache Versuche mit gespannter und gepresster Gelatine, welche die Grunderscheinungen erläutern, und nennt überall leicht zu beschaffende Beispiele aus den tierischen und pflanzlichen Geweben. Auch vermeidet er Hypothesen über die Struktur doppelbrechender organischer Substanzen zu geben und geht nicht über die Darstellung einfacher Verhältnisse hinaus, um den Anfänger nicht zu verwirren. Er benützt die Terminologie, wie sie bei den Botanikern im Gebrauch ist, da sie an die einfache von ihm benützte Ableitung aller Erscheinungen aus dem Verhalten gespannter Gelatine sich anschließt.

Die Aufgabe, eine leichtverständliche und doch wissenschaftliche, klare Darstellung dieses Gebietes zu geben, ist vollständig gelöst und es ist nur zu wünschen, dass die Anleitung dazu beitragen möge das Ziel des Verf. zu fördern, der Benutzung des Polarisationsmikroskops mehr Verbreitung zu verschaffen.   **W.**

O. Zacharias, Die Tier- und Pflanzenwelt des Süßwassers.

II. Bd.   Gr. 8.   Leipzig J. J. Weber.

In Nr. 19 des XI. Bandes des biol. Centralblattes ist der 1. Band dieses Werkes angezeigt worden. Waren in diesem hauptsächlich die Pflanzen und niedersten Tierformen des Süßwassers geschildert worden, so kommen hier die höher entwickelten Tiere zu ihrem Recht: die Wassermilben werden von Prof. K r a m e r , die Kerfe und Kerflarven von Dr. E. S c h m i d t - S c h w e d t, die Mollusken von S. C l e s s i n, die deutschen Süßwasserfische von Dr. S e l i g o und ihre Parasiten von Prof. Z s c h o k k e geschildert So erscheint das Programm des Herausgebers erfüllt, alle Tier- und Pflanzengruppen des Süßwassers, bis auf diejenigen, die schon in vortrefflichen Monographien bearbeitet sind, zu behandeln. In allen Aufsätzen ist auf die Biologie der größte Nachdruck gelegt; demjenigen, der sich den Anregungen des Werkes folgend selbst mit der Fauna des Süßwassers beschäftigt, werden aber auch die genauen Litteraturverzeichnisse und die den beiden ersten Aufsätzen beigefügten Tabellen zur Bestimmung der bei uns im Süßwasser lebenden Milben und Kerflarven von größtem Nutzen sein.

Den genannten Aufsätzen sind folgende als Ergänzung und Schluss beigefügt: Dr. A p s t e i n , „Die quantitative Bestimmung des Planktons im Süßwasser"; O. Z a c h a r i a s , „Die Fauna des Süßwassers in ihren Beziehungen zu der des Meeres", und „Ueber die wissenschaftlichen Aufgaben biologischer Süßwasserstationen", endlich B o r c h e r d i n g, „Das Tierleben auf Flussinseln und am Ufer der Flüsse und Seen".

So bildet das ganze Werk nicht nur eine Einführung in das Studium der Süßwasserwelt, sondern eine abgeschlossene Darstellung dieses Gebietes, deren Studium jedem, der sich für biologische Untersuchungen interessiert, viel Anregung und Belehrung bieten wird.   **W.**

Verlag von Eduard Besold in Leipzig. — Druck der kgl. bayer. Hof- und Univ.-Buchdruckerei von Fr. Junge (Firma: Junge & Sohn) in Erlangen.

Biologisches Centralblatt

unter Mitwirkung von

Dr. M. Reess   und   Dr. E. Selenka

Prof. der Botanik   Prof. der Zoologie

herausgegeben von

Dr. J. Rosenthal

Prof. der Physiologie in Erlangen.

24 Nummern von je 2 Bogen bilden einen Band. Preis des Bandes 16 Mark.
Zu beziehen durch alle Buchhandlungen und Postanstalten.

XII. Band.   **1. September 1892.**   **Nr. 16 u. 17.**

Ueber Kohlensäureassimilation.

Von Dr. Th. Bokorny.

Unter Mitwirkung des Lichtes wird die Kohlensäure in den Chlorophyllapparaten der Pflanze zu Kohlehydrat; nur in seltenen Fällen treten statt dieses andere Assimilationsprodukte auf, wie fettes Oel etc.

Da zwischen Kohlensäure und Kohlehydrat eine große Kluft besteht, fragen wir uns mit Recht, ob keine Zwischenstufen vorhanden seien. Die Baeyer'sche Assimilationshypothese beantwortet diese Frage dahin, dass aus Kohlensäure zuerst Formaldehyd und aus diesem durch Kondensation Kohlehydrat entstehe. Da dies der einfachste Weg von Kohlensäure zu Kohlehydrat ist und die Pflanze sicher möglichst einfach verfährt, so hat die Hypothese von vornherein große Wahrscheinlichkeit für sich [1]. Der Formaldehyd hat die prozentische Zusammensetzung der Kohlehydrate, und da er zur Kondensation wie alle Aldehyde geneigt ist, so kann daraus leicht Kohlehydrat gebildet werden, indem 6 Moleküle Formaldehyd zu einem zusammentreten.

$$6 \ CH_2O = C_6H_{12}O_6 \ (\text{Glykose}).$$

Um die Hypothese experimentalphysiologisch zu prüfen, stellte ich Ernährungsversuche mit Formaldehyd an. Ist jene richtig, so müssen die Chlorophyllapparate aus dargebotenen Formaldehyd (bei

---

1) Nach v. Liebig sollen bekanntlich bei Assimilation der Kohlensäure zuerst organische Säuren (Oxalsäure, Weinsäure und Aepfelsäure) gebildet werden.

Ausschluss der Kohlensäureassimilation) Stärke bilden können; es muss in denselben ebensogut Stärke als erstes sichtbares[1]) Assimilationsprodukt auftreten, wie wenn man Kohlensäureassimilation herbeiführt[2]).

Zu den erwähnten Versuchen müssen natürlich stärkefreie chlorophyllführende Zellen angewandt werden. Da man solche verhältnismäßig selten in der Natur antrifft, so müssen die Versuchs-Objekte (ich verwandte submerse Wasserpflanzen, hauptsächlich Algen aus der Gruppe der Konjugaten) in der Regel zuvor entstärkt werden, was man am besten durch Verbringen ins Dunkle und Zusatz von etwas Calciumnitrat + Magnesiumsulfat zum Kulturwasser erreicht. Unterlässt man letzteren Zusatz, so wird die Stärke nur sehr langsam verbraucht, so dass man oft Wochen, ja Monate lang warten muss, bis die Entstärkung völlig eingetreten ist. Calciumnitrat und Magnesiumsulfat bewirken den Eintritt der Eiweißbildung, wobei Kohlehydrate verbraucht werden, so dass schon nach wenigen Tagen (bei *Sp. nitida* und *Sp. majuscula* häufig schon binnen 2 Tagen) alle Stärke aus den Chlorophyllapparaten verschwindet.

Ich experimentierte zunächst mit freiem Formaldehyd und stellte wässerige Lösungen desselben von 1:1000, 1:2000, 1:5000 u. s. w. her; in diese wurden entstärkte Algen verbracht. Bald zeigte sich, dass Formaldehyd in diesen Konzentrationen, ja noch weit verdünnter, giftig sei. Die Verdünnung musste auf 1:50000 getrieben werden, um die Versuchsobjekte nur einige Tage in der Lösung lebendig erhalten zu können. Dass unter solchen Umständen keine positiven Resultate erzielt werden konnten, ist erklärlich; denn tote oder stark angekränkelte Zellen assimilieren nicht, und Formaldehydlösung von 1:50000 enthält so wenig des ernährenden Stoffes, dass ein Stärkeansatz nicht erfolgen kann. Etwa gebildete Kohlehydrate unterliegen dem Verbrauch zur Atmung oder zu andern physiologischen Zwecken, und da in so verdünnter Lösung die Neubildung den Verbrauch in Folge allzulangsamer Zufuhr des Formaldehydes nicht überwiegt, unterbleibt der Stärkeansatz.

Da freier Formaldehyd nicht günstig für meine Versuche war, wandte ich eine organische Verbindung an, welche leicht Formaldehyd abspaltet und selbst nicht giftig ist; ich hoffte die Zellen würden im Stande sein, jene Verbindung zu spalten und den freiwerdenden Formaldehyd sofort, ehe er sich zur schädlichen Menge anhäufen kann, zu kondensieren. Methylal ist eine solche Substanz; sie zerfällt unter Wasseraufnahme ziemlich leicht in Formaldehyd und Methylalkohol:

$$CH_2{<}^{O.CH_3}_{O.CH_3} + H_2O = CH_2O + 2\ (CH_3.OH).$$

---

1) Wahrscheinlich wird zuvor Glykose und aus dieser Stärke gebildet.
2) Eine ausführliche Mitteilung über diese Versuche findet sich in landw. Jahrb., 1892, S. 445—465.

In 1 bis 5 pro mille wässeriger Auflösung von Methylal gedeihen Spirogyren sehr gut, wie O. Loew in Gemeinschaft mit Verf. schon früher beobachtet hat[1]); erheblich stärkere Konzentrationen können freilich auch hier von Nachteil sein, doch ist es ja durchaus überflüssig, solche anzuwenden. Die Nährstoffe, welche den Pflanzen normaler Weise (in freier Natur) zu Gebote stehen, erreichen ja in der Regel kaum diese Konzentration.

Bei zahlreichen Experimenten über die Ernährungsfähigkeit des Methylals stellte sich nun heraus, dass die Chlorophyllapparate daraus Stärke zu bilden vermögen, freilich nur unter Mitwirkung des Lichtes (CO_2-Assimilation war bei diesen Versuchen ausgeschlossen). Im Dunkeln wirkt Methylal wohl ernährend, aber nicht Stärkeansatz verursachend; wie es scheint, geht bei Lichtabschluss die Neubildung nicht über den Verbrauch hinaus.

Spirogyren und andere Pflanzen vermögen also das Methylal zu spalten (denn als ganzes kann das Methylalmolekül wohl nicht verwendet werden) und aus den Spaltungsprodukten Stärke zu bilden.

Da nun aber spezielle Versuche zeigten, dass auch Methylalkohol, das andere Spaltungsprodukt, für manche Spyrogyren ein zur Stärkebildung geeigneter Stoff ist, so können die mit Methylal erhaltenen Resultate möglicherweise auf den Methylalkohol zurückzuführen sein; wiewohl dann nicht einzusehen ist, was aus dem Formaldehyd sonst werden soll und wie der Methylalkohol anders als auf dem Wege über CH_2O zu Stärke werden kann.

Immerhin hielt ich es für angebracht, noch weitere Versuche mit einem jeden Zweifel ausschließenden Stoffe anzustellen.

Ein solcher fand sich in dem formaldehydschwefligsauren Natron.

Es ist ein gut krystallisierendes Salz, welches sich leicht, schon beim Kochen mit Wasser, in Formaldehyd und saures schwefligsaures Natron spaltet:

$$CH_2{<}{OH \atop SO_3Na} + H_2O = CH_2O + HSO_3Na.$$

Versuche mit Algen zeigten nun, dass in den Chlorophyllapparaten Stärke abgelagert wird, sofern man denselben 0,1 proz. Lösung von formaldehydschwefligsaurem Natron unter Zusatz von 0,05 proz. Dikalium- oder Dinatriumphosphat darbietet. Letzterer Zusatz ist durchaus nötig, da sonst das freiwerdende saure schwefligsaure Natron schädlich wirkt; Dinatriumphosphat setzt sich mit demselben um in neutrales schwefligsaures Natron und Mononatriumphosphat, welches nicht nur unschädlich, sondern sogar ernährend wirkt. Ohne Dialkaliphosphat gingen mir die Kulturen regelmäßig binnen kurzer Zeit zu Grunde.

---

1) Chemisch-physiologische Studien über Algen. Journ. f. prakt. Chemie, 1887, S. 288.

Ich kann die Ergebnisse meiner Versuche mit formaldehydschwefligsaurem Natron folgendermaßen zusammenfassen:

Aus formaldehydschwefligsaurem Natron können grüne Pflanzenzellen Stärke bilden, indem sie das Salz zersetzen und den freiwerdenden Formaldehyd sofort kondensieren.

Das Licht spielt bei dieser Synthese eine bedeutsame Rolle; bei
schwacher Beleuchtung geht die Stärkebildung aus formaldehydschwefligsaurem Natron nur sehr langsam vor sich, im Dunkeln erfolgt kein Stärkeansatz, d. h. es wird kein Ueberschuss an Kohlehydrat erzeugt. Bei guter Beleuchtung tritt in völlig entstärkten
Pflanzen rasch Stärke auf, welche zu sehr bedeutenden Mengen sich
anhäufen kann (trotz völligen Ausschlusses von Kohlensäureassimilation).

Die Versuchspflanzen erfahren bei Zufuhr jenes Salzes und Ausschluss der Kohlensäure eine erhebliche Trockensubstanzvermehrung.

Indem Spirogyren in einer 0,1 proz. Lösung von formaldehydschwefligsaurem Natron vegetieren, nimmt die Flüssigkeit rasch und
sehr bedeutend ab an Reduktionsvermögen gegen Kaliumpermanganat;
das Salz wird verbraucht.

Die Chlorophyllapparate können also, wenn ihnen Formaldehyd
in geeigneter Form dargeboten wird, aus diesem Stärke bilden.

Quantitative Plankton-Studien im Süßwasser.
Von Dr. C. Apstein.
(Aus dem zoologischen Institut zu Kiel.)   ·

Schon zweimal ist der Versuch gemacht worden, das Plankton
im Süßwasser quantitativ zu bestimmen, und zwar einmal von
Asper und Heuscher (3), dann von Imhof (9, 10). Jedoch lieferten
diese Untersuchungen nur sehr unvollkommene Werte, da zu ihnen
keine Apparate, die quantitativ fischen, verwendet wurden und anderseits wurde von den genannten Forschern nur je einmal die Bestimmung gemacht, so dass wir über den Wechsel der Tiere (denn
diese wurden nur berücksichtigt) im Laufe der Zeit nichts erfahren.
Ich habe nun diese quantitativen Bestimmungen, angeregt durch die
Hensen'schen Untersuchungen im Meere, in einem benachbarten
Land-See angestellt. Es ist der $1\frac{1}{2}$ Stunden von Kiel entfernte Dobersdorfer See (2), der $3\frac{1}{7}$ qkm groß ist und in seinem südlichen Teile
eine Tiefe von 20 m aufweist. Daneben habe ich auch einige andere
Seen in den Rahmen meiner Untersuchungen einbezogen, so dass ich
die Produktion verschiedener Seen vergleichen kann.

Nachdem ich in meiner kleinen Arbeit „Das Plankton des Süßwassers und seine quantitative Bestimmung. Teil 1: Apparate" (2) die
Netze beschrieben habe, welche ich zu meinen quantitativen Untersuchungen verwandte, will ich in folgendem die Resultate mitteilen,
so weit sie sich aus den Volumenbestimmungen ableiten lassen. Die

Zählung der Fänge ist noch nicht so weit fortgeschritten, um sie schon jetzt verwenden zu können.

1. Volumina.

Ich gebe in folgendem mein vollständiges Fischerei-Tagebuch mit Auslassung der qualitativen Fänge, da diese für die Beurteilung des weiter unten folgenden nicht in Betracht kommen. Zu der folgenden Tabelle bemerke ich noch, dass unter „Art des Fanges" B bedeutet, dass das Netz bis zum Boden gelassen wurde, S dagegen Stufenfang, d. h. dass das Netz in 2, 5, 10 m gelassen wurde, aber nicht bis zum Boden des Sees. Diese letzteren Fänge dienen zur Erforschung der vertikalen Verbreitung der Organismen und der Dichtigkeit des Plankton in den verschiedenen Wasserschichten.

Datum 1891.	Nr. des Fanges.	Tiefe des Zuges in m.	Art des Fanges.	Gefischtes Volumen in ccm.	Volumen unter 1 qm.	Wasser-Temperatur 0° C.	Wind.	Dobersdorf.
26. IV.	18a	15	B	3,5	530	10° C		Südlicher Teil
	18e	17	B	3,5	530			„
31. V.	23b	19,5	B	4,5	682	16° C	ONO 2	„
	c	19,5	B	4,8	727			..
	d	19,5	B	4,7	712			
	a	10	S	4,4	667			„
	h	5	S	3,5	530			
21. VI.	25b	5	B	2,5	379	19° C	O 2	Nördlicher Teil
	c	5	B	3,5	530			„
	a	4	B	3,0	455			„
5. VII.	26a	19	B	6	909	?	W 2	Südlicher Teil
	b	19	B	5,5	833			„
	c	19	B	5	758			..
	d	18	B	6	909			„
	e	18	B	6	909			
	f	10	S	3	455			
	g	2	S	0,75	114			„
	h	2	S	1	152			„
19. VII.	27a	19	B	4	606	?	SSO 3	Süden
	b	19	B	4,25	644			„
	c	19	B	4,75	720			
	d	19	B	3,5	530			„
	e	19	B	4	606			„
	f	10	S	2,25	341			
	g	2	S	0,75	114			„
	h	7	B	1,5	227			Norden
	i	6½	B	2	303			„
2. VIII.	28a	18	B	4	606	20° C	W 3	Süden
	b	18	B	5	758			„
	c	10	S	2,75	417			„
	d	2	S	1,5	303			„
30. VIII.	30a	19 [1])	B	9,25	1401	16¼° C	SSW 2	Süden
	b	20	B	10	1515			„
	c	19	B	9	1364			
	d	10	S	7,5	1136			..
	e	2	S	1,5	227			„

1) In Fang 30a war das Netz abgetrieben, so dass es 22 m durchfischte und 10,75 ccm Fang lieferte. Der Fang ist daher auf 19 m reduziert.

Datum 1891.	Nr. des Fanges	Tiefe des Zuges in m	Art des Fanges	Gefischtes Volumen in ccm	Volumen unter 1 qm	Wasser-Temperatur 0 C	Wind	Dobersdorf.
20. IX.	32a	18	B	14	2121	13° C	Süden 1	Süden
	b	18	B	13	1970			„
	l	18	B	12,75	1932			„
	d	10	S	10,5	1591			„
	e	2	S	4,25	644			„
	g	5½	B	4,5	682			Norden
	h	5	B	5,5	833			„
	i	4½	B	4	606			„
	k	4½	B	4	606			„
4. X.	33a	19½	B	28	4242	11° C	kein	Süden
	b	„	B	24,5	3712			„
	c	18¾	B	19	2879			
	d	18½	B	15	2273			
	e	18½	B	17	2576			
	f	10	S	6,75	1023			
	g	5	S	5,5	833			„
	h	2	S	5	758			„
	k	5¾	B	6,25	947			Norden
	l	5¾	B	7,5	1136			„
	n	1	B	6,25	947			zwisch.Myriophyllum
11. X.	34a	19	B	15,5	2348	9¾° C	SSO 2	Süden
	b	19	B	18,5	2803			„
	c	18	B	18,5	2803			
	d	10	S	9	1364			
	e	5	S	9	1364			„
	f	2	S	5	758			„
	g	5½	B	5½	833			Norden
1. XI.	35a	5	B	1,3	197	4¼° C	NO 3	Norden
	b	5	B	1,75	266			„
	c	5	B	1,75	266			„
	d	2	S	1	152			„
15. XI.	37a	19	B	2,75	417	6° C	kein	Süden
	b	19	B	2,3	348			„
	c	19	B	2,25	341			
	d	10	S	1,5	227			
	e	5	S	1,1	167			„
	f	2	S	0,75	114			„
	g	5	B	1,2	182			Norden
29. XI.	38a	5	B	0,6	100	4½°C	SSO 3	Norden
	b	5	B	0,6	100			„
	c	5	B	0,83	125			„
	d	2	S	0,5	78			
20. XII.	39a	12,5	B	2	303	2° C	SW ?	Süden
	b	13,5	B	1,75	266			„
	c	5	S	1,75	266			„
	d	2	S	1,25	195			„
	e	5	B	1,25	195			Norden
1892.	f	5	B	1,25	195			Norden
20. II.	40a	4	B	0,25	38			Norden Eis
	d	2	S	0,2	30			„
27. III.	41a	19	B	1,7	258	4° C	0	Eis seit 3 Tagen fort
	b	19	B	1,3	197			
	c	10	S	1,1	167			
	d	5	S	0,6	91			
	e	2	S	0,5	76			

Datum 1892.	Nr. des Fanges	Tiefe des Zuges in m	Art des Fanges	Gefischtes Volumen in ccm	Volumen unter 1 qm	Wasser-Temperatur 0 C	Wind	Dobersdorf.
13. IV.	43a	19	B	1,7	258	8° C	—	Helle Sonne
	b	19	B	2,5	379			Süden
	c	19	B	1,6	242			
	d	10	S	0,9	136			
	e	5	S	0,7	106			
	f	2	S	0,5	76			
1. V.	44a	4	B	1,0	152	8,8	N	Norden
	b	4	B	0,8	121			
	c	2	S	0,5	76			
11. V.	46a	18	B	2	303	?	N	Süden
	b	18	B	2	303			
	c	19	B	1,9	288			
	d	10	S	1,2	182			
	e	5	S	1	152			
	f	2	S	0,6	91			Norden
	g	5	B	1,3	197	11° C	O 3	Selenter See
24. V.	21e	31	B	1	152			
	b	30	B	0,6	91			
	c	27	B	0,7	106			
	a	21	B	0,6	91			
6. IX.	31a	20	B	2	303	17° C	SSW 2	Selenter See
	d	15	B	2	303			
	b	14	B	1,5	227			
	c	11	B	1,3	197			
7. VI.	24a	4	B	1	152	?	N 3	Einfelder See
	b	4	B	1	152			
	c	4	B	1	152			

In meiner Arbeit (1) „Ueber die quantitative Bestimmung des Plankton im Süßwasser" hatte ich die Annahme gemacht, dass das Plankton im Süßwasser gleichmäßig verteilt sei. Um bei meinen jetzigen Untersuchungen die Art der Verteilung zu erforschen, wurden, wie die vorstehende Tabelle zeigt, aus derselben Tiefe stets mehrere Fänge gemacht, dann kann man aus der Abweichung oder Uebereinstimmung der Fänge einen Rückschluss machen auf die Verteilung der Organismen. Für den Ozean hat Hensen auf der Plankton-Expedition den Beweis erbracht, dass das Plankton gleichmäßig genug verteilt ist, um aus wenigen Fängen (nach Hensen'scher Methode) über das Verhalten großer Meeresstrecken unterrichtet zu sein. Bei diesen Untersuchungen handelt es sich immer um relativ gewaltige Wasserflächen, in denen die physikalischen Bedingungen die gleichen bleiben. Anders bei einem kleinen Süßwassersee! Die Wasserfläche ist verhältnismäßig klein und die Ufer und der Boden müssen daher einen größern Einfluss auch auf die pelagische Organismenwelt ausüben. Anderseits war auch das von mir untersuchte Wasserbecken flach, nur in seinem südlichen Teile fanden sich Tiefen bis zu 20 m. Alle diese Verhältnisse mussten bei der vorliegenden Untersuchung in betracht gezogen werden und ließen vermuten, dass, wenn auch das

Plankton wirklich ziemlich gleichmäßig verteilt sein sollte, die einzelnen Fänge, die in einigem Abstande von einander gemacht wurden, bedeutender im Volumen abweichen würden, als es bei den Untersuchungen im Meere der Fall ist. Ich war daher überrascht, bei meinen Untersuchungen eine Gleichmäßigkeit in der Verteilung des Plankton anzutreffen, die meine Erwartungen bei weitem übertraf. Einschalten muss ich noch vorher eines. Wenn man ein und denselben Fang mehrmals hinter einander auf sein Volumen prüft, so erhält man meist etwas abweichende Werte, die um 1 bis 2 Zehntel eines Kubikzentimeter von einander verschieden sein können. Einen absoluten Wert erhält man also durch diese Methode nicht. Anderseits ist es aber auch oft nicht möglich, die Ablesung der Volumina bis auf $^1/_{10}$ ccm genau zu machen, da beim Absetzen die Oberfläche der Organismenmasse keine gerade Ebene bildet, und man daher mehr oder weniger Bruchteile eines Kubikzentimeters schätzen muss. Alle diese Umstände tragen dazu bei die Fehler der Volumenbestimmung zu vergrößern. Jedoch ist diese Bestimmung von großer Wichtigkeit, wenn es sich um Fragen über die Produktion eines Wasserbeckens an Organismen handelt, und Abweichungen um kleine Bruchteile eines Kubikzentimeters spielen kaum eine Rolle. Alle diese Uebelstände fallen bei der folgenden Zählung der Organismen (nach der Hensen'-schen (7) Methode) fort.

Kehren wir nun zu unserer Volumentabelle zurück. Um die Frage von der Verteilung des Plankton zu lösen, benutze ich die Fänge aus 18—20 m aus dem südlichen Teile des Sees. Aus den gefischten Volumina berechne ich die Mittel und daraus für jeden Fang die Abweichung von diesem Mittel, ich erhalte dann folgende Werte:

Fang Nr.	Tiefe m	Volumen	Mittel	Abweichung vom Mittel %
18a	15	3,5	3,5	0
c	17	3,5		
23b	19,5	4,5		4,4
c	19,5	4,8	4,7	2,1
d	19,5	4,7		0
26a	19	6		5
b	19	5,5		3,6
c	19	5	5,7	14
d	18	6		5
e	18	6		5
27a	19	4		2,5
b	19	$4^1/_4$		3,5
c	19	$4^3/_4$	4,1	13,7
d	19	$3^1/_2$		17,1
e	19	4		2,5
28a	18	4	4,5	12,5
b	18	5		10
30a	19	9,25		1,8
b	20	10	9,42	4,7
c	19	9		5,8

Fang Nr.	Tiefe m	Volumen	Mittel	Abweichung vom Mittel %
32a	18	14	⎫	5,7
b	18	13	⎬ 13,2	1,5
l	18	12,5	⎭	5,6
33a [1])	19,5	28	⎰ 26,25	6,2
b	19,5	24,5	⎱	7,1
c	18,75	19	⎫	10,5
d	18,5	15	⎬ 17	13,3
e	18,5	16	⎭	6,2
34a	19	15,5	⎫	12,9
b	19	18,5	⎬ 17,5	5,4
c	18	18,5	⎭	5,4
37a	19	2,75	⎫	11,6
b	19	2,3	⎬ 2,43	5,6
c	19	2,25	⎭	8
39a	12,5	2	⎰ 1,88	6
b	13,5	1,75	⎱	7,5
41a	19	1,7	⎰ 1,5	11,7
b	19	1,3	⎱	15,4
43a	19	1,7	⎫	13,5
b	19	2,5	⎬ 1,93	22,8
c	19	1,6	⎭	20,6
46a	18	2,0	⎫	1,5
b	18	2,0	⎬ 1,97	1,5
c	19	1,9	⎭	3,7

44 Fänge

Diese Tabelle zeigt, dass die Abweichung vom Mittel nie über 25 % hinausgeht. Drei Viertel der Fänge bleibt unter 10 % zurück. Und zwar sind von 44 Fängen

zwischen   0—5 % — 18 Fänge ⎫
  „   5,1—10 „ — 13 „ ⎬ 31 Fänge
  „ 10,1—15 „ — 9 „ ⎭
  „ 15,1—20 „ — 2 „
  „ 20,1—22,8 „ — 2 ·„

Diese Gleichmäßigkeit der Volumina muss ein Ausdruck sein für eine ebenso große Gleichmäßigkeit in der Verteilung der Organismen. Um aber dieser Frage noch näher zu treten, habe ich in Gemeinschaft mit den Herren cand. med. Steinhagen und Gastreich die 3 Fänge 27a, e, c gezählt. Ich wählte diese Fänge darum, weil die Volumina 27a und 27e gleich waren oder vom Mittel nur um 2,5 % abwichen, 27c dagegen stärker abwich um 13,7 %.

Zur Vergleichung nehme ich die Organismen aus meinen Zählungs- protokollen, die sich mit größerer Sicherheit zählen lassen, während andere wie z. B. Kolonien von Chroococcaceen leicht zerfallen und daher ungenauere Zahlen liefern.

---

1) Siehe S. 498 oben.

Die Zählung ergab für den Quadratmeter Oberfläche:

	27a	27e	27c
Pediastrum Boryanum . . .	2 441 880	3 040 000	2 437 484
„ *pertusum*	813 960	1 330 000	707 657
Trigonocystis gracilis	1 770 496	1 678 000	1 834 665
Melosira - Fäden	87 970 000	76 000 000	106 428 750
Asterionella gracilis	448 400 000	458 660 000	460 938 750
Fragilaria virescens	34 713 608	33 440 000	49 048 125
Staurosira Smithiana (?) . . .	123 120 000	116 280 000	152 257 500
Ceratium hirudinella	9 658 992	6 900 800	9 645 096
Peridinium tabulatum	[1]) 154 128	253 536	314 514
Dreyssena - Larven	4 710 732	4 012 800	4 403 196
Anuraea cochlearis	4 015 232	3 923 576	4 219 730
„ *aculeata*	227 088	228 456	256 338
Polyathra platyptera	1 422 720	1 540 976	2 071 914
Pompholyx sulcata H u d s. (?) .	7 303 296	8 329 600	9 363 458
Conochilus volvox	407 360	511 480	699 930
Diurella tigris	[2]) 245 784	325 432	360 024
Diaptomus gracilis	328 320	198 208	539 947
Cyclops simplex	122 088	93 024	128 018
Chydorus sphaericus	47 242	36 480	45 753
Daphnia	173 280	215 688	219 978
Bosmina gibbera	14 592	24 320	25 907
„ *cornuta*	1 520	2 128	2 576
Daphnella brachyura . . : .	2 576	1 672	3 636
Leptodora hyalina	760	1 824	909

Leptodora ist allerdings zu unregelmäßig gewesen, ich glaube aber einen Grund dafür in meinem etwas zu kleinen Netze (von der Netzöffnung 92 qcm) zu finden.

Von allen andern Organismen zeigt aber nur *Diaptomus* eine größere Abweichung, er scheint sich also mehr in kleinen Ansammlungen zu halten, während z. B. *Cyclops* sehr gleichmäßig verteilt ist.

Die Zahlen für die pflanzlichen Organismen zeigen, dass diese sehr gleichmäßig verteilt sein müssen, bei manchen sind sogar die Zahlen fast übereinstimmend.

Ich sehe auch keinen Grund ein, warum die Algen sich in Schwärmen sammeln sollten; wo die Bedingungen im Wasser die gleichen sind, muss eine gleichmäßige Verteilung der pflanzlichen Organismen im Wasser die notwendige Folge sein.

Die Rädertiere zeigen sich ebenfalls sehr gleichmäßig verteilt. Sie pflanzen sich während des größten Teiles des Jahres parthenogenetisch fort, haben also meiner Ansicht nach keinen Vorteil sich

---

1) Im ersten Fange noch nicht genau erkannt.
2) Zu wenig gezählt, da ich anfangs nicht dieselben für ein pelagisches Tier hielt.

zusammenzuscharen. Die meisten Süßwasserforscher reden von Schwärmen, unter andern auch Hudson and Gosse (8). Sie setzen aber hinzu „sometimes" (S. 37); ich glaube aber nicht, dass einer von ihnen jemals dieselben direkt gesehen hat, da die Tiere alle mikroskopisch klein sind.

Die Crustaceen sind bis auf *Diaptomus* ebenfalls gleichmäßig genug verteilt. Von den Daphniden leben ebenfalls wie bei den Rädertieren den größten Teil des Jahres die Weibchen allein, die Männchen treten erst zu bestimmter Zeit auf. Für sie möchte ich dasselbe geltend machen, wie für die Rädertiere. Bei den Copepoden liegt die Sache anders. Das ganze Jahr hindurch findet man neben den Weibchen auch Männchen und, wie meine Zählungen für den Juli ergeben haben, sind beide Geschlechter bei *Diaptomus* fast in gleicher Zahl vorhanden, bei *Cyclops* überwiegen die Weibchen. Bei *Diaptomus*, glaube ich, liegt der Grund der Ansammlungen in der geschlechtlichen Fortpflanzung; dann ist es nur wunderbar, dass *Cyclops* nicht auch sich zusammenschart, da für ihn die gleichen Verhältnisse maßgebend sind.

Nach den angeführten Zählungen scheint es mir ungerechtfertigt noch weiterhin von Schwärmen zu reden als von dem normalen, sondern ich glaube, dass die gleichmäßige Verteilung der Organismen die Regel ist, wohl aber Ansammlungen unter gewissen Bedingungen vorhanden sind, aber so, dass sie die Anwendung der Hensen'schen Methode durchaus nicht beeinträchtigen. Anders liegen wohl die Verhältnisse in kleinen Tümpeln, wo sich die Tiere, namentlich die Cladoceren in dichten Scharen bei einander finden, das ist auch wohl in der littoralen Region der Fall, da dort an manchen Stellen die Nahrung[1]) reichlicher fließen wird, während das in der freien Seefläche nicht der Fall ist.

Nach den Befunden der Zählungen meiner drei Vergleichsfänge, sowie aus der mitgeteilten vergleichenden Volumenmessung scheint mir hervorzugehen, dass die Verteilung des Plankton im Süßwasser eine recht gleichmäßige ist. Dieses Resultat meiner Untersuchungen ist sehr interessant, da es mit denen Hensens für den Ozean übereinstimmt.

Auch einen Beweis für die Gleichmäßigkeit können die Stufenfänge liefern. Denn wenn die Organismen sich in Schwärmen halten, dann ist nicht einzusehen, warum nicht das Netz aus 2 m mehr als aus 5 m oder aus 5 m mehr als 10 m etc. gebracht haben sollte, denn es konnte in der flacheren Wasserschicht doch einen Schwarm getroffen haben, während dieses in dem tieferen Zuge nicht der Fall gewesen wäre, aber die 11 vollkommenen Stufenfangreihen zeigen nichts, was auf solche Schwärme hindeutet. Die Wahrscheinlichkeit

---

1) Siehe unten Nahrung der Crustaceen im Abschnitt: Zusammensetzung des Plankton.

mit weiteren Stufenfangreihen einmal solch eine Abweichung zu erhalten ist äußerst gering.

Es werden also die „Schwärmer" ihre Behauptung, dass die
Organismen sich vornehmlich in Schwärmen halten, durch einen durch
Zahlen gestützten Beweis begründen oder zugeben müssen, dass
Schwärme nicht das Normale sind und nur gelegentlich vorkommen.
Imhof (11) schreibt (S. 118): „Wie ich früher schon gelegentlich
erwähnt . . . zeigen sich die pelagischen Tierchen in einem einzelnen
See nicht überall gleichmäßig verteilt. Namentlich an der Oberfläche
findet man hie und da Stellen, an denen ganz ungeheure Mengen von
pelagischen Tieren vorhanden sind, so dass sie in bedeutender Zahl
durch bloßes Wasserschöpfen erhalten werden. An solchen Stellen
zeigt die genauere Untersuchung oft nur wenige Species, z. B. nur
Ceratium, *Dinobryon* und Rotatorien, aber in unzählbaren Individuen,
manchmal aber auch beinahe sämtliche Mitglieder der pelagischen
Fauna von den kleinsten bis zu den größten".

Also auch Imhof schreibt von den Schwärmen als Ausnahmen,
trotzdem er wohl die gleichmäßige Verteilung nicht erkannt · hat,
wenigstens den Beweis, wie er zu dieser Anschauung gekommen ist,
schuldig bleibt. Hätte er genaue Zahlenangaben gemacht, von den
Fängen, in denen die Schwärme getroffen waren, und von solchen, in
denen diese nicht vorhanden waren, dann hätte seine Behauptung
einen allgemeinen Wert gehabt, während jetzt mit ihnen nichts anzufangen ist, als seine Angaben wie die anderer Forscher, die überall
Schwärme registrieren, als auf Täuschung beruhend zurückzuführen.
Gegen die „Schwarmtheorie" möchte ich gar nichts einwenden, nur
verlange ich, dass sie durch eine quantitative Methode gestützt
wird. Ehe dieses geschieht, wozu nach meinen Untersuchungen wenig
Hoffnung vorhanden ist, muss man die gleichmäßige Verteilung als
Regel ansehen, Schwärme aber als die Ausnahmen.

Nachdem wir so die Frage der Verteilung der Organismen beantwortet haben, wollen wir untersuchen, was der von mir untersuchte
See an Plankton in den einzelnen Monaten produziert hat. Ich benutze hierzu wiederum die 18—20 m Fänge. Wie ich schon früher (2)
angab, muss ich um das Plankton-Volumen unter 1 qm Oberfläche
d. h. aus einer Wassersäule vom Querschnitt 1 qm und der Höhe des
Wasserbeckens (hier 20 m) zu berechnen, die von mir gefischten Volumina mit 151,5 multiplizieren. Diese Multiplikationen sind in der
ersten Tabelle unter „Volumina unter 1 qm" zusammengestellt. Zur
Aufstellung der Volumen-Kurve benutze ich die Mittel aus den an
demselben Tage ausgeführten Planktonzügen. Ich erhalte dann

26. IV. 1891 . . Nr. 18 . . . 530 ccm.
31. V.   „ . . „ 23 . . . 707 „
5. VII.   „ . . „ 26 . . . 864 „
19. VII. „ . . „ 27 . . . 621 „

2. VIII. 1891	. .	Nr. 28	. . .	682 ccm.
30. VIII.	„ . .	„ 30	. . .	1427 „
20. IX.	„ . .	„ 32	. . .	2008 „
4. X.	„ . .	„ 33	. . .	3136 „
11. X.	„ . .	„ 34	. . .	2651 „
15. XI.	„ . .	„ 37	. . .	369 „
20. XII.	„ . .	„ 39	. . .	285 „
27. III. 1892	. .	„ 41	. . .	228 „
13. IV.	„ . .	„ 43	. . .	293 „
11. V.	„ . .	„ 46	. . .	298 „

In dieser Tabelle fehlen leider die Monate Januar und Februar, da ich wegen der nur schwachen Eisdecke nicht bis zu der tiefen Stelle gelangen konnte. Ich fischte aber am 20. Februar in dem flachen nördlichen Teile und erhielt auf 4 m 0,25 ccm in 2 m 0,2 ccm. Dieser 4 m Fang verglichen mit dem 5 m Fang am 27. März zeigt, dass noch nicht einmal die Hälfte von Plankton im Februar vorhanden war. Nehme ich dasselbe Verhältnis für den Tiefenfang an, um eine ungefähre Vorstellung von dem Volumen zu erhalten, so würde ich auf 19 m ca. 0,9 ccm erhalten haben. Dieses würde unter dem Quadratmeter ca. 136 ccm Plankton ausmachen. Da mir keine bessere Zahl zur Verfügung steht, so will ich diese einstweilen gelten lassen. Ich hätte dann also

20. II. 1892 . . Nr. 40 . . . 137 ccm (?)

Aus dieser Zahlenreihe sehen wir, dass im April 1891, nach einem sehr strengen Winter die Planktonmenge schon 530 ccm beträgt. Das Volumen steigt bis zum Anfang Juli. Dann geht die Zahl wieder zurück, wodurch dieser Rückgang bewirkt wurde, ist vorläufig nicht zu sagen. Es liegen zwei Möglichkeiten vor, einmal können alle pelagischen Organismen eine Verminderung erfahren haben, anderseits kann diese nur bestimmte Organismen betroffen haben, so dass diese den Rückgang verschulden. Nur durch die Zählungen wird sich dieser Punkt entscheiden lassen. Von da an nimmt nun die Produktion schnell zu und erreichte am 4. Oktober ihr Maximum mit 3136 ccm. Dieses ist eine ganz gewaltige Menge von Organismen, wenn man bedenkt, dass in 20 cbm = 20 000 Liter Wasser 3,136 Liter Organismen sich befinden. Das Volumen sinkt dann ziemlich schnell bis Mitte November, dann langsamer bis zum Dezember und vermutlich tritt im Februar oder auch schon Januar das Minimum ein. Von da beginnt dann wieder eine stärkere Vermehrung. Sonderbarer Weise war der Fang im Mai 1892 kaum größer als der im April, während im Jahr vorher das Volumen ungefähr doppelt so groß war. Im Jahr 1892 war aber die Wassertemperatur in beiden Monaten kaum verschieden, während im Jahre 1891 die Temperatur im Mai bedeutend höher war als im April.

Aus den oben angeführten Zahlen würde sich folgende Kurve der Planktonvolumina ergeben:

Fig. 1.

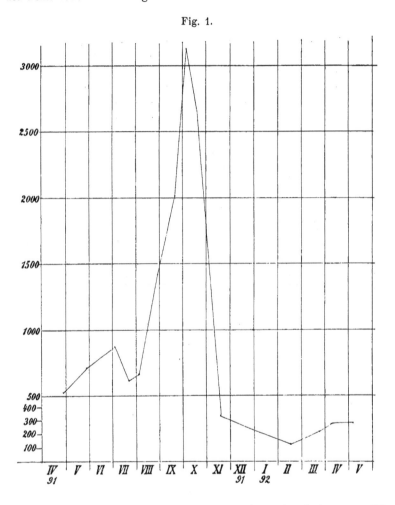

Die Kurve für die Volumina an Plankton im Süßwasser fällt sehr einfach aus, ein schnelles Ansteigen bis zum Herbst, dann ein ebenso schneller Abfall bis zum Eintritt der kalten Jahreszeit, dann langsameres Fallen der Kurve bis zur Zeit der Eisbedeckung des Wasserbeckens, vom Auftauen derselben eine allmähliche Zunahme an Plankton. Ich glaube, diese Kurve wird mit derjenigen, die die Produktion an Chroococcaceen gibt, übereinstimmen. Durch die Massenhaftigkeit der Chroococcaceen im Verhältnis zu den andern Organismen werden die Kurven für diese verdeckt. Ich sehe hier kein anderes Mittel diese darzustellen als die Zählung, durch die man für jeden einzelnen Organismus das Ansteigen und Abfallen im Laufe eines Jahres finden kann. Denn es ist nicht gesagt, auch nicht einmal wahrscheinlich, dass die Maxima resp. Minima für alle Organismen zusammenfallen. Die Diatomeen entwickeln sich unter anderen Bedingungen als die Chroococcaceen und diese gewiss wiederum anders als Rädertiere oder Krebse. Ich kann nicht genug die Wichtigkeit der Zählungen für diese Frage betonen, namentlich da von anderer Seite (6) die Zählungen als nutzlos verworfen werden, und durch Volumenbestimmung alles gemacht werden soll. Diese haben gewiss auch ihren großen Wert, der aber durch die folgende Zählung ganz unverhältnismäßig gesteigert wird. Man muss die Zählungen selbst mitgemacht haben, um über sie urteilen zu können.

Vertikale Verteilung des Plankton.

Um die vertikale Verteilung des Plankton kennen zu lernen, sind zwei Wege möglich, die je nach dem erstrebten Zwecke der Untersuchung verschieden sind. Kommt es nur darauf an, die in einer bestimmten Wasserschicht sich aufhaltenden Organismen der Art nach zu bestimmen, so wendet man am besten ein Schließnetz an. Dieses Netz ist für Untersuchungen im Ozean von hoher Wichtigkeit, da die Verteilung der Organismen im Ozean eine derartige ist, dass man in gewissen Schichten nur bestimmte Organismen antrifft, während andere vollkommen fehlen (5). In einem Süßwasserbecken von geringer Tiefe werden die Organismen nicht so scharf getrennt sein, man wird an der Oberfläche, wie in der Tiefe dieselben Organismen antreffen, es werden sich jedoch manche von ihnen mehr in der Nähe der Oberfläche aufhalten, andere werden mehr die Tiefe bevorzugen. Um diese quantitativen Verhältnisse zu erforschen, ist die Methode der Stufenfänge von Wert. Diese Methode ist nur anwendbar, wenn das Plankton gleichmäßig (in horizontaler Beziehung) verteilt ist. Wäre dieses nicht der Fall, dann könnte man nie wissen, ob der eine Zug der Stufenfänge eine dichtere Menge von Plankton (Schwärme!) ein anderer nicht eine solche getroffen hat, man würde nie ein richtiges Bild von der vertikalen Verteilung der Organismen erhalten. Da nun aber durch die oben angeführten Erörterungen erwiesen ist, dass die Verteilung des Plankton recht gleichmäßig ist, so ist die Methode der Stufenfänge sehr wohl anwendbar und ich habe sie seit dem Juli 1891, wo ich auf diese Frage aufmerksam wurde, ausgeführt: Ich habe das Planktonnetz 2, 5, 10, 20 m in das Wasser hinuntergelassen und die erhaltenen Fänge (in den Tabellen mit S bezeichnet) verglichen. Durch ein einfaches Subtraktionsexempel lässt sich dann feststellen, wie viel Plankton in der Schicht von 0—2, 2—5, 5—10, 10—20 m vorhanden war und durch die Zählung dieser Fänge, wie viel von jeder Organismenart in dieser Schicht lebten.

Ich habe für die folgenden Rechnungen 3 Schichten unterschieden:
1) Oberflächenschicht von   0--2 m
2) Mittelschicht . . „   2—10 „
3) Tiefenschicht . . „ 10—20 „ oder bis zum Boden.

Diese Annahme ist ganz willkürlich und weitere Untersuchungen müssen zeigen, ob man nicht die Oberflächenschicht nur bis 1 m, die Mittelschicht über 10 m annehmen muss und dann bis zum Boden die Tiefenschicht.

Aus der Tabelle ergeben sich folgende vollständige Stufenfangreihen, bei denen also Fänge aus 2, 10, 20 Meter ausgeführt wurden. Ich stelle die Volumina in einer Tabelle zusammen, wobei für die Tiefenfänge die oben berechneten Mittel genommen sind:

Datum:	VII. 5.	VII. 19.	VIII. 2.	VIII. 30.	IX. 20.	X. 4.	X. 11.	XI. 15.	III. 27.	IV. 13.	V. 11.
Nr.:	26	27	28	30	32	33	34	37	41	43	46
0—2 m:	0,9	0,75	1,5	1,5	4,25	5	5	0,75	0,5	0,5	0,6
0—10 m:	3	2,25	2,75	7,5	10,5	6,75	9	1,5	1,1	0,9	1,2
0—20 m:	5,7	4,1	4,5	9,42	13,2	21,5	17,5	2,4	1,5	1,9	2

Diese Zahlen geben in Kubikzentimeter an, wie viel Plankton in den Schichten von der Oberfläche bis 2, 10, 20 m vorhanden war. Aus diesen Zahlen kann ich berechnen, wie viel Plankton sich in den Schichten von 0—2; 2—10; 10—20 m fand, indem ich für die Oberflächenschicht die Volumina für 0—2 m direkt benutze, für die Mittelschicht Vol. 0—10 minus Vol. 0—2, dann erhalte ich Volumen 2—10 m; für die Tiefenschicht Vol. 0—20 minus Vol. 0—10, dann erhalte ich Vol. 10—20 m.

Führe ich diese Subtraktionen aus, so erhalte ich folgende Werte:

Nr.:	26	27	28	30	32	33	34	37	41	43	46
0—2 m:	0,9	0,75	1,5	1,5	4,25	5	5	0,75	0,5	0,5	0,6
2—10 m:	2,1	1,5	1,25	6	6,25	1,75	4	0,75	0,6	0,4	0,6
10—20 m:	2,7	1,85	1,75	1,92	2,7	14,75	8,5	0,9	0,4	1,0	0,8

Da ich aber die Schichten von verschiedener Höhe angenommen habe, die Oberfläche 2 m, die Mittelschicht 8 m, die unterste 10 m, so kann ich diese Zahlen nicht direkt mit einander vergleichen. Ich muss daher die Planktonmenge auf 1 m (innerhalb der betreffenden Schicht natürlich) reduzieren, indem ich die Zahlen der Oberflächenschicht mit 2, die der mittleren mit 8 und die der untersten mit 10 dividiere; führe ich dieses aus, so erhalte ich für 1 m in der Schicht von

Nr:	26	27	28	30	32	33	34	37	41	43	46
0—2 m:	0,45	0,38	0,75	0,75	2,13	2,5	2,5	0,38	0,25	0,25	0,3
2—10 m:	0,26	0,19	0,16	0,75	0,78	0,22	0,5	0,09	0,08	0,05	0,075
10—20 m:	0,27	0,19	0,18	0,19	0,27	1,48	0,85	0,09	0,04	0,1	0,08

Da diese Brüche aber unübersichtlicher sind, als ganze Zahlen, so verwandle ich die Angaben der Volumina, die in Kubikzentimetern war, in Kubikmillimeter durch Multiplikation mit 1000 und erhalte:

Nr.:	26	27	28	30	32	33	34	37	41	43	46
0—2 m:	450	380	750	750	2130	2500	2500	380	250	250	300
2—10 m:	260	190	160	750	780	220	500	90	80	50	75
10—20 m:	270	190	180	190	270	1480	850	90	40	100	80

Diese Zahlen geben also an, wie viel Plankton mein Netz an Kubikmillimetern in den 3 verschiedenen Schichten beim Durchfischen einer Wassersäule von 1 m Höhe gefangen haben würde.

Um nun das Verhältnis der Volumina in den verschiedenen Schichten an den einzelnen Tagen zu einander zu finden, nehme ich das Volumen der Tiefenschicht als 1 an und erhalte dann:

Nr.:	26	27	28	30	32	33	34	37	41	43	46
0—2 m:	1,7	2	4,2	3,9	7,9	1,7	2,9	4,2	6,3	2,5	3,75
2—10 m:	1,0	1	0,9	3,9	2,9	0,15	0,59	1	2	0,5	0,94
10—20 m:	1	1	1	1	1	1	1	1	1	1	1

oder abgerundet:

Datum:	VII. 5.	VII. 19.	VIII. 2.	VIII. 30.	IX. 20.	X. 4.	X. 11.	XI. 15.	1892 III. 27.	IV. 13.	V. 11.
Nr.:	26	27	28	30	32	33	34	37	41	43	46
0—2 m:	$1^3/_4$	2	$4^1/_2$	4	8	$1^3/_4$	3	$4^1/_2$	$6^1/_2$	$2^1/_2$	4
2—10 m:	1	1	1	4	3	$^1/_6$	$^1/_2$	1	2	$^1/_2$	1
10—20 m:	1	1	1	1	1	1	1	1	1	1	1

Diese letztere Tabelle zeigt, dass stets in der Oberflächen-schicht das Planktonvolumen größer war, als in der gleichen Wassermenge einer anderen Schicht, dass also die Dichtigkeit hier am größten ist, und zwar war sie am größten im September, am geringsten am 5. Juli und 4. Oktober.

Die Mittelschicht verhält sich verschieden, bald war die Dichtigkeit größer als in der Tiefe (30. VIII; 20. IX; 27. III, 92), bald gleich (5. VII; 19. VII; 2. VIII; 15. XI; 11. V, 92), bald geringer (4. X; 11. X; 13. IV, 92).

Fragt man nach der Ursache der verschiedenen Dichtigkeit an den verschiedenen Tagen, so bin ich leider noch nicht in der Lage antworten zu können. Ich glaube aber, dass die Zählungen dieser Stufenfänge ein gutes Stück weiter helfen werden, jedoch ließen sich dieselben wegen Zeitmangel noch nicht so weit fördern, um zu Schlüssen zu berechtigen.

Die Oberflächenfänge d. h. die quantitativen Fänge in der Ober-flächenschicht machen den Eindruck eines allmählichen Ansteigens zum September, dieser würde mit der Zunahme der Chroococcaceen zusammenfallen, die man an der Oberfläche direkt sieht; diese erreichten aber erst am 4. Oktober ihr Maximum, und an diesem Tage ist die Dichtigkeit an der Oberfläche nur wenig größer als in der Tiefe. Es fanden sich aber an diesem Tage in der Tiefe große Mengen von *Melosira*, möglich also, dass diese den Ausschlag zu gunsten der Tiefe abgegeben haben.

Inwiefern diese Verhältnisse von der Wassertemperatur, der direkten Sonne, der Wellenbewegung abhängig sein mögen, entzieht sich noch der Beobachtung; auch wäre für diese Untersuchungen ein tieferes Wasserbecken mehr geeignet, als der nur 20 m tiefe Dobersdorfer See. In diesem werden die Sonnenstrahlen mit nur geringem Verlust bis zum Boden gelangen können, die Temperatur[1]) wird im Sommer in den tieferen Wasserschichten nur wenig, wenn überhaupt geringer sein, als an der Oberfläche. Die Messung im Mai 1891 zeigt bei 16° C an der Oberfläche nur eine Differenz von 2,5° C in der Tiefe, am 27. März in 20 m ebenso wie an der Oberfläche.

Ich hoffe diese Untersuchungen in dem „Großen Plöner See", der Tiefen von 40—60 m hat, fortsetzen und den Gründen für die vertikale Verbreitung der Organismen näher treten zu können, namentlich verspreche ich mir aber viel aus den Zählungen der Stufenfänge, da diese zeigen werden, welche Organismen die Oberfläche, welche die Tiefe vorziehen.

Zusammensetzung des Plankton.

Die Organismen, die man freischwimmend — in der pelagischen Region — findet, gehören drei Gruppen an:

---

1) Ich habe regelmäßig die Temperatur an der Oberfläche gemessen, meine Meyer'sche Flasche, mit deren Hilfe ich Wasser aus der Tiefe schöpfen wollte, funktionierte nicht recht und ging bald verloren. Die Temperaturen waren folgende:

31. Mai	Oberfläche:	16	°	C in 15 m — 13,5° C
21. Juni	„	19,1	°	„
2. August	„	20	°	„
30. „	„	$16^1/_4$	°	„
20. September	„	13	°	„
4. Oktober	„	11	°	„
11. „	„	$9^3/_4$	°	„
1. November	„	$4^1/_4$	°	„ im nördlichen flachen Teil
15. „	„	6	°	„
29. „	„	$4^1/_2$	°	
20. Dezember	„	2	°	„
20. Febr. 1892	„	1,5	°	„ unter dem Eise
27. März	„	4	°	„ in 20 — 4° C
13. April	„	8	°	„
1. Mai	„	8,8	°	„

1) echt pelagisch, oder aktiv pelagisch sind solche, die sich selbständig schwimmend Zeitlebens in der freien Seefläche aufhalten. Sie bilden das Plankton und von ihnen soll unten die Rede sein;

2) passiv-pelagisch sind solche Formen, die an pelagischen Organismen festsitzend, an diesen in der freien Seefläche ihr Leben verbringen, ohne ihren Träger aber nicht lange der pelagischen Fauna resp. Flora angehören würden. Ich rechne dazu die Vorticellen, Acineten, Choanoflagellaten, verschiedene Diatomeen;

3) zufällig-pelagische oder tychopelagisch nach Pavesi (14) nenne ich solche, die nur durch ungünstige Umstände (Wind, Strömung) in die pelagische Region verschlagen sind.

Vor kurzem hat Imhof (12) eine „Zusammensetzung der pelagischen Fauna der Süßwasserbecken" erscheinen lassen, in der er die vorgenannten 3 Gruppen durcheinandermengt. Mit demselben Rechte wie z. B. *Ceriodaphnia pulchella* Sars, *Scapholeberis mucronata* O. F. M., *Simocephalus vetulus* O. F. M., *Pleuroxus truncatus* O. F. M. könnte man auch einen an der Wasseroberfläche hängenden *Limnaeus*, der auf die Seefläche hinausgetrieben ist, als pelagisch bezeichnen. Allerdings findet man hin und wieder ein Exemplar der vorgenannten Arten unter den echt pelagischen Organismen, das sagt aber meiner Ansicht nach gar nichts. Diese Formen findet man vorzugsweise in kleinen Teichen und Tümpeln sowie in der littoralen Region größerer Seen häufig, oft massenhaft; dass sich das eine oder andere Exemplar einmal aus seinem Gebiete entfernt und durch Wind und Strömung weiter vom Lande abgeführt wird, ist selbstverständlich, aber früher oder später wird das Tier zu grunde gehen oder wenigstens seine direkten Nachkommen. Ein Kennzeichen für echt pelagischen Organismen ist es unter anderem, dass sie stets in größerer Individuenzahl vorhanden sind. In dem Fang 27a, dessen Zählung oben angeführt wurde, kommt das recht zum Ausdruck. In dem ganzen Fange fand ich 2 *Alona*, das würde auf den Quadratmeter Oberfläche 304 *Alona* machen. Nur doppelt so groß ist die Zahl für *Leptodora* und doch rechne ich letztere zum Plankton, erstere nicht. Für diese Frage ist die längere Zeit fortgesetzte Untersuchung ein und desselben Wasserbeckens von Wert. Denn während *Leptodora* den größten Teil des Jahres, also regelmäßig, im Plankton auftritt, ist *Alona* stets als zufälliger Bestandteil des Fanges zu erkennen. Meine Erfahrungen, die ich bisher nur aus dem Studium einiger weniger mittelgroßer Seen habe sammeln können, setzen mich nicht in die Lage, das Imhof'sche Verzeichnis nach den 3 oben genannten Gesichtspunkten ordnen zu können.

In folgendem gebe ich nun das Verzeichnis der von mir im Dobersdorfer See beobachteten Plankton-Organismen. Es ist möglich,

32 *

dass nicht alle angeführten Organismen hierher gehen, aber vorderhand möchte ich meine Zweifel nur in betreff der Corethra-Larve aussprechen. Sie ist eine gute Schwimmerin, findet sich aber hauptsächlich in kleinen ph, so z. B. in riesiger Zahl in kleinen Torfg h, so dass das Netz nah t her Zeit hunderte von ihnen enthält. In der See- he habe ich sie nur einige Male in wenigen Exemplaren gefunden, so dass ich glauben mss, dass die nur zufällig in die pelagische Region verschlagen waren.

Aller dngs fällt mein Verzeichnis aus den genannten rüen ws spirlich aus, die Zählungen werden noch einige Organismen bringen, da die bisherige Zusammenstellung nur das Resultat des Studiums einer kleineren Planktonprobe ist. Die Me gibt eine Uebersicht der in jedem Mt häufigern Organismen.

	26. IV.	31. V.	21. VI.	5. VII.	19. VII.	2. VIII.	30. VIII.	20. IX.	4. X.	11. X.	1. XI.	15. XI.	29. XI.	20. XII.	1892 20. II.	27. III.	13. IV.	4. V.	11. V.
Mollusken. Dreyssena polymorpha-Larve	+										++								++
Hexapoden. Corethra-Larve		+																	
Crustaceen. Diaptomus gracilis	++++++	++++++	+++	++++	++++++	++++++	++++	++++	++++	++++	++	+++	+++++	+++++	++	++	++	++++	++
Cyclops simplex	+	+									++								++
Leptodora hyalina																			
Chydorus sphaericus																			
Bosmina cata				+	+	+	+	+++	+	+++++	++	+++	++	++			++	++	++
" coregoni				+	+	+		+	+++		++	++							
" gibbera			++				+	+			+				+				
Daphnia cta																			
" lata																			
" Cederstroemi																			
Daphnella brachyura																			
Rotatorien. Conochilus																			
Synchaeta pectinata		++				++													
Polyarthra platyptera	+++++	++	+	++++++++	++++++++	+++				+	++++	+	++++	+				+	++
An cochlearis	+						+	+											
" ata																			
" ata																			
Monocerca cornuta					++	++	++		+										
Diurella tigris	+		+					+									+		

Species	Vorkommen
Infusorien. Tonella [...]is	+ + ++++ ++++ ++ ++ +
Tintinnidium fluviatile	+ + +++++++++ ++ + +
Rhizopoden. Actinophrys sol	++ + ++++++++ + + +++
Peridineen. Ceratium [...]idia	+ ++++ + +
Glenodinium sp. nov.	++++ + + ++
Diat[omeen]. [...]um	+ ++++ ++ +
[...]a virians	+ +++++ + ++ + +
[...]tänz	+++++ ++ +
Asterionella gracill.	+ ++++++ + + +
Fragilaria virescens	+ + +++++++ + + ++ +
[...]a [...]a [in?]	+ +++ +++ + ++ +
Campylodiscus noric.	++ +++++ ++ ++ ++
Surirella [...]la	+ + +++++ + + +
" [...]a solea	+++++++ + + +++ ++
" [...]a [...]löpca	+ +++++++++++++++++++++ +
" [...]ja ? [...]jam	+ ++ +++++++ +++++ ++
Protococcaceen. Pediastrum pertusum	+ ++++++ +++ ++ +++
" Boryanum	+ +++++++ + + ++ ++
Desmediaceen. [...]is gracilis	++ + +++++++++++++ ++++
[...]m furcig.	
Chroococcaceen. Clathrocystis aeruginosa	
[...]is [...]th	
[...]ia [...]a	
Chroococcus [...]mus	
[...]a [...]är.	
Nost[o]ceen. Rivularia viridis	

Die Larve von *Dreyssena polymorpha*, die zuerst von Korschelt (13) beschrieben wurde, ist ein echt pelagischer Organismus, wenn auch nicht das Tier sein ganzes Leben[1]) in der pelagischen Region zubringt, sondern sich bald auf dem Boden und zwar, wie mir scheint, am liebsten in nicht zu tiefem Wasser festsetzt. Die Larve fand ich zum ersten Male am 26. April, sie blieb bis zum 9. August, an welchem Tage sie noch zahlreich freischwimmend vorkam, am 30. August fehlte sie vollkommen. Sie kommt in ganz ungeheuren Mengen vor, wie die oben angeführte

[1]) Sie würde zum periodischen Plankton gehören. Hensen (7).

Zählung (27a) zeigt, wo sich unter dem Quadratmeter bei 20 m Tiefe
4 710 732 Larven fanden. Von diesen kann nur ein ganz geringer
Bruchteil zur Entwicklung kommen.

Ueber die Larve von *Corethra plumicornis* sprach ich schon oben.
Einen Hauptbestandteil des Plankton während des größten Teiles
des Jahres bilden die Crustaceen.

Aus der Ordnung der Copepoden fand ich stets 2 Arten, *Diaptomus
gracilis* G. O. Sars und *Cyclops simplex* Pogg., selbst in dem Fange
unter dem Eise im Februar 1892 waren sie zahlreich, während die
Daphniden ganz zu fehlen schienen. Dasselbe beobachtete ich in den
kleinen Torfmoorttümpeln bei Kiel. Andere Copepoden habe ich im
Dobersdorfer See nie in der pelagischen Region gesehen.

Was die Nahrung der pelagischen Copepoden anbelangt, so gab
ich in meiner ersten Arbeit über das Süßwasserplankton (1) Beobachtungen von Claus und Vosseler an, die die Nahrung in pflanz-
lichem und tierischem Detritus mit Hinzugesellung von Infusorien angeben. Für die Meerescopepoden glaubt Hensen (7) die Ceratien
als Nahrungsquelle in Anspruch nehmen zu müssen. Bei meinen Untersuchungen machte ich oft die Bemerkung, dass der Darm der genannten zwei Copepoden dicht mit *Melosira*-Zellen gefüllt war. Ich
glaube, dass *Melosira*, vielleicht auch andere pelagische Diatomeen
die Hauptnahrung der Copepoden bilden, will aber nicht in Abrede
stellen, dass sie vielleicht die zahlreichen Chroococcaceen genießen,
doch konnte ich dieses nicht direkt beobachten. Hiermit ist dieser
wichtige Punkt wohl klargestellt, denn es war undenkbar, dass die
kolossale Produktion an Diatomeen nicht irgend einer Tiergruppe zu
gute kommen sollte.

Ebenso wie für die Copepoden erkannte ich auch die Nahrung
der meisten Daphniden in Diatomeen, namentlich *Melosira*. *Melosira*
ist im Darm [1]) gut zu erkennen, während vielleicht *Asterionella* und

---

1) Namentlich tritt der Diatomeen-Inhalt des Darmes in Canadabalsam-
präparaten gut hervor, wenn die Organismen nicht vorher gefärbt waren. —
Bei allen meinen Exkursionen nahm ich neben den quantitativen Fängen
Material zu qualitativer Untersuchung mit. Ich konservierte es auf die mannig-
fachste Art und Weise. Am meisten eignet sich die Flemming'sche Chrom-
Osmium-Essigsäure dazu. Nachdem das Material in Alkohol gebracht war,
stellte ich auf folgende Art von einem Teile desselben Dauerpräparate her.
Die Prozeduren nahm ich in ca. 2$\frac{1}{2}$ cm langen Reagensgläschen vor. Zu einem
Teile that ich etwas Glyzerin, das Material sinkt langsam in dieses ein, ohne
zu schrumpfen, dann hebt man den Alkohol ab und kann mit einem Spatel
das Material auf einen Objektträger bringen und eindecken. Einen anderen
Teil, von dem ich den Alkohol möglichst entfernt hatte, färbte ich, wusch
dann aus, brachte das Material durch Alkohol in Nelkenöl und legte es in
Canadabalsam ein. Einen dritten Teil brachte ich ungefärbt in Nelkenöl und
dann in Canada. — Diese Präparate haben mir große Dienste erwiesen. Wenn
es sich darum handelt einen Ueberblick über die Zusammensetzung des Plankton

andere langgestreckte Formen beim Verspeisen zerbrochen werden und die Bruchstücke dann schwer zu bestimmen sind.

Bei den Daphniden ist es mir auch höchst wahrscheinlich, dass sie Chroococcaceen verspeisen, denn ich sah öfter, wenn ich die Tiere lebend untersuchte, den Darm mit einer spangrünen Flüssigkeit gefüllt, deren Farbe mit der der Chroococcaceen genau übereinstimmte. Die Zellen der Chroococcaceen glaube ich auch einige Male erkannt zu haben; meist ist aber der Darm mit einer breiartigen Masse gefüllt, aus der mit Bestimmtheit nur die Diatomeen hervorleuchten.

Aus der Familie der Sididae fand ich nur *Daphnella brachyura* Liév. und zwar vom Juli bis Anfang September; ob sie außer dieser Zeit ganz fehlt, kann ich nicht angeben, es mag sein, dass sie nur sehr selten ist, so dass sie in meinen kleinen Planktonproben nicht enthalten war; beim Auszählen des ganzen Fanges kann sie aber nicht entgehen.

Die Familie der Daphnidae lieferte drei Vertreter aus der Gattung *Daphnia*, es waren *D. galeata* G. O. Sars, *D. cucullata* G. O. Sars und *D. Cederstroemi* Schödl. Die Arten sind beim Zählen schwer auseinanderzuhalten, da die Gestalt des Kopfes sehr variiert und nicht so konstant ist, wie es nach Besichtigung weniger Exemplare scheint. *Daphnia cucullata* scheint vom April bis Oktober häufiger zu sein, *D. galeata* aber vom Oktober bis Anfang des Jahres. *D. Cederstroemi* trat nur vereinzelt auf.

Von der Familie der Bosminidae fand ich drei Arten des einzigen Genus *Bosmina*. Bis Ende Mai war *B. cornuta* Jur.[1]) am häufigsten, in letzterem Monat auch *B. coregoni* Baird. Im Juni fehlten dann die Bosminen ganz, im Juli trat dann *B. gibbera* Schödl. auf, die bis zum Dezember zahlreich zu finden war und neben der die andern Bosminen ganz zurücktraten. Ich habe die charakteristische *B. gibbera* bisher in keinem andern See gefunden mit Ausnahme des mit dem Dobersdorfer See zusammenhängenden Passadersees.

Aus der Familie der Lynceiden war nur *Chydorus sphaericus* O. F. M. vorhanden und zwar meist in großer Individuenzahl.

Alle bisher genannten Daphniden nähren sich, wie ich schon oben anführte von Diatomeen. Nur eine Daphnide, die zur Familie der

---

an einem bestimmten Tage zu erhalten, dann genügt die Durchsicht eines solchen Präparates, da meistens alle häufigeren Organismen in demselben vertreten sind. Eine Sammlung solcher Präparate ist leicht aufzubewahren. Ohne diese Methode wäre ich nicht so leicht auf die Diatomeen im Darme der Crustaceen aufmerksam geworden, aber im Canadabalsam leuchten sie sofort hervor. Durch diese Art der Untersuchung wird natürlich das frische Materials nicht ersetzt.

1) Mir fiel am Schalenstachel an der Unterseite stets auf, dass 3 Zähnchen vorhanden waren, die ich nirgend erwähnt finde.

Leptodoriden gehörige *Leptodora hyalina* [1]) Lillj. nährt sich von Tieren, und zwar werden Copepoden als Nahrung angegeben, selbst beobachtet habe ich die Nahrungsaufnahme nicht; im Darm habe ich niemals Reste vorgefunden. *Leptodora* fand ich vom April bis Dezember im Plankton und zwar im Sommer in sehr großer Zahl und weit über einen Zentimeter groß.

Neben den Crustaceen spielen im Plankton von den tierischen Organismen die Rädertiere eine Hauptrolle. Einige von ihnen sind in ganz enormen Mengen vorhanden, so namentlich die zu den Loricaten gehörige *Anuraea cochlearis* Gosse, die ich bis zum Dezember fast regelmäßig antraf. Seltener und nur bis zum November trat *Anuraea aculeata* Ehbg. auf, beides Formen, die ich auch in Moortümpeln häufig antraf. Ihre Verbreitung scheint eine ganz gewaltige zu sein, da ihr Vorkommen aus vielen bisher untersuchten Seen gemeldet wird. Neben diesen beiden Formen kamen häufig, aber nicht so regelmäßig *Synchaeta pectinata*, *Polyathra platyptera* und *Conochilus volvox* zur Beobachtung. Im Juli erhielt ich dann bisher noch einige Rotatorien, so eines, das seiner vollkommenen Kontraktion wegen noch nicht hat genau bestimmt werden können und das ich in der Zähltabelle als *Pompholyx sulcata* Huds. aufgeführt habe. Es war im Juli bei weitem am zahlreichsten. Daneben traf ich noch *Monocerca cornuta* Ehbg. und *Diurella tigris*. Letztere glaubte ich anfangs nur als zufälligen Bestandteil anerkennen zu dürfen, aber die Zahl von 246 000 unter dem Quadratmeter beseitigte meine Zweifel, namentlich auch daher, weil dieses Rädertier seine Eier in der pelagischen Region ablegt: Ich fand oft an *Melosira* ovale eiförmige Körper angeklebt [2]), lange bildeten diese für mich ein Rätsel, bis ich ein Stadium fand, bei dem in dem Ei ein vollkommenes Tier von *Diurella* angelegt war, das gerade ausschlüpfen wollte, da die Eimembran schon geplatzt war. Dieses Vorkommen eines Eies, das an eine pelagische Diatomee (nur *Melosira*) angeklebt war, setzte mich in Erstaunen, da die andern von mir beobachteten Rädertiere ihre Eier mit sich herum tragen. Bei der Zählung handelt es sich auch darum, die Eier — auch die von den Tieren abgefallenen — getrennt nach den Tieren zu denen sie gehören, zu bestimmen. Wenn man auf diesen Punkt achtet, so ist die Unterscheidung nicht allzuschwer: *Anuraea cochlearis* hat ein ovales Ei mit dicker Membran, dessen Dotter weit von der Membran zurückgezogen ist; *Anurea aculeata* ein größeres mehr rundliches Ei mit ebenfalls dicker und abstehender Membran; *Polyathra platyptera* ein ovales Ei mit eng anliegender dünner Membran und *Pompholyx*

---

1) Der Priorität nach müßte *Leptodora Kindtii* stehen, aber der Name *L. hyalina* hat sich so eingebürgert, dass ich keinen Grund sehe ihn zu verlassen, um einen unbekannten Namen an das Licht zu ziehen.

2) also das Ei ist passiv pelagisch.

ein rundes Ei mit eng anliegender dünner Membran. Das Ei von *Diurella* erwähnte ich schon.

Von andern tierischen Organismen fand ich im Plankton noch *Tintinnidium fluviatile* S t e i n, *Codonella lacustris* E n t z. und *Actinophrys sol*, alle in geringerer Anzahl und nicht in allen Monaten vorkommend.

Die passiv pelagischen Organismen übergehe ich einstweilen, nur will ich bemerken, dass auch ich, wie Imhof (12) fast regelmäßig auf *Asterionella gracillima* eine Choanoflagellate *Salpingoeca* fand; der Form nach müsste es *Convallaria* S t e i n sein, jedoch hatten meine Exemplare nur eine Länge von 5 µ und saßen stets da, wo die einzelnen Individuen der *Asterionella* mit einander zusammenhingen.

Den bisher genannten Nahrungskonsumenten stehen eine große Zahl von Produzenten gegenüber, denen auch die Peridineen zuzurechnen sind.

Von Peridineen kamen 3 Arten zur Beobachtung:

Ceratium hirudinella O. F. M ü l l e r war häufig vom April bis Anfang Oktober, dann verschwand es vollkommen. Seine Zahl bleibt immer eine beschränkte, so dass es niemals „monotones Ceratienplankton" bildet, wie das in der Ostsee mit seinen Verwandten der Fall ist. Auch beginnt die Ceratienperiode in der Ostsee erst im Herbst, während im Süßwasser dann *Ceratium* schon verschwindet. Oft fand ich auch Teilungsstadien, wie das von B l a n c (4) Fig. 5 abgebildete. Neben *Ceratium* sah ich häufiger *Peridinium tabulatum* und *Glenodinium* spec. nov. (siehe unten).

Weit zahlreicher als die Peridineen waren die Diatomeen, namentlich die Gattungen *Melosira*, *Asterionella* und *Fragilaria*. *Melosira*, von der *M. varians* A g. und *M. distanz* K g. beobachtet wurden, scheint namentlich im Sommer häufig zu sein, dann nimmt sie sehr ab und dafür treten *Asterionella gracillima* H e i b. und etwas später *Fragilaria virescens* R a l f s und *Staurosira Smithiana* G r u n (?)[1]) auf. Alle vier finden sich aber das ganze Jahr über. In geringerer Zahl kamen *Surirella biseriata* B r é b, *Campylodiscus noricus* E h b g., *Cymatopleura solea* B r é b und *C. elliptica* B r é b zur Beobachtung.

Eine winzige *Navicula* - Art besetzte oft dicht die Kolonien von Chroococcaceen, sie würde zu den passiv - pelagischen Organismen zu rechnen sein.

Ueber die Diatomeen als Nahrung der meisten pelagischen Crustaceen sprach ich schon oben.

Von Protococcaceen waren die Zellfamilien von *Pediastrum pertusum* K g. und *Boryanum* M e n. häufig, sie scheinen das ganze Jahr über vorzukommen.

Von Desmidiaceen war fast regelmäßig *Trigonocystis gracilis* H a s s zu finden, während ich *Staurastrum furcigerum* B r é b bisher nur im

---

1) Nicht genau zu bestimmen, ähnt *Synedra*, kommt aber in Bändern vor.

Juli antraf. Die Desmidiaceen ziehen kleine Tümpel vor, namentlich traf ich sie häufig in Moorgräben, für die manche Arten ganz charakteristisch sind.

Neben den Diatomeen bilden von pflanzlichen Organismen die Chroococcaceen einen Hauptbestandteil des Plankton. Am zahlreichsten war *Clathrocystis aeruginosa* H e n f d. Sie war stets in großer Zahl vorhanden, namentlich nahm aber ihre Zahl gegen den Oktober hin gewaltig zu. Sie bildet im Dobersdorfer See die Wasserblüte. Gegen den Herbst war das Wasser spangrün gefärbt und an einem ruhigen Tage war die Wasseroberfläche mit einer dichten grünen Schicht, wie mit einem Schleier, bedeckt. Sie ist es wohl vornehmlich, die am 4. Oktober das große Volumen meiner Fänge hervorbrachte. Daneben war regelmäßig die nahe verwandte *Microcystis ichthyoblobe* K z e. zu finden. Seltener war *Merismopedia elegans* A. B r. und *Chroococcus minutus* N ä g. vorhanden.

Von den Nostocaceen fand ich zwei Vertreter: *Anabaena oscillarioides* B o r y. vom Mai bis September in großen Haufen, meist dicht mit Vorticellen besetzt, *Rivularia viridis* H a s s immer nur vereinzelt vom Mai bis Anfang August.

Vergleichung mit anderen Seen.

Die bisherigen Erörterungen beziehen sich nur auf den Dobersdorfer See. Zur Vergleichung mit diesem hatte ich noch einige andere Seen in den Rahmen meiner Untersuchungen einbezogen, konnte in ihnen aber aus Zeitmangel nur einige Male fischen. Ich besuchte zweimal, im Mai und September, den Selenter See, welcher 20 qkm groß und bis 40 m tief ist und dann im Juni den flachen Einfelder See. Das Ergebnis der Züge findet sich in der Tabelle Seite 487.

Im Selenter See erhielt ich am 24. Mai (Nr. 21) aus 21 m: 0,6 ccm Plankton, während am 31. Mai (Nr. 23) sich im Dobersdorfer See in $19^1/_2$ m: 4,6 ccm und in nur 5 m: 3,5 ccm Plankton fanden. Die Temperatur des Wassers war im Selenter See 11^0 C, im Dobersdorfer 16^0 C. Der Temperatur 11^0 C entsprach im Dobersdorfer See der Fang vom 26. April 1891, aber hier fand ich schon in 15—17 m: 3,5 ccm Plankton. Die Temperatur allein ist also nicht für das Planktonvolumen maßgebend. Selbst in demselben See geht Produktion an Organismen und Temperatur nicht Hand in Hand, denn 1891 fand ich bei 10^0 C vom 26. April (Nr. 18) 3,5 ccm Plankton im Dobersdorfer See, während 1892 bei 13^0 C am 13. April das Volumen nur 1,9 ccm betrug. Es müssen also andere Verhältnisse von größerem Einflusse auf die Produktion des Wassers sein. Die Verhältnisse liegen, glaube ich, schwieriger, als es von Anfang scheinen will. Es wird namentlich die Entwicklung der Ufer in Betracht kommen und das Maß der Abfälle[1]), welche sie entweder aus ihrem Pflanzen-

---

1) Sollte vielleicht im Dobersdorfer See die nach tausenden zählende Ansiedelung von Möven von Wichtigkeit sein?

bestande oder durch menschliche Ansiedelungen erhalten. Ich vermute, dass je geringer die Entwicklung der Ufer im Verhältnis zur freien Seefläche ist, desto geringer auch der Planktonertrag sein wird, natürlich bei sonst gleichen Verhältnissen zweier Seen. Auf ähnliche Erörterungen ist schon Seligo (15) in seinen „Hydrobiologischen Untersuchungen" eingegangen.

Bei einer zweiten Exkursion nach dem Selenter See am 6. September 1891 (Nr. 31) fand ich in 20 m: 2 ccm Plankton, während am 30. Aug. (Nr. 29) im Dobersdorfer See auf dieselbe Tiefe ein Volumen von 10 ccm kam, wobei zu bemerken ist, dass in beiden Seen die Temperatur an der Oberfläche (aber wohl auch nur hier) fast dieselbe war. In beiden Fällen ist der Ertrag im Dobersdorfer See größer als im Selenter, ungefähr 5 Mal so groß. Wie mir Herr Inspektor Lübbe (Dobersdorf) mitteilt, ist der Dobersdorfer See der fischreichste in weiterer Umgebung.

Die eine Exkursion am 7. Juni nach dem Einfelder See ergab bei 4 m (wohl die größte Tiefe dieses Sees) 1 ccm Plankton, damit lässt sich der 5 m Fang aus dem Dobersdorfer See vom 31. Mai vergleichen, der 3,5 ccm lieferte; also wiederum bedeutend mehr.

Was nun die Zusammensetzung des Plankton in den verschiedenen Seen anbelangt, so kann ich zum Vergleich Untersuchungen von Proben aus dem Passader See (Mai 1890), Einfelder See (Juni 1891), Selenter See (April 1890, Mai, Sept. 1891), Plöner See (Nov. 1891) beibringen. Allerdings fallen die Tabellen für die andern Seen im Vergleich zum Dobersdorfer See etwas spärlicher aus, da aus letzterem die Organismen, die ich während eines ganzen Jahres gefunden habe, aufgeführt sind, aus den anderen Seen nur aus einem oder einigen Monaten. Da nach meinen Untersuchungen aber die meisten Organismen (im Dobersdorfer See) während des ganzen Jahres, vielleicht mit Ausnahme des Winters, vorkommen, so dürften die Tabellen keine allzugroße Bereicherung mehr durch weitere Untersuchungen erfahren. Es liegen bisher nur Beobachtungen aus dem Plöner und Einfelder See von Zacharias (16) vor, diese nehme ich mit in die Tabelle auf und bezeichne sie mit „Z", sofern ich selbst den Organismus nicht gefunden habe.

	Dobersdorfer See.	Passader See.	Einfelder See.	Selenter See.	Plöner See.
Dreyssena polymorpha - Larve	+				Z
Corethra - Larve	+				
Diaptomus gracilis G. O. Sars	+	+	+	+	+
Temorella lacustris					+
Cyclops simplex Pogg	+	+	+	+	+
Leptodora hyalina Lillj.	+	+	+	+	Z
Chydorus sphaericus	+	+	+		+

	Dobers-dorfer See.	Passader See.	Einfelder See.	Selenter See.	Plöner See.
Bosmina cornuta Jur.	+	+		+	+
„ *coregoni* Baird	+	++		+	+
„ *gibbera* Schödl.	+	++			
Daphnia galeata	+	+		+	
„ *cucullata*	+				+
„ „ var. *apicata*					+
„ „ „ *Cederströmi*	+		+	+	+
Daphnella brachyura Liev.	+			++	+
Synchaeta	+			++	
Polyathra platyptera	+			+	Z
Conochilus volvox	+				
Diurella tigris	+				
Monocerca cornuta	+				
Anuraea acuminata Ehb.	+				
„ *cochlearis* Gosse	+		+	+	+
„ *aculeata*	+		+		
„ *longispina* Kellic.	.			+	+
Dinobryon sertularia	+			++	Z
Codonella lacustris Entz	+		+	+	
Tintinnidium fluviatile	+				
Actinophrys sol	+				+
Ceratium hirudinella	+		+	+	Z
Peridinium tabulatum	+			+	
Glenodium sp. nov.	+				
Melosira varians	+	+	+	+	+
Asterionella gracillima	+	++		++	
Fragilaria virescens	+	+		++	+
Surirella biseriata	+				++
Campylodiscus noricus	+				+
Pediastrum pertusum	+		+	+	
„ *Boryanum*	+		+	+	
Trigonocystis gracilis	+				
Staurastrum furcigerum	+				
Clathrocystis aeruginosa	+	+	+	+	+
Microcystis ichthyoblabe	+	+		+	
Chroococcus minutus	+				
Merismopedia	+				
Anabaena oscillarioides	+		+	+	
Rivularia viridis	+				
	42	12	13	24	22

Nehme ich an, dass *Dreyssena polymorpha* in allen Seen vor-kommt (bestimmt weiß ich es vom Dobersdorfer, Selenter und Plöner See) so enthält die Tabelle bisher nur 6 Organismen, 4 tierische und 2 pflanzliche, die allen 5 Seen gemeinsam sind. Bei weiterer Unter-suchung wird die Zahl wohl noch um etwas vergrößert werden.

Dreyssena findet sich in allen Seen hier um Kiel, sowohl in großen, wie auch in kleinen z. B. im Schulensee, der von der Eider durch-flossen wird. *Temorella* fand ich nur im Plöner See; weshalb sie in dem ebenso tiefen Selenter See fehlt, ist schwer zu verstehen; *Diap-tomus gracilis* und *Cyclo* fehlen nirgends.

Von Daphniden finden sich im Dobersdorfer See 10 Arten, im Passader 6, im Einfelder nur 3, im Selenter 6, im Plöner 6 Arten. Der Einfelder See ist am ärmsten an Arten, aber in so großer Individuenzahl, wie in ihm *Chydorus sphaericus* vorkam, sah ich diese Daphnide in keinem anderen See, daneben war *Leptodora* häufig und in großen Exemplaren, aber keine *Bosmina* war zu finden. *Bosmina cornuta* und *B. coregoni* scheinen sonst am verbreitetsten zu sein, während *B. gibbera* nur im Dobersdorfer und Passader See zu finden waren. In ersterem ist sie im Sommer die allein herrschende Form.

Von Rädertieren fiel mir das Fehlen von *Anuraea longispina* Kell. in den drei kleineren Seen auf, während sie in den beiden großen vorkommt. Ich habe sie aber auch in dem kleinen Schulensee gefunden, sie ist also von der Größe des Seebeckens unabhängig. Eigentümlich ist auch das Fehlen der Rädertiere im Passader See, während im Einfelder See nur die zwei gewöhnlichsten Anuraeen, *A. aculeata* und *A. cochlearis* zu finden waren. *Conochilus volvox* dürfte auch in den andern Seen vorkommen.

Dinobryon sertularia fand sich im Dobersdorfer, Selenter und Plöner See, während sie in den andern Seen sonderbarer Weise fehlte. In der Schwentine, einem kleinen Flüßchen, das den Plöner See und eine große Zahl der um Plön liegenden Seen durchfließt, fand ich *Dinobryon* früher zahlreich dicht vor ihrem Eintritt in den Kieler Hafen. Der Selenter See steht mit diesem Flusssystem in keine Verbindung.

Tintinnen fand ich im Dobersdorfer, Einfelder und Selenter See und zwar in ersterem in großer Zahl z. B. im April 1892. *Actinophrys sol*, das seiner Kleinheit wegen leicht zu übersehen ist, war im Dobersdorfer See öfter vorhanden, ob die *Heliozoe* aus dem Plöner See dieselbe Art war, kann ich nicht bestimmt angeben, da ich nur 1 Exemplar sah.

Von Peridineen ist wohl *Ceratium hirudinella* in allen Seen vorhanden. Es variiert ziemlich stark, aber kaum so, um zur Aufstellung verschiedener Arten zu berechtigen. Von andern Peridineen fand ich *Peridinium tabulatum* außer im Dobersdorfer See noch im Selenter und ein noch unbeschriebenes *Glenodinium*[1]) nur im Dobersdorfer See.

Von Diatomeen scheint *Melosira varians* am verbreitetsten zu sein, neben ihr *Asterionella gracillima* und *Fragilaria virescens*. Seltener traf ich, auch im Dobersdorfer See *Surirella biseriata*, *Campylodiscus noricus* und *Cymatopleura solea* und *C. elliptica* an.

Von *Pediastrum* waren zwei Arten häufiger zu finden, *P. pertusum* und *P. Boryanum*; im Dobersdorfer und Einfelder See kamen beide neben einander vor, während Selenter und Plöner See nur je 1 Art enthielt.

---

1) Kommt auch im Plöner See vor (Zacharias).

Die Desmidiaceen *Trigonocystis gracilis* und *Staurastrum furci-gerum* fand ich im Dobersdorfer See, während ich das Vorkommen der ersteren auch im Selenter See konstatieren konnte.

Von Chroococcaceen war *Clathrocystis aeruginosa* in allen Seen zu finden, während *Microcystis ichthyoblabe* nur im Dobersdorfer, Passader und Selenter See vorkam. *Merismopedia* und *Chroococcus* fand ich nur im Dobersdorfer See.

Anabaena oscillarioides sah ich nur im Dobersdorfer, Einfelder und Selenter See und endlich die *Rivularia*-Büschel nur im Dobersdorfer See.

Wenn die Liste auch noch vervollständigt werden wird[1]), soviel steht fest, dass eine Reihe von Organismen in verschiedenen Seen fehlen. Die von mir berücksichtigten Seen gehören drei von einander unabhängigen Niederschlags-Gebieten an.

Der Plöner *See* gehört zum Gebiete der Schwentine, der Einfelder See zu dem der Eider und die drei übrigen Seen werden von kleinen Bächen gespeist. Der Selenter See schickt einen Abfluss (Mühlenau) zur Ostsee und einen anderen (Salzau) zum Passader See. Der Dobersdorfer See hat seinen Zufluss im Süden unabhängig vom Selenter See, steht aber mit dem Passader See durch einen Kanal in Verbindung, letzterer hat seinen Abfluss (Hagenerau) nach der Ostsee. Aus diesen Verhältnissen wäre eine größere Uebereinstimmung der Zusammensetzung des Plankton nur für die drei letzteren Seen zu erwarten. Aber die Existenzbedingungen müssen wohl zu verschiedenartig sein, dass nicht alle Organismen in den drei Seen zugleich vorkommen. *Bosmina gibbera* fehlt im Selenter See, ebenso *Chydorus sphaericus*, *Daphnia cucullata*, *Anuraea aculeata*, *Conochilus volvox*, *Surirella*, *Campylodiscus* und *Cymatopleura*, *Glenodinium*, *Pediastrum pertusum* und *Rivularia*; andrerseits kommt im Selenter See allein vor *Anuraea longispina*.

Um Passader und Dobersdorfer See zu vergleichen, wollen wir nur die Tabelle vom Mai für letzteren See in Betracht ziehen. Da zeigt es sich, dass der Unterschied nur gering ist, namentlich fällt das Fehlen der Anuraeen und Peridineen im Passader See auf. Jedoch kann ich nicht glauben, dass sie vollkommen fehlen, sie werden wohl nur zu der Zeit meiner Untersuchung sehr spärlich vorhanden gewesen sein.

Wie weit die Zusammensetzung des Plankton bei Seen, die ganz eng mit einander verbunden sind, von einander abweicht oder übereinstimmt, wird sich wohl aus den Untersuchungen von Zacharias aus dem Seengebiet um Plön herleiten lassen.

---

1) Nach mündlicher Mitteilung von Herrn Dr. Zacharias kommen im Plöner See noch eine größere Zahl Organismen pelagisch vor.

Meine quantitativen Untersuchungen habe ich auch in diesem Jahre auf dieses Gebiet ausgedehnt. Ueber die Resultate kann ich erst später berichten, wenn die Untersuchungen etwas weiter fortgeschritten sind; erwähnen will ich nur, dass die Plankton-Produktion ärmer ist als im Dobersdorfer See, und sich wohl mehr der des Selenter Sees nähert.

Bei den Zählungen meiner Fänge stieß ich öfter auf eine Peridinee, die ich noch nicht beschrieben fand. Sie gehört in das Genus *Glenodinium*, ich will sie *Gl. acutum* nennen. Lebend habe ich diese Peridinee noch nicht genauer untersuchen können, so dass ich vorläufig nur eine Beschreibung von der recht auffälligen Gestalt geben will. Die Querfurche teilt die Hülle in 2 Hälften, deren hintere glatt und halbkuglig ist, während die vordere einen Kegelmantel bildet, der in eine kleine stumpfe Spitze ausgezogen ist. Die Längsfurche ist breit und zieht sich weit nach dem hinteren Pole hin. Von

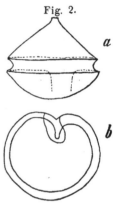

Fig. 2.

Glenodinium acutum n. sp.

hinten gesehen ist der Umriss fast kreisrund, nur die Längsfurche ist weit eingeschnitten. Am nächsten dürfte diese Form dem *Glenodinium Gymnodinium* P e n a r d stehen, auch was die Größe anbetrifft, die bei meiner Peridinee vom hinteren Pole bis zu der Spitze am vorderen Ende 42,8 μ misst. Im Juli traf ich sie namentlich massenhaft, so dass unter 1 qm sich fast eine Million (bei 20 m Tiefe) fanden, während Ende April nur ganz vereinzelte Exemplare beobachtet wurden.

Litteraturverzeichnis.

(1) A p s t e i n, Die quantitative Bestimmung des Plankton im Süßwasser in: Z a c h a r i a s, Die Tier- und Pflanzenwelt des Süßwassers. Bd. II.

(2) D e r s e l b e, Das Plankton des Süßwassers und seine quantitative Bestimmung. Apparate in: Schriften des naturw. Vereins f. Schleswig-Holstein, Bd. IX, Heft 2.

(3) A s p e r und H e u s c h e r, Neue Zusammensetzung der pelagischen Organismenwelt. Zool. Anzeiger, 1886, Bd. IX, S 448.

(4) B l a n c, Note sur le *Ceratium hirudinella* in: Bull. Soc. Vaud. Sc. nat., Vol. 20, 91.

(5) B r a n d t, Ueber die biologischen Untersuchungen der Plankton-Expedition in: Verhandl. d Gesellschaft f. Erdkunde zu Berlin, 1889, Heft 10.

(6) H ä c k e l, Plankton-Studien. Jena 1890.

(7) H e n s e n, Ueber die Bestimmung des Planktons oder des im Meere treibenden Materials an Pflanzen und Tieren in: 5. Bericht der Kommission f. wissensch. Untersuchung der deutschen Meere.

(7a) H e n s e n, Die Plankton-Expedition und H ä c k e l's Darwinismus, 1891.

(8) Hudson and Gosse, The Rotifera or Wheel Animalcules. London 1889.

(9) Imhof, Die Verteilung der pelagischen Fauna in den Süßwasserbecken. Zool. Anzeiger, Bd. 11.

(10) Derselbe, Fauna der Süßwasserbecken. Zool. Anzeiger, 1888.

(11) Derselbe, Studien über die Fauna hochalpiner Seen insbesondere des Kantons Graubünden in: Jahresbericht d. naturf. Gesellschaft Graubündens, N. F, Jahrg. 30, 1887.

(12) Derselbe, Zusammensetzung der pelagischen Fauna der Süßwasserbecken im: Biolog. Centralblatt, Bd. XII, Nr. 6, S. 171.

(13) Korschelt, Entwicklung der *Dreyssena polymorpha* in: Sitzungsber. d. Gesellsch naturf. Freunde in Berlin, 1891.

(14) Pavesi, Altra Serie di ricerche e studi sulla fauna pelagica dei laghi italiani in: Atti della Società Veneto-Trentina di scienze naturali, Vol. 8, Padua 1882.

(15) Seligo, Hydrobiologische Untersuchungen in: Schriften der naturf. Gesellschaft zu Danzig, N. F., Bd. VII, Heft 3, 1890.

(16) Zacharias, Ueber die wissenschaftlichen Aufgaben biologischer Süßwasserstationen in: Zacharias, Die Tier- und Pflanzenwelt des Süßwassers.

(17) Derselbe, Entomostraken Holsteinischer und Mecklenburgischer Seen in: Zool. Anzeiger, 1887, Bd. X.

(18) Derselbe, Norddeutsche Seen. Zeitschr. f. wiss. Zool., Bd. 45, 1887.

Kiel, Juni 1892.

Programm zu einer monographischen Bearbeitung eines größeren Sees,

enthaltend die verschiedenen Gesichtspunkte, deren eingehendes Studium zur Erkenntnis der Existenzbedingungen des gesamten organischen Lebens der Seen notwendig ist.

Von Dr. Othmar Emil Imhof,

Privatdozent an der Universität Zürich.

Für die Erkenntnis der Physiologie der Seen, d. h. des gesamten Sein, Werdens und Vergehens der gesamten Lebensprozesse der Flora und Fauna, von den kleinsten mikroskopischen Formen bis zu den größten und am höchsten organisierten Pflanzen und Tiere und für die Erkenntnis des Ineinandergreifens der Lebensprozesse der Glieder beider Naturreiche der Flora und Fauna ist das Studium einer ganzen Reihe von oro-hydrographischen, physikalischen und chemischen Verhältnissen und Vorgängen notwendig.

Für die Erforschung der Lebensverhältnisse in einem größeren See bedarf es als Wegleiter eines Programmes, das die zu bearbeitenden verschiedenen Gesichtspunkte in ihrem natürlichen Zusammenhang geordnet aufführt.

Durch die vieljährigen eigenen unermüdlichen Forschungen in Verbindung mit den mehrseitigen regen Studien zahlreicher Mitarbeiter erwarb sich Prof. Dr. Forel einen weiten Ueberblick und tiefen

Einblick in die verschiedenen Gebiete, die für die Erforschung der gesamten Lebensverhältnisse eines größeren Sees von Bedeutung sind. Prof. Dr. F o r e l gab eine Zusammenstellung der Gesichtspunkte, die für die Erforschung der Seen in Betracht kommen, eine Zusammenstellung die von der k. Akademie der Wissenschaften in St. Petersburg als Wegleiter für die Studien in den Süßwasserbecken angenommen worden ist. Es enthält dieses Programm die folgenden 11 Gesichtspunkte.

1. Hydrographische und kartographische Arbeiten.
2. Untersuchung der Grundmaterialien der Seen.
3. Chemische Zusammensetzung des Wassers. Oekonomische und hygienische Bedeutung.
4. Studium der Seetemperaturen.
5. Studium der Durchsichtigkeit des Wassers.
6. Farbe des Wassers der Seen.
7. Wellen und Strömungen.
8. Seiches.
9. Pegelstandsbeobachtungen.
10. See - Fauna.
11. See - Flora.

Mit der monographischen Bearbeitung eines größeren Sees beschäftigt, gebe ich in Folgendem die Uebersicht der verschiedenen Kapitel, die zwar im Verlaufe der Ausarbeitung da und dort vielleicht noch etwelche Abänderungen und Erweiterungen erfahren können.

Einleitung.

Aelteste Angaben über die Existenz des Sees. Aeltere Litteratur allgemeineren Inhaltes über den See.

I. Teil.
Oro - hydrographische Verhältnisse des Sees.

1. Kapitel.
Lage des Sees, Ausdehnung nach Längen- und Breitengraden.

2. Kapitel.
Oberflächengestalt des Sees.

a. Beschreibung der Gestalt des Sees. Trennung in mehrere natürliche Abschnitte.
b. Oberflächendimensionen.
   1. Längenausdehnung vom obersten Ende bis zum Abfluss. Länge der Seitenarme. Gesamtlänge.
   2. Breitendimensionen. Kleinere Breitendimension. Mittlere und größte Breiten.

XII.   33

3. Umfang des Sees. Uferausdehnung.
4. Berechnung der Oberfläche in Quadratkilometern und Quadratmetern.

3. Kapitel.

Wassergebiet des Sees.

a. Beschreibung des Wassergebietes. Seine Oberfläche. Hydrographische Karte des Wassergebietes.
b. Zuflüsse des Sees und ihre Thäler.
c. Im Gebiet der Zuflüsse gelegene kleinere Seen, Torfmoore, tem-
   poräre und permanente Wasserbecken. Im Wassergebiet vorhandene Cysternen und Pumpbrunnen.
d. Abgrenzung des Wassergebietes. Wasserscheiden. Höhe der
   Grenzketten und niedrigeren Sättel auf der Wasserscheide. An-
   grenzende Wassergebiete.

4. Kapitel.

Höhe des Wasserspiegels über Meer.

a. Höhe des Wasserspiegels über Meer in den verschiedenen Teilen
   des Sees.
b. Beobachtungen der Pegelstände in einer kleineren oder größeren
   Reihe von Jahren. Tabellen und graphische Darstellungen.

Tabelle und graphische Darstellung der Monatsmittel der beobachteten
                                    Jahre.

      „   „   „   „   der niedrigsten und höchsten Pegel-
                                   stände und deren Differenzen der
                                   einzelnen Monate.

      „   „   „   „   der Minima und Maxima und der
                                   Differenzen im Verlaufe der 12 Mo-
                                   nate für die beobachteten Jahre.

      „   „   „   „   der konstantesten Veränderungen
                                   und des größten Wechsels im Ver-
                                   laufe eines Monates.

      „   „   „   „   der größten Konstanz und des
                                   größten Wechsels in der Serie der
                                   beobachteten Jahre.

c. Dauer gleicher Pegelstände.
d. Beziehungen und Abhängigkeit der Konstanz und des Wechsels
   der Pegelstände zu den meteorologischen Einflüssen. Temperaturen der Luft, Temperatur des Wassers. Niederschläge auf
   der Oberfläche des Sees selbst und im tributären Wassergebiet.
   Zuflüsse. Einfluss der sich verändernden Pression der Atmosphäre.
   Seiches. Stand der Bewölkung des Himmels, Winde.

5. Kapitel.

Tiefenverhältnisse des Sees.

a. Aeltere Messungen der Seetiefen. Angaben alter erfahrener Fischer. Neueste Tiefenkarte des Sees.

b. Längenprofil durch den ganzen See und seine Nebenarme. Besondere Darstellung sublacustrer Erhebungen.

c. Querprofile durch verschiedene Teile des Sees mit den angrenzenden Gebirgen, bei denen Breiten- und Tiefen- resp. Höhenmaßstab der gleiche sein muss, um das wahre Bild des Verhältnisses der Seetiefen zu den Berghöhen zur Darstellung zu bringen. (In der ausgezeichneten Monographie der Seen der deutschen Alpen von Dr. Geistbeck, 1885, sind leider zum Teil zwei verschiedene Maßstäbe angewendet.)

Instruktiv gewählte Querprofile durch eventuell vorhandene parallel oder schief zu einander verlaufende Seeabschnitte, so dass das Profil den See an zwei oder mehreren Stellen durchschneidet, mit den dazwischen stehenden Gebirgszügen (möglicherweise auch Thäler) und den außen begrenzenden Höhen.

6. Kapitel.

Kubikinhalt des Seebeckens. Kubikinhalt der tributären Seebecken.

7. Kapitel.

Frühere Gestaltung des Sees. Spätere natürliche Veränderungen durch außergewöhnliche Ereignisse verursacht. Spätere künstliche Veränderungen: Querdämme, Tieferlegung des Abflusses und deren Folgen.

II. Teil.

Meteorologische Einflüsse und deren Ergebnis.

Kapitel 1 dieses Teiles kommt mehrfach in Relation und Rückbeziehung zu Kapitel 4 des ersten Teiles.

1. Kapitel.

a. Druck der Atmosphäre.

b. Winde, regelmäßige und exceptionelle, deren Einwirkung auf die Oberfläche des Sees.

c. Wellen. Ausdehnung der Wellenbewegung. Stärke der Wellen. Dauer der Wellen.

d. Strömungen. Ursachen derselben.

e. Niederschläge: Nebel, Regen, Riesel, Hagel, Schnee.
Ausdehnung und Dauer der Niederschläge.

f. Seiches.

2. Kapitel.
Farbe des Wassers.
Wechsel der Farbe im Verlauf des Jahres. Gleichzeitige Farben-
differenzen in verschiedenen Teilen des Sees. Exceptionelle Färbungen.

3. Kapitel.
Durchsichtigkeit des Wassers.

4. Kapitel.
Ursachen der Farbe und der Durchsichtigkeit des Wassers.

5. Kapitel.
Temperaturen des Wassers.
a. Temperaturen der Oberfläche. Tabellen und graphische Darstellung der täglichen Temperaturen der Oberfläche während
einer größeren Serie von Jahren.

Aus diesen Tabellen entnommene Spezialtabellen:

Tabelle und graphische Darstellung der Minima und Maxima, deren
Differenzen der 12 Monate wäh-
rend der ganzen Serie von Beobachtungen.

    „   „   „   „   der Minima und Maxima der ein-
zelnen Monate während dieser
Serie von Jahren.

    „   „   „   „   der Differenzen zwischen den nie-
drigsten und höchsten beobach-
teten Temperaturgraden in den 12
Monaten in der Serie von Jahren.

    „   „   „   „   der Zeit des Minimum und Maxi-
mum im Verlaufe der Jahre.

    „   „   „   „   der konstantesten Veränderung und
des größten Wechsels im Verlaufe
eines Monates.

    „   „   „   „   der größten Konstanz und des
größten Wechsels der Tempera-
turen in der Serie der Beobach-
tungsjahre.

Dauer gleicher Temperaturen.
Beziehungen und Abhängigkeit der Oberflächentemperaturen zu
den verschiedenen meteorologischen Einflüssen.

b. Temperaturen beim Einfluss der Bäche und Flüsse.

c. Temperaturen in verschiedenen Tiefen.

d. Geschwindigkeit des Wechsels der Temperaturen an der Oberfläche und in verschiedenen Tiefen.

e. Wechsel der Temperaturen im Verlaufe von 24 Stunden bei konstanten Witterungsverhältnissen und bei sich ändernden Witterungsverhältnissen.

f) Veränderung der Temperaturen bei Witterungswechsel in größeren Zeiträumen.

g. Allgemeines Resultat der Temperaturbeobachtungen des Wassers, in Beziehung zu den Temperaturen der Luft, zur Insolation.

6. Kapitel.

Druckverhältnisse im See in verschiedenen Tiefen.
Konstanz und Variabilität des Druckes.

Bisherige Annahmen und Darlegung neuer Ansichten über die Druckverhältnisse namentlich in größeren Tiefen und deren Bedeutung für das organische Leben in ansehnlichen Tiefen der Seen.

7. Kapitel.

Fortpflanzung des Schalles im Wasser. Künstlicher Schall verschiedener Natur, zum Teil schädlich auf die Organismenwelt einwirkend.

III Teil.
Chemische Beschaffenheit des Wassers.

a. An der Oberfläche. In verschiedenen Teilen des Sees.

b. In verschiedenen Tiefen, in verschiedenen Teilen des Sees.

IV. Teil.
Geologie des Wassergebietes und spezielle Geologie des Seebeckens.

Natur des Grundmateriales in den verschiedenen Teilen des Sees.

V. Teil.
Einteilung des Seebeckens in die 3 Gebiete: Littorales, Tiefsee- und pelagisches Gebiet. Das organische Leben des Sees.

Flora und Fauna.
A. Flora.
1. Kapitel.

Allgemeines über die Flora. Litteratur.

a. Littorale Flora. 1. Auf dem Ufer nahe am See vorkommende Pflanzen. Uferliebende Landpflanzen.

2. In den einmündenden Bächen und Flüssen nahe beim Einfluss wachsende Pflanzen.

3. Im littoralen Gebiet lebende Pflanzen.

   α. Längs der Ufer wachsende Pflanzen, aus dem Wasser sich erhebend.

   β. Die Blätter auf dem Wasser liegend, die Blütenstände aus dem Wasser sich erhebend.

γ. Blätter untergetaucht. Blütenstände aus
dem Wasser hervorragend.

δ. Ganze Pflanze vollständig untergetaucht.

4. Größte Tiefen, in denen Phanerogamen vorkommen. Gestaltung des Ufers und jeweilige
Zusammensetzung der Flora.

b. Tiefseeflora. In größeren Tiefen über 25—30 Meter an den
Seeabhängen, auf dem Grunde der verschieden
tiefen Teile des Sees und in den größten Tiefen
vorkommende pflanzliche Organismen.

c. Pelagische Flora. Qualitative und quantitative Zusammensetzung
der pelagischen Flora: 1. an der Oberfläche, 2. in
verschiedenen Tiefen, 3. Wechsel der Zusammensetzung, ob und in welcher Weise in Abhängigkeit
von den Witterungsverhältnissen.

2. Kapitel.

Erklärung der Karten, das Vorkommen der Flora darstellend.

Erklärung der Karten, besonders günstige, an pflanzlichen Organismen reiche Stellen der drei Gebiete enthaltend.

3. Kapitel.

Pflanzen und Pflanzenfragmente, die accidentell und regelmäßig
in den See gelangen.

4. Kapitel.

Einfluss der Flora auf die Färbung des Wassers.

5. Kapitel.

Bedeutung der Flora als Nahrung für die Tierwelt.

6. Kapitel.

Die mikroskopischen pflanzlichen Fäulnisorganismen und ihre Bedeutung im Haushalt des organischen Lebens des Sees.

Jährlicher Reinigungsprozess des Sees. Seeblühen. Stoßen des
Sees.

B. Fauna.
1. Kapitel.

Allgemeines über die Fauna. Litteratur.

a. Littorale Fauna.

1. Systematische Uebersicht der beobachteten Tierformen.
2. Karten mit Angabe der besonders reichen Lokalitäten und
Einzeichnungen der Standorte besonderer Formen.
3. Verteilung der littoralen Fauna in Bezug auf die Ufermaterialien
in mineralogischer Qualität.
4. Grenzen der littoralen Fauna, horizontal und vertikal.

b. Tiefsee - Fauna.

1. Systematische Uebersicht der im Tiefseegebiet beobachteten Tiere.
2. Erklärung der Karten mit Angabe der Stellen, an denen Tiefseematerialien entnommen wurden.
3. Qualität und Quantität der Tiefseefauna in Beziehung zu der Natur der Grundmaterialien.
4. Nahrung der Tiefsee - Fauna.
5. Karte, enthaltend die Gebiete, die auffällig arm und die besonders reich an grundbewohnenden Organismen sind.

c. Pelagische Fauna.

1) Systematische Uebersicht der im pelagischen Gebiet beobachteten Tierformen.

   α. Accidentell auf passivem oder aktivem Wege der pelagischen Fauna beigemischte Arten.

   β. Eigentliche pelagische Fauna. Eupelagische Tiere.

   γ. Sessil auf pelagischen pflanzlichen Organismen und auf Tieren vorkommende Tiere. Symbiotisches Zusammenleben.

   δ. Parasiten der pelagischen Tiere.

2) Vorkommen pelagischer Tiere in der Nähe der Ufer.
3) Horizontale Verteilung der pelagischen Fauna an der Oberfläche in den verschiedenen Teilen des Sees.
4) Horizontale Verteilung der pelagischen Fauna in verschiedenen Tiefen in den verschiedenen Teilen des Sees.
5) Quantitative Bestimmungen der pelagischen Fauna.
6) Wechsel der Zusammensetzung der pelagischen Fauna im Laufe des Jahres. Vergleichung verschiedener Jahre.
7) Einfluss der pelagischen Organismen auf die Färbung des Wassers.

VI. Teil.

Flora und Fauna der dem Wassergebiete des Sees angehörenden Quellen, Bäche, Flüsse, Torfmoore, kleineren und größeren temporären und permanenten Wasserbecken, Seen, Grotten- und Höhlengewässern, Cysternen und Pumpbrunnen.

A. Flora.

B. Fauna.

Untersuchungen über den Transport der in diesen Gewässern vorkommenden Pflanzen und Tiere in den See.

VII. Teil.

Vergleichungen der wichtigeren Ergebnisse mit den Kenntnissen über andere Seen.

VIII. Teil.

Hypothesen und Theorien über die Entstehung der Seen und die Wege, auf denen der See bevölkert wurde und wird. Künstliche Bevölkerung.

IX. Teil.
Apparate und Methoden.

Haspelapparat mit Stahldraht für die Untersuchungen im pelagischen Gebiete und in größeren Tiefen auf dem Grunde. Länge und Stärke des Stahldrahtes. Vorrichtung zum bequemen und leichten Bestimmen der Tiefen.

Thermometer für die Temperaturbestimmungen an der Oberfläche und in verschiedenen Tiefen.

Spiegel zur Bestimmung der Tiefe, in der die Lichtstrahlen noch reflektiert werden.

Photographische Apparate zur Untersuchung des Lichteinflusses in größeren Tiefen.

Kleiner dreiarmiger Anker zum Heraufholen der Pflanzen und der daran lebenden Organismen.

Verschiedene Apparate für das Sammeln von Materialien auf dem Grunde der Seen. Verschließbarer Schlammschöpfer zum Heraufholen von Grundmaterialien mit Wasser vom Grunde. Einrichtungen zur Versenkung auf kürzere oder längere Zeit zum Sammeln von darauf oder darin sich ansiedelnden Organismen.

Apparate zur Untersuchung der pelagischen Fauna. Gewöhnliche einfache Netze. Verschließbare Netze für qualitative und quantitative Bestimmungen der horizontalen und vertikalen Verteilung der pelagischen Fauna. Oberflächenapparat auf dem Dampfschiffe während der Fahrt verwendbar.

Apparate zur quantitativen Bestimmung der gesammelten pelagischen Materialien.

Methoden und Einrichtungen für den Transport und die Aufbewahrung lebender Pflanzen und Tiere.

Methoden zur Konservation der Organismen. Makroskopische und mikroskopische Präparate.

Schluss.

Darlegung der Gebiete, die besondere eingehende Studien wünschen lassen. Desiderata.

Litteratur-Uebersicht.

1) Spezielle Litteratur des monographisch bearbeiteten Sees.

2) Litteratur über die Seen im Allgemeinen.

Karten. Profile. Graphische Darstellungen. Tafeln.

Hydrographische Karte, das Wassergebiet des Sees darstellend.

Tiefenkarten des Sees und der in seinem Wassergebiete gelegenen kleineren Seen.

Längen- und Querprofile durch den See und die angrenzenden Gebiete, Längen- und Querprofile durch die tributären Seen.

Geologische Karte des Wassergebietes und speziell des Sees.

Graphische Darstellungen der Pegelstände.

Darstellung der gewöhnlichen und außergewöhnlichen Winde.

Darstellung der Strömungen.

Darstellung der Wellen. Seiches.

Darstellungen der Farbe des Wassers. Gewöhnliche und außergewöhnliche Färbungen.

Graphische Darstellungen der Seetemperaturen.

Darstellungen der Druckverhältnisse im See.

Karten zur Darlegung der Verteilung der littoralen und Tiefsee-Flora.

Tafeln mit Abbildungen besonders interessanter und neuer Pflanzenformen.

Karte, enthaltend die Stellen der Entnahme der Grundmaterialien.

Karte der Verteilung der littoralen Fauna.

Karte der Seehalden-bewohnenden und Tiefen-Fauna.

Karten, enthaltend die Verteilung der pelagischen Fauna.

Tafeln, enthaltend die Zeichnungen besonders interessanter und neuer Tierformen.

Tafeln, enthaltend die Darstellung der Apparate.

Vorläufige Notiz über die Lebensverhältnisse und Existenzbedingungen der pelagischen und Tiefsee-Flora und Fauna der Seen.

Von Dr. Othmar Emil Imhof.

Es sollen in vorliegender Notiz namentlich zwei Momente der Lebensverhältnisse der pelagischen und Tiefsee-Fauna und Flora der Seen vorläufig kurz erörtert werden, über welche Verhältnisse eingehendere Studien während der Monate Februar, März, April und Mai dieses Jahres in einem größeren See gemacht wurden.

Der erste Punkt betrifft die Tiefenverhältnisse der Seen. Die klarste Anschauung über die Gestaltung eines Seebeckens gibt ein Relief, das das Seebecken und die dasselbe begrenzenden Höhenzüge und Gebirge mit den dazwischen einmündenden Thälern darstellt. Die Erkenntnis der Tiefenverhältnisse eines Sees wesentlich erleichternd sind Quer- und Längsprofile durch das Seebecken und seine begrenzenden Ufer, sich eröffnende Thäler, Berge und höhere Gebirgsketten. Für den Versuch der Erklärung der Entstehung des Sees geben Quer- und Längsprofile, durch einmündende Thäler, um den Uebergang der Thalsohle zur Seehalde darzustellen, mit Eintragung des Streichens und Fallens der Schichten in den anstehenden Ufergebirgen, die Anhaltspunkte.

Ein wesentliches Moment, um die natürliche Gestaltung der Seebecken zur Darstellung zu bringen und die wahren Verhältnisse zu erkennen, ist die Bedingung, dass sowohl für die horizontalen als auch für die vertikalen Dimensionen der gleiche Maßstab in Anwendung kommt, nur dann geben diese Darstellungen ein getreues Bild der Natur. Die erste geographische Monographie von Seen: Die deutschen Alpen von A. Geistbeck (1885), enthält zahlreiche Quer- und Längsprofile, von denen Längenprofile von 9 Seen und Querprofile von 3 Seen im gleichen Maßstabe für horizontale und vertikale Ausdehnungen angenommen sind. Profile mit verschiedenem Maßstab der Längen- und Vertikal-Ausmaße geben falsche Bilder; sollen die Dimensionsverhältnisse deutlicher dargestellt werden, so muss das natürliche Profil einfach größer gezeichnet werden.

Ein volles Verständnis für die Gestaltungsverhältnisse eines Sees gibt nur ein Relief oder eine Kurvenkarte und Quer- und Längsprofile mit gleichzeitiger Darstellung der Ufer, der einmündenden Thäler, der begrenzenden Hügel, Berge und Gebirge, die das Seebecken bilden, das die angesammelte Wassermasse zurückhält. Das Studium der Tiefenverhältnisse in Verbindung mit dem der Oberflächenverhältnisse der Seen, in Vergleich gezogen zu den sie einschließenden Oberflächenerhebungen der Erde, dürfte eine dankbare, in hohem Grade fruchtbringende Arbeit sein, die ganz besonderen Wert für die Ergründung der physikalischen Verhältnisse der Seen und damit für die Erforschung der Lebensbedingungen, in denen die Flora und Fauna der Seen sich entfaltet, besitzen würde.

Die Vergleichung der in dieser Weise nach ihrer Gestaltung klargelegten Seen dürfte Gesetzmäßigkeiten erschließen lassen, die auch bei der Untersuchung von noch unbekannten Seen sehr zu statten kommen und zum Vorteil gereichen werden.

Das zweite hier vorläufig zu erörternde Moment in Bezug auf die Lebensverhältnisse der Organismenwelt der Seen, das in direkter Weise auf die Bewohner der Seen sehr wesentlichen Einfluss ausübt, das in inniger Abhängigkeit ist vom obigen ersten Moment, bilden die Temperaturverhältnisse des Wassers, die vielleicht vorwiegend in Abhängigkeit von den Temperaturverhältnissen der Luft, von der Insolation, zum Teil auch von der Beschaffenheit des Erdinnern sind, da, wo die Seen in der Nähe von Vulkanen, die diese besonderen Verhältnisse im Innern der Erde direkt bekunden, oder in Gebieten von Erdteilen liegen, wo vielleicht feurigflüssige Materien nahe unter der Oberfläche der Erdrinde vorhanden sind, die noch nicht in direkter Kommunikation mit der Atmosphäre stehen.

Die Temperaturverhältnisse des Seewassers sind wesentlich von diesen Einflüssen abhängig, aber auch in Abhängigkeit von den chemisch-physikalischen Eigenschaften des Wassers selbst.

Abhängig von einander sind Temperatur und Dichtigkeit resp. Schwere des Wassers.

Die bisherigen thermometrischen Messungen in den Seen haben
ergeben, dass immer das Wasser in den größten Tiefen direkt über
dem Grunde der Temperatur von 4° C, dem Temperaturgrade der
größten Dichtigkeit am nächsten kommt. Das überlagernde Wasser,
sei es wärmer oder kälter hat eine geringere Dichtigkeit, ein leich-
teres Gewicht, es schwimmt auf dem Wasser, das näher der Temperatur von 4° C ist, ohne einen Druck auf dasselbe auszuüben. Es
ist danach in Wasser von 4° C in einem offenen Wasserbecken der
größt-mögliche Druck vorhanden und zwar gleichgiltig, ob dieses
Wasser in einer Tiefe von 10 Meter oder mehreren hundert Metern,
d. h. von einer Wassermasse von nur 10 Meter Mächtigkeit oder von
einer ansehnlichen Wassermasse überlagert, im See ruht.

Der ruhende Gleichgewichtszustand wird aber gewöhnlich durch
scheinbar unregelmäßige, aber nach bestimmter Gesetzmäßigkeit, meist
ungleich verteilt wirkende Kälte- oder Wärmequellen da und dort gestört sein, so dass die ruhende gleichmäßige Ueberlagerung von leich-
terem Wasser, sei es von niedrigerer oder höherer Temperatur als
4° C, von unten bis an die Oberfläche, durch lokale kalte Strömungen
von oben nach unten oder durch lokale warme Strömungen von unten
nach oben oder durch ausgedehnte Abkühlungs- und Erwärmungs-
prozesse, die sich auf größere einzelne Teile oder das ganze Wasserbecken ausdehnen, höchst selten oder vielleicht gar nie vorhanden
sein wird.

Diese wichtigen auf das Leben einen wesentlichen Einfluss aus-
übenden wechselnden Temperaturverhältnisse bedürfen noch ausgedehnter Untersuchungen. Es soll auch die vorliegende Notiz bloß einen
vorläufigen Charakter beanspruchen und soll für den Augenblick nur
beabsichtigen auf zwei sehr wesentliche in inniger Abhängigkeit zu
einander stehende Momente der Lebensverhältnisse der Organismenwelt der Seen hinweisen, von denen das erste bisher noch nicht in
der notwendigen Weise bearbeitet wurde und das zweite in ganz
anderer Anschauung in der Wissenschaft vertreten wird. Welche
dieser Anschauungen die wirklichen natürlichen Verhältnisse richtig
erklärt, wird die Diskussion und weitere Bearbeitung ergeben.

Beiträge zur Biologie der Phryganeiden.

Am zweiten Januar dieses Jahres fand ich in der Nähe des
Hürbe-Ufers (eines kleinen Flusses im Stromgebiet der obern Donau)
auf einer Stelle, welche bei hohem Wasserstand überschwemmt wird,
unter zahllosen, leeren Lymneengehäusen haselnussgroße Gallert-
klümpchen, welche bei genauer Betrachtung eine Menge kleiner,
weißer Eier in ihrem Innern erkennen ließen. Die gelblich gefärbten
gallertartigen Massen waren von sphärischer Gestalt und bestanden
aus einer im Innern weichen, farblosen Substanz, deren äußerste

Schichte unter dem Einfluss der Luft zu einer widerstandsfähigen Membrane erhärtet war. Im Zweifel, ob ich Schnecken- oder Phryganeidenlaich vor mir hatte, nahm ich ein Exemplar mit nach Hause und brachte es, um die Entwicklung der Eier zu verfolgen, in eine mit Wasser gefüllte Schale.

Bei schwacher Vergrößerung ließen sich in jedem Ei zwei rötliche Pigmentflecke in der Augengegend der Embryonen erkennen und sehr bald zeigten die jungen Larven, welche innerhalb der gallertartigen Masse umherkrochen, dass man es hier mit der Generation einer Phryganeidenart zu thun hatte. Die dem Ei entschlüpften Insekten waren ungefähr 1,5 mm lang und führten in ihrer durchsichtigen Hülle ein sehr bewegtes Leben. Sie scharrten mit großem Eifer an den Wandungen ihres Gefängnisses, gerade als ob sie sich durch die weiche Substanz hindurcharbeiten wollten; ganz besonders galten ihre Angriffe der nach oben gekehrten Hautfläche des Klümpchens. Mein Erstaunen war daher sehr groß, als ich die Larven am folgenden Tage ihre Geburtsstätte verlassen sah und zwar keineswegs an dem Punkte, welchem Tags zuvor ihr Eifer gegolten hatte, sondern durch einen Riss, welcher sich an der Basis des Klümpchens befand. Nun war es mir erst recht unklar, welches der Zweck des geschäftigen Treibens der jungen Larven im Innern der Gallerthülle gewesen sein konnte, bis eine derselben, welche sich eben durch den engen Ausgang hindurchzwängte, den gewünschten Aufschluss gab. Ich bemerkte nämlich, dass ihr Hinterleib bereits mit einem Futteral umgeben war, welches aus der Masse bestand, in welcher die Eier eingebettet lagen. Um den Vorgang des Hüllenbaues zu verfolgen, brachte ich den Klumpen unter das Mikroskop. Da schon ziemlich viele Insekten das Freie gesucht hatten, so war derselbe beträchtlich zusammengesunken und soweit durchsichtig, dass die arbeitenden Tiere gut beobachtet werden konnten. Der Hüllenbau verläuft im Wesentlichen in gleicher Weise wie bei der erwachsenen Larve, die, aus ihrer Hülle vertrieben, genötigt ist eine neue zu bauen.

Die dem Ei entschlüpfte Larve ist mit einer zarten, durchsichtigen Haut umgeben, welche sie, ähnlich wie später die Puppenhaut, binnen wenigen Stunden abwirft. Nach durchgemachter Häutung beginnt ein geschäftiges Hin- und Herrennen, bis sich die Larven an einer bestimmten Stelle der Gallerthülle festgesetzt haben und den Bau des provisorischen Köchers in Angriff nehmen. Mittels der beiden mehrfach gezähnten Chitinhaken, welche am Kopf über der weit vorstehenden Unterlippe festsitzen, und der spitzen Krallen der Vorderbeine trennt das Insekt ein Stückchen nach dem andern von der Gallertmasse los. Das gewonnene Material wird mit den zwei anderen Beinpaaren zusammengescharrt und festgehalten. Sobald eine größere Masse beisammen ist, wird dieselbe mit Fäden umsponnen und zur Hülle zusammengeheftet, dann beginnt die Arbeit von neuem. Auch Eimembranen und Larvenhäute kommen zur Verwendung und ehe die Larve die Gallerthülle verlässt, schmückt sie ihren Köcher mit Algen, deren Zellen sich unter dem Klümpchen ansammeln und durch den Riss an der Basis eindringen können.

In 12—18 Stunden ist die primitive Umhüllung fertig und die Larve gerüstet den Kampf ums Dasein aufzunehmen, dessen Ernst ihr nicht ganz unbekannt ist, denn schon um Baumaterial zu gewinnen, musste sie sich der eifersüchtigen Genossen erwehren.

Nicht alle Phryganeidenlarven haben die Gewohnheit sich schon vor ihrem Austritt ins freie Larvenleben eine Umhüllung zu bauen. Bei Phryganeidenarten, welche ihre Eier in das Wasser ablegen, habe ich diese Vorsichtsmaßregel nicht angetroffen und schließe daraus, dass sich die Larven, welche, wie beschrieben nicht in unmittelbarer Nähe des Wassers ausschlüpfen, durch diese provisorische Umhüllung vor Austrocknung bewahren wollen. Wie ich beobachtet habe, können die jungen Insekten in diesem schützenden Futteral tagelang unbeschadet außerhalb des Wassers verweilen.

Außerdem sichert die Elastizität dieses Köchers und seine schlüpferige Oberfläche den zarten Körper vor zahlreichen Anfällen, nicht zum wenigsten vor den Angriffen beutegieriger Feinde, zu welchen auch die eignen Genossen zu rechnen sind. Ob die Gallert-substanz daneben auch bei der Ernährung der Larven eine Rolle spielt, konnte ich nicht mit Sicherheit feststellen. Auf jeden Fall wenden sich die jungen Insekten sehr bald zur Pflanzenkost, da sich in ihrem Darminhalt kurz nach dem Austritt ins Freie ausschließlich Algenzellen vorfinden, die vorwiegend den Gruppen der Schizophyceen und Chlorophyceen angehören. Schon in jugendlichem Zustand erfreuen sich die Phryganeidenlarven eines vorzüglichen Appetits und sind, wenn Mangel an der gewohnten Nahrung eintritt, keineswegs in Verlegenheit einen Ersatz dafür zu finden. Wohl oder übel müssen sich unter solchen Umständen die schwächeren Larven dem allgemeinen Besten opfern und werden von den hungrigen Genossen erbarmungslos aufgezehrt. Selbst die chitinösen Körperteile, Kopf, Thorax, Beine und Hinterleibsanhang werden sorgfältig ausgehöhlt und bilden alsdann einen Aufenthaltsort für mikroskopische Wasserbewohner der verschiedensten Gattungen.

Nachdem der größere Teil der Phryganeidenlarven das Gallert-klümpchen verlassen hatte, brachte ich, um den Geschmack der Larven bei Vervollkommung ihrer Hüllen kennen zu lernen, Erde, Kalk und kleine Steinchen zu den Pflanzen, welche bereits im Gefäß vorhanden waren. Ein Teil der Insekten wählte Sand und Steinchen, der andere hielt sich ausschließlich an Pflanzengewebe. Mit der Zeit sahen jedoch die ersteren ein, dass unter den gegebenen Verhältnissen die spezifisch leichteren Pflanzengewebe vorteilhafter seien und

nahmen einen Umbau ihrer Futterale vor. Nach Verlauf von einigen
Tagen waren die mineralischen Bestandteile durch Algenfäden und
verfaulende Pflanzengewebe ersetzt. Ein regelrechtes, festes Zusam-
menspinnen des die Hülle bildenden Materials findet übrigens in den
ersten Monaten nicht statt, die Stengel- und Blattsegmente waren
anfangs nur lose mit der gelatinösen Unterlage verbunden. Erst viel
später lassen die Köcher der vorliegenden Larve einen ausgesprochenen
Baustyl erkennen. Auch die Phryganeiden scheint erst Uebung zum
Meister zu machen. Viel größere Sorgfalt verwendet das Insekt von
Anfang an auf die Auskleidung der inneren Fläche des Futterals.
Es benützt hierzu ausschließlich die Zellen abgestorbener phanero-
gamer Süßwassergewächse, welche mit bewundernswerter Sorgfalt
aneinandergelegt und festgesponnen werden.

In den ersten Monaten der Entwicklung erfährt der Organismus
der Phryganeidenlarven zahlreiche Modifikationen.

Die chitinösen Körperteile, welche anfangs farblos und durchsichtig, später gelblich erscheinen, färben sich dunkler und erhärten
mehr und mehr. Die Dornen (ich zählte 9—11), mit welchen bei der
älteren Larve der Innenrand der tibiae (Schienen) am ersten und
zweiten Beinpaar besetzt ist, werden im Laufe des ersten Monats
sichtbar; desgleichen nehmen die Borsten an Kopf, Beinen und Hinterleib an Zahl und Länge zu.

Die Bewimperung der Seitenlinie ist bei vier Wochen alten Exemplaren auf jedem Hinterleibsring durch drei ein Dreieck einschließende
Härchen angedeutet. Zwei davon stehen seitlich an der oberen und
unteren Grenze des Segments, das dritte bezeichnet ungefähr den
höchsten Punkt auf dem Hinterleibsring, bis zu welchem die Wim-
pernreihe ansteigt. Nach Verlauf des zweiten Monats ist dieselbe
vollkommen dicht. Gleichzeitig treten auf den beiderseits am ersten
Hinterleibsing befindlichen ein- und ausstülpbaren Fleischzapfen mikroskopische nach vorwärts gebogene Häckchen hervor, welche in
elf konzentrischen Kreisen derart angeordnet sind, dass in die Lücken
des ersten die Häkchen des folgenden zu stehen kommen. Ver-
mittelst dieser Häkchen hält sich die Larve in ihrer Röhre fest und
ist genötigt, wenn sie ihr Futteral verlassen will, die Fortsätze ein-
zustülpen. Die Haut dieser kegelförmigen Gebilde ist sehr zart. An
ihrer Basis sitzt ein langes Haar, ein zweites kürzeres bricht an der
Spitze hervor.

Wie aus den Beobachtungen von Zaddach (I c. p. 59. 82)
M'Lachlan (A monographic revision and synopsis of the Trichoptera
of the European Fauna. London 1874—1880. p. 314) und anderer
Forscher hervorgeht, ist es eine längst bekannte Thatsache, dass die
Larven verschiedener Phryganeidengattungen in den ersten Stadien
ihrer Entwicklung keine Tracheenkiemen besitzen, wenn ihnen dieselben auch später zugeschrieben werden. Auch die vorliegende

Larve ist in den ersten vier Wochen auf Hautatmung angewiesen. Die Cuticula des Hinterleibs ist sehr zart und vollkommen durchsichtig, so dass der Verlauf und die Verzweigung der Tracheenstämme genau verfolgt werden kann. Die Haupttracheenstämme, welche den Körper der Larve in Bezug auf die Mittellinie in einer symmetrischen Wellenlinie durchziehen, entsenden auf jedem Körpersegment — mit Ausnahme des vorletzten Hinterleibsrings — an der Stelle ihrer größten Ausbuchtung ein Bündel feiner Verästelungen, die sich am Hinterleib dicht unter der Haut in der Richtung zur Körperaxe ausbreiten. Am letzten Hinterleibsring und Abdomen nehmen die einzelnen mit Luft gefüllten Kanäle an Länge zu, so dass sie hier über einander greifen. Zwei stärkere Nebenzweige des verjüngten Hauptstammes durchziehen die fleischigen Hinterleibsanhänge. Auf dem Prothorax, Mesothorax und Metathorax setzen sich die Verästelungen des Haupttracheenstammes in den Beinen fort. Am Kopf entsendet er Ausläufer nach den Augen. Bei älteren Larven sind die feinen Verästelungen nicht mehr sichtbar, dagegen erscheinen am zweiten, dritten und vierten Hinterleibsring, beiderseits oberhalb und unterhalb der Seitenlinie ein bzw. zwei fadenförmige Anhänge, in welchen sich die Tracheen in sehr feine Zweige auflösen. Diese Tracheenkiemen entspringen nicht büschelförmig aus gemeinsamer Basis, wie Pictet, Hagen und M'Lachlan bei den Leptocerinen und einem Teil der Hydropsychinen beobachtet haben, sondern einzeln beim zweiten Hinterleibsring an der untern, beim dritten und vierten an der obern und untern, beim fünften an der obern Grenze. Die Haut, welche die Falten zwischen den einzelnen Hinterleibsringen auskleidet, ist sehr dünn und gefäßreich, so dass auch sehr wahrscheinlich hier Hautatmung stattfinden kann. Dieselbe Beschaffenheit zeigen die Membranen der innern Gelenkflächen und jene an den seitlichen Flächen des Abdomens.

Was die generische Zugehörigkeit der vorliegenden Larve anbetrifft, so scheint das Fehlen von Tracheenkiemen im frühesten Jugendstadium für die Familien der Hydropsychinen, Hydroptilinen oder Rhyacophilinen zu sprechen. Da jedoch die Vertreter der beiden letzten Familien im Lauf der Zeit büschelförmig angeordnete Tracheenkiemen erhalten, so wird ihre Zugehörigkeit zu den Leptocerinen am meisten Wahrscheinlichkeit besitzen.

Leider gelang es mir nicht die ganze Metamorphose der Larven zu verfolgen, da ihre dezimierten Reihen im vierten Monat ihrer Entwicklung den feindlichen Angriffen zahlreicher Hydrachniden und anderer Wasserbewohner erlagen.

Gräfin Maria v. Linden.

Kritische Erörterungen neuerer Beiträge zur theoretischen Morphologie.

Von **Hans Driesch** in Zürich.

I. **Friedrich Dreyer**, Ziele und Wege biologischer Forschung beleuchtet an der Hand einer Gerüstbildungsmechanik. Jena 1892.

(Kritisches Referat.)

Die Arbeit **Friedrich Dreyer's**, teilweise der Auszug eines größeren Werkes[1]), auf welche in kurzen Worten hinzuweisen der Zweck dieser Zeilen ist, muss in zweifacher Hinsicht als bedeutungsvoll bezeichnet werden. Einmal versucht sie, ein großes Gebiet morphologischer Erscheinungen einer physikalischen Auffassung zugänglich zu machen, „mechanisch" zu begreifen; zum andren macht sie bewusterweise und energisch Front gegen die übliche (morphologisch-historische) Methode biologischer Forschung und führt in klarer Weise den Beweis, dass mit derselben nie und nimmer wirkliche Kausalerkenntnis zu erreichen sei, vielmehr für solche die ätiologisch-mechanische Methode eingreifen müsse.

Wir teilen zunächst das Wichtigste der Gedankengänge des Verfassers mit, um dann einigen Punkten kurze Bemerkungen beizufügen.

Um „die Flüssigkeitsmechanik als eine Grundlage der organischen Form- und Gerüstbildung" nachzuweisen, erörtert der Verfasser am Eingang kurz die „Gesetze der Blasenspannung", wie sie von einer Reihe von Physikern, zumal aber von Plateau nachgewiesen sind. Betrachten wir z. B. einen Komplex von Seifenblasen, so ist das „fundamentale Prinzip, aus welchem sich alle Einzelfälle der Wandstellung ableiten lassen, das Prinzip der kleinsten Flächen". Die Summe aller Oberflächen wird so klein, wie unter den gegebenen Verhältnissen möglich, ein Minimum. Es ist eine mathematisch beweisbare Folge dieses Prinzips, dass stets in jeder Kante 3 Wände, in jedem Punkte 4 Kanten zusammenstoßen. „Mit Größendifferenzen der Blasen gehen entsprechende Veränderungen der Winkel und der Krümmung Hand in Hand. Nach einem größeren Blasenraum zu sind die Winkel größer und die Wände konvex gewölbt", und umgekehrt etc. etc. — Ueberschüssige Flüssigkeit (z. B. bei Seifenblasen) rinnt bei großen Blasen an den Wänden herab; bei kleineren Blasen und zäherer Flüssigkeit bleibt dieselbe aber an den Wänden haften und zwar nicht gleichmäßig sondern zunächst in den Ecken, dann auch in den Kanten, und ist noch mehr vorhanden, auch in den Flächen; die Blasenräume sind also unter den angegebenen Verhältnissen bestrebt sich abzurunden (Kugelflächen sind „kleinste Flächen"), es ist dies aber nur bei Vorhandensein reichlichen Materials möglich.

---

1) **Dreyer**, Die Prinzipien der Gerüstbildung bei Rhizopoden, Spongien und Echinodermen. Jenaische Zeitschrift, XXVI, N. F., XIX.

Der Protoplasmakörper der Protisten zeigt nun vakuolisierten, schaumigen Bau, es werden also die soeben erörterten Gesetze auch für ihn gelten; sie sind in der That leicht aufzuzeigen. Wird nun ferner „die Skelettsubstanz von und in der lebenden Sarkode abgeschieden" so konserviert sie das Gerüst der letzteren gleichsam versteinert, und da diese den Gesetzen der Spannung gemäß gebaut ist, so „müssen auch die in schaumigen Sarkodekörpern entstandenen Skelette teilweise versteinerte Blasengerüste" darstellen.

Völlige Versteinerung würde den Stoffaustausch verhindern, also das Leben unmöglich machen.

Die partielle Skelettbildung geht nun ganz den genannten Gesetzen entsprechend vor sich: in erster Linie versteinern Ecken und Kanten der Blasen, da hier die Sarkode am stärksten angesammelt ist u. s. f.

Der thatsächlich so überaus häufige Vierstrahler ist also eine aus dem Sarkodeaufbau sich notwendig ergebende Folge (4 Kanten stoßen in einem Eckpunkt zusammen s. o.), auch die schwammigen Gerüste, die gleichsam als verwachsene Vierstrahler differenter Größe imponieren; beim Dreistrahler unterblieb die Verkieselung einer Kante. Winkel und Krümmung folgen natürlich aus der speziellen Konfiguration des versteinerten Systems.

Wir können nicht auf alle Einzelheiten dieser interessanten Verhältnisse eingehen; der Mangel von Figuren würde auch das Verständnis sehr einschränken, wir verweisen hier auf sorgfältiges Studium des durch zahlreiche höchst instruktive Abbildungen erläuterten Originals und greifen nur noch einzelne Punkte heraus.

Die bekannten Doppelvierstrahler sind ohne Weiteres verständlich; an sie reihen sich die polyzentrischen Spicula, und diese führen wieder zu den Gitterschalen über, nämlich dadurch, „dass nur solche Strahlen verkieseln, die annähernd in einer Ebene liegen". Letzteres Faktum erscheint in der so durchgreifenden Schichtenbildung des Rhizopodenkörpers des näheren begründet. Kommt zu der Gitterverkieselung Versteinerung einzelner radialer Kanten hinzu, so haben wir Radialstacheln.

Die Radiolarien in ihrer so großen Mannigfaltigkeit der Schalenformen illustrieren eigentlich alle erdenkbaren Möglichkeiten, stets unter strenger Wahrung des Gesetzes der Struktur: sehr luftige, weitmaschige Gerüste (gewisse Phaeodarien) weisen auf große Vakuolen hin; viel Zwischenmaterial, und (s. oben) in Folge dessen Abrundung der Vakuolen führt zur festen Gitterschale mit runden Poren; radiale Leistenwälle sind die Folge einer radiären Verkieselung unter Anwesenheit von viel Material auch in den Wänden (vgl. die Radialstacheln).

Besonders lehrreich ist ein überaus zierlicher Bau, der gewissen Polycystinen eigen ist: von einer Gitterschale gehen Radialstrahlen

XII. 34

aus, welche sich am oberen Ende dreifach gabeln und in 3 Bögen
übergehen, die zu den 3 benachbarten Radialstacheln hinübergespannt
sind: es kommt so ein Arkadenbau zu Stande; näheres Studium zeigt
grade in diesem kunstvollen Bau „das klassischste Beispiel einer
Harmonie mit den Gesetzen der Blasenmechanik".

Was die so häufigen konzentrischen Schalenbildungen
anlangt: so wird sie durch Annahme eines Durchwachsens der ersten
Schale seitens des Sarkodekörpers und dann folgende ruckweise Verkieselung verständlich; der Verfasser weist hier analogieweise auf
das plötzliche Auskrystallisieren übersättigter Salzlösungen hin, das
gleichsam auf einen Reiz hin erfolgt.

Ganz besonders instruktiv erscheint uns die Bildung der „Anker"
und „Mistgabeln". Die ersteren resultieren oberflächlich aus dem
erwähnten Arkadenwerk, falls die vom Radialstachel ausgehenden
Bögen nicht vollständig sondern nur in engem Bezirk am Stachel
verkieseln; „die Bildungsverhältnisse der Mistgabeln sind da gegeben,
wo eine kleine Blase auf 3 großen sitzt". Das Studium entsprechender
Seifenblasenfiguren weist hier gerade außerordentlich instruktiv die
Uebereinstimmung nach: alles sind Vierstrahler in mannigfach modifizierter Form.

Das Vorstehende mag genügen um ein klares Bild dieses Teiles
(Kapitel III) der Dreyer'schen Arbeit zu geben; mit dem Hinweis
auf Beseitigung einer eventuellen Schwierigkeit nehmen wir von den
Rhizopodenskeletten Abschied: Sarkode und Vakuoleninhalt sind zwar
flüssig, aber zähflüssig; irgendwie hervorgerufene Verzerrungen werden
sich daher nur allmählich ausgleichen, und so kann es kommen
dass, falls gerade in einer Zeit des Ausgleichs Skelettbildung statthat,
mehr oder weniger große Verzerrungen fixiert werden, die nicht genau
die Forderungen der Blasenspanung erfüllen.

„Die Bedingung zum Inkrafttreten der Blasenspannung ist das
Vorhandensein blasiger Elemente". Da im lebenden Körper nun nicht
nur die Vakuolen sondern auch die Zellen und das wabig gebaute Protoplasma selbst blasige Gebilde sind; so werden wir
vermutlich auch auf diesen Gebieten nicht vergebens nach Uebereinstimmung des Baues mit der Blasentektonik suchen.

Was die Zellen anlangt, so sind zumal die Pflanzenzellen zur
Demonstration dieser Harmonie sehr geeignet: die Anordnung der
Pollenzellen, junge Embryonen von Pflanzen zeigen die typischen
polygonalen Maschen, andere Zellkomplexe von Pflanzen führen uns
mehr oder minder ausgerundete Blasenbilder vor Augen. Bekanntlich
hat Berthold dieses Gebiet ausführlich behandelt.

Aber auch tierische Zellenkomplexe bestätigen die Herrschaft des
Prinzips der kleinsten Flächen; so ist die Gruppierung der Furchungszellen ein lohnendes Objekt, worauf bereits Chabry und Referent
wiederholt hingewiesen haben.

Ein klassisches Beispiel eines Blasengewebes ist das Chordagewebe; ferner gehören das Fettgewebe, manche Bindegewebsarten u. s. w. besonders hierher.

Das blasige Bindegewebe dürfte vielleicht zum Verständnis der sogenannten „Sternzellen" überleiten, welche demnach als sehr große Gebilde, mit riesigen Vakuolen aufzufassen wären; die Sarkode selbst wäre sehr an einem Orte zusammengedrängt und imponierte derart, als wäre sie die ganze Zelle. Jedenfalls folgen die Sternzellen insofern den Gesetzen der Blasenspannung, als die Knotenpunkte des Sternzellennetzes zum größten Teile Dreistrahler oder Doppeldreistrahler sind.

Von den Zellen- zu den Vakuolengerüsten übergehend, berufen wir uns auf oben Gesagtes, und was den Aufbau der Sarkode selbst betrifft, so haben bekanntlich die Forschungen Bütschli's mit Erfolg ihre Blasenstruktur in Uebereinstimmung mit den Gesetzen der Physik befürwortet.

Das vierte Kapitel Dreyer's, das wir hiermit beschließen, dürfte berufen sein, für die Histologie der Zukunft eine große Bedeutung zu erlangen; zunächst wird das hier Gesagte freilich von erfahrenen Forschern auf diesem Gebiete zu prüfen sein. Das Verdienst großer Anregung wird ihm auf keinen Fall jemand versagen.

Der Verfasser geht nun des Weiteren zur Betrachtung anderer tierischer Skelette, derjenigen von Spongien und Echinodermen, über. „Mit Ausnahme der Hexactinelliden, deren Skelette nach einem eigenartigen, bis jetzt in Bezug auf seine bewirkende Ursache noch rätselhaften Plane gebaut sind" herrscht in beiden Gruppen die schönste Uebereinstimmung mit den supponierten Gesetzen: bei den Spongien ist der Vierstrahler überall der Ausgang, oder es ist doch ein den Plateau'schen Figuren entsprechendes Maschenwerk vorhanden und das Skelett der Echinodermen legt sich nach den Forschungen Semon's als kleines Tetraeder an. Des Weiteren freilich dürften die Skelette letztgenannter Gruppe der großen Komplikationen wegen einer mechanischen Analyse noch unzugänglich sein, nur durch ihre spongiöse innere Struktur weisen sie auf den elementaren Faktor der Blasenspannung hin.

Die Verhältnisse der Blasenspannung und damit der Gerüstbildung lagen im Rhizopodenkörper am einfachsten. Bei höheren Organismen treten Blasen von dreierlei Kategorie (Zellen, Vakuolen, Sarkode) auf. Hierdurch entstehen Komplikationen. Es ist aber auch wohl denkbar, dass ein Skelettelement, das sich im Anschluss an Sarkodewaben bildete, dann zum Vakuolenbau in Beziehung tritt und so fort, kurz, dass es von einer Kategorie zur andern wandert: stets würde es sich unter Einfluss der Blasenspannung befinden.

Der Verfasser beschließt den speziellen Teil seiner Arbeit mit Erörterung „der Bildungsmechanik der äußeren Gesamtform der Rhizopodenkörper und -schalen".

34*

„Die Sarkodekörper der Rhizopoden besitzen zähflüssigen Aggregat-
zustand, folglich werden auch für sie die Gesetze der Flüssigkeitsmechanik Geltung haben", und zwar kommt für die Gestaltung des
Ganzen die Oberflächenspannung „die Differenz von Kohäsion
und Adhäsion" in Betracht. Ist dieselbe am stärksten, so ist die
Oberflächenentfaltung am geringsten (der Körper stellt eine Kugel
dar) und entsprechend umgekehrt.

Je stärker die Beziehungen des Körpers mit dem Medium (Stoffaustausch) sind, um so stärker wird die Adhäsion, um so geringer
also die Spannung, um so größer also die Entfaltung der Fläche: die
Amöben stellen uns derartige Verhältnisse da, die durch Schalen-
bildung (z. B. Astrarhigiden) fixierbar sind.

Im Anschluss an Berthold geht der Verfasser nun noch des
weiteren auf die Pseudopodienbildung ein; dieselben werden nicht
ausgestreckt, sondern ausgezogen, der an bestimmten Stellen
lokalisierte Stoffaustausch bedingt die größere Entfaltung der Fläche
rein physikalisch. Nur die Einziehung bewirken dem Organismus
innewohnende Kräfte. So wirft die Flüssigkeitsmechanik Licht auf
die Bildung der Pseudopodien, als Folgen des Stoffwechsels [1]), ihren
Gesetzen gemäß erfolgt auch die Gestalt bei Sistierung des letzteren,
die kuglige Abrundung und die ihr folgende Encystierung. Schalen-
bildung fixiert die Kugelform; sie fixiert auch die Pseudopodien und
ist in dieser Hinsicht also ebenso wechselnd wie diese selbst.

Regelmäßig sind diese Fixationen bekanntlich bei vielen Radiolarien geordnet (radiale Apophysen): es dürfte aber eher Unregel-
mäßigkeit eine besondere Erklärung erheischen als das Gegenteil,
denn bei im Wasser freischwebenden Gebilden sind allseits die Verhältnisse gleich.

Für ungleichmäßige Verteilung macht der Verfasser zum großen
Teil die Schwerkraft verantwortlich: Rhizopodenkörper, welche zur
Gravitationsrichtung eine dauernde Lage einnehmen, erhalten ein
monaxones Gepräge u. s. f. —

Ein Zylinder kann nach den Experimentaluntersuchungen Plateau's nur so lange eine Gleichgewichtsfigur von Flüssigkeiten sein,
als seine Länge kleiner oder gleich $2 r \pi$ ist; andernfalls erhält er
Einschnürungen und löst sich zuletzt in Tropfen auf. Berthold
schon hat an plasmatischen Gebilden analoges beobachtet und auch
der Verfasser verwendet diese Gesetze für seine Zwecke. Neben
perlschnurartigen Kernen (Stentor) sollen namentlich die qualster-
artigen Formen der koloniebildenden Radiolarien diesen Aeußerungen
der Oberflächenspannung ihre Beschaffenheit verdanken, wofür namentlich deren große individuelle Verschiedenheit zu sprechen scheint.

---

1) Bezüglich der Gesichtspunkte, die sich hieraus nebenbei für die Auffassung der Assimilation ergeben, sei auf das Original verwiesen.

Wir können auch hier nicht alle Einzelheiten nennen und erörtern nur noch das Prinzip der „Konzentration und Integration der aus zahlreichen Kammern zusammengesetzten Schalen" der Foraminiferen, wie es sich als Aufwindung, Einschachtelung u. s. w. äußert: Indem nach Bildung der ersten Kammer die Sarkode aus ihr heraustritt um die zweite Kammer zu bilden, soll sie durch die zwischen ihr und der Oberfläche der ersten Kammer herrschende Spannung, welche hier zu der zwischen Sarkode und umgebenden Wasser dazukommt, gezwungen werden auf ihr dahin zu gleiten, denn diese neu auftretende Spannung ist gleich Null, indem ein extrakortikaler Plasmaübergang für alle Rhizopoden gefordert wird [1]) und die Spannung zwischen gleichen Substanzen eben Null ist, sie mischen sich. So kommt es, dass die zweite Kammer die erste umgreift, und denken wir uns diesen Prozess mannigfach variiert und fortgesetzt, so führt er uns auch zum Verständnis für Schalenformen, wie sie die für 2 Species gehaltenen Gebilde der *Globigerina* und *Orbulina* darstellen: die Sarkode hat hier alle vorher gebildeten Schalen (*Globigerina*) umhüllt und ist als kuglige Umhüllung (*Orbulina*) skelettös fixiert worden.

Einer Integration endlich steht eine Degeneration, eine Auflösung der bestimmten Form entgegen: die gleichmäßigen Schalenbildungen der Radiolarien waren uns eine Folge gleichmäßiger Umgebung: mit dieser fehlt auch die erstere, wie die Skelette der einzelnen Individuen kolonialer Radiolarien zeigen: jedes Gerüst ist vom andern verschieden. Und wie schließlich ein Tropfen seine Kugelform aufgibt, sobald er eine Unterlage berührt, so auch der Rhizopodenkörper, falls er seine schwebende Lebensweise aufgibt. Der näheren Ausführung dieses Punktes sind die letzten Zeilen des speziellen Teiles der Arbeit gewidmet.

Referent glaubt zu einigen kritischen Bemerkungen über das Objekt seiner Darstellung um so eher berufen zu sein, als er bereits früher [2]) die Gesamtheit der „mechanischen" Untersuchungen zu sichten und jede auf ihren Leistungswert hin zu prüfen suchte. Es soll jedoch nur in aller Kürze auf die Bedeutung der Dreyer'schen Untersuchungen eingegangen werden, da wir dieselben einerseits andren Ortes bereits würdigten [3]), andrerseits aber zur Entscheidung spezieller Fragen das Erscheinen des von Bütschli angekündigten großen Werkes über „künstliche Schäume" passend abgewartet werden dürfte.

---

1) Siehe Hauptwerk, Abschnitt I.

2) Driesch, Die mathematisch-mechanische Betrachtung morphologischer Probleme der Biologie. Jena 1891.

3) Im VI. Teil meiner „Entwicklungsmechanischen Studie" in der Zeitschrift f. wiss. Zoologie. Erscheint demnächst.

Dreyer will den gemeinsamen Typus des Baues der
sämtlichen Gerüste in den verschiedenenen Tiergruppen
als notwendige Folge des Baues der lebenden Substanz
nachweisen, wenigstens handeln davon 4 Kapitel seiner Arbeit.

Erst dadurch, dass dieser Bau, als Ausdruck hydrostatischer
Erscheinungen, eine mechanische Auffassung d. h. eine Auflösung in
physikalische Erscheinungen zulässt, wäre also seine Leistung wirklich mechanische Reduktion; zunächst, wie gesagt, ist sie nur ein
Nachweis eines notwendigen Zusammenhangs.

Nun hat zwar Dreyer selbst, wie auch vor ihm Bechhold,
die Blasennatur des Baues der lebenden Substanz im weitesten Sinne,
durch zahlreiche Argumente als Faktum dargethan und auch etwaige
Ausnahmen plausibel zu machen gewusst, und zwar haben genannte
Forscher diesen Blasenbau als identisch mit demjenigen von Seifenblasen u. s. w. nachgewiesen; es bleibt aber doch noch die Frage
offen, ob mit diesem Identitätsnachweis auch wirklich der hier in
Betracht kommende physikalische Faktor als solcher erkannt ist,
den genannte Forscher in der Oberflächenspannung sehen.

Wenn so, so wäre mit dem „mechanischen" Charakter der Erklärung des Protoplasmabaues auch die Dreyer'sche Leistung, welche
eine Folge dieses statuiert, eine mechanische.

Es sind nun hiergegen Bedenken geltend gemacht worden und
zwar vorwiegend von Zimmermann[1]). Die Erwägungen dieses
Forschers gipfeln bekanntlich darin, dass das Prinzip der kleinsten
Flächen ebensowohl wie von Oberflächenspannung, auch der Ausdruck
des Turgors, wenigstens bei pflanzlichen Zellgebilden sein kann,
und dass an Flüssigkeitsnatur und damit an Oberflächenspannungs-
wirkungen bei der Entstehungsweise pflanzlicher Zellmembranen gar
nicht gedacht werden könne.

Setzen wir nun an Stelle des Turgors die von Sachs[2]) sogenannte „Gewebespannung" und sehen somit das Prinzip der
kleinsten Flächen als Resultat einer Pressung an, worauf unserer
Meinung nach Zimmermann hinaus will, so wäre auch dieser Fall
der pflanzlichen Zellmembranen doch auf einen mechanischen
Faktor zurückgeführt. — Es wären eben 2 physikalische Kräfte zur
Erklärung derselben Erscheinung heranzuziehen.

Das Prinzip der Minimalflächen erleidet nun zwar eine Reihe von
Ausnahmen. Man darf aber nicht vergessen, dass die Summe der
Flächen ein Minimum sein soll, soweit es die Bedingungen des
Systems, deren Natur gleichgiltig ist, gestatten. Es könnten ja,
wie auch Berthold annimmt, andere Kraftäußerungen in Form
solcher „Bedingungen" dazukommen. Wir glauben mit diesen Er-

---

1) Morphologie u. Physiologie der Pflanzenzelle, II, Tübingen 1891.
2) Siehe Definition in Sachs' „Vorlesungen", 2. Aufl., S. 581.

örterungen einigen Schwierigkeiten zu begegnen und können uns
nur teilweise Z i m m e r m a n n anschließen, wenn er im Prinzip der
kleinsten Flächen nicht mehr als eine Regel sehen zu dürfen glaubt
und dasselbe für „zur Zeit einer mechanischen Begründung gänzlich
unzugänglich" hält.

Die Gewebespannung, wie gesagt, dürfte für festwandige Zellen
(Pflanzen) die Begründung abgeben; im übrigen möchte ich nicht
zögern, in der Kapillarität das wirksame Agens zu sehen.

Ich will, wie gesagt, den Forschungen B ü t s c h l i's nicht vor-
greifen, aber doch einen Fall meiner Beobachtungen an Furchungs-
stadien von Echinideneiern erwähnen, der mir hier wenigstens ganz
entschieden f ü r die Beteiligung der Kapillarität zu sprechen scheint.
Wie am genannten Orte dargestellt ist, furcht sich das Ei der Echi-
niden ganz ohne Rücksicht auf An- oder Abwesenheit seiner Eimembran; eine Presswirkung scheint mir hier ausgeschlossen; da nun
(im „resting stage" W i l s o n's) das Prinzip der Flächen minimae
areae gerade hier besonders deutlich sich darstellt, dürften wir wohl
nicht fehlgehen, es hier der Wirkung von Oberflächenspannung zu-
zuschieben. Jede Furchungskugel ist von einem deutlichen Hyalo·
plasmasaume umgeben: dieses repräsentiert die eine (zähere), die
Sarkode selbst die andere Flüssigkeit, denn es ist wohl zu beachten,
dass bei Vorhandensein nur einer Substanz an Blasenbildungen nicht
gedacht werden kann; zwei Flüssigkeiten, wovon eine gasig sein
kann, sind hierzu notwendig [1]).

Ich möchte also, wenn auch mit Vorbehalt, die Beteiligung von
Oberflächenspannung an einer großen Reihe von Wabenbildungen der
lebenden Substanz nicht leugnen; ließen sich andere etwa nicht auf
sie, aber auf Turgor reduzieren, nun gut, so hätten wir eben ein
zweites physikalisches Agens für dieselbe Erscheinung in einigen
Fällen zu supponieren.

Ist somit also provisorisch wenigstens die Deutung des Waben-
baues als eine m e c h a n i s c h e Leistung, eine Zurückführung gewisser
Erscheinungsgruppen auf Physik anzuerkennen, so ist es auch die
D r e y e r'sche Theorie des Gerüstsbaues, die diesen als F o l g e jener
hinstellt.

Es ist wohl zu beachten, dass D r e y e r nur den Bautypus als
solchen erklärt und erklären will; warum nun gerade bei dieser Form
diese Sarkodestränge, bei jener jene verkalken oder verkieseln, das
ist eine Frage der Qualität, die mit der erörterten gar nichts zu thun
hat; D r e y e r erklärt kein einziges vorkommendes Skelett als solches.
Was er zeigt, ist dieses: wenn überhaupt Skelettbildung statthat, so
m u s s diese den bestimmten, erörterten Typus einhalten.

---

1) N a c h t r a g. Nachdem nunmehr B ü t s c h l i's Werk erschienen, müssen
wir die eine der beiden Substanzen in der „Alveolarschicht" sehen, für die
eine chemische Differenz hier notwendig zu postulieren ist. 14. VII. 92.

Uns erscheint die „Vierstrahlertheorie" Dreyer's, wie wir sie der Kürze halber nennen wollen, bei weitem als das Bedeutsamste im speziellen Abschnitt seines interessanten Werkes. Ueber die speziellen Fragen der Histologie, die das vierte Kapitel anregt, enthalten wir uns jedes Urteils. Bezüglich der Pseudopodienbildung und Theorie der Ausgestaltung des Ganzen scheint es uns, als hätte der Verfasser die Quantität des Erklärbaren bisweilen überschätzt und das was man „Reizwirkung" nennt, sowie inhärente, dem Wesen nach gänzlich unbekannte Kräfte der Gestaltung zu wenig in den Kreis der Betrachtung gezogen, wobei wir auf Pfeffer[1]) hinweisen möchten. Etwaige Fehlgriffe nehmen aber auch diesem Teil nicht das große Verdienst gründlicher Durcharbeitung und weiter Anregung. Bezüglich der Ausnahme, welche die Skelette der Hexaktinelliden darstellen (die Skelettelemente bestehen hier aus 3 zu einander senkrechten Stäben), möchte ich einen Gedanken mitteilen, der, wenn er richtig ist, vielleicht nützt und im andern Fall jedenfalls nicht schadet. Das achtzellige Stadium der Echinidenfurchung ist durch 2 aus 4 Zellen bestehende Kränze gekennzeichnet, welche direkt, nicht alternierend übereinander liegen. Die Zellen berühren sich (jede 3 anderen) nur in kleinen Bezirken und erscheinen nicht aneinander gepresst. Das Ganze stellt also einen Würfel dar; verbindet man die Mittelpunkte je zweier gegenüberliegender Flächen durch eine Gerade, so erhält man 3 zu einander senkrechte Linien, welche den 3 durch die 8 Zellen bestimmten Kanälen entsprechen, und denkt man sich also die acht Zellen in diese Kanäle hinein Skelettsubstanz abscheiden, so hätte man den Sechsstrahler. Somit wäre auch hier Kapillarität im Spiele. Wie gesagt, der Gedanke ist vielleicht völlig, vielleicht teilweise unhaltbar; vielleicht aber auch vermag er auf richtige Deutung wenigstens hinzuleiten.

Wir gehen nun zu kurzem Referate des allgemeinen Teiles von Dreyer's Arbeit über, „die ätiologisch-mechanische Behandlung der Probleme der Biologie" betitelt. Hier können wir nur ganz kurze Andeutungen geben, empfehlen aber die Lektüre dieses Abschnittes jedem dringend, der nicht in Spezialforschung vergehen und in allgemeinen Fragen das Gebotene gläubig hinnehmen, sondern der selbst nachdenken will. Wir betonen auch gleich am Eingang nachdrücklich, dass die Abweichungen der Ansichten, welche wir an anderem Orte äußerten und auf die wir auch hier noch rekurrieren werden, Nebendinge betreffen, dass wir Dreyer's Frontmachen gegen die „historische" Forschung ganz und voll beistimmen

---

1) Pfeffer, Zur Kenntnis der Plasmahaut und der Vakuolen. Abhandl. der sächs. Ges. d. Wissensch., 1890.

und erfreut sind, die so selbstzufriedene biologische
Forschung einmal wieder ordentlich aufgerüttelt zu
sehen. Für Jeden, der das, was wir selbst seiner Zeit über die
hier behandelten Fragen äußerten [1]) und auch jetzt [2]) wieder erweiterten, mit Dreyer's Ansichten denkend vergleicht, dürfte diese Verwahrung übrigens überflüssig sein; sie ist nur für solche Kreise bestimmt, die etwa aus jeder Verschiedenheit der Spezialmeinung im
Kreise der „mechanischen" Biologen Kapital gegen die ganze Richtung schlagen möchten.

Die Wissenschaft von den lebenden Formen ging zunächst auf
nichts anderes aus, als „die Arteinheiten ihren Eigenschaften nach
möglichst gründlich und gewissenhaft zu beschreiben". Wir können
diese erste Periode als descriptiv-registrierende bezeichnen.
Als dann die Deszendenztheorie der Forschung einen mächtigen Aufschwung gegeben hatte, da galt und gilt noch als Ziel der Forschung,
den Stammbaum der lebenden Wesen im Ganzen und im Einzelnen
mit Hilfe von Paläontologie, Ontogenie und anatomischer Vergleichung
möglichst genau zu ermitteln: die zweite Periode der Forschung
ist charakterisiert als morphologisch-historische.

Die Deszendenztheorie hat großen Aufschwung gebracht; aber
ist es nicht vielleicht gerade darum angebracht einmal „zurückzu-
blicken, was bisher geleistet ist, und vorwärts zu blicken, welchem
Ziele man entgegengeht und ob man dasjenige der Gesamt-
wissenschaft nicht aus den Augen verloren hat?" Kein
freudiges Resultat wartet dieser Ueberlegung: „Die historisch-
morphologische Forschungsrichtung führt uns durch Ableitung der Formen voneinander zu einem Verständnis
der Formen, nicht aber zur Erkenntnis ihrer bewirken-
den Ursachen. Durch eine phylogenetische Arbeit kann
ich zeigen, dass diese Form aus jener hervorgegangen
ist, nicht dagegen, warum diese Form aus jener hervorging; die phylogenetische Forschung beschreibt Formenreihen, sie erklärt sie aber nicht."

Doch hat nicht Darwin durch die Selektionstheorie die Theorie
der Abstammung „mechanisch begründet"? Nur mangelndes Nachdenken kann diese Frage stellen; die Selektion kann nur auswählen,
nicht schaffen; über die Ursachen der Entwicklung sagt sie nichts.
„Sie bewegt sich ebenso auf der Oberfläche wie die Descendenztheorie, die sie begründen soll; halten wir letztere für eine Erklärung, so geben wir uns einer Selbst-
täuschung hin, halten wir die erstere für eine Begründung der letzteren, so machen wir uns eines logischen
Denkfehlers schuldig."

1) Siehe S. 533 [2]).
2) Siehe S. 533 [3]).

Der Darwinismus, als mit der Selektionstheorie verbundene Descendenztheorie gefasst, hat einen dreifachen Nutzen: die Descendenzlehre erleuchtet die Beziehung der Formen unter sich; die Selektionslehre diejenigen zur Außenwelt. Beide lehren, dass die Arten „etwas gewordenes und deshalb [1]) einer natürlichen Erklärung zugängliches sind." Ursachen der Formbildung aber lehrt keine kennen. Hierzu muss die ätiologisch-mechanische Forschungsrichtung Platz greifen, welche das Wesen des Lebens selbst kennen lehrt, und den verwickelten Komplex von Erscheinungen, den wir so benennen, auf physikalisch-chemische Kräfte zurückführt.

Aber wird die Beschreibung (in der descriptiven Richtung von Formen, in der historischen von Formenreihen) nicht von selbst zur Ermittlung alles Gewünschten führen? Wieder ein oft gehörter Fehlschluss. Ist doch die Beschreibung der Formenreihen selbst hochgradig hypothetisch, baut doch die heutige morphologische Forschung völlig in die Luft. Gerade umgekehrt: erst müssten wir zu einem kausal-mechanischen Verständnis des Wesens der Formen gelangen, müssten diesen organischen Körper, wie er sich gerade vor uns befindet, verstehen; dann würden sich eventuell Gesichtspunkte über seine historische Genese, übrigens ohne große Bedeutung, von selbst ergeben.

Ist nun der gegenwärtige Zustand der Morphologie derartig trübselig, dass wir wirklich wünschen müssen, wir stünden nun endlich am „Höhepunkt" der historischen Forschung, die ins Blaue baut und nicht weiter kann, was wartet unserer dann als Aufgabe?

„Wir müssen die Biologie im Hinblick auf exakte Naturwissenschaft, diese ferner im Hinblick auf jene betreiben; wir müssen unsere chemisch-physikalischen Kenntnisse auf Deutung und Erklärung der biologischen Beobachtungsresultate anwenden."

„Wir glauben und hoffen in dieser Hinsicht nicht „ignorabimus" sagen zu müssen. Wäre dem aber doch so — so würden wir uns von der Biologie ab- und solchen Gebieten zuwenden, die kausale Befriedigung gewähren können" [2]).

Ein Beispiel ätiologisch-mechanischer Betrachtung nennt Dreyer seine oben referierte Gerüsttheorie. Er wies für den Skelettbau ganz differenter Gruppen, gleichgiltig ob er durch Hornfasern, Kiesel oder Kalk zu Stande kam, die Notwendigkeit eines gemeinsamen Bauplanes nach. Im Speziellen werden noch einige Punkte erörtert, die die Leistung dieser Methode und die möglichen Irrwege der morphologischen beleuchten sollen: die Vakuolen im Sarkodekörper der Radiolarien sind Schwankungen und Lageänderungen unterworfen, kann nun nicht, je nach früherem oder späterem Eintreten des Momentes

---

1) Das „deshalb" scheint uns nicht am Platze.
2) ? (Ref.).

der Skelettbildung bald diese bald jene Gruppierung fixiert werden? Wir würden, eventuell aus Schwärmern desselben Muttertieres entstammt, verschiedene Formen erhalten, die sich hübsch in Reihen ordnen und als Stammbaum verkünden ließen. Hier sehen wir, wohin die einfache Vergleichung führen kann.

Der Skelettbau stellt gleichsam eine „Symbiose" zwischen einem anorganischen Faktor und der Lebensthätigkeit des Organismus vor: „Die Rhizopoden können gar nichts dazu, dass sie so schöne Skelette haben"[1]).

Wie nun der Bau des Sarkodekörpers und in Verbindung damit der Skelettbau als nicht vital aufgezeigt wurden, so wird es auch allen andern Erscheinungskomplexen, die wir „Leben" nennen, gehen. Das Leben ist kein einfaches Problem. Wir können das Knäuel nicht zerhauen, sondern müssen es allmählich sorgfältig lösen. Gerade die Protisten dürften sich zunächst am meisten als Objekte empfehlen; wie sie das Bindeglied sind zwischen Tier- und Pflanzenreich, so „werden sie auch einst die Kluft zwischen organischer und anorganischer Natur überbrücken helfen".

———————

Da ich einzelne Abweichungen von des Verfassers Ansichten bereits in Fußnoten andeutete und meinen prinzipiellen Standpunkt in den hier erörterten Fragen im VI. Teil meiner „Entwicklungsmechanischen Studien" ausführlich erörtert habe, so will ich nur die 2 Punkte hervorheben, die mir bei Dreyer's Betrachtung zu kurz zu kommen scheinen.

Ich habe am genannten Orte im Anschluss an Gedanken P. du Bois-Reymond's die Möglichkeit dargelegt, dass die Biologie auf Elementarvorstellungen stoßen könne, die zwar mathematische Deduktion aller Erscheinungen aus sich gestatten möchten, aber nicht weiter zerlegbar seien und somit die Physik und Chemie erweiterten; nach meiner Meinung würde dann, obschon Auflösung in Physik und Chemie der Forschung nicht gelang, sie doch den Rang der theoretischen Physik beanspruchen dürfen. Ich empfahl hierzu vorwiegend die Methode des Experiments zur Ermittlung „prospektiver und retrospektiver" Beziehungen und Bedingungen. Die Möglichkeit der Entdeckung solcher „Prinzipien" hat Dreyer, wie es scheint, nicht erwogen und daher die Ausbildung einer eignen Experimentalmethode in der Biologie, die, will man nicht einen großen Umweg machen, neben seiner „Eliminationsmethode" einhergehen muss, nicht als notwendig betont.

Das andere betrifft die „Qualitäten". Warum sind so und so viele Stämme oder Typen, wie man es nennen will, da? Gänzliche

———————

1) Hier scheint uns der Verf. zu weit zu gehen; er erklärt doch nur den allgemeinen Bildungstypus und eben nicht die Mannigfaltigkeit, nicht dieses einzelne Skelett.

Unwesentlichkeit der Form glauben wir nicht annehmen zu dürfen;
wir wissen zwar über diese Dinge gar nichts, wissen nicht, ob hier
— trotz des Unterschieds der Fortpflanzung — irgend welche Analogien mit Krystallsystemen vorliegen [1]); sobald aber gesetzliche
Formbildung acceptiert wird, tritt jedenfalls diese Frage nach der
Bedeutung der Qualitäten auf. Dieselbe ist nun wesentlich anderer
Natur als jedes Problem der Physik, welche Wissenschaft
der Quantität ist, und es ist bekanntlich von Wigand betont
worden, dass wir hier gleich am Anfang vor einer unübersteiglichen
Schranke stünden, dass wir Qualitäten nicht begreifen können. Die
Möglichkeit einer Theorie der Krystallstruktur lässt hier aber doch
wohl noch die Entscheidung offen. — Dreyer berührt diese Frage
nicht. Wenn das heißen soll, dass er seine „Eliminationsmethode"
diesem Problem gegenüber für nicht leistungsfähig hält, so ist das
jedenfalls richtig; aber das Problem ist darum doch da.

Doch genug der Einwände, die sich außerdem mehr auf Dinge
beziehen, die der Verfasser nicht erwähnte, als auf solche, die er
aussprach.

Seine positiven Ausführungen wirken anregend und belebend,
und zwar nicht nur auf den, der verwandten Gedanken nachhing,
sondern, wir sind dessen sicher, auf jeden, der in ernstem, wissenschaftlichen Denken Befriedigung sucht. Wünschen wir ihnen nach-
haltige Wirkung!

Zürich, den 30. Mai 1892.

L. Matthiessen, Die neueren Fortschritte in unserer Kenntnis
von dem optischen Baue des Auges der Wirbeltiere.

Hamburg und Leipzig. Verlag von Leopold Voss. 1891. Sonderabdruck aus
der Festschrift zum 70. Geburtstag von Hermann von Helmholtz. 8.
SS. 63. Mit 2 Tafeln.

M. gibt eine kurze Uebersicht über die Resultate der Ophthalmo-
logie in der Kenntnis des optischen Baues und der Dioptrik des Wir-
beltierauges. Er untersucht die einzelnen Medien in ihrer natürlichen
Ordnung und wendet am Schlusse die gewonnenen metrischen und
theoretischen Resultate an auf die Dioptrik des größten Auges überhaupt, des Auges vom Blauwal, *Balaenoptera Sibbaldii*.

§. 1. Hornhaut. Das Kollektivsystem der beiden glatten gekrümmten Oberflächen der Hornhaut mit den angrenzenden Medien
vollzieht im Wirbeltierauge gemeinschaftlich mit dem der Linse die
gesamte Brechung der Lichtstrahlen zur Herstellung der Netzhaut-

---

1) Dies wäre möglich sowohl in dem Fall eines Hervorgehens der Typen
aus einander — nach unbekannten Gesetzen — als auch bei Koexistenz derselben von jeher. Vergl. Lange (Gesch. d. Materialismus) u. a.

bilder äußerer Objekte. Das Hornhautsystem ist in dem Auge des
Menschen, der Affen und der Vögel das stärker kollektive von beiden, umgekehrt ist dies bei den übrigen Säugetieren und den Fischen
der Fall.

§ 2. Der Astigmatismus der Hornhaut und die Hypothese von Wolfskehl. Die Hornhaut des tierischen und menschlichen Auges schmiegt sich sehr nahe dem Scheitel eines dreiaxigen
Ellipsoides an, von dessen 3 Halbaxen a > b > c ist und die größte a
nahezu in der Richtung der Augenaxe liegt. Eine solche Fläche besitzt offenbar immer zwei aufeinander senkrecht stehende Meridiane
stärkster und schwächster Krümmung. Die Hornhaut ist also immer
astigmatisch und dabei sind die Meridiane stärkster und schwächster
Krümmung in der Regel ein horizontaler und ein vertikaler. Da
diese beiden Ellipsenmeridiane in manchen Fällen auch Unterschiede
in ihrer längsten Axe zeigen, hieße der obige Satz mathematisch
korrekter: „Die beiden Meridiane der Hornhaut schmiegen sich sehr
„nahe zweien Ellipsen von verschiedenen Exzentrizitäten an, deren
„längste Axen mit der Augenaxe nahe zusammenfallen.‟

Wolfskehl glaubte in den spaltförmigen Pupillen eine Korrektion dieses Astigmatismus zu finden. Seine Hypothese bestätigt sich
durch die Versuche von Wolfskehl, Mönnich, Klingberg und
Matthiessen. Der Verfasser bemerkt hiezu, dass die längs ovale
Pupille ein mehr horizontales, die senkrechte. ein mehr vertikales
Gesichtsfeld beherrscht. Gleichzeitig verbinden wir mit dem Auge
mit längs ovaler Pupille, z. B. der Huftiere, die Vorstellung des Gut-
mütigen, mit dem Auge mit senkrechter Pupille, wie sie den Raubtieren eigen ist, die des Listigen und Tückischen.

Der Ort, an dem die Pupille als Blende sich befindet, ist der
einzig rationelle. Da die Ellipse die Eigenschaft hat, dass alle schief
einfallenden Strahlenbündel, welche nach der Brechung den Fokus
der Ellipse passieren, homozentrisch bleiben und bei allen bekannten
Augen der Fokus des betreffenden elliptischen Meridians in die vordere Linsenhälfte fällt, so begünstigt die Pupille durch ihre Lage
unmittelbar an der vorderen Linsenfläche wesentlich die Schärfe der
Bilder. Denn offenbar werden unter den obwaltenden Umständen
alle seitlich einfallenden Strahlenbündel bei peripherischem Sehen im
wesentlichen nur die vordere Linsenhälfte auf der Axe passieren.

§. 3. Die Messung der Brechungsindices der Augenmedien. Eine Zusammenstellung der Litteratur und kritische Beurteilung der bisher angegebenen Werte. Verfasser bestätigt die Richtigkeit des von v. Helmholtz zur Berechnung des schematischen
Auges benützten Wertes des Totalindex der Linse = 1,4370. Seine
weiteren Resultate sind:

„1) Der Wert n = 1,3763 kann für den Durchschnitt der Indices
„sämtlicher Hornhautschichten gelten; genauer genommen nimmt er

„von außen und innen gegen die mittelste Membran etwas zu. An
„der Hornhaut des Rindes fand ich die aufeinanderfolgenden Werte
„1,3737, 1,3785 und 1,3722.‘ ‘

„2) Der Brechungsindex der Linsenkapsel ist im ganzen kleiner
„als der der Hornhaut; er ändert sich aber beim Uebergange zur
„alleräußersten Corticalschicht entschieden sprungweise, und der
„Uebergang von dieser Schicht zu den tieferen ist ein kontinuier-
„licher.“

„3) Den Index der Netzhaut fand Valentin an sieben verschie-
„denen Augen im Durchschnitt gleich 1,3460; ich kann die Richtigkeit
„nur bestätigen, für die Dioptrik ist er von keiner Bedeutung.“

„4) Der Brechungsindex des Kammerwassers ist um 0,0003 größer
„als der des Glaskörpers.“

„5) Der für die äußerste unmittelbar unter der Linsenkapsel lie-
„gende Corticalis von der Dicke 0,1 mm gefundene Wert 1,3860 ist
„möglicherweise noch ein weniges zu groß, da es sehr schwer ist
„eine so dünne Schicht abzunehmen. Man thut gut, kleine Proben
„von der Innenfläche der abgestreiften Linsenkapsel abzuschaben.“

§. 4. Das Gesetz der Zunahme des Brechungsindex im
Inneren der Linse. „Wenn die Indices von Schicht zu Schicht
„oder in mehreren genau bestimmten Punkten auf einer durch das
„Kernzentrum gebenden Axe gemessen werden, so liegen sie in gra-
„phischer Darstellung auf einer flachen, konvexen und symmetrischen
„Kurve, die ihr Maximum im Kernzentrum hat. Sehr sorgfältige
„Messungen an verschiedenen Augen und andere auf jenes Gesetz
„der Indexzunahme gerichtete Untersuchungen haben ergeben, dass
„die sogenannte Indicialkurve einen Parabelscheitel darstellt von der
„Gleichung

$$n = N_1 \left(1 + \zeta \, \frac{b^2 - y^2}{b^2} \right),$$

„worin N_1 den Index der äußersten Corticalschichte, b ihren Abstand
„vom Kernzentrum, y den Abstand einer Schicht auf der untersuchten
„Axe vom Zentrum und ζ eine Konstante bedeutet, welche das In-
„krement heißt und die Relation der Indices, der Corticalis N_1 und
„des Kernzentrums Nm ausdrückt, nämlich $Nm = N_1 (1 + \zeta)$.“

„Zu dem wichtigen Satze, dass die Gleichung der Indicialkurve
„von der angegebenen Form ist, kann man auf mindestens fünf ver-
„schiedenen Wegen gelangen und zwar

„1) durch direkte Messungen mit Hilfe des Totalreflektometers;“

„2) durch Beobachtung einer gleichen optischen Beschaffenheit
„quellbarer Substanzen;“

„3) durch den analytischen Beweis, dass bei Annahme dieses
„Gesetzes die Linse der Fische in den flüssigen Augenmedien trotz
„ihrer Kugelgestalt und weiten Pupillenöffnung vollkommen aplana-
„tisch ist;“

„4) durch die Betrachtung, dass die natürliche Lage der Retina „im Verhältnis zu den geometrischen und physikalischen Konstanten „eines jeden Auges dieses Gesetz fordert und

„5) durch die Vergleichung des gemessenen mittleren Index der „gemischten Linsensubstanz mit seinem aus jenem Gesetze berech„neten Werte."

§. 5. Diskussion der Messungen der Indices von Mönnich. Verfasser sucht die graphische Kurve der von M. gefundenen Indexwerte durch Wahrscheinlichkeitsrechnung nach der Methode der kleinsten Quadrate und zeigt, dass dieselbe sich auf die Gleichung

$$n = N_1 \left(1 + \zeta \, \frac{b^2 - y^2}{b^2} \right)$$

zurückführen lässt. „Da die beobachteten von den aus dieser Gleichung „berechneten Werten nur innerhalb der Grenzen der Beobachtungs„fehler von einander abweichen, so wird man in allen Fällen den „direkten Weg einschlagen können, ohne auf dem weiten, mühevollen „Wege der Methode der kleinsten Quadrate zu fast derselben Gleichung „zu gelangen. Da aus der Tabelle der konstanten Brechungsindices „hervorgeht, dass der Mittelwert des kleinsten Index der Linsen„schichten $N_1 = 1,3860$ ist, so kommt es also wesentlich nur darauf „an, dass man den höchsten Index, nämlich den des Kernzentrums „Nm, möglichst genau misst, um daraus das Inkrement ζ zu be„rechnen." Durch die Diskussion der obigen Gleichung gelangt man zu dem Satze: „Die Niveauflächen gleicher Indices sind ähnlich und „homothetisch um das Kernzentrum gelegen. Diese Niveauflächen „bestimmen aber auch die Krümmungen der inneren brechenden „Flächen."

§. 6. Die Form und Größe der Krystallinse. „Während „die Augen der Fische und der Batrachier mit einer fast vollkommen „kugelförmigen Linse ausgestattet sind, findet man bei den Säuge„tieren des Landes sowohl als des Wassers und bei den Vögeln die „Linse mehr oder weniger abgeplattet. Wo die Form der Linse von „der Kugel abweicht, sind in der Regel die beiden Flächen ver„schieden gekrümmt, und zwar gewöhnlich derart, dass die Wölbung „der Vorderfläche geringer ist als die der Hinterfläche. Nur bei „einigen nächtlichen Raubtieren und namentlich den Katzen findet das „Gegenteil statt."

§. 7. Gestalt und Lagerung der Schichtflächen der Linse. Die Schichtung befolgt annähernd das Aehnlichkeitsprinzip, jedoch ist für die Axenrichtung in der Nähe des Zentrums eine etwas stärkere Krümmung vorhanden als in den peripherischen Schichten. Die Prüfung mit dem Reflektometer ergibt, dass diese Niveauflächen nur in der Randzone des Durchmessers etwas von den Niveauflächen gleicher Indices abweichen.

§. 8. Die dioptrischen Differentialgleichungen und ihre Integrale. Verf. gibt die Gleichungen für die Brennweiten der Linse, die Hauptpunktdistanzen von der Vorder- und Hinterfläche, das Hauptpunktsinterstitium und den Totalindex an. „Aus ihnen ergibt sich direkt die Richtigkeit zweier wichtiger von v. Helmholtz induktiv bewiesenen Sätze:

1) Die Brennweiten der Krystallinse sind kleiner als sie sein würden, wenn ihre ganze Masse das Brechungsvermögen ihres Kerns hätte.

2) Die Entfernung der Hauptpunkte voneinander ist in der Krystallinse kleiner als in einer Linse, welche dieselbe Form und das Brechungsvermögen des Kernes haben würde."

§. 9 behandelt ausführlich den physikalisch optischen Bau des Auges vom Blauwal.

§. 10 gibt in einer Tabelle eine vergleichende Uebersicht der relativen Lage der Kardinalpunkte der Augen verschiedener Landtiere (eine Tabelle über die Augen der Fische, Delphine und Wale enthält schon §. 9).

§. 11 endlich gibt eine Tabelle über die Größe der Retinabilder äußerer Objekte bei verschiedenen Tieren. Wegen der Einzelnheiten müssen wir jedoch auf die Abhandlung selbst verweisen.

C. R.

Verlag von **August Hirschwald** in Berlin.

Soeben erschienen:

Beiträge

zur

Protozoen-Forschung

von

Privatdozent Dr. **R. Pfeiffer**,

Vorsteher der wissensch. Abteilung des Instituts für Infektionskrankheiten.

1. Die Coccidienkrankheit der Kaninchen.

1892. gr. 8. Mit 12 mikrophotogr. Tafeln. 10 M.

---

*Einsendungen für das Biol. Centralblatt bittet man an die **Redaktion, Erlangen, physiol. Institut, Bestellungen** sowie alle geschäftlichen, namentlich die auf **Versendung des Blattes,** auf **Tauschverkehr** oder auf **Inserate** bezüglichen Mitteilungen an die **Verlagshandlung Eduard Besold, Leipzig, Salomonstr. 16,** zu richten.*

Verlag von Eduard Besold in Leipzig. — Druck der kgl. bayer. Hof- und Univ.-Buchdruckerei von Fr. Junge (Firma: Junge & Sohn) in Erlangen.

Biologisches Centralblatt

unter Mitwirkung von

Dr. M. Reess   und   Dr. E. Selenka

Prof. der Botanik   Prof. der Zoologie

herausgegeben von

Dr. J. Rosenthal

Prof. der Physiologie in Erlangen.

24 Nummern von je 2 Bogen bilden einen Band. Preis des Bandes 16 Mark.
Zu beziehen durch alle Buchhandlungen und Postanstalten.

XII. Band.   1. Oktober 1892.   **Nr. 18 u. 19.**

Kritische Erörterungen neuerer Beiträge zur theoretischen Morphologie.

Von **Hans Driesch** in Zürich.

II. Zur Heteromorphose der Hydroidpolypen.

Nachdem ich durch genaues Studium der tektonischen Verhältnisse, welche die Stockbildungen der Hydroidpolypen kennzeichnen, zu dem Schlusse gekommen war, dass es „für jede Species eine Summe von Entwicklungsmöglichkeiten" gäbe und dass „den Habitus des realen Polypenstockes äußere Ursachen bedingen, durch Veranlassung der Entfaltung des potentiell gegebenen" [1]), gelang es mir bald darauf, diesen Satz durch Thatsachen zu stützen, indem ich eine wohl charakterisierte „Heteromorphose", verbunden mit heliotropischen Erscheinungen, an *Sertularella polyzonias* beobachten konnte [2]). Ich hatte die bezügliche Mitteilung lediglich als „eine Probe" bezeichnet, und die Zukunft gab dieser Bezeichnung insofern Recht, als nicht lange danach L o e b seine allbekannten „Untersuchungen zur physiologischen Morphologie" [3]) herausgab, welche das angeregte Gebiet

---

1) Tektonische Studien an Hydroidpolypen. I. Die Campanularien und Sertularien. Jenaische Zeitschrift, XXIV.

2) Heliotropismus bei Hydroidpolypen. Zool. Jahrb., Abt. f. Syst., V.

3) I. Ueber Heteromorphose 1891; II. Organbildung und Wachstum, 1892, Würzburg.

XII.   35

experimenteller Forschung auf sehr breiter, umfassender Basis behandelten. Während ich von der Morphologie aus der physiologischen Formerforschung zugeführt worden war, dürfte Loeb durch seine verdienstvollen Studien über heliotropische Erscheinungen im Tierreich auf dieses Gebiet hingewiesen sein, und aus dieser Thatsache dürften sich gewisse Eigenheiten seiner Auffassungsart ableiten.

Ich beabsichtige nun einerseits nicht die vortrefflichen Loeb'schen Arbeiten hier des Eingehenden zu besprechen, das wäre jetzt ein etwas verspätetes Unternehmen; ich denke anderseits nicht daran wesentliches an neuem Material herbeizubringen; was diese Zeilen bezwecken, ist lediglich der Hinweis auf ein Paar von mir beobachtete, teils bestätigende, teils ergänzende Einzelheiten, anderseits die Erörterungen einiger solchen Punkte der Untersuchungen Loeb's, die mir einer gewissen morphologischen Klärung bedürftig erscheinen[1]). Ich gehe nunmehr die einzelnen Punkte unter Hinweis auf das Original durch.

Die Loeb'sche Nomenklatur („Spross" und „Wurzel") mag für das Physiologische an seinen Untersuchungen recht zweckmäßig sein, für den morphologischen Teil derselben scheint sie mir unbrauchbar. Wir werden sehen, dass Loeb namentlich mit dem Worte „Spross" Bestandteile desselben Stockes bezeichnet, welche morphologisch völlig differente Bildungen sein dürften. — Es ist doch gerade das Wichtigste an Untersuchungen über „Wachstum durch Korrelation und Induktion", um einen Ausdruck Pfeffer's[1]) zu gebrauchen, dass die durch Aeußeres erzielbaren Modifikationen möglichst scharf präzisiert und zerlegt dargestellt werden; es muss also eine bezügliche Untersuchung so weit wie irgend möglich an das als „normal" bekannte morphologische Verhalten anknüpfen und im Anschluss an dieses die erreichte Veränderung im Einzelnen analysieren: wie ich mir das denke, habe ich, soweit es das normale angeht, in meinen tektonischen Studien und mit Rücksicht auf Heteromorphose in der zitierten Arbeit über Heliotropismus praktisch gezeigt.

Es hieße den Wert der Arbeiten des Physiologen Loeb verkennen, wollte man ihnen den Mangel genügender morphologischer Analyse als Fehler vorwerfen: Loeb wollte das Prinzipielle der Modifikationen darstellen, zu welchen das Wachstum der Hydroiden durch Aeußeres zu veranlassen ist, das Wesen der Richtungen, in denen man es „beherrschen" kann, und dass er hiermit einen großen Erfolg erzielt, möchte ich am allerwenigsten bestreiten.

---

1) Was die langgesponnene Kritik der Loeb'schen Arbeiten von Trautsch (diese Zeitschrift, XI) eigentlich will, ist mir nicht völlig klar geworden; das Heranziehen aller möglichen Schulbegriffe ist hier doch durchaus zwecklos.

2) Pfeffer, Pflanzenphysiologie, II, S. 160 fg. Dies Kapitel, sowie das 27. u. 28. Kapitel der Vorlesungen über Pflanzenphysiologie von Sachs (2. Aufl.) sind sehr zum Studium zu empfehlen.

Mich nunmehr den Heteromorphosen von *Aglaophenia pluma* zu-
wendend, muss ich einiges allgemeine vorausschicken: alle Polypen,
die im folgenden Berücksichtigung finden werden [1]) (Campanulariden,
Sertulariden, Plumulariden), sind cymös gebaut d. h. die Axe, der
Stamm (sei es Haupt- oder Nebenstamm) 'ist das, was der Botaniker
ein Sympodium nennt: jeder Polyp ist klein, er trägt mit seinem
Ursprungsteil zur Bildung der Axe bei und wendet sich dann mit
seinem Kopf von ihr ab, der Polyp, der an ihm entspringt, macht es
ebenso und so fort: die Axe oder der Stamm ist also kein einheitliches Gebilde, jeder Polyp partizipiert an ihrer Bildung; die einzelnen
Köpfe sitzen scheinbar seitlich einer einheitlichen Axe an. Bei
Pflanzen ist dies Verhältnis allgemein bekannt. Von der Basis des
Stockes aus geht ein Geflecht strangartiger Gebilde, welche zu den
benachbarten Stöcken hinführen; man kann umgekehrt sagen: aus
einem Stranggeflecht erheben sich hie und da die Stöcke.

Diese Stränge bezeichne ich als Stolonen; was ein Stolo ist,
unterliegt hiernach noch dem Zweifel. Bezüglich des basalen Stolonen-
geflechts dürfte die Entscheidung schwierig sein, sie ist hier auch
für meinen Zwecke irrelevant. Bezüglich der als Heteromorphosen
entstandenen Stränge, bezeichnen wir als einen Stolo jeden Strang
von seinem Ursprung bis zu seinem Ende, der Ursprung kann an
einem Polypen des Stammes (erste heteromorphe Bildung) oder an
einem anderen Stolo statthaben. Ich vermeide also den Loeb'schen
Ausdruck Wurzel, da er ein gar zu spezifisch botanisch-morphologisches
Gepräge für unsere Zwecke hat; ich verwende das Wort Stolo
ohne Rücksicht auf die Reizbarkeit für jeden von 2 Zellen-
schichten ausgekleideten chitinös überzogenen Strang
und ich will mit Loeb das Wort „Spross" verwenden, sobald es
sich (bei Plumulariden und Antennularia) um ein aus allen wesentlichen Teilen der Art, also auch Hauptstamm und typischen
Seitenästen (Fidern, bestehendes Gebilde handelt; bei Sertulariden
und Campanulariden dagegen rede ich nur von Stamm, damit irgend
ein Sympodium mit daran sitzenden Köpfen bezeichnend. Im übrigen
muss ich die Kenntnis sowohl der Loeb'schen wie auch meiner
Arbeiten als bekannt voraussetzen.

Schnitt Loeb Sprosse von *Aglaophenia* vom Stolonengeflecht ab
und stellte sie mit der Spitze in Sand, so dass die Basis zenithwärts
sah, so entstand oben aus der Schnittfläche heraus entweder ein
Stolo oder ein Spross. Ich bestätige beide Befunde; namentlich letzteren Fall, in welchem also das Sympodium (der Hauptstamm) direkt
ein entgegengesetzt orientiertes Sympodium aus sich hervorgehen

---

1) Außer dem zitierten siehe: Driesch, Tektonische Studien etc.
II. *Plumularia* und *Aglaophenia*. Die Tubulariden, Jen. Zeitschrift, XXIV.
III. *Antennularia*, ebenda XXV; ferner: Die Stockbildung bei den Hydroid-
polypen. Diese Zeitschrift, XI.

lässt, habe ich genau geprüft, da ich sein Vorkommen anfänglich be-
zweifelte und hier einen Irrtum annahm. Loeb hat alles völlig
korrekt dargestellt: ich füge seinen Mitteilungen hinzu, dass der
Spross aus der Wunde geradeso hervorgeht, wie normalerweise aus
dem Stolonengeflecht d. h. der erste Polyp des Sympodiums hat einen
sehr langen mit 3—4 Nematophoren besetzten Stil (oder anders: das
erste Glied der Scheinaxe ist länger und mit mehr Nematophoren besetzt als die anderen). — Ist ein Stolo aus der Wunde entstanden,
so kann dieser entweder wieder Stolonen produzieren, oder er produziert Sprosse; wie Loeb richtig darstellt, entstehen letztere stets
(soweit möglich, siehe Fig. 1 k) auf der der Erde abgewendeten Seite
des Mutterstolo; die Tochterstolonen entstehen ohne erkennbares Gesetz;
dasselbe gilt von der Richtung der Stolonen; Loeb spricht von
einer „Tendenz“ zur Abwärtskrümmung; wie ein Blick auf meine
Figur 1, in denen das, worauf es ankommt, völlig naturgetreu gezeichnet ist, lehrt, ist diese Tendenz bisweilen und zwar in der
Mehrzahl der Fälle nicht zu leugnen (a, e), es kann ihr aber wieder
ein Aufwärtskrümmen folgen (d), oder solches von Anfang an statthaben (b, f, k) etc. Schlingungen des Stolo vermehren noch die
Komplikation.

Fig. 1.

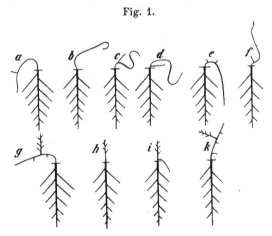

Figur 1. Abgeschnittene Stöcke von *Aglaophenia* mit der Spitze in Sand gesteckt. Unter völlig gleichen äußeren Bedingungen bei einander gezüchtet
zeigen sie doch ein so verschiedenes Verhalten. Der alte Stock ist schematisch,
die Neubildungen aber sind naturgetreu gezeichnet. Der horizontale Strich an
jeder Figur bezeichnet den Ort des Abschneidens. Näheres siehe im Text.

Von Versuchsobjekten der *Aglaophenia*, die in demselben Aquarium
neben einander eingepflanzt sind, produzieren also die einen Sprosse,
die anderen Stolonen und letztere wieder zeigen alle denkbaren Verschiedenheiten. Man kann also hier die Organbildung nur „beherrschen“

soweit es überhaupt auf Entstehen einer Neubildung ankommt. Trotz
mannigfach variierter Versuche kam ich hier nicht weiter als Loeb;
ich erwähne nur, dass es völlig gleichgiltig ist, ob man den Ver-
suchsspross dicht unten am Stologeflecht oder weiter oben abschneidet,
sowie ob man, bei horizontaler Lage, die Wunde dem Licht zu- oder
ihm abgekehrt. In jedem Falle kann alles entstehen.

Nun einige Einzelheiten: bei *Sertularella* sollen nach Loeb an
basalen Schnittflächen sowohl Stolonen („Wurzeln") als auch sympo-
diale Stämme („Sprosse") entstanden sein („Untersuchungen etc.", I,
S. 37, Fig. 16): dürfte hier nicht in unmittelbarem Anschluss an die
Wunde nur das eine, und seitlich an diesem, sehr nahe am Ursprung,
das andere entstanden sein. Ich habe wenigstens bei *Aglaophenia*
beobachtet (Fig. 1 *i*), wie ein aus der Wunde entstandener Spross
sofort nach Ursprung, etwa in Gegend der untersten Nematophore,
einen Stolo entließ; anderseits gibt oft ein der Wunde entstammter
Stolo sehr bald einem vertikal aufrecht wachsenden Spross den
Ursprung. Ohne Vergrößerung, welche ich zur Analyse verwandte,
kann es hier leicht so scheinen, als entspringen Stolo und Spross
gemeinsam. Sollte sich meine Vermutung bestätigen, so würde wohl
eine Vereinfachung insofern gewonnen sein, als wir keine neue — nämlich eine dichotomische — Wachstumserscheinung zu supponieren hätten.

Endlich interessieren uns von den *Aglaophenia*-Untersuchungen
Loeb's seine Adventivbildungen (I, S. 28), „Wurzeln" und „Sprosse"
sollen mitten am Stamm entstanden sein, sei es dass dieser im übrigen
normal (Fig. 13), sei es, dass er wie abgestorben erschien. Wie entstanden diese Bildungen? traten sie etwa aus durch Abfall der
Fiederchen gebildeten Löchern in der chitinigen Umhüllung des sympodialen Hauptstammes hervor? In den Fällen von (ursächlich unbekannter) Stolobildung mitten am Stamme, die mir zu Gesicht kamen,
kam der Stolo aus dem Loche hervor, das durch Abreißen oder Absterben einer Fieder bedingt war, und ich möchte vermuten, dass dies
auch mit den entsprechenden Bildungen Loeb's der Fall war:
„adventiver" Spross oder Stolo wäre dann auch eine „Heteromorphose",
nämlich andersartiger Ersatz einer Fieder. Das, was ich in meiner
tektonischen Arbeit als „sekundären Hauptstamm" bezeichnete, würde
hierher gehören, womit nicht gesagt sein soll, dass ein solcher gerade
immer heteromorphen Charakters, immer Ersatz für verlorenes sein
muss.

Auch bei *Sertularella* sollen nach Loeb oft „am alten Stamm
neue Sprosse auf der der Lichtquelle zugekehrten Seite" entstanden
sein (I, S. 38). Auch hier fehlt leider eingehende Analyse; liegt etwa
die von mir (Tekton. Stud. I) als normal beschriebene Erscheinung
vor, dass an einem Polypen des Sympodiums eine „Sekundärknospe"
auftrat, die dann einem Seitenstamm den Ursprung gab? In diesem
Fall wäre in der Wirkung des Lichts auf die Produktion einer

Sekundärknospe (die übrigens — siehe Tekt. Stud. I — in anderen
Fällen von Aeußeren unabhängig ist) ein interessantes Faktum konstatiert. —

Leider vermissen wir, von Nebensächlichem abgesehen, eingehendere
morphologische Analyse bei den so äußerst lehrreichen Versuchen an
Antennularia, die nebst den *Tubularia*-Experimenten entschieden den
Hauptpunkt der Loeb'schen Forschungen ausmachen. Von seinen
Textholzschnitten sind 1 und 2 ohne Weiteres verständlich; wie ist
die Sache aber bei 3? Ist hier das Fiederchen, welches ein Sympodium ist, aus 2 Zellschichten gebildet, dem die Köpfchen einseitig ansitzen, direkt in einen Stamm übergegangen,
welcher doch aus mehreren in gemeinsames Ektoderm eingebetteten Entodermröhren besteht, und dem direkt
keine Köpfchen, sondern nur Nematophoren ansitzen?
Loeb's Figur scheint darauf hinzuweisen; andrerseits beobachtete
ich bei *A. ramosa* (Tekt. Studien III), dass die hier vorhandenen
Hauptstämme höherer Ordnung immer zwischen 2 Fiedern entspringen; eine äußere Analogie dieser mit den von Loeb erzeugten
Bildungen ist, worauf später nochmals hinzuweisen sein wird, vorhanden. Eine nähere Untersuchung dieser Verhältnisse wäre sehr
wünschenswert.

Wir sind nunmehr in das Gebiet derjenigen Fälle geraten, in
denen Loeb, wie auch seinerzeit ich, „Heteromorphose" (d. h. hier
anormales Weiterwachsen) ohne Operation, also ohne physiologische Art der Zustandsveränderung, sondern durch mechanische (bekannte oder unbekannte) Methode der Zustandsbeeinflussung
erzielte [1]). Bleiben wir zunächst bei *Antennularia*.

Loeb hat die der Erde zugewandten Fiedern eben durch ihre
Lage „als Wurzeln weiter wachsen lassen". Wenn wir uns erinnern,
dass die Fieder als Sympodium so zu stande kommt, dass sich ein
Polyp an den anderen reiht, wobei jeder sein Teil zur Axenbildung
beiträgt und beschränktes Wachstum hat, so werden wir uns hier
die Sache wol so vorstellen müssen, dass unter Einfluss der Schwere,
nun eben nicht mehr das Sympodium fortbildenden Polypen, sondern
an dem zuletzt gebildeten Polypen eine Stolo entstand mit unbe-
grenztem oder wenigstens sehr weit begrenztem Wachstum. Bildung
eines solchen Stolos, dort wo eigentlich ein Polyp hätte stehen sollen,
beobachtete ich schon seinerzeit („Heliotrop.") und wird gleich noch
näher geschildert werden. Wir hätten also, ist unsere Deutung richtig,
prinzipiell nichts anderes als bei *Sertularella* etc. Nun soll (II S. 14)
einmal „ein Spross aus einer Fieder" entstanden sein. Sehen wir
uns die betreffende Fig. 9 an, so ist das doch wohl ein wesentlich
anderes Gebilde, als das was Loeb in den erwähnten Textholz-

---

1) Vergl. über diesen Unterschied meine „Entwicklungsmechanischen
Studien", VI, 3. Erscheinen in Zeitschr. f. wiss. Zool., Bd. LV.

schnitten (3) und sonst als „Spross" bei *Antennularia* bezeichnet. Er
besaß keine Fiedern! Ich glaube wir dürfen ihn, ebenso wie die
„Wurzeln, als welche die Fiedern weiterwuchsen", als S t o l o, d. h.
als polypenlosen Strang unbestimmter Länge, bezeichnen, der vom
letzten normalen Polypen der sympodialen Fieder produziert ward
und nun im Gegensatz zu den Wurzeln, vielleicht in Folge seiner
Lage, negativ geotropisch war. Da ich in Neapel, woselbst die hier
erörterten Bestätigungs- und Ergänzungsversuche ausgeführt wurden,
nicht Zeit fand, *Antennularia* zu studieren, so ist meine Deutung
natürlich hypothetisch; ich kann aber auf Grund meiner sonstigen
Erfahrungen nicht umhin, sie für ziemlich wahrscheinlich zu halten.
Auf alle Fälle scheint mir der Versuch einer Analyse gerade dieser
so hochinteressanten Verhältnisse nützlich.

Außer bei *Antennularia* hat L o e b heteromorphe Bildungen ohne
Operation nur noch bei *Gonothyraea* studiert, ohne dass er hier der
Veranlassung dieser Erscheinung auf die Spur kam.

Ich habe bei *Aglaophenia* trotz sehr zahlreicher Versuche nie eine
„spontane" Andersbildung beobachtet, wohl aber ebenfalls bei einer
Gonothyraea, woselbst die Stolonen schließlich ein wirres Fadennetz
bilden können, bei einer *Obelia*, woselbst auch Tochterstolonen am
erstgebildeten Stolo vorkamen und bei einer *Plumularia*, wo jedoch
letzteres nicht der Fall war; alle Stolonen waren, wie die bei *Aglaophenia* nach operativem Eingriff beobachteten bezüglich Licht,
Schwere etc. richtungslos; nur die (wenig zahlreichen) Tochterstolonen der *Obelia* machten insofern eine Ausnahme, als sie an der
zenithwärts gerichteten Seite des Mutterstolo entsprangen; ihre geringe
Zahl lässt dies jedoch nicht mit Sicherheit als Gesetz erscheinen.
Es gehören in diese Kategorie ferner eine Beobachtung die L e n d e n-
f e l d[1]) schon vor ziemlich langer Zeit publizierte, sowie diverse Daten
aus meinen tektonischen Studien I (bei *Halecium*).

In besonders typischer Weise konnte ich „spontane" Entstehung
von Stolonen an Stelle von Polypen bei *Sertularella polyzonias* (siehe
die zitierte Arbeit „Heliotropismus etc.") studieren und bin jetzt in
der Lage, gerade hierzu ein bezüglich der Reizbarkeit typisches Gegen-
stück zu schildern, auf welches mit einigen Worten eingegangen
werden soll.

Ueber Veranlassung zur Stolobildung ist hier wie dort nichts bekannt; die Form, ebenfalls eine *Sertularella*, wurde in gut zirkuliertem
Aquarium kultiviert und lebte beinahe 8 Wochen. Sie zu bestimmen
war mir nicht möglich[2]).

---

1) Zool. Anzeiger, 1883.

2) Für Fachgenossen, welche diese äußerst günstige Form etwa studieren
wollen, bemerke ich folgendes: die gewöhnlich in die Neapler Station ge-
brachte gedrungen buschige *Sertularella*, von Herrn L o B i a n c o provisorisch
als *S. Elisii* bezeichnet, hat nie Stolonen gebildet; die höchst selten, immer

Ich hatte seinerzeit für *Sertularella polygonias* angegeben, dass
sich unter den gewissen unbekannten Bedingungen, sowohl am sympodialen Hauptstamm, als auch an beliebig vielen ebenso gebildeten
Nebenästen, kurz an beliebig viele Terminalpolypen, kein neuer Polyp,
sondern ein Stolo ansetzt[1]), der Tochterstolonen erster und höherer
Ordnung produzieren kann; er produziert von keiner Ordnung mehr
als 2, doch war es, wie sich zeigen wird, ein Irrtum meinerseits,
hierin die Wahrung eines bestimmten Teiles des normalen Wachstums-
gesetzes der Art zu sehen. Die zuerst erzeugten Stolonen waren sehr
deutlich negativ heliotropisch; die Tochterstolonen entstanden stets
an der dem Licht zugekehrten Seite des Mutterstolo; hatte dieses um
seinem Heliotropismus zu genügen, eine Wendung auszuführen, stets
an oder bei der stärkst gekrümmten Wendungsstelle. Die Tochterstolonen waren anfangs positiv und wurden nach Erzeugung neuer
Stolonen durch scharfe Wendung negativ heliotropisch; derselbe Vorgang wiederholte sich bei weiteren Generationen.

Dieser Abhängigkeit der beschriebenen *Sertularella*-Form vom
Licht steht nun die Abhängigkeit der heteromorphen Gestaltung der
Neapler Form von der Schwere gegenüber.

Bereits 3 Tage nach Beginn des Versuches zeigt diese Form
deutliche Stolonenbildung an den meisten Terminalpolypen, sowie bei
abgeschnittenen und umgekehrt eingepflanzten Stöcken auch an der
aufwärts ragenden basalen Wundfläche; wie oben geschildert so entstehen also auch hier die Stolonen dort, wo sonst ein Polyp entstanden wäre. Die Primärstolonen nun sind in Bezug auf Licht und
Schwerkraft richtungslos, wenn schon sich im Laufe des Wachsens
meist eine Tendenz zu horizontaler Lage geltend macht. Anders die
in beliebiger Zahl auftretenden Tochterstolonen und alle folgenden
Generationen von solchen Gebilden, die dann an letzteren und so fort
entstehen.

Sämtliche Tochterstolonen entstehen an der zenithwärts gerichteten Seite des Mutterstolo und sind ausgeprägt negativ geotropisch. Von Knospung an der der Erde
abgewandten Seite kann natürlich nur bezüglich der primären, wie
gesagt, annähernd horizontal verlaufenden Stolonen die Rede sein,
die übrigen wachsen ja eben streng vertikal; an ihnen entstehen die

---

nur in wenig Exemplaren (bei Nisita) gefischte, höchst spärlich verästelte,
dunklere Form ist mein Versuchsobjekt.

1) Loeb's Darstellung (I S. 38, 3, 2. Absatz) von Stolonen, die sich bei
Sert. polyg. mitten am Stamme bildeten ist auch nicht verständlich; gingen
sie etwa aus dem Loche hervor, den ein abgefallenes Köpfchen im Chitin ließ,
also ähnlich wie bei *Aglaophenia*? oder sollte es sich in Analogie mit dem
hier geschilderten Verhalten darum handeln, dass die „Sekundärknospe" irgend
eines Polypen, sich nicht als Polyp sondern aus unbekannten Gründen als
Stolo bildet?

Knospen irgendwo am Umfang, dann sofort ihrem negativen Geotropismus genügend, wie es die Figuren veranschaulichen. Ist aber durch irgend welche Veranlassung ein Tochterstolo von der streng vertikalen Richtung abgewichen, so bildet er seine Knospen stets an der oberen Seite.

Fig. 2.

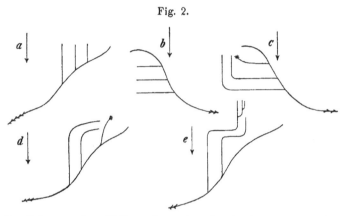

Fig. 2. Heteromorphes Weiterwachsen der *Sertularella* sp. Die Pfeile bezeichnen die Richtung der Schwerkraft. In *b* und *d* sind die Stöcke künstlich umgelegt. Näheres siehe im Text.

Durch wiederholtes Umlegen des Stockes können die Stolonen zu Wendungen veranlasst werden, die sich, da stets nur ein kleiner Bezirk wächst und nur dieser geotropisch ist, dauernd fixieren. Fig. 2 zeigt diese Verhältnisse: in *a* haben wir einen Primärstolo mit 3 vertikal wachsenden Tochterstolonen vor uns, *b* zeigt denselben in anderer Lage, in *c* haben sich 2 der Stolonen, der jetzt veränderten relativen Einwirkungsrichtung der Schwere entsprechend gedreht, der dritte Stolo ist in einen Polypen ausgelaufen, was bisweilen vorkommt; in *d* sehen wir den Stock wiederum umgelegt, und in *e* haben die beiden schon einmal gekrümmten Stolonen ihre zweite Wendung gemacht, der eine außerdem bereits 2 Generationen von Tochterstolonen produziert. — Das Licht fiel bei diesen Versuchen seitlich auf die Objekte ein und äußerte keinerlei Wirkung.

Wir haben also das bemerkenswerte Faktum vor uns, dass zwei *Sertularella*-Arten, die, wie ich beifügen will, sich morphologisch sehr nahe stehen, sich bezüglich der Abhängigkeit ihres Wachstums von äußeren Einflüssen und, damit zusammenhängend bezüglich ihrer Reizbarkeit, durchaus different verhalten: was für die eine die Schwerkraft, das ist für die andere das Licht. Würde man bei völliger morphologischer Identität 2 derartige Formen wohl als 2 Species ansehen? Diese Frage sei hier immerhin angeregt. —

Fig. 3.

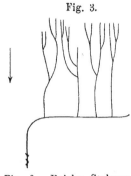

Fig. 3. Reiche Stoloproduktion derselben Form: Strauchartiges Gebilde.

Lässt man einen Stock meiner *Sertularella*-Form etwa 4 Wochen lang ungestört Stolonen bilden, so erhält man strauchartige, seltsam gestaltete Bildungen wie Fig. 3 veranschaulicht. Eine ähnliche Bildung stellt nun Loeb in Fig. 12 des 2. Heftes seiner „Untersuchungen von *Antennularia*" dar; auch hier ist in successiver Reihenfolge Stolo an Stolo entstanden. Da Loeb bezüglich dieser Bildung einem entschiedenen Irrtum verfallen ist, so muss ich die Sache etwas näher erörtern, zumal ich durch sein Zitat meiner Arbeit (Tekt. Stud. III) dabei kompromittiert erscheinen könnte.

Ich habe in der zitierten Arbeit hervorgehoben, dass kein einziger der Speciesmerkmale von *Antennularia antennina, ramosa* und *tetrasticha* ganz durchgreifend sei d. h. für jede Fieder, für jedes Glied des Stammes zuträfe; dass man nur durch kombinierte Vergleichung der Merkmale zu sicherer Bestimmung gelangen könne; speziell hinsichtlich der Verzweigung gab ich an, dass ich sie bei *A. antennina,* dem Versuchsobjekt von Loeb, nie, bei *A. tetrasticha* nur in etwa 2 Fällen und bei *A. ramosa* fast stets in reicherem Maße beobachtet hätte. Ich habe in meiner Zusammenfassung dieses Verhältnis hinter das Wort verzweigt noch besonders in Klammer gesetzt „d. h. bildet neue Hauptstämme".

Unter „Hauptstamm" war, wie in diesem Aufsatz unter „Spross", der mehrröhrige Stamm mitsamt den ihm ansitzenden Fiedern verstanden. Wenn also „Verzweigung" statthatte, so saßen, in am angegebenen Orte näher erläuterter Weise, ein oder mehrere gefiederte Stämme an einem ebensolchen u. s. f. Durch Vergleich der guten Habitusbilder auf Tafel LXI und LXII der Hincks'schen „British Hydroid Zoophytes" mag der Leser noch deutlicher entnehmen, was ich meine.

Dieses Verhalten hat nun natürlich mit den Befunden Loeb's nicht die mindeste Aehnlichkeit; er hat eine strauchartige Stolonensprossung beobachtet, ebenso wie ich bei *Sertularella,* dieselbe ist ganz sicher kein „Speciesmerkmal von *Antennularia ramosa*". Wenn Loeb daran liegt, Verzweigung bei seinem Versuchsobjekt künstlich hervorgerufen zu haben, so mag er sich auf seine Fig. 6 berufen: hier liegen die Verhältnisse prinzipiell wie bei *A. ramosa,* wenn schon man, wie gesagt, nicht näher erfährt, wie die Seitenstämme sich bildeten. Uebrigens scheint Loeb die Bedeutung seiner angeblichen Entdeckung zu überschätzen; abgesehen davon, dass Verzweigung oder Nichtverzweigung doch das allerunwesentlichste Charakteristicum der Species wäre, hätte er im günstigsten Fall das hervorgebracht, was man als (ursächlich unbekannte) „Standortsvarietät" bezeichnen könnte. Derartige Bildungen, zu denen überhaupt alle Heteromorphosen gerechnet werden könnten, kennt man aber zur genüge, ja alle oben erwähnten heteromorphen Bildungen ließen sich so auffassen; dass sie für die Theorie der Artbildung zunächst noch ganz oder fast bedeutungslos sind, erörterte ich an anderem Orte [1]).

Wir haben hiemit die Darlegung derjenigen Punkte der Loeb'-schen Forschungen erledigt, in denen wir dieselben ergänzen konnten oder genötigt waren ihnen zu wiedersprechen; es sei nun noch auf einige allgemeinere Dinge hingewiesen.

Der Leser wird in meiner [2]) Beurteilung der von Dreyer [3]) kürzlich erörterten Forschungsmethode der „Elimination", nämlich des Nachweises gewisser angeblich biologischer Erscheinungskomplexe als rein mechanisch, Anklänge an das von Loeb in der Einleitung zum Teil II seiner „Untersuchungen" Gesagte bemerkt haben. Auch Loeb tritt mit Recht für Ausbildung einer eigenartigen physiologischen Methode zur Erforschung der „Reiz"-Erscheinungen ein. Es scheint mir nun hiemit anderseits die Bemerkung, die er über die Pflüger'-schen [4]) Schwerkraftversuche seinen Erörterungen einflicht, nicht ganz zu harmonieren. Pflüger dachte doch in der Beeinflussung der Teilungsrichtungen des Froscheies durch die Schwerkraft eine (wie

---

1) Entwicklungsmechanische Studien, VI, s. oben.

2) Entwicklungsm. Stud., VI. Ferner diese „kritischen Erörterungen" I. Leider zu spät für eine Berücksichtigung in meiner Besprechung der Dreyer'-schen Arbeit erschien in Nr. 13 dieser Zeitschrift ein Aufsatz Kükenthal's, dessen Schluss sich gegen Dreyer und mich unter dem gemeinsamen Titel „jüngere Forscher" wendet. Da sich diese Ausführungen durch Teil VI meiner „Entwicklungsmechan. Studien" von selbst erledigen werden, so hebe ich nur ein Paar Punkte hervor, welche die Missverständnisse, denen Kükenthal verfiel, besonders klar aufzeigen: 1) Die Thatsache allein, dass Dreyer und ich gemeinsam behandelt werden, zeigt, dass K. den Begriff der Entwicklungs-mechanik, welche etwas durchaus anderes ist, als Dreyer's „Eliminations"-Methode, gänzlich missverstand; gerade hierüber vergl. den erwähnten Teil VI. 2) Wer von uns hat denn behauptet „das Leben erklären zu können"? Ich denke doch, man könne diese leichtfertige Behauptung mit weit mehr Recht den Phylogenetikern vorwerfen als uns, die wir nur zu sehr wissen, wie so ganz tastend all unser biologisches Wissen ist. 3) Wer von uns hat gesagt, dass er eine neue Methode „entdeckt" habe? 4) Ich habe nie behauptet, dass die Phylogenetiker eine Ahnengallerie aufstellen wollen, sondern dass sie nicht mehr können; für die Methode freilich um so schlimmer. Ich denke, gerade dieser Gedankengang ist doch auch von Dreyer erschöpfend genug klargelegt. 5) Im Schlusssatz widerspricht Kükenthal seinem ganzen Artikel und stellt sich, ohne es zu merken, auf den Dreyer'schen Standpunkt, wie denn überhaupt die ganze Erörterung ebenso unbestimmt gehalten ist, wie die Begriffe, die sie verteidigt.

3) Ziele und Wege biologischer Forschung. Jena 1892.

4) Pflüger's Archiv f. Physiologie, 32.

er meinte ganz allgemein vorkommende) Reizerscheinung d. h. eben etwas zunächst, wenn nicht überhaupt absolut rätselhaftes vor sich zu haben.

Wenn nun aber diese Erscheinung schon durch O. Hertwig's[1]) Forschungen in ihrer Allgemeinheit erschüttert und bald darauf durch Born[2]) als rein hydrostatisches Faktum nachgewiesen, also „eliminiert" worden war, so war eben dadurch die Bedeutung der Entdeckung wesentlich herabgesetzt und es heisst nicht die gedankenreichen Arbeiten Pflüger's schmälern, wenn man dieses klare Verhältnis scharf betont. Wenn man von Reiz spricht, so denkt man heute wenigstens nicht etwas vor sich zu haben, dessen Mechanik man nur noch nicht durchschaut; wenigstens wäre das ein dogmatischer Standpunkt. Es mögen ja alle Schwerkraftswirkungen hydrostatische Erscheinungen sein; dann wären sie aber eben damit als bedeutungslos für das Wesen des Lebens nachgewiesen.

Die Analogie der Loeb'schen Versuche mit meinen[3]) Experimenten über die Bedeutung der Furchung und mit den Resultaten der Botaniker ist klar: alle diese Resultate sprechen gegen die Auffassung der Entwicklung als einer Spezialisierung der wesentlichen Substanz (Idioplasma): eine Furchungszelle kann sich je nach ihrer Lage an dieser oder jener Organbildung des Seeigels beteiligen und ein Polyp kann je nach Beeinflussung einen anderen Polypen oder einen Stolo, ein Stolo kann bald einen anderen Stolo, bald einen Spross aus sich hervorgehen lassen.

Zürich 5. Juni 1892.

Methode der Beobachtung und Vivisektion von Infusorien in Gelatinelösung.

Von Paul Jensen.

Durch eine mündliche Mitteilung des Herrn Prof. Stahl zu Jena wurde ich mit einer Methode bekannt, welche dem Zwecke dient, die lokomotorischen Bewegungen freibeweglicher niederer Organismen zu untersuchen unter Ausschluss von Flüssigkeitsströmungen, wie sie jederzeit im Wasser vorhanden sind. In diesem Sinne wurde von Stahl[4]) eine dünne, zitternde Gelatinegallerte verwendet, welche *Euglena viridis*, einer flagellaten Alge, noch hinreichende lokomotorische Beweglichkeit gestattete. Größere und kräftigere Infusorien, besonders Ciliaten, überwinden die Widerstände des Mediums noch leichter,

---

1) Welchen Einfluss übt die Schwerkraft etc. Jena 1884.
2) Archiv f. mikr. Anat., 24.
3) Entwicklungsmechanische Studien I, III, IV. Zeitschr. f. wiss. Zool., LIII u. LV.
4) E. Stahl, „Zur Biologie der Myxomyceten". Bot. Zeitung, 1884, S. 12.

während freilich kleine und schwächere Arten bei dieser Konsistenz
der Gelatinelösung nicht mehr von der Stelle kommen.

Bei dem Gebrauch der Gelatine zu dem erwähnten Zwecke fand
ich, dass dieselbe neben diesem noch nach anderer Richtung hin erhebliche Vorteile bietet, sowohl für morphologische als auch für
physiologische Absichten. Die Methode ist so bequem und die
Vorzüge so augenfällig, dass ich nicht versäumen möchte, diejenigen
Forscher, welche sich mit Untersuchungen an rasch beweglichen kleinen
Organismen, besonders Infusorien, beschäftigen, auf dieselbe aufmerksam zu machen. Mancher Zoologe und Physiologe mag sich
schon abgemüht haben, die hurtige Bewegung der Infusorien, jener
flüchtigen Gäste im Gesichtsfeld des Mikroskops, zu hemmen, sei es
um die Organisation des Tieres und die feinere protoplasmatische
Struktur am Lebenden zu studieren, sei es um das Spiel der Wimpern,
Geißeln oder kontraktilen Vakuolen zu beobachten. Wenn man nicht,
wie bei manchen rein morphologischen Zwecken, von vornherein auf
das Leben der zu untersuchenden Organismen verzichten wollte, so
versuchte man wohl dieselben durch Deckglasdruck festzuhalten oder
auch durch Narkotisierung ihre Bewegungen zu verlangsamen, wodurch
der erwünschte Erfolg jedoch kaum ganz erreicht werden konnte.

In der Gelatinelösung hat man nun ein Mittel auch eiligere Be-
sucher des mikroskopischen Gesichtsfeldes für längere Zeit oder auch
dauernd in dasselbe zu bannen. Behufs Untersuchung feinerer Strukturen kann man die Infusorien vollständig festlegen und ohne Schwierigkeit mit Oelimmersion betrachten. Bei derartig vollkommen aufgehobener Ortsbewegung können die Wimpern und Geißeln noch in
verzögertem Tempo weiterschlagen, und ebenso dauert die Thätigkeit
der kontraktilen Vakuole an. Bei dem Studium der Form und äußeren
Organisation empfiehlt es sich eine dünnere Gelatinelösung zu nehmen,
bei der noch eine geringe Lokomotion möglich ist. Es werden dann
die in vielen Fällen auftretenden Formveränderungen des Körpers,
Verbiegungen und Kontraktionen, welche recht störend sein würden,
leichter vermieden. Bei Ciliaten, besonders bei solchen, welche schon
während des normalen Schwimmens Rotationen um ihre Längsaxe
ausführen, kann man es erreichen, dass bei aufgehobener Ortsver-
änderung diese Rotation in mäßiger Geschwindigkeit andauert, so
dass man den Körper leicht von allen Seiten zu Gesicht bekommt.
Die Bewegung mit geringem lokomotorischem Effekt bietet vorzügliche Verhältnisse für die Beobachtung des Wimperschlags der Ciliaten,
und auch die Geißelbewegung der Flagellaten lässt sich so sehr gut
zur Anschauung bringen. Bei der bedeutend verlangsamten Cilien-
kontraktion kann man die Thätigkeit jedes Elementes und die etwa
auftretenden Veränderungen in der Schlagweise desselben wahrnehmen.
Auf diese Weise stellt sich bei einer Vergrößerung von 100—150 die
Flimmerbewegung in sehr anschaulicher und übersichtlicher Weise

dar. Ferner ist bei vollkommen festgelegten Tieren die Thätigkeit
der kontraktilen Vakuole einer kontinuierlichen Beobachtung sehr
bequem zugänglich.

In zweiter Linie käme diese Gelatine-Methode dann in Betracht
für die in letzterer Zeit von Zoologen und Physiologen vielgeübte
und wichtige Vivisektion von Infusorien. Leichtbewegliche Arten,
deren man im Wassertropfen unter dem Mikroskop nur mit großer
Schwierigkeit und Geduld habhaft werden kann, sind in Gelatine gebracht viel leichter dem Messer des Experimentators zugänglich. Um
einen Fall anzuführen, so war mir trotz längerem Bemühen die Zer-
schneidung einer Ciliatenform nicht geglückt; nachdem ich die Tiere
in Gelatine gebracht hatte, gelangen mir innerhalb kurzer Zeit mehrere
Teilungsversuche. Man kann auf diese Weise mit verhältnismäßig geringer Mühe einen Tropfen der Gelatinelösung mit einer großen Anzahl
von Teilstücken bevölkern. Bei diesen vivisektorischen Versuchen
muss man sich freilich damit begnügen, die Bewegungen der zu verwendenden Organismen nur zu verlangsamen ohne dieselben ganz aufzuheben, da man die Gelatine nicht zu dick nehmen darf. Sobald
dieselbe nämlich nicht mehr fließt, werden natürlich durch jeden
Schnitt derartige Risse in ihr erzeugt, dass in Folge der unregelmäßigen Lichtbrechungsverhältnisse der betreffenden Gelatinepartie
das Versuchsobjekt nicht mehr zu sehen ist.

Die Bereitung der Gelatinelösung geschieht in folgender Weise.
In einer Kochflasche werden zu 100 ccm Leitungswasser etwa 3 g weißer
Gelatine (= zwei Stück der hier käuflichen Gelatine-Plättchen) zugesetzt, und die Auflösung derselben durch Erwärmen begünstigt.
Man bekommt dann beim Abkühlen auf eine Zimmertemperatur von
18—19° C eine starre Gelatinegallerte. Aus dieser kann man sich
nach Bedarf die dünneren Lösungen herstellen; will man dieselbe
aber mehrere Tage gebrauchen, so muss man das Gefäß durch Erhitzen und darauffolgenden Verschluss durch einen Wattepfropf vor
Infektion mit Bakterien schützen. In dieser etwa 3proz. Gelatinelösung
zeigen beispielsweise die ciliaten Infusorien *Paramaecium aurelia* und
Urostyla grandis keine Lokomotion mehr; die Wimperbewegung
und die Thätigkeit der kontraktilen Vakuole blieben dabei noch stundenlang erhalten. Soll dagegen die Lokomotion der Infusorien nur stark
verlangsamt werden, etwa zum Studium der Flimmerbewegung, wenn
man den Effekt des Cilienschlags noch wahrnehmen will, so kann
man eine ca. 1,5proz. Lösung verwenden, welche eine zitternde nicht
mehr fließende Gallerte darstellt. Für die vivisektorischen Zwecke
empfehlen sich Lösungen von 0,8—1 Prozent. Doch darf man den
auf den Objektträger gebrachten Tropfen der Mischung nicht zu
lange der Verdunstung aussetzen, da die Gelatinelösung dadurch
leicht zu sehr eingedickt wird. Die angegebenen Daten verfolgen
freilich nur den Zweck einer allgemeinen Orientierung, und sind im

Besonderen veränderlich je nach der Temperatur, nach den zu untersuchenden Tieren und den speziellen Versuchsabsichten.

Das Ueberführen der Infusorien in die Gelatinelösung lässt
sich auf folgendem Wege bewerkstelligen. Will man mit starrer
Gelatine arbeiten, so verflüssigt man dieselben vor dem Gebrauch
durch Erwärmen. Sodann schüttet man eine Quantität davon in ein
Uhrschälchen, lässt auf eine möglichst niedrige Temperatur, bei der
die Lösung jedoch noch flüssig ist, abkühlen, setzt einen Tropfen des
die Versuchstiere enthaltenden Wassers zu und rührt das Ganze um.
Von dieser Mischung bringt man ein bis zwei Tropfen auf den Objektträger, wo die Gelatine dann rasch erstarrt; wenn man ein Deckglas auflegen will, so muss das vor dem Starrwerden geschehen.
Sollen die Infusorien, welche in der starren Gelatinegallerte in vielen
Fällen nach einigen Stunden zu Grunde gehen, aus dieser befreit
werden, so ziehe man den Objektträger 2—3 mal mäßig rasch durch
eine Gasflamme, setze dann etwas lauwarmes Wasser zu und rühre
nötigenfalls mit einem feinen Glasstäbchen um. Der Zusatz von etwas
Wasser ist auch sehr wünschenswert, wenn man nach einer Vivisektion die Teilstücke noch längere Zeit erhalten will. Für diesen letzteren Zweck thut man jedenfalls in vielen Fällen gut, bei Bereitung
der Gelatinalösung, wie auch bei sonstigen Anlässen, dasjenige Wasser
zu verwenden, in dem die betreffenden Versuchstiere zu leben pflegen,
da manche Protisten gegen geringe Veränderungen des Salzgehaltes
des sie umgebenden Mediums äußerst empfindlich sind. Geschah die
Vivisektion zum Zweck einer kurzdauernden Demonstration, wofür die
Gelatine-Methode besonders günstig ist, so sind derartige Vorsichtsmaßregeln natürlich nicht erforderlich.

Schließlich wäre noch die Frage zu erwägen, ob und in welchem
Maße die Gelatine die Organismen schädigt. Und da wäre zu bemerken, dass eine nicht zu dickflüssige Lösung für die Tiere nicht
nur nicht nachteilig sondern sogar als Nährstoff vorteilhaft sein kann,
zumal wenn sie mit Bakterien infiziert ist, wie sie an den Standorten
und in den Kulturgefäßen der betreffenden Infusorienformen vorzukommen pflegen und als Nahrung dienen. So habe ich in einer
ca. 0,5 proz. Lösung von Gelatine eine beträchtliche Vermehrung von
Paramaecium aurelia und bei einer wohl noch stärkeren Konzentration
eine solche von *Euglena viridis* wahrnehmen können. Mit steigender
Stärke der Lösung tritt allmählich eine Schädigung der Tiere ein,
wobei sich verschiedene Arten aber sehr verschieden verhalten. Bei
den mir zur Beobachtung gekommenen Ciliaten äußert sich der ungünstige Einfluss im Allgemeinen in einem langsam in längeren oder
kürzeren Intervallen stattfindenden körnigen Zerfall; derselbe kann
jedoch durch Verflüssigung des Mediums aufgehalten werden, so lange
die Degeneration des Protoplasmas die Gegend des Kerns noch nicht
ergriffen hat. Dieser körnige Zerfall tritt innerhalb einer und derselben

Art bei manchen Individuen schon ziemlich früh, bei anderen viel
später ein. So waren beispielsweise von *Urostyla* nach 2 Stunden in
der starren (3proz.) Gelatinelösung noch eine größere Anzahl von
Exemplaren unversehrt; dasselbe war bei der großen Mehrzahl der
in eine noch zitternde Gallerte versetzten Individuen nach Verlauf
von 3 Stunden der Fall. Fast alle, auch die schon in erheblicherem
Maße körnig zerfallenen Tiere erholten sich wieder vollständig nach
Verflüssigung des Mediums und Wasserzusatz. Hält man also die
Versuchsobjekte nur mäßige Zeit in den dickeren Lösungen, so kann
man auch bei Anwendung der starren Gallerte sicher sein, während
der Untersuchung es mit normalen Verhältnissen zu thun zu haben.
Ich kann noch erwähnen, dass ich *Euglena viridis* 24 Stunden in
einer starren Gallerte bewegungslos eingeschlossen gelassen hatte, und
dass diese Tiere nach der Verflüssigung der Lösung wieder vollständig
frisch und mobil waren.

Jena, physiologisches Institut, im Juli 1892.

Beitrag zur Kenntnis der Lebensverhältnisse der Rotatorien.
Ueber marine, brackische und eurhyaline Rotatorien.

Von Dr. Othm. Em. Imhof.

Die Rädertierchen haben, wie schon aus den gegenwärtigen
Kenntnissen ersichtlich, eine außergewöhnliche, ganz auffallend weite
geographische Verbreitung. Fast überall, wo bisher Nachforschungen
über die mikroskopischen Wasserorganismen angestellt worden sind,
fanden sich Vertreter dieser mannigfaltigen Gruppe von Mikrozoen.
In langsam fließenden Bächen, Flüssen und deren Ausbuchtungen,
in kleineren stehenden Gewässern, die reichen Pflanzenwuchs beherbergen, im littoralen Gebiet der größeren Seen, das ebenfalls mancherorts reich an Wasserpflanzen ist, in der Tiefseefauna der Binnengewässer und im offenen Wasser, in der großen Wassermasse der
Seen, wo nur Mikrophyten als Repräsentanten des Pflanzenreiches
die Zusammensetzung der pelagischen Organismenwelt vermehren, in
solchen Gewässern in der Ebene bis in solchen der höchsten Alpen-
regionen kommen Rotatorien vor. Außer in den permanenten Wasseransammlungen trifft man Rotatorien in Gewässern, die nur vorübergehend bestehen, an, in Wasserbecken, die infolge andauernder
Trockenheit wieder verschwinden, die als temporär zu bezeichnen
sind. Es finden sich Rotatorien in unterirdischen künstlichen und
natürlichen Gewässern, in Cysternen, Pumpbrunnen, Grotten und
Höhlen. Die Existenzbedingungen für Rotatorien sind in ausreichendem Maße selbst an nur vorübergehend feuchten Orten, in den Moos-
überzügen und Moosdecken der Bäume, der Dächer und selbst in den
Dachrinnen gegeben.

Außer im Süßwasser, wo die weitaus größere Zahl von Räder-
tierspezies vorkommt, haben schon in der frühesten Zeit mikroskopischer Forschungen einige Autoren marine und brackwasserbe-
wohnende sowie Thermalwasser bevölkernde Rotiferen beschrieben
und abgebildet. Die Zahl der gegenwärtig bekannten marinen und
brackischen Arten ist zwar noch keine sehr große, dürfte aber größer
sein, als allgemeiner zur Kenntnis gelangt ist. Alle marinen und
Brackwasser-Rotatorien, die die Litteratur aufweist, dürften in europäischen Meeren, vorwiegend als Küstenbewohner und die Flutwasser-
becken bevölkernd, wenige nur bis anhin als pelagische Bewohner
des offenen Wassers gefunden worden sein.

Ein besonderes Interesse beanspruchen die eurhyalinen Rotatorien, die in gleicher Gestalt und Ausbildung sowohl im Meer- und
Brackwasser als auch im Süßwasser leben.

Für die Erkenntnis der Lebensbedingungen, in denen Rotatorien
leben können, ist die Verbreitung in salzigen Gewässern wie z. B. in
den Salzseen von Nord-Afrika und das Vorkommen in warmen
Mineralquellen z. B. in Schwefelthermen, ebenfalls von besonderer
Wichtigkeit.

In der vorliegenden Notiz sollen vorerst aus der außerordentlich
reichen Rotatorien-Litteratur möglichst vollständige Uebersichten über
die marinen, brackischen und eurhyalinen Rotatorien zusammengestellt
werden, geordnet nach der Klassifikation von Hudson-Gosse.

Zurückgehend auf die ältesten umfangreicheren Bearbeitungen
der Rädertierchen ist hervorzuheben, dass Ehrenberg (1838) schon
15 marine und Brackwasserbewohner beschrieben hat:

*Rotifer vulgaris, Synchaeta baltica, S. tremula, Furcularia Rein-
hardti, Diglena catellina, Distemma marinum, Euchlanis luna, Colurus
uncinatus, Col. caudatus, Monura colurus, Mon. dulcis, Pterodina clypeata, Brachionus Mülleri, Anuraea biremis, Anuraea striata.*

Von diesen 15 Species kommen vor:

    in der Ostsee : 13 Species, davon 2 im Brackwasser,
    „ „ Nordsee: 1   „ ,
    „ „ Adria : 2   „ , deren Anwesenheit noch zu be-
stätigen bleibt, da Ehrenberg ein? beisetzt. 6 von diesen 16 Arten
sind bis gegenwärtig nur als marin oder brackwasserbewohnend bekannt, wie aus der Vergleichung mit der folgenden Gesamtübersicht
der nur meer- und brackwasserbewohnenden Rotatorien ersichtlich ist.

Im 4. Buche von Dujardin's: Histoire naturelle des Zoophytes,
Infusoires finden sich nur folgende Angaben über marine Rotatorien:
Furcularia marina Duj. Im mittelländischen Meer im März 1840
(S. 649) und: Es ist immerhin wahrscheinlich, dass die Zahl der im
Meere lebenden Furculariden viel größer ist; was meine Beobach-
tungen betrifft, so kommen 3—4 sehr wohl unterscheidbare Species
vor, allein die Zeit fehlte mir, um sie ausreichend zu beschreiben.

XII.   36

Eine äußerst interessante Bereicherung erfuhren die Rotatorien
speziell die marinen Rotatoria durch die Entdeckungen von Grube,
Claus und Plate der Arten der Gattungen: *Seison*, *Paraseison* und
Saccobdella, die eine besondere wohl charakterisierte Familie bilden,
bei welcher eine deutliche Ausbildung von Kopf, Hals, Leib und Fuss
als wesentlichster Unterschied hervortritt. Es enthält die Familie der
Seisoniden Arten der wenigen Rotatorien, die als Schmarotzer auf
anderen Tieren leben.

Die Zahl der marinen Rotatorien wurde in den Jahren 1887 und
1889 in der hervorragenden Monographie durch Gosse um 19 neue
Arten vermehrt. Mit Ausnahme einer einzigen Art sind bisher nur
Fundorte aus europäischen Meeren bekannt. Bloß *Metopidia cornuta
Schmarda* ist außereuropäisch, bei New-Orleans gefunden, wie aus
der folgenden Zusammenstellung ersichtlich ist.

Systematische Uebersicht der bisher nur im Meer- und
Brackwasser beobachteten Rotatorien.

   I. Ordn. *Rhizota.*
     Bis anhin noch keine.
   II. Ordn. *Bdelloidea.*
     Bis anhin noch keine.
   III. Ordn. *Ploima.*
1. Unt. Ordn. *Illoricata.*
 Fam. *Synchaetadae. Synchaeta baltica* Ebg. (1838). Ostsee, Kiel,
   Kopenhagen, Lübeck; Nordsee, Ciricsee, Küsten von
   England und Schottland; Irische See, Wales.
   Synchaeta gyrina Hood (1887). Nordsee, Taymündung.
 Fam. *Notommatadae. Furcularia marina* Duj. (1841). Mittel-
   ländisches Meer; Nordsee, Taybucht.
   Notommata Reinhardti Ebg. (1838). Ostsee, Kopenhagen,
   Finnischer Busen bei Reval, Golf von Hapsal.
   Diglena suilla Gss. (1887). Nordsee, Invergowrie.
   Distemma marinum Ebg. (1838). Ostsee, Wismar, Golf
   von Hapsal.
   Distemma raptor Gss. (1889). Nordsee, Taymündung.
    „ *forficula laeve* Echw. (1847). Ostsee, Rigischer
   Busen bei Kaugern.
 Fam. *Seisonidae. Seison Grubei* Cls. (1876). Mittelländ. Meer,
   Adria bei Triest.
   Seison annulatus Cls. (1880). Mittelländ. Meer, Adria
   bei Triest.
   Paraseison asplanchnus Plt. (1887). Golf von Neapel.
    „ *nudus* Plt. „ „ „ „
    „ *proboscideus* Plt. „ „ „ „
    „ *ciliatus* Plt. „ „ „ „
  Saccobdella nebaliae V. Bn. (1863). Hss. Nordsee.

2. Unt. Ordnung. *Loricata.*

Fam. *Rattulidae. Rattulus calyptus* Gss. (1889). Nordsee, schottische Küste, Taybucht.

      Rattulus sejunctipes Gss. (1889). Nordsee, schottische Küste, Taybucht.

Fam. *Salpinadae. Salpina marina* Gss. (1889). Nordsee, Taybucht.

      Diaschiza fretalis Gss. (1887). Ostsee, Invergowrie.

Fam. *Euchlanidae. Lophocharis rostrata* Echw. (1849). Ostsee.

Fam. *Cathypnadae. Distyla Weissei* Echw. (1847). Ostsee, Reval, Kaugern.

Fam. *Coluridae. Colurus amblytelus* Gss. (1889). Nordsee, Taymündung bei Dundee und Torbay.

      Colurus dactylotus Gss. (1889). Nordsee, Taymündung.

      „   *pedatus* Gss.   „   „   Taybucht.

      „   *Dumnonius* Gss. (1887). Nordsee, Paignton bei Torquay.

      „   *grallator* Gss. (1887). Nordsee, Taybucht.

      Metopidia cornuta Schd. (1859). Meerbusen von Mexico, New-Orleans, Brackwasser.

      Monura loncheres Gss. (1887). Nordsee, Invergowrie.

      Mytilia poecilops Gss.   „   „   „

      „   *producta* Gss.   „   Nordsee, Devonshire.

      „   *teresa* Gss.   „   „   Torbay.

Fam. *Pterodinadae. Pterodina clypeata* Ebg. (1838). Ostsee, Wismar. Nordsee, Mündung der Naze und des Tay.

Fam. *Brachionidae. Brachionus Mülleri* Ebg. (1838). Ostsee, Wismar. Nordsee, Küsten von Essex und Norfolk, Taybucht.

Fam. *Anuraeadae. Anuraea biremis* Ebg. (1838). Ostsee, Kiel.

      Anuraea cochlearis pellucida Imh. Ostsee, Finnischer Busen.

      „   *aculeata, resupina* Imh. Ostsee, Finnischer Busen.

      Notholca thalassia Gss. (1889). Nordsee, Taybucht.

      „   *scapha* Gss.   „   „   „

      „   *jugosa* Gss. (1887). Nordsee, Taybucht, Küste von Devon.

      „   *rhomboidea* Gss. (1887). Nordsee, Taybucht, Küste von Devon.

      „   *spinifera* Gss. (1887). Nordsee, Taybucht.

Aus dieser Uebersicht geht hervor, dass von den bisanhin veröffentlichten marinen und brackwasserbewohnenden Rotatorien der

Fauna   der Ostee . . . . . . 9 Species und 3 Varietäten

       „ Nordsee . . . . . 25 „

       „ Irischen See . . . . 1 „

       dem mittelländischen Meer 7 „ , davon

der Adria . . . . . . 2 Species
dem Golf von Neapel . 4 „
außereuropäischer Meere, dem Golf von Mexico, 1 Species angehören.

Eine einzige Species wurde in der Nordsee und im mittelländischen
Meer gefunden, *Furcularia marina* Duj. Von den anderen 6 medi-
terranen Rotatorien leben laut den gegenwärtigen Kenntnissen nur
bei Triest die 2 Arten des Genus *Seison*, im Golf von Neapel die
4 Species der Gattung *Paraseison*. Die Nord- und Ostsee beherbergen
nur 3 Arten gleichzeitig, so dass die Nordsee 23 Species aufweist,
die bisher nirgend anderswo wiedergefunden wurden. Es ist aber
hervorzuheben, dass von diesen 23 Arten 19 erst vor wenigen Jahren
entdeckt worden sind.

Das allgemeine Resultat der obigen Uebersicht weist dahin, dass
Nachforschungen über marine Rotatorien nur in ganz wenigen europäischen Meeren, fast ausschließlich in der Nordsee und zwar an den
britischen Küsten angestellt worden sind und lässt vermuten, dass
das Auffinden der ansehnlichen Zahl von Rotatorien durch Gosse
durch Forschungen in anderen Meeren oder Küstengebieten leicht
neue Entdeckungen zur Folge haben könnte. Ein wesentlicher Punkt
in der Kenntnis des Vorkommens der marinen Rotatorien dürfte besonders erwähnt werden, dass nur ganz wenige Formen auf offener
See, im pelagischen Gebiete, beobachtet worden sind.

Es folgt die:

Systematische Uebersicht der eurhyalinen *Rotatoria*,
mit Beifügung der marinen Fundorte.

I. Ordn. *Rhizota.*

Fam. *Flosculariidae. Floscularia campanulata* Dob. Ostsee, Hapsal.
Fam. *Melicertadae. Melicerta tubicularia* Ebg.   „   „
    Conochilus volvox Ebg. Ostsee, Stockholm, Finnischer
Busen.

II. Ordn. *Bdelloidea.*

Fam. *Philodinadae. Philodina citrina* Ebg. Ostsee, Hapsal.
    Rotifer citrinus Ebg. Ostsee, Hapsal.
      „   *vulgaris* Schrk. „ , Kaugern, Nordsee, Tay-
mündung.

III. Ordn. *Ploïma.*

1. Unt. Ordn. *Illoricata.*
    Fam. *Asplanchnidae. Asplanchna*, welche Species, konnte noch
        nicht mit Sicherheit festgestellt werden. Ostsee,
        Lübeck, Stockholm.

Fam. *Synchaetadae.* *Synchaeta tremula* Ebg. Ostsee, Kopenhagen im Brackwasser.

Synchaeta pectinata Ebg. Ostsee, Stockholm.

Fam. *Triarthradae.* *Polyarthra platyptera* Ebg. Ostsee, Lübeck,
Stockholm, Finnischer Busen.

Triarthra longiseta Ebg. Ostsee, Lübeck.

Fam. *Notommatadae.* *Pleurotrocha leptura* Ebg. Ostsee, Reval.

Pleurotrocha gibba Ebg. Ostsee, Kaugern.

Proales decipiens Ebg.   „   „

Notommata najas Ebg.   „   Hapsal.

Furcularia gracilis Ebg.   „   Kaugern.

    „   *forficula* Ebg.   „   Hapsal.

    „   *sphaerica* Gss. Nordsee, Taymündung.

Diglena grandis Ebg. Ostsee, -Hapsal.

    „   *catellina* Ebg. Ostsee, Wismar, Hapsal.

    „   *forcipata* Ebg. Ostsee, Reval.

    „   *durita* Ebg. Ostsee, Hapsal.

Distemma platyceps Gss. Nordsee, Schottland, Carnoustie.

2. Unt. Ordn. *Loricata.*

Fam. *Cathypnadae.* *Cathypna luna* Ebg. Ostsee, Wismar im
Brackwasser Reval.

Monostyla cornuta Ebg. Ostsee, Reval.

    „   *quadridentata.*   „   Hapsal.

Fam. *Euchlanidae.* *Euchlanis dilatata* Ebg. Ostsee, Reval.

Fam. *Coluridae.* *Colurus incrassatus* Echw. Ostsee, Reval.

Colurus uncinatus Ebg. Ostsee, Kopenhagen.

    „   *caudatus* Ebg.   „   Reval, Hapsal, var.

    „   *leptus* Gss. Nordsee, englische Küste.

Monura colurus Ebg. Ostsee, Kopenhagen, Reval.

Fam. *Pterodinadae.* *Pterodina patina* Ebg. Ostsee, Hapsal.

Fam. *Brachionidae.* *Brachionus Bakeri* Ebg. Ostsee, Hapsal.

Brachionus brevispinus Ebg. Ostsee, Reval.

Fam. *Anuraeadae.* *Anuraea aculeata* Ebg. Ostsee, Stockholm.

Anuraea cochlearis Gss. Ostsee, Stockholm, Lübeck,
Finnischer Busen.

    „   *longispina* Kll. Ostsee, Stockholm.

    „   *valga* Ebg. Ostsee, Hapsal.

Notholca striata Ebg. Ostsee, Wismar, Kiel, Reval, Hapsal.

Sollte diese vorstehende Uebersicht vollständig sein, so wären
bisanhin 40 Arten eurhyaliner Rotatorien bekannt. Es dürfte diese
Zahl, im Verhältnis zur Gesamtzahl der Rädertierchen zwar noch eine
kleine sein, aber größer immerhin, als sich vermuten ließ. Gegenüber
dem Vorkommen der marinen und brackischen Rotiferen gibt sich zu
erkennen, dass die Nordsee, die an marinen Rotatorien verhältnis-

mäßig reich erscheint, bisher nur 4 Species eurhyaliner Arten aufweist: *Rotifer vulgaris*, *Furcularia sphaerica*, *Distemma platyceps*,
Colurus leptus, während die Ostsee 37 Species zählt. Es ist dieses
Ergebnis ein sehr auffallendes Verhältnis, das sich aber wohl darauf
zurückführen lässt, dass eine sehr große Zahl von Süßwasserbecken
durch ganz kurze Flussstrecken die Ostsee mit dem abfließenden
Wasser speisen. Die Frage, ob die eurhyalinen Rotatorien ursprünglich marine Formen sind, oder ob sie aus dem Süßwasser stammen,
dürfte gegenwärtig noch ziemlich schwer zu beantworten sein. Ergänzungen zu den vorstehenden Zusammenstellungen sind in Anbetracht
der interessanten Verteilung der Rotatorien und ihrer wissenschaftlichen Bedeutung sehr wünschenswert.

Die Auffassung des Spongienkörpers und einige neuere Arbeiten über Schwämme.

Von Dr. Otto Maas.

Seit den bahnbrechenden Untersuchungen von F. E. Schulze
über Bau und Entwicklung der Spongien haben wohl alle Zoologen
diese Tiere als dreischichtig angesehen, bestehend aus einem
äußern und innern Epithellager und einer davon umschlossenen Bindegewebsmasse mit Zellen und verschiedenartigen Einlagerungen. Diese
Auffassungsweise lässt es außer Spiel, ob die drei Schichten den aus
Ekto-, Ento- und Mesoderm hervorgehenden Schichten der höheren
Tiere entsprechen, und bedingt auch keine Stellungnahme zur Frage
der Einreihung der Spongien im System. In der That haben die
Anhänger der verschiedensten hierher gehörigen Theorien, sowohl
diejenigen, welche die Spongien getrennt von den übrigen Metazoen
aus einer besonderen Protozoenklasse hervorgehen lassen, als auch
diejenigen, welche sie als echte Metazoen, jedoch als besonderes
Phylum betrachten, sowie endlich diejenigen, von welchen die
Schwämme nur als degenerierter Zweig des Cölenteratenstammes angesehen werden, alle diese haben bei ihren Betrachtungen den drei-
schichtigen Bau der Spongien anerkannt.

Eine andere, sich innerhalb der Spongiengruppe haltende Frage
wäre die, ob diese drei Schichten in der Entwicklung des einzelnen
Schwammes auch aus drei verschiedenen Blättern hervorgehen,
oder nur aus zwei. F. E. Schulze hat diese Unterscheidung von
Blatt und Schicht mehrfach hervorgehoben und gesagt, dass man die
Spongien nur dann als dreiblättrige Tiere ansehen könne, wenn am
indifferenten Keim noch vor der histologischen Sonderung drei unter
einander verschiedene, in sich noch indifferente Zellenlager unterschieden werden könnten, ein Verhalten, das meines Erachtens noch
bei keinem Schwamm mit Sicherheit festgestellt worden ist. Wie
dem auch sein mag, jedenfalls hat man am ausgebildeten Schwamm

seit S c h u l z e ' s Vorgang die bedeckenden epithelialen Schichten von der eingeschlossenen, so verschiedene Elemente enthaltenden Bindegewebssubstanz, der dritten Schicht, scharf getrennt.

An dieser von räumlichen Gesichtspunkten ausgehenden und durch histologische Befunde gestützten Dreiteilung wurde neuerdings durch T o p s e n t [1]) eine auf den ersten Blick nicht unbedeutende, im Grunde jedoch, wie mir scheint, wenig ändernde Korrektur angebracht. Dieser Autor unterscheidet, um seine Hauptresultate in dieser Beziehung zunächst kurz anzugeben, von den Bohrschwämmen ausgehend, dann auch bei allen Halichondrien, vier Arten von Zellen: 1) cellules contractiles, 2) vibratiles, 3) conjonctives und 4) digestives pigmentées. Die ersten und zweiten bilden nach ihm Ekto- und Entoderm, die andern das Mesoderm. Unter den kontraktilen Zellen versteht er solche, die man bisher, wie er hervorhebt, je nach Lagerung und Aussehen, zum Ekto- und Entoderm oder zu den „fibres“, den kontraktilen Faserzellen des Mesoderms gerechnet hat. Wenn er weiter sagt, dass diese letzteren bisher die einzigen Elemente im Schwammkörper waren, die man für die Kontraktilität verantwortlich machte, so berücksichtigt er dabei nicht, dass man auch bisher wohl stets den epithelialen Ektodermzellen, die die Bedeckung bilden, Kontraktilität und Formveränderlichkeit zugestanden hat. Wie sollten sich denn anders die Autoren das Oeffnen und Schließen der Poren gedacht haben? Auch finden sich in der Litteratur eine ganze Reihe spezieller Beispiele, in denen auf die Formveränderungen der Ektodermzellen hingewiesen wird, so von L i e b e r k ü h n bei *Spongilla*, von F. E. S c h u l z e bei *Sycandra*, von mir bei der jungen, von W e l t n e r bei der ausgewachsenen *Spongilla*, von V o s m a e r bei *Myxilla* u. A. Ferner dürfte es nicht ohne weiteres berechtigt sein, die Zellen der äußeren Haut mit den kontraktilen Elementen im Innern zu einer Gruppe zusammenzufassen, mögen sich beide Zellsorten histologisch auch noch so ähnlich sehen. Die ersteren bilden die Bedeckung, da wo der Schwammkörper vom Wasser bespült wird, die letzteren aber liegen in einer Bindesubstanz und können daher nicht als Ektoderm bezeichnet werden, soweit es sich um den erwachsenen, differenzierten Schwamm handelt.

Etwas anderes ist es weiter auszugreifen und die Frage aufzuwerfen, ob nicht im Laufe der Stammesentwicklung der Spongien die bedeckenden Epithelzellen und die kontraktilen Elemente ein und dasselbe waren, und ob wir nicht ein ähnliches Verhalten noch heute bei primitiven Schwämmen antreffen, wie dies E. A. M i n c h i n gethan hat [2]). Er hat an den Oscula eines allgemein als ursprünglich

---

1) T o p s e n t E., Contribution à l'Étude des Clionides. Arch. Z. expér. V bis Suppl.

2) E. A. M i n c h i n, Oscula and Anatomy of Leucosolenia clathrus. Quarterly Journal, XXXIII, P. 4, Juni 1892.

und einfach gebaut angenommenen Kalkschwammes einen Sphinkter
beschrieben, der diese Oeffnungen so leicht zusammenzieht, dass sie
bisher noch nicht gesehen worden waren. Dieser Sphinkter besteht
aus zwei epithelialen Lagen platter, spindelförmiger Ektodermzellen;
von mesodermalen Elementen sind in ihm nur hie und da einige
Wanderzellen wahrzunehmen; Minchin schließt also wohl mit Recht,
dass hier die recht energische Kontraktion nur vom Ektoderm besorgt
wird. Minchin gibt Topsent wohl zuviel zu, wenn er nachher
meint, dass bis zu letzterem alle Autoren den Muskel als mesodermal
bezeichnet haben; aber er wendet dessen und seine eigenen Resultate
in korrekter Weise an, wenn er sagt, „dass in einem hoch differenzierten Schwamm muskulöse Zellen, die ursprünglich einen Teil eines
Epitheliums bildeten, sich mehr spezialisierten und in das Mesoderm
sanken."
    Das ausgebildetste Verhalten in dieser Hinsicht sehe ich nach
F. E. Schulze's bekannter Beschreibung bei den Hornschwämmen.
Dort liegen „kontraktile Faserzellen" an ihrem Bau leicht erkenntlich
zu großen Mengen im Mesoderm, d. h. in der Bindegewebsmasse, oft
zu Strängen angeordnet, manchmal ganze konzentrische Lager um
die Kanäle bildend; auf der andern Seite hat sich auch die Bedeckungsschicht weiter differenziert, die Zellen der Oberhaut haben
eine feine Cuticula ausgeschieden, und soweit diese reicht, ist es
wohl mit ihrer Kontraktionsfähigkeit zu Ende. Wir haben also hier
die Arbeitsteilung vollständig durchgeführt vor uns.
    Im Gegensatz dazu haben wir nicht nur im Sphinkter, son-
dern im ganzen Bau der *Leucosolenia clathrus* ein ursprünglicheres
Verhalten vor uns, wie Minchin's histologische Befunde zeigen [1]).
Der Schwamm selbst ist sehr kontraktionsfähig und die verschiedenen
daraus hervorgehenden Formen sind früher als Varietäten, dann als
Entwicklungsstadien angesehen worden. In Wirklichkeit sind es nur
Kontraktionsphasen, die ziemlich schnell in einander übergehen
können, und untersucht man das Ektoderm in den verschiedenen
Stadien der Zusammenziehung, so findet man alle Abstufungen von
einer gewöhnlichen platten Zelle (da wo der Schwamm ausgedehnt
ist) bis zu vollständig pilzförmigen, die die Hauptmasse des Zellleibes in die Tiefe verlegt zeigen (da wo die Kontraktion sehr stark
ist). Die Bindesubstanz enthält keine Elemente zur Kontraktion; die
in ihr vorkommenden Wanderzellen unterscheiden sich durch ihren
Kern mit Nucleolus und ihre ungleichartigen Einlagerungen leicht
von den kontraktilen Zellen mit gleichmäßig granuliertem Protoplasma
und Kern mit Gerüst. Da außer diesen in der mittleren Masse nur Spicula
mit ihren Zellen und Geschlechtsprodukte zu finden sind, und da ferner

---

1) E. A. Minchin, Some points in the Histology of Leucosolenia clathrus.
Zool. Anzeiger, 1892, Nr. 391.

die oben erwähnten Ektodermzellen sich regelmäßig in einer der jeweiligen Kontraktion entsprechenden Form zeigen, so darf man wohl mit Recht schließen, dass der Sitz der Kontraktilität bei diesem einfach gebauten Schwamm noch vorzugsweise im äußeren Epithellager ist. Die Einfachheit der *Leucosolenia clathrus* zeigt sich bekanntlich auch darin, dass sie noch keine gesonderten Geißelkammern besitzt, sondern dass der ganze Innenraum gleichmäßig von Kragengeißelzellen ausgekleidet wird. Diese letzteren müssen die Kontraktion passiv mitmachen und werden dann der Kontraktionsrichtung entsprechend im Querdurchmesser zusammengedrückt und dafür länger.

Durch die Minchin'schen wie die Topsent'schen Befunde werden wir wieder zu der oben berührten, von F. E. Schulze aufgeworfenen Frage geführt, ob die Schwämme, die doch in erwachsenem Zustande drei Schichten aufweisen, dennoch nicht nur zweiblättrige Tiere sind. (Metamorphose von *Sycandra raphanus*. Zeitschr. f. wiss. Z. Band 31. 1878). Beide neueren Autoren suchen auf histologischem Wege eine Auffassung der mittleren Schicht zu gewinnen, indem sie deren Elemente als untereinander nicht gleichwertig, sondern in näherer oder fernerer Beziehung zu den primären Lagern stehend ansehen. Topsent's Verdienst scheint mir darin zu bestehen, dass er erkennt, dass die kontraktilen Zellen der mittleren Masse den bedeckenden Elementen viel ähnlicher sind als die Zellen der mittleren Masse unter sich; von diesen letzteren verbleiben ihm dann noch als eigentlich mesodermal die cellules conjonctives (hierher müssen auch die Skeletbildner gerechnet werden) und die digestives pigmentées. Auch Minchin hat eine ähnliche Auflösung der mittleren Schicht in ihre heterogenen Elemente versucht, und nach Ausscheidung der kontraktilen Zellen als epithelialen Ursprungs sieht er als eigentlich „mesodermale Organe" nur das Skelet und die Genitalprodukte an. „Cellules digestives pigmentées" erwähnt er dabei nicht; doch werden diese schon durch ihre Funktion — nach den einen Autoren nehmen sie die Nährstoffe auf, nach den andern transportieren sie sie nur von den verdauenden Geißelzellen weiter — in näherer Beziehung zur Oberflächen- und Innenbedeckung stehen müssen, resp. sich direkt davon loslösen.

So berechtigt es auch ist, die Histologie, namentlich eines primitiven Schwammes zur Deutung der mittleren Schicht zu verwenden, so werden wir doch von der Entwicklungsgeschichte noch besseren Aufschluss erwarten dürfen. Gelegentlich der *Sycandra*-Entwicklung hat F. E. Schulze darauf hingewiesen, dass bei diesem Schwamm zunächst jedenfalls nur zwei Blätter vorhanden sind, die nachher die drei Schichten bilden, indem aus den Geißelzellen der Larve nur das entodermale System, alle übrigen Elemente aus den größern geißellosen Zellen des Keims hervorgehen. Es darf darauf

hingewiesen werden, dass er (wohl damals schon nicht ohne Absicht)
die Differenzierungen dieser Schicht in derjenigen Reihenfolge auf-
zählt, in der sie, wie es jetzt scheint, in der Ontogenie wie Phylogenie abgelagert werden. Er sagt nämlich: „Soll nun diese so beschaffene Gewebsschicht, in der die Skeletteile entstehen, die Genital-
zellen sich ausbilden und stellenweise sogar kontraktile Faserzellen
sich finden, Mesoderm, und ihre äußere Plattenepitheldecke Ektoderm
genannt werden oder nicht?" Er kommt zum Schlusse: nein, weil
alle diese Dinge aus e i n e r am Keim indifferenten Zellenläge sich
heraus differenzieren. Wie dieser zweifellose Vorgang sich im Einzelnen abspielt, ist bekanntlich noch zu untersuchen.

Es ist mir an einer Larve, deren Bau und Metamorphose einen
Vergleich mit *Sycandra* als zulässig erscheinen lässt, gelungen, diese
Differenzierung etwas näher zu verfolgen [1]), namentlich zu konstatieren, wie die verschiedenen Elemente der mittleren Schicht in verschiedenen Perioden der Ontogenie zur Sonderung gelangen. Die
Larve von *Esperia* besteht (ebenso wie eine Reihe von mir unter-
suchter anderer *Desmacidonidae*-Larven), von Komplikationen im Einzelnen abgesehen, der Hauptsache nach aus z w e i verschiedenen
Lagern, erstens einer Schicht von kleinen, kleinkernigen und sehr
schlanken Geißelzellen, die nach v o r n zu liegt und den größeren Teil
der Oberfläche der Larve ausmacht, und zweitens einer viel massi-
geren Schicht von viel größeren Zellen auch mit Spicula, die nur am
h i n t e r n Pol die Oberfläche, sonst das Innere der Larve bildet. Beim
Ansetzen, das mit dem Vorderpol geschieht, kommen dann umgekehrt
die kleinen Geißelzellen nach innen zu liegen und die ganze übrige
Masse wächst um sie herum. Aus den ersteren entstehen die Geißelkammern und zu einem Teil die ausführenden Kanäle, aus den Zellen
der letzteren bilden sich alle übrigen Bestandteile des Schwammes.

Die Sonderung e i n z e l n e r Elemente hat sich bereits in der Larve
vollzogen, so lassen sich in ihr schon zwei Zellsorten erkennen und
Spicula sind in Menge gebildet; a n d e r e Elemente gelangen aber
erst nach der Metamorphose zur Differenzierung. Die zwei Zellsorten
in der großzelligen Masse sind erstens solche Zellen, welche mit
Kern, Kernkörperchen und einem Protoplasma mit ungleich großen
Einlagerungen versehen sind, und zweitens solche, deren Kern ein
Gerüst aufweist und deren Protoplasma gleichmäßig ist. Aus den
ersteren gehen die amöboiden Wanderzellen hervor, die später bekanntlich auch die Geschlechtsprodukte bilden; die letzteren dagegen
mit gleichmäßigem Protoplasma haben verschiedene Bestimmungen.
Sie sondern sich erst nach der Metamorphose in die Zellen der äußern
Bedeckung und in die kontraktilen Elemente, die in das Parenchym
der mittleren Masse zu liegen kommen; sie sind also identisch mit

---

1) O. M a a s, Die Metamorphose von *Esperia Lorenzi* nebst Beobachtungen
an andern Schwammlarven. Mitt. d. Zool. Station zu Neapel, X. Bd., 3, 1892.

dem „Ektoderm", den „cellules contractiles" von Topsent. Die
Trennung geschieht verhältnismäßig spät; noch während der Metamorphose lassen sich namentlich an den Randpartien die „mesodermalen" Muskelzellen und die „ektodermale" Bedeckung nicht aus-
einanderhalten; erst mit der Ausbildung des Kanalsystems wird ihre
Scheidung deutlich. Auch bei diesen Kieselschwämmen bilden die
kontraktilen Elemente oft ganze Züge; doch geht die Differenzierung
nie soweit wie bei den Hornschwämmen; die „Ektoderm"- d. h. Be-
deckungszellen verlieren nie ihre Kontraktilität und sehen den entsprechenden Elementen in der mittleren Masse zeitlebens histologisch
sehr ähnlich.

Deswegen ist noch kein Grund vorhanden, diese Bedeckung und
die kontraktilen Elemente einfach als „Ektoderm", wie es Topsent
thut, zu bezeichnen, auch nachdem ich deren gemeinsame Abstammung
zeigen konnte, noch nicht. Man könnte sonst ebensogut die Spicula-
bildner und die amöboiden Wanderzellen Ektoderm nennen. Allerdings sondern diese sich viel früher im Keim wie die Muskelelemente;
doch ist dies nur ein gradueller, kein prinzipieller Unterschied.

Ueberhaupt ist das Verhalten lehrreich, wie sich aus der nach
Abzug der Geißelzellen übrig bleibenden Hauptmasse der Larve die
verschiedenen Gewebselemente nach und nach herausdifferenzieren.
Zuerst scheidet sich die stützende Skeletsubstanz ab und
das Zellmaterial, aus dem die zukünftigen Geschlechtsprodukte hervorgehen. Erst später gelangen die epi-
theliale Bedeckungsschicht und die kontraktilen Elemente zur Sonderung. Noch viel später erscheinen die
Zellen differenziert, die die Nadeln durch Spongin-Aus-
scheidung zu Bündeln zusammenkleben. Die Ontogenie der
Esperia bietet einen guten Fingerzeig, wie sich die Dinge im Lauf
der Phylogenie entwickelt haben werden. Selbstverständlich dürfen
zeitliche Verschiebungen und Zusammendrängungen nicht außer Acht
gelassen werden; so werden z. B. allgemein und mit Recht in der
Stammesgeschichte der Spongien Spiculabildung und Festsetzen in
Verbindung miteinander gebracht; eine ganze Reihe freischwimmender
Larven weist aber schon Spicula auf. Im Allgemeinen wird aber die
Reihenfolge der Vorgänge unter sich und die Art und Weise der
Differenzierung wohl zu Schlüssen leiten dürfen.

Die Entwicklung von *Esperia* und wohl auch von *Sycandra* findet
einen parallelen Fall in dem phylogenetischen Verhalten, das in der
Schwammreihe *Ascetta clathrus* darstellt. In diesem einfachen Schwamme
haben wir laut Minchin im mittleren Gewebe wenig mehr als Skelet
und Genitalprodukte; der Sitz der Kontraktilität liegt noch vorwiegend in der epithelialen Bedeckung; ganz so wie es laut der Entwicklung von *Esperia* und *Sycandra* in der Phylogenie gewesen und
bei sehr primitiven Formen noch heute sein muss.

Nach einer Reihe von Fällen, in denen uns die Schwamment-
wicklung genauer bekannt ist, sind wir wohl berechtigt, von einem
z w e i blättrigen Keim zu reden.   Wir könnten an denselben nach den
hier vorliegenden Fällen ein Ektomesoderm und ein Entoderm unterscheiden; doch involvieren diese Namen schon einen Vergleich mit
den Keimblättern der höheren Tiere, und die vorstehenden Ausführungen
wollten sich nur im Rahmen der Spongiengruppe halten.

Berlin, 20. Juli 1892.

Zur Biologie der wilden Bienen.
I.

Die   biologischen   Verhältnisse   der   solitären   und   der
schmarotzenden   Blumenwespen,   welche   den Honigbienen und
Hummeln gegenüber als   wilde   Bienen   zusammengefasst werden
können [1]),   bieten   bekanntlich   eine   Reihe   merkwürdiger   Befunde,
welche   mit   Recht   das   Interesse   der   Biologen   in   Anspruch   nehmen.
Leider   bringt   es   die   nun   einmal   üblich   gewordene   Behandlung derartiger   Dinge,   zumal   auf   entomologischem   Felde   mit   sich,   dass   die
weiteren   Fachkreise   von   den   Fortschritten   auf   jenen   Gebieten   nur
sehr   mangelhafte   Kenntnis   erhalten.   Um   so   mehr   ist   es   als   eine
dankenswerte   Arbeit   zu   begrüßen,   dass   ein   namhafter   Kenner   der
Apidenbiologie,   H.   F r i e s e,   welcher   in   nicht   geringem   Maße   durch
eigene   Beobachtungen   unsere   Einsicht   in   die   Lebensweise   der   wilden
Bienen   gefördert   hat,   den   gegenwärtigen   Stand   des   bezüglichen   biologischen   Wissens   übersichtlich   und   in   lesbarer   Form   dargestellt   hat [2]).

Das   folgende   enthält   einen   gedrängten,   natürlich   nur   das   Wesentliche   aus   den   betreffenden   Abhandlungen   des   genannten   Forschers
herausgreifenden   Bericht;   hinsichtlich   der   zahlreichen   Detailangaben
muss   auf   die   Originalarbeiten   verwiesen   werden.

Die   formenreiche   Hymenopterenfamilie   der   Blumenwespen   oder
Bienen   (*Apidae, Anthophila*)   umfasst   drei   nach   ihrer   Lebensweise
scharf   von   einander   geschiedene   Abteilungen: die   s o l i t ä r e n   (einzel-
lebenden),   die   p a r a s i t i s c h e n   (schmarotzenden)   und   die   s o z i a l e n
(gesellig   lebenden)   Bienen.

Zu   der   e r s t e n   Gruppe   gehören   diejenigen   Apiden,   welche,   ohne
gesellige   Verbände   zu   bilden,   zu   Pärchen   vereinigt   sind;   ihre   Männchen   sterben   sehr   bald   ab   und   die   Weibchen   allein,   jedes   für   sich,
besorgen   „das   Einsammeln   von   Pollen   und   Nektar   sowie   die   Her-
richtung   der   Brutstellen   und   Nester".

---

1) Ref. fasst hier den Begriff „wilde Bienen" weiter als es sonst Gepflogen-
heit ist, wonach bloß die solitären Blumenwespen mit jenem Namen bezeichnet
werden.

2) H. F r i e s e, Die Schmarotzerbienen und ihre Wirte. Zool. Jahrb.,
Abt. f. Syst. etc., III. Bd., S. 847; D e r s e l b e, Beiträge zur Biologie der solitären Blumenwespen (Apidae). Ebenda V. Band, S. 751.

Die Schmarotzerbienen, welche nach einer freilich nur wenig zutreffenden Analogie auch „Kuckuksbienen" genannt werden, sind ebenfalls solitär lebende Apidenformen, unterscheiden sich aber durchaus von diesen durch ihre ausgeprägt parasitische Lebensweise, indem sie „ihre Eier in die Brutzellen sowohl der sozialen wie der solitären Bienen einzuschmuggeln verstehen und so der Sorge um die Heranbildung einer Nachkommenschaft überhoben sind".

Die letzte Abteilung, die sozialen Blumenwespen mit den beiden Gattungen *Apis* und *Bombus* sind durch ihr geselliges Zusammenleben, welches zu den bekannten Staatenbildungen geführt hat, ausreichend gekennzeichnet.

Bloß die beiden erstgenannten Gruppen, unsere wilden Bienen, werden uns des Weiteren zu beschäftigen haben.

II.

Wenn gleich die solitären Blumenwespen hinsichtlich ihrer äußeren Erscheinung, ihres Nestbaus, ihrer Lebensweise etc. eine überaus bunte Mannigfaltigkeit gewähren, lassen sich doch leicht drei natürliche Gruppen innerhalb derselben sondern: die Urbienen (*Archiapidae*), die Beinsammler (*Podilegidae*) und die Bauchsammler (*Gastrilegidae*).

Die Urbienen „umfassen die beiden, allerdings im Habitus und Form, wie Lebensweise weit auseinandergehenden Gattungen *Prosopis* Fahr., Maskenbiene und *Sphecodes* Ltr., Buckelbiene. Der fast vollständige Mangel eines Sammelapparates und die minimale Weiterentwicklung der Mundwerkzeuge im Vergleich mit den Grabwespen rechtfertigen es, mit Friese „diese beiden Gattungen zusammenzustellen und in ihnen die letzten Vertreter der Vorfahren der mannigfaltigen Bienenwelt zu erblicken".

Die Beinsammler sind dadurch charakterisiert, dass das Einsammeln des Pollens seitens der bauenden Weibchen mittels der dazu in besonderer Weise ausgebildeten Hinterbeine bewerkstelligt wird. Die früher und gelegentlich wohl auch heute noch geübte Trennung dieser Gruppe in sogenannte Schienen- und Schenkelsammler wird von Friese mit Rücksicht auf die zahlreichen Uebergänge, welche jede derartige Sonderung als eine „gezwungene" erscheinen lassen, zurückgewiesen. Weitaus die meisten wilden Bienen gehören hierher; es sind die folgenden 20 Gattungen: *Halictus* Ltr., *Andrena* Ltr., *Colletes* Ltr., *Nomia* Ltr., *Panurginus* Nyl., *Dufurea* Lep., *Halictoides* Nyl., *Rhophites* Spin., *Camptopoeum* Spin., *Panurgus* Ltr., *Dasypoda* Ltr., *Melitta* Kirh., *Systropha* Ltr., *Macropis* Pz., *Ceratina* Ltr., *Xylocopa* Ltr., *Eucera* Ltr., *Meliturga* Ltr, *Saropoda* Ltr. und *Anthophora* Ltr.

Die Weibchen der Bauchsammler, welche die 7 Gattungen *Heriades* Spin., *Osmia* Ltr., *Lithurgus* Ltr., *Chalicodoma* Lep., *Mega-*

chile L t r., *Trachusa* P z. und *Anthidium* F b r. vereinigen, sind insgesamt durch „eine starke, nach hinten gerichtete, bürstenartige
Bauchbehaarung" ausgezeichnet, durch welche das Einsammeln des
für die Brut notwendigen Pollens erfolgt.

Schon ein flüchtiger Ueberblick über die Lebensweise der circa
800 europäischen Arten solitärer Blumenwespen ergibt die hohe geistige
Entwicklungsstufe dieser Tiere. Hierin den Ameisen und Wespen
nahezu gleichkommend müssen sie hinsichtlich der Kunstfertigkeit,
mit welcher sie ihre mannigfaltigen Nestbauten ausführen, zweifellos
den ersten Platz beanspruchen. Aehnliches gilt auch für die weitgehenden Anpassungseinrichtungen, welche diese Tiere zum Zwecke
des Besuches und der damit verbundenen Befruchtung der Blumen
erworben haben.

Alle Weibchen der solitär lebenden Bienen legen ihre Eier in
selbst verfertigte Räume, die sogenannten Z e l l e n, welche nach den
verschiedenen Gattungen und Arten einen mehr oder weniger kunstvollen Bau und eine bestimmte Anordnung erkennen lassen; dadurch
wird der typische Charakter des N e s t e s, womit die Gesamtheit
dieser Brutzellen bezeichnet wird, bedingt. Das Material, welches
die bauenden Bienenweibchen zur Herstellung der Nester verwenden,
ist ein ungemein mannigfaltiges, ja man kann fast sagen, dass sie
jederlei Stoff entweder ohne Weiteres oder nach vorausgegangener
geeigneter Bearbeitung ihren Zwecken entsprechend zu gebrauchen
verstehen. Für manche Formen ist das Baumaterial ein besonders
typisches, ein Verhalten, welches bereits in althergebrachten Namen
wie M ö r t e l b i e n e (*Chalicodoma*), M a u e r.b i e n e (*Osmia*), W o l l-
b i e n e (*Anthidium*) u. a. angedeutet ist.

In Form und Anordnung der Brutzellen wie überhaupt im gesamten Nestbau herrscht die bunteste Verschiedenartigkeit, so dass
selbst eine nur flüchtige Uebersicht an dieser Stelle nicht gegeben
werden kann. Als ein hübsches Beispiel der Bauthätigkeit unserer
Tierchen mag aber die treffliche Schilderung Platz finden, welche
F r i e s e auf Grund seiner eigenen ausgedehnten Beobachtungen vom
Nestbau der in Lehmwänden nistenden *Anthrophora personata* I l l g.
entworfen hat: „Beim Beginn des Nestbaues wird zuerst ein horizontaler Gang von außen in die mehr oder weniger senkrecht auf-
strebende Lehmwand geschabt, öfters auch ältere Gänge oder sonstige
Röhren teilweise mitbenutzt, um Arbeit zu sparen. Die Höhe, in
welcher die Nester angebracht waren, schwankt von 60 cm vom Boden
bis ebensoweit von der oberen Kante der Wand; offenbar werden die
Ränder der Wand wegen der zu großen von oben und unten eindringenden Feuchtigkeit gemieden, wenigstens war der Prozentsatz
der durch Schimmel zu Grunde gegangenen Zelleninsassen in den
untersten Schichten sehr bedeutend. Die erste horizontale Röhre führt
nicht immer winklig und gerade in die Mauer hinein, sondern krümmt

sich nach rechts und links, ja mehrere Male fand ich sie auch gegabelt. Die Tiefe dieser Röhre ist nun ganz von der Anzahl der
Zellen abhängig, und zwar wird der Gang immer erst tiefer gemacht,
sobald eine Zelle abgeschlossen ist. Die Tiefe der Röhren steht
demnach im geraden Verhältnis zu den angelegten Zellen, und Zellen
werden so viel angelegt, als die Witterung und eventuell die Härte
des Lehms erlaubt, die das Tierchen ja zu überwinden hat. Gewöhnlich gehen sie bis zu 10 cm hinein; die Röhre ist rund und entspricht
dem Durchmesser der Biene, also ca. 10—12 mm. Von der Hauptröhre
führen die einzelnen Zellen unmittelbar nach unten ab und zwar
immer abwechselnd, eine bald mehr rechts, die folgende mehr links,
dann wieder rechts und so fort bis ans Ende des Ganges. Diese
Verschiebungen nach rechts und links von dem oberen Hauptgang
scheinen nur wegen Raumersparnis, und um die nach oben aus-
kriechenden Imagines den Hauptgang leichter finden zu lassen, befolgt
zu werden. Die größte Zahl von Zellen, nämlich 11 Stück mit einem
gegabelten Haupteingang, fand ich bei Lampertheim, in der Regel
steigt die Zellenzahl nicht höher als 5—7 an einem Gang".

„Die einzelnen Zellen sind ebenso wie der Hauptgang außerordentlich glatt und eben gemacht und innen offenbar mit einem
erhärtenden Schleim ausgeputzt. Dieser Schleim bewirkt, indem er
die umgebenden Lehmschichten durchdringt und dann erhärtet, eine
bedeutend gesteigerte Festigkeit sowohl des Ganges wie namentlich
der Zellen. Die Zellen sind gewöhnlich 20—21 mm lang und 11—12 mm
breit, nach unten etwas bauchig ausgetrieben und schön gleichmäßig
abgerundet; nach oben werden sie durch die Mutterbiene vom Rande
allmählich mit flüssig gemachtem Lehm zugemauert, wie die oft sichtbaren konzentrischen Riefen an der Innenseite des Deckels beweisen,
im Zentrum findet man ebenda eine kleine Vertiefung. Bevor diese
Zellen nun geschlossen werden, trägt die Mutterbiene Pollen und
Nektar in die Zelle ein, und zwar scheint *Anthophara* Pollen und
Nektar immer abwechselnd einzutragen, wenigstens fand ich immer
in noch nicht halbgefüllten Zellen schon den ziemlich dünnflüssigen,
gelblich-grauen Brei vor. Wenn die Zelle bis zur Hälfte gefüllt ist,
wird das Ei abgelegt, und zwar schwimmt dies Ei auf dem Brei.
Nach der Eiablage beginnt dann die Biene die Zelle durch den oben
erwähnten Deckel zu schließen, der eine Dicke von 5 mm erreicht;
darauf glättet sie den Hauptgang wieder, und man erkennt nichts
mehr von der darunter gebetteten Zelle".

Die aus den Eiern der solitären Blumenwespen hervorkriechenden
Larven bedürfen, da sie nicht wie die der geselligen Bienen von den
Alten aufgefüttert werden, eines Futtervorrates, dessen Herbeischaffung
gleichfalls eine Mutterpflicht für die bauenden Bienenweibchen bedeutet. Dieses Vorratsmaterial, welches je nach dem Verhältnis der
Mischung bald mehr bald weniger von breiartiger Beschaffenheit ist,
besteht aus Pollen und Nektar.

Der Pollen wird mittels besonders ausgebildeter Sammelappa-
rate, welche aus steifen Haaren gebildet sind, eingeheimst. Diese
letzteren sind entweder (*Podilegidae*) an der Unterseite der
Hinterbeine oder (*Gastrilegidae*) an der Unterseite des Abdomens in Form von Bürsten angebracht und stellen lange und
nach hinten gerichtete Borsten vor. Zwischen diesen beiden Formen-
gruppen vermittelt die Gattung *Halictus*, bei welcher neben dem
typischen Beinsammelapparat eine außerordentlich mächtige Behaarung
des Abdomens zu Tage tritt. Freilich finden wir eine derartige Bauchbehaarung, wenn auch nicht in dem Masse wie bei *Halictus*, bei
vielen Podilegiden entwickelt; sie wird aber hier so wenig wie dort
thatsächlich zum Pollenerwerb verwendet. Dass die Art des Pollen-
sammelns im Einzelnen mannigfach verschiedene Befunde gibt, dass
dabei die verschiedenen Species gewisse Pflanzen besonders bevorzugen und zum Besuche derselben mehr oder weniger weitgehende
Anpassungen aufweisen, ist seit H. Müller's klassischen Arbeiten
eine bekannte Thatsache.

Das Einsammeln des Nektars ist ein Einschlürfen desselben und
wird durch die Mundwerkzeuge bewerkstelligt, die, in den einzelnen
Gattungen mancherlei Verschiedenheiten unterworfen in einfachster
Ausbildung uns bei den Archiapiden entgegentreten; überall ist es
die sogenannte Zunge (Glossa), das durch successive Umgestaltung
des zweiten Maxillenpaares (Unterlippe oder Labium, auch
Hinterkiefer genannt) entstandene Organ, mit dessen Hilfe der
Nektar aus dem Grunde der Blüten geholt wird. Die Zunge (Glossa),
deren Länge überaus wechselt, nicht selten die Körperlänge erreicht
oder gar übertrifft, ist in ihrem ganzen Verlaufe mit feinen Börstchen
besetzt und trägt am freien Ende ein unscheinbares, gelenkiges
Läppchen. „Während des Leckens legen sich die beiden an ihrer
Basis zu einer Röhre verwachsenen Maxillen zu beiden Seiten der
Zunge fest an diese und bilden so eine provisorische Röhre bis zur
Zungenspitze", in welcher dann wohl durch Kapillaritätswirkung der
Nektar aufsteigt. Auch hier finden wir die wunderbarsten Einrich-
tungen in den zahlreichen wechselseitigen Anpassungen zwischen den
Blumen und den sie besuchenden Bienen.

Ganz allgemein und ausnahmslos wird in jede Zelle eines Nestes
nur ein Ei abgesetzt, welches entweder auf dem halbflüssigen Futterbrei schwimmt oder an den nur leicht durchfeuchteten Pollen angeklebt wird.

Die Eier der solitären Bienen sind von weißlicher Farbe und
zylindrischer Gestalt mit bald mehr bald weniger abgerundeten Enden.
Ihre Größe variiert mit der Größe ihrer Erzeuger. Die sich entwickelnden Embryonen verlassen durchschnittlich nach ca. 10 Tagen
die Eihüllen, um als kleine Larven sich alsbald über die angehäuften
Futtervorräte herzumachen. Von den in dieser Zeit, während welcher

die jungen Larven rasch an Größe zunehmen, wohl sicher stattfindenden Häutungen konnten bisher keine Spuren nachgewiesen werden.
Nachdem in wenigen Wochen (3—4) das Vorratsmaterial aufgezehrt
worden ist, erfolgt in etwa ebenso viel Tagen die Entleerung der
Verdauungsreste, worauf wenigstens die Gastrilegiden sich in einen
nach den verschiedenen Gattungen mannigfaltig gestalteten Cocon
einspinnen, „an dessen unterer Hälfte die kurz vorher ausgestoßenen
Exkrementenkügelchen sitzen. Die Beinsammler und Urbienen ent-
leeren ihre Exkremente ebenfalls nach vollkommener Aufnahme des
Futterbreis, aber in flüssiger Form, die alsbald am untern Zellende
erhärten", auch hierin also eine nicht unbedeutende biologische Differenz zwischen den Bauch- und Schenkelsammlern.

Die Larven, welche zunächst die weißliche Färbung der Eier
zeigen, besitzen einen meist scharf abgesetzten rundlichen Kopf und
einen aus 13 Segmenten gebildeten Körper. Leibesanhänge fehlen
und auch die Mundteile sind mit Ausnahme der etwas deutlicher hervortretenden Mandibeln (Vorderkiefer) noch unentwickelt. Nach
Vollendung des Cocons, welcher der Durchbruch des Afters vorausgeht, pflegt die mächtig herangewachsene Larve, welche jetzt ihre
Zelle nahezu ausfüllt, eine gelbliche Farbe anzunehmen. In dieser
Zeit erleidet der Kopf der Larve eine Lageveränderung, wodurch er
nach vorn und abwärts gebeugt wird. Auf diesen Zustand, in welchem
das sich entwickelnde Insekt in der Regel 2, seltener bis zu 10 Monaten verharrt, folgt das sogenannte Vorpuppenstadium, welches
meist rasch durchlaufen wird und durch das allmähliche Hervortreten
der Mundwerkzeuge und Beinpaare charakterisiert erscheint. Hierauf
wird die sehr feine Larvenhaut gesprengt „und die in allgemeinen
Umrissen fertige Biene entlassen". Damit ist das eigentliche Puppen-
stadium erreicht, „alle Teile sind weißlich, äußerst zart und deutlich,
nur die Mundteile sind noch sehr kurz, der Leib langgestreckt, die
einzelnen Segmente deutlich abgesetzt". Das weitere Wachstum vollzieht sich schnell; die der definitiven Oberhaut dicht anliegende, zarte
Behaarung stößt die äußere Hautschicht, welche hier als Puppenhülle
fungiert, ab, es folgt die nach und nach sich einstellende Pigmentierung durch Erhärten des von der Epidermis gelieferten Chitins,
wodurch die ursprüngliche Färbung in die definitive übergeführt wird.
Schließlich schmiegen sich die als weite, von Flüssigkeit erfüllte
Säcke angelegten Flügeln mit fortschreitendem Wachstum eng dem
Bienenleibe an, um erst, nachdem das Tier seine Freiheit erlangt hat,
die typische Gestalt zu erreichen.

Der Durchbruch aus den Zellen, resp. dem ganzen Nest
wird mit Hilfe der kräftigen Mandibeln bewirkt, wozu bei manchen
Formen, die ihre Nester in weichen Lehm oder Sand bauen, noch
ein besonderer, von der jungen Biene ausgebrochener Saft durch Er-
weichen der unmittelbaren Umgebung des Nistplatzes mithilft.

Beim Nestbau wird häufig von mehreren Weibchen gemeinsame
Sache gemacht, indem die einzelnen Nester derselben durch ein ge-
meinschaftliches Flugloch zu einer Art Kolonial-Nest verbunden
werden (*Panurgus*, *Halictus*). Gewiss mit Recht knüpft Friese an
diesen bedeutungsvollen Befund die Auffassung, dass derselbe uns
heute noch darauf hindeutet, „wie sich die soziallebenden Gesellschaften der Hummeln, Honigbienen und Wespen zuerst gebildet und
abgezweigt haben mögen".

Nach Erscheinungszeit und Lebensdauer scheiden sich
die wilden Bienen in 2 Abteilungen, von welchen die eine, weitaus
die meisten Bienengattungen umfassende, dadurch gekennzeichnet ist,
dass die ihr zugehörigen Arten alsbald nach erlangter Freiheit sich
paaren, worauf die Weibchen an den Nestbau gehen, die andere aber,
zu welcher die Gattungen *Halictus*, *Sphecodes*, *Ceratina* und *Xylocopa*
gehören, dahin charakterisiert sind, dass nach erfolgter Begattung
sich die Weibchen mit dem Eintritt der kälteren Jahreszeit verkriechen, um dieselbe zu überdauern, und erst im folgenden Frühjahr
dem Brutgeschäfte sich hingeben. Fast allgemein pflegen die Männchen, nachdem sie die Befruchtung der Weibchen vollzogen haben,
abzusterben, nur selten überwintern sie wenigstens teilweise mit den
befruchteten Weibchen; bei den Angehörigen der Gattungen *Xylocopa*
und *Ceratina* erfolgt auch die Begattung erst im folgenden Frühjahr
und überwintern daher bei diesen Formen insgesamt Männchen und
Weibchen gemeinsam.

Außerordentlich empfindlich erweisen sich unsere Tierchen gegenüber dem Wetter; in Nichts zeigt sich dieser Einfluss vielleicht
deutlicher als in der Flugzeit: während warmer Sonnenschein unsere
ersten Frühlingsbienen, die Andrenen, *Halictus* und manche Osmien
zu frohem, summendem Schwärmen lockt, wodurch die blühenden
Weidenbüsche als Tummelplätze regster Lebensfreudigkeit erscheinen,
„lässt ein sie treffender Wolkenschatten sofort eine gewisse Lähmung
in ihren Bewegungen eintreten und veranlasst sie bei längerem Anhalten, die Heimfahrt anzutreten". Die Wärme ist also in erster
Linie bestimmend, weit weniger der Grad der Feuchtigkeit,
wenngleich auch diese, wie viele Beobachtungen lehren, von den
bauenden Weibchen aufgesucht wird; von jener ist überhaupt die
ganze Lebensthätigkeit der wilden Blumenwespen abhängig. Die
Dauer der Brutthätigkeit schwankt von 4 Tagen (einige *Andrena*-
Arten) bis zu 2 Monaten, wie das für *Chalicodoma* und *Xylocopa*
Geltung hat. „Im Allgemeinen, meint Friese, dürfte in einem Zeitraume von 4 Wochen das Leben der meisten Bienen (Imagines) verlaufen sein". Die gesamte Entwicklung der solitären Blumenwespen
umfasst meist gerade ein Jahr, so dass die Tiere alljährlich ungefähr
zur selben Zeit erscheinen; einige Formen der artenreichen Gattung
Andrena, ferner *Halictus* und *Sphecodes* zeigen 2 Generationen im

Jahreslaufe und wieder andere wie *Chalicodoma* durchlaufen ihre
ganze Entwicklung wenigstens im nördlichen Deutschland erst in
2 Jahren. Hier zeigt sich nun der verändernde Einfluss des Wärme-
faktors besonders klar: für die ebengenannte Mörtelbiene (*Chalicodoma
muraria*) konnte F r i e s e nachweisen, dass dieselbe — im Norden
zweijährig — in der Umgebung von Straßburg ihre Entwicklung schon
in e i n e m Jahre vollendet, während derselbe Forscher an *Anthophora
personata* Illg., deren Entwicklung im Süden (Spanien) in e i n e m
Jahre sich abspielt, für Straßburg eine z w e i j ä h r i g e Entwicklungsdauer feststellte.

Die Empfindlichkeit der Bienen der Witterung im weitesten Sinne
gegenüber ist überhaupt eine sehr große; Wärmegrad und Sonnen
schein sind dabei freilich die Hauptfaktoren; sie regeln den Beginn
der morgendlichen Bauthätigkeit, die tägliche Flugzeit und das Sammeln von Pollen und Nektar. Eine eigentümliche und wohl auch mit
der angeführten Sensibilität zusammenhängende Erscheinung ist die
weitverbreitete Gewohnheit, dass — oft sehr plötzlich — die bauenden
Bienen „im Sommer gegen 2 Uhr Mittags ihre Thätigkeit abbrechen".
Erst nach 2 stündiger Mittagsruhe, also gegen 4 Uhr nehmen sie ihre
Arbeit wieder auf, um erst mit der untergehenden Sonne ihr Tage-
werk zu schließen. F r i e s e konnte diese Beobachtung in verschiedenen Ländern, in der Schweiz, in Spanien und in der ungarischen
Rakos immer wieder bestätigt finden.

Das von W. H. M ü l l e r mit dem Ausdrucke „P r o t e r a n d r i e"
bezeichnete und bei den Insekten sehr allgemeine und wohlbekannte
Verhalten, dass die Männchen immer vor den Weibchen erscheinen,
wird von F r i e s e bei den verschiedensten Bienenarten bestätigt und
daher als ein für die solitären Blumenwespen allgemein giltiges Vorkommnis in Anspruch genommen. Im Einzelnen mancherlei Verschiedenheiten bietend führt eine vergleichende Betrachtung zu der
auch aprioristisch naheliegenden Vorstellung, „dass die Proterandrie
erst eine im Laufe der Zeit erworbene und allmählich gesteigerte"
Erscheinung ist.

Während die Weibchen unserer Bienen ihre S c h l a f - und R u h e -
z u s t ä n d e, die Erholungspausen, welche sie sich bei ihrer anstrengen-
den Arbeit gewähren, in ihren Nestern verbringen, nehmen die Männchen (und dies gilt auch für die Schmarotzerbienen und zwar ohne
Rücksicht aufs Geschlecht für Männchen u n d Weibchen) zu diesem
Zwecke eine eigentümliche Stellung ein, „indem sie sich mit den
Mandibeln an einem Blattstiel oder an einem kleinen Zweigchen fest-
beißen und nun sich regungslos mit hängendem Leib dem Schicksal
überlassen, bis Licht und Wärme wieder neues Leben bringen". Dass
daneben bei plötzlich hereinbrechenden Unwetter auch die Glocken-
blüten der Campanulaceen und andere Blumen oder dichtbelaubtes

37 *

Buschwerk u. dgl. als Zufluchtsstätten aushelfen müssen, ist mehrfach beobachtet worden.

Dass die Männchen sehr früh zu Grunde gehen, wurde schon oben erwähnt. Der Tod erfolgt dadurch, dass die Tierchen am Morgen aus ihrem Schlafe nicht mehr erwachen. Die Weibchen dagegen findet man abgestorben stets in ihren Nestern, deren Gängen, fertigen oder unvollendeten Zellen.

Auf die Eigentümlichkeit gewisser **Andrenen**, ferner *Nomada*-Formen [auch der Schmarotzerhummel (*Psythyrus quadricolor*)], einen deutlich wahrnehmbaren, spezifischen Individualgeruch zu besitzen, sowie auf das gelegentliche Vorkommen von Missbildungen nach Art der Zwitterbildungen sei hier nur flüchtig hingewiesen. Auch die durch **Strepsipteren** (*Stylops*) hervorgerufenen Abweichungen vom normalen Aussehen gehören hierher.

Wenngleich die einzelnen Gattungen der wilden Bienen ohne Zwang als natürliche Gruppen sich erkennen lassen, ist die Abgrenzung der einzelnen Arten einer Gattung bei der außerordentlichen Variabilität jener mit großen Schwierigkeiten verknüpft, die noch durch künstliche Umstände vermehrt werden.

Die leichte Anpassungsfähigkeit der Blumenwespen an verändertes Klima bringt es mit sich, dass der Habitus, die Farbe und Behaarung, die Entwicklungsdauer etc. verschiedenartigen Abänderungen unterliegen, so dass südliche Formen derselben Art ein anderes Aussehen gewähren und einen rascheren Entwicklungsverlauf zeigen als im Norden. Dieser Thatbestand mahnt zur Vorsicht bei Aufstellung neuer Arten und lässt die Tendenz berechtigt erscheinen, dem endlosen Gewirr des Artenbildens entgegenzutreten. Dazu kommt noch, dass, während die Männchen der solitären Bienen in der Regel kleiner sind als ihre Weibchen, doch gelegentlich bei **Andrenen**-Arten und solchen von *Osmia* sogenannte Riesenmännchen auftreten, welche die Größe der Weibchen erreichen oder gar übertreffen. Endlich muss hier noch der sexuellen Verschiedenheiten gedacht werden, welche als sogenannte s e k u n d ä r e G e s c h l e c h t s c h a r a k t e r e eine im Tierreich sehr weit verbreitete Erscheinung vorstellen. Als solche erscheinen außer der schon angeführten geringeren Größe noch der Besitz längerer Fühler für die Männchen bezeichnend, was für die schmarotzenden Bienen in ähnlicher Weise wie für die solitären gilt. Hierher sind auch besondere Ausbildungen mannigfacher Art und Form zu rechnen, welche an verschiedenen Organen sich entwickelnd immer dem gleichen Zwecke der Erleichterung des Begattungsaktes dienen; für die Weibchen ist die lebhaftere und farbenprächtigere Behaarung etwa besonders anzumerken.

Unter Zugrundelegung vornehmlich des Ausbildungsgrades des Sammelapparates, der Mundteile und der Art des Nestbaus gelangte F r i e s e zu einer Vorstellung des phylogenetischen Entwicklungsganges

von freilich nur provisorischem Charakter. Schon H. M ü l l e r nahm
an, dass die solitären Bienen sich aus Grabwespen hervorgebildet
haben, welchen die beiden Gattungen *Prosopis* und *Sphecodes* noch
unmittelbar nahestehen. Der Mangel eines Sammelapparates einerseits
und die Verbreiterung des ersten Tarsalgliedes — der typische Charakter der echten Apiden — anderseits gestatten nach F r i e s e in
der That diese beiden Gattungen als Zwischenformen zu betrachten
und sie zu Ausgangspunkten der weiteren Entwicklung von Bienenformen zu stempeln. Dass die geselligen Bienen, *Bombus* und *Apis*
die höchste Entwicklungsstufe dieser phylogenetischen Reihe bilden,
dürfte ebenso ohne Weiteres einleuchtend sein wie die Vorstellung,
dass die p a r a s i t i s c h e n Bienen aus freilebenden, bauenden, solitären
Blumenwespen durch Anpassung an das bequemere Schmarotzertum
sich abgezweigt haben.

III.

Die S c h m a r o t z e r b i e n e n, deren Charakteristik bereits eingangs
dieses Berichtes gegeben wurde, umfassen die folgenden 14 Gattungen:
Psithyrus L e p., *Stelis* L t r., *Coelioxys* L t r., *Dioxys* L e p., *Ammoba-
tes* L t r., *Phiarus* G e r s t., *Epeolus* L t r., *Epeoloides* G i r., *Pasites* J u r.,
Phileremus L t r., *Biastes* P a n z., *Nomada* F b r., *Melecta* L t r. und
Crocisa L t r.

Die charakteristische Eigentümlichkeit dieser Tiere zur Eiablage
die Nester anderer Bienen (sowohl sozialer wie solitärer) zu benutzen
und dadurch der Mühe, selbst ein Nest bauen zu müssen, enthoben
zu sein, qualifiziert dieselben zu argen Raubtieren, indem diese Form
des Parasitismus immer mit dem Untergange der betreffenden Wirt-
tiere verbunden ist. Ist es der emsig suchenden Schmarotzerbiene
gelungen, ein im Bau befindliches Nest ihres Wirtes aufzufinden, so
benützt sie die Abwesenheit des den Futtervorrat einsammelnden
Weibchens, um in eine fast fertige Zelle eiligst e i n Ei abzusetzen
und hierauf den Bau schleunigst zu verlassen. Die heimkehrende,
rechtmäßige Besitzerin des Nestes legt nun, ohne von dem Besuch
des Parasiten Notiz zu nehmen, auch ihrerseits ein Ei in die Zelle
ab, um die letztere sodann zuzudeckeln. In solchen Zellen befinden
sich demnach z w e i Eier auf dem Futterbrei; schon nach kurzer Zeit
findet man aber in diesen Zellen nur noch die Larve der Schmarotzerbiene vor. W i e u n d i n w e l c h e m E n t w i c k l u n g s z u s t a n d e das
rechtmäßige Ei dem Untergange anheimfällt, ist mangels ausreichender
Beobachtungen mit Sicherheit nicht anzugeben. Höchstwahrscheinlich
verläuft die Entwicklung des Eies der Schmarotzerbiene schneller als
die des anderen Eies und die vorzeitig auskriechende Larve des
Parasiten beutet den eingetragenen Futtervorrat für sich aus. Ob
der gefräßige Parasit, nachdem der Futterbrei verbraucht ist, auch
die junge Larve oder den Embryo als erwünschten Bissen verzehrt

oder ob der letztere infolge Nahrungsmangels verhungert und ver-
geht, ist zur Zeit nicht zu entscheiden.

Die weitere Entwicklung der kleinen Lärvchen der Schmarotzerbienen verläuft ähnlich derjenigen der solitärlebenden, welche schon
im vorigen Abschnitt in ihren Hauptzügen mitgeteilt wurde. Immerhin zeigen sich im Einzelnen, insbesondere hinsichtlich der Zeit und
Art der Verpuppung auch bei den Schmarotzerbienen verschiedene
Besonderheiten; ihre Kenntnis ist aber noch weit lückenhafter als bei
den einzelnlebenden wilden Bienen, ein bei der Schwierigkeit der
Beobachtung begreiflicher Zustand, der aber die Aufstellung allgemeinerer Gesetzmäßigkeiten vorläufig noch verbietet.

Dass auch bei den parasitischen Bienen die Männchen vor den
Weibchen erscheinen, wurde neben Anderem schon oben angeführt.

Wenn unsere Bienen bei ihrer schmarotzenden Lebensweise es
auch nicht nötig haben, für ihre Brut Vorräte aufzuspeichern, so sind
sie doch exquisite Blumenbesucher. Nicht bloß die einzelnen
Arten, vielfach auch Männchen und Weibchen derselben Species haben
ihre Lieblingsblumen, die sie entweder ausschließlich besuchen oder
doch unter anderen besonders bevorzugen. Von Interesse ist, dass,
wie Friese fast ausnahmslos nachweisen konnte, „die Schmarotzerbienen die Vorliebe für die oft ausschließlich bevorzugte Nahrungs-
pflanze ihres Wirtes teilt".

Die Begattung der Schmarotzerbienen im freien Naturzustande
wurde bisher noch nicht beobachtet[1]), doch wird man kaum mit der
Annahme fehlgehen, dass dieselbe in der ersten Zeit des Blumen-
besuches erfolgt; die Männchen fallen darauf dem Tode anheim, indess
„die Weibchen die Nähe der zu beschenkenden Nester ihrer Wirte
aufsuchen".

Was nun die Art des Verhältnisses betrifft, in welchem die parasitischen Bienen zu ihren Wirten stehen, so ist dasselbe im Allgemeinen
natürlich kein freundliches. *Melecta* und *Coelioxys* entfliehen sofort,
wie sie das bauende Wirtweibchen (*Anthophora* resp. *Megachile*) herankommen sehen. Diesem Verhalten steht das „geradezu gemütliche
Verhältnis" gegenüber, welches zwischen den in den Nestern der
Andrenen schmarotzenden *Nomada*-Arten und ihren Wirttieren beobachtet werden kann. So berichtet Friese, dass er an verschiedenen
Orten eine *Nomada*-Art (*N. lathburiana* K.) mit ihrem Wirt, der
Andrena ovina Klg. gemeinsam fliegen sah. „War eine *Andrena* in
ihrer Brutröhre, so kam die *Nomada* wieder heraus, um ihr Glück in
einer andern der zahlreich mit neben einander liegenden Oeffnungen
mündenden Brutzellen zu versuchen, und war etwa eine *Nomada* in

---

1) Doch gelang es Friese die Kopulation von *Melecta notata*, welche
die Nester von *Anthophora personata* bewohnt, im Zimmer zu beobachten;
vergl. die treffliche Schilderung dieses Vorgangs in: Beitr. z. Biol. d. sol.
Blumenwespen l. c. S. 674.

dem Nest, so kehrte die pollenbeladene *Andrena* wieder zurück, um erst die *Nomada* herauszulassen und dann ihren Pollen in die bereit gehaltenen Zellen abzustreifen".

Im Zusammenhange mit der so wesentlich abgeänderten Lebensweise, wie sie im Parasitismus gegenüber dem freien Leben der übrigen Bienenformen zu Tage tritt, stehen naturgemäß Umbildungen in den allgemeinen morphologischen Verhältnissen.

In erster Linie ist hier der Verlust des Sammelapparates zu erwähnen, von welchem nicht einmal Spuren mehr nachweisbar sind; er ist durch die geänderten Lebensbedingungen überflüssig geworden und daher in Fortfall gekommen. Auch die Körperbehaarung hat bedeutende Einbußen erlitten, doch ist das Maß der Rückbildung bei den verschiedenen Gattungen durchaus nicht das gleiche, wobei sich auch Unterschiede nach dem Geschlechte vorfinden. Während die Gattung *Psithyrus*, wenigstens im männlichen Geschlecht noch die typische Leibesbehaarung der Hummeln zeigt, haben die Weibchen dieser Gattung sowie *Melecta, Crocisa, Nomada* u. a. in beiden Geschlechtern schon weitgehende Rückbildungen in dieser Beziehung erfahren. Bei *Biastes* erscheint dann der Körper in beiden Geschlechtern völlig haarlos und kahl; dasselbe gilt von den weiblichen Angehörigen der Gattung *Phiarus*, neben welchen aber die Männchen sich noch einer wohlentwickelten Behaarung erfreuen, der weitestgehende bekannte Fall eines derartigen Sexualunterschiedes. Manche Formen wie *Epeolus, Pasites* u. a., welche des Haarkleids entbehren, besitzen dafür am Abdomen eine mehr oder weniger allgemeine Schüppchenbekleidung.

Abgesehen von den eben näher bezeichneten Geschlechtsverschiedenheiten hinsichtlich der Behaarung tritt der sonst bei Bienen wohl ausgeprägte Sexualdimorphismus stark in den Hintergrund, so dass es z. B. bei den nahezu 100 Arten umfassenden Genus *Nomada* selbst für den Kenner kaum mehr möglich ist, nach äußeren Merkmalen Männchen und Weibchen auseinander zu halten.

Eine gewisse Sonderstellung beanspruchen die Schmarotzerbienen bezüglich der bei ihnen weitverbreiteten grellen Färbung, welche in die sonst hier zu Tage tretende mehr gleichmäßige Gestaltung unserer Tiere nicht recht hineinpasst. Farbenmischungen, welche bei den andern Bienen nicht vorzukommen pflegen, finden sich hier in lebhafter Entwicklung vor. Ref. kann Friese nur zustimmen, wenn er sagt: „Diese Farbenzeichnungen der Schmarotzerbienen scheinen somit nicht eine von den Stammformen her ererbte, sondern vielmehr eine neu erworbene Eigentümlichkeit zu sein, deren ursächlicher Zusammenhang mit der angenommenen parasitischen Lebensweise dieser Tiere freilich noch dunkel ist".

Der Bau der Mundwerkzeuge zeigt bei den Schmarotzerbienen im Wesentlichen eine weitgehende Gleichmäßigkeit; wie überall bei den Bienen sind sie auch hier leckende und weisen nicht selten eine bemerkenswerte Uebereinstimmung mit dem Bau der gleichen Organe bei den Wirten auf (so z. B. *Psithyrus - Bombus*, *Stelis - Anthidium*, *Melecta - Anthophora* u. a.).

Am Schlusse seiner Arbeit über „die Schmarotzerbienen und ihre Wirte" hat F r i e s e auch versucht, die möglichen V e r w a n d t s c h a f t s - b e z i e h u n g e n der einzelnen Gattungen dieser Bienenabteilung an- nähernd festzustellen. Mit Ausnahme der phylogenetischen Zusammen- stellung von *Psithyrus* und *Bombus* und etwa noch von *Stelis* und *Anthidium*, welche letztere mit dem Hinweis darauf begründet wird, dass gewisse Arten der ersteren Gattung eine so weitgehende Ueberein- stimmung mit *Anthidium* zeigen, dass sie bis vor Kurzem überhaupt zu dieser Gattung gestellt wurden, schweben indess die darüber hinaus- gehenden genetischen Vorstellungen auf zu unsicherem Boden, dass sie keinen Gegenstand für den vorliegenden Bericht abgeben können. Immerhin wird man aber das Verfahren F r i e s e's „den Grad der Rückbildung äußerer Organe, die bei den Stammformen gut ausge- prägt sind", zur Grundlage derartiger Spekulationen zu benutzen, umsoweniger von der Hand weisen können, als andere Kriterien zur Zeit nicht zu Gebote stehen.

F. v. **Wagner** (Straßburg i. E.).

Die internationalen Beziehungen von *Lomechusa strumosa* [1]).

Von **E. Wasmann** S. J.

Lomechusa strumosa F., eine unserer größten einheimischen Aleo- charinenarten, ist ein regelmäßiger Gast von *Formica sanguinea* L a t r. In manchen Gegenden kommt sie sekundär auch bei *F. rufa* L. und *pratensis* D e g. vor. Dagegen ist sie in den selbständigen Kolonien der Hilfsameisen von *F. sanguinea*, *F. fusca* und *rufibarbis*, höchstens in seltenen Ausnahmefällen zu treffen, die zu den bloß zufälligen Er- scheinungen zählen. Bei *F. sanguinea* ist ihr Vorkommen völlig un- abhängig davon, ob die betreffende Kolonie Hilfsameisen hat, und zu welcher Art dieselben gehören.

Lomechusa strumosa zählt zu den „e c h t e n G ä s t e n" (E m e r y's Myrmecoxenen) und wird von *F. sanguinea* häufig beleckt, besonders an den gelben Haarbüscheln des Hinterleibes. Sie wird ferner häufig gefüttert aus dem Munde ihrer Wirte, und zwar nach Art einer Ameisen- L a r v e, nicht nach Art einer A m e i s e wie die lebhafteren und mit größerer Initiative begabten *Atemeles*. *L. strumosa* ist in ihrem ganzen Benehmen ziemlich plump und unbeholfen und wird dementsprechend auch von den Ameisen behandelt. Sie macht ihre ganze Entwicklung bei *F. sanguinea* durch; ihre Larven werden von letzterer gleich den

------

1) Siehe Bd. XI Nr. 11 S. 339 u. 343. Ich war leider durch Krankheit an der rascheren Fortsetzung dieser Arbeit verhindert.

eigenen Larven gepflegt, obwohl sie die Eier der Ameisen verzehren. Aus dem Umstande, dass *L. strumosa* ihre ganze Entwicklung bei ein und derselben Ameise durchläuft, während die *Atemeles* als Käfer und als Larven bei verschiedenen Ameisengattungen leben, erklären sich fast alle biologischen und psychischen Unterschiede zwischen den im übrigen sehr nahe verwandten *Atemeles* und *Lomechusa*[1]).

Wir stehen jetzt vor der Frage: **Wie wird *Lomechusa strumosa* behandelt von Ameisen fremder Kolonien und fremder Arten?** Die experimentelle Beantwortung dieser Frage wird folgende Abschnitte umfassen:

1) Die Beziehungen von *L. strumosa* zu fremden Kolonien von *Formica sanguinea* und zu den Hilfsameisen in denselben.
2) Zu *F. rufa* L.
3) Zu *F. pratensis* Deg.
4) Zu *F. exsecta* Nyl.
5) Zu *F. fusca* L.
6) Zu *F. rufibarbis* F.
7) Zu *F. fusco-rufibarbis* For.
8) Zu *Polyergus rufescens* (mit *F. fusca* als Hilfsameisen).
9) Zu *Camponotus ligniperdus* Ltr.
10) Zu *Lasius fuliginosus* Ltr.
11) Zu *Lasius niger* L.
12) Zu *Lasius umbratus* Nyl.
13) Zu *Lasius flavus* Deg.
14) Zu *Tapinoma erraticum* Ltr.
15) Zu *Tetramorium caespitum* L.
16) Zu *Myrmica scabrinodis* Nyl.
17) Zu *Myrmica ruginodis* Nyl.
18) Zu *Myrmica laevinodis* Nyl.
19) Zu *Myrmica rubida* Ltr.
20) Zu *Leptothorax tuberum* F. und *Formicoxenus nitidulus* Nyl.
21) Vergleichender Rückblick.
22) Versuch einer Erklärung der internationalen Beziehungen von *Lomechusa strumosa*.

----

1) Ueber das Verhältnis von *Lomechusa strumosa* zu ihren normalen Wirten und über ihre Entwicklung vergl. Ueber die Lebensweise einiger Ameisengäste I. (Deutsch. Ent. Zeitschr., 1886, S. 55); Beiträge zur Lebensweise der Gattungen *Atemeles* und *Lomechusa* (Tijdschr. v. Entomol. XXXI. u. Haag, 1888) S. 59 (303) ff. Vergleichende Studien über Ameisengäste und Termitengäste (Tijdschr. XXXIII. u. Haag 1890) Nachtrag I (S. 93) u. Nachtrag II (S. 262); Verzeichnis der Ameisen und Ameisengäste von Holländisch Limburg (Tijdschr. XXXIV. u. Haag 1891) S. 58. Vergl. auch das Referat von Emery „Ueber myrmekophile Insekten" (Biol. Centralbl., IX, S. 23 ff.).

1) Die Beziehungen von *L. strumosa* zu fremden Kolonien von *F. sanguinea* und zu deren Hilfsameisen.

Zahlreiche Versuche hierüber habe ich in Holländisch Limburg angestellt (Exaeten bei Roermond und Blijenbeek bei Afferden), einige wenige auch in Böhmen (Mariaschein bei Teplitz und in Prag). Es sind in diesem Abschnitte folgende Fragen zu beantworten:

    a. Wie wird *Lomechusa* aufgenommen in fremden *sanguinea*-Kolonien, die bereits selbst *Lomechusa* besitzen?

    b. In solchen Kolonien, die keine *Lomechusa* besitzen und wahrscheinlich seit langer Zeit keine besaßen?

    c. In Kolonien, die aus ganz jungen, frischentwickelten *sanguinea* gebildet sind?

    d. Wie verhalten sich die Hilfsameisen in den fremden *sanguinea*-Kolonien zur Aufnahme der *Lomechusa*?

Ad a. Dies ist der einfachste Fall für die internationalen Beziehungen von *Lomechusa strumosa*. Das Ergebnis der zahlreichen Versuche ist übereinstimmend folgendes: *F. sanguinea* nimmt die aus fremden *sanguinea*-Kolonien kommenden *Lomechusa* u n m i t t e l b a r auf und macht k e i n e n U n t e r s c h i e d zwischen den eigenen und den fremden *Lomechusa*. Diese Regel gilt sowohl für jene *sanguinea*-Kolonien, in denen ich bereits in freier Natur *Lomechusa* gefunden, als auch für jene, die erst in meinen Beobachtungsnestern *Lomechusa* erhielten, und zu denen ich dann noch weitere Exemplare aus fremden Kolonien setzte. Einige besonders charakteristische Versuche sollen hier näher angeführt werden.

Am 15. Juni 1887 (Exaeten) setzte ich in ein kleines Beobachtungsnest mit *sanguinea* ⌒ *fusca* [d. h. *sanguinea*, die *fusca* als Sklaven hatten [1])], welches bereits eine eigene *Lomechusa* besaß, eine neue aus einer anderen *sanguinea*-Kolonie hinzu, und zwar unmittelbar aus der Gesellschaft der fremden Ameisen, also ohne vorhergehende „Quarantaine" [2]. Einige *sanguinea* und *fusca* nähern sich dem neuen Gaste

---

1) Das Zeichen ⌒ für gemischte.Kolonien dürfte nützlich sein, um Verwechslungen derselben mit den M i s c b r a s s e n (Uebergangsformen zwischen nahe verwandten Arten) zu vermeiden, für welche A u g. F o r e l die Bezeichnungen „*rufo-pratensis*", „*fusco-rufibarbis*" etc. eingeführt hat. Das obige Zeichen für gemischte Kolonien habe ich in dem Buche „Die zusammengesetzten Nester und gemischten Kolonien der Ameisen" (Münster 1891) zuerst angewandt (S. 177).

2) d. h. ohne sie vorher mit einigen Arbeiterinnen der fremden Kolonie in ein Gläschen zusammenzusetzen und Bekanntschaft machen zu lassen. Diese Isolierungsmethode bezeichne ich deshalb als „Quarantaine", weil sie dazu dient, dass die Gäste eventuell den Nestgeruch ihrer früheren Wirte verlieren und den der neuen annehmen. Die volle Bedeutung dieser Quarantaine wird erst bei den internationalen Beziehungen von *Atemeles emarginatus* und *paradoxus* klar werden.

sofort mit prüfenden Fühlerbewegungen und halbgeöffneten Kiefern. Der Käfer trillert mit den Fühlern und rollt den Hinterleib hoch auf. Die Ameisen ziehen sich beruhigt zurück. Der Käfer läuft in das Innere des Nestes hinab und drängt sich unter die beisammensitzenden Ameisen. Schon nach 5 Minuten wird er von einer *sanguinea* sanft und anhaltend beleckt. Nach einer halben Stunde sehe ich die neue *Lomechusa* in Paarung mit der bereits vorher vorhandenen unter den Ameisen sitzen.

In dem ebenerwähnten Falle wurde die fremde *Lomechusa* mit leichten Zeichen des Misstrauens (vorsichtig prüfende Fühlerbewegungen und halbgeöffnete Kiefer) aufgenommen, die allerdings nur wenige Sekunden anhielten. Meist fehlen auch diese Zeichen des Misstrauens, und die Aufnahme der fremden *Lomechusa* erfolgt ohne das geringste Zögern. Folgende zwei Beobachtungen können als Normalfälle angesehen werden.

Im 17. Mai 1888 (Exaeten) setzte ich 6 an demselben Tage gefangene *Lomechusa* unmittelbar (ohne Quarantaine) in ein Beobachtungsnest zu einer fremden *sanguinea*-Kolonie, bei der ich zwei Tage vorher 5 *Lomechusa* gefunden hatte und bei der gegenwärtig noch 2 derselben in Pflege waren. Die neuen Gäste wurden ohne die geringsten Aeußerungen von Feindseligkeit oder Misstrauen aufgenommen und ebenso behandelt wie die alten Gäste, während eine mit ihnen hineingesetzte fremde *sanguinea*-Königin (aus dem Neste der neuen *Lomechusa*) andauernd misshandelt und verstümmelt wurde.

Am 30. April 1890 hatte ich (bei Exaeten) 10 *Lomechusa* gefangen, 1 in einer Kolonie *sanguinea $\frown$ fusca*, 4 in einer anderen Kolonie *sanguinea $\frown$ fusca*, 5 in einer natürlichen, anormal gemischten Kolonie *sanguinea $\frown$ rufa $\frown$ fusca*[1]). Ich setzte hierauf die 10 *Lomechusa* in ein Beobachtungsnest zu *sanguinea $\frown$ rufa $\frown$ fusca* aus der letztgenannten Kolonie. Sämtliche *Lomechusa* wurden von den *sanguinea* sofort aufgenommen, nach der ersten Berührung mit den Fühlern oder selbst ohne diese Untersuchung, die übrigens sehr rasch und ohne Zeichen von Misstrauen erfolgte. Zwischen den aus den verschiedenen Kolonien stammenden Gästen wurde kein Unterschied gemacht, weder bei der Aufnahme noch bei der späteren gastlichen Behandlung. Ueber das Benehmen der fremden Hilfsameisen vergl. unten **Ad d.**

Ad b. *Lomechusa strumosa* wird auch in solchen *sanguinea*-Kolonien, die selbst keine *Lomechusa* besitzen und wahrscheinlich seit langer Zeit keine besaßen, unverzüglich aufgenommen und gepflegt wie in ihren eigenen Nestern. Es ist ein seltener, durch besonders ungünstige Umstände veranlasster Ausnahmefall, wenn *Lomechusa* von fremden *sanguinea* unter misstrauischem Oeffnen der Kiefer längere Zeit mit den Fühlern vorsichtig geprüft oder sogar

---

1) Näheres über diese interessante Kolonie vergl. Die zusammengesetzten Nester und gemischten Kolonien. S. 169.

feindlich umhergezerrt und misshandelt wird[1]). In weitaus den meisten
Fällen wird *Lomechusa* von den fremden *sanguinea* schon mit dem
ersten, oberflächlichen Fühlerschlag als „Stammgast" erkannt und als
solcher fortan behandelt. Eine „Quarantaine" ist zur Aufnahme
von *Lomechusa strumosa* bei *F. sanguinea* nicht nötig. — Ich lasse
nun einige Versuche folgen.

In der Umgebung von Exaeten hatte ich 3 Jahre lang (1884—87)
Lomechusa strumosa bei *F. sanguinea* vergeblich gesucht. Die ersten
Exemplare fand ich Anfang Juni 1887. Am 14. Juni setzte ich eine
Lomechusa zu fremden *sanguinea* einer großen, starken Rasse, in deren
Nest ich *Lomechusa* schon oft vergebens gesucht hatte. Auch in dem
Umkreise jenes Nestes, auf eine Stunde im Durchmesser, hatte ich
während der drei vorhergehenden Jahre in keinem einzigen *sanguinea*-
Nest *Lomechusa* gefunden. Der fremde Gast wurde von den *sanguinea*
jener Kolonie nicht angegriffen, sondern scheinbar ignoriert. Nach
drei Stunden lag er jedoch tot auf der Seite, ohne weitere Verletzung;
Todesursache unbekannt. — Ich führe diesen ergebnislosen Versuch
deshalb an, weil er zur Warnung dienen kann vor einer unberech-
tigten Verallgemeinerung. Der obige Versuch war unter entschieden
ungünstigen Umständen angestellt worden, die den natürlichen Verhältnissen nicht entsprachen. Ich hatte nämlich die *Lomechusa* samt
den fremden Ameisen und etwas feuchter Erde in ein Beobachtungsnest geschüttet und den Ameisen nicht Zeit gelassen, vor der Aufnahme des Gastes ihr Nest einzurichten. *Lomechusa* wird aber, wenn
sie durch ihr plumpes Umherlaufen die Erdarbeiten stört, von den
sanguinea oft gewaltsam auf die Seite gezerrt, und, wenn sie durch
ihre Unruhe andauernde Störung verursacht, sogar aus dem Neste
hinausgeworfen. Dies kommt in *sanguinea*-Kolonien vor, in denen
die *Lomechusa* bisher sorgfältig gepflegt worden waren [vergl. Beiträge S. 70 (314)]. Für die erste Aufnahme fremder *Lomechusa* können
so ungünstige Umstände a fortiori nicht als Normalverhältnisse angesehen werden.

Am 15. Juni 1887 setzte ich eine *Lomechusa* in ein Quarantaine-
Gläschen zu zwei fremden *sanguinea*-Arbeiterinnen derselben Kolonie,
mit der ich das obige unglückliche Experiment gemacht hatte. Die
beiden Ameisen griffen die *Lomechusa* nicht feindlich an. Am Morgen
des 16. brachte ich eine größere Anzahl *sanguinea* aus der nämlichen
Kolonie in das Quarantainegläschen. Die *Lomechusa* wurde hie und

---

[1] Mit dieser wirklichen Misshandlung darf man andere Erscheinungen
nicht verwechseln, die ein ungeübter Beobachter leicht als solche auffassen
könnte, die jedoch zu der normalen Behandlungsweise von *Lomechusa* gehören.
Sie wird oft bei der Beleckung an den gelben Haarbüscheln heftig gezerrt,
ferner auch nicht selten von einer *sanguinea* erfasst und trotz heftigen Sträu-
bens an eine andere Stelle des Nestes getragen. Vergl. Beiträge S. 67
(311) ff.

da von einer *sanguinea* misstrauisch angefahren und mit geöffneten Kiefern am Hinterleibe zu fassen versucht. Sie reagierte darauf mit Zittern des ganzen Körpers und lebhaftem Fühlertrillern. Als ich noch mehr *sanguinea* hineinwarf und ein Tumult entstand, wurde die *Lomechusa* sehr aufgeregt. Sie tanzte unbeholfen und drollig im Kreise herum, indem sie jeder ihr nahe kommenden *sanguinea* die trillernden Fühler zuzukehren suchte, selbst wenn die Ameise ihr gar keine Aufmerksamkeit schenkte. Trotz der ungünstigen Verhältnisse und der heftigen Erregung, in welcher die gewaltsam in das Gläschen beförderten Ameisen sich befanden, wurde die *Lomechusa* nicht weiter behelligt. Als die *sanguinea* sich etwas beruhigt hatten, gab ich ihnen ein Stückchen Zucker. Bald darauf standen zwei *sanguinea*, sich fütternd, mit aufgerichtetem Vorderkörper einander gegenüber. Die eine ließ einen großen Tropfen auf die vorgestreckte Unterlippe treten, der von der anderen aufgeleckt wurde. Die *Lomechusa* näherte sich ihnen, richtete den Vorderkörper hoch auf, suchte mit ihrem Kopfe an den Mund der fütternden Ameise zu gelangen und beleckte Kopf und Fühler der beiden Ameisen. Endlich war die eine Ameise fertig gefüttert und zog ihren Kopf zurück, an dessen Stelle nun *Lomechusa* ihr Köpfchen hielt. Die fütternde *sanguinea* stutzte einen Augenblick, prüfte den Gast mit den Fühlerspitzen, während derselbe ihren Kopf mit den Fühlern betupfte und zu belecken suchte. Nach wenigen Sekunden gestattete sie dem Käfer, seinen Kopf in ihren Mund zu stecken und den Rest des süßen Tropfens aufzulecken.

Ich habe diese Fütterungsscene deshalb so eingehend wiedergegeben, weil es der einzige mir vorgekommene Fall ist, in welchem *sanguinea* einen Gast nach Art einer Ameise fütterte. Sonst füttert sie ihre Gäste, sowohl die *Lomechusa* als die *Atemeles* wie Ameisenlarven. Ueber die Unterschiede beider Fütterungsmethoden vergl. Beiträge S. 65 u. 66 (309 u. 310). Im obigen Falle war die Fütterung der *Lomechusa* zufällig die Fortsetzung der unmittelbar vorhergehenden Fütterung einer *sanguinea*. Nur so vermag ich mir diese einzig dastehende Erscheinung zu erklären.

Maßgebender für die Aufnahme von *Lomechusa* in solchen *sanguinea*-Kolonien, die bisher keine *Lomechusa* hatten, sind andere Versuche, die unter günstigeren Umständen angestellt wurden. Ich ließ den Käfer meist ruhig in das bereits fertig eingerichtete Nest der *sanguinea* hineinlaufen, wie es unter natürlichen Verhältnissen zu geschehen pflegt, wenn *Lomechusa* auf der Suche nach einem neuen *sanguinea*-Neste ist. [Vergl. Beiträge S. 68 (312)]. Da das Ergebnis dieser Versuche übereinstimmend auf unmittelbare Aufnahme von *Lomechusa* lautet, wie ich bereits oben angegeben, kann ich mich hier mit wenigen Detailangaben begnügen.

Am 25. Mai 1888 setzte ich eine *Lomechusa* unmittelbar (ohne Quarantaine) in ein Beobachtungsnest mit *sanguinea* ⌒ *fusca* einer

fremden Kolonie, in der ich bisher niemals *Lomechusa* gefunden hatte
und in derem Umkreise auf eine halbe Stunde Entfernung mir bisher
keine *Lomechusa*-haltigen Nester vorgekommen waren. Der Käfer
drängt sich sogleich unter die beisammen sitzenden Ameisen und
wird von diesen ohne ein Zeichen von Misstrauen oder Feindschaft
aufgenommen (Exaeten).

Am 19. Mai 1891 hatte ich bei Mariaschein (Nordböhmen) bei
F. sanguinea eine *Lomechusa* gefangen und setzte sie am 20. in ein
kleines Beobachtungsnest mit *sanguinea* ⌒ *fusca* aus einer Kolonie,
die ich gänzlich geplündert hatte, ohne eine *Lomechusa* zu finden. In
demselben Beobachtungsneste befanden sich drei ursprünglich bei dieser
Kolonie gefundene Ameisengrillen (*Myrmecophila acervorum*) und zwei
fremde Keulenkäfer (*Claviger testaceus*). Die *Lomechusa* wurde sofort
aufgenommen und behandelt wie ein längst bekannter Gast. Zwischen
der Pflege der böhmischen und der holländischen *Lomechusa* durch
ihre respektiven Wirte habe ich keinen Unterschied bemerkt. Auch
von den böhmischen *sanguinea* wurden die *Lomechusa* wie Ameisen-
Larven gefüttert, nicht wie Ameisen.

Besonders interessant sind die Versuche über die internationalen
Beziehungen von *Lomechusa strumosa*, die ich im Frühling und Sommer 1888 mit einer Kolonie *sanguinea* ⌒ *rufibarbis* ⌒ *fusca* anstellte
(Exaeten). Diese Kolonie war eine „künstliche Bundeskolonie“[1], dadurch entstanden, dass ich am 17. September 1887 zwei große Beobachtungsnester, das eine *sanguinea* ⌒ *fusca*, das andere *sanguinea*
⌒ *rufibarbis* enthaltend, durch eine Glasröhre verbunden hatte. Das
größere jener beiden Nester, ein Lubbock'sches Beobachtungsnest
(zwei Glasscheiben, durch Holzrahmen verbunden), bildete fortan den
Wohnsitz der Bundeskolonie, während das andere, nach demselben
System eingerichtete Nest als Vornest diente, in welchem die Ameisen
auf Beute ausgingen und ihre Nestabfälle ablagerten; es stellte somit
für jene Kolonie die freie Umgebung des eigentlichen Nestes vor.
Im Laufe des Winters 1887—88 hatte ich mehrere *Atemeles emarginatus* und *paradoxus* in der Bundeskolonie aufnehmen lassen, worüber
später bei den internationalen Beziehungen der *Atemeles*. Es ist noch
zu bemerken, dass diese Bundeskolonie weder vor noch nach ihrer
Vereinigung *Lomechusa* besessen hatte; auch in ihren ursprünglichen
Nestern hatte ich keine *Lomechusa* gefunden.

Mitte Mai 1888 begann ich mit der Aufnahme fremder *Lomechusa*.
Am 17. setzte ich eine *Lomechusa* in das Vornest, wo die umher-
laufenden Ameisen viel reizbarer und kampflustiger sich zeigten als
in dem eigentlichen Neste, und Alles, was ihnen begegnete, anzufallen
pflegten. Selbst die indifferent geduldeten *Dinarda dentata* (teils aus

---

1) Näheres über diese Kolonien vergl. Die zusammengesetzten
Nester und gemischten Kolonien, II. Abschnitt, 2. Kap. (S. 145 ff.).

diesen beiden, teils aus fremden Kolonien) wurden von den *sanguinea*
oftmals heftig angefahren, wenn sie ihnen im Vorneste begegneten.
Anfangs suchte die *Lomechusa* sich zu verbergen und setzte sich unter
ein Klümpchen Erde. Nach einigen Minuten kommt sie hervor, nähert
sich einer Ameise und betrillert sie mit den Fühlern. Diese greift
den Käfer nicht feindlich an, sondern geht, nachdem sie ihn oberflächlich mit den Fühlern berührt, ruhig ihres Weges, als ob sie einer
Ameise ihrer Kolonie begegnet sei. Bereits nach einer Viertelstunde
wird die *Lomechusa* im Vorneste von einer *sanguinea* eifrig und anhaltend am Hinterleibe beleckt. Sie reagiert mit den Fühlern trillernd
und anfangs auch mit dem Körper zitternd. Kurz vorher war eine
andere, kleinere *sanguinea* mit lebhaften Fühlerschlägen auf die *Lomechusa* zugesprungen wie auf eine befreundete Ameise, war ihr
dann ein wenig gefolgt und hatte sie dann wieder mit ihren Fühlern
geschlagen, wie um ihre Aufmerksamkeit zu erregen und sie einzu-
laden, ihr zu folgen. Während die *Lomechusa* von der einen *sanguinea*
beleckt wurde, sammelten sich mehrere andere um sie her. Ich reizte
die Ameisen durch das Klopfen auf das Glasnest. Sie sprangen mit
geöffneten Kiefern umher, den Störenfried suchend. Eine geriet hiebei
zufällig auf die *Lomechusa*; nach der ersten wechselseitigen Berührung
mit den Fühlern, schloss sie jedoch ihre Kiefer und lief weiter.

Die *Lomechusa* war somit schon im Vorneste unmittelbar aufgenommen worden wie ein längstbekannter Gast. In jener Bundeskolonie befanden sich damals drei *Atemeles emarginatus* und ein *Atemeles
paradoxus* in Pflege, und zwar schon seit längerer Zeit. Es wäre
jedoch ein Irrtum, die rasche Aufnahme der *Lomechusa* durch ihre
Aehnlichkeit mit den bereits vorhandenen Gästen zu erklären; denn
die Aufnahme neuer *Atemeles* musste stets aufs neue geschehen;
jeder fremde *Atemeles* musste nochmals das ganze langwierige Auf-
nahmeceremoniell durchlaufen, sollte er nicht von den *sanguinea* zerrissen werden. Somit darf man die Aufnahme der *Lomechusa* nicht
in ursächliche Verbindung bringen mit der Anwesenheit der *Atemeles*,
sondern nur mit ihrem spezifischen Charakter als Stammgast von
F. sanguinea.

Am 18. Mai nahm ich die *Lomechusa* aus dem Vorneste und
setzte sie unmittelbar in das Hauptnest der Bundeskolonie *sanguinea*
⌢ *rufibarbis* ⌢ *fusca*. Bereits nach einigen Minuten saß sie mitten
unter den Ameisen, von keiner derselben misstrauisch oder feindlich
behandelt.

Am 19. Mai setzte ich ein Weibchen von *Lomechusa*, das eben
die Paarung vollendet hatte, in das Hauptnest. Es wurde sofort aufgenommen, nach der ersten Berührung mit den Fühlern. Es drängte
sich unter die Ameisen und stieg daselbst umher. Bald darauf wurde
es sanft und anhaltend von einer *sanguinea* am ganzen Körper beleckt. Beide *Lomechusa* wurden auf gleiche Weise gastlich behandelt.

Am 23. Mai setzte ich noch ein Pärchen von *Lomechusa* unmittelbar in das Hauptnest. Sie wurden sogleich von den *sanguinea* umringt und beleckt und drängten sich ihrerseits zuversichtlich in den Ameisenknäuel, nach allen Seiten mit den Fühlern trillernd. An demselben Tage beobachtete ich, wie eine *sanguinea* jenes Nestes zwei in Paarung befindliche *Lomechusa* eifrig beleckte. Die *sanguinea* gestatteten auch hier den *Lomechusa*, an den Ameisenlarven zu fressen, und schienen die Pflege der *Lomechusa* der Pflege ihrer eigenen Larven vorzuziehen (vergl. hiezu „Beiträge" S. 63 u. 64 (307 u. 308).

Am 29. Mai waren drei *Lomechusa* (2 ♀ und 1 ♂) in der Bundeskolonie gesund und munter. Fast fortwährend sind sie von einer Gruppe *sanguinea* umgeben, die sie teils mit den Fühlern streicheln, teils belecken oder füttern (Fütterung stets nach Art einer Ameisenlarve). Während ich das Tuch, welches das Nest bedeckt und zur naturgemäßen Verdunkelung des Nestinnern dient, fortziehe, wird eben eine *Lomechusa* von zwei *sanguinea* zugleich beleckt. Die eine der beiden Ameisen zieht sich bei Erhellung des Nestes sofort zurück, während die andere den Lichtwechsel gar nicht zu bemerken scheint und noch vier Minuten lang in der Beleckung des Käfers fortfährt. Die vierte *Lomechusa* (ein ♂) sitzt tot in einer Ecke des Nestes, in ganz natürlicher Stellung. Nur an ihrer Unbeweglichkeit merke ich, dass sie tot ist; ich nehme das Tierchen heraus, das (nach wiederholter Paarung) offenbar eines natürlichen Todes gestorben ist.

Da sich täglich die nämlichen Scenen der gastlichen Pflege in der Bundeskolonie wiederholten, übergehe ich die weiteren Aufzeichnungen. Eine der drei *Lomechusa* starb am 3. Juli, die zwei übrigen lebten in jener Kolonie bis zum 14. Juli, wo ich Exaeten für mehrere Wochen verließ.

Wie hier so wurden die fremden *Lomechusa* auch in anderen *sanguinea*-Kolonien behandelt, die ursprünglich keine *Lomechusa* besessen hatten.

Ad c. Um die Frage zu lösen, ob die internationale gastliche Behandlung der *Lomechusa* bei *F. sanguinea* auf einem **e r b l i c h e n Instinkte** beruhe, was bereits aus den **Ad b** erwähnten Thatsachen hervorzugehen schien, machte ich noch folgenden Versuch[1]). Am 19. Juni 1889 nahm ich aus einem meiner Beobachtungsnester 4 Arbeiterinnen von *F. sanguinea*[2]), die erst soeben aus dem Kokon gezogen worden und deren Körper noch gelblich grau und weich war. Ich setzte sie mit einer Anzahl Kokons von *sanguinea*-Arbeiterinnen und

---

1) Obwohl manche Einzelheiten dieses Versuches nicht unmittelbar auf die Aufnahme von *Lomechusa* sich beziehen, teile ich sie doch hier mit, um ein vollständiges Bild von dem Benehmen der autodidaktischen *sanguinea* zu geben.

2) In den folgenden Tagen setzte ich noch einige frischentwickelte Arbeiterinnen aus derselben Kolonie hinzu.

Kokons von Arbeiterinnen von *Lasius niger* in ein Glas mit feuchter
Erde. Am ersten Tage saßen die jungen Ameisen unthätig da; bald
gaben sie sich jedoch bereits mit der Pflege der *sanguinea*-Kokons
ab, reinigten sie und schichteten sie auf. Am 20. Juni zogen sie
die erste Gefährtin aus der Puppenhülle, putzten und beleckten sie,
wie es mit frisch entwickelten Ameisen zu geschehen pflegt. Am
26. Juni hatte sich die Bewohnerschaft des kleinen Nestes schon erheblich vermehrt. Die autodidaktischen *sanguinea* besorgten nicht bloß
Nestbau und Puppenpflege in normaler Weise, sondern schleppten
auch die Leichen und die leeren Puppenhüllen an eine bestimmte
Stelle außerhalb des Nestes. Da sie Ueberfluss an Nahrung hatten,
verzehrten sie nur wenige Puppen von *Lasius niger*; sie zogen jedoch
keine derselben auf, sondern warfen die übrigen schließlich unter die
Nestabfälle, gerade wie es sonst bei *sanguinea* zu geschehen pflegt.
Ich gab ihnen auch Larven und Puppen (Kokons von Arbeiterinnen
und Weibchen) aus fremden *sanguinea*-Kolonien; dieselben wurden
adoptiert und gepflegt, wie es *sanguinea* mit fremder Brut ihrer eigenen
Art gewöhnlich thut. Am 26. Juni bemerkte ich bei meiner kleinen
Kolonie auch die Kampflust der *F. sanguinea.* Bei Oeffnung des
Pfropfens, der ihr Nest verschloss, kamen sie wütend hervorgestürzt
und bissen mir in den Finger. Am 27. setzte ich ihnen eine *Lomechusa*
in das Nest. Sie wurde s o g l e i c h, ohne Feindseligkeiten, aufgenommen. Am 30. sah ich, wie einige geflügelte Weibchen von *sanguinea*, die von meinen Autodidakten aufgezogen worden waren, mit
der *Lomechusa* sich abgaben und ihr besonders die Mundgegend beleckten. Die Pflege der *Lomechusa* durch die *sanguinea*-Arbeiterinnen
unterschied sich nicht von der normalen Behandlungsweise.

Am 5. Juli setzte ich einige (völlig ausgefärbte) Arbeiterinnen
aus fremden *sanguinea*-Kolonien in das Nest der Autodidakten. Zwei
Arbeiterinnen aus zwei verschiedenen Kolonien wurden nicht feindlich
angegriffen, als ich sie vorsichtig hineinsetzte. Eine dritte aus einer
dritten Kolonie griff anfangs selbst einige Arbeiterinnen und Weibchen
des Nestes mit geöffneten Kiefern an, beruhigte sich aber bald. Von
einer der beiden unmittelbar vorher hineingesetzten alten *sanguinea*
wurde sie mehrmals feindlich angegriffen. Um das friedliche Benehmen meiner Autodidakten zu verstehen, muss man berücksichtigen,
dass sie relativ noch jung waren, also wahrscheinlich noch keinen so
entwickelten „Nestgeruch“ und noch kein so scharfes Unterscheidungsvermögen für denselben hatten; ferner, dass die *sanguinea*, namentlich
wenn sie schwach an Zahl sind, zu Bündnissen mit fremden Individuen
der eigenen Art besonders neigen.

Am 14. Juli setzte ich eine zweite *Lomechusa* zu meinen autodidaktischen *sanguinea.* Diese hatten unterdessen auch einige *rufibarbis*-Arbeiterinnen als Hilfsameisen erzogen aus Kokons, die ich
ihnen vor einer Woche gegeben. Von den jungen Hilfsameisen, die

noch nicht soweit ausgefärbt waren wie die *sanguinea*, wurde die
neue *Lomechusa* anfangs ziemlich heftig angegriffen und am Hinterleibe gezerrt, während sie von den *sanguinea* unmittelbar aufgenommen
ward gleich der ersten. Eine halberwachsene *Lomechusa*-Larve, die
ich an demselben Tage in dieses Nest setzte, wurde von den *sanguinea*
sofort zu den eigenen Larven gelegt, beleckt und gefüttert. Somit
beruht auch die Pflege der *Lomechusa*-Larven bei *F. sanguinea* auf
einer instinktiven Vorliebe; denn dass aus diesen Larven *Lomechusa*
werden, deren Beleckung einen besondern Genuss für Ameisen bietet,
konnten diese *sanguinea* jedenfalls nicht wissen.

Ad d. Wie benehmen sich die Hilfsameisen (*F. fusca* und
rufibarbis) in den *sanguinea*-Kolonien gegenüber fremden *Lomechusa*?
Vorerst eine Bemerkung über ihr Verhältnis zu den eigenen *Lomechusa* der *sanguinea*-Kolonien. Die Sklaven behandeln die *Lomechusa*
zwar freundschaftlich, geben sich mit ihr aber weit weniger ab als
die Herren. *F. fusca*, die man am öftesten als Hilfsameise von *sanguinea* trifft, habe ich in deren Kolonien wiederholt beobachtet bei
der Beleckung von *Lomechusa* [vergl. Beiträge S. 67 (311)]. Seltener
ist ihre Fütterung durch Hilfsameisen.

Wie verhalten sich die Hilfsameisen von *sanguinea* gegenüber
den aus fremden *sanguinea*-Kolonien kommenden *Lomechusa*?

In weitaus den meisten Fällen wird von Seite der Hilfsameisen
keine Schwierigkeit gemacht gegen die Aufnahme dieser Gäste, auch
nicht durch vorübergehende Misstrauensbezeugungen. Die Aufnahme
selbst erfolgt durch die *sanguinea*; die Hilfsameisen verhalten sich
dem neuen Gaste gegenüber meist gleichgiltig und geben sich erst
später allmählich mit ihm ab, wenigstens durch gelegentliche Beleckung. Dies ist die gewöhnliche Regel. So benahmen sich die
rufibarbis und *fusca* in der Bundeskolonie *sanguinea* ⌒ *rufibarbis* ⌒
fusca (vergl. oben S. 590—592). Ebenso bei einem Versuche, den ich
am 19. Mai 1889 anstellte (Exaeten). Ich setzte 6 *Lomechusa* ziemlich gewaltsam aus einem Beobachtungsneste *sanguinea* ⌒ *fusca* in
ein Beobachtungsnest *sanguinea* ⌒ *rufibarbis*. Obwohl die Ameisen
durch die Störung sehr gereizt wurden, nahm *sanguinea* die Gäste
dennoch sofort auf und ihre Hilfsameisen (*rufibarbis*) griffen sie nicht
an. Am 29. März 1890 setzte ich *sanguinea* verschiedener Kolonien
zu einander, indem ich eine kleine Kolonie, die ich schon seit 2½ Jahren
in einem Lubbock'schen Beobachtungsneste hielt, mit einer frisch
eingefangenen Abteilung einer fremden *sanguinea*-Kolonie vereinigte
(Exaeten). Erstere Kolonie war ohne *Lomechusa*, letztere besaß eine
Lomechusa, die ich am 27. März in ihrem eigenen Neste gefunden
hatte. Die fremden *sanguinea* griffen sich gegenseitig nur vorübergehend an, mit kurzem Zerren an Fühlern oder Beinen. Dagegen
wurden die wechselseitigen Sklaven (*fusca*) von den *sanguinea* der
andern Partei eigentlich feindlich angegriffen, hie und da sogar mit

Gift bespritzt. In der Mitte des Getümmels saß die *Lomechusa* ruhig, mit gespreizten Beinen; wenn eine Ameise ihr begegnete, trillerte sie nur mit den Fühlern. Sie wurde von keiner Ameise angegriffen, selbst nicht von den Hilfsameisen des alten Beobachtungsnestes. Nach drei Stunden herrschte zwischen beiden Parteien bereits völlige Eintracht. Die neuen Ankömmlinge, Herren und Sklaven, bauten gemeinschaftlich mit den alten an ihrem Neste.

Dagegen habe ich in anderen, selteneren Fällen beobachtet, dass die Hilfsameisen der *sanguinea*-Kolonie eine fremde *Lomechusa* anfangs mit geöffneten Kiefern misstrauisch angriffen. Es geschah dies besonders dann, wenn die betreffende Kolonie verhältnismäßig viele Sklaven besaß. Diese letzten Bemerkungen gelten nur von *fusca* und *rufibarbis* als Sklaven von *sanguinea*. In dem Beobachtungsneste *sanguinea* ⌒ *rufa* ⌒ *fusca*, in welchem 10 *Lomechusa* aus drei verschiedenen Kolonien aufgenommen worden waren (vergl. oben S. 587), wurden die fremden *Lomechusa* von den *rufa* nicht im geringsten behelligt, während einige *fusca* im ersten Augenblick sich misstrauisch zeigten, dann aber sich beruhigten, als sie die Käfer mit den Fühlern berührt hatten. Dass in der autodidaktischen *sanguinea*-Kolonie (Juli 1889) die jungen *rufibarbis*-Sklaven eine *Lomechusa* anfangs sogar feindlich angriffen, wurde bereits oben (S. 594) berichtet.

Zur Erklärung dieser scheinbaren Widersprüche dürften folgende Bemerkungen dienen. Die *fusca* und *rufibarbis* besitzen n i c h t einen angeborenen Instinkt zur unmittelbaren Aufnahme von *Lomechusa*, wie *F. sanguinea* ihn besitzt; denn *Lomechusa strumosa* ist kein Stammgast jener kleineren *Formica*-Arten. Spätere Versuche über die internationalen Beziehungen von *Lomechusa* zu s e l b s t ä n d i g e n Kolonien von *fusca* und *rufibarbis* werden dies noch klarer zeigen. Dass die *Lomechusa* trotzdem von den Hilfsameisen fremder *sanguinea*-Kolonien meist ohne weiteres freundlich aufgenommen wurden, kommt teils daher, dass manche dieser Kolonien schon eigene *Lomechusa* besaßen, an deren gastliche Behandlung die Hilfsameisen bereits gewöhnt waren; teils auch daher, dass in den meisten *sanguinea*-Kolonien, besonders in meinen Beobachtungsnestern, die Herren weit zahlreicher waren als die Sklaven[1]); es waren deshalb fast immer die *sanguinea*, die zuerst auf den neuen Gast aufmerksam wurden und ihn oft schon bei der ersten Begegnung beleckten. Ist aber ein Gast von e i n e r Ameise einer gemischten Kolonie beleckt worden, so wird er fürderhin von keiner Ameise derselben Kolonie feindlich behandelt, weil ihm durch jene Beleckung der „Nestgeruch" der betreffenden Kolonie mitgeteilt worden ist. Diese sonderbare Wahrnehmung habe ich bei den

---

1) Es ist dies das gewöhnliche Zahlenverhältnis zwischen Herren und Sklaven in den *sanguinea*-Kolonien. Meist sind die Herren zwei- bis fünfmal so zahlreich als die Sklaven; vergl. Die zusammengesetzten Nester und gemischten Kolonien, S. 49 ff. u. 257.

internationalen Beziehungen der *Atemeles* zu *Formica*-Arten häufig gemacht, und ich glaube, dass sie auch für die Beziehungen von *Lomechusa strumosa* zu den Hilfsameisen fremder *sanguinea*-Kolonien nicht ohne Bedeutung ist. Wie die Aufnahme von *Atemeles emarginatus* in den *sanguinea*-Kolonien dadurch vermittelt wurde, dass die Hilfsameisen (*fusca*) denselben zuerst beleckten, so wurde die Aufnahme der *Lomechusa* bei den Hilfsameisen fremder *sanguinea*-Kolonien dadurch wenigstens beschleunigt, dass die *sanguinea* den Gast zuerst beleckten.

Zur Bestätigung dieser Erklärung füge ich noch eine Beobachtung bei. Bevor ich am 30. April 1890 die 10 aus drei verschiedenen *sanguinea*-Kolonien stammenden *Lomechusa* in das Beobachtungsnest *sanguinea* ⌒ *rufa* ⌒ *fusca* setzte (vergl. oben S. 587), nahm ich aus dem letzteren Neste eine *fusca* und that sie zu den 10 allein in einem Gläschen mit Erde befindlichen *Lomechusa*, von denen 5 aus dieser selben *sanguinea* ⌒ *rufa* ⌒ *fusca* Kolonie waren. Kaum hatte die gewaltsam hineingesetzte und heftig aufgeregte *fusca* die Anwesenheit der *Lomechusa* bemerkt, als sie sich ruhig unter dieselben setzte und sich zu putzen begann, als ob sie zu Hause wäre. Eine Arbeiterin aus einer selbständigen *fusca*-Kolonie, die noch nie mit *Lomechusa* in ihrem eigenen Neste zu thun gehabt, würde unter diesen Verhältnissen die *Lomechusa* feindlich angegriffen oder sich wenigstens scheu vor ihnen zurückgezogen haben (vergl. die später folgenden Versuche über die Beziehungen von *L. strumosa* zu *F. fusca*).

Schlussbemerkung. Bei den bisher erwähnten Versuchen kamen die fremden *Lomechusa* stets aus anderen *sanguinea*-Kolonien, also aus fremden Kolonien derselben Ameisenart. In den folgenden Abschnitten werden noch manche Versuche besprochen werden, bei denen *Lomechusa* von *sanguinea* in die Nester fremder Ameisenarten und von diesen wiederum zu *sanguinea* der ursprünglichen oder fremder Kolonien zurückversetzt wurde. In allen Fällen zeigte sich übereinstimmend, dass *Lomechusa strumosa* für *Formica sanguinea* ein völlig internationaler Gast ist, der unmittelbar aufgenommen wird, mag er von fremden Kolonien derselben Art oder anderer Arten kommen.

2) Die Beziehungen von *Lomechusa strumosa* zu *Formica rufa* L.

Obwohl die meisten älteren Fundortsangaben von *Lomechusa strumosa*, die auf „*Formica rufa*" lauten, auf einer Verwechslung der Ameisenart beruhen und auf *Formica sanguinea* Latr. sich beziehen, scheint *Lomechusa* doch in manchen Gegenden auch bei der wirklichen *F. rufa* L. gefunden worden zu sein [Fickler[1]],

---

1) Vergl. Beiträge, S. 17 (261).

Lokay[1]), J. Sahlberg]. Ich selbst habe sie stets nur bei *F. sanguinea* gefunden, nie in *rufa*-Nestern. Der oben S. 587 erwähnte Fall, wo ich mehrere *Lomechusa* in einer natürlich anormal gemischten Kolonie *sanguinea⌣rufa⌣fusca* traf, bildet nur eine scheinbare Ausnahme; denn diese Gäste gehörten offenbar zu den *sanguinea*, nicht zu deren Hilfsameisen. Dennoch glaube ich, dass das Vorkommen von *Lomechusa strumosa* bei *F. rufa* kein bloß zufälliges ist, sondern dass *F. rufa* als „sekundäre" Wirtsameise von *L strumosa* bezeichnet werden darf. Hierzu bestimmt mich außer obigen Fundortsangaben besonders das friedliche Verhalten von *F. rufa* gegenüber *Lomechusa* bei meinen Versuchen, das mir um so mehr auffiel, als *rufa* die *Atemeles emarginatus* und *paradoxus* stets heftig angriff und tötete. Was eben von *Formica rufa* L. i. sp. gesagt wurde, gilt, wie sich später zeigen wird, auch für *F. pratensis* Deg.

Im Mai 1884 hielt ich (Blijenbeek) in einer großen Krystallisationsschale eine Kolonie *sanguinea ⌣ fusca* mit einer *Lomechusa strumosa*. Am 15. Mai setzte ich eine starke Abteilung *rufa* in dasselbe Glasgefäß und beobachtete den Kampf zwischen beiden Kolonien. Während des ersten hitzigen Kampfes, in welchem die *rufa* wegen ihrer überlegenen Zahl die Oberhand behielten, kam eine *Lomechusa* aus dem *sanguinea*-Neste hervor, lief zwischen den einander umherzerrenden und mit Gift bespritzenden Kämpfern umher, spazierte dann in ein von *rufa* besetztes Stück skelettierten, morschen Holzes, in welchem die *rufa* ihre Larven untergebracht hatten, kam aus demselben nach einigen Minuten wieder hervor und lief auf der Oberseite des von *rufa* dicht besetzten Holzstückes umher: sie wurde während dieser ganzen Zeit von keiner einzigen *rufa* feindlich angegriffen. Die *rufa* schienen ihr vielmehr gar keine Aufmerksamkeit zu schenken, wie einem Gegenstande, an den sie längst schon gewohnt waren. Nachdem in den folgenden Tagen die beiden feindlichen Kolonien getrennte Nester eingerichtet und Waffenstillstand geschlossen hatten, sah ich die *Lomechusa* wiederholt aus dem *sanguinea*-Neste zu *rufa* sich begeben und in deren Nest aus- und einspazieren. Für gewöhnlich verweilte sie jedoch bei *sanguinea*. Einige am Eingange des *rufa*-Nestes befindliche Schildwachen sprangen manchmal auf sie zu und prüften sie mit den Fühlern; der Käfer trillerte dann auf sie mit seinen Fühlern, und die Ameisen ließen ihn unbehelligt weiter laufen.

Am 25. Mai 1888 (Exaeten) setzte ich eine *Lomechusa strumosa* unmittelbar von *F. sanguinea* in ein Beobachtungsnest mit *F. rufa*. Im ersten Augenblick sprangen mehrere *rufa* mit geöffneten Kiefern auf sie los; sobald die *Lomechusa* sie jedoch mit ihren trillernden Fühlern berührte, schlossen sich die drohend geöffneten Kiefer, und

---

1) Die Mitteilung des Lokay'schen Myrmekophilenverzeichnisses, das in der böhmischen Zeitschrift „Živa" (1860) erschien, verdanke ich der Güte von Herrn Dr. O. Nickerl (Prag).

die Ameisen betupften den Gast mit ihren Fühlerspitzen, als ob sie
ihn untersuchen wollten. Bald saß die *Lomechusa* ruhig bei den versammelten Ameisen. Am 29. Mai befand sie sich noch sehr wohl in
dem *rufa*-Neste. Da sie hier bereits endgiltig aufgenommen war,
nahm ich sie heraus und setzte sie zu *F. rufibarbis*. Näheres darüber
später. Es sei nur noch bemerkt, dass diese *Lomechusa*, als ich sie
später wieder zur *Formica sanguinea* (ihrer eigenen Kolonie) zurück-
versetzte, sich dort heimischer zu fühlen schien als bei *rufa*.

Am 30. Mai 1888 setzte ich wiederum eine *Lomechusa* von *sanguinea* unmittelbar zu *rufa*. Nach der ersten Berührung mit den
Fühlern wurde sie sofort aufgenommen. Zehn Minuten später nahm
ich sie heraus und setzte sie unmittelbar zu *F. pratensis*, worüber
später.

Am 1. Mai 1890 (Exaeten) setzte ich eine *Lomechusa* von *F. sanguinea* in ein kleines Beobachtungsnest mit *rufa*, die ich vorher dadurch reizte, dass ich mit einer Pinzette 2 *Dinarda Märkelii* aus ihrem
Neste nahm. Die *Lomechusa* fällt mitten unter die heftig erregten
Ameisen, wird mit den Fühlern berührt, und sofort schließen sich die
Kiefer der vor ihr sitzenden Ameisen. Diese beginnen den Gast mit
ihren Fühlern zu streicheln. Eine von hinten sich nähernde *rufa* sucht
unterdessen den Hinterleib des Käfers mit ihren Kiefern zu packen;
sobald dieser aber mit den zurückgebogenen Fühlern sie betrillert,
lässt sie ihn in Ruhe. Die *Lomechusa* geht hierauf in das Nestinnere
hinab. An demselben Tage sah ich, wie in dem *rufa*-Neste eine
Thiasophila angulata [1]) mehrere Sekunden lang an den gelben Haarbüscheln der *Lomechusa* zerrte und leckte, wovon diese gar keine
Notiz zu nehmen schien. Endlich stieg die *Thiasophila* auf den Rücken
der *Lomechusa* und auf der andern Seite wieder hinab. Am Nachmittag setzte ich die bei *rufa* bereits völlig heimische *Lomechusa*
wiederum zu *F. sanguinea* in ihr altes Nest zurück, wo sie ohne
Zeichen des Misstrauens sofort aufgenommen wurde, als ob sie unterdessen gar nicht in dem Neste einer fremden Ameisenart gewesen wäre.

Am 4. September 1890 (Exaeten) setzte ich eine *Lomechusa*, der
ich beide Fühler an der Basis abgeschnitten, zu *F. rufa*. Anfangs
hatte es den Anschein, als ob dieses Exemplar ebenso unmittelbar
aufgenommen würde wie die im Besitze ihrer Fühler befindlichen
Individuen. Als die fühlerlose *Lomechusa* jedoch nach einigen Minuten
umherlief und die Aufmerksamkeit der Ameisen erregte, wurde sie
von einer *rufa* mit den Kiefern am Kopfe gefasst und umhergeschleppt.
Eine andere ergriff den Käfer gleich darauf an einem Bein, hielt ihn
fest und betupfte ihn mehrere Minuten lang sorgfältig mit ihren
Fühlerspitzen. Eine dritte stürzte auf ihn zu, packte ihn mit den
Kiefern an den Halsschildseiten und biss ihn, ließ ihn aber sogleich

---

1) Ein kleiner, zur Familie der Aleocharinen gehöriger, indifferent ge-
duldeter Gast von *F. rufa* und *pratensis*.

wieder los. Fast jede Ameise, die ihm begegnete, öffnete misstrauisch ihre Kiefer, während sie mit etwas aufgerichtetem Vorderkörper ihn mit den Fühlern prüfte.

Hierauf setzte ich zu denselben *rufa* eine *Lomechusa* m i t Fühlern. Sie fiel bei ihrer Ankunft mitten auf die Oberfläche des kleinen Nestes. Die herbeieilenden *rufa* berührten sie mit den Fühlern, aber keine öffnete ihre Kiefer, um den Käfer anzugreifen. Er blieb mitten unter den Ameisen sitzen, seine Nachbaren leise mit den Fühlern berührend.

Am 5. September waren b e i d e *Lomechusa* bei *F. rufa* aufgenommen und wurden freundschaftlich behandelt. Die Fühlerlosigkeit der einen hatte ihre Aufnahme zwar v e r z ö g e r t aber nicht v e r - h i n d e r t.

Ich setzte nun die Fühlerlose zu einer Anzahl *sanguinea* ihrer eigenen Kolonie zurück. In dem *rufa*-Neste und an der Pinzette, mit welcher ich die *Lomechusa* übertrug, war starker Geruch von der Ameisensäure der *rufa*, die auf die Pinzette gespritzt hatten. Die fühlerlose *Lomechusa* blieb im *sanguinea*-Neste sogleich ruhig sitzen. Mehrere *sanguinea* nacheinander näherten sich ihr, öffneten sämtlich die Kiefer, einige kneipten sogar für einen Augenblick nach dem Hinterleibe des Käfers. Aber nachdem sie ihn einige Sekunden mit den Fühlerspitzen untersucht hatten, zogen sie sich beruhigt zurück. Sie hatten also ihren Gast wieder erkannt, obwohl er keine Fühler hatte und ihm der Geruch von *rufa* anhaftete.

(Schluss folgt.)

Versuche über die künstliche Vermehrung kleiner Crustaceen.

Von Dr. **W. Kochs**,

Privatdozent in Bonn.

In den letzten 20 Jahren sind die Fischzüchter immer mehr zu der Ueberzeugung gelangt, dass die Kenntnis und Verbreitung der kleinen Kruster und anderer niederer Süßwasserbewohner für die Fischerei von großem Vorteile ist. Das Wachstum der jungen Brut, die Vermehrungsfähigkeit der ausgewachsenen Individuen wird bei gleich günstigen Allgemeinbedingungen vor allem bestimmt durch die Leichtigkeit gute Nahrung regelmäßig und womöglich im Ueberfluss zu erlangen.

Auf dem internationalen land- und forstwissenschaftlichen Kongress in Wien 1890 hat E m i l W e e g e r einen wertvollen Vortrag über dieses Thema gehalten; derselbe ist später, begleitet von einer Tafel, welche — „stark vergrößerte Abbildungen mehrerer Arten in Seen, Teichen, Tümpeln, Lachen, Flüssen und Bächen Mittel-Europas häufig vorkommender, den Fischen zur Nahrung dienender Krebstierchen und einiger zur Familie der Mücken, Köcherjungfern und Eintagsfliegen gehörigen Fluginsekten“ — darbietet, im Druck erschienen. Nach diesem Vortrage sprach Victor Burda, Teichwirt in Bielitz, über dieselbe Frage vom Standpunkte der großen Teichwirtschaften und äußerte sich wie folgt:

„Welche Bedeutung die kleinsten Wassergeschöpfe für den Salmonidenzüchter besitzen, hat mein Vorredner (Herr Weeger) in seinem überaus lehrreichen Vortrage soeben erörtert. Gerade uns Karpfenzüchter mussten seine Auseinandersetzungen fesseln, betreffen sie ja ein Thema, das in Fachkreisen in Kurzem mit Recht zu den modernsten gehören dürfte, denn seitdem unser hochverdienter Fachgenosse, Herr Direktor Susta, den Schleier gelüftet, hinter dem sich die Ernährungsfrage des Karpfen die längste Zeit verborgen hielt, wissen wir, dass der integrierende Teil der Nahrung des Karpfen nicht nur, wie bei den Salmoniden, in der frühesten Jugend, sondern auch in jedem Lebensalter aus Tieren besteht".

„Sollten wir uns da nicht der von Herrn Weeger angegebenen künstlichen Zuchtmethoden für die kleine Wasserfauna bedienen? Was im Kleinen rationell erscheint, würde im teichwirtschaftlichen Großbetrieb den Stempel der Spielerei tragen, deren Effekt dem Tropfen im Meere gleichkäme".

Des Weiteren gibt dann Herr Burda von seinem Standpunkte einige Maßnahmen an, durch welche der Teichwirt auf das Gedeihen der kleinen Wasserfauna einwirken könne.

Von dem richtigen Gedanken ausgehend, dass die kleinen Kruster von Infusorien leben und diese nur bei Vorhandensein von in Zersetzung begriffenen Pflanzen und Tierkörpern gedeihen, sucht er vor Allem dem Teiche die nötige geeignete Nahrung zuzuführen. Er sagt: „Die den Infusorien als Nahrung dienenden verwesenden Materien sind sowohl auf dem Teichgrunde angesammelt, wie auch im Wasser mechanisch verteilt und verleihen demselben die trübe Färbung. Was letztere betrifft, so entstammen sie teils dem Teichgrunde selbst, teils gelangen sie mit dem Zuflusse in den Teich hinein, in welchem Falle sie je nach den Terrain- und Wasserverhältnissen größeren oder kleineren näher oder entfernter gelegenen Ländereien entstammen. Je üppiger und fruchtbarer diese sind, desto höhere Bedeutung müssen wir den Bestandteilen zumessen, die sie bei eintretenden Niederschlägen besonders in kupierten Lagen dem Teiche zusenden. Während rapider Regengüsse heißt es also auf den Beinen sein, die Einflussstellen revidieren, damit von dem trüben Wasser möglichst viel in den Teich hineingelangt". So zweifellos richtig diese Ausführungen auch sind, so muss man doch sagen, dass der Gewinn der Teiche auf Kosten der umliegenden Terrains stattfindet, weil diese durch starke Regen ausgelaugt werden. Allerdings würden beträchtliche Werte, welche in Form kostbarer organischer und anorganischer Substanzen vom Feld in den Bach, vom Bach in den Strom und vom Strom ins Meer abgeschwemmt werden, jahrein jahraus dem Lande verloren gehen, wenn sie nicht in Teichen aufgefangen und in Fischfleisch umgewandelt würden. Eine vollkommene Teichwirtschaft darf aber nicht vom Zufalle abhängig sein und ebenso wie der Landwirt dem Acker jährlich eine bestimmte Düngermenge von geeigneter Zusammensetzung zuführt ohne ein Nachbarterrain zu schädigen, um die Erträge zu sichern, wird es die Aufgabe der Zukunft sein ein gleiches Verfahren für die Teichwirtschaft zu ermitteln.

Die im Folgenden beschriebenen Maßnahmen dürften das zu verlangende in praktisch gut durchführbarer Weise leisten.

Seit einem Jahre habe ich versucht, die auf der Weeger'schen Tafel verzeichneten Crustaceen einzufangen und in Gläsern von 8 bis 10 Liter Inhalt weiterzuzüchten, um ihre Lebensbedingungen genauer kennen zu lernen.

Gefunden habe ich dieselben nur in Tümpeln, welche aus der Nachbarschaft Düngstoffe erhielten oder durch tierische Kadaver verunreinigt waren. In einem Falle, einem Tümpel in einer Thongrube bei Witterschlick, konnte ich genau feststellen, dass von einem rebenliegenden abschüssigen Obstgarten, in welchem zahlreiche Düngerhaufen lagen, der Regen sogar Düngerteile in den Tümpel getrieben hatte. Eine mächtige Vegetation und zahllose Kruster waren die Folge, während in den zahlreichen benachbarten durchaus gleichartigen Tümpeln kaum etwas lebendiges zu entdecken war. Es ist nicht notwendig viele Individuen zu fangen, da dieselben sich sehr leicht vermehren. Um aber leicht die zwischen den Wasserpflanzen sich aufhaltenden Arten vollständig zu bekommen, benutzte ich eine birnförmige Glaspipette von 1 Liter Inhalt und 1,5 m langem starkwandigem engen Rohr an einem Ende, während das andere Ende der Birne eine etwa 1 cm weite Oeffnung hat. Tauche ich nun das birnförmige Gefäß, während ich das Ende des engen Rohres verschließe zwischen die Pflanzen unter, so schießt beim Oeffnen der engen Röhre das Wasser schnell in den 1 Liter großen Raum, die kleinen Tiere mitreißend. Schließe ich dann wieder das enge Rohr mit dem Daumen, so kann ich leicht ohne Verlust 1 Liter Wasser, welches zumeist große Mengen kleiner Wassertiere enthält, herausheben. Mit Mullnetzen ist es nicht möglich auch nur annähernd so viel zu fangen; zwischen Wasserpflanzen sind dieselben gar nicht brauchbar; auch sind die Tiere nicht leicht aus dem Netze zu entfernen.

Seit Juni 1891 habe ich dann in meiner Privatwohnung, sowohl in einer im Winter geheizten Stube als auch im Freien, ferner in einem ungeheizten aber fast frostfreien Raume des pharmakologischen Institutes, sowie von Januar ab in dem sehr großen Temperaturschwankungen ausgesetzten tierphysiologischen Laboratorium der Akademie in Poppelsdorf eine Anzahl großer Gläser als Aquarien in verschiedener Weise hergerichtet, beobachtet, nachdem ich in jedes alle nur möglichen Arten kleiner Kruster hineingebracht hatte.

Ein Teil der Aquarien war so beschickt, wie es Weeger angibt: Auf dem Boden befanden sich 10 cm Gartenerde, welche mit Dünger-jauche getränkt war, darauf brachte ich Schlamm aus den mit Kruster besetzten Tümpeln, hierauf trockene Blätter von Haselnuss- und Weiden-sträuchern und etwa 30 cm hoch Wasser. Mit dem Schlamme waren auch einige fadenförmige Algen, Wasserlinse und einige andere kleine Wasserpflanzen in die Aquarien gekommen. Nach 14 Tagen entwickel-ten sich in allen Aquarien zahlreiche Muschelkrebse, Flohkrebse, Wasser-asseln, Infusorien, einzellige grüne Algen, große Filze von fadenförmigen Algen und eine dichte Decke von Wasserlinse. Die Aquarien, welche am wärmsten gewesen waren, hatten sich schneller und besser ent-wickelt. Im Ganzen schien aber die Pflanzenwelt mehr zu gedeihen als die Tierwelt. Ein Herausfangen der kleinen Kruster mit einer geeigneten Pipette ergab gegenüber den in der Natur beobachteten Mengen relativ geringe Quantitäten.

Durch Versuche stellte ich dann fest, dass die Mehrzahl der kleinen Kruster sehr empfindlich gegen nur einigermaßen bemerkbare Mengen Ammoniak, Schwefelwasserstoff oder gar freie Säuren sind, wie das auch Weeger angibt.

Offenbar wird bei den nach Weeger angesetzten Aquarien nur zuweilen das Optimum für das Gedeihen der Kruster zufällig gegeben. Es tritt dann eine zumeist sehr schnell vorübergehende Blüteperiode ein, in der sich sehr viele Individuen entwickeln. Durch kleine Stücke Fleisch und Dünger versuchte ich die Vermehrung oftmals mit mehr oder minder Erfolg zu beschleunigen und größere Individuen zu er-zielen, was noch am besten mit den Wasserasseln gelang.

Diese Versuche führten mich bald zu der Ueberzeugung, dass ein Wasser, in welchem die Kruster gut gedeihen und sich stark ver-mehren, für die meisten Fische zu unrein ist. Da ferner die Kruster sehr warmes ruhiges Wasser benötigen, so können dieselben nur in ganz flachen, sich durch die Sonne stark erwärmenden Pfützen mit vielen Wasserpflanzen gezogen werden, woraus sich mit Not-wendigkeit ergibt, dass die Zucht dieser zur Fischnah-rung dienender Wesen von den Fischen ganz zu trennen ist. Im gleichen Wasser gedeiht entweder die kleine Wasserfauna und dann können die meisten Fische nicht leben oder umgekehrt. Durch besondere Versuche habe ich dann noch festgestellt, dass bei einer Wasserbeschaffenbeit, welche für das Wachstum, speziell der mikroskopischen Pflanzenwelt, die beste ist, die kleinen Kruster kaum am Leben bleiben.

Wenn man das stark kalkhaltige Wasser der Bonner Wasser-leitung pro Liter mit 0,1 Ammonium nitricum und 0,1 Kali biphos-phoricum, sowie einer Spur Ferrum sulfuricum versetzt und dazu nur eine kleine Menge Wasserpflanzen fügt, erhält man selbst bei 10—12° bald intensiv grünes undurchsichtiges Wasser, welches von zahllosen

kleinen Algen ganz schleimig ist. *Daphnia* und *Cypris* gedeihen kaum
darin.

Meine Absicht, zuerst in geeigneter Weise große Mengen grünen,
pflanzenreichen Wassers zu erzielen und hierdurch die kleinen Kruster
zu ernähren erwies sich als ganz undurchführbar. Richtig ist, dass
viele Kruster von mikroskopischen Pflanzen leben, aber das Optimum
ihrer Lebensbedingungen fällt nicht mit dem Optimum für die Pflanzen
zusammen.

In der Natur sind die Kruster auch nur in gut durchsichtigem
Wasser; ferner enthielten alle seit Jahren für diese Wesen erprobt
guten Aquarien, welche ich sah, große Wasserpflanzen, aber durchaus
durchsichtiges Wasser.

Späterhin verfuhr ich dann nach folgender Ueberlegung:

Wenn eine Methode der künstlichen Zucht kleiner Kruster praktisch brauchbar sein soll, müssen die zu verwendenden Materialien
überall leicht, gleichmäßig und hinreichend billig beschafft werden
können.

Soll die Zucht in besondern Behältern stattfinden, muss es leicht
sein die Tiere rein abzufischen, um sie den Fischen zuzuführen. Soll
für die große Teichwirtschaft ein wirklicher Nutzen resultieren und
das ganze keine Spielerei mit ungenügenden Mitteln sein, muss das
Verfahren in irgend einer Weise mit dem großen Teiche in Verbindung
gebracht werden können. Folgende Versuche führten mich zu dem,
wie ich glaube, brauchbaren Verfahren.

Wenn man in zwei Gläser von etwa 10 Liter Wasserinhalt je
100 g frischen Kuhdünger ohne Streustroh derart hineingibt, dass in
dem einen Glase der Dünger sich ganz verteilen kann, während die
100 g des andern Glases sich in einem kleinen Becherglase befinden,
welches durch ein Drahtnetz zugebunden ist, so bemerkt man besonders bei wärmerer Witterung, dass in dem ersten Glase alsbald
eine heftige Zersetzung eintritt. Es bilden sich dicke Häute von
Bakterien, die Flüssigkeit wird hellbraun und riecht intensiv nach
Moschus und Ammoniak. Bei den angegebenen Verhältnissen können
sich bei nicht zu großer Hitze *Cypris* und auch *Daphnia* in dieser
stinkenden Jauche halten und sogar vermehren. Das zweite Glas, in
welchem der Kuhdünger im Becherglase eingeschlossen ist, hat dagegen fast keinen Geruch. Durch die im Kuhdünger stattfindende
Gasbildung steigt das Glas meist bald mit dem Boden nach oben an
die Oberfläche des Wassers, welche sich mit einer aus zahllosen Bakterien und Infusorien bestehenden Haut bedeckt. Die Außenfläche des
Becherglases sowie der Boden des ganzen Gefäßes sind bald mit
einem weißen Schleim, der ebenfalls aus Bakterien und Infusorien
besteht, überzogen. Erst nach längerer Zeit entwickeln sich chlorophyllhaltige Organismen in größerer Menge. In einem solchen Glase
vermehren sich *Daphnia, Cypris, Cyclops* und noch viele andere kleine

Kruster ganz ausgezeichnet. Das Drahtnetz, welches den Kuhdünger
verhindert sich mit dem Wasser zu mischen, ist immer dicht besetzt
von Nahrung an der Quelle suchenden kleinen Krustern. Da im
Uebrigen das Wasser fast klar bleibt, kann man die Tierchen leicht
rein abfangen und überzeugt sich bald von der ungeheueren Produk-
tivität der Anlage.

Es findet unter dem Einfluss von Wasser und Wärme eine groß-
artige Weiterentwicklung der im Kuhdünger vorhandenen zahllosen
Mikroorganismen statt, welche die unverdauten Teile des Düngers
verzehren und ihrerseits den kleinen Krustern zur Nahrung dienen.
Im Verlaufe der Monate Mai, Juni und Juli war fast der ganze Kuh-
dunger verschwunden. Füttert man hiermit kleine Karpfen oder Gold-
fische, wie ich dieses längere Zeit durchführte, so hat man eine glatte
Verwandelung von Kuhdünger in Fischfleisch, fast ohne Beihilfe von
Pflanzen.

In letzter Zeit habe ich den *Gammarus pulex* im Endenicher Bache
bei Bonn in großer Menge zwischen alten im Bache liegenden Ziegel-
steinen und halb faulem Reisig gefunden, ohne dass weder im Wasser
noch im Schlamm chlorophyllhaltige Zellen zu finden waren. Das
Wasser des Baches war aber trübe, weil der Unrat mehrerer Ortschaften hineinfließt.

Auch dieser relativ große Krebs gedeiht ganz vorzüglich in den
mit Kuhdünger wie oben beschrieben beschickten Aquarien, wenn
man etwas trockenes Reisig hineingibt.

Für die Praxis wird es je nach den örtlichen Verhältnissen leicht
sein, in großem Maßstabe diesen Umwandlungsprozess von Kuhdünger
in Fischfleisch zu bewerkstelligen.

Am besten dürfte wohl sein, auf den Ufern des Teiches lange
schmale, etwa 1 m breite, höchstens 25 cm tiefe Gräben anzulegen,
welche mit dem Teich durch zahlreiche enge Gräben in Verbindung
stehen. In diese Gräben müsste dann der Kuhdünger in durch-
löcherten Kisten oder großen Blumentöpfen vor den Strahlen der
Sonne geschützt hineingebracht werden. Die stärkere Erwärmung
des flachen stehenden Wassers durch die Sonne und der Gehalt an
Düngstoffen werden große Mengen Infusorien und Kruster erzielen,
welche auch durch die Schwankungen des Wasserstandes in den
Teich entleert werden. Wenn nun die Ufer des Teiches möglichst
flach sind, so werden auf dieser Fläche die Düngstoffe sich ablagern
und das für die Zucht der kleinen Kruster gute Terrain vergrößern
und den eigentlichen Futterplatz für die jungen Fische bilden. Besonders empfindlich sind alle die in Frage kommenden Wesen gegen
Licht. Alte Ziegelsteine, Reisig, Blätter u. dergl. müssen sowohl in
den Zuchtgräben als auf den Ufern sein, damit die Tiere den nötigen
Schutz finden. Ueppiges Wachstum von Wasserpflanzen, speziell der

Wasserlinse ist zu bekämpfen, weil zeitweise durch diese Pflanzen
dem Wasser zu viel Nährstoffe entzogen werden, d. h. in den Pflanzen
in einer Form aufgespeichert werden, in der sie für die uns interessierenden Tiere nicht nutzbar werden können.

Im Winter müssen die Zuchtgräben womöglich trocken sein und
gut durchfrieren. Die im Schlamme liegenden Wintereier der kleinen
Kruster entwickeln sich dann im Frühjahre besser und zahlreicher,
als wenn sie den Winter unter Wasser verbrachten. Die Gründe für
dieses eigentümliche Verhalten festzustellen, dürfte sehr interessant,
aber auch sehr schwierig sein. Den Schlamm mehrerer Aquarien
habe ich im vorigen Herbst in einer offenen Kiste der Sonne, dem
Regen und dem Froste ausgesetzt, indem ich die Kiste in einer Dachrinne meines Hauses aufstellte. Als ich Anfangs März dann Proben
in Gläser mit ausgekochtem Wasserleitungswasser in meine geheizte
Stube stellte, entwickelten sich in 3 Wochen zahlreiche Cypris, Daphnien und mikroskopische Rädertiere, speziell *Hydatina senta*, und Infusorien. Jedenfalls haben die betreffenden Eier mehrfach 10^0 unter
Null ausgehalten. Ende Mai habe ich nochmals mehrere Portionen desselben, bis dahin lufttrockenen Schlammes in ausgekochtes Wasser
gegeben und nach 14 Tagen waren wieder zahlreiche Kruster entwickelt. Indem man größere Mengen eihaltigen Schlammes im Herbste
trocknet, kann man im Frühjahr und im Sommer leicht die richtigen
Futtertiere zur richtigen Zeit züchten. Um keine unrichtigen Vorstellungen hervorzurufen, sei nur hinsichtlich des Trocknens der
Eier bemerkt, dass dieselben einer Trocknung über Schwefelsäure
und Phosphorsäureanhydrid nicht Widerstand leisten, sondern alle
absterben, wie ich mich öfters überzeugte. Ich bemerke dieses, weil
man vielfach liest, dass die Eier niederer Tiere im völlig trockenen
Schlamme der Tümpel ein oder mehrere Jahre aushalten. Selbst der
durch Sonnenbrand gerissene Schlamm enthält stets noch mehrere
Prozent Wasser; derselbe wird nur durch eine Temperatur von
150^0 zur Gewichtskonstanz gebracht. Abgesehen von Thau und
Regen kommt demnach ein Austrocknen der Eier in der
Natur überhaupt nicht vor. Durch besondere Versuche habe
ich mich an Weinbergschnecken überzeugt, dass ihre lebendige Leibessubstanz unter gewöhnlichen Verhältnissen, selbst in geheizter Stube,
auch in Jahresfrist nicht trocken wird, überhaupt, sobald einmal
ein Deckelchen gebildet ist, nur in künstlich getrockneter Luft Wasser
bis zum Tode des Tieres verliert; und dieser erfolgt eher als bis alles
Wasser abgegeben ist. Während der frostfreien Jahreszeit werden
die durch langsame Zersetzung organischer Substanzen am Boden der
Gewässer zunächst sich bildenden giftigen Substanzen durch das
Pflanzenleben zerstört. Im Winter, wo dieses oft längere Zeit nicht
stattfindet, werden leicht durch die Anhäufung dieser Gifte die Wassertiere und auch die Eier der niederen Tieren gefährdet. Halb zer-

setzte organische Substanzen werden durch ein Durchfrieren gelockert und später nur noch leichter zergehen. Austrocknen und Durchfrieren des Schlammes ist daher nur nützlich.

Ueber die Funktion des Pankreas (Bauchspeicheldrüse).

Vorläufige Mitteilung.

Von Professor **Andrea Capparelli**.

Vor der Revision der bekannten Phänomene, welche man infolge der Exstirpation des Pankreas erhält, wissend, dass sich dem Fortschritte dieser Studien eine fast unbesiegbare Schwierigkeit, die vollständige Exstirpation des Organs entgegenstellte, da, wie bekannt, ein großer Teil der Tiere, welchen das Pankreas exstirpiert wurde, durch Gangrän des Zwölffingerdarmes untergehen, beschäftigte ich mich mit der Suche nach einem Operationsverfahren, welches im Stande wäre, die des Pankreas beraubten Tiere am Leben zu erhalten.

Und in· der That fand ich, dass die Exstirpation des Pankreas, ohne dabei die Centralgefäße und die peritoneale Bekleidung zu verletzen, nicht mehr den Tod der operierten Tiere verursacht.

So gelang es mir die auf diese Art und Weise operierten Tiere nicht nur für lange Zeit am Leben zu erhalten, sondern die Operation selbst wurde nach und nach so geläufig in meinem Laboratorium, dass Assistenten und Studenten dieselbe schon unternommen haben und die gleichen Resultate erzielten.

Da ich somit eine größere Anzahl von Tieren am Leben erhalten konnte, wollte ich alle streitigen Punkte der Mering'schen und Minkowski'schen Experimente kontrollieren.

Ich konnte, wie die zitierten Verfasser, konstatieren, dass der vollständigen Exstirpation des Pankreas stets die Glukosurie und die zehrende Form des Diabetes folgt.

Ich habe außerdem durch Experimente festgestellt, dass die von De Dominicis angedeutete Form von Diabetes insipidus, die sogenannten Fälle von intermittierendem Diabetes und die tardive Erscheinung des Diabetes stets die Folge von kleinen Pankreasbruchstückchen sind, welche während der Exstirpation vergessen wurden.

Anstatt Diabetes mellitus erhielt ich Diabetes insipidus in meinen Experimenten in dem Falle, dass hinter dem Bauchfell Pankreasbruchstückchen vorgefunden wurden, welche nur ein Gewicht von einem Gramm oder 50 Centigramm hatten.

Augenscheinlich werden wir, wenn diese isolierten und zu einer intermittierenden Funktion fähigen Bruchstückchen zurückbleiben, die intermittierende Form des Diabetes mellitus erhalten; wenn diese

Bruchstückchen alsdann entweder durch den Vernarbungs- oder Involutionsprozess zerstört werden, wird sich Diabetes mellitus entwickeln.

Außerdem wollte ich experimentell feststellen, ob infolge von Einspritzungen des pankreatischen Saftes in die des Pankreas beraubten Tiere die Glukosurie aufhörte, um definitiv zu beweisen, dass das Pankreas wirklich ein Produkt in das Blut ergießt, welches sich der Bildung des Zuckers im Organismus entgegenstellt.

Mit mir zu gleicher Zeit versuchten die Herren Hédon und De Dominicis ein ähnliches Experiment, aber diese bewährten Verfasser erzielten negative Resultate.

Bei Anwendung der folgenden speziellen Methode erzielte ich dagegen stets positive Resultate: Ich bediente mich des von einem kaum getöteten Hunde entnommenen Pankreas und zerrieb es fein in 0,76 % Kochsalzwasser. Diese Mischung spritzte ich alsdann in die Bauchhöhle eines durch die Exstirpation des Pankreas diabetisch gemachten Hundes; schon nach kaum drei Stunden fing der Zucker im Urin an sich zu vermindern und in den meisten Fällen verschwand er bald darauf vollständig.

Auf Grund der Phänomene, welche die des Pankreas beraubten Hunde darbieten, kam mir der Verdacht, dass die Glukosurie von der anormalen Resorption des Speichels abhängen könne. Ich versuchte alsdann Einspritzungen von filtriertem menschlichen Speichel durch die Vena jugularis. Diese Einspritzungen erniedrigten die Temperatur der Hunde und der Kaninchen sofort um 2 bis 3° C. Man kann mithin einen beträchtlichen hypothermischen Zustand determinieren. Der für mehrere hintereinanderfolgende Tage sich selbst überlassene Urin weist vor den Einspritzungen keinerlei Niederschläge von phosphorsauren Ammoniak-Magnesiakrystallen auf, wird dagegen nach den Einspritzungen reich an diesem Salz, zeigt eine Verminderung des spezifischen Gewichtes und wird weniger sauer. In anderen Worten, der Urin zeigt eine erhebliche Aenderung der gewöhnlichen Bestandteile, was eine Idee von den Ernährungsstörungen gibt, welche der Speicheleinführung in das Blut folgen.

Nun wohl, die Hypothermie und die Phosphaturie sind zwei beständige Phänomene des experimentellen pankreatischen Diabetes. Dieselben beiden Phänomene determinieren sich in den Tieren durch die Speicheleinspritzungen in die Venen, nur dass in diesem Falle die Symptome transitorisch sind, denn transitorisch ist die Speicheleinführung, während in der experimentellen pankreatischen Diabetes die Symptome permanent sind, weil auch die Speichelresorption durch den Darm permanent ist. Ich erzielte außerdem eine leichte und eine gewisse Zeit anhaltende Glukosurie. Ich schreibe diese Glukosurie der raschen Einführung des diastasischen Fermentes in die Gewebe zu, während das von dem Pankreas auf dem Wege der

Gefäße ergossene Material auf das diastatische Ferment einwirken und dessen physiologische Wirkung vertilgen kann.

Auf Grund meiner Beobachtungen glaube ich·feststellen zu können, dass sich bei dem experimentellen Diabetes zwei Arten von Störungen produzieren. Die einen sind an die Abwesenheit des pankreatischen Saftes im Darm gebunden, daher die Ernährungsstörungen, welche der morböse und zehrende Diabetes insipidus erzeugt. Die anderen dagegen, wie die Glukosurie, sind einzig und allein der Abwesenheit eines aus dem Pankreas abgesonderten und direkt in das Blut ergossenen Materials zuzuschreiben; dies Material verhindert die Transformation des Glykogens in Glukose, welche ohne diese Verhinderung das diastatische Ferment des Speichels bewirken würde.

Es ist wahrscheinlich, dass die Phosphaturie, die Hypothermie und die Glukosurie von der raschen Einführung des Speichels in das Blut durch die Vena Porta in Abhängigkeit stehen.

Laboratorio di Fisiologia Sperimentale dell' Università di Catania. Juni 1892.

Berichtigung von Dr. C. Apstein in Kiel.

In meinem Aufsatze: Quantitative Plankton-Studien im Süßwasser (Biol. Centralbl., Bd. 12, Nr. 16, 17) konnte ich die Namen einiger Organismen nicht mit vollkommener Sicherheit angeben, da ich von einigen kein lebendes Material hatte untersuchen können. Jetzt habe ich dieselben lebend beobachtet und will hier gleich die endgiltigen Namen anführen. Das im Juli so zahlreich vorhandene Rädertier ist *Pompholyx sulcata* Huds. (S. 490, 504). Die Diatomee, die ich als *Staurosira Smithiana* anführte, ist *Synedra crotonensis* var. *prolongata* Grun. (S. 490, 501, 505).

Außerdem muss es heißen:

S. 490 Zeile 7 v. o.: *Asterionella gracillima*,
S. 493 Zeile 23 v. o.: 136 (statt 137),
S. 508 Zeile 1 v. u.: *Cyclops* (statt *Cyclo*).

Verlag von Eduard Besold in Leipzig. — Druck der kgl. bayer. Hof- und Univ.-Buchdruckerei von Fr. Junge (Firma: Junge & Sohn) in Erlangen.

Biologisches Centralblatt

unter Mitwirkung von

Dr. M. Reess   und   Dr. E. Selenka

Prof. der Botanik   Prof. der Zoologie

herausgegeben von

Dr. J. Rosenthal

Prof. der Physiologie in Erlangen.

24 Nummern von je 2 Bogen bilden einen Band. Preis des Bandes 16 Mark.
Zu beziehen durch alle Buchhandlungen und Postanstalten.

XII. Band.   1. November 1892.   **Nr. 20 u. 21.**

Welche Umstände befördern und welche hemmen das Blühen der Pflanzen.

Von M. Möbius in Heidelberg.

Im Anfang dieses Jahres erhielt ich von Herrn Dr. Franz
Benecke, Direktor der Versuchstation für Zuckerrohrkultur zu
Klaten auf Java, die Aufforderung, das im Titel genannte Thema zu
bearbeiten und die Arbeit in den Mitteilungen der Versuchsstation
erscheinen zu lassen. Dr. Benecke ging dabei von der Ansicht aus,
dass man auf Grund einer Erörterung, welche sich mit der Erscheinung
des Blühens im Allgemeinen befasst, der Frage näher treten könne,
welche Faktoren speziell beim Zuckerrohr auf das Blühen desselben
von Einfluss sind, um aus deren Kenntnis eventuell Maßregeln ableiten
zu können, die das dem Pflanzer unliebsame Blühen beim Rohr verhindern. Ich ging auf den mir gemachten Vorschlag sehr gern ein,
da auch mir eine Zusammenstellung der Umstände, welche das Blühen
der Pflanzen befördern oder hemmen, in der Litteratur der Pflanzen-
biologie nicht bekannt war und ich glaubte, einen Beitrag zur Aus-
füllung dieser Lücke liefern zu können. So ist die vorliegende kleine
Arbeit entstanden, die in den „Mededeelingen van het Proefstation
„Midden-Java“ te Klaten“ (Semarang, G. C. T. van Dorp & Co. 1892,
gedruckt in Heidelberg) erschienen ist, versehen mit einer von Dr.
Benecke geschriebenen Vorrede und einer von mir beigefügten kurzen
Inhaltsangabe, beide in deutscher und holländischer Sprache abgedruckt. In dieser Form der Veröffentlichung wird die Arbeit wohl

XII.   39

nur wenigen deutschen Lesern zu Gesicht kommen, vielleicht aber sind noch einige andere da, die Interesse an dem Gegenstand nehmen aus diesen Gründen dürfte sich ein erneuter Abdruck in dieser Zeitschrift rechtfertigen lassen. Ich habe dabei den vorhandenen Text nicht ändern wollen, obgleich er wohl manches enthält, was den meisten selbstverständlich und bekannt erscheint, es möge dies mit der ursprünglichen Bestimmung, welche diese Schrift hatte, entschuldigt werden.

Alle höheren Pflanzen bilden in einem gewissen Stadium ihrer Entwicklung besondere Sprosse aus, an denen die Geschlechtsorgane angelegt werden und die wir als Blüten bezeichnen. Da sich unter normalen Umständen aus der Blüte die Frucht mit dem Samen entwickelt, so ist die Blüte ein Organ, das zur geschlechtlichen Vermehrung der Pflanze, zur Reproduktion, dient. In der Regel unterscheiden sich die Blüten äußerlich so von den vegetativen Teilen der Pflanze, dass man beim ersten Anblick sieht, ob die Pflanze blüht oder nicht. Es sind dann gewöhnlich die die Blütenhülle bildenden Blattorgane, welche durch ihre andere Gestalt oder Farbe sich bemerkbar machen. Bisweilen fehlen aber auch die Hüllorgane und es sind nur die Geschlechtsorgane, die Staubgefäße als die männlichen und die Pistille als die weiblichen, vorhanden. Die Ausbildung dieser Teile ist, wie schon eingangs erwähnt, nur den höheren Pflanzen eigentümlich, die Linné als *Phanerogamen* zusammengefasst und den *Cryptogamen* gegenübergestellt hat. Letztere (die *Farnpflanzen* im weitesten Sinne, die *Moose, Algen, Flechten, Pilze*) besitzen entweder keine Geschlechtsorgane, wie viele Pilze, oder dieselben sind doch nicht in der Form von Staubgefäßen und Pistillen ausgebildet. Zwar könnte man auch bei den *Cryptogamen* den Zustand, in welchem sie ihre Geschlechtsorgane oder die Organe, in denen die Sporen erzeugt werden sollen, entwickeln, als Blühen bezeichnen. Allein man pflegt es nicht zu thun und thut recht daran, denn die betreffenden Organe der *Cryptogamen* haben eine ganz andere morphologische Natur als die Blüten der *Phanerogamen*. Nur die letzteren haben echte Blüten und werden deshalb mit Recht als Blütenpflanzen den *Cryptogamen* als blütenlosen Pflanzen gegenübergestellt. Wenn man also von einem Moos, das seine Geschlechtsorgane in besonderen Hüllen oder auf besonderen Trägern entwickelt, oder von einem Farn, der im Begriff ist, die Sporen zu bilden, sagt, die Pflanze „blühe", so muss man sich bewusst sein, dass man diesen Ausdruck in übertragenem Sinne anwendet. Es braucht deshalb kaum noch besonders bemerkt zu werden, dass wir uns im Folgenden nur mit den Blütenpflanzen oder *Pharerogamen* zu beschäftigen haben werden.

Das Blühen einer Pflanze bedingt nicht immer deren Fruchten, denn abgesehen davon, dass Pflanzen, welche nur männliche Blüten hatten, keine Früchte produzieren können, so gibt es bekanntlich auch Fälle, wo aus den weiblichen Organen sich keine Früchte entwickeln, sei es dass die Befruchtung ausgeblieben ist, sei es dass trotz erfolgter Befruchtung die Ungunst äußerer Verhältnisse die Blüte nicht zur Frucht reifen ließ. Für die Vermehrung der Pflanzen, also für die Erhaltung der Species, kommt es natürlich nur darauf an, ob die Früchte und deren Samen reifen, und ein erfolgloses Blühen hat nicht mehr Wert als das Ausbleiben der Blüte überhaupt. Ebenso bei denjenigen Pflanzen, die wir ihrer Früchte oder Samen wegen kultivieren: es kann uns nichts nützen, wenn sie noch so reichlich geblüht haben und dann doch keine Früchte ansetzen[1]). Deshalb hat man immer mehr Aufmerksamkeit auf die Verhältnisse gerichtet, von denen die Fruchtbildung der Pflanzen abhängt, als auf diejenigen, welche das Blühen hemmen oder befördern.

Es ist mir keine Schrift bekannt geworden, welche diesen Gegenstand speziell behandelt, aber es werden vereinzelte Beobachtungen mitgeteilt, die von Unregelmäßigkeiten im Blühen berichten oder einzelne Umstände behandeln, welche auf die Blütenbildung von Einfluss sind. Deshalb ging ich gern auf den Vorschlag des Herrn Dr. Franz Benecke ein, eine solche Untersuchung in Rücksicht auf die im Vorwort dargelegten Zwecke zu unternehmen und den Verhältnissen nachzuforschen, auf denen die zu beobachtenden Eigentümlichkeiten im Blühen der Pflanzen beruhen.

Wir sehen, dass die einen Pflanzen nur in einer kurzen Periode ihrer Entwicklung blühen, während andere, besonders tropische, fast unausgesetzt immer neue Blüten produzieren; es gelingt in der Kultur bei der einen Pflanze leicht, bei der andern schwer, sie zum Blühen zu bringen; auch dieselbe Pflanze kann sich verschieden verhalten: wenn sie in dem Klima ihrer Heimat leicht blüht, so gelangt sie in einem andern Klima, das ihrem Gedeihen sonst nicht schadet, nicht zur Blüte; schließlich verhält sich eine Pflanze auch in verschiedenen Jahren ungleich, in dem einen Jahre blüht sie reichlich, in dem andern wenig oder gar nicht.

Für letztgenannten Fall bietet das *Zuckerrohr* ein gutes Beispiel, über welches folgende Angaben eines durchaus sachverständigen Forschers [2]) vorliegen.

---

1) Ich hatte schon früher Gelegenheit, auf die Erscheinung hinzuweisen, dass es Pflanzen gibt, die regelmäßig die Ausbildung reifer Samen unterlassen, indem sie entweder keine Blüten und nur vegetative Vermehrungsorgane bilden und zwar blühen, aber keine Früchte reifen (conf. meine Abhandlung: Over de gevolgen van voortdurene vermenigvuldiging der Phanerogamen langs geslachteloozen weg in Mededeelingen van het Proefstation „Midden-Java" te Semarang. 1890, p. 4—6).

2) Dr. Benecke in der Vorrede zu dieser Abhandlung im „Mededeelingen . . ." Es möge dadurch auch meine aus Häckels Bearbeitung der *Gramineen* (in Engler-Prantl's natürlichen Pflanzenfamilien) entnommene Notiz (im Biolog. Centralbl., Bd. IX, S. 36) über das seltene Blühen des Zuckerrohrs berichtigt werden.

„In der Litteratur wird bis auf die neueste Zeit die Behauptung aufgestellt, dass das Zuckerrohr „selten" blüht. Jeder Pflanzer auf Java weiß, dass dies *leider* [1]) nicht der Fall ist. Woher dieser Irrtum stammt, ist mir unbekannt; immerhin ist nicht unmöglich, dass es Gegenden gibt, wo das kultivierte Zuckerrohr klimatischer Verhältnisse wegen bis zur Zeit seiner Verarbeitung nicht zur Blüte gelangt; darauf könnte die irrtümlicher Weise *allgemein* gehaltene Behauptung basieren.

Wir haben Jahre auf Java, in welchen das Zuckerrohr *überreichlich* blüht, so dass man schon aus weiter Ferne die Zuckerrohrfelder an den wallenden Blütenbüschen erkennt, die aus Hunderttausenden von einzelnen Inflorescenzen bestehen. In solchen Jahren können *nicht*-blühende Felder zu den Seltenheiten gehören. Anderseits gibt es Jahre, in welchen im Allgemeinen wenig Blütenstände sichtbar sind. Schließlich kommen Jahre vor, in welchen man bald Felder sieht, auf welchen fast jeder Stock im Blühen begriffen ist, und bald Felder, wo man nach einem blühenden Stock suchen muss; dabei können solche blühende und nichtblühende Felder in nächster Nähe sich befinden. Man sieht auch häufig in einem und demselben Feld zwei unter anscheinend *gleichen* Verhältnissen gewachsene Pflanzen, von denen die eine nur blühende, die andere nur nichtblühende Stöcke besitzt. Schließlich kann man auch an einer und derselben Pflanze beobachten, dass sie aus Stöcken besteht, von denen die einen völlig ausgebildete Inflorescenzen tragen, während die anderen solche nicht einmal in der ersten Anlage aufweisen, trotzdem sie sich, was Höhe und Stärke betrifft, keineswegs von den blühenden Stöcken prinzipiell unterscheiden".

Auch bei andern *Gräsern*, besonders *Bambusen*, treten auffallende Unregelmäßigkeiten im Blühen auf, indem nur einzelne Jahre eine reichliche Blütenbildung bringen, zwischen denen längere sterile Perioden liegen.

Für die hier angedeuteten Erscheinungen wird sich zur Zeit nicht immer eine Erklärung finden lassen, aber eine Uebersicht der Umstände, welche auf das Blühen der Pflanzen von Einfluss sind, wird uns auch diesen Lebensprozess der Pflanzen hoffentlich besser ver-

---

1) „Mit dem Beginn der Bildung der endständigen Inflorescenz hört ja selbstverständlich die Bildung neuer, für die Zuckergewinnung brauchbarer Stockglieder auf und das ganze Wachstum des Stockes kann nur noch auf der Vergrößerung der bereits vorhandenen Internodien beruhen. Kommt nun das Zuckerrohr, wie es z. B. im letzten Vegetationsjahre (1891—92) leider vielfach der Fall war, frühzeitig zum Blühen, so bleiben die Stöcke kurz und der Schaden kann dadurch ein sehr bedeutender werden. Dazu kommt noch, dass in Blüte befindliches Rohr leicht austrocknet, und besonders auch, dass solches Rohr keineswegs empfehlenswerte Stecklinge liefert. Schließlich ist noch zu erwähnen, dass „Sereh"krankes Rohr Neigung zum Blühen besitzt". Benecke l. c.

stehen lehren. Wir werden sehen, dass einesteils nur innere, dem Charakter der Species eigentümliche Gründe maßgebend sind, dass aber anderseits auch äußere Agentien eine Wirkung ausüben. Natürlich ist mit der Erkenntnis des Zusammenhanges eines Lebensprozesses mit einem äußeren Faktor noch keine Erklärung gegeben. Wenn wir finden, dass Feuchtigkeit die Entwicklung der vegetativen Organe der Pflanze befördert, die Blütenbildung dagegen zurückhält, so beruht dies eben auf dem inneren Wesen der Pflanze, auf die Feuchtigkeit derartig zu reagieren. Indessen sind wir doch insofern etwas weiter gekommen, als wir es nicht mehr mit speziellen Eigentümlichkeiten bestimmter Pflanzenarten zu thun haben, sondern mit einer für viele Pflanzen giltigen Regel. Dazu kommt noch, dass sich aus der Kenntnis derartiger Regeln unter Umständen gewisse Lehren für die Behandlung der Pflanzen in der Kultur ableiten lassen. Nur sind wir leider nicht immer im Stande, und dies trifft gerade bei der Zuckerrohrkultur ein, die betreffenden Verhältnisse, wie Wärme, Feuchtigkeit, Beleuchtung, so zu gestalten, wie es für unsere Zwecke wünschenswert erscheint.

Wir wollen zunächst das Blühen der Pflanze als eine Phase ihres Entwicklungsganges betrachten, die aus inneren, durch Vererbung fixierten Gründen zu einer bestimmten Zeit eintritt. Wir wissen, dass die Entwicklung der verschiedenen Pflanzen derartig ungleich ist, dass die genannte Phase nur einmal, sei es früher, sei es später, eintritt oder dass sie sich in mehr oder weniger regelmäßigen Perioden wiederholt. Man kann danach hauptsächlich zwei Gruppen unter den Pflanzen unterscheiden: die einmal und die wiederholt blühenden, die ersteren pflegen als **hapaxanthische** oder **monokarpe**, die letzteren als **polykarpe** Pflanzen bezeichnet zu werden.

Die **hapaxanthischen** Pflanzen wiederum kann man unterscheiden nach der Länge der Zeit, welche sie von der Keimung an bis zur Blütenbildung in Anspruch nehmen. Wir haben hier zunächst die sogenannten einjährigen Pflanzen, die in einer Vegetationsperiode ihren Entwicklungsgang, somit auch Blühen und Fruchten, beendigen. Sie finden sich besonders reichlich in solchen Zonen, wo scharfe Unterschiede der Jahreszeiten herrschen, wo der Pflanzenwuchs durch Kälte oder Trockenheit auf eine längere Zeit unterbrochen ist. Europa ist reich an solchen einjährigen Pflanzen, die im Frühling keimen, im Sommer blühen und nach der Fruchtreife im Herbst vollkommen absterben bis auf die Samen, die den Winter im Ruhezustand verbringen. So verhalten sich auch viele *Gräser*, besonders die in den gemäßigten Zonen als *Sommergetreide* angebauten Arten. Gerade dem Umstand, dass diese Gräser bereits in demselben Jahre, in dem sie ausgesäet werden, zur Blüte und Fruchtreife kommen, verdanken sie es, dass sie zu den Pflanzen gehören, die von dem Menschen zuerst in Kultur genommen wurden.

Manche Pflanzen aber entwickeln sich noch schneller, so dass während eines Sommers mehrere Generationen von ihnen zur Blüte kommen und Samen reifen, die sofort keimfähig sind. Man unterscheidet sie von den oben erwähnten einjährigen Pflanzen als ephemere [1]): als Beispiel sei nur der fast über die ganze Erde verbreitete *Hühnerdarm (Stellaria media)* genannt.

Ihnen gegenüber stehen dann diejenigen hapaxanthischen Pflanzen, welche mehr als ein Jahr brauchen, um zu blühen. Viele derselben besitzen eine zweijährige Lebensdauer, entwickeln im ersten Jahre nur Vegetationsorgane, im zweiten auch Blüten und Früchte. Es sind dies die sogenannten **Stauden** und zu ihnen gehören viele *Umbelliferen, Cruciferen, Scrophulariacaeen* und andere Formen des europäischen Florengebietes. Sie produzieren im ersten Jahre nur einen kurzen, unten in die Wurzel übergehenden Stamm, der über der Erde eine Blattrosette entfaltet. Die Blätter sterben im Winter ab, Wurzel und Stamm bleiben aber erhalten und letzterer treibt im nächsten Jahre nicht nur Blätter, sondern wächst auch in einen blütentragenden Stengel aus. Damit ist aber die Kraft der Pflanze erschöpft und sie stirbt, nachdem die Früchte ausgebildet sind, ab

Auch von *Gräsern* gibt es mehrere, die sich im ersten Jahre nur bestocken und erst im zweiten die ährentragenden Halme treiben. Etwas anderes ist es mit dem sogenannten *Wintergetreide,* das zwar auch unter die zweijährigen Pflanzen gerechnet wird. Hier ist nur insofern ein Unterschied von dem rein einjährigen Sommergetreide, als ersteres im Herbst gesäet, noch vor dem Winter keimt, dann eine Ruheperiode durchmacht und sich im Frühling direkt weiter entwickelt, so dass es im Sommer zur Blüte kommt. Es gehört also das so kultivierte Getreide eigentlich zu den einjährigen Pflanzen, die nur durch die Aussaat im Herbst zu einer unterbrochenen Entwicklung gezwungen werden. Bei den eigentlichen Stauden dagegen ist der Stamm im ersten Jahre noch nicht kräftig genug, um Blüten treiben zu können; er beschränkt sich zunächst darauf, Assimilationsorgane zu produzieren; durch deren Thätigkeit wird soviel Stoff aufgespeichert, dass im zweiten Jahr genug Material zur Blüten-, resp. auch Fruchtbildung vorhanden ist.

Andere Pflanzen brauchen noch längere Zeit, um diesen Zustand zu erreichen, besonders solche, die sehr große Inflorescenzen entwickeln. Es können hier wieder manche *Umbelliferen* genannt werden, z. B. die in den persischen Steppen einheimischen *Scorodosmu foetidum* R u n g e und *Dorema Ammoniacum* D o n. Bei ihnen werden in mehreren Jahren nur Blattrosetten gebildet, bis schließlich die große Inflorescenz erscheint, nach deren Ausbildung die ganze Pflanze abstirbt. Wohl das bekannteste Beispiel dieser Art ist die sogenannte hundertjährige *Aloe, Agave Americana.* „Es vergehen oft 20, 30, angeblich selbst

---

1) W i e s n e r, Biologie der Pflanzen (Wien, 1889) S. 22.

100 Jahre, in welchem langen Zeitraume diese Pflanze über die Bildung des bodenständigen, mit rosettig gruppierten Blättern besetzten
Kurztriebes nicht hinauskommt. Endlich erhebt sich aus der Mitte
der Rosette ein Langtrieb, welcher mit einem umfangreichen Blütenstande abschließt. Sobald sich aus den Blüten Früchte herausgebildet
haben und die Samen ausgeflogen sind, stirbt dann, ähnlich wie bei
den zweijährigen Pflanzen, nicht nur dieser Langtrieb, sondern auch
der Kurztrieb mit seinen großen, dornig gezahnten, starren Rosetten-
blättern gänzlich ab" [1]).

Solche, mehrere und selbst viele Jahre ausdauernde, aber nach
einmaliger Blüten- und Fruchtbildung zu Grunde gehende Pflanzen
können als perennierende Monokarpen bezeichnet werden [2]). Die Ursache
ihres Absterbens ist die Erschöpfung, in die sie durch die Entwicklung
des großen Blütenstandes geraten; derselbe erreicht bei der erwähnten
Agave die Höhe von 5—7 Meter! Zu einer solchen Leistung ist die
Pflanze erst nach längere Zeit fähig und so können wir sagen, dass
das Alter des Individuums von wesentlichem Einfluss auf das Blühen
der Pflanzen ist. Wir sehen dies aber nicht nur bei den monokarpen,
sondern auch bei den perennierenden wiederholt blühenden Pflanzen,
von denen wir wiederum verschiedene Formen unterscheiden können.

Zunächst gibt es solche, bei denen nur die unterirdischen Triebe
ausdauern und die oberirdischen in jedem Jahre neu gebildet werden.
Hierher gehören die meisten *Gräser* und vor allem diejenigen, welche
eine geschlossene Grasnarbe bilden. Solche Pflanzen — außer den
Gräsern zählen noch viele andere zu ihnen — pflegen in dem ersten
oder auch in den ersten Jahren nach der Keimung nur Blatttriebe zu
entwickeln, bis der Wurzelstock kräftig genug ist, auch Blütentriebe
zu produzieren, welche aber nun in jedem Jahre wieder erscheinen
im Gegensatz zu den Stauden und perennierenden Monokarpen.

Als Büsche oder Virgulta [3]) werden sodann solche Pflanzen bezeichnet, deren unterirdische Triebe ausdauern und deren oberirdische
Teile zu ihrer Entwicklung mehr als ein Jahr gebrauchen oder sich
überhaupt unabhängig von der Jahreszeit entwickeln, so dass jedenfalls immer solche oberirdische Triebe vorhanden sind. Die oberirdischen Triebe können bereits im ersten Jahre, in dem sie entstanden
sind, blühen, z. B. bei *Rubus odoratus*, bei welcher Art sie dann im
zweiten Jahre nochmals blühen, um darauf abzusterben. Bei *Rubus
Idaeus* dagegen blühen die ebenfalls zweijährigen Triebe erst im
zweiten Jahre, während sie im ersten nur Blätter treiben. Zu dieser
Gruppe der Virgulta gehören die *Bananen*, aber auch bei *Musa* verhalten sich die einzelnen Arten verschieden und bei manchen (z. B.

---

1) Nach Kerner, Pflanzenleben, Bd. I, S. 618.
2) Wiesner l. c. S. 22.
3) Vergl. den Aufsatz von Krause in den Berichten der deutschen bot.
Gesellschaft, 1891, S. 233.

Musa Enseta) dauert es mehrere Jahre, bis aus dem Blatttrieb, der den scheinbaren oberirdischen Stamm darstellt, ein Blütenstand hervorkommt; nach der Fruchtreife stirbt dieser ganze Trieb ab.

Das Zuckerrohr findet hier am besten seine Stelle. H a c k e l bezeichnet die Arten der Gattung *Saccharum* als perennierende Pflanzen. Auf Java allerdings und auch in anderen Gegenden lässt man (nach gütiger Mitteilung des Herrn Dr. F. B e n e c k e) das in Kultur befindliche Zuckerrohr gewöhnlich nur ein Jahr[1]) alt werden; als aber die „Serehkrankheit“ die Kulturen auf Java noch nicht bedrohte, erntete man oft auch den zweiten und sogar den dritten Schnitt[2]). Wie nun oben geschildert wurde, kann das Zuckerrohr schon im ersten Jahre reichlich blühen; wenn zweiter und dritter Schnitt angewendet wird, können die Stöcke dieser weiteren Ernten ebenfalls zum Blühen gelangen. Auch das kultivierte Zuckerrohr muss also als perennierende Pflanze betrachtet werden. Wie alt eine solche Pflanze werden kann, zeigt ein von Dr. F. B e n e c k e im botanischen Garten zu Genua neuerdings gesehenes Exemplar, das (bei der geringen Höhe von $3^1/_2$ Mtr. inkl. Blattkrone) nach Mitteilung von Prof. Dr. O. P e n z i g, 5 Jahre alt ist.

Dr. F. B e n e c k e hält es auch nicht für unwahrscheinlich, dass in den Tropen alle Varietäten zum Blühen kommen würden, wenn man ihnen die dazu nötige Zeit ließe und nicht die Ungunst äußerer Umstände (siehe später) das Blühen verhindern könnten[3]). In seinem Versuchsgarten auf Java besitzt er viele Varietäten, die noch nie geblüht haben, aber besonderer Verhältnisse wegen auch nie länger als ein Vegetationsjahr stehen gelassen werden konnten.

Schließlich haben wir die eigentlichen **Stammpflanzen**, die **Halbsträucher**, **Sträucher** und **Bäume**, bei denen die oberirdischen Triebe in der Regel verholzen und nebst den Wurzeln die ausdauernden Teile der Pflanze bilden. Bei der Mehrzahl der hierhergehörigen Formen tritt das Blühen und Fruchten erst ein, wenn sie sich nach der Aussaat mehrere Jahre hindurch gekräftigt haben. Denn die Pflanze muss anfangs ihre Assimilationsprodukte auf die Ausbildung der holzigen Triebe verwenden und bedarf längerer Zeit bis Material genug zur Entwicklung der Fortpflanzungsorgane vorhanden ist. Doch gibt es auch einige holzige Pflanzen, die bereits im ersten Jahre

---

1) Das Vegetationsjahr des Zuckerrohrs dauert nicht genau 12 Monate, sondern ist teils viele Wochen länger, teils entsprechend kürzer, indem der Eintritt der Reife in hohem Maße von der Witterung des Jahres abhängig ist.

2) Man schneidet dann nämlich am Ende des ersten Vegetationsjahres die Stöcke behufs Zuckergewinnung am Boden ab und lässt die unterirdischen Sprossaugen der im Boden verbleibenden Stockreste zur Entwicklung kommen: ihre Sprosse liefern die zweite Ernte, d. h. den **zweiten Schnitt**, u. s. w.

3) Versuche nach dieser Richtung sind von Dr. F. B e n e c k e auf Java in Angriff genommen.

blühen, wie den *Ricinus*. Derselbe wird deswegen in kälteren Ländern (Mitteleuropa) leicht für eine einjährige Pflanze gehalten, weil er nach dem Blühen im Herbst zu Grunde geht. In seiner Heimat ist er ein Baum, der auch in den folgenden Jahren regelmäßig blüht. Im Gegensatz dazu befinden sich die *Waldbäume* der nördlichen gemäßigten Zone, da bei ihnen meist viele Jahre vergehen, bevor sie zum ersten Male blühen.

Am besten sind wir in dieser Beziehung über die deutschen Waldbäume orientiert, über welche ich die folgenden Angaben aus Nördlinger's Forstbotanik entnehme[1]): Das Blühen beginnt bei der Lärche (*Laryx europaea*) im Tiefland mit 15—20, im Gebirge mit 20—30 Jahren, bei der Kiefer (*Pinus silvestris*) auf trockenem, warmem Boden zum Teil schon mit 15, im Bestand mit 30—40 Jahren (bei *Pinus montana* dagegen schon mit 4—5 Jahren), bei der Eibe (*Taxus baccata*) mit 20, bei der Fichte (*Picea vulgaris*) mit 30—40, bei der Tanne (*Abies pectinata*) erst mit 60 Jahren. Von Laubbäumen blüht die Hasel (*Corylus avellana*) schon mit 10, die Birke (*Betula alba*) mit 15—20, die Weißbuche (*Carpinus betulus*), die Edelkastanie (*Castanea vesca*), die Zitterpappel (*Populus tremula*) etwa mit 20, die Erle (*Alnus glutinosa*) im Buschwald mit 12—20, im Hochwald mit 40, die Buche (*Fagus silvatica*) im Bestand nicht vor 60 Jahren (freistehend 20 Jahre früher) und die Stieleiche (*Quercus pedunculata*) erst im 60.—80. Lebensjahre.

Dass der Zeitraum, in dem diese Bäume zum ersten Male blühen, ziemlich unbestimmt ist, zum Teil zwischen 20 Jahren schwanken kann, rührt daher, dass äußere Umstände von großem Einfluss auf das Erscheinen der ersten Blüte sind; allein es ist hier nicht der Ort, diese Umstände näher zu berücksichtigen, weil wir von ihnen erst später zu sprechen haben. Erwähnt sei nur, dass jene Regeln nicht ohne Ausnahme sind; so wird angeführt, dass gelegentlich in Samenbeeten Eichen und Götterbäume (*Ailanthus glandulosa*) im ersten bis dritten Lebensjahre zum Blühen kommen, dann aber bald absterben.

Bei den Hochpflanzen haben wir aber auch noch auf eine andere Erscheinung hinzuweisen: nicht nur erlangt der Baum in einem bestimmten, von der Species abhängigen Alter die Fähigkeit zu blühen, sondern bei manchen Arten ist auch die Wiederholung der Blüte nicht bloß von der Jahreszeit, sondern auch von der Lebenszeit der Pflanze abhängig. Wir beobachten nämlich, dass manche Bäume nicht jedes Jahr blühen, sondern in längeren Zeitintervallen[2]). Unter den Nadelhölzern blühen *Taxus* und *Juniperus* alljährlich, die Tanne (*Abies pectinata*) dagegen blüht in milder Gegend etwa alle 2—5, in rauher

---

1) 2 Band. Stuttgart 1876.

2) Etwas ähnliches beobachtet man übrigens auch an einigen perennierenden krautartigen Pflanzen, z. B. *Erdorchideen*.

Gegend nur alle 6—8 Jahre, die Kiefer (*Pinus silvestris*) alle 3—5, die Fichte (*Picea vulgaris*) alle 3—4 Jahre. Von den Laubhölzern der nördlichen Wälder blüht wohl die Mehrzahl alljährlich, aber die Birke (*Betula alba*) etwa alle 3 Jahre und die Eiche (*Quercus pedunculata*) in Intervallen von 4—6 Jahren[1]). Dass auch in wärmeren Ländern analoge Erscheinungen im Blühen der Bäume auftreten, zeigt der Drachenbaum (*Dracaena Draco*), von dem Schacht sagt, dass er auf den kanarischen Inseln verhältnismäßig selten blühe[2]).

Eine ganz eigentümliche Periodizität im Blühen zeigen die *Bambus*-Gewächse, die gewissermaßen eine Zwischenstufe zwischen den Virgulta und den Bäumen bilden; denn sie gleichen den letzteren zwar darin, dass sie holzige, ausdauernde oberirdische Stämme bilden, aber diese scheinen doch regelmäßig, wenn sie einmal zum Blühen gekommen sind, nach der Fruchtreife abzusterben. Dabei ist aber zu bemerken, dass sich die einzelnen Arten sehr verschieden verhalten und dass darauf die Angaben immer Rücksicht nehmen müssen. Es gibt Arten, die alljährlich blühen, während bei anderen Arten die Sprosse eine ganze Reihe von Jahren alt werden müssen, ehe sie blühen[3]). Was aber das besonders auffallende bei manchen Bambusen ist, das ist das Auftreten von Blütenjahren in großen Zwischenräumen (bei *Bambusa arundinacea* z. B. 32 Jahren) und das dann gleichzeitig erfolgende Blühen aller Sprosse, mögen sie von noch so verschiedenem Alter sein. Es scheint also in diesen Fällen hauptsächlich das Alter des Rhizoms, das unter dem Boden wächst und nach oben die verholzten Halme aussendet, von Einfluss auf das Blühen zu sein, wenn auch außerdem klimatische Verhältnisse eine Rolle spielen. Weitere Angaben über das Blühen der *Bambus*-Gräser findet man gesammelt von Schröter in seiner Arbeit über den *Bambus*[4]), auch Hackel hat in seiner Bearbeitung der Gramineen dieser Erscheinung eine längere Besprechung gewidmet[5]).

Wir haben also im vorhergehenden das Blühen als eine zu gewisser Zeit im Leben der Pflanze eintretende Erscheinung kennen gelernt und die Hauptgruppen, welche sich nach diesen Verhältnissen bei den Pflanzen bilden lassen, unterschieden. Es ergibt sich daraus, wie auch schon erwähnt, dass das Alter der Pflanze, sei es des ganzen Organismus, sei es nur gewisser Sprosse, das Blühen bestimmt.

---

1) Ueber die *Buche* siehe weiter unten.

2) Schacht, Madeira und Tenerife, S. 26.

3) In den Tropen wird sogar von gewissen *Bambusen* angenommen, dass sie niemals blühen, was aber nicht erwiesen sein dürfte.

4) C. Schröter, Der *Bambus* und seine Bedeutung als Nutzpflanze. Basel 1885.

5) In Engler und Prantl, Natürliche Pflanzenfamilien, II. Teil, 2. Abteilung, S. 89.

Die Gründe, die bei der einen Pflanze das Erscheinen der Blüte im ersten, bei der andern im zweiten oder einem späteren Jahre veranlassen, liegen in der Natur der Pflanze und da wir sie nicht weiter verfolgen können, nennen wir sie innere Gründe. Allerdings stehen diese Eigentümlichkeiten einer Pflanze, nämlich ihre Lebensdauer und ihre Blütezeit, nicht unveränderlich fest, aber sie verändern sich in der Natur doch nur bei der allmählichen Abänderung der äußeren Verhältnisse, unter denen die Pflanzen wachsen. Wir können diese darum nach besagten Eigenschaften in der Weise, wie es eben geschehen ist, einteilen. Nur ist die Schwierigkeit vorhanden, dass wir noch keineswegs genügend unterrichtet sind, wie sich die einzelnen Pflanzen im Verlaufe ihres Lebens verhalten; besonders über tropische Gewächse, auch kultivierte, findet der, welcher sie nicht an Ort und Stelle beobachten kann, oft nur mangelhafte Angaben in der Litteratur. Die Mitteilung von weiteren Beobachtungen in dieser Hinsicht wäre demnach durchaus wünschenswert.

Im Allgemeinen also können wir sagen, dass jede Pflanzenart die durch Vererbung fixierte Eigentümlichkeit besitzt, in einer bestimmten Phase ihrer Entwicklung Blüten zu produzieren und dass diese Phase je nach der Species nur einmal oder wiederholt in der Entwicklung eintritt. Wie aber der ganze Lebenslauf der Pflanze abhängig ist von äußeren Faktoren: Wärme, Licht, Feuchtigkeit, Bodenverhältnisse u. s. w., so natürlich auch das Blühen. Es kann demnach die oben bezeichnete Phase in der Entwicklung sowohl durch die in der Natur sich abspielenden Vorgänge, als auch durch künstlich vom Menschen herbeigeführte Verhältnisse nicht bloß verschoben, sondern sogar unterdrückt werden, allerdings nur innerhalb gewisser Grenzen. Wir hatten schon eine solche Verschiebung der Blütezeit zu erwähnen Gelegenheit gehabt, nämlich beim Wintergetreide: dadurch, dass man die Samen nicht im Frühling, sondern im Herbst aussäet, wird die Entwicklung der Pflanze derart verzögert, dass die Blüte viel längere Zeit nach der Keimung auftritt als bei dem normaler Weise im Frühling gesäeten Getreide. Es wird nun unsere Aufgabe sein, die verschiedenen Agentien, deren Wirkung für das Blühen in Betracht kommt, zu besprechen und zu sehen, was sich über ihren befördernden oder hemmenden Einfluss auf diese Erscheinung des Pflanzenlebens sagen lässt.

Es bietet sich aber hier die Schwierigkeit, dass selten ein Agens, wie Wärme oder Licht oder Feuchtigkeit allein zur Wirkung kommt, sondern vielmehr in Kombination mit den andern auftritt. Wenn dieselbe Pflanze in dem einen Klima regelmäßig blüht, in dem andern aber nicht oder schwer zur Blüte kommt, so sind auch dabei verschiedene Agentien im Spiel und es ist die Frage, welches derselben vornehmlich die Wirkung ausübt. Auch experimentell hat es seine Schwierigkeiten, derartige Fragen zu entscheiden: z. B. kann man

nicht leicht zwei Pflanzen bei verschiedener Temperatur und gleicher
Feuchtigkeit halten, um die reine Wirkung der Wärme zu studieren;
denn die kälter gehaltene Pflanze wird auch durch ihre Wurzeln
weniger Wasser aufnehmen und somit den oberirdischen Teilen weniger
Feuchtigkeit zuführen, als die wärmer gehaltene. Besser schon kann
der Einfluss des Lichtes beobachtet werden und wir können hier
gleich sagen, dass das Licht, sowohl inbezug auf verschiedene Hellig-
keitsgrade als auch betreffs seiner verschiedenen Farben von großem
Einfluss auf die Blütenbildung ist.

Es wird zunächst zu untersuchen sein, ob das Licht für die Pflanze
notwendig ist, damit sie blühen kann. Ohne weiteres lässt sich diese
Frage nicht beantworten, denn wir sehen, dass einige Lebensvorgänge,
wie Keimen und Wachsen, auch im Dunkeln sich abspielen können,
und wir werden finden, dass es sich dabei nicht so sehr um den
direkten Einfluss des Lichtes auf die Blütenbildung als vielmehr um
seinen Einfluss auf die ganze Entwicklung der Pflanze handelt.

Wenn man von einer Pflanze mit grünen Blättern Keimlinge im
Dunkeln erzieht, so gelingt es nicht, dieselben zum Blühen zu bringen,
weil die Pflanze ihre Organe überhaupt nicht in normaler Weise ausbilden kann. Die Stengel und Blätter solcher, als etioliert bezeich-
neter Pflanzen, haben eine abnorme Gestalt, die Blätter meist eine
geringere Größe und keine grüne, sondern eine weiß-gelbliche Farbe.
Die ganze Pflanze geht zu Grunde, sobald die im Samen aufgespeicherten Nährstoffe aufgebraucht sind, denn sie kann sich ohne
Licht keine organische Substanz neu aus den ihr dargebotenen un-
organischen Substanzen bereiten. Anders ist es, wenn man Zwiebeln
oder Knollen im Dunkeln austreiben lässt. An diesen sind nämlich
meist schon die Blüten in ihrer ersten Anlage vorhanden und selbst
wenn das nicht der Fall sein sollte, so ist doch soviel Reservematerial
da, dass es zur Blütenbildung ausreicht. Dies Reservematerial, also
die ganze Knolle oder Zwiebel, hat sich aber nur bilden können durch
die Thätigkeit der vorjährigen grünen Blätter am Licht, welches
somit auch indirekt zur späteren Blütenbildung notwendig ist. Treibt
nun eine Knolle oder Zwiebel im Dunkeln aus, so zeigen sich die
Blätter mehr oder weniger im etiolierten Zustand, die Blüten aber
können sich in ihrer normalen Schönheit entfalten, wie es z. B. bei
den *Tulpen* nach Sachs[1]) der Fall ist. Bei anderen Pflanzen, z. B.
blaublühenden *Hyazinthen* entfalten sich die Blüten auch in normaler
Größe, zeigen aber blassere Farben[2]). Dass das gewöhnliche Sonnenlicht die Ausbildung der Blüten viel weniger beeinflusst als die der
Blätter und Stammorgane, zeigt sich auch aus folgendem Versuch.

---

1) Siehe dessen Vorlesungen über Pflanzenphysiologie.
2) Siehe Askenasy's Arbeit über diesen Gegenstand in Botanische Zeitung, 1876, S. 1.

Man führt von einer Pflanze, die am Licht wächst, einen Spross, der auch unter normalen Verhältnissen Blüten entwickeln würde, in einen dunkelen Raum ein. Dann bildet derselbe seine Blätter in abnormer Form und nicht grüner Färbung aus, die Blüten aber produziert er ganz normal, in derselben Größe und meist auch in derselben Farbe wie die am Licht gewachsenen. Die Blüten im dunkelen Raum entfalten auch funktionsfähige Geschlechtsorgane, denn sie können, wenn nur die Bestäubung richtig erfolgt, zu reifen Früchten werden. Das Material aber für die Ausbildung der Blüten und Früchte wird von den nicht verdunkelten Teilen unter dem Einfluss des Lichtes produziert und in die verdunkelten Teile weitergeleitet: also auch hier ist das Licht die indirekte Ursache der Blütenbildung.

Beim Wachstum der Pflanzen in der Natur wird es sich nun kaum jemals um eine vollständige Verdunkelung, sondern vielmehr um eine stärkere oder schwächere Beleuchtung handeln. Doch auch dabei zeigt sich deutlich, dass das Licht einen befördernden Einfluss auf das Blühen ausübt. Allerdings ist es nur ein auf Erfahrung beruhender Satz, dass schwächeres Licht ein stärkeres Wachstum der vegetativen Teile und eine Verzögerung der Bildung von Blüten und Früchten bewirkt und dass diese letztere einesteils dem direkten Einfluss der Beschattung, andernteils dem Ueberwiegen des vegetativen Wachstums zuzuschreiben ist [1]). Wir können aber nicht sagen, in welcher Weise das helle Licht einen Vegetationspunkt beeinflusst, so dass aus ihm ein Blütenspross wird, während er im Schatten sich vielleicht zu einem vegetativen Spross entwickelt hätte. Wir schließen nur aus den Thatsachen, dass „die Sonnenstrahlen als Anregungs- mittel für die Anlage blütentragender Sprosse" [2]) zu betrachten sind. Als solche Thatsachen seien folgende angeführt.

Einzelne umfangreiche Pflanzenstöcke, welche im Sommer an der einen Seite beschattet, an der andern besonnt sind, legen im Bereiche des beschatteten Teils ausschließlich oder vorwaltend Laubknospen, im Bereiche des besonnten Teils dagegen zahlreiche Blütenknospen an (Kerner, II, S. 478). Ebenso findet man, dass Pflanzenstöcke, welche das eine Jahr im Schatten gehalten und das darauffolgende Jahr vom Beginn ihrer Entwicklung an in die Sonne gestellt werden, in diesem reichlicher blühen als im vorigen Jahr (l. c. S. 500). Ein ähnlicher Versuch im Großen lässt sich bisweilen bei im Walde wachsenden Pflanzen beobachten. Während dieselben nämlich, so lange sie im dichten Schatten des Waldes standen, viele Jahre hindurch blütenlos blieben und sich dort nur mittels Laubknospen er-

---

1) F. Hildebrandt, Die Lebensdauer und Vegetationsweise der Pflanzen, ihre Ursachen und ihre Entwicklung (Engler's Jahrbücher, Bd. II, S. 100).

  2) Kerner, Pflanzenleben, Bd. II, S. 388. Ueber den Vorteil, den die Pflanze von der Ausbildung der Blüten im Sonnenlicht hat, ist hier nicht zu sprechen; man vergleiche darüber das angeführte Werk von Kerner, l. c.

hielten, so setzen sie nach dem Fällen der Bäume im sonnendurch-
leuchteten Holzschlag wieder Blütenknospen an und gelangen zur
Blüten- und Fruchtbildung (l. c. S. 478). Hierher gehört auch die
von mehreren Reisenden gemachte Beobachtung, dass auf dem Boden
des Urwaldes, durch dessen dichte Belaubung nur wenig Licht ein-
dringt, kaum blühende Pflanzen sich finden, sondern der Boden von
Farnen, Pilzen und verwesenden Organen bedeckt ist [1]). In den nördlichen Wäldern ist zwar Aehnliches der Fall, allein die Erscheinung
ist weniger auffallend, da auch sonst im Wald keine hervorragende
Blütenentfaltung stattfindet, in den Tropen dagegen ist der Kontrast
mit der Blütenpracht der höheren Gewächse und der auf denselben
angesiedelten Epiphyten um so größer. Auch sonst sehen wir in der
Natur, dass starke Beschattung die Blütenbildung hemmt und dass
manche Pflanzen an schattigen Standorten entweder gar keine Blüten
anlegen oder die angelegten Blütenknospen nicht zur Entwicklung
und Entfaltung bringen. Als Beispiel will ich nur noch nach Kerner
(l. c. S. 448) das schmalblättrige Weidenröschen (*Epilobium
angustifolium*) erwähnen, das seine purpurnen Blüten nur an sonnigen
Plätzen entfaltet und zwar um so schöner rot gefärbte Blüten treibt,
je kräftiger der Sonnenschein ist. Wird dagegen die Pflanze in
dichten Schatten versetzt, so verkümmern an ihr die Blütenknospen
viel früher, als sie sich geöffnet haben und fallen als weißliche ver-
trocknete Gebilde von der Spindel der Blütentraube ab.

Wie ist diese Empfindlichkeit gegen den Schatten in Einklang
zu bringen mit der Erscheinung, dass auch in voller Dunkelheit, wie
wir oben sahen, andere Pflanzen normale Blüten produzieren? Teils
müssen wir annehmen, dass sich die verschiedenen Pflanzenarten in
dieser Hinsicht eben ungleich verhalten, teils erklärt es sich aus den
verschiedenen Wachstumsbedingungen: bei den austreibenden Tulpen-
zwiebeln waren die Blüten noch unter normalen Verhältnissen vorbereitet worden, bei dem Versuch, wo ein Zweig im dunkeln Kasten
blüt, befindet sich der größere Teil der Pflanze unter günstigen Beleuchtungsverhältnissen, bei dem genannten Weidenröschen aber ist
die ganze Pflanze in ungünstiger Lage und in solcher werden auch
die Blüten angelegt.

Dass die Intensität der Beleuchtung, die zur Hervorbringung von
Blüten notwendig ist, je nach den Pflanzenarten verschieden ist, lässt
sich nicht bezweifeln. Für viele tropische Pflanzen genügt das so oft
durch Wolken gedämpfte Sonnenlicht im mittleren Europa oder das
auch noch durch die Scheiben der Glashäuser geschwächte Licht nicht,
um die Anlage von Blüten zu erzielen. Der Mangel an Helligkeit ist
es, wie auch die Gärtner wohl wissen, der so viele tropische Gewächse
in den nördlichen Ländern nicht zum Blühen kommen lässt, auch
wenn sie sonst gut gedeihen. Denn fehlte es nicht daran, sondern

---

1) conf. Grisebach, Die Vegetation der Erde (1884) Bd. II, S. 344.

an der genügenden Wärme oder Feuchtigkeit, so könnte dem ja leicht abgeholfen werden.

Wir haben bisher von dem Sonnenlicht im Allgemeinen und von dessen größerer und geringerer Intensität gesprochen. Das Sonnenlicht ist aber bekanntlich kein einfaches Licht, sondern setzt sich aus verschiedenen Farben zusammen, die wir teils im Sonnenspektrum sehen, die aber teils auch für unser Auge unsichtbar sind und nur aus ihren thermischen und chemischen Wirkungen wahrgenommen werden. Wenn nun auch unter natürlichen Verhältnissen die einzelnen Farben des Sonnenlichtes nicht gesondert in Wirkung treten, so liegt doch die Frage nahe, ob sie alle von gleicher Bedeutung für die Blütenbildung sind. Dies konute bezweifelt werden, seitdem man weiß, dass für die Kohlensäureverarbeitung einerseits, für die vom Licht abhängigen Bewegungserscheinungen anderseits ganz verschiedene Farben des Sonnenlichtes maßgebend sind. Wirklich hat sich auch das interessante Resultat ergeben, dass die Blütenbildung nur von gewissen Lichtstrahlen abhängt und zwar von denen, die, für unser Auge unsichtbar, aus ihren chemischen Wirkungen erkannt werden. Sie liegen außerhalb des violetten Teils des Sonnenspektrums und werden deshalb ultraviolette Strahlen genannt. Sie haben die Eigentümlichkeit, von einer Lösung von schwefelsaurem Chinin in Wasser, durch welche man das Sonnenlicht scheinen lässt, absorbiert zu werden, während alle andern Lichtstrahlen ungehindert passieren. Für unser Auge ist natürlich kein Unterschied, ob man durch jene Lösung oder durch eine Schicht reinen Wassers sieht: die Helligkeit ist in beiden Fällen die gleiche. Lässt man aber Pflanzen hinter jener Lösung wachsen, so dass sie kein anderes Licht erhalten, als das die Lösung passiert hat, so kann man beobachten, welchen Einfluss das Fehlen der ultravioletten Strahlen auf die Entwicklung der Pflanzen hat. Diese von Sachs[1]) angestellten Versuche führten nun zu folgendem überraschendem Resultat: „Die hinter einer Wasserschicht gewachsenen Pflanzen (Kapuzinerkresse, *Tropaeolum majus*) erzeugten normale Blüten; die hinter einer gleichdicken Schicht von schwefelsaurer Chininlösung wuchsen zwar anscheinend ebenso normal und kräftig; allein die Blütenknospen blieben winzig klein und verdarben nach wenigen Tagen". Weitere Versuche zeigten sogar, dass vielfach hinter Chininlösung nicht einmal Knospen angelegt wurden und während an 20 Pflanzen hinter Wasser 56 Blüten entstanden, war von 26 Pflanzen hinter Chininlösung im Ganzen nur eine verkümmerte Blüte hervorgebracht worden. Leider sind die Versuche bisher auf *Tropaeolum* beschränkt geblieben, doch lässt sich wohl annehmen, dass ihre Resultate auch für andere Pflanzen Giltigkeit haben und

---

1) J. Sachs, Ueber die Wirkung der ultravioletten Strahlen auf die Blütenbildung (Arbeiten aus dem bot. Institut in Würzburg, III. Bd., S. 372—388).

dass man sagen kann, für die Blütenbildung ist nicht das Sonnenlicht im Allgemeinen, sondern sind nur die ultravioletten Strahlen
desselben notwendig.

(Schluss folgt.)

Zur Phylogenie des Säugetiergebisses.
Von Privatdozent Dr. med. C. Röse.

(Aus dem anatomischen Institute zu Freiburg i. B.)

Neue fruchtbringende Ideen liegen meistens eine Zeit lang in der
Luft und werden von mehreren Forschern zugleich teils empfunden
teils als Hypothese mehr oder minder klar ausgesprochen, bis es
einem Autor gelingt hinreichendes Beweismaterial zusammenzubringen,
um der Idee den Wert einer Theorie zu sichern. Schon im Jahre
1890 bei Beginn meiner Untersuchungen über die Zähne kam mir der
Gedanke, ob nicht die Molaren und Prämolaren der Säugetiere entstanden seien durch Verwachsung aus mehreren
reptilienähnlichen Kegelzähnen. Da ich im Allgemeinen kein
Freund der „vorläufigen Mitteilungen" bin, so erfolgte die erste Mitteilung über vorliegendes Thema erst Ende März 1892 [1]), nachdem ich
hinreichendes Beweismaterial für meine Theorie gesammelt zu haben
glaubte. Die bereits im April geschriebene ausführliche Mitteilung
konnte erst im Juni d. J. veröffentlicht werden [2]).

In meiner ersten Mitteilung habe ich ausgehend von der Zahnentwicklung der Krokodile bereits die Ueberzeugung ausgesprochen,
dass das Gebiss der Säugetiere sich entwickelt haben müsse aus einem
vielzahnigen, thekodonten Reptiliengebisse, ähnlich wie es heutzutage nur noch die Krokodile besitzen. Ferner: „Die Zahnleiste
der Säugetiere vor der Bildung der Milchzähne muss aufgefasst werden als ein Gebilde, welches in nuce eine
ganze Reihe verloren gegangener Zahnreihen umfasst."
Ferner: „Die erste Zahnreihe der Säugetiere, die sogenannte Milchzahnreihe, ist entstanden durch Zusammenziehung mehrerer aufeinanderfolgender Zahnreihen der
Vorfahren in eine einzige mit soliderem Ausbau des Ein-
zelzahnes. Die Summe aller übrigen früher vorhandenen
Zahnreihen ist dann bei den diphyodonten Säugern zusammengedrängt in die zweite oder bleibende Zahnreihe."
Hinsichtlich der Entstehung der Backenzähne sagte ich in meiner
ersten Mitteilung: „Schon bei Ansicht meiner Zahnmodelle vom

---

1) C. Röse, Ueber die Zahnentwicklung der Reptilien. Deutsche Monatsschrift für Zahnheilkunde, 1892.

2) C. Röse, Ueber die Entstehung und Formabänderungen der menschlichen Molaren. Anatomischer Anzeiger, 1892, Nr. 13 u. 14.

Menschen fällt es auf, dass bei der ersten Anlage der Zähne die Zahnpapille der Molaren nicht einfach ist, sondern durch vorspringende kammförmige Einschnürungen des Epithels mehrfach abgeteilt erscheint. Man hat deutlich den Eindruck, dass die Papille der Molaren aus mehreren miteinander verschmolzenen Papillen besteht. Diese Verhältnisse werden beim Fortschreiten der Entwicklung noch deutlicher. Die Spitze jeder einzelnen dieser verwachsenen Papillen entspricht in Form und Lage einem Höcker des ausgebildeten Mahlzahnes. Wenn die Abscheidung von Zahnbein und Schmelz beginnt, so geschieht dies zuerst in der Spitze jeder einzelnen Papille derart, dass der Molar der Säugetiere zu einer Zeit seiner Entwicklung entsprechend der Anzahl seiner späteren Höcker aus der gleichen Anzahl kegelförmiger Einzelzähnchen besteht, welche mit den kegelspitzigen Zähnen der Reptilien große Aehnlichkeit haben. Diese einzelnen Zähnchen wachsen dann durch weitere Dentinbildung am Grunde zusammen, bis wir die Krone des fertigen Molaren vor uns haben. Die Molaren der Säugetiere sind also entstanden durch Verwachsung mehrerer einfacher, kegelförmiger Zähne zu einem komplizierten, hochdifferenzierten Zahngebilde." In meiner ausführlicheren Arbeit über diesen Gegenstand sowie in meinen Arbeiten über die Zahnentwicklung der Edentaten und Beuteltiere[1]) wurden noch weitere Beweise für die Richtigkeit der Verwachsungstheorie angeführt.

Gleichwie ich diese Theorie zuerst eingehend zu begründen versuchte, so glaubte ich dieselbe auch zuerst klar ausgesprochen zu haben. Nachträglich habe ich mich jedoch überzeugt, dass eine ganze Reihe von Autoren schon vor mir denselben Gedanken verfolgt haben.

Bereits Giebel[2]) gibt an, dass einige Backenzähne von *Dasypus gigas* Cuv. aus zwei Einzelzähnen verschmolzen zu sein scheinen. Sehr deutlich spricht sich der Pariser Paläontologe A. Gaudry[3]) aus: „Wenn wir die komplizierte Form der Wiederkäuermolaren vergleichen mit den Kaninen und Incisiven der meisten Tiere oder mit den vorderen Prämolaren der Landsäugetiere oder mit den hinteren Molaren der Delphine und einiger fossiler Säuger der Sekundärzeit (*Stylodon pusillus* Owen), so müssen wir auf den Gedanken kommen, dass sie aus mehreren Einzelzähnen zusammengesetzt sind, welche einander nahe gerückt und innig verschmolzen sind, ähnlich wie dies häufig bei anderen Skeletteilen der Fall ist." „Man kann in Fig. 22 sehen, dass die fötalen Zähnchen von Walfischföten (*Balaena boops*.

---

1) C. Röse, Beiträge zur Zahnentwicklung der Edentaten. Anatomischer Anzeiger, 1892, Heft 16 u. 17.

2) Giebel, Odontographie, 1856.

3) A. Gaudry, Les enchainements du monde animal dans les temps geologiques. Mammiferes tertiaires, 1878, S 54—56.

XII. 40

nach Eschricht) bald isoliert sind, bald sich nähern, bald verschmolzen sind, um einen einzigen Zahn zu bilden." Gaudry ver-
mutet weiter, dass die oberen Molaren der Ungulaten meist aus 6,
die unteren aus 4 Einzelzähnen, jedes Joch des tapyroiden Zahntypus aus 2 Einzelzähnen besteht.

E. Magitot[1]), welcher mit Recht Prämolaren und Molaren unter
dem gemeinsamen Namen „Molaren" zusammenfasst, gibt an: „Man
wird zur Ueberzeugung gedrängt, dass die so sehr verschiedenartigen
Zahnformen alle aus einem gemeinsamen Urtypus entstehen, wie wir
ihn bei Fischen finden. Dieser Urtypus ist der Kegelzahn. Die Vorsprünge und Tubercula der einzelnen Säugetierzähne entsprechen
einzelnen Kegelzähnen." Magitot sucht seine Ansicht auch entwicklungsgeschichtlich zu begründen. Da er nicht modelliert hat,
so entging es ihm, dass schon bei der ersten Anlage der
Molaren mehrere Papillen gemeinsam von der Zahnleiste
umwachsen werden. Magitot lässt vielmehr alle Zahnsorten,
Zylinderzähne, Plakoidzähne, multituberkulate und zusammengesetzte
Molaren etc. ursprünglich aus einer Papille hervorgehen. Auf dieser
gemeinsamen Basis erscheinen dann soviele Vorsprünge als der spätere Molar Höcker hat. Auf jedem dieser konischen Höcker entsteht
ein Zahnscherbchen. Letztere bleiben eine Zeit lang voneinander getrennt, verschmelzen dann an ihrer Basis und bilden so die Zahn-
krone. Nach Magitot bestehen auch die Schneidezähne aus drei
verschmolzenen Kegelzähnen. Unter allen Zähnen ist nur der Eckzahn homolog einem konischen Reptilienzahne (?).

Man ersieht aus Vorstehendem, dass Magitot auch bereits die
getrennte Anlage der einzelnen Zahnscherbchen bei Molaren lange
vor mir richtig erkannt hat. Nur die primitive Umwachsung mehrerer
Papillen bei der ersten Anlage eines Molaren und die Identität jeder
dieser Papillen mit der Papille eines Reptilienzahnes entging genanntem Forscher. Wenn der Entwicklungsmodus richtig wäre in
der Weise, wie ihn Magitot angibt, dann könnte man ja unmöglich
den Höcker eines Säugetiermolaren mit je einem Reptilienzahne
homologisieren, sondern die gegnerischen Autoren hätten recht, welche
den ganzen Molaren mit je einem kegelspitzigen Reptilienzahne
homologisieren.

Dybowski[2]) führt alle Säugetierzähne auf einen 4jochigen
Hauptbauplan zurück. Jedes Zahnjoch besteht aus zwei Teilen:
Jochrand und Jochbogen; jeder dieser letzteren Teile soll wieder aus

1) E. Magitot, Les lois de la dendition. Journ. de l'anatomie et de la
physiologie, 1883, p. 84—88.

2) Dybowski, Studien über die Säugetierzähne. Verhandlungen d. k. k.
zoologisch-botanischen Gesellschaft in Wien, 1889.

Dybowski, Niectóre wypadki srych badan nad Lebami zwierzat ssacych.
Odbitka 2 „Kosmosu" Roczn XIV, Zesz VII, VIII.

je drei Pfeilern entstehen. Jeder Pfeiler entwickelt sich aus einer einfachen Papille. Die Incisivi und Canini sind keineswegs als einfache Zähne zu betrachten, sondern sind den Backenzähnen ähnlich gebaut und wie diese zusammengesetzt.

Als Resumé gibt Dybowski an: „Einem jeden vierjochigen Säugetierzahne liegen 24 einfache Papillen zu Grunde, aus welchen ebensoviele Pfeiler entstehen, z. B. die Zähne mit nicht centralisiertem Zahnbeine. Indem nun je drei Pfeiler miteinander verwachsen, entsteht je ein Halbjoch, die ihrerseits untereinander verwachsend je ein Zahnjoch bilden. Aus dem Verwachsen einzelner Zahnjoche miteinander kommt eben der zusammengesetzte, vierjochige Zahn zu Stande. Durch das Verkümmern einzelner Pfeiler (resp. Papillen) erklärt sich das Verkümmern oder gar Fehlschlagen der einzelnen Zahnjoche."

Dybowski's Hypothesen entsprechen im Einzelnen so wenig den ontogenetischen und paläontologischen Thatsachen, dass ich auf eine spezielle Widerlegung verzichten kann. Wie mir scheint, so will Dybowski die Säugetierbezahnung in direkte Beziehung setzen zu den Zähnen der Sellachier. Solche weitgreifende Homologisierungen haben aber schon oft zu falschen Resultaten geführt.

Im Jahre 1891 erschien eine vorläufige Mitteilung von Kükenthal[1]. Darin wird unter andern die bereits von Eschricht beobachtete und von Gaudry (siehe oben) in ihrer Bedeutung vollauf gewürdigte Thatsache bestätigt, dass bei Embryonen von Bartenwalen Doppelzähne vorkommen, deren allmählichen Uebergang in Einzelzähne man verfolgen kann. An einer Serie von 7 Embryonen von *Balaenoptera musculus* fand Kükenthal die wichtige Thatsache, dass die Zahl der Doppelzähne mit zunehmendem Wachstume beträchtlich abnimmt, während die Zahl der einzelnen Zahnspitzen in jeder Kieferhälfte konstant 53 beträgt. Am Schlusse seiner Mitteilung führt Kükenthal an: „Zum Schlusse möchte ich folgenden Versuch einer Erklärung der Entstehung von Säugetierbackzähnen beifügen, dessen rein hypothetischen Charakter ich durchaus nicht verkenne. Wir haben an der Hand der Untersuchung von Bartenwalzahnkeimen die Erscheinung kennengelernt, dass bei Säugetieren, deren Kiefer sich verlängern, die Backzähne sich in eine Mehrheit von konisch zugespitzten, reptilienzahnartigen Gebilden teilen; sind nicht die Säugetierbackzähne auch umgekehrt so entstanden, dass bei dem umgekehrten Prozess, einer Verkürzung der Kiefer, welche die Vorfahren der heutigen Säuger bei ihrer Umwandlung aus reptilienartigen Vorfahren erlitten, je eine Anzahl einfacher, konischer Reptilienzähne zur Bildung eines Säugetierbackzahnes zusammentrat? Die Paläontologie spricht für meine Ansicht, die ältesten bekannten

---

1) Kükenthal, Einige Bemerkungen über die Säugetierzahnung. Anat. Anzeiger, 1891, Nr. 13.

Säugetiere, z. B. *Triconodon* aus dem oberen Jura, zeigen Backzähne von für unsere Idee gefordertem typischen Bau, je 3 gleichartige, hintereinanderliegende konische Zahnteile, die miteinander verschmolzen sind. Vom triconodonten resp. dem trituberkularen Typus aus lassen sich dann, wie die schönen Arbeiten eines Cope, Osborn, Schlosser u. a. gezeigt haben, die Backzähne aller Säugetiere ableiten."

Vorstehenden Passus, den ich, obwohl die betreffende Arbeit in meinen Händen war, ebenso übersehen hatte wie die Ausführungen von Giebel, Gaudry, Magitot und Dybowski, bringt Kükenthal[1]) in einer ausführlicheren Arbeit beinahe wörtlich wieder und fügt in einer Anmerkung hinzu: „Es ist wohl kaum nötig darauf hinzuweisen, dass meine Ansicht über die Entstehung der Säugetierbackzähne nicht viel über das Stadium der bloßen Vermutung gelangt ist. Verwandte Anschauungen haben geäußert Dybowski . . . Magitot . . . Gaudry . . . Ameghino[2]) . . . Cope und Andere mehr."

Nach den mitgeteilten Daten klingt es nun einigermaßen merkwürdig, wenn Kükenthal neuerdings[3]) in doppelt gesperrtem Drucke sagt: „Vor einem Jahre habe ich die Ansicht aufgestellt, dass die Backzähne der Säugetiere aufzufassen sind als entstanden durch gruppenweise verschmolzene, ursprüngliche, konische Reptilienzähne", und wenn der Autor in einer Anmerkung hinzufügt: „In einem während der Drucklegung dieser Arbeit erschienenen Aufsatze (Ueber die Entstehung und Formabänderung der menschlichen Molaren. Anatom. Anzeiger. 3. Juni 1892) eignet sich Herr Röse meine Auffassung an und bezeichnet sie als seine Theorie, ohne mich nur zu erwähnen, obwohl er Kenntnis von meinen diesbezüglichen Arbeiten hat."

Gesetzt den Fall, dass Herr Kükenthal anfangs gleich mir die Auffassung von der Verwachsung der Molaren selbständig gefasst hat, ohne die Ansichten früherer Autoren zu kennen, so kann doch genannter Autor, der jetzt Kenntnis von den oben angeführten Daten haben muss, unmöglich ebensowenig als ich daran denken, die schon früher sehr bestimmt von Gaudry und Magitot ausgesprochene Idee als die seinige bezeichnen zu wollen. Was die Begründung dieser Idee betrifft, so bringt Kükentkal gleichfalls nichts Neues, denn die Doppelzähne der Wale, das Hauptargument Kükenthals, ist schon von Gaudry genügend gewürdigt worden.

Vor dem Erscheinen meiner oben genannten Arbeit hat nur Magitot embryologische Beweise für die Verwachsungstheorie zu geben

---

1) Kükenthal, Ueber den Ursprung und die Entwicklung der Säugetierzähne. Jenaische Zeitschrift für Naturwissenschaft, 1892.

2) Anmerkung. Die Arbeit von Ameghino war mir leider nicht zugänglich.

3) Kükenthal, Ueber die Entstehung und Entwicklung des Säugetierstammes. Biologisches Centralblatt, 15. Juli 1892.

versucht. Das Hauptargument jedoch, die primitive Umwachsung
mehrerer Papillen durch die Zahnleiste bei der Anlage der Molaren
hat vor mir noch kein Autor durchgeführt. Dybowski hatte dasselbe zwar geahnt; seine Annahme von 24 Papillen bei der Anlage
eines Molaren bewegt sich aber vollständig auf dem Gebiete der un-
bewiesenen und unbeweisbaren Hypothese.

Ein vollkommener Beweis für die Richtigkeit der Verwachsungstheorie lässt sich heute noch nicht führen. Ein solcher
liegt nur dann vor, wenn die Ergebnisse der Entwicklungsgeschichte
durch die vergleichende Anatomie und Paläontologie bestätigt werden.
Auf dem Gebiete der vergleichenden Zahnforschung fühlten sich in
den letzten Jahren die Paläontologen derart als Meister, dass einige
von ihnen den Wert der Entwicklungsgeschichte völlig negieren zu
dürfen glauben. Dem gegenüber kann ich nicht scharf genug betonen,
dass die Paläontologie lediglich in positiver Hinsicht
beweiskräftig ist, niemals aber in negativer. Die vergleichende Ontogenie gibt Beweismittel an die Hand, woraus sich
schließen lässt, dass die Säugetiermolaren entstanden sind durch Verwachsung mehrerer einspitziger thekodonter Reptilienzähne: Wenn
nun die Paläontologie die verlangten Zwischenstufen nicht aufweisen
kann, so folgt daraus nur, dass wir dieselben bisher noch nicht gefunden haben, nicht aber folgt daraus, dass sie gar nicht vorhanden
waren! Hinsichtlich des Wertes von Spekulationen, die sich nur auf
Thatsachen der Paläontologie stützen, kann ich mich lediglich darauf
beschränken, die Anschauung von Fritsch[1]) wiederzugeben: „Diejenigen, welche erwarten am Schlusse dieser Arbeit einen der modernen Stammbäume zu finden, werden enttäuscht sein. Nicht Jeder-
manns Gemüt eignet sich dazu solche hypothetische Gebilde zu
schaffen, welche bei Entdeckung fernerer paläontologischer Thatsachen wie ein Kartenhaus zusammenfallen. Man mag deshalb nicht
annehmen, dass ich ein Gegner der Deszendenzlehre bin, im Gegenteil, ich weiß den Wert dieser genialen Lehre wohl zu würdigen;
aber ich sehe, dass auf dem Gebiete der Paläontologie in der Regel
aus dem vorliegenden sehr lückenhaften Materiale zuviel gefolgert
wurde. Bedenken wir, wie viel Neues die sehr beschränkten Fundorte in Böhmen auf einigen Hundert Quadratmetern Fläche lieferten,
so sieht man ein, welchen kleinen Bruchteil von dem einstigen Tierleben wir kennen und wie beschränkt der Wert aller Spekulationen
ist, die früher auf Grund der mangelhaften Kenntnis des *Archego-
saurus* gemacht wurden.“

Was die Entwicklungsgeschichte betrifft, so können ja allerdings
auch ihre Urkunden durch Caenogenese gefälscht sein und sind außerdem größtenteils durch Abkürzung in der Entwicklung mangelhaft

---

1) Fritsch, Fauna der Gaskohle und der Kalksteine der Permformation
Böhmens, 1889, Bd. II, S. 56.

Ein Stammbaum, der nur auf den Thatsachen der Entwicklungsgeschichte basierte, würde mit ebensovielen Fragezeichen zu versehen sein wie die paläontologischen Stammbäume. In den meisten
Fällen aber haben sich bisher die Thatsachen der vergleichenden
Entwicklungsgeschichte und diejenigen der Paläontologie aufs schönste
ergänzt. So wissen wir z. B., dass die Vorfahren der heutigen pari-
digitaten Ungulaten, *Dichobune*, *Phagaterium* u. a. Zahnformen besitzen, die gerade in der Mitte stehen zwischen den heutzutage hochdifferenzierten bunodonten und selenodonten Zahntypen. Die Halbmonde jener fossilen Zähne sind so dick, dass es schwierig ist zu
sagen, ob wir Lobi (Halbmonde) oder Coni (Höcker) vor uns haben.
Bei *Choeropotamus* sind die Unterkiefermolaren mehr bunodont, die
Oberkiefermolaren mehr selenodont. Hinsichtlich ihrer Zähne bilden
die genannten Gattungen demnach einen schönen Uebergang von den
Suiden zu den Anthracotheriden. Kowalewski[1]) sagt: „Es unterliegt keinem Zweifel, dass beide jetzt so scharf geschiedenen Zähne,
die Halbmondzähne und die Höckerzähne durch die vollständigsten
Uebergänge miteinander verbunden sind und nur Extreme ein und
derselben Urform darstellen." Nun sind die mesozoischen Urahnen
des ganzen Ungulatenstammes noch nicht aufgefunden worden. So
kommt es, dass Kowalewski, Rütimeyer, Dybowski u. a. als
jene hypothetische Urform der Ungulatenzähne den bei den ältesten
Unpaarhufern schon vorkommenden Jochzahn ansehen, während Cope,
Osborn und Schlosser als Ausgangspunkt den triconodonten
Höckerzahn betrachten. In diesen Streit der Meinungen greift die
Entwicklungsgeschichte entscheidend ein. Aus den Untersuchungen
Täker's[2]), die ich inzwischen bestätigen und erweitern konnte,
sehen wir, dass beide so weit verschiedenen Zahnformen der heutigen
Ungulaten entwicklungsgeschichtlich sich ganz gleich anlegen. Beide
entstehen aus mehreren konischen Einzelzähnchen durch Verwachsung
derselben. Der Unterschied zwischen beiden Zahnformen liegt lediglich darin, dass bei den bunodonten Zähnen die Coni ihre ursprüngliche Gestalt nahezu beibehalten, während sie bei den selenodonten
Zahnformen zunächst zu Halbmonden auswachsen. Was die Joch-
zähne betrifft, so hat bereits Gaudry mit Recht darauf hingewiesen,
dass jedes Joch aus 2 bis 3 konischen Einzelzähnen entstanden zu
denken ist und auch für diese Anschauung liefert die Entwicklungsgeschichte Beweise.

Hinsichtlich der Verwachsungstheorie hat man mir von paläontologischer Seite den Einwurf gemacht, dass man ja die allmähliche
Entwicklung eines wahren Höckers aus einer kleinen Basalknospe
paläontologisch verfolgen könne. Dieser Einwand ist nicht stichhaltig!
Wie ich bei Beuteltieren besonders schön verfolgen konnte, ent-

---

1) Kowalewski, Monographie der Gattung *Anthracotherium*.
2) Täker, Zur Kenntnis der Odontogenese bei Ungulaten. Dorpat 1892.

wickelten sich z. B. die Basalknospen der Prämolaren aus je einer besonderen Papille, die vermutlich ursprünglich einer späteren Zahnreihe angehörte als die Hauptpapille und der Hauptkegel. Demgemäß ist auch die Papille der Basalknospe später von der Zahnleiste umwachsen worden und verkalkt viel später als die Hauptpapille. Eine Basalknospe, welche einem größeren Kegelzahne ansitzt, z. B. bei den Prämolaren von *Didelphys*, ist also nichts Anderes als ein kleines Zähnchen, welches mit einem größeren verwachsen ist.

Ein fernerer Einwand, der mir gemacht werden könnte, liegt in der allmählichen Angliederung der später auftretenden Papillen an die Hauptpapillen. Man könnte behaupten, dass die später angegliederten Papillen ebenso wie die erste Anlage mehrerer Papillen nebeneinander aufzufassen sei als ganz sekundäre Modellierungen einer ursprünglichen Hauptpapille. Hinsichtlich dieses eventuellen Einwandes kann ich nicht dringend genug empfehlen bei möglichst starker Vergrößerung nach Born's Methode einwandfreie Wachsmodelle anzufertigen. Dann wird man finden, dass die Molaren zur Zeit, wo ihre verschiedenen Papillen sich anlegen, meist noch in ganzer Ausdehnung mit der gemeinsamen Matrix, der Zahnleiste, zusammenhängen und dass die ganze Anlage eines Molaren um diese Zeit lediglich einen Teil der Zahnleiste vorstellt, nicht aber ein abgesondertes Einzelindividuum. Zu letzterem wird der Molar erst dann, wenn er von der Zahnleiste sich abgeschnürt hat; dann aber sind auch alle Papillen schon entwickelt.

In manchen Fällen, z. B. bei den hochdifferenzierten Molaren unserer Feliden liegen die Verhältnisse infolge sekundärer Abänderung überhaupt nicht so klar auf der Hand wie bei den viel primitiveren Zähnen von Mensch, Schwein, *Opossum* etc. In solchen Fällen muss dann die vergleichende Entwicklungsgeschichte zu Rate gezogen werden.

In folgenden Zeilen möchte ich in kurzen Zügen einen Ueberblick über die Phylogenie der Zähne geben in der Weise, wie ich ihn aus meinen vergleichend entwicklungsgeschichtlichen Untersuchungen gewonnen habe. Ich sehe hierbei ganz ab von allgemeinen phyletischen Spekulationen und gehe nur auf die Phylogenie des Zahnindividuums ein. Da die Zahnformen in vieler Hinsicht einfach Produkte der Nahrungsweise sind, so können, wie schon Kowalewsky bemerkt, naturgemäß in ganz differenten Tierklassen infolge gleicher Lebensweise gleiche oder ähnliche Zahnformen auftreten. Danach eignen sich die Zähne überhaupt nicht gut als Stützpunkte für allgemeine phyletische Spekulationen; man läuft zu leicht Gefahr Analogien mit Homologien zu verwechseln.

Wann zuerst Zähne im Vertebratenstamme aufgetreten sind, wissen wir nicht. Vermutlich aber geschah dies sehr frühzeitig. Aus

entwicklungsgeschichtlichen Gründen nimmt man mit Recht an, dass
die ältesten Vorfahren der Vertebraten nackt waren, ähnlich wie noch
heute der *Amphioxus*. Nur Baume [1]) glaubt, dass die ältesten Vertebraten bereits einen starken kalkhaltigen Hautpanzer besaßen, welcher
von wirbellosen Vorfahren (Echinodermen?) übererbt wurde!? Erst
durch Zerfall dieses Hautpanzers entstanden die Plakoidschuppen der
Selachier. Die Hautpanzer der Störe, Panzerwelse, Stegocephalen,
Krokodile, Schildkröten, vielleicht auch diejenigen der Edentaten
sollen nach Baume sämtlich durch Vererbung aus jener hypothetischen Urform abzuleiten sein!?

Wenn man nun auch dieser Anschauung gegenüber mit Recht
allgemein annimmt, dass die ersten Hartgebilde der Wirbeltiere Zähne
und zahnartige Plakoidschuppen waren, so haben wir damit immerhin noch keinen Grund die Selachier resp. selachierähnliche Fische
als die gemeinsame Urform aller Vertebraten zu betrachten. Je-
mehr sich unsere paläontologischen Kenntnisse vermehren, um so
tiefer rückt die untere Grenze des Vorkommens höherer Tierformen
herab, umsomehr macht sich die Ueberzeugung geltend, dass die
Form unserer heutigen Stammbäume unrichtig ist, dass die bisher aufgefundenen spärlichen Reste der einstigen Tierwelt nicht den einzelnen
der heutigen Gruppen affine, sondern als mehreren von ihnen
korrelate Typen zu betrachten sind (Burmeister). Unsere bisher
üblichen Stammbäume aber wollen alle Lebewesen aus einem gemeinsamen Stamme ableiten, etwa wie die Aeste und Zweige einer
Eiche aus ihrem Stamme. Der wahre Stammbaum der Vertebraten
hat aber vermutlich viel eher die Form eines am Spalier gezogenen
Obstbaumes oder eines Weinstockes mit vielen parallelen Zweigen,
welche von einer gemeinsamen breiten Basis entspringen.

Wenn wir von einem einfachen Selachierzahne als Zahneinheit
ausgehen, so wissen wir seit Hertwig's [1]) Untersuchungen, dass
derselbe aus Dentin besteht, mit einem dünnen Schmelzüberzuge bedeckt ist und einem knochenähnlichen Cementsockel aufsitzt. Was
seine Genese betrifft, so entsteht der Selachierzahn ursprünglich
ebenso wie jedes Haargebilde aus einer frei über die Schleimhautoberfläche hervorragenden Schleimhautpapille. Wie bei
jeder Papille so ist auch schon bei jenen primitiven Zahn-
anlagen das Epithel das formgebende Element und der
mesodermale Kern das indifferente Ausfüllmaterial, welches indess durch seine neugewonnenen Beziehungen zur epithelialen
Umhüllung eine spezifische Funktion gewinnt, nämlich die Zahnbeinbildung. Das Zahnbein ist lediglich eine höher differenzirte Form
von Knochengewebe. Während bei letzterem die knochenbildenden

---

1) Baume, Odontologische Forschungen, 1882.
1) O. Hertwig, Ueber den Bau der Placoidschuppen und der Zähne der
Selachier. Jenaische Zeitschrift f. Naturw., Bd. VIII.

Osteoblasten völlig von der gebildeten Grundsubstanz umschlossen werden und dann nur noch als Nutritionsorgane für den Knochen thätig sind, so verwenden die Odontoblasten nur einen Teil ihres Zellenleibes, den Tomes'schen Fortsatz, als Nutritionsorgan, während der Hauptteil des Zellenleibes während der ganzen Wachstumsperiode des Zahnes formativ thätig bleibt. Osteoblast und Odontoblast, beide entstehen von derselben Grundlage, aus indifferenten Mesodermzellen. Die spezifische Funktion der Zahnbeinbildung gewinnen die Odontoblasten lediglich durch ihre Beziehung zum umhüllenden Epithelorgan, zur Epithelscheide oder wie man bisher in nicht hinreichend korrekter Weise sagte, zum Schmelzorgan. Die Hauptfunktion der Epithelscheide liegt darin die Form abzugeben, innerhalb derer sich Zahnbein ablagern wird. Die Funktion der Schmelzablagerung übernimmt nur der oberste Teil der Epithelscheide und auch dieser nicht konstant.

Soweit man aus der Entwicklungsgeschichte schließen kann, waren bei den Vorfahren der Selachier auch die Zähne des Mundeinganges kleine indifferente Gebilde ähnlich den heutigen Placoidschuppen. Erst als dieselben zur Nahrungsaufnahme verwandt wurden, wuchsen diese Zähne rasch heran. Die größeren Ersatzzähne konnten nun nicht mehr auf der Schleimhautoberfläche gebildet werden, wo die fortwährende Nahrungsaufnahme störend auf ihre Bildung einwirkte. Es senkte sich also ein Teil des Mundhöhlenepitheles in Gestalt der Zahnleiste ins Kiefermesoderm ein und übernahm im weiteren Verlaufe der Entwicklung allein die Zahnbildung.

Baume glaubt Hertwig's Beobachtungen korrigieren zu müssen und gibt an, dass schon bei der ersten Anlage von Zähnen und Placoidschuppen bei Selachiern das Epithel sich zunächst in Form eines Zapfens ins Mesoderm einstülpe um erst sekundär in Gestalt einer Papille hervorzutreten. Diese Angaben Baume's beruhen zweifellos auf unrichtigen Deutungen von Schnittbildern.

Nicht allein bei Selachiern, sondern auch bei den von mir untersuchten Teleostiern, Ganoiden, Perennibranchiaten, Derotremen (Amphiuma), Urodelen, vor Allem aber selbst bei den hochorganisierten Krokodilen, überall zeigten sich die Anlagen der ersten Zähnchen als über die Oberfläche hervortretende freie Papillen. Bei den Urodelen hat Hertwig im Gegensatze zu den richtigen Angaben von Gegenbaur und Sirena die ersten Anlagen zweifellos übersehen.

Die bisher in Betracht gezogenen einspitzigen Kegelzähne waren sehr geeignet zum Ergreifen und Festhalten der Beute, nicht aber zum Zermalmen derselben. Für diese Funktion erwarben die Vertebraten zwei große korrelate Gruppen von Kauwerkzeugen, einerseits die rein epithelialen Hornzähne und Hornkiefer, andrerseits die durch Verwachsung von Einzelzähnen entstandenen Zahnplatten und zusammengesetzten Zähne. Unter den Selachiern finden sich heute noch alle Uebergänge vom einfachen Kegelzahne bis zu den Zahnplatten der Chimaeren. Das Bestreben durch Verwachsung von Einzelzähnen widerstandsfähigere und kautüchtigere Zahngebilde zu erhalten, muss sich schon sehr früh geltend gemacht haben. Bereits im Silur fand Fritsch hochorganisierte Zahnplatten von Vertebraten, die er den heutigen Dipnoern an die Seite stellt. Soweit man aus ihrem Zahnbau und Zahnwechsel schließen kann, sind die Dipnoer allerdings eine uralte Familie. Bei ihnen ist noch keine Zahnleiste entwickelt sondern beim Zahnwechsel fungiert der ganze betreffende Kieferteil der Mundhöhlenschleimhaut als Epithelscheide oder Schmelzorgan. Bisher glaubte man, dass bei den mit großen Zahnplatten versehenen Vertebraten kein Zahnwechsel stattfinde. Nachdem ich einen solchen jedoch bei *Protopterus* nachgewiesen habe, so liegt die Vermutung nahe, dass auch *Ceratodus*, *Chimaera* etc. ihre Zähne wechseln.

Unter den Amphibien besitzen die niedrigsten Formen einspitzige Kegelzähne; die zweispitzigen Zähne der höheren Formen sind nach meiner Ueberzeugung zweifellos ursprünglich entstanden durch Verwachsung von zwei einspitzigen Kegelzähnen. Größere Zahnplatten kommen anscheinend bei Amphibien nicht vor, dagegen verwachsen, wie wir durch Hertwig's Untersuchungen wissen, die Basalplatten oder Sockel der Zähne zu einheitlichen Knochengebilden, den Kieferknochen, welche sich von nun an auf alle höheren Vertebraten vererben. Mit diesen Kieferknochen sind bei Amphibien und den meisten Reptilien die Zähne fest verwachsen. Beim Zahnwechsel wird nicht nur der Zahn sondern auch ein Teil seines Sockels resorbiert. Diese unnötige Materialverschwendung wird umgangen durch die Ausbildung thekodonter Zähne. Unter den heutigen Reptilien finden wir dieselben nur noch bei den uralten Krokodilen, unter den ausgestorbenen Reptiliengattungen und bei den Vögeln der Kreide war diese Zahnform sehr verbreitet und unter den Säugetieren ist sie bekanntlich alleinherrschend.

Wann zuerst thekodonte Zähne aufgetreten sind, wissen wir nicht, wie sie entstanden sind, das zeigt uns die Entwicklungsgeschichte der Krokodile. Die ersten Zähnchen dieser Tiere entsprechen durchaus den primitiven Selachierzähnen und entstehen aus über die Schleimhaut hervorragenden freien Papillen. Soweit die Epithelscheide reicht, bildet sich Dentin mit dünnem Schmelzüberzuge, weiter hinab schließt sich in Gestalt von feinen Knochenbälkchen ein Zementsockel an. An einigen Stellen steht derselbe mit den später entstehenden Kieferknochen in Verbindung. Nach innen von dieser primitiven Zahnreihe senkt sich in späterem Stadium die Zahnleiste in die Tiefe und umwächst in gewissen Intervallen die Papillen der zweiten Zahnreihe. Nachdem sich diese zweite Zahnserie von der Zahnleiste abgeschnürt

hat, dann beendet jedoch die Epithelscheide ihr Wachstum nicht, wie
bei den pleurodonten und akrodonten Reptilien, sondern sie wächst
immer weiter, solange der Zahn funktioniert. In ihren oberen Teilen
wird sie siebartig durchlöchert, um das weit offene Wurzelende des
Zahnes aber bildet die Epithelscheide einen geschlossenen Ring, genau
so, wie das auch während der Entwicklung aller Säugetierzähne zu
sehen ist (v. Brunn, C. Röse, Ballowitz). Der fertige thekodonte Krokodilzahn gleicht in seinem Bau und in seiner
Entwicklung vollständig einem einfachen Säugetierzahne, dessen Wurzelwachstum noch nicht vollendet ist.
Darum sind wir vollkommen berechtigt zu dem Schlusse, dass die
direkten Vorfahren der Säugetiere vielzahnige, thekodonte Reptilien waren. Wir kennen bisher weder die direkten
Ahnen der bereits im Trias als hochspezialisierte teilweise pelagische
Formen (siehe Zittel) auftretenden Krokodile noch die Vorfahren
der ebenfalls im Trias schon weit verbreiteten und hochspezialisierten
Säugetiere. Die letzteren erlangten sicherlich nur ganz allmählich
das Uebergewicht über die Saurier und nicht „sehr bald", wie
Kükenthal meint. Aus diesem Grunde sind auch die Ueberreste
der Säuger aus der Sekundärzeit so außerordentlich spärlich vorhanden. Nach meiner Ueberzeugung haben sich die Säugetiere spä-
testens in der Permformation, vermutlich aber noch früher vom gemeinsamen Stamme abgezweigt. Jedenfalls sind, wie ich mit Cope
und Kükenthal annehme, die direkten Vorfahren der Säuger nicht
unter den bis heute bekannten Theromorphen zu suchen, sondern
stammen von älteren vielzahnigen, thekodonten Formen ab, die bisher
noch nicht bekannt sind.

Allem Anscheine nach sind die mehrhöckerigen Reptilienmolaren
durch Verwachsung von mehreren einspitzigen Zähnen entstanden
analog den Molaren der Säuger. Ueber diesen Punkt fehlen bisher
nähere Untersuchungen. Was jedoch die einspitzigen Reptilienzähne betrifft, so sind dieselben trotz ihrer größeren
Funktionstüchtigkeit morphologisch durchaus homolog
einem Fisch- oder Amphibienzahne. Ich kann Kükenthal
durchaus nicht zustimmen, wenn er die einspitzigen Reptilienzähne
als „durch ehemals erfolgte Verschmelzung" entstandene Zähne „zweiter
Ordnung" bezeichnet. Die bessere Ausbildung der Reptilien-
und noch mehr diejenige der Säugetierzähne wird nicht
durch Verschmelzungsprozesse bedingt, sondern lediglich durch die Anpassung an das längere Ei- resp. Intra-
uterinleben. Bei den phyletisch uralten Krokodilen sehen wir,
dass die erste primitive Zahnserie noch ausgebildet und während des
Eilebens wieder resorbiert wird. Die Zähne der zweiten Serie bilden
sich auf ganz dieselbe Weise aus einer einfachen Papille, aber ihre
Ausbildung erfolgt viel langsamer und gründlicher. Das Material,

welches bei den Vorfahren, die in früherer Entwicklungsperiode den Kampf ums Dasein aufnehmen mussten.
zur Ausbildung mehrerer Zahnserien aufgewandt wurde,
wird durch Anpassung an das längere Eileben zur Ausbildung einer einzigen funktionstüchtigeren Zahnreihe
benutzt. Weil diese erste in Funktion tretende Zahnreihe sich langsamer abnützt, deshalb bleibt sie auch länger in Funktion als die
weniger dauerhaften Zähne der Vorfahren. Da die erste Zahnreihe
länger funktioniert, so können sich die Ersatzzähne langsamer und
gründlicher ausbilden, funktionieren ebenfalls länger und eine Beschränkung des vielfachen Zahnwechsels der Selachier etc. ergibt sich
bei den Reptilien ganz naturgemäß. Bei den übrigen von mir bisher
untersuchten Reptilien ist durch Abkürzung in der Entwicklung auch
die erste primitive Zahnserie der Krokodile verloren gegangen. Bei
den Säugetieren, bei denen das foetale Leben noch länger dauert, ist
naturgemäß noch eine größere Reihe von Zahnserien der primitiven
Vorfahren ausgefallen. Als Andeutung derselben aber finden wir
bereits in einer sehr frühen Entwicklungsperiode die Zahnleiste angelegt. Die Zahnleiste der Säugetiere vor der Bildung
der ersten Zahnserie muss, wie ich oben erwähnte, in
noch viel höherem Grade als bei den Reptilien betrachtet
werden als ein Gebilde, das in nuce eine ganze Reihe
verloren gegangener Zahnserien umfasst. Entsprechend
der längeren intrauterinen und der Säuglingsperiode wird auch die
erste Zahnserie der Säugetiere noch in viel höherem Grade langsam
und gründlich ausgebildet als dies bereits bei den Reptilien der
Fall war. In vielen Fällen z. B. bei den Marsupialiern ist diese
Ausbildung der ersten Zahnserie so vollendet, dass dieselbe zeitlebens
funktioniert und die zweite Zahnserie gar nicht zur Ausbildung kommt.

Wir sehen also, dass die bessere Ausbildung des Einzel-
zahnes und die damit erfolgende Abnahme in der Zahl
der Dentitionen lediglich aus der Anpassung an das Ei-
resp. Säuglingleben resultiert und nicht aus Verwachsungs-
prozessen, wie das Kükenthal will. Ueberall da, wo Verwachsungsprozesse von Zähnen in der Vertebratenreihe
vorkommen, da wird nur bezweckt Zahngebilde zu
schaffen, welche zum Zermalmen und Kauen dienlich
sind. Solche Verwachsungsprozesse treten nun in der Vertebratenreihe durch Anpassung an ähnliche Lebensweise mehrmals auf und
zwar, wie Kükenthal ganz richtig sagt, von einer immer höheren
Basis aus. Den höchstentwickelten zusammengesetzten oder Stockzahn [1]) haben wir in den Molaren der Säuger vor uns. Ganz abge-

---

1) Sollte nicht vielleicht der vulgäre Ausdruck „Stockzahn" für Molar
die Bezeichnung darstellen für einen aus mehreren Einzelzähnen verwachsenen
Zahnkomplex?

sehen von der Entwicklungsgeschichte, muss uns, wie auch Kükenthal angibt, schon die Form der ältesten bekannten Säugetiermolaren
auf die Idee bringen, dass dieselben entstanden sind durch Verwachsung von mehreren einspitzigen Zähnen. Ob wir berechtigt sind die
2—3 Höckerreihen der multituberkulaten Zähne als ebensoviele aufeinanderfolgende Dentitionen zu betrachten oder ob diese Höcker
lediglich gegen einander verschobene Zähne ein und derselben Dentition sind, dies ist eine bisher noch offene Frage, deren Lösung sich
vermutlich aus näherer Kenntnis von der Zahnentwicklung der Monotremen ergeben wird.

Was die Schneidezähne betrifft, so halte ich dieselben im Gegensatze zu den Molaren für einfache Zähne, weil sie sich aus einer
einzigen Papille entwickeln. Die 3—4 Höckerchen auf den Schneiden
derselben beim Menschen etc. halte ich für morphologisch indifferent.
Im Gegensatze zu den einfachen Incisiven bezeichnet man nach Magitot's Vorgange die Prämolaren und Molaren, als zusammengesetzte
Zähne, am Besten unter dem gemeinsamen Namen „Molaren“. Der
Eckzahn markiert dann die Grenze zwischen einfachen und zusammengesetzten Zähnen, sei es dass man ihn als letzten einfachen, sei es
dass man ihn, wie viel wahrscheinlicher, als ersten Prämolaren resp.
Molaren betrachtet, dessen hinterer Zahnkegel zurückgebildet ist.

Was die Wurzelbildung der Säugetierzähne betrifft, so ist dieselbe
ein ganz sekundärer Vorgang. Unter den Reptilien haben bereits die
Ichthyosaurier ziemlich vollständig ausgebildete Wurzeln. Zur Zeit
als bei den Vorfahren der heutigen Säuger die einzelnen Zahnkegel
zu Molaren verschmolzen, war das Wurzelwachstum sicherlich noch
nicht vollendet. Darauf deutet das noch nicht vollendete Wurzelwachstum der ältesten bisher bekannten trikonodonten und multituberkulaten Molaren hin. Aus dieser Thatsache erklärt es sich auch
sehr leicht, warum z. B. die bekannten trikonodonten Molartypen
nur zwei Wurzeln haben anstatt von drei entsprechend der Anzahl
der Einzelzähne. Die Wurzelbildung ging vor sich lediglich
aus Zweckmäßigkeitsgründen behufs besserer Befestigung des besser ausgebildeten Zahnes im Kieferknochen.
Daher werden in den meisten Fällen immer nur so viele Wurzeln
ausgebildet als bei geringstem Stoffverbrauch zur Befestigung im
Kiefer am dienlichsten sind. Die Wurzeln der übrigen Höcker der
Molaren wurden entweder primitiv gar nicht angelegt oder sie sind
später wieder verkümmert. Aufgabe der Einzelforschung wird es
sein diese Verhältnisse im Einzelnen klar zu legen. Ebenso ist die
vergleichende Entwicklungsgeschichte der Zähne bei verschiedenen
Säugern noch nicht genügend untersucht um bereits eine vollständige
Systematik aufstellen zu können. Hinsichtlich der immerwachsenden
Zähne kann ich nicht eindringlich genug die Ansicht Baume's bekämpfen, welcher dieselben als primitive Urtypen betrachten will,

aus denen die bewurzelten Zähne mit beschränktem Wachstum hervorgegangen sein sollen. Die von offenen Pulpen permanent wachsenden Zähne sind lediglich durch Anpassung an vorwiegend vegetabilische Nahrungsweise entstanden und stellen als Zahneinheit das höchstdifferenzierte Zahngebilde dar, welches überhaupt existiert.

Vermutlich haben sich die immerwachsenden Zähne sämtlich aus krokodilähnlichen Zähnen mit offener Pulpa aber beschränkter Lebensdauer in einer sehr frühen Periode bei den einzelnen Stämmen gebildet. Jedenfalls ist es unzulässig auf Grund ihrer übereinstimmenden Zahnstruktur etwa die Nager vom Wombat ableiten zu wollen. Die Monotremata, Marsupialia und Placentalia sind korrelate, keineswegs aber affine Typen. In dieser Hinsicht stimme ich den Auslassungen von Fleischmann, Wiedersheim, Klatsch, Kükenthal etc. völlig bei.

Freiburg i. B., den 15. August 1892.

Die internationalen Beziehungen von *Lomechusa strumosa*.
Von **E. Wasmann** S. J.

(Schluss.)

3) Die Beziehungen von *Lomechusa strumosa* zu *Formica pratensis* Deg.

F. pratensis, die „schwarzrückige Waldameise", ist ein Rasse von *F. rufa* L. Auch bei ihr wurde, obgleich sehr selten, *Lomechusa strumosa* gefunden (Roger), und da überdies ihr Verhalten gegenüber *Lomechusa* demjenigen von *F. sanguinea* gleicht, kann man auch *F. pratensis* als „sekundäre Wirtsameise" jenes Gastes bezeichnen.

Am 30. Mai 1888 (Exaeten) setzte ich eine *Lomechusa strumosa*, die zuerst bei *F. sanguinea*, dann bei *rufa* gewesen war, von letzterer unmittelbar zu *F. pratensis* (vergl. oben S. 598). Da ich den Käfer in das Nest hineinfallen ließ, stürzten sofort mehrere Ameisen mit geöffneten Kiefern auf ihn los, wurden aber durch seine Fühlerschläge sogleich beschwichtigt und beleckten ihn sanft am Hinterleibe, den sie soeben in feindlicher Weise mit ihren Kiefern hatten fassen wollen. Sie schienen rasch bemerkt zu haben, dass der neue Ankömmling ein angenehmes Wesen sei, an dem es etwas zu lecken gebe. In den folgenden Stunden wurde die *Lomechusa* fast fortwährend von einer oder mehreren *pratensis* beleckt, manchmal auch gefüttert. Sie wurde ebenso gastlich behandelt wie bei *F. sanguinea* und schien die Aufmerksamkeit der Ameisen in höherem Grade auf sich zu ziehen als es bei *F. rufa* der Fall gewesen. Am 31. Mai setzte ich die *Lomechusa* von *F. pratensis* zu *F. fusco-rufibarbis* (Mischrasse), worüber später.

Ueber eine *Lomechusa*, die ich mit dem Geruche von *Lasius fuliginosus* versah und dann zu *F. sanguinea* und hierauf zu *pratensis* setzte, werde ich später berichten.

4) Die Beziehungen von *Lomechusa strumosa* zu *Formica exsecta* Nyl.

F. exsecta ist kleiner als *rufa*, von der sie sich namentlich durch den tief ausgerandeten Hinterkopf unterscheidet. Ihr Nestbau gleicht jenem von *rufa*, enthält aber mehr feines Material. In Raschheit der Bewegung, Reizbarkeit und Kampflust, kurz in ihrer psychischen Anlage, ist *exsecta* nach meinen Erfahrungen mehr mit *sanguinea* als mit *rufa* verwandt. In Holland ist sie noch nicht aufgefunden. Anfangs September 1890 nahm ich ein kleines Beobachtungsnest mit *F. exsecta* aus Feldkirch (Vorarlberg) mit nach Exaeten (Holland). Am 4. September setzte ich eine *Lomechusa strumosa*, die ich an demselben Tage bei Exaeten in einer *sanguinea*-Kolonie gefunden, zu den Vorarlberger *exsecta*. Anfangs wurde sie von mehreren Ameisen mit drohend geöffneten Kiefern angefahren und zu beißen gesucht, bald aber ruhig geduldet. Die Fühlerbewegungen der *Lomechusa* schienen die Ameisen zu besänftigen. Hierauf nahmen sie von dem Gaste längere Zeit keine Notiz mehr; er wurde nur hie und da von einer Ameise im Vorübergehen wie zufällig beleckt. Die *Lomechusa* schien sich nicht zu Hause zu fühlen, wurde unruhig und suchte an der Nestwand emporzuklettern. Sobald jedoch eine Ameise sich ihr näherte und sie mit den Fühlern berührte, blieb die *Lomechusa* sofort ruhig sitzen und bewegte nur lebhaft die Fühler. Abends um $5^1/_2$ Uhr saß die *Lomechusa* auf der Nestoberfläche, mitten unter den *exsecta*. Eine derselben hielt den Käfer mit ihren Kiefern an der Wurzel des rechten Fühlers fest und betastete ihn unterdessen mit den Fühlerspitzen. Dann ließ sie den Fühler der *Lomechusa* los, beleckte oberflächlich deren Kopf, dann den aufgerollten Hinterleib und entfernte sich. Schon bald nach der Ankunft der *Lomechusa* im *exsecta*-Neste hatte ich bemerkt, dass ein *Emphylus glaber*[1]), den ich in Feldkirch bei *F. rufa* gefangen und zu *exsecta* gesetzt hatte, die *Lomechusa* als Reitpferd benutzte. Er stieg auf die Oberseite ihres Hinterleibes und ließ sich von ihr umhertragen. Mehrere Stunden verharrte er auf der *Lomechusa*, die ihn gar nicht zu bemerken schien. Um $5^1/_2$ Uhr Abends saß der *Emphylus* noch immer auf der *Lomechusa*, in der Wölbung ihres aufgerollten Hinterleibes. Er hatte sich daselbst an den gelben Haarbüscheln festgeklammert und schien an denselben zu lecken. Um 8 Uhr Abends war er immer noch an derselben Stelle, an den Haarbüscheln der *Lomechusa*.

Am 5. September Morgens saß die *Lomechusa* bei *F. exsecta* mitten in einem dichten Ameisenknäuel. Als ich mit der Pinzette unter die Ameisen fuhr und sie in heftigen Zorn versetzte, wurde die *Lomechusa* trotzdem nicht einmal vorübergehend angegriffen, obwohl sie in Folge

---

1) Ein zur Käferfamilie der Cryptophagiden gehöriger kleiner Gast von *F. rufa*.

der Aufregung ihrer Umgebung unruhig umherlief. Als die Ameisen
wiederum ruhig geworden, beleckte eine vor ihr sitzende Arbeiterin
längere Zeit den Kopf der *Lomechusa*. Eine Viertelstunde später saß
die *Lomechusa* noch unter den Ameisen und wurde von einer derselben
längere Zeit an einem Fühler festgehalten; die Ameise verhielt sich
dabei ebenso unbeweglich wie der Käfer und berührte und streichelte
ihn nur fortwährend mit ihren Fühlerspitzen. Unterdessen stieg der
Emphylus wieder auf den Hinterleib der *Lomechusa*, von dort auf
ihren Kopf und dann auf den Kopf der Ameise. Diese wurde auf ihn
aufmerksam, betastete ihn lebhaft mit ihren Fühlern, ließ den Fühler
der *Lomechusa* los, ergriff ein Bein des *Emphylus* und zog heftig an
demselben, jedoch vergebens, da der kleine Käfer sich unterdessen
an einem Vorderbeine der *Lomechusa* festgeklammert hatte. Endlich
ließ sie den *Emphylus* frei und dieser lief weiter. Die Ameise suchte
nun die *Lomechusa* an den Halsschildseiten zu fassen, dann an den
gelben Haarbüscheln des Hinterleibes; hier beleckte sie dieselbe
mehrere Sekunden lang. Der Käfer trillerte unterdessen mit den
Fühlern, und die Ameise entfernte sich. In den folgenden Stunden
sah ich wiederholt, wie eine Ameise die *Lomechusa* an den Hinterleibsseiten beleckte, jedoch meist nur kurz und vorübergehend, nicht
so anhaltend und eifrig, wie es durch *F. sanguinea* zu geschehen
pflegt. Am Nachmittag beobachtete ich mehrmals, dass eine *exsecta*
gleichsam spielend die Fühlerwurzel der *Lomechusa* oder deren Kopf
zwischen ihre Kiefer nahm und dann ihre Unterlippe über den betreffenden Teil hingleiten ließ; ähnlich verfuhr sie auch am Hinterleib des Käfers. Manchmal belekte sie auch einen Körperteil desselben mit geschlossenen Kiefern, aber kurz und oberflächlich. Meist
saß die *Lomechusa* ruhig zwischen einer Anzahl Ameisen, die sie
häufig mit ihren Fühlerspitzen berührten. *Emphylus glaber* stieg auch
an jenem Tage wieder auf dem Rücken der *Lomechusa* umher.

Aehnliche Beobachtungen auch an den folgenden Tagen. Am
Nachmittag des 6. September sah ich, wie eine *exsecta* wiederum die
Lomechusa an einem Fühler festhielt und in dieser Stellung eine Viertel-
stunde lang vor dem gleichfalls ruhig dasitzenden Käfer verharrte.
Es machte mir einen ähnlichen Eindruck, wie wenn eine Ameise eine
Larve oder Puppe im Maule hält, nur mit dem Unterschiede, dass bei
der *Lomechusa* die Fühler den einzigen bequemen Anhaltspunkt boten.

Ich hielt die *Lomechusa* in dem *exsecta*-Neste bis Ende September.
Das Verhalten der Ameisen ihr gegenüber blieb stets dasselbe. Sie
wurde offenbar freundschaftlich behandelt, aber in einer eigentümlichen, spielend-neugierigen Weise, ein Benehmen, das *F. sanguinea*
den *Lomechusa* gegenüber nicht zeigt [1]). Sie wurde ferner bei *exsecta*
nie so anhaltend und eifrig beleckt wie bei *sanguinea*, auch nicht ge-

---

1) Gegenüber fremden Gästen, *Atemeles emarginatus* und *paradoxus*,
zeigt auch *F. sanguinea* ein neugierig-spielendes Benehmen, worüber später.

füttert; ich habe wenigstens keine einzige Fütterung der *Lomechusa* durch *exsecta* beobachtet, obwohl sie gut zu gedeihen schien und nicht abmagerte. Die zudringlicheren *Atemeles emarginatus* und *paradoxus*, die ich in jenem September gleichfalls in meinen *exsecta*-Neste aufnehmen ließ, erregten bei den Ameisen lebhaftere Aufmerksamkeit als die träge *Lomechusa* und wurden häufiger beleckt.

5) Die Beziehungen von *Lomechusa strumosa* zu *Formica fusca* L.

Wie *F. fusca* als Hilfsameise von *F. sanguinea* gegen fremde *Lomechusa* sich benimmt, wurde bereits oben mitgeteilt (S. 594 u. 595). Ihr Benehmen gegen *Lomechusa* als Hilfsameise von *Polyergus* wird später behandelt werden. Hier haben wir uns nur mit den selbständigen Kolonien von *F. fusca* zu beschäftigen.

Am 4. Juni 1888 (Exaeten) setzte ich eine *Lomechusa*, die bereits von *F. sanguinea* zu *rufa*, dann zu *pratensis*, zu *fusco-rufibarbis* und zu *rufibarbis* gekommen war, unmittelbar aus dem Neste der letzteren Ameise zu *F. fusca*. Anfangs wurde sie von mehreren *fusca* heftig angegriffen, an den Fühlern umhergezerrt und gebissen. Sie verteidigte sich durch Geruchssalven mit hoch aufgekrümmtem Hinterleib, wodurch die Ameisen noch heftiger gereizt wurden. Nach einigen Minuten war der erste Angriff vorüber und die *Lomechusa* beruhigte sich allmählich. Eine Ameise zerrt noch heftig an den gelben Haarbüscheln ihres Hinterleibs, beginnt aber bereits dazwischen sie zu belecken. Unterdessen ist eine andere *fusca* damit beschäftigt, den Käfer sanft und anhaltend zu belecken; bei ihr scheint bereits die Naschhaftigkeit über den Zorn völlig gesiegt zu haben. Eine andere *fusca* kommt herzu, fasst die *Lomechusa* an den gelben Haarbüscheln, hält sie einige Augenblicke fest und beleckt sie dann eifrig mit geschlossenen Kiefern. Fünf Minuten später sitzt die *Lomechusa*, von *fusca* umgeben, ruhig da und wird von mehreren derselben anhaltend und eifrig beleckt. Nach einer Stunde wird sie bereits von einer vor ihr sitzenden *fusca* nach L a r v e n a r t g e f ü t t e r t, wie bei *F. sanguinea*. In den Pausen der Fütterung beleckt die Ameise die Mundgegend und den Kopf des Käfers und zieht mit ihren Kiefern sogar an der vorgestreckten Unterlippe der *Lomechusa*, während letztere ihren Kopf in den Mund der Ameise stecken will, um von ihr wiederum gefüttert zu werden. Ungefähr fünf Minuten lang beschäftigte sich die betreffende *fusca* auf diese Weise mit der *Lomechusa*, sie abwechselnd naschhaft beleckend und dann wiederum fütternd.

Am 5. Juni wurde die *Lomechusa* nie mehr feindlich angegriffen, sondern häufig von einer *fusca* beleckt, zwischen der Beleckung aber oft heftig an den gelben Haarbüscheln gezerrt, worauf der Käfer den Hinterleib hoch aufrollte und mit einem Rucke des ganzen Körpers die Ameise abschüttelte. Die *fusca* schenkten ihr übrigens seltener

XII. 41

Aufmerksamkeit als am Tage vorher, wo der Gegenstand für ihre Neugierde noch fremd war. Ich setzte die *Lomechusa* hierauf zu *Lasius fuliginosus*, worüber später.

Am 8. Juli 1891 hatte ich bei Wran (unweit Prag in Böhmen) in einer *sanguinea*-Kolonie eine *Lomechusa strumosa* gefangen und setzte sie eine Stunde später in ein kleines Beobachtungsnest von *F. fusca*, in welchem sich eine Anzahl Larven von *Atemeles emarginatus* befanden, die ich in jener *fusca*-Kolonie an demselben Tage gefunden. Anfangs wurde die *Lomechusa* von den ihr begegnenden Ameisen heftig angegriffen und in den Hinterleib gebissen. Einigemal krümmte die angreifende Ameise sogar ihren Hinterleib nach vorn, wie um den Käfer mit Gift zu bespritzen. Die *Lomechusa* war erst frisch ausgefärbt, deshalb noch nicht völlig gehärtet, und fühlte die Angriffe der Ameisen um so mehr. Sie wurde sehr aufgeregt, lief unruhig umher und widersetzte sich auch noch in den nächsten Stunden der Berührung durch eine Ameise, indem sie mit dem ganzen Körper zitterte, den Hinterleib hoch aufrollte und mit zurückgebogenem Kopf ihre Fühler auf die Ameise trillern ließ. Trotz der Aufregung der *Lomechusa* hörten die Angriffe der *fusca* bald auf und verwandelten sich schon nach der ersten Viertelstunde allmählich in Versuche, den Hinterleib des Käfers zu belecken. Wenn die *Lomechusa* sich dabei sehr renitent benahm, wurde die Ameise wieder gereizt und begann an den Hinterleibsbüscheln zu zerren. Nach einer Stunde war die Aufnahme der *Lomechusa* durch die *fusca* vollendet. In den folgenden Tagen gaben sich die Ameisen wenig mit ihr ab, vielleicht weil sie durch die Pflege der *Atemeles*-Larven zu sehr in Anspruch genommen wurden. Eine Fütterung der *Lomechusa* durch *fusca* habe ich diesmal nicht gesehen; ich konnte übrigens der Beobachtung dieses Nestes nur wenig Zeit schenken. Dass sie den Käfer jedoch als einen angenehmen Gast betrachteten, erhellt daraus, dass sie bei einem Nestwechsel (am 10. Juli) wiederholte Versuche machten, die *Lomechusa* mitzunehmen. Diese widersetzte sich störrisch allen derartigen Versuchen, wie sie es auch bei *sanguinea* zu thun pflegt. Uebrigens erwies sich auch das Glasröhrchen, welches das alte Nest mit dem neuen verband, als zu eng für den dicken Gast.

Zur Erklärung des Verhaltens von *F. fusca* gegenüber *Lomechusa strumosa* dürften folgende Bemerkungen dienen. Die *Lomechusa* ist für *F. fusca* bei der ersten Begegnung offenbar eine fremde, feindliches Misstrauen erweckende Erscheinung. Bald jedoch bemerken die Ameisen bei ihrem Angriffe auf dem Käfer, dass es an ihm etwas angenehmes zu lecken gibt, und seine Fühlerbewegungen tragen überdies zu ihrer Beschwichtigung bei. *F. fusca* bezieht bekanntlich ihren Unterhalt hauptsächlich aus der Beleckung von Blattläusen. Sie hat ferner als häufigen Gast *Atemeles emarginatus*, der zur Eierablage in die *fusca*-Nester kommt und bei ihr seine Larven erziehen lässt. Die Aehnlichkeit der *Lomechusa* mit *Atemeles* trägt wahrscheinlich dazu bei, dass die *fusca* sie rascher aufnehmen und rascher zu ihrer Beleckung übergehen. Vor allem zeigt sich bei *fusca* eine rücksichtslose Naschhaftigkeit. Unter diesem Laster haben die *Atemeles* oft zu leiden, indem die *fusca* bei der Beleckung immer unersättlicher werden und — vielleicht um die Absonderung des angenehmen Exsudates zu beschleunigen — immer heftiger an den gelben Haarbüscheln der *Atemeles* zerren, bis sie dieselben schließlich verwunden und auffressen [1]). Die weit größere und stärkere *Lomechusa* vermag zwar diese Behandlung leichter zu ertragen als die *Atemeles*, anderseits kann sie jedoch die zerrenden *fusca* nicht so leicht beschwichtigen wie die *Atemeles*, deren Fühlerbewegungen geschmeidiger und den *fusca* besser proportioniert sind. Die große, plumpe *Lomechusa* reagiert bei der zerrenden Beleckung unbeholfener und heftiger und reizt dadurch die *fusca* oft zu gewaltsamer Behandlung.

6) Die Beziehungen von *Lomechusa strumosa* zu *Formica rufibarbis* F.

F. rufibarbis ist mit *F. fusca* i. sp. sehr nahe verwandt und wird mit Recht nur als eine Rasse von *F. fusca* s. lat. betrachtet. Trotzdem zeigen *fusca* und *rufibarbis* in ihrem psychischen Charakter manche bedeutende Unterschiede. *Rufibarbis* ist viel mutiger und kampflustiger als *fusca*, hat meist auch volkreichere und minder versteckte Nester als *fusca*. In der rücksichtslosen Naschhaftigkeit gleicht sie *fusca*. Ihr Benehmen verrät große individuelle Initiative, verbunden mit einer fast launenhaften Wandelbarkeit.

Am 29. Mai 1888 (Exaeten) setzte ich eine *Lomechusa*, die bei *F. rufa* aufgenommen war (vergl. S. 598), unmittelbar von *rufa* zu *rufibarbis*. Als ich sie mit der Pinzette aus dem *rufa*-Neste herausnehmen wollte, flüchtete sie sich mitten unter die *rufa*. Diese gerieten in große Aufregung und spritzten gegen die Pinzette, so dass das Glasnest mit dem Geruch der Ameisensäure erfüllt wurde. Wegen der Berührung mit der Pinzette musste auch die *Lomechusa* mit dem Geruche der Ameisensäure von *rufa* behaftet sein. Als ich sie zu *rufibarbis* setzte, wurde sie sofort von mehreren Ameisen angepackt und zu beißen gesucht, sogar mit eingekrümmtem Hinterleib mit Gift bespritzt, dann an den Beinen umhergezogen. Um sie vor dem Zerreißen zu schützen [2]), nahm ich sie heraus und setzte sie zu den *sanguinea* jener Kolonie zurück, in welcher ich sie ursprünglich gefunden hatte. Der Käfer lief nach seiner Ankunft im *sanguinea*-Neste ängstlich umher, in Folge der vorhergegangenen Angriffe und reizte

---

1) Näheres hierüber bei den internationalen Beziehungen der *Atemeles*.
2) Die Befürchtung war allerdings unbegründet, wie der folgende Versuch zeigt.

dadurch auch die *sanguinea*, die nun gleichfalls umhersprangen, als ob sie einen Feind suchten. Aber keine griff den Käfer feindlich an, nicht einmal vorübergehend, obwohl einige mit geöffneten Kiefern auf ihn zusprangen. Sobald sie ihn mit den Fühlerspitzen berührt hatten, waren sie sofort besänftigt. Dies ist um so bemerkenswerter, da die *Lomechusa* mit dem Geruche der Ameisensäure zweier feindlicher Ameisenarten (*rufa* und *rufibarbis*) behaftet war. Die *Lomechusa* fühlte sich bei den *sanguinea* völlig heimisch und setzte sich mitten unter die Ameisen.

Am 30. Mai brachte ich eine andere *Lomechusa*, die bereits bei *F. sanguinea*, *rufa*, *pratensis* und *fusco-rufibarbis* gewesen war, aus dem Neste der letzteren unmittelbar zu *rufibarbis* einer wilden, kampflustigen Kolonie. Diesmal hatte ich die *Lomechusa* vorsichtiger aus dem alten Neste in das neue übertragen, ohne die Ameisen besonders aufzuregen. Trotzdem wurde die *Lomechusa* von den *rufibarbis* wütend angefallen, mit Gift bespritzt und gebissen. Zur Verteidigung krümmte sie den Hinterleib hoch auf und gab Geruchssalven; es gelang ihr dadurch, sich zu befreien. Noch mehrmals wurde sie auf dieselbe Weise angegriffen, manchmal nur an den Fühlern gezerrt, anderemal aber heftig gebissen und bespritzt. Die Ameisen schienen vor den Geruchssalven der *Lomechusa* Respekt zu haben; denn es gelang ihr meist, durch diese Gegenwehr sich sofort zu befreien. Da beginnt plötzlich eine ziemlich große *rufibarbis*, die den Käfer soeben noch feindlich angepackt hatte, ihn zu belecken. Eine andere folgt ihrem Beispiele, zerrt aber dazwischen an den gelben Haarbüscheln. Die *Lomechusa* geht hierauf in das Innere des Nestes hinab. Bald kommt sie wieder hervor, eine *rufibarbis* springt auf sie zu, zieht an ihrem Fühler und beginnt dann, sie an den gelben Haarbüscheln an der Basis des Hinterleibes zu belecken. Zwei andere *rufibarbis* vereinigen sich mit der ersteren und lecken ebenfalls. Die Beleckung erfolgt sehr eifrig und eilig. Dazwischen zerrt eine Ameise wieder heftig an den gelben Haarbüscheln und lässt sich durch das Fühlertrillern der *Lomechusa* nicht besänftigen. Aber der Gast wird jetzt von keiner Ameise mehr mit geöffneten Kiefern drohend angefahren. Eine Stunde später ist die *Lomechusa* völlig aufgenommen und wird von einer *rufibarbis* gefüttert, nach Larvenart wie bei *sanguinea*.

Am 2. Juni ging es der *Lomechusa* bei *rufibarbis* noch gut. Ebenso am 4., wo ich sie herausnahm und zu *F. fusca* setzte (vergl. S. 641). Auch für *F. rufibarbis* ist *Lomechusa strumosa* bei der ersten Begegnung offenbar eine fremde, feindliche Erscheinung. Im übrigen erklärt sich das Verhalten der Ameisen aus den obigen Bemerkungen über den Charakter von *rufibarbis*. Es sei nur noch beigefügt, dass *Atemeles paradoxus* gegen Ende des Frühlings in die Nester von *rufibarbis* kommt, um dort seine Eier abzulegen und seine Larven erziehen zu lassen wie *Atemeles emarginatus* bei *F. fusca*.

Daher kommt es vielleicht, dass diese beiden Ameisen auch leicht zur Fütterung von *Lomechusa* übergehen.

Ueber das Benehmen der *rufibarbis* gegenüber *Lomechusa* als Hilfsameisen von *sanguinea* wurde schon oben berichtet (S. 594 ff.) und auch bereits angedeutet, weshalb *rufibarbis* in diesem Falle die *Lomechusa* leichter aufnimmt als in ihren selbständigen Kolonien.

7) Die Beziehungen von *Lomechusa strumosa* zu *F. fusco-rufibarbis* For.

Ich habe nur einmal mit einer Uebergangsform von *fusca* zu *rufibarbis* Versuche angestellt (Ende Mai 1888). Das Verhalten der Ameisen gegenüber *Lomechusa* näherte sich mehr jenem von *fusca* als von *rufibarbis*. Der Gast wurde zwar anfangs mit misstrauisch geöffneten Kiefern angefahren aber nicht so heftig angegriffen wie bei *rufibarbis*.

8) Die Beziehungen von *Lomechusa strumosa* zu *Polyergus rufescens* und deren Hilfsameisen.

Die *Polyergus*, mit denen ich die betreffenden Versuche anstellte (Exaeten), hatten *F. fusca* in beträchtlicher Anzahl als normale Hilfsameisen und überdies einige wenige *sanguinea* als anormale Hilfsameisen [1]. Die gemischte Kolonie befand sich in einem geräumigen Glasneste Lubbock scher Methode. Am 10. Mai 1889 setzte ich ein Männchen von *Lomechusa* in das *Polyergus*-Nest; seine Ankunft wurde von keiner Ameise bemerkt; es blieb ruhig in einer Ecke sitzen. Eine *sanguinea* begegnete der *Lomechusa* zufällig, ergriff sie an einem Beine und suchte sie mit sich zu ziehen; dann beleckte sie oberflächlich den Hinterleib des Käfers und lief fort. Einige Minuten später kamen mehrere *fusca* und begannen sofort die *Lomechusa* zu belecken; sie wurde ohne einen einzigen feindlichen Angriff aufgenommen. Die *Polyergus*, die sonst über jeden Fremdling im Neste wütend herfallen, nahmen von der *Lomechusa* keine Notiz. Hie und da berührte eine *Polyergus* im Vorübereilen mit ihren Fühlerspitzen den Käfer, lief aber dann sofort weiter. Die *Lomechusa* macht, wie es scheint, auf die Amazonen den Eindruck eines ameisenähnlichen Wesens, das zu ihrer Kolonie gehört. Bald darauf sah ich die *Lomechusa* im Mittelpunkte des Nestes unter den *Polyergus* und *fusca* sitzen. Sie beschäftigte sich eben mit einigen toten Arbeiterinnen von *sanguinea*, indem sie mit ihrem Munde an demselben herumarbeitete; ob sie die Aufmerksamkeit der (toten!) Ameisen durch zudringliches Lecken auf sich zu

---

1) Näheres über diesen Fall vergl. Die zusammenges. Nester u. gem. Kol. S. 165 u. 166. — Die Balgereien, denen die *sanguinea* zum Opfer fielen, begannen schon im Mai, nicht erst, wie dort angegeben, im Juni. Ich fand nachträglich noch eine diesbezügliche Notiz vom 10. Mai.

lenken versuchte, wie sie es bei *sanguinea* nicht selten thut, oder ob
jene Mundbewegungen ihr einen gastronomischen Genuss — vielleicht
durch die den Leichen anhaftenden mikroskopischen Parasiten —
verschafften, vermag ich nicht zu entscheiden.

Am 10. Mai Nachmittags setzte ich eine zweite *Lomechusa* von
sanguinea in das *Polyergus ⌢ fusca*-Nest. Auch sie ward ohne
Schwierigkeit aufgenommen und saß schon nach wenigen Minuten
unter den Ameisen. Am 13. Mai beobachtete ich die Fütterung einer
Lomechusa durch *fusca* in dem *Polyergus* Neste. Dieselbe erfolgte wie
bei *sanguinea* (nach Larvenart). Am 18. Mai ging es den beiden
Lomechusa noch immer gut; das gastliche Verhältnis blieb ungestört
seit der ersten Aufnahme. Ich nahm sie an diesem Tage heraus und
ersetzte sie durch ein anderes Pärchen von *Lomechusa*, das ich unmittelbar aus dem *sanguinea*-Neste zu den *Polyergus* that. Das
Männchen des neuen *Lomechusa*-Paares wurde von einer *fusca*, die
ihm begegnete, mit geöffneten Kiefern angefahren, gleich darauf aber
eifrig am Hinterleib beleckt. Die eine *Lomechusa* saß wenige Minuten
später schon mitten unter den *Polyergus* und *fusca*. Die andere blieb
ruhig in einer Ecke; nach einiger Zeit wurde sie von einer zufällig
vorüberkommenden *fusca* eifrig und anhaltend beleckt. Die rücksichtslose Naschhaftigkeit der *fusca* zeigte sich auch hier in der Hast des
Verfahrens. Drei Stunden später saß auch die zweite *Lomechusa*
mitten in dem Ameisenknäuel.

Am 19. Mai setzte ich abermals eine *Lomechusa* von *sanguinea*
zu meinen *Polyergus ⌢ fusca*. Zwei *fusca* sind gleich bei ihr; die
eine packt sie am Fühler und zieht an ihr, während die andere sie
am Hinterleib beleckt. Die erstere beleckt einige Sekunden später
den Mund der *Lomechusa*. Eine vorübereilende *Polyergus* untersucht
für einen Augenblick die *Lomechusa* mit ihren Fühlerspitzen, eilt dann
aber sofort weiter. Am 29. Mai ging es zwei Lomechusen im *Polyergus*-
Neste gut; die dritte hatte ich einige Tage vorher herausgenommen
und zu anderen Versuchen verwendet. Bei Erhellung des Nestes sah
ich, wie eine *fusca* eine *Lomechusa* am Fühler ergriff und sie, rückwärts laufend, mit sich in einen dunkeln Nestteil ziehen wollte. Die
Lomechusa stemmte sich wie gewöhnlich und ließ sich nicht mitnehmen. Während diese *fusca* nur sanft zog, sah ich bald darauf
eine andere heftiger an dem Fühler des Käfers ziehen; da dieser
sich trotzdem nicht fortbewegte, ließ sie ihn los und ging allein. An
demselben Tage beobachtete ich, wie eine *fusca* die Hinterleibsbüschel
einer *Lomechusa* mit den Kiefern fasste, den Käfer mit großer An-
strengung in die Höhe hob und ihn aus dem Mittelpunkte des Nestes
forttrug gegen den Eingang hin. Die *Lomechusa* kehrte aber alsbald
wieder zu den Ameisen zurück und wurde nicht wieder fortgetragen.
An demselben 29. Mai begegnete mir der einzige Fall, dass *Polyergus*
von *Lomechusa* nähere Notiz nahm, während sie sonst sich gar nicht

um den Gast kümmert. Eine *Lomechusa* lief gerade in der Nähe des Nesteinganges umher, als eine *Polyergus* auf sie losstürzte, sich an ihr festzuklammern suchte, auf den Rücken des Käfers sprang und die Hinterleibsseiten mit den Säbelkiefern zu packen suchte. Die *Lomechusa* blieb nun ruhig sitzen und trillerte, den Kopf zurückbiegend, auf die Angreiferin. Diese ließ sogleich von ihr ab und setzte ihren tollen Tanz allein fort. Es ist hiebei zu bemerken, dass die *Polyergus* an heißen Tagen sich oft wie rasend gebahren und auch über ihre eigenen Gefährtinnen herfallen [1]).

Am 2. Juni lag eine der beiden *Lomechusa* tot in dem Glase, welches der *Polyergus* ⌒ *fusca*-Kolonie als Vornest diente und durch eine Glasröhre mit dem eigentlichen Neste in Verbindung stand. Dorthin pflegten die *fusca* die Leichen der Ameisen aus dem Neste zu bringen. Die *Lomechusa* war schon großenteils mit frischer Erde bedeckt, aber völlig unversehrt. Es war mir auffallend, dass die so naschhaften *fusca* die tote *Lomechusa* nicht aufgefressen, wie sie es mit den *Atemeles* zu thun pflegen. Die andere *Lomechusa* war noch gesund und wohlgepflegt. An demselben Tage wurde sie von einer *fusca* bei Erhellung des Nestes an den Mundteilen ergriffen und von der rückwärts laufenden Ameise in Sicherheit gebracht. Diesmal folgte die *Lomechusa* ohne Widerstreben, vermutlich wegen der Schwäche ihrer Mundteile, die sonst beschädigt worden wären. Auf dieselbe Weise nahmen die *fusca* ihre normalen Herren (*Polyergus*), ja sogar die in demselben Neste von ihnen erzogenen *sanguinea* gewöhnlich bei Erhellung des Nestes an den Kiefern und traten mit ihnen den Rückzug an [2]). Es ist interessant, wie diese *fusca* die Behandlungsweise ihrer Herren auf die *F. sanguinea* und auf die *Lomechusa* übertragen. Auch die letzteren wurden von den *fusca* als zu ihrer Kolonie gehörige, schutzbedürftige Wesen angesehen.

Vergleicht man das Benehmen der *fusca* in dieser *Polyergus*-Kolonie mit dem Verhalten der *fusca* gegenüber *Lomechusa* in ihren selbständigen Kolonien (S. 641 u. 642), so wird man bemerken, dass die *Lomechusa* in jener leichter aufgenommen wurden als in diesen. Bei der Aufnahme der ersten *Lomechusa* mag vielleicht die erwähnte Dazwischenkunft von *sanguinea* mitgewirkt haben; für die späteren Ankömmlinge ist die Vermittlung von *sanguinea* kaum annehmbar, da ich nichts derartiges beobachtet habe und zudem die wenigen, Mitte Mai noch vorhandenen *sanguinea* bald starben. Leider habe ich nicht notiert, wenn die letzte *sanguinea* in jenem Neste umkam.

---

1) Ueber die Balgereien und die blinde Rauflust von *Polyergus* vergl. l. cit. S. 67 u. 166.

2) l. c. S. 166.

9) Die Beziehungen von *Lomechusa strumosa* zu *Camponotus ligniperdus* Ltr.

Ich nahm ein Nest dieser in Holland noch nicht aufgefundenen, größten einheimischen Formicidenart im September 1890 von Feldkirch (Vorarlberg) mit nach Exaeten. Am 4. Sept. begann ich meine Versuche und setzte eine an demselben Tage bei *F. sanguinea* gefangene *Lomechusa* zu den Vorarlberger *Camponotus*. Mehrere Ameisen, die ihr begegnen, fahren mit einem Sprunge auf sie los, packen sie mit geöffneten Kiefern und suchen sie zu beißen, jedoch mit unverkennbaren Zeichen von Furcht. Durch einen dieser Bisse schwer verletzt, bleibt die *Lomechusa* in einer Ecke des Nestes sitzen. Die vorübergehenden *Camponotus* kümmern sich meist nicht um sie; hie und da springt eine Ameise mit geöffneten Kiefern auf sie zu und berührt sie vorsichtig mit den Fühlern, versucht auch, sie zu zwicken; die eine oder andere lässt am Schlusse dieses Manövers ihren Mund leckend über den Hinterleib des Käfers hingleiten, aber nur ganz oberflächlich. Ein zweites Exemplar von *Lomechusa*, das ich nun in das Nest der *Camponotus* setzte, war anfangs glücklicher. Die Ameisen zeigten sich nicht so erregt wie bei der Ankunft der ersten und griffen den Gast seltener und weniger heftig an. Die *Lomechusa* schien sich jedoch bei ihnen unbehaglich zu fühlen, lief ängstlich umher und suchte aus dem Neste zu entkommen. Bald darauf wurde sie von einer großen *Camponotus*-Arbeiterin an einem Mittelbein ergriffen und umhergezerrt, nach kurzer Zeit jedoch wieder freigelassen. Sie setzte sich dann ruhig zu einigen *Camponotus*, die um ein Stück Zucker leckend versammelt waren, und blieb hier unbeachtet sitzen, hie und da bei Berührung mit einer Ameise mit den Fühlern trillernd. Nach einer halben Stunde war die zweite *Lomechusa* noch munter und gesund, die erste aber saß in einer Ecke des Nestes o h n e   i h r e n   K o p f; derselbe war ihr am Halse hinter den Augen wie mit einer Scheere abgeschnitten und nicht mehr zu finden: die *Lomechusa* war von *Camponotus* geköpft worden gleich einer feindlichen Ameise. Das Exemplar wurde zum Andenken meiner Sammlung einverleibt.

Nach anderthalb Stunden zeigte sich auch die zweite *Lomechusa* bei *Camponotus* bereits lahm und abgemattet. Sie wurde mehrmals nacheinander von einer großen Arbeiterin an den Körperseiten mit den Kiefern gepackt, gebissen und mit Gift bespritzt. Von einer anderen großen Arbeiterin wurde sie einige Minuten später, während sie ruhig dasaß, mit den Fühlern berührt und auf der Oberfläche des Hinterleibes oberflächlich beleckt. Eine andere kleine Arbeiterin näherte sich ihr ebenfalls, prüfte sie mit den Fühlern und suchte sie sodann zwischen Kopf und Halsschild mit den Kiefern zu packen, wie um sie zu köpfen. Die *Lomechusa* trillerte lebhaft mit ihren Fühlern, worauf die Ameise von ihr abließ. Um $5^1/_2$ Uhr Abends lebte die *Lomechusa* noch und wurde nicht mehr feindlich angegriffen, sondern hie und da vorübergehend beleckt. Meine Hoffnung, sie würde nun gerettet sein, ging nicht in Erfüllung. Am nächsten Morgen vermochte sie kaum noch sich zu bewegen und ihr Hinterleib war stark eingeschrumpft, ein Zeichen des nahen Endes. Ich nahm sie nun heraus und that sie in Alkohol.

Am 5. September setzte ich eine andere *Lomechusa strumosa*, die bereits bei *F. rufa* aufgenommen worden, zu den *Camponotus*. Sie wurde von mehreren Ameisen nacheinander feindlich angegriffen. Nachdem sie wiederholt gebissen worden war, aber nur am Hinterleibe, wo die Bisse ihr selten gefährlich sind, nahm ich sie heraus und setzte sie zu einigen Arbeiterinnen von *F. sanguinea* aus ihrer eigenen Kolonie. Diese erkannten sie sofort, und eine derselben begann bald darauf die noch ängstliche und unruhige *Lomechusa* zu belecken, worauf diese sich beruhigte.

Am Nachmittag des 5. September setzte ich abermals eine neue *Lomechusa* von *F. sanguinea* zu *Camponotus*. Aber obwohl der Käfer sich anfangs ruhig verhielt und bei Annäherung einer Ameise dieselbe mit seinen Fühlern zu beschwichtigen suchte, wurde er dennoch bei fast jeder Begegnung heftig angefahren und gebissen, während andere Individuen wie erschreckt auswichen oder umkehrten, wenn sie in seine Nähe kamen. Bereits nach wenigen Minuten hatte er solche Bisse erhalten, dass ich ihn herausnehmen musste, um ihn zu retten. Ich setzte ihn nun zu einigen Arbeiterinnen von *F. sanguinea*. Obgleich er sich noch sehr aufgeregt gebärdete infolge der vorhergegangenen Angriffe und sich bei Annäherung einer *sanguinea* zu verteidigen suchte, wurde er trotzdem von keiner derselben feindlich behandelt. Bei der ersten Begegnung hatte eine *sanguinea* die Kiefer drohend geöffnet, aber sofort wieder geschlossen, als sie den Käfer mit den Fühlern berührte.

Am 7. September machte ich noch einen letzten Versuch, die Aufnahme von *Lomechusa* bei *Camponotus* zu bewirken. Ich wählte eine kleine Arbeiterin aus, von der ich hoffte, dass die Fühlerschläge der *Lomechusa* wegen der geringen Größendifferenz der beiden Korrespondenten wirksamer sein würden und ließ die Ameise erst einige Zeit allein in dem Gläschen, bis sie beruhigt schien; dann setzte ich eine *Lomechusa* zu ihr. Die Ameise fiel wütend über die *Lomechusa* her, biss ihr in den Kopf und bespritzte sie, ihren Hinterleib einkrümmend, mit Gift. Ich musste die bereits bedenklich verletzte und heftig aufgeregte *Lomechusa* sofort wieder herausnehmen. Auch dieser Versuch, der mit *F. sanguinea* und den *Atemeles* fast regelmäßig glückte, war misslungen, weil die *Lomechusa* schon dem ersten Angriffe der starken *Camponotus* unterliegt Ich setzte die *Lomechusa* zu ihren *sanguinea* zurück. Zwei Ameisen stürzten mit geöffneten Kiefern auf sie los, beruhigten sich aber sogleich, nachdem sie den

Ankömmling mit ihren Fühlern berührt hatten. Trotz des feindlichen Geruches, welcher der *Lomechusa* durch die Bespritzung von *Camponotus* anhaftete, hatten sie ihren Stammgast sofort wieder erkannt.

Nach meiner Ansicht kann *Lomechusa strumosa* bei *Camponotus ligniperdus* nicht aufgenommen werden. Nach mündlichen Mitteilungen, die mir gemacht wurden, soll sie zwar manchmal auch in den Nestern dieser Ameise gefunden worden sein. Da *Camp. ligniperdus*, sowohl unter Steinen als in alten Strünken, nicht selten in „zusammengesetzten Nestern" mit *F. sanguinea* zu treffen ist, kann bei jenen Angaben leicht ein Irrtum vorliegen. Dagegen ist *Atemeles cavus* L e c. in den Vereinigten Staaten Nordamerikas bei *Camponotus pennsylvanicus* und *C. pictus* gefunden worden; ferner *Lomechusa montana* bei *Camp. pictus* [1]) Unsere *Atemeles* haben übrigens nach meinen diesbezüglichen Versuchen noch weniger Aussicht, bei *Camp. ligniperdus* aufgenommen zu werden als die größere und stärkere *Lomechusa strumosa*.

10) Die Beziehungen von *Lomechusa strumosa* zu *Lasius fuliginosus* Ltr.

In eine große Krystallisationsschale, in der ich eine Kolonie von *F. sanguinea* mit *Lomechusa strumosa* hielt (Blijenbeek), setzte ich am 13. Mai 1884 eine Handvoll Arbeiterinnen von *Lasius fuliginosus*. Alsbald entspann sich ein Kampf, bei welchem die *Lasius* trotz ihrer Minderzahl die Angreifer waren und sich an die Fühler und Beine der *sanguinea* anklammerten. Diese sprangen wütend umher und geberdeten sich wie toll, bissen jedoch nur selten eine der an ihnen hängenden Schwarzen entzwei, weil sie den Geruch und Geschmack derselben sehr verabscheuen[2]). Während des Kampfes kam eine *Lomechusa* aus dem *sanguinea*-Neste hervor und lief, durch das Getümmel beunruhigt, ängstlich umher. Sie wurde von *Lasius fuliginosus* wiederholt mit prüfenden Fühlern und halboffenen Kiefern im Vorübergehen angefahren, aber kein einziges Mal wirklich angegriffen.

Am 5. Juni 1888 (Exaeten) setzte ich eine *Lomechusa*, die bereits bei *F. sanguinea*, *rufa*, *pratensis*, *fusco-rufibarbis*, *rufibarbis* und *fusca* gewesen war[3]), von letzterer Art unmittelbar in ein kleines Beobachtungsnest zu *Lasius fuliginosus*, und zwar mitten unter die beisammensitzenden Ameisen. Die *Lomechusa* wurde angegriffen, wiederholt gebissen und mit Gift bespritzt, an Fühlern oder Beinen umhergezerrt, jedoch fast immer nach einigen Sekunden wieder losgelassen. Nach einer halben Stunde hatten die Angriffe noch nicht aufgehört. Sie schienen aber auf die *Lomechusa* keinen großen Eindruck zu machen;

---

1) Vergl. S c h w a r z, Proc. Ent. Soc. Wash., 1890, S. 243.
2) Andere Beispiele hierfür vergl. Die zusammenges. Nester etc. S. 154 ff.
3) Vergl. oben S. 641.

denn sie verhielt sich völlig passiv, ohne Gegenwehr oder ängstliches Umherlaufen. Hie und da wurde sie bereits von einer Ameise oberflächlich beleckt. Ich übertrug sie hierauf samt den *Lasius fuliginosus* (50—60 ☿ mit einigen ♀ und ♂) in ein anderes Beobachtungsnest, in welchem einige Dutzend *F. sanguinea* sich befanden. Die letzteren wurden alsbald von den *Lasius* heftig angegriffen. Dagegen wurde die *Lomechusa* jetzt von *Lasius fuliginosus* bei Begegnung meist ignoriert, nur hie und da vorübergehend angefahren. Eine *Lasius* begann bald darauf die vor ihr sitzende *Lomechusa* zu belecken; bald gesellt sich eine zweite dazu, beleckt den Käfer, ergreift ihn dann an den gelben Haarbüscheln und hält ihn fest, mit den Fühlerspitzen ihn lebhaft berührend. Unterdessen fährt die andere Ameise fort, die *Lomechusa* zu belecken und zerrt sie dazwischen an den Haarbüscheln des Hinterleibes. Die *Lomechusa* sitzt ruhig da, nur mit den Fühlern trillernd. Bald darauf suchte sie die Gesellschaft einiger *sanguinea* auf, die sich in eine Ecke des Nestes zurückgezogen hatten.

Am 6. Juni saß die *Lomechusa* abseits von den *Lasius*, in der Nähe einiger *sanguinea*. Ich nahm sie nun heraus und that sie zu einer Anzahl *sanguinea* aus der Bundeskolonie *sanguinea* ⌒ *rufibarbis* ⌒ *fusca* (oben S. 590). Obwohl von *Lasius fuliginosus* kommend und an einem Beine hinkend wurde sie sofort aufgenommen, nicht einmal bei der ersten Begegnung misstrauisch angefahren.

Ich nahm nun die *Lomechusa* wieder heraus und rieb ihr den Hinterleib mit zwei zerquetschten Arbeiterinnen von *Lasius fuliginosus* ein; dann setzte ich sie wieder zu den ebengenannten *sanguinea* zurück. Jetzt wurde sie bei jeder Begegnung mit geöffneten Kiefern angefahren, und die Kiefer schlossen sich erst nach genauer Prüfung des Gastes. Dieses feindliche Misstrauen dauerte aber nur so lange, bis alle Ameisen ihm einmal begegnet waren und ihn mit den Fühlern untersucht hatten; dann schienen sie den Käfer unmittelbar als alten Gast wieder zu erkennen. Ich nahm nun eine dieser *sanguinea* heraus und berührte sie mit den Fingern, zwischen denen ich eben eine *Lasius fuliginosus* zerrieben hatte. Als ich sie wieder zu den Ihrigen setzte, wurde sie sofort wütend angegriffen, sogar mit Gift bespritzt und dann längere Zeit umhergezerrt. Aus diesen merkwürdigen Thatsachen werde ich später einige Folgerungen ziehen.

Hierauf setzte ich die mit *Lasius fuliginosus* eingeriebene *Lomechusa* von *F. sanguinea* zu *F. pratensis.* Anfangs fuhren wie bei *sanguinea* einige Ameisen mit geöffneten Kiefern auf sie los; nach Berührung mit den Fühlern erkannten sie die *Lomechusa* jedoch sogleich und duldeten sie ruhig. Der Käfer ging hierauf in das Nestinnere hinab. Nach zwei Stunden fand ich ihn daselbst tot liegen. Er war ganz unversehrt. Wahrscheinlich starb er an den Folgen der Einreibung mit dem Gifte von *Lasius fuliginosus.* Er hatte übrigens ein vielbewegtes Leben hinter sich: von *F. sanguinea* war er zuerst zu *F. rufa*, dann zu *pratensis*, zu *fusco-rufibarbis*, zu *rufibarbis*, zu *fusca*, zu *Lasius fuliginosus*, zu *sanguinea* und endlich zu *pratensis* versetzt worden!   ·

Das Ergebnis der obigen Versuche, soweit dieselben das Verhältnis von *Lomechusa strumosa* zu *Lasius fuliginosus* betreffen, ist kurz folgendes. *Lomechusa* steht zu dieser Ameise zwar in keinem freundschaftlichen Verhältnisse, sondern wird, wenn sie in deren Nest kommt, feindlich angegriffen, aber nicht so heftig und andauernd wie eine feindliche *Formica*. Bei Kämpfen zwischen *Lasius fuliginosus* und *F. sanguinea* zeigt sich deutlich, dass erstere die *Lomechusa* von ihren Wirten wohl unterscheiden. Der *Lomechusa* scheint es bei den übelriechenden *L. fuliginosus* nicht zu behagen; abgesehen hievon glaube ich, dass ihre Aufnahme bei dieser Ameise nicht unmöglich ist, da sie die anfänglichen Angriffe derselben ohne Schaden aushält und bald von ihr geduldet oder sogar schon beleckt wird.

11) Die Beziehungen von *Lomechusa strumosa* zu *Lasius niger* L.

Am 21. Mai 1889 setzte ich eine *Lomechusa* von *F. sanguinea* zu *L. niger* von mittelgroßer Rasse (Exaeten). Sie wurde sofort heftig angegriffen, an Fühlern, Beinen und Hinterleib gebissen und mit Gift bespritzt. Anfangs verhielt sie sich passiv und suchte durch ihre Fühlerschläge die Angreifenden zu beschwichtigen. Da diese Versuche vergeblich waren und die Wut der kleinen Ameisen nur noch steigerte, suchte sie ängstlich zu entfliehen. Ich musste sie nach einer Viertelstunde herausnehmen, um sie zu retten. Sie hinkte bereits an einem Beine, erholte sich aber bald, als ich sie von den anhängenden Ameisen befreit hatte.

Das Ergebnis dieser und anderer Versuche, *Lomechusa strumosa* zu *Lasius niger* zu setzen, ist ein übereinstimmend negatives. Die Differenz der Körpergröße zwischen dem Gaste und diesen Ameisen ist zu bedeutend, als dass ein friedliches Verhältnis zu Stande kommen könnte. Trotz ihres Fühlertrillerns bleibt die *Lomechusa* für *Lasius niger* nur ein Gegenstand des Zornes, ein feindlicher Koloss, um so mehr, da die genannte Ameise sehr reizbar und kampflustig ist.

12) Die Beziehungen von *Lomechusa strumosa* zu *Lasius umbratus* Nyl.

Am 25. Mai 1889 setzte ich eine *Lomechusa* zu *Lasius umbratus* (Exaeten). Sie wird von begegnenden Ameisen vorsichtig mit den Fühlern betupft, dann meist ignoriert; nur wenige öffnen feindlich ihre Kiefer und suchen sie bei einem Fühler zu fassen, gehen aber gleich weiter. Die *Lomechusa* bleibt ruhig auf der Oberfläche des kleinen Nestes sitzen; die Ameisen kümmern sich nicht weiter um· sie.

13) Die Beziehungen von *Lomechusa strumosa* zu *Lasius flavus* Deg.

Am 10. Juli 1891 setzte ich eine *Lomechusa* zu *Las. flavus* (Prag), in ein Beobachtungsnest, das Larven und Puppen enthielt und seit April zahlreiche *Claviger testaceus* besessen hatte. Die Ankunft der *Lomechusa* mitten im Neste erregt Schrecken und Unwillen. Mehrere Ameisen greifen sie an, aber nur eine bleibt an einem Beine des Käfers festgebissen, während derselbe einen dicken weiblichen Kokon von *Lasius flavus* besteigt und nun dort ruhig sitzt. Einige Minuten hatte es den Anschein, als ob die *Lomechusa* nun indifferent geduldet würde wie bei *L. umbratus*; die meisten Ameisen gingen ruhig an ihr vorüber; nur wenige versuchten, sie von dem Kokon herabzuziehen, auf dem sie sich festhielt. Als sie jedoch umherzulaufen begann, steigerte sich die Erregung der Ameisen. Mehrere suchten sie an Fühlern und Beinen umherzuzerren und zu beißen, ließen sie meist sogleich wieder los, als ob sie sich vor dem Ungetüm fürchteten, griffen sie dann aber sofort aufs neue an. Nun begann ein merkwürdiges Schauspiel. Ein paar Arbeiterinnen kamen mit Erdklümpchen im Maule herbei und legten dieselben auf die *Lomechusa*, die sich unterdessen wieder an einem großen weiblichen Kokon festgeklammert hatte. Andere folgten diesem Beispiele. Als die *Lomechusa* hierauf weiterlief, wurde sie von den Erdklümpchen tragenden Ameisen verfolgt. Einer gelang es, dem Käfer ein dickes Klümpchen in die Höhlung des aufgerollten Hinterleibes zu stecken. Bei der nächsten Bewegung der *Lomechusa* fielen sämtliche Klümpchen wieder herunter. Die Ameisen setzten ihre freimaurerische Taktik trotzdem hartnäckig fort. Eben saß die *Lomechusa* wiederum auf einem großen weiblichen Kokon und hielt sich krampfhaft fest, während einige Ameisen an ihren Beinen zerrten. Unterdessen legten andere ihre Erdklümpchen auf den Thorax und den Hinterleib des Käfers. Die *Lomechusa* lief weiter und schüttelte die Last ab. Gleich darauf blieb sie wiederum sitzen und saß diesmal mehrere Minuten lang ruhig, da sich keine Ameise an sie anzubeißen suchte. Von allen Seiten kamen nun die *Lasius flavus* mit ihren Erdklümpchen und legten sie auf den ermüdeten Gegner. Nach fünf Minuten sah man nur noch die Fühlerspitzen der *Lomechusa* aus einem unförmlichen grauen Klumpen hervorragen.

Zum Benehmen von *Lasius flavus* und *umbratus* gegenüber *Lomechusa* bemerke ich Folgendes. Diese beiden gelben Ameisen sind weniger kampflustig als *Lasius niger*, mehr friedliebend und furchtsam. *Lasius umbratus* ist erheblich größer als *flavus*, und daher verursachte ihr die *Lomechusa* vielleicht geringeren Schrecken als den kleineren *flavus*. Von Wichtigkeit dürfte folgender Umstand sein. Die *Lasius umbratus* begegneten der *Lomechusa* nur auf der Oberfläche ihres Nestes. Ferner konnten die weitverzweigten Gänge, die sie in jenem

Beobachtungsneste angelegt hatten, und in denen sie, nach Wurzelläusen suchend, fortwährend hin und her liefen, nicht als das eigentliche Nestinnere aufgefasst werden, das bei *L. umbratus* gewöhnlich tief versteckt und schwer zu finden ist; da diese *umbratus* keine Larven oder Puppen bei sich hatten, schien das Nestinnere im vorliegenden Falle ganz zu fehlen. Dagegen kam die *Lomechusa* bei *Lasius flavus* mitten in das eigentliche Nestinnere, unter die aufgeschichteten Kokons; daher die größere Aufregung der Ameisen. Die interessante Erdklümpchentaktik von *Lasius flavus* erinnert mich an eine ähnliche Beobachtung (vom 1. April 1888, Exaeten), wo ein Molch (*Triton alpestris*), den ich in ein Nest von *sanguinea* $\frown$ *fusca* gesetzt, nach vielen vergeblichen Angriffen der Ameisen endlich von einem Erdwalle umgeben und eingemauert wurde. Hier begann *F. fusca* das Herbeitragen von Erdklümpchen, die *sanguinea* folgten allmählich ihrem Beispiele. *F. fusca* und *Lasius flavus* sind — nebenbei bemerkt — die geschicktesten Erdarbeiterinnen unter unseren einheimischen Ameisen.

14) Die Beziehungen von *Lomechusa strumosa* zu *Tapinoma erraticum* Latr.

Tapinoma erraticum ist eine kleine, sehr lebhafte und flinke Ameise, deren Kampfesweise dadurch ausgezeichnet ist, dass sie sich nicht gleich anderen kleinen Ameisen an den Fühlern und Beinen des größeren Gegners festbeißt, sondern ihm zuerst ihre Hinterleibsspitze zukehrt und eine Geruchssalve gegen ihn abgibt. Der Verteidigungsgeruch dieser Dolichoderide stimmt genau überein mit dem Dufte, den die *Atemeles* und *Lomechusa* aus ihrer Hinterleibsspitze, und gereizte Honigbienen aus ihrem Munde von sich geben[1]). Bei dem sehr bedeutenden Größenunterschiede, der zwischen *Tapinoma* und *Lomechusa* besteht, wusste ich von vornherein, dass hier eine Aufnahme des Gastes unmöglich sei. Trotzdem habe ich einen Versuch hierüber angestellt.

Am 10. Juli 1891 (Prag) setzte ich eine *Lomechusa* in eine kleine Krystallisationsschale, in welcher ein ziemlich volkreiches Nest von *Tapinoma* sich befand. Die Ankunft der *Lomechusa* erregte einen allgemeinen Tumult; die *Lomechusa* selber schien ebenfalls sehr ängstlich und aufgeregt zu sein in der Gesellschaft dieser Ameisen. Sie lief mitten durch die aufgeschichteten Larven und Puppen von *Tapinoma* hindurch, die teilweise an ihr kleben blieben. Die Ameisen stoben nach allen Seiten auseinander und umkreisten die *Lomechusa* unter fortwährenden Geruchssalven. Der Käfer schien dadurch sehr unangenehm berührt zu werden und geriet in große Aufregung, ob-

---

1) Vergl. hierüber: Beiträge zur Lebensweise der Gattungen *Atemeles* und *Lomechusa*, Kap. 7, S. 42 (286) und Vergleichende Studien S. 96.

wohl keine Ameise sich an ihm anzuklammern wagte. Endlich ergriff ihn eine an einem Beine und auch andere drohten über ihn herzufallen. Es wäre wahrscheinlich getötet worden, hätte ich ihn nicht sogleich herausgenommen, um ihn für andere Versuche zu verwenden.

15) Die Beziehungen von *Lomechusa strumosa* zu *Tetramorium caespitum* L.

Das Schicksal der *Lomechusa* bei dieser kleinen sehr kampflustigen und beutegierigen Myrmicide war mir von vornherein unzweifelhaft. Ein Versuch vom 23. Mai 1889 (Exaeten) bestätigte meine Ueberzeugung. Die *Tetramorium* fielen sofort von allen Seiten über die zehnmal größere *Lomechusa* her, bissen sich an ihren Fühlern und Beinen fest und bearbeiteten dieselben mit ihrem Stachel. Die *Lomechusa* wäre getötet und aufgefressen worden, hätte ich sie nicht schon nach wenigen Minuten wieder herausgenommen und von den anhängenden Ameisen befreit.

16) Die Beziehungen von *Lomechusa strumosa* zu *Myrmica scabrinodis* Nyl.

Am 21. Mai 1888 (Exaeten) setzte ich eine *Lomechusa* in ein Beobachtungsnest von *Myrmica scabrinodis*. Sie wurde sofort wütend angegriffen, gebissen und mit dem Stachel bearbeitet. Ihre trillernden Fühlerbewegungen schienen die Wut der Ameisen nur noch mehr zu reizen. Ich nahm das Exemplar heraus, um es zu retten.

Diese Kolonie von *Myrmica scabrinodis* hatte in jenem Frühling keine *Atemeles* besessen. Ich wiederholte deshalb am 23. Mai den Versuch mit einer Kolonie, die noch kurz vorher einige *Atemeles* in Pflege gehabt hatte. Das Ergebnis war jedoch dasselbe wie bei dem ersten Versuche

17) Die Beziehungen von *Lomechusa strumosa* zu *Myrmica ruginodis* Nyl.

Am 25. Mai 1889 (Exaeten) setzte ich eine *Lomechusa* zu einer Kolonie von *Myrmica ruginodis*; es war eine mittelgroße Rasse, etwa halb so lang wie die *Lomechusa*. Sie wurde sofort heftig angegriffen, an Fühlern und Beinen gepackt und mit dem Stachel bearbeitet. Die *Lomechusa* suchte ängstlich aus dem Neste zu entfliehen.

Die gegen *Atemeles emarginatus* und *paradoxus* so freundschaftlichen *Myrmica scabrinodis* und *ruginodis* behandeln die *Lomechusa strumosa* offenbar als einen fremden, feindlichen Eindringling.

18) Die Beziehungen von *Lomechusa strumosa* zu *Myrmica laevinodis* Nyl.

Am 10. Juli 1891 (Prag) setzte ich eine *Lomechusa* in ein Nest dieser roten Knotenameise in einer Krystallisationsschale. Die *Lome-*

chusa wurde heftig angegriffen, an Fühlern und Beinen gebissen, umhergezerrt und mit dem Stachel bearbeitet. Nach fünf Minuten schien sie bereits durch die erhaltenen Stiche wie gelähmt, und die Ameisen ließen nun von ihren Angriffen ab. Nur hie und da näherte sich ihr eine *Myrmica*, betupfte sie vorsichtig mit den Fühlerspitzen, beleckte sie dann manchmal oberflächlich oder kneipte nach ihr mit geöffneten Kiefern und mit einem kurzen, stoßweisen Rucke des ganzen Körpers; dann zog sich die Ameise sofort wieder zurück. Ich hielt die *Lomechusa* bereits für tot oder wenigstens für tötlich gelähmt, und nahm sie heraus. Auf meiner Hand begann sie jedoch sofort munter umherzulaufen, ohne Zeichen einer Lähmung. Hierauf setzte ich sie vorsichtig in das *Myrmica*-Nest zurück; sie nahm daselbst sofort wieder ihre steife Haltung an und blieb an der Stelle, wo ich sie hingesetzt, regungslos sitzen. Die Ameisen, die herzukamen, berührten den Käfer mit ihren Fühlern und öffneten misstrauisch die Kiefer, griffen ihn aber nicht an. Nach einer halben Stunde befand sich die *Lomechusa* immer noch an demselben Platze und in derselben Stellung, mit gesenktem Kopf, seitlich etwas ausgestreckten Beinen und schwach aufgerolltem Hinterleib, wie tot. Als ich am Abend wieder nachsah, saß die *Lomechusa* an einer anderen Stelle im Neste, immer noch abseits von den Ameisen. Als ich sie mit einer Pinzette berührte und zum Umherlaufen zwang, wurde sie von den begegnenden Ameisen wiederholt mit geöffneten Kiefern angefahren. Die *Myrmica* schienen jedoch kaum geringeren Respekt vor der *Lomechusa* zu haben, als diese vor ihnen; denn sie wichen sofort zurück, wenn sie nach ihr gekneipt hatten, und liefen weiter. So lange der Käfer ruhig dasaß, wurde er nicht behelligt, sondern nur hie und da prüfend mit den Fühlerspitzen berührt.

Am 11. Juli saß die *Lomechusa* noch immer abseits von den Ameisen in ihrer gestrigen Haltung. Ameisen, die sich ihr näherten, öffneten zwar manchmal misstrauisch ihre Kiefer, kneipten aber nur selten nach ihr. Als ich die *Lomechusa* näher heransetzte zu den bei ihren Larven und Puppen versammelten *Myrmica*, wurde sie wiederum häufiger angefahren und in den Hinterleib gezwickt. Sie ließ mit schlaff herabhängenden Fühlern alles über sich ergehen, ohne sich zu regen. Ich nahm sie nun heraus und that sie in Alkohol.

Obwohl *Myrmica scabrinodis, ruginodis, laevinodis* die nahen Verwandten von *Lomechusa*, *Atemeles emarginatus* und *paradoxus*, als Gäste haben, ist doch eine gastliche Aufnahme von *Lomechusa strumosa* bei den genannten *Myrmica* nicht möglich. Sie scheint sich auch ihrerseits bei diesen Ameisen sehr unbehaglich zu fühlen und durch die erlittenen Misshandlungen in Lethargie zu verfallen; dadurch ist die Anknüpfung eines gastlichen Verhältnisses ausgeschlossen, da die Initiative zu denselben von dem Gaste auszugehen pflegt.

19) Die Beziehungen von *Lomechusa strumosa* zu *Myrmica rubida* Ltr.

Die Versuche über die Aufnahme von *Lomechusa* und *Atemeles* bei *Myrmica rubida* gehören zu den lehrreichsten Experimenten über die internationalen Beziehungen der echten Ameisengäste. *Myrmica rubida* ist unsere größte einheimische Myrmicide, von der Größe der *F. rufa*, aber schlanker. Sie besitzt einen empfindlichen Stachel, aber im Gegensatz zu ihren kleineren, sehr reizbaren Verwandten (*Myrmica laevinodis* etc.) ein gutmütiges und friedsames Temperament. *M. rubida* ist eine Gebirgsameise und kommt deshalb in Holland nicht vor. Ich brachte Anfang September 1890 ein Nest dieser Ameise von Feldkirch (Vorarlberg) mit nach Exaeten und gesellte zu ihr die Gäste aus den Sand- und Haideflächen von Holländisch Limburg.

Am 4. September setzte ich eine *Lomechusa* (Nr. 1), die ich an demselben Tage bei *F. sanguinea* gefangen hatte, zu den *Myrmica rubida*. Sie wurde anfangs von mehreren Ameisen mit den Kiefern gepackt, von einigen sogar mit eingekrümmtem Hinterleib zu stechen gesucht. Diese Angriffe dauerten jedoch nur wenige Minuten. Nach einer Viertelstunde schien die *Lomechusa* bereits aufgenommen zu sein. Sie saß mitten unter den Ameisen und wurde wiederholt beleckt, zuerst nur kurz und oberflächlich, bald aber eifriger und anhaltender, besonders auf dem Hinterleib; sie verhielt sich hiebei ganz ruhig. Um zu sehen, ob die Fühlerschläge der *Lomechusa* ihre rasche Aufnahme bewirkten, setzte ich nun ein Exemplar, dem ich beide Fühler an der Basis abgeschnitten, zu den *M. rubida*. Diese *Lomechusa* (Nr. 2) wurde anhaltender und heftiger angefahren, gebissen und mit eingekrümmten Hinterleib gestochen. Näherte sich dagegen eine Ameise der anderen *Lomechusa* (Nr. 1), so öffnete sie zwar manchmal noch ihre Kiefer, während sie den Gast mit den Fühlerspitzen berührte, wurde aber sogleich durch sein Fühlertrillern beruhigt und ging weiter oder beleckte ihn oberflächlich. Die Angriffe auf die Fühlerlose dauerten an. Nach kurzer Zeit zeigte sie bereits Lähmungserscheinungen an den Beinen infolge der erhaltenen Stiche. Das linke Mittelbein war ganz steif und der Käfer schwankte wie betrunken hin und her. Ich setzte an demselben Tage noch eine unversehrte *Lomechusa* (Nr. 3) in das *Myrmica*-Nest. Diese wurde anfangs auch angegriffen, aber weniger heftig. Schon glaubte ich, der Stachel werde diesmal gar nicht zur Anwendung kommen, als ich plötzlich bemerkte, wie eine ziemlich kleine Arbeiterin den Käfer an einem Vorderbeine packte und zu stechen versuchte. Die *Lomechusa* reagierte heftig mit hoch aufgekrümmten Hinterleib und starken Geruchssalven. Dadurch wurde die Angreiferin noch heftiger gereizt und stach mehrere Minuten lang auf das Bein des Käfers los, das sie mit ihren Kiefern festhielt. Durch die Geruchssalven der *Lomechusa* wurde das Be-

XII.   42

obachtungsnest mit dem *Lomechusa*-Geruch erfüllt und auch die übrigen *Myrmica* wurden unruhig. Nach etwa drei Minuten ließ die Ameise den Käfer endlich los, und dieser lief ängstlich weiter, das betreffende Bein steif nachschleppend.

Als ich an demselben Abend wieder in das *Myrmica*-Nest hineinsah, zeigten alle drei *Lomechusa* Zittern an den Beinen und hinkten beim Laufen. Die Fühlerlose (Nr. 2) war allerdings im schlimmsten Zustande, schon dem Tode nahe. Die Lähmungserscheinungen der beiden anderen Exemplare, die nicht mehr angegriffen sondern im Vorübergehen öfters beleckt wurden, waren eine Nachwirkung der Stiche, die sie beim ersten Angriffe erhalten hatten.

An demselben Abend beobachtete ich, wie eine *Myrmica rubida* anhaltend und eifrig die Oberseite des Hinterleibes der *Lomechusa* Nr. 1 beleckte. Der Käfer trillerte mit zurückgebogenem Kopf auf die Ameise. Die Beleckung dauerte $2^1/_2$ Minuten unausgesetzt. Die Ameise hielt ihren Kopf über die Hinterleibsspitze des Käfers gebeugt und steckte ihn zwischen seinen aufgerollten Hinterleib und die Flügeldecken, um zu den gelben Haarbüscheln zu gelangen. Sie schien an der *Lomechusa* Gefallen zu finden; denn sie blieb bei ihr sitzen und begann nach einigen Minuten wiederum sie zu belecken, ebenfalls 2 bis 3 Minuten lang. Die Fühlerlose (Nr. 2) wurde unterdessen noch wiederholt angegriffen, aber nicht mehr gestochen. Die *Lomechusa* Nr. 3, die anfangs von einer kleinen Arbeiterin gestochen worden war, lag mit zuckenden Beinen auf der Seite. Um 7 Uhr Abends hinkte die *Lomechusa* Nr. 1, die beiden anderen lagen zuckend auf dem Rücken. Die Fühlerlose wurde in dieser Stellung von einer vorübergehenden *Myrmica* beleckt. Ich nahm die *Lomechusa* Nr. 3 heraus und untersuchte sie näher. Die Lähmung, die ursprünglich nur an dem einen gestochenen Beine aufgetreten, hatte sich bereits auf 5 Beine ausgedehnt. Ich setzte das Exemplar in Alkohol.

Am Morgen des 5. September war die Fühlerlose (Nr. 2) gestorben. Die andere (Nr. 1) hatte sich ziemlich gut erholt und zeigte nur noch ein leichtes Hinken am rechten Vorder- und Mittelbein. Sie spazierte unter den Ameisen umher, ohne angegriffen zu werden. Die *Myrmica* schenkten ihr fast gar keine Aufmerksamkeit; sie wurde nur hie und da im Vorübergehen mit den Fühlern berührt. Ich setzte nun eine neue, ihrer Fühler beraubte *Lomechusa* (Nr. 4) in das Nest. Diese wurde anfangs von mehreren Ameisen mit geöffneten Kiefern angefahren, aber nicht gestochen. Die fühlerlose *Lomechusa* bewegte bei diesen Angriffen ihren Kopf, als ob sie mit den Fühlern trillern wollte. Die Angriffe waren anfangs ziemlich heftig, hörten jedoch schon nach 5 Minuten allmählich auf. Nur eine kleine Arbeiterin hielt den Käfer längere Zeit an den gelben Haarbüscheln fest und zerrte an ihnen, worauf er seinen Körper zur Abwehr in zitternde Bewegung versetzte.

Eine Viertelstunde später gab ich eine neue *Lomechusa* (Nr. 5), ein schönes, unversehrtes Exemplar, unmittelbar von *F. sanguinea* in das *Myrmica*-Nest. Sie wurde trotz ihres Umherlaufens nicht angegriffen, selbst nicht bei der ersten Begegnung. Ihre Fühlerschläge schienen die Ameisen sofort zu beschwichtigen. Die *Myrmica rubida* hatten sich bereits an die *Lomechusa* gewöhnt und nahmen deshalb auch neue Exemplare ohne Feindseligkeit auf. An demselben Tage beobachtete ich hie und da, aber sehr selten, die Beleckung einer *Lomechusa*. Nähere Erwähnung verdient die Beleckung der Fühlerlosen (Nr. 4), die ungefähr $4^1/_2$ Minuten dauerte. Die Ameise zog anfangs ziemlich heftig an den gelben Haarbüscheln des Käfers, ließ dieselben dann durch ihre Kiefer gleiten, während sie mit der Zunge daran leckte. Dann wurde die Hinterleibsspitze des Gastes mit halbgeöffneten Kiefern beleckt; hierauf beleckte die Ameise seinen Kopf und nahm ihn hiebei zwischen die Kiefern, ohne jedoch den Käfer zu beißen, der sich ganz ruhig verhielt. Schließlich wurden Hinterleibsspitze und Hinterleibsseiten der *Lomechusa* mit geschlossenen Kiefern beleckt.

Am 6. September saßen die 3 *Lomechusa* (Nr. 1, 4, 5) unter den Ameisen und wurden nicht angegriffen, als ich in das Nest hineinblies und die Ameisen heftig reizte. Die Lähmung am rechten Vorder- und Mittelbein von *Lomechusa* Nr. 1 hatte sich verschlimmert und der Käfer hinkte stark; ich setzte ihn in Alkohol. Nr. 4 u. 5 befanden sich völlig gesund und wohl.

Am Morgen des 7. September lag die Fühlerlose (Nr. 4) tot im Neste. Die *Lomechusa* Nr. 5 war wohlauf. Ich setzte nun ein neues, unversehrtes, kräftiges Exemplar (Nr. 6) von *F. sanguinea* unmittelbar in das *Myrmica*-Nest. Sie wurde gleich der vorigen nicht angegriffen, obgleich sie anfangs unruhig umherlief. Die Ameisen berührten sie bei Begegnung mit den Fühlerspitzen; aber nur eine einzige öffnete hiebei misstrauisch ihre Kiefer, um sie sogleich wiederum beruhigt zu schließen. In den folgenden Tagen ging es den zwei *Lomechusa* bei *M. rubida* gut. Die Ameisen gaben sich jedoch wenig mit ihnen ab, wegen der geringen Initiative dieser Gäste.

Am 12. Sept. setzte ich den ersten *Atemeles emarginatus* in dasselbe Nest von *M. rubida*, am 16. den ersten *At. paradoxus*. Da die näheren Einzelheiten der Aufnahme von *Atemeles* später zu berichten sein werden, sei hier nur bemerkt, dass die Anwesenheit der zwei bereits aufgenommenen *Lomechusa* die Aufnahme der *Atemeles* nicht erleichterte. Die *Atemeles, emarginatus* wie *paradoxus*, mussten dieselben Schicksale durchmachen wie ehemals die *Lomechusa*, d. h. die ersten Exemplare beider Arten starben infolge der erhaltenen Stiche, die folgenden wurden bereitwilliger zugelassen, mehrere derselben endgiltig aufgenommen. Am 21. September war die eine der beiden *Lomechusa* tot, am 23 folgte die andere. Beide starben eines natür-

42*

lichen Todes und schienen sich bis kurz vor ihrem Ende ganz wohl zu befinden, obgleich ich keine einzige Fütterung einer *Lomechusa* durch *M. rubida* beobachtet habe. Während es den *Lomechusa* trotz ihrer diesen Ameisen ebenbürtigen Größe nicht gelang, von *M. rubida* gefüttert zu werden, brachten es zwei *Atemeles emarginatus* und ein *paradoxus* nach vierzehntägigen, vergeblichen Zudringlichkeiten endlich dahin, dass sie von den ihnen an Größe dreifach überlegenen Ameisen gefüttert wurden. Die erste Fütterung eines *Atemeles* durch *M. rubida* sah ich am 7. Oktober. Näheres über diese interessanten Vorgänge bei den internationalen Beziehungen der *Atemeles*.

20) Die Beziehungen von *Lomechusa strumosa* zu *Leptothorax tuberum* F. und *Formixenus nitidulus* Nyl.

Im Mai 1891 hatte ich in Mariaschein (Nordböhmen) ein zusammengesetztes Nest von *F. sanguinea* ⌒ *fusca* mit *Leptothorax tuberum* gebildet, indem ich eine kleine Kolonie der letzteren Ameise in das Beobachtungsnest der ersteren setzte. Die *Leptothorax* hielten sich verborgen und schienen von den *sanguinea* und *fusca* kaum bemerkt zu werden. Bei den *sanguinea* befand sich eine *Lomechusa* (vergl. S. 590). Ich nahm dieses zusammengesetzte Nest später mit nach Prag und setzte daselbst meine Beobachtungen fort. Die kleinen *Leptothorax* benahmen sich sehr friedfertig, und wenn eine derselben zufällig der *Lomechusa* begegnete, nahm sie von dem Käfer nicht die geringste Notiz.

Von März bis Juli 1889 hielt ich in dem großen Lubbock'schen Beobachtungsnest, welches eine *Polyergus* ⌒ *fusca*-Kolonie beherbergte (vergl. oben S. 645) eine Anzahl *Formicoxenus nitidulus*, die ich von ihrer normalen Wirtsameise (*F. rufa*) dorthin versetzt hatte. Von der Anwesenheit der kleinen, glänzenden Gastameisen war für gewöhnlich nichts zu bemerken. Nur sehr selten zeigte sich eine *Formicoxenus*-Arbeiterin außerhalb ihres Versteckes. Begegnete sie zufällig einer *Lomechusa*, so ignorierte sie den Käfer vollständig.

21) Vergleichender Rückblick über die internationalen Beziehungen von *Lomechusa strumosa*.

I. Zusammenfassung der Ergebnisse.

1) Unverzüglich aufgenommen wurde *Lomechusa strumosa*:
    a. Von *F. sanguinea* fremder Kolonien⎫
    b. Von *F. rufa*   ⎬ (Gastlich behandelt).
    c. Von *F. pratensis*   ⎭
    d. Von *Polyergus rufescens* (bloß geduldet).
2) Nach anfänglichen Feindseligkeiten aufgenommen wurde *L. strumosa*:
    a. Von *F. fusca*.
    b. Von *F. rufibarbis*.

    c. Von *F. exsecta.*

    d. Von *Myrmica rubida.*

3) Nicht aufgenommen wurde *Lomechusa strumosa*:

    a. Von *Camponotus ligniperdus.*

    b. Von *Myrmica scabrinodis.*

    c. Von *Myrmica ruginodis.*

    d. Von *Myrmica laevinodis.*

    e. Von *Lasius flavus.*

    f. Von *Lasius niger.*

    g. Von *Tapinoma erraticum.*

    h. Von *Tetramorium caespitum.*

    i. Von *Leptothorax tuberum* und *Formicoxenus nitidulus.*

4) Zweifelhaft blieb das Benehmen:

    a. Von *Lasius fuliginosus.*

    b. Von *Lasius umbratus.*

II. Schlussfolgerungen und Bemerkungen zu I.

Ad 1. *Lomechusa strumosa* ist völlig international nur gegenüber fremden Kolonien ihrer normalen Wirtsameisenart (*F. sanguinea*) und gegenüber jenen verwandten *Formica*-Arten[1]), welche dieselbe Körpergröße besitzen (*F. rufa* und *pratensis*). Gegenüber *Polyergus rufescens* ist *Lomechusa* bloß negativ international, d. h. sie wird indifferent geduldet, und ihrer Aufnahme durch die Hilfsameisen kein Hindernis entgegengesetzt. Daher wird bei *F. sanguinea* das Benehmen der Hilfsameisen (*F. fusca* und *rufibarbis*) gegenüber *Lomechusa* durch das Benehmen ihrer Herren beeinflusst (S. 594 ff.), bei *Polyergus rufescens* nicht. Aus demselben Grunde richtet sich das Benehmen der Hilfsameisen von *sanguinea* gegenüber *Lomechusa* durchschnittlich nach der ersten Klasse (unverzügliche Aufnahme), dasjenige der Hilfsameisen von *Polyergus* neigt zur zweiten Klasse (Aufnahme nach anfänglichen Feindseligkeiten).

Ad 2. Unter jenen Ameisen, welche die *Lomechusa* nach anfänglichen Feindseligkeiten aufnahmen, sind drei *Formica*-Arten, die merklich kleiner sind als *Lomechusa* und als deren normale Wirtsameise; ferner eine *Myrmica*-Art, die an Größe der *F. sanguinea* gleichkommt. Bei *F. fusca* und *rufibarbis*, welche selber nahe Verwandte von *Lomechusa* als normale Gäste haben, wurde die *Lomechusa* nicht nur beleckt sondern auch gefüttert, während ich bei *F. exsecta* und *Myrmica rubida* eine Fütterung wenigstens nicht beobachtet habe.

---

1) Ich fasse hier den Namen „Art" nicht im strengen systematischen Sinne, nach welchem z. B. *F. rufa* und *pratensis* nur als Rassen einer und derselben Art zu betrachten sind.

Ad 3. Unter jenen Ameisen, welche die *Lomechusa* nicht aufnahmen, befindet sich eine sehr große Formicide, die bedeutend größer ist als die *Lomechusa* (*Camponotus ligniperdus*);
ferner drei Myrmiciden, die kaum halb so groß sind als die
Lomechusa (*Myrmica scabrinodis, ruginodis, laevinodis*); endlich
zwei Formiciden (*Lasius niger, flavus*), eine Dolichoderide
(*Tapinoma*) und drei Myrmiciden, welche sämtlich viel kleiner
sind als die *Lomechusa*. Die meisten der genannten Arten
misshandelten die *Lomechusa*, ihrem kampflustigen Charakter
entsprechend. Dagegen begnügten sich die friedfertigen *Leptothorax* und *Formicoxenus* damit, den Gast zu ignorieren. Einen
Mittelweg schlug *Lasius flavus* ein, indem sie den unangenehmen
Eindringling mit Erde bedeckte.

22) Erklärungsversuch der internationalen Beziehungen von *Lomechusa strumosa*.

Welche Faktoren sind maßgebend für die Aufnahme von *Lomechusa
strumosa* bei Ameisen fremder Kolonien und fremder Arten? Um
diese ebenso interessante wie schwierige Frage einigermaßen beantworten zu können, müssen wir folgende Punkte unterscheiden:

1) Worauf beruht der internationale Charakter von *Lomechusa
strumosa* gegenüber *Formica sanguinea*?
2) Worauf beruht ihre Internationalität gegenüber *F. rufa* und
pratensis?
3) Wie ist ihre friedliche Duldung bei *Polyergus rufescens* zu
erklären?
4) Wie ist das Verhalten jener Ameisen zu deuten, welche die
Lomechusa nach anfänglichen Feindseligkeiten aufnahmen?
5) Warum ward *Lom. strumosa* bei so vielen anderen Ameisenarten nicht aufgenommen?

1) Worauf beruht der internationale Charakter des Gastverhältnisses von *Lomechusa strumosa* zu *F. sanguinea*?
Es kann wohl keinem Zweifel unterliegen, dass ein ererbter,
angeborener Instinkt der *F. sanguinea* die Hauptsache ist
für die unmittelbare Aufnahme jenes Gastes in allen *sanguinea*-Kolonien.
Denn *Lomechusa* wird von *F. sanguinea* unverzüglich aufgenommen,
nicht bloß in solchen Kolonien, die schon andere Exemplare desselben
Gastes besitzen, sondern auch in solchen, welche noch keine *Lomechusa*
hatten. Sie wird unverzüglich aufgenommen, mag sie nun aus fremden
sanguinea-Kolonien oder von irgend welchen anderen Ameisenarten in
das *sanguinea*-Nest gesetzt werden. Sie wird unverzüglich aufgenommen
selbst bei autodidaktischen *sanguinea*, die weder durch eigene Erfahrung die Annehmlichkeiten des Gastes kennen, noch auch durch

das Beispiel älterer Gefährtinnen zu seiner gastlichen Behandlung angeregt werden konnten.

Wie bethätigt sich der genannte ererbte Instinkt von *F. sanguinea*? Dadurch, dass *Lomechusa strumosa* auf das sinnliche Wahrnehmungsvermögen dieser Ameisen einen angenehmen Eindruck macht, welcher in den Ameisen sofort den entsprechenden Trieb zur gastlichen Behandlung des Käfers anregt. *F. sanguinea* braucht eine fremde *Lomechusa strumosa* nur mit den Fühlerspitzen zu berühren, um sie sogleich als ihren Stammgast zu erkennen. Diese Erkennung geschieht wohl durch die von F o r e l als B e r ü h r u n g s g e r u c h (odeur au contact) bezeichnete Wahrnehmung, die als eine uns nicht näher bekannte Verbindung von Geruchs- und Tastsinn aufzufassen ist.

Auch eine fühlerlose *Lomechusa* wurde von *F. sanguinea* sofort erkannt und aufgenommen, nachdem die Ameisen den Käfer mit den Fühlerspitzen berührt hatten (S. 599). Hieraus darf man schließen, dass die Fühlerschläge der *Lomechusa*, die Ameisenähnlichkeit ihres Fühlerverkehrs, nur eine untergeordnete Bedeutung haben für ihre Aufnahme bei d i e s e r Ameise. Der Umstand, dass *Lomechusa strumosa*, auch im fühlerlosen Zustande, von *F. sanguinea* selbst dann aufgenommen wurde, wenn sie unmittelbar vorher von fremden Ameisen mit Gift bespritzt worden war (S. 598, 599, 643, 649, 651), deutet an, dass bestimmte Eigenschaften der *Lomechusa* auf die Fühlersinnesorgane ihrer normalen Wirtsameise einen sehr charakteristischen Eindruck machen. Inwieweit der Geruchs- und der Tastsinn in diese Sinneswahrnehmung sich teilen, dürfte kaum zu ermitteln sein. Immerhin besteht kein Zweifel, dass auch der erstere Sinn dabei im Spiele ist, obwohl wir uns schwer vorstellen können, wie eine Ameise bereits beim ersten Fühlerschlage den eigentümlichen Geruch der *Lomechusa* von dem ihr anhaftenden, viel intensiveren, fremden Geruche zu unterscheiden vermag[1]). Für die Intensität des Eindruckes, den die *Lomechusa* auf das Wahrnehmungsvermögen ihrer normalen Wirtsameise macht, spricht besonders die Thatsache, dass selbst eine mit zerquetschten *Lasius fuliginosus* eingeriebene *Lomechusa* von ihren Wirtsameisen rasch wiedererkannt ward, während eine *F. sanguinea*, welcher derselbe feindliche Geruch in geringerem Maße anhaftete, von ihren eigenen Gefährtinnen längere Zeit misshandelt wurde (S. 651).

Lomechusa strumosa macht somit auf das sinnliche Wahrnehmungsvermögen von *F. sanguinea* nicht sosehr den Eindruck einer be-

---

1) Aehnliche Rätsel bieten sich uns übrigens auch in den gemischten Kolonien der Ameisen, indem z. B. *F. sanguinea* die zu ihrer Kolonie gehörigen *F. fusca* durch Berührungsgeruch als Nestgenossen erkennt, obwohl dieselben einen anderen spezifischen Geruch haben. Der Umstand, dass ihrer Fühler beraubte Gefährtinnen von den Ihrigen zwar noch durch Fühlerschläge erkannt werden, während sie selber dieses Unterscheidungsvermögen verloren haben, scheint zu beweisen, dass es im Fühlerverkehre der Ameisen nicht um eine Zeichensprache (Parole) sich handelt.

freundeten Ameise, als vielmehr den Eindruck eines zwar **ameisenähnlichen, aber immerhin ganz eigenartigen Wesens.**
Für den Vorstellungskreis der *F. sanguinea* scheint *Lomechusa strumosa*
ein **angenehmes Ens sui generis, ein Ameisenfreund im
eigentlichen Sinne** zu sein.

Die Annehmlichkeit der *Lomechusa* für die Ameisen beruht zwar
objektiv hauptsächlich auf dem Besitze der gelben Haarbüschel, deren
Beleckung den Ameisen einen hohen gastronomischen Genuss zu bereiten scheint. Aber die ganze Erscheinung dieses Käfers übt auf
das sinnliche Wahrnehmungsvermögen seiner normalen Wirtsameise
bereits einen entscheidenden angenehmen Einfluss aus, bevor die
Ameise die individuelle Erfahrung jenes Genusses gemacht hat. Hierin
besteht eben das Instinktive ihrer Freundschaft für *L. strumosa*. Das
Benehmen des Gastes gegenüber den Ameisen ist für seine gastliche
Behandlung allerdings insofern auch von Bedeutung, als seine Fühlerschläge dazu dienen, allzu heftig leckende Ameisen zu beschwichtigen;
ferner insofern, als die *Lomechusa* durch ihre Fühlerschläge und durch
Beleckung der Mundgegend der Ameise diese zur Fütterung reizt.
In diesem Benehmen des Gastes ist jedoch nur eine unvollkommene
Nachahmung des Benehmens der Ameisen enthalten, weil er sie nicht
nach Ameisenart zur Fütterung auffordert, indem er nämlich nicht
mit erhobenen Vorderfüßen die Kopfseiten der Ameise streichelt. Ein
solches vollendet ameisenähnliches Benehmen ist unter allen mir bekannten echten Gästen nur den *Atemeles* eigen. Daher füttert *F. sanguinea* die *Lomechusa* nicht wie eine **Ameise** sondern wie eine
Ameisenlarve; ja sie überträgt diese Behandlungsweise ihres
normalen Gastes sogar auf die *Atemeles*, obgleich letztere sie nach
Ameisenart zur Fütterung auffordern. Weitere Vergleichspunkte
zwischen *Atemeles* und *Lomechusa* können erst am Schlusse der internationalen Beziehungen der *Atemeles* erwähnt werden. Hier sei nur
noch bemerkt, dass bei der plumperen und unbeholfenere *Lomechusa*
der unmittelbare angenehme Eindruck, den sie auf das Wahrnehmungsvermögen ihrer normalen Wirtsameise macht, relativ stärker und un-
beschränkter ist, während die Ameisenähnlichkeit ihres Benehmens
nicht nur geringer, sondern auch von relativ geringerer Bedeutung
für das Gastverhältnis ist als bei *Atemeles emarginatus* und *paradoxus*.

In den genannten Punkten dürfte das Wesentlichste enthalten
sein, was wir aus den internationalen Beziehungen von *Lomechusa
strumosa* über die **Psychologie ihres Gastverhältnisses zu
*F. sanguinea*** ermitteln können.

Auf das Benehmen der **Hilfsameisen** von *sanguinea* gegenüber
Lomechusa strumosa brauche ich hier nicht weiter zurückzukommen,
da schon oben (S. 594 u. 595) angedeutet wurde, weshalb *Formica
fusca* und *rufibarbis* als Hilfsameisen von *sanguinea* jenen Gast leichter und unverzüglicher aufnehmen als in ihren selbständigen Kolonien.

Außer dem dort erwähnten Umstande, dass die *Lomechusa* meist den *sanguinea* zuerst begegnet, von ihnen beleckt wird und hiedurch den Freundesgeruch mitgeteilt erhält, dürfte auch das Beispiel der Herrin unmittelbar auf den Nachahmungstrieb der Hilfsameise wirken und diese zur gastlichen Behandlung anregen.

2) Worauf beruht die Internationalität von *Lomechusa strumosa* gegenüber *F. rufa* und *pratensis?*

Lomechusa wird bei diesen beiden Ameisen ebenso rasch oder fast ebenso rasch aufgenommen wie bei *F. sanguinea.* Ferner konnte die Fühlerlosigkeit einer *Lomechusa* ihre Aufnahme bei *F. rufa* zwar verzögern, aber nicht verhindern (S. 599) und eine mit *Lasius fuliginosus* eingeriebene *Lomechusa* wurde von *F. pratensis* aufgenommen, nachdem die Ameisen den Käfer mit ihren Fühlerspitzen untersucht hatten (S. 651).

L. strumosa macht somit auf das sinnliche Wahrnehmungsvermögen dieser beiden Rassen der Waldameise einen ähnlichen instinktiven Eindruck wie auf *F. sanguinea*, mit welcher sie nahe verwandt sind und dieselbe Körpergröße besitzen. Andererseits scheint es jedoch, dass für die Aufnahme dieses Gastes bei *rufa* und *pratensis* seine Fühlerschläge von größerer Bedeutung sind als bei *F. sanguinea*; denn die fühlerlose *Lomechusa* wurde bei *sanguinea* unverzüglich aufgenommen, bei *rufa* längere Zeit misshandelt, während die im Besitze ihrer Fühler befindlichen Exemplare in demselben *rufa*-Neste unmittelbar Aufnahme fanden (S. 598 u. 599).

F. rufa und *pratensis* besitzen also einen ererbten Instinkt zur gastlichen Behandlung von *Lomechusa strumosa*, wenngleich nicht in demselben Grade wie *F. sanguinea.* Hieran knüpft sich die Frage, weshalb man diesen Gast trotzdem nur so selten in den Waldameisennestern antrifft, während er bei *sanguinea* in derselben Gegend häufig vorkommt. Man könnte vielleicht geneigt sein, die instinktive Neigung der Waldameisen für *L. strumosa* entwicklungsgeschichtlich zu erklären, nämlich durch die Vermutung, das Gastverhältnis der *Lomechusa* sei schon so alt, dass es bereits zur Zeit bestand, wo *rufa* und *pratensis* sich noch nicht von *sanguinea* differenziert hatten. Leider stehen uns für diese Vermutung keine weiteren Anhaltspunkte zu gebote, und falls sie auch richtig wäre, vermöchte sie die Seltenheit der *Lomechusa* bei *F. rufa* und *pratensis* noch nicht zu erklären. Was wir aus den Thatsachen entnehmen können, ist nur, dass *Lomechusa strumosa* durch ihre ganze Erscheinung, besonders aber durch ihre Fühlerschläge, auf jene *Formica*, welche dieselbe Größe besitzen wie dieser Gast, einen angenehmen Eindruck macht und sie zur gastlichen Behandlung anregt. Dass *Lomechusa* trotzdem nur bei einer dieser großen *Formica*-Arten, nämlich bei *sanguinea*, für gewöhnlich vorkommt, begreift sich am besten aus der Behandlungsweise ihrer

Larven bei den verschiedenen *Formica*-Arten. *F. rufa* und *pratensis* geben sich bei weitem nicht so eifrig mit der Pflege der *Lomechusa*-Larven ab wie *F. sanguinea* [1]). Da letztere Ameise auch für die Pflege der *Imago* die größte Neigung und das größte Geschick besitzt, ist es begreiflich, dass *L. strumosa* der eigentümliche Gast von *F. sanguinea* ist.

3) Wie ist die friedliche Duldung von *Lomechusa stru-mosa* bei *Polyergus rufescens* zu erklären?

Polyergus greift die *Lomechusa* nicht an, sondern pflegt sie bei Begegnung nur mit den Fühlerspitzen zu berühren. Dies deutet an, dass der Gast auf ihr sinnliches Wahrnehmungsvermögen instinktiv einen angenehmen oder wenigstens friedlich indifferenten Eindruck macht. *Polyergus* ist ungefähr von derselben Größe wie *Lomechusa*; aber ebenso friedlich behandelt *Polyergus* auch die weit kleineren *Atemeles emarginatus* und *paradoxus*, während dieselben z. B. bei *F. rufa* und *pratensis* feindlich angegriffen und getötet wurden. Ob die *Lomechusa* und *Atemeles* auf die ziemlich dummen *Polyergus* den Ein- druck einer befreundeten *Formica*-Arbeiterin (Hilfsameise) machen, oder aber den Eindruck eines angenehmen ens sui generis, ist schwer zu entscheiden. Ich glaube eher das Letztere, weil *Polyergus* sonst manchmal auch einen dieser Gäste zur Fütterung auffordern würde, was ich nie beobachtet habe.

Die Duldung, welche *Lomechusa* bei *Polyergus* genießt, ist ganz verschieden von dem indifferenten Verhalten der *Leptothorax* und *Formicoxenus* gegen denselben Gast. *Polyergus* ist sehr reizbar und kampflustig und würde über jede fremde Ameise und über jeden Käfer von derselben Größe herfallen und sie töten; sie duldet die *Lomechusa*, weil diese ihr einen angenehmen Eindruck macht. Die genannten kleinen Ameisen dagegen würden eine Ameise oder einen Käfer von *Lomechusa*-Größe ebenso ignorieren wie die *Lomechusa*, weil sie furchtsam und friedfertig sind.

4) Wie ist das Verhalten jener Ameisenarten zu erklären, welche die *Lomechusa* nach anfänglichen Feindselig- keiten aufnahmen?

Diese Ameisen haben offenbar keinen ererbten Instinkt zur un- mittelbaren Aufnahme der *Lomechusa*. Der erste Eindruck, den die Erscheinung des Käfers auf ihr Wahrnehmungsvermögen macht, er- regt Misstrauen und Streitlust. Erst allmählich lassen sie sich durch seine Fühlerbewegungen beschwichtigen und beginnen auch, ihn zu belecken, sobald sie zufällig die Annehmlichkeit erfahren haben, welche die Berührung der Ameisenzunge mit den gelben Haarbüscheln

---

1) Näheres bei den internationalen Beziehungen der *Lomechusa*-Larven.

des Käfers bietet. So finden sie allmählich Gefallen an dem Gaste, der anfangs für sie ein fremdartiges und deshalb feindliches Wesen war.

Es ist bemerkenswert, dass zu den Ameisen, welche die *Lomechusa* auf diese Weise aufnahmen, drei kleinere *Formica*-Arten und eine große *Myrmica*-Art gehören. Der Unterschied in der Körpergröße, der zwischen *Lomechusa strumosa* und *Formica fusca, rufibarbis, exsecta* besteht, scheint zu bewirken, dass die Fühlerschläge des Gastes nicht sofort die Angreifer beschwichtigen, wie es bei den größeren *F. rufa* und *pratensis* der Fall ist. *Formica fusca* und *rufibarbis*, welche wenigstens zu bestimmten Jahreszeiten *Lomechusa*-ähnliche Gäste (*Atemeles emarginatus* bezw. *paradoxus*) als normale Pfleglinge haben, lassen sich auch bald zur Fütterung der *Lomechusa* bewegen. Doch füttern sie die *Lomechusa* gleich *F. sanguinea* nach Larvenart, während sie die *Atemeles*, ihrem ameisenähnlicheren Benehmen entsprechend, nach Ameisenart füttern; dagegen füttert *F. sanguinea* auch die *Atemeles* wie Ameisenlarven, obwohl dieselben sie nach Ameisenart zur Fütterung auffordern; vielleicht ein Zeichen, dass *F. sanguinea* einen Ameisen-gast von einer Ameise deutlicher unterscheidet als jene anderen *Formica*-Arten.

Besonders interessant ist das Benehmen von *Myrmica rubida* gegenüber *Lomechusa strumosa*. Obwohl diese Ameise keine normalen Gäste hat, gelang es schon den ersten Exemplaren der *Lomechusa*, die Ameisen durch ihre Fühlerschläge allmählich zu besänftigen. Aber die Käfer hatten bereits Stiche erhalten, welche ihre Lähmung und ihren Tod herbeiführen mussten. Die folgenden Exemplare wurden leichter und rascher aufgenommen, weil die Ameisen durch die vor-hergehenden Erfahrungen bereits an sie gewöhnt waren. An die *Atemeles* aber mussten sie sich erst aufs Neue gewöhnen, trotz deren Aehnlichkeit mit *Lomechusa*. Die fühlerlosen *Lomechusa* wurden länger misshandelt als die unversehrten Exemplare; dies deutet an, dass die Fühlerschläge des Käfers zur Anknüpfung eines freundschaftlichen Verhältnisses wesentlich beitrugen; die Ameisen schienen erst allmäh-lich zu bemerken, dass die Fühlerlosen ähnliche Wesen seien wie die mit Fühlern begabten. Die Gleichheit der Körpergröße von *Lomechusa* und *Myrmica rubida* erleichterte die Aufnahme dieses Gastes, weil sie die Wirksamkeit seiner Fühlerschläge unterstützte; insofern wär *Lomechusa* günstiger gestellt als die kleineren *Atemeles*. Andererseits aber gelang es den *Lomechusa* trotz ihrer ebenbürtigen Größe nicht, von den *Myrmica* auch gefüttert zu werden, weil sie, von der sorg-fältigen Pflege durch ihre normalen Wirte gleichsam verwöhnt, nicht die nötige Initiative den fremden Ameisen gegenüber entwickelten. Die kleineren *Atemeles* hingegen brachten es schließlich durch ihre unermüdliche Zudringlichkeit dahin, ihre viel größeren fremden Wirte zur Fütterung zu bewegen. Daraus scheint hervorzugehen, dass die Initiative des Gastes von noch größerer Bedeutung ist für die Ent-

wicklung eines innigen Gastverhältnisses als die Uebereinstimmung
der Körpergröße von Gast und Wirt; hiebei wird natürlich vorausgesetzt, dass die Verschiedenheit der Körpergröße nicht bis zu dem
Grade sich steigert, dass sie einen wirksamen Fühlerverkehr unmöglich
macht. Schließlich sei noch bemerkt, dass der friedfertige Charakter
von *Myrmica rubida* die Aufnahme der *Lomechusa* wie der *Atemeles*
ermöglichte, weil er nach der ersten Aufregung fast von selbst zur
Duldung des Eindringlings führte, wodurch die Grundlage für die
Entwicklung freundschaftlicher Beziehungen geboten wurde.

5) Warum wurde *Lomechusa strumosa* bei so vielen
   anderen Ameisenarten nicht aufgenommen?

Bei *Camponotus ligniperdus* gelang die Aufnahme der *Lomechusa*
nicht, weil die Ameisen ihr an Größe und Kraft bedeutend überlegen
waren und zudem eine Kampfesweise befolgten, durch welche der
Käfer gleich anfangs schwer verletzt wurde. Wären diese Ameisen
so friedfertig wie *Myrmica rubida*, so wären die folgenden Exemplare
wahrscheinlich leichter aufgenommen worden, und ein Gastverhältnis
hätte zu Stande kommen können, zumal die kleinere Arbeiterform
von *Camponotus ligniperdus* nur wenig größer ist als die *Lomechusa*.

Myrmica scabrinodis, ruginodis, laevinodis sind im Vergleich zu
Lomechusa zu klein und haben überdies einen reizbaren, heftigen
Charakter. Daher blieben die beschwichtigenden Fühlerschläge des
Gastes erfolglos; die Angriffe hörten erst auf, als die *Lomechusa* sich
nicht mehr zu regen wagte. Als Gäste dieser kleineren *Myrmica*
passen nur die an Körpergröße ihnen ähnlichen *Atemeles*, die zudem
durch die hohe Ameisenähnlichkeit ihres Benehmens sich einschmeicheln.

Bei *Lasius niger* und *flavus, Tapinoma erraticum* und *Tetramorium
caespitum* ist der Unterschied in der Körpergröße zwischen ihnen und
der *Lomechusa* so bedeutend, dass die Fühlerschläge des Kolosses
die Ameisen nur noch heftiger erbitterten oder ihre Furcht erregten
(*Lasius flavus*). Die Entwicklung eines Gastverhältnisses war somit
von vornherein ausgeschlossen. Obwohl ferner *Leptothorax tuberum*
und *Formicoxenus nitidulus* wegen ihrer Friedsamkeit keinen Angriff
auf die *Lomechusa* wagen, so ist doch auch ihnen gegenüber aus demselben Grunde die Anknüpfung freundschaftlicher Beziehungen für
Lomechusa unmöglich. Obgleich *Lasius flavus* und *niger* sich mit der
Pflege von *Claviger* eifrig abgeben, so können sie doch wegen ihrer
Kleinheit nicht einmal zu Wirtsameisen der *Atemeles* werden, während
die größere *Lasius fuliginosus*, die als normalen echten Gast *Amphotis
marginata* hat [1]), nicht bloß die *Atemeles* aufnimmt, sondern vielleicht

---

1) Erst im letzten Jahre (1891) habe ich die überraschende Beobachtung gemacht, dass *Amphotis marginata* ein echter Gast ist, während ich ihn früher
für bloß indifferent geduldet hielt. In der Deutsch. Ent. Ztschr. (1892, 2. Heft) wird
Näheres über die Fütterung von *Amphotis* durch die Ameisen mitgeteilt werden.

sogar bis zu einem gewissen Grade mit *Lomechusa* sich zu befreunden vermag.

Schlussbemerkung.

Zum Schluss der internationalen Beziehungen von *Lomechusa strumosa* seien diejenigen Faktoren kurz namhaft gemacht, welche für die Aufnahme eines echten Gastes bei Ameisen fremder Kolonien oder fremder Arten von Bedeutung sein können. Manche dieser Faktoren werden sich bei den internationalen Beziehungen anderer echter Gäste wichtiger erweisen, als es bei *Lomechusa* der Fall war. Dennoch sollen sie der Vollständigkeit halber und um den späteren Vergleich zu erleichtern, schon hier genannt werden.

I. Von Seite des aufzunehmenden Gastes sind von Bedeutung:

1) Seine instinktiven Anziehungsmittel (eigentümlicher Geruch, gelbe Sekretionsbüschel, aromatische Sekrete), die auf das sinnliche Wahrnehmungsvermögen der Ameisen einen angenehmen Eindruck machen.
2) Seine Initiative den Ameisen gegenüber, namentlich in der Nachahmung ihres Fühlerverkehrs und der Aufforderung zur Fütterung.

II. Von Seite der Ameisen, welche den Gast aufnehmen sollen:

1) Die erbliche instinktive Neigung zur Pflege eben dieser Gastart.
2) Die erbliche instinktive Neigung zur Pflege einer nahe verwandten Gastart.
3) Die angenehmen Sinneserfahrungen, welche die Ameise bei der Berührung des fremden Gastes macht.
4) Die Aehnlichkeit in der Körpergröße zwischen Ameise und Gast und die daraus sich ergebende größere Wirksamkeit seiner Fühlerschläge.
5) Der reizbare oder friedfertige Charakter der betreffenden Ameisenart.
6) Die systematische Verwandtschaft der betreffenden Ameisenart mit der normalen Wirtsameise des aufzunehmenden Gastes.
7) Die Vermittlung der normalen Wirtsameise (bei Aufnahme des Gastes in gemischten Kolonien).

Den nächsten Abschnitt dieser Arbeit werden die internationalen Beziehungen von *Atemeles emarginatus* und *paradoxus* bilden.

W. Braune, Das Gewichtsverhältnis der rechten zur linken Hirnhälfte.

Arch. f. Anat. u. Physiol. Anat. Abteilung. 1891. S. 253—270.

Nach den Angaben von B o y d, O g l e, B r o c a und T o p i n a r d ist beim Menschen die linke Hirnhälfte stärker entwickelt als die rechte, sowohl in Beziehung auf Windungen als Gewicht. L o m b r o s o bemerkt, dass bei Verbrechern die rechte Hemisphäre öfter schwerer sei als die linke. O g l e bringt diese Thatsache in Zusammenhang mit der Rechts- und Linkshändigkeit und glaubt, dass Rechtshändige eine schwerere linke und Linkshändige eine schwerere rechte Hirn- hälfte hätten. Ausgehend von der Größe der Fehlergrenze beim Wägen und Vergleichen infolge der Unmöglichkeit einer genauen Teilung und des unkontrolierbaren Wasserverlustes prüft B. die oben genannte Litteratur und findet, dass die angegebenen Gewichtsunter- schiede noch innerhalb der Fehlergrenzen liegen. Ebenso sind die von O g l e für seine Theorie der Rechts- und Linkshändigkeit an- geführten Beobachtungen zu wenig umfassend, um irgend beweisend sein zu können.

B. stellt dann 100 teils eigene teils fremde Wägungen zusammen, deren Resultat er folgendermaßen formuliert:

„Aus den Wägungen ergibt sich, dass beide Hälften des Ge- samthirns nur in einem Falle gleich schwer waren; dagegen war 47 mal die rechte Hälfte schwerer, 52 mal die linke. In Summa be- trug das Uebergewicht der rechten Hälften 267,98 g, das der linken 213,2 g. Die Differenzen sind in der Mehrzahl der Fälle so gering, dass sie nicht in Betracht kommen können und innerhalb der Fehler- grenzen liegend angesehen werden müssen. Nach den vorliegenden Wägungen wird man also nicht ein wesentliches Ueberwiegen der einen Hirnhälfte über die andere annehmen dürfen.“

„In den 5 Fällen, bei denen die rechte Hirnhälfte beträchtlich mehr wog als die linke, wurde auf Linkshändigkeit untersucht, aber kein Zeichen dafür gefunden, sodass also auch der Satz von O g l e, wonach bei Linkshändigkeit das rechte Hirn ausnahmslos schwerer als das linke sei, nicht haltbar ist.“

„Das Großhirn allein genommen zeigte in einem Falle beide Hemisphären gleich schwer. Unter 92 Messungen war 54 mal die rechte Hälfte schwerer als die linke; nur 37 mal überwog die linke. Die Summe der Uebergewichte der rechten Seite betrug 273,4 g, die der linken 129 g.“

„Am auffälligsten war am Kleinhirn, bei dessen Teilung die Fehlerquellen naturgemäß am kleinsten sind wegen der größeren Sicherheit der Schnittführung und der geringeren Menge von Flüssig- keit, das Ueberwiegen der linken Hälfte. Unter 92 Wägungen wogen

5 mal beide Hälften gleich. 54 mal war die linke Hälfte schwerer und 33 mal die rechte."

„Wenn die Asymmetrie in kausalem Zusammenhang stände mit der ungleichen Muskelverteilung auf beiden Seiten des Körpers, müsste die Asymmetrie eben so konstante Verhältnisse des Vorkommens zeigen, wie die des Muskel- und Knochensystems, und dies ist sicher nicht der Fall."

„Aus den Befunden am Kleinhirn sichere Schlüsse zu ziehen halte ich mich vorläufig nicht berechtigt."

C. R.

Die Erforschung des großen Plöner Sees

von Seiten der zu diesem Zwecke errichteten Biologischen Station (Direktor: Dr. Otto Zacharias in Plön) hat eine Anzahl bemerkenswerte Ergebnisse zur Folge gehabt, von denen hier nur die hauptsächlichsten zur Kenntnis der Fachgenossen gebracht werden sollen. Die Station wurde bekanntermaßen am 1. April d. J. eröffnet und hat somit erst eine sechs Monate umfassende Thätigkeit hinter sich. Während dieser Zeitspanne wurden für den großen See, um dessen Untersuchung es sich in erster Linie gehandelt hat, 20 Fischarten, 40 Arten von Krebsen, 69 Würmer (darunter 37 Rotatorien), 14 Mollusken und 80 Protozoen festgestellt. Hierzwischen sind etwa ein Dutzend neuer Arten und mehrere neue Gattungen. Hand in Hand mit diesen faunistischen Ermittelungen gingen biologische Beobachtungen über das Auftreten und Wiederverschwinden der am häufigsten vorkommenden Organismen (pflanzlicher sowohl wie tierischer); insbesondere wurden auch Beobachtungen über die Periodizität des Erscheinens gewisser Algenspecies im Süßwasserplankton angestellt. Letzteres wurde überhaupt fortgesetzt während der verflossenen 6 Monate seiner Zusammensetzung und seiner Menge nach kontroliert, also qualitativ und quantitativ studiert. Die quantitativen Untersuchungen wurden von Herrn Dr. C. Apstein (Kiel) ausgeführt und sollen nach Erledigung des unvermeidlichen Zählgeschäfts, welches geraume Zeit in Anspruch nimmt, zur Publikation gelangen. Ueber die Ergebnisse der qualitativen Forschungen von Zacharias wird schon in nächster Zeit ein ausführlicherer Bericht erscheinen, der jetzt in Vorbereitung ist. —

Für Botaniker (Kryptogamisten) dürfte es von hohem Interesse sein, zu vernehmen, dass es dem Leiter der Plöner Station bei seinen täglichen Planktonmusterungen unter anderem auch geglückt ist, 2 Species von marinen Diatomaceen im großen Plöner See aufzufinden. Und zwar gehören dieselben den Gattungen *Rhizosolenia* und *Atheia* an. Ein nicht minder schöner Fund, der gewiss manchen Algenforscher veranlasst, sich gelegentlich nach Plön zu begeben, ist die Wiederentdeckung jener interessanten Phaeosporee des Süßwassers (*Pleurocladia lacustris* A. Braun), welche der berühmte Berliner Pflanzenforscher um die Mitte der fünfziger Jahren im Tegeler See bei Spandau auffand. Diese einzige Braunalge des Süßwassers (die an ihrer ersten Fundstätte längst verschwunden ist) besitzt Verwandtschaftsbeziehungen zu den Fucoideen, worin eben das Interessante ihrer systematischen Stellung liegt. Dr. Zacharias gibt als ihren Standort abgestorbene Schilfstengel an.

Auch eine entomologische Seltenheit hat sich bei den Plöner Forschungen mitergeben. Es ist dies ein kleiner (noch näher zu bestimmender) Rüsselkäfer, welcher vollständig unter Wasser lebt, gewandt und taktmäßig mit seinen vordersten Beinpaaren rudert und sich von Wasserpflanzen (*Elodea*) nährt. Von einigen Rüsselkäfern ist es zwar bekannt, dass sie nur auf Wassergewächsen zu finden sind; aber ob schon eine Species entdeckt ist, die so wie die im Plöner See nachgewiesene völlig dem Wasserleben angepasst ist, dürfte erst noch zu ermitteln sein. —

Von den 8 im Plöner See vorhandenen Arbeitsplätzen waren während des verflossenen Sommers 4 ständig besetzt. Im Uebrigen zeigte sich das Interesse der wissenschaftlichen Kreise daran, dass gegen hundert durchreisende Botaniker und Zoologen die Einrichtungen der Station besichtigten.   **P.**

Verlag von Eduard Besold in Leipzig. — Druck der kgl. bayer. Hof- und Univ.-Buchdruckerei von Fr. Junge (Firma: Junge & Sohn) in Erlangen.

Biologisches Centralblatt

unter Mitwirkung von

Dr. M. Reess   und   Dr. E. Selenka

Prof. der Botanik   Prof. der Zoologie

herausgegeben von

Dr. J. Rosenthal

Prof. der Physiologie in Erlangen.

24 Nummern von je 2 Bogen bilden einen Band. Preis des Bandes 16 Mark.
Zu beziehen durch alle Buchhandlungen und Postanstalten.

XII. Band.   15. November 1892.   **Nr. 22.**

Welche Umstände befördern und welche hemmen das Blühen der Pflanzen.

Von M. Möbius in Heidelberg.

(Schluss.)

Da aber in Natur weder die ultravioletten Strahlen allein noch das übrige Licht ohne dieselben gesondert in Wirksamkeit tritt, so würden wir auch hieraus schließen: ohne Licht keine Blütenbildung. Dieser Satz wird, wie nochmals zu betonen, nicht umgestoßen durch die im Dunkeln Blüten treibenden Knollen und Zwiebeln, denn in ihnen hat das Licht vorher die Anregung zur Blütenbildung erweckt. Nach der Anschauung von Sachs produzieren die Blätter unter dem Einfluss des Lichtes und zwar speziell des ultravioletten blütenbildende Stoffe, die entweder direkt verwendet werden, wie bei *Tropaeolum*, oder erst in Reservestoffbehältern deponiert werden zu späterem Gebrauch, wie bei manchen Knollen. Mag man diese Anschauung, die meiner Meinung nach viel für sich hat, zugeben oder nicht, so wird man doch den Erfahrungssatz nicht angreifen können, dass das Licht zur Blütenbildung notwendig ist und zwar in verschiedener Intensität je nach Art der Pflanze, wie wir dies im Vorhergehenden zu zeigen versucht haben.

Dabei haben wir den Einfluss des Lichtes als eines für sich allein wirkenden Faktors betrachtet und es ist auch möglich, dies zu thun, obgleich in der Natur meistens mit der Zunahme der Beleuchtung auch eine Steigerung der Wärme verbunden ist. Diese ist nun ein anderes, für die Blütenentwicklung sehr bedeutsvolles Agens,

XII.   43

wie ja überhaupt die meisten Lebenserscheinungen der Pflanze von der Wärme abhängig sind. Es ist bekannt, dass die einzelnen Phasen des Pflanzenwachstums an bestimmte, innerhalb gewisser Grenzen liegende Temperaturen gebunden sind, die je nach den betreffenden Pflanzenarten verschieden sind. So erfolgt die Keimung nur, wenn ein bestimmter Wärmegrad erreicht ist, und wenn die Pflanze sich weiterentwickeln und zur Blüte gelangen soll, so muss die Temperatur noch über die zum Keimen notwendige erhöht werden. Im Allgemeinen kann man sagen, dass eine Pflanze ihre Entwicklung von der Keimung oder überhaupt von der Entfaltung ihrer Organe an bis zur Blüte und Fruchtreife um so schneller durchläuft, je mehr Wärme ihr in bestimmter Zeit geboten wird.

So sehen wir besonders bei einjährigen Gewächsen, die in Mitteleuropa im Sommer blühen, dass sie in südlichen Gegenden ihre Blüten schon im Frühling entfalten[1]). Es ist ebenso bekannt, dass die Treiberei der Gärtner darauf beruht, dass sie den Pflanzen in erwärmten Treibhäusern eine höhere Temperatur bieten, als sie gewohnt sind, und sie dadurch zu verfrühtem Blühen bringen. Es könnten viele Beispiele angeführt werden für die Verschiebung der Blütezeit durch Vermehrung oder Verminderung der Wärmemengen in bestimmter Zeit über das gewohnte Maß[2]). Dies lässt sich besonders beobachten, wenn wir das Verhalten derselben Pflanze in Ländern mit verschiedenem Klima vergleichen.

Der Einfluss der Wärme kann sich aber in dem Grade bemerkbar machen, dass das Blühen überhaupt nicht mehr erfolgt, wenn die Temperatur während der betreffenden Entwicklungsperiode nicht hoch genug ist. Man sieht dies an Pflanzen, die aus einem heißen Klima in ein kälteres verbracht, hier nicht zur Blüte kommen, wie z. B. das aus dem heißen Mexiko stammende und dort wie in manchen andern tropischen Ländern als Futterpflanze angebaute Gras *Euchlaena mexicana* selbst im südlichen Europa selten blüht[3]). Auch findet man bei einigen Pflanzen mit einem weiten Verbreitungsgebiet, dass sie nur in der wärmeren Region desselben blühen, in der kälteren dagegen keine Blüten treiben. Sie können deshalb hier sich auch nicht durch Samen fortpflanzen und sind auf die Vermehrung auf ungeschlechtlichem Wege (durch Ableger u. s. w.) angewiesen. So blühen die *Lemnaceen* mit reichlicher ungeschlechtlicher Vermehrung in der gemäßigten Zone selten und *Wolffia arrhiza* gelangt in Mitteleuropa nie zur Blüte, wohl aber in den wärmeren Gegenden, wo sie auch weit verbreitet ist[4]). Andere hierhergehörige Beispiele führt K e r n e r in

---

1) H i l d e b r a n d l. c. S. 104.
2) Vergl. hierzu den Aufsatz von A s k e n a s y über die jährliche Periode der Knospen, in: Botanische Zeitung, 1877, S. 793 ff.
3) conf. H a c k e l in: E n g l e r und P r a n t l S. 19.
4) E n g l e r, Lemnaceen in: E n g l e r u. P r a n t l S. 159.

seinem Pflanzenleben an (Bd. II S. 449): *Nardosmia fragrans*, eine Komposite, ist über den größten Teil des arktischen Gebietes verbreitet, aber nur an der Südgrenze dieses Gebietes treibt sie Blüten und Früchte, während sie weiter nordwärts „noch keines Menschen Auge jemals blühen gesehen hat". Aehnlich ist es mit gewissen Pflanzen, welche hoch hinauf in die Gebirge gehen, wie *Adenostylis Cacaliae* (ebenfalls eine Komposite) in den Alpen. In den Voralpenwäldern und selbst noch über der Waldgrenze blüht die Pflanze in Menge, in der alpinen Region dagegen, in der Seehöhe über 2200 Meter kommt sie niemals zur Blütenbildung. *Polygonum amphibium* blüht in den Niederungen reichlich, wurde aber in der Höhe von 1200 Meter in den Tiroler Bergen in einer Form gefunden, die sich nur durch Stocksprosse vermehrt. Also auch hier findet eine Unterdrückung der Blütenbildung durch die in der Höhe vorhandene Temperaturerniedrigung statt. Gerade an den genannten Gebirgspflanzen wie an den arktischen zeigt es sich deutlich, dass es der Mangel an Wärme und nicht an Licht oder einem andern Umstand ist, der das Blühen verhindert.

Um so auffallender ist die Erscheinung, dass höhere Wärme auch ein Unterdrücken der Blütenbildung bewirken kann, wie sich an Pflanzen zeigt, die aus einem kälteren in ein wärmeres Klima versetzt werden. Dies geben E d w a r d s und C o l i n [1]) für die *Cerealien*, speziell den *Weizen* an. Eine Weizenart, welche sich in England ein- und zweijährig ziehen ließ, wurde in das wärme Frankreich verpflanzt und blieb hier im ersten Jahre nach dem Keimen immer ohne Blüte; erst im zweiten Jahre trat Blütenbildung ein. Die genannten Autoren zitieren auch in diesem Sinne die Angabe von H u m b o l d t [2]), dass in der tropischen Region Mexikos, bei Jalapa der *Weizen* immer nur Blätter, niemals Aehren treibt und deshalb dort nur als Grünfutter verwendet werden kann.

Weniger auf der erhöhten Temperatur als vielmehr auf der Gleichmäßigkeit derselben während des ganzen Jahres beruht es, wenn manche europäische *Obstbäume* in den Tropen nicht zur Blüte kommen. Besonders wenn zu dieser ununterbrochenen Wärme noch eine immer genügende Feuchtigkeit der Luft und des Bodens hinzukommt, entbehren jene Bäume den gewohnten Eintritt einer Ruheperiode, wie sie in Europa durch den Winter veranlasst wird. Sie sind gewohnt, zu bestimmter Zeit ihre Blätter zu entfalten und zu bestimmter Zeit ihre Blüten anzulegen, welche Perioden durch die Unterschiede der Jahreszeiten reguliert werden. In die Tropen versetzt, bilden sie aber unter dem Einfluss der gleichmäßigen Wärme und Feuchtigkeit immer neue

---

1) Annales des sciences naturelles. Botanique, II. Sér., T. 5, p. 5—23.
2) Diese Angabe von H u m b o l d t findet sich in seinem Werke über Neuspanien (neueste C o t t a 'sche Ausgabe) Bd. X S. 36.

Laubtriebe aus und es bleibt keine Zeit für die Blütenanlage. B o u l g e r [1]) spricht von Obstbäumen im Allgemeinen und sagt: „When the fruit-trees of northern climates are transported to more tropical ones, when in a rich, moist soil, or in a mild, moist atmosphere, their continous growth prevents blossoming". Ebenso ist es wohl auch zu verstehen, wenn de C a n d o l l e [2]) sagt: „On sait combien la culture de nos *Pommiers, Poiriers, Cérisiers* etc. devient languissante vers le Midi et s'arrête à l'approche de pays voisins des tropiques" und dann „Transportés à Ceylon les Cérisiers ne perdent pas leurs feuilles". H u m b o l d t bemerkt in dieser Hinsicht: „Es ist sehr auffallend, wie gewisse Pflanzen bei dem kräftigsten Wuchse in gewissen Lokalitäten nicht blühen; so zwischen den Tropen die bei Quito seit Jahrhunderten angepflanzten europäischen *Oelbäume* (9000 Fuß hoch über dem Meere); so auf Ile de France *Wallnüsse, Haselnusssträucher* und wiederum schöne O e l b ä u m e [*Olea europaea*]" [3]). Wenn hier auch die Ursache der Erscheinung nicht erörtert wird, so ist doch kein Zweifel, dass das gleichmäßige feuchtwarme Klima, wie es besonders auf Mauritius herrscht, in der oben angegebenen Weise die Blütenbildung verhindert.

Wir haben also in diesem Falle auch schon die Feuchtigkeit berücksichtigen müssen, als einen Umstand, der die Ausbildung der vegetativen Triebe einer Pflanze ebenso sehr befördert als er das Blühen hemmt. Auf diese Verhältnisse werden wir sogleich noch näher einzugehen haben. Es ist hier bloß noch, was die Wärme betrifft, darauf aufmerksam zu machen, dass eine plötzliche Erhöhung der Temperatur vor dem Blühen in der Regel störend auf die Entwicklung der Pflanze und somit auch auf die Ausbildung der Blüte einwirkt. So etwas kann in der Natur zuweilen auftreten, wird aber besonders bei der künstlichen Pflanzenzucht beobachtet. Man pflegt bekanntlich viele Pflanzen, um ihre Blüten eher zu haben, als sie dieselben in der Natur entwickeln, im Gewächshaus durch Wärme anzutreiben; aber hier kann es geschehen, dass, wenn die Temperatur mit einem Male zu schnell erhöht wird, die bereits angelegten Blüten sich nicht entwickeln. Ein solches Steckenbleiben der Blüten ist beobachtet worden bei *Tulpen, Hyazinthen, Crocus, Convallarien, Syringen* [4]). Es ist nicht zu sagen, warum die zu starke Temperaturerhöhung gerade in der Art hemmend auf die Blütenentfaltung wirkt, wenn man nicht annimmt, dass sie überhaupt die Entwicklung der Pflanze stört und dass das nächste Stadium derselben, welches eben die Blütenentfaltung war, unterdrückt wird. Dann würde aber ein

---

1) Gardeners Chronicle, 1878, I, p. 790.
2) Géographie botanique raisonnée, Bd I, p. 391 u. 392.
3) In Anmerkungen zu: Ansichten der Natur (neueste C o t t a'sche Ausgabe) Bd. XI S. 267.
4) H i l d e b r a n d t l. c. S. 96.

anderer Faktor, der ebenfalls die Entwicklung hemmt, denselben Effekt wie die plötzliche Temperaturerhöhung haben. Darüber fehlen nun noch vergleichende Untersuchungen und es bleibt noch unentschieden, ob in diesem Fall die Wärme auf die Entwicklung der Pflanze überhaupt oder speziell die Blütenbildung einwirkt. Sonst hatten wir gesehen, dass ein gewisses Wärmemaß für das Blühen notwendig ist, dass eine Pflanze ebenso das Blühen unterlässt, wenn sie in zu kaltem Klima wächst, wie eine andere, wenn sie in ein zu heißes Klima versetzt wird. In beiden Fällen kommen aber verschiedene korrelative Wachstumsverhältnisse mit ins Spiel. Auch den mit dem Einfluss der Temperatur Hand in Hand gebenden Einfluss der Feuchtigkeit auf das Blühen haben wir teilweise nicht ganz außer Acht lassen können.

Wir wollen jetzt versuchen, den letzteren möglichst für sich zu betrachten, denn gerade dieser Umstand, die größere oder geringere Feuchtigkeit scheint sehr wesentlich für das Blühen zu sein und zwar in dem Sinne, dass dasselbe durch verminderte Zufuhr von Feuchtigkeit zu der Pflanze begünstigt wird. Wir können dies sowohl aus den von der Natur gebotenen Verhältnissen entnehmen, als auch aus den Methoden, welche die Pflanzenzüchter anwenden, um die Pflanzen zur Blütenproduktion zu veranlassen.

Trockenheit und Feuchtigkeit verhalten sich in ihrer Wirkung auf die Entwicklung der Pflanze ähnlich wie starke und schwache Beleuchtung: bei starker Beleuchtung und Trockenheit findet eine erhöhte Blütenproduktion auf Kosten der Laubbildung statt, bei schwacher Beleuchtung und Feuchtigkeit entwickeln sich die Laubtriebe stärker und die Blütenbildung wird unterdrückt. Der Zusammenhang dieser Erscheinung ist auch hier nicht näher erklärt. Man kann wohl, wie es Sorauer[1]) thut, darauf hinweisen, dass bei der Laubtriebbildung meist ein stärkeres Längenwachstum eintreten muss und dass zur Streckung der Organe mehr Wasser aufgenommen werden muss, allein dies scheint doch nicht zuzutreffen, wo große, schnellwachsende Blüten an Stelle gedrungener Laubsprosse produziert werden, wie z. B. bei *Cacteen*. Wenn ferner Sorauer sagt, dass bei andauernder Trockenheit das plastische Material gleichsam konzentrierter wird und sich reichlicher in Form von Reservestoffen niederschlägt, die zur Ausbildung von Blütenknospen notwendig sind, so ist damit nicht erklärt, warum die Reservestoffe gerade zur Ausbildung von Blütenknospen und nicht zu der von Laubknospen verwendet werden, indem doch letztere eigentlich mehr Material erfordern. Indessen bleibt es richtig, dass die Trockenheit auf das Blühen eine fördernde Wirkung hat

---

1) Lehrbuch der Pflanzenkrankheiten, 2. Aufl., 1. Teil, S. 161.

und in vielen Fällen sehen wir auch den Nutzen dieser Erscheinung für das Leben der Pflanze und die Erhaltung der Art ein.

Es könnte nun vielleicht Jemand erwarten, wenn größere Feuchtigkeit das Blühen hindert, dass dann die im Wasser wachsenden Pflanzen am wenigsten in der Lage sein müssten, zum Blühen zu gelangen. Allein die eigentlichen Wassergewächse besitzen doch eine besondere Organisation, die dem Leben im Wasser angepasst ist, und es gibt viele solcher Pflanzen, die reichlich blühen, wie die betreffenden *Ranunculus (Batrachium)*-Arten und die *Nymphaeaceen*. Dass dagegen andere selten blühen, hängt damit zusammen, dass bei ihnen die geschlechtliche Vermehrung mehr oder weniger durch die Bildung ungeschlechtlicher Propagationsorgane zurückgedrängt wird, wie wir es bei den meisten *Lemnaceen*, bei *Elodea canadenis* und *Cymodocea antarctica* finden.

Wir werden vielmehr solche Pflanzen in Betracht ziehen müssen, die teils an feuchten, teils an trockenen Standorten vorkommen. „Dass die Feuchtigkeit eine die Blütezeit retardierende Wirkung auf die Pflanzen hat, können wir leicht bei unseren Kulturen sehen, wo einesteils die gleichen Kulturpflanzen sehr verschiedenzeitig ihre Früchte reifen, je nachdem sie an Stellen stehen, wo sie trockenem Luftzuge ausgesetzt sind, oder wo sie in stagnierender feuchter Luft wachsen; anderteils bemerken wir auch in den verschiedenen Jahren das verschiedenzeitige Reifen der Früchte nicht so sehr durch niedere Temperatur, wie durch eine größere Feuchtigkeit der Luft hervorgebracht"[1]. So sollen sich auch nach dem eben zitierten Autor durch die Feuchtigkeit des Standortes aus kurzlebigen Gewächsen langlebige ausbilden, indem sie „auf einem feuchten Boden bei sonst günstigen klimatischen Verhältnissen" die erste Zeit ihres Lebens nur zum Vegetieren benutzen und gegen das Ende der Vegetationszeit nicht zum Blühen kommen, sondern Reservenahrung aufspeichern für den Anfang der nächsten Vegetationsperiode[2].

Was nun spezielle Beobachtungen betrifft, so kann zunächst an das oben geschilderte Verhalten der *Obstbäume* aus Mitteleuropa erinnert werden, die in einem gleichmäßig feuchten und warmen Klima nicht aufhören Laubtriebe zu bilden und nicht dazu kommen, Blüten anzulegen und zu entfalten. Ferner bemerken wir, dass in manchen Ländern, wo der Wechsel der Jahreszeiten wesentlich durch den Wechsel von Regen- und Trockenperioden bedingt ist, die Gewächse ihr Laub in der nassen, ihre Blüten in der trockenen Periode entwickeln. Für den Sudan, der ein entsprechendes Klima hat, gibt Grisebach[3] an, dass die Bäume ihre Blüten meist am Ende der trockenen Periode vor den Blättern entfalten, welche erst nach dem

---

1) Hildebrand l. c. S. 98.
2) Hildebrand l. c. S. 106—107.
3) l. c. Bd. II, S. 113.

Beginn der Regenzeit aus den Knospen hervorkommen. In Australien dagegen sollen die Bäume des Scrub und der Waldsavannen die nasse Jahreszeit vorzüglich zum Wachstum der vegetativen Organe verwenden und die meisten erst dann blühen, nachdem der Regen vorüber ist[1]). Hier handelt es sich also nur um die durch die Feuchtigkeit bedingte Blütezeit, nicht um das Blühen oder Unterbleiben desselben überhaupt.

In dieser Hinsicht können wir die Beobachtungen von Wollny[2]) über das Blühen der *Kartoffeln* anführen. Es ist von diesen Pflanzen bekannt, dass die in den gemäßigten Zonen kultivierten Varietäten eine sehr beschränkte Blütenbildung haben. Die meisten Sorten kommen gar nicht zum Blühen, einzelne nur in manchen Jahren und nur einige wenige entwickeln öfter oder sogar regelmäßig Blüten und Früchte. In ihrem Vaterland Chile dagegen bildet die Kartoffel, sowie die ihr verwandten Arten in jeder Vegetationsperiode Blüten aus. Das Klima im Innern des nördlichen Chile, wo die Kartoffel wildwachsend vorkommt, zeichnet sich aber durch große Trockenheit und geringe Bewölkung aus, während im mittleren Europa die Pflanze eine größere Bodenfeuchtigkeit genießt und durch die häufige Bewölkung des Himmels die Sonnenstrahlen die Luft nicht so austrocknen können. Werden ausnahmsweise die klimatischen Verhältnisse hier den chilenischen ähnlich, d. h. tritt eine längere Trockenperiode und stärkere Insolation ein, so blühen auch hier viele Kartoffelvarietäten, die bei feuchter Witterung und schwächerer Beleuchtung niemals Blüten entwickeln. Diese Erscheinung beobachtete Wollny besonders in den Jahren 1876, 1886 und 1887 in München, als die Niederschläge dort nur spärlich waren. Die Colocasie (*Colocasia antiquorum*), welche in den Tropen teilweise die Kartoffel ersetzt, scheint auch nur an besonders trockenen Stellen zu blühen. Wenigstens berichtet Schacht[3]), dass er von dieser Pflanze, deren Blüte überhaupt zu den Seltenheiten gehört, nur einmal auf einem ziemlich trockenen Acker alle Stöcke in Blüte fand. In einem sumpfigen, humusreichen Boden, sagt er, scheint sie niemals zur Blüte zu gelangen.

Ferner haben wir schon oben gesehen, dass die mitteleuropäischen Waldbäume erst spät zur Blüte kommen und dass manche nicht alle Jahre blühen: auch dies hängt mehr oder weniger von Trockenheit und 'Wärme ab. Besonders deutlich ist dies bei der *Buche*, die in dem kühlfeuchten Meeresklima von England oder Rügen seltener blüht als auf dem Kontinent[4]). Hier kann man bei

---

1) Grisebach l. c. S. 206.
2) In Wollny's „Forschungen auf dem Gebiete der Agrikulturphysik", X. Bd., 1888, S. 214—218.
3) Schacht, Madeira und Tenerife mit ihrer Vegetation, S. 42.
4) Diese und die folgenden Angaben aus Nördlinger's Forstbotanik, Bd. I, S. 241—243.

diesem Baume beobachten, dass besonders reiche Blüten- und Fruchtbildung in den Jahren erfolgt, deren Vorjahr sich durch einen trocken-
heißen Sommer auszeichnet; denn die Blüten werden bereits im Vor-
jahre angelegt. Nasskalte Sommer haben die entgegengesetzte Wirkung, was sich nicht nur an Buchen zeigt. Auf den nasskalten
Sommer 1860 z. B. blieben im Jahre 1861 ganz ohne Blüten: *Picea
vulgaris* und *Abies canadensis*, die meisten Ahornarten und viele andere Bäume.

Vielleicht kann hier auch hingewiesen werden auf eine Beobachtung, wonach das bei einigen Bäumen nicht zu seltene Auftreten einer
zweiten Blüte von der Trockenheit abhängig sein soll. Magnus[1])
beobachte nämlich (Wien, 1873) an *Aesculus Hippocastanum*, dass die
auf feuchtem Grunde wurzelnden Bäume im Herbst ihre Blätter frisch
und grün behielten. Wo sie aber auf relativ trockenem Boden standen, hatten viele Bäume ihr Laub im Oktober fast ganz verloren und
blühten zum zweiten Mal.

Vielleicht ist es aber mit der Trockenheit ähnlich wie mit der
Wärme, dass nämlich ein allzu großes Maß von beiden wieder hin-
dernd auf die Blütenbildung wirkt. So würde es sich erklären, dass
Overdieck[2]) in einem Bericht über seine Obsternte des Jahres 1877
(Deutschland) es dem schädlichen Einfluss der Trockenheit zuschreibt,
dass viele Bäume überhaupt keine Blüten angesetzt hatten. Indessen
lässt sich nicht wohl entscheiden, ob hier nicht noch andere Umstände, welche nicht bemerkt wurden, mitgewirkt haben.

Sonst ist mir keine Angabe bekannt geworden, dass Trockenheit
jemals einen hemmenden Einfluss auf Blütenansatz und Blühen gehabt
habe. Vielmehr wird sie, resp. die Entziehung der Feuchtigkeit, in
der Kultur allgemein angewandt, um vermehrte Blütenbildung zu erzielen, während man durch reichliche Bewässerung die Ausbildung
der vegetativen Organe zu vermehren sucht. Deswegen wendet man
bei der Wiesenkultur viel Aufmerksamkeit auf eine richtige Bewässerung der Wiesen, damit die Gräser viele und große Blätter
bilden; auf zu trockenen Wiesen ist die Grasnarbe niedriger und es
werden mehr ährentragende Halme gebildet. Bei den Pflanzen,
deren Laubtriebe als Futter oder zu andern Zwecken (wie das Zuckerrohr) verwendet werden, wird man also im allgemeinen durch feuchte
Kultur dazu verhelfen können, dass sich die Blätter auf Kosten der
Blüten vermehren. Die Kulturpflanzen aber, wo es auf Blüten und
Früchte ankommt, wird man gern trocken halten, soweit dadurch
nicht ein Mangel an Ernährung herbeigeführt wird. Allerdings tritt
dieser Uebelstand häufig auf, wenn auf eine reiche Blütenproduktion

---

1) In Sitzungsberichten der Gesellschaft naturforschender Freunde zu Berlin
vom 17. Februar 1874.

2) In Pomologische Monatshefte von Lucas, 1878, S. 193. (Zitiert nach
dem Botanischen Jahresbericht.)

hingearbeitet wird, während man doch möglichst viel Früchte erzielen will; es geschieht dann oft, dass die meisten Blüten abfallen, ohne Früchte anzusetzen. Betreffs dieser Verhältnisse sei auf einen Artikel in Gardener's Chronicle (1881, Bd. II, p. 16) verwiesen.

Das hauptsächlichste Mittel, Pflanzen zum Blühen und auch zum reichen Blühen zu bringen, ist die Erschwerung der Wasseraufnahme durch die Wurzeln. Es geschieht bei Obst- und anderen Bäumen oder Sträuchern durch den sogenannten Wurzelschnitt, indem man einen Graben um die Pflanze zieht und die bloßgelegten Wurzeln mit einem scharfen Messer abschneidet[1]). Da so die Ausbreitung des Wurzelsystems gehindert wird, wird auch von der Pflanze weniger Wasser aufgenommen, es können sich die vegetativen Teile weniger entfalten und es kommt um so eher zur Anlage von Blüten. Schneidet man dagegen die Laubtriebe zurück, so wird die Verdunstung herabgesetzt, und da die Wurzeln immer noch dieselbe Wassermenge aufnehmen, so wird eine größere Saftmenge in der Pflanze angesammelt. Diese wirkt auf die schnelle Entwicklung der noch im Knospenzustand befindlichen vegetativen Organe und es werden keine Blüten gebildet. Aehnlich dem Beschneiden der Wurzeln wirkt es auch, wenn man den Raum beschränkt, in dem sich das Wurzelsystem ausbreiten kann, wenn man also die Pflanzen in Töpfen zieht. Diese Methode wird z. B. beim Treiben der *Rosen* befolgt. Man pflanzt dieselben schon im August des Vorjahres in Töpfe und hält sie recht trocken, damit sie frühzeitig sogenanntes ausgereiftes Holz produzieren, an dem im nächsten Jahre sich reichliche Blütenknospen bilden[2]). Auch um *Cacteen* zum reichlichen Blühen zu veranlassen, wenden die Gärtner analoge Mittel an[3]). Sie lassen *Cereus* und ähnliche Formen im Herbst in den Töpfen im warmen Zimmer bis zum Schrumpfen austrocknen oder reißen sie gar aus dem Boden aus und pflanzen sie nach dem Welken später wieder ein. Die geschrumpften Exemplare bilden in der nächsten Vegetationsperiode meist reichliche Blüten. Hierher gehört auch die von Nördlinger[4]) mitgeteilte Beobachtung, dass Gewächse, welche versendet worden sind, wobei sie gewöhnlich einen Teil ihrer Organe, zumal Wurzeln, einbüßen, manchmal unmittelbar darauf blühen, wenn auch nachher zeitlebens nicht wieder.

Aber nicht nur durch verminderte Wasseraufnahme der Wurzeln, sondern auch durch eine gehemmte Leitung des Wassers in den Stammteilen kann man die Wasserzufuhr der Pflanze beschränken

---

1) Vergl. Wissenbach, Wurzelschnitt bei Obstbäumen. (Nach „The Garden" in Pomologische Monatshefte von Lucas, 1878, S. 41.)

2) Vergl. Wendt in Monatsschrift des Vereins zur Beförderung des Gartenbaus, 1880, S. 163.

3) Nach Sorauer l. c. S. 161.

4) Forstbotanik II, S. 245.

und stärkere Blütenbildung veranlassen. Wird ein Zweig gebrochen, so dass er nur noch durch eine geringe Holzmasse mit dem Hauptaste zusammenhängt, so erhält er natürlich auch weniger Wasser, da dieses ja im Holze geleitet wird. Dass solche halb gebrochene, herunterhängende Aeste viel reichlicher blühen als nicht verletzte, beobachtete Ernst[1]) an den angepflanzten *Kaffeebäumen* in Carracas und er bemerkt dazu, dass die Pflanzer solche Aeste beim Reinigen der Bäume niemals abschneiden. Die Wasserzufuhr kann aber auch dadurch herabgesetzt werden, dass die Holzgefäße, in denen sich das Wasser bewegt, verstopft werden. Dies geschieht durch krankhafte Erscheinungen, so auch bei der **Rotschleimkrankheit des Zuckerrohrs**[2]). Dabei zeigt sich, ganz abgesehen von der ursprünglichen Ursache der Krankheit, dass die Gefäße, da wo die Stränge rot erscheinen, von einer schleimigen Masse verstopft sind. Ganz offenbar ist die dadurch hervorgerufene Störung in der Wasserzufuhr daran schuld, dass sich der Stengel nicht in normaler Weise in die Länge streckt und dass die Pflanze, anstatt ihre vegetativen Organe ordentlich zu entfalten, möglichst rasch zur Blütenbildung schreitet und auch dazu gelangt, wenn nicht die Krankheit die Pflanze schon vorher tötet.

Mit dem Wassermangel ist nun aber sehr leicht auch verbunden ein Mangel an *Nährstoffen*, denn in dem Wasser sind die Salze gelöst, deren die Pflanze zu ihrer Ernährung bedarf, ja selbst die Assimilation der Kohlensäure, die Bildung der Kohlehydrate leidet, wenn nicht genügend Wasser den grünen Teilen zugeführt wird. So werden wir denn, was wir als Folge der Trockenheit bezeichneten, zum Teil auch dem Mangel an Ernährung zuzuschreiben haben. Dieser letztere befördert ebenfalls die Blütenbildung auf Kosten der Entwicklung der vegetativen Organe. Es tritt dann bisweilen ein Zustand der Pflanze ein, den man als Verzwergung oder *Nanismus*[3]) bezeichnet und der künstlich erzeugt werden kann dadurch, dass man die Pflanze in möglichst kleinen Töpfen zieht. Es entstehen dann kleine, aber reichblütige Exemplare, wie sie den Gärtnern bei den Blütensträuchern zum Verkauf erwünscht sind. Auch in Gewächshäusern kann man häufig beobachten, dass kümmerliche Exemplare in kleinen Töpfen

---

1) Botanische Zeitung, 1876, S. 33—41.

2) Ich bediene mich hier eines von Dr. F. Benecke vorgeschlagenen Namens. Unter **„Rotschleimkrankheit des Zuckerrohrs"** versteht der genannte Autor einen Teil derjenigen krankhaften Erscheinungen, die bisher auf Java unter dem Namen „Sereh" zusammengeworfen wurden; er definiert die Krankheit folgendermaßen: „Die Rotschleimkrankheit des Zuckerrohrs beginnt mit der Bildung von Schleim in den Zellen der sich rot färbenden Fibrovasalstränge und zeigt sich: einmal durch Störungen im Wachstum bereits vorhandener Organe und anderseits durch zu frühzeitige Entwicklung neuer Organe". Ueber die ausführliche Schilderung vergleiche man die Abhandlung: „Sereh", 3. Aflevering, Hoofdstuck V, p. 21—22.

3) Sorauer l. c. S. 93.

bereits blühen, während andere in größeren Töpfen ihr Laub üppig entfaltet haben, ohne zu blühen. Von einer eigentlichen Krankheit kann man in solchen Fällen noch nicht sprechen, aber die Pflanze kann durch überreiche Blüten- und gar Fruchtproduktion geschwächt werden und sich sogar „tot blühen". Das überreiche Blühen ist also teils eine Ursache, teils ein Symptom von Kränklichkeit. „So weiß man", sagt Sorauer [1]), „dass kränkelnde Exemplare, namentlich solche, die an Wurzelerkrankungen leiden, zu erhöhter Blütenentwicklung geneigt sind." Als Beispiel dafür wird der von John Scott beobachtete Fall, der einen Sandelbaum (Santalum album) in Indien betrifft, angeführt. Dieser Sandelbaum schmarotzte mit seinen Wurzeln auf einer daneben stehenden Araliacee (Heptapleuron umbraculiferum), welche abgehauen wurde. Wenige Monate darauf war der Sandelbaum ganz entblättert und kränkelte 3 Jahre, blühte dabei aber reichlich.

Die günstigen Folgen des Nährstoffmangels auf das Blühen illustrieren auch folgende Beispiele [2]). Auf Hagelbeschädigung der Obstbäume erfolgt nicht selten großer Blütenreichtum. Gipfel der Esche (Fraxinus excelsior), die von Hornissen stark beschädigt, d. h. ihrer Rinde in Form eines Ringes beraubt sind, blühen und tragen besonders gerne Samen. An einer jungen Ulme (Ulmus campestris) war ein Ast mit einem Draht umwickelt und dieser hatte den dicker gewordenen Ast eingeschnürt: dadurch blühte diese Ulme vor der Zeit und zwar lediglich an dem eingeschnürten Ast. Das Umschnüren mit Draht ist demgemäß auch ein in der Obstbaumzucht angewandtes Mittel, um den Blütenansatz zu erhöhen. Andere, auf dem Prinzip der verminderten Nahrungszufuhr beruhende Mittel sind: ringförmige Entrindung oder Halbdurchsägung von Aesten, Entblößung des Bodens von Laub und sogar Entfernung der Erde in der Umgebung des Stammes; auch kann man hier erwähnen „das Pfropfen der Schosse junger, raschwachsender Sämlinge von Laub- und Nadelhölzern auf ältere Bäume, um bei deren gemäßigteren Saftzudrange bald Blüten und Früchte zu bekommen."

In der Trockenheit, · verbunden unter Umständen mit Nährstoffmangel, haben wir also einen Faktor kennen gelernt, der einen sehr wesentlichen Einfluss auf das Blühen der Pflanze hat. Nehmen wir dazu noch Licht und Wärme, deren Bedeutung in dieser Hinsicht wir vorher besprochen haben, so werden wir damit die wichtigsten Agentien, die für das Blühen in Betracht kommen, genannt haben, abgesehen von der nach der Pflanzenart sich richtenden Eigentümlichkeit in einem bestimmten Alter zu blühen. Es ist jetzt nur noch einmal darauf hinzuweisen, was schon mehrfach angedeutet wurde, dass die Blütenproduktion in **Korrelation** steht mit der Ausbildung der

---

1) l. c. S. 161.
2) Nach Nördlinger, Forstbotanik II, S. 246.

vegetativen Teile: einmal in dem Sinn, dass keine Blüten auftreten können, wenn die Sprosse zu gering entwickelt sind, um die nötigen Stoffe zu liefern, wie wir es bei den im Dunkeln keimenden und wachsenden ·Pflanzen sahen; dann aber vor allem in dem Sinn, dass die Vegetationsorgane um so schwächer werden, je mehr die Reproduktionsorgane sich entfalten. Der Pflanze steht eben nur ein gewisses Quantum Nährmaterial zur Verfügung, und wenn sie viel davon auf die einen Organe wendet, so bleibt für die anderen weniger übrig. Wenn das Licht viele Knospenanlagen veranlasst, sich zu Blütenknospen zu entwickeln, so können um so viel weniger zu Lanbknospen werden. Bei viel Feuchtigkeit geht die Pflanze stark ins Laub, bleibt aber in der Blütenbildung zurück. Wird die Entwicklung der vegetativen Teile begünstigt, wird besonders der Stamm kräftiger und holziger, so ist der Pflanze auch eine längere Existenz gesichert und sie braucht weniger dafür zu sorgen, durch Blühen und Fruchten Nachkommen zur Erhaltung der Art zu erzielen, sich fortzupflanzen. Die Fortpflanzung braucht aber nicht immer durch Samen zu geschehen, sondern sie kann auch auf vegetativem Wege erfolgen. So finden wir denn, dass die Blütenproduktion und die Ausbildung vegetativer Vermehrungsorgane sich gegenseitig beschränken. Dies wurde in Obigem schon mehrfach erwähnt. Wir sahen, dass manche Pflanzen, die in kälteren und wärmeren Regionen leben, in ersteren sich vegetativ vermehren, in letzteren Blüten und Samen bilden. Wir führten ferner die Wassergewächse an, die um so seltener blühen, je leichter sie sich durch vegetative Vermehrung fortpflanzen können. Auch die Kartoffeln gehören hierher, bei denen die Knollenbildung zur Blütenentwicklung im umgekehrten Verhältnis steht: die Trockenheit, welche die letztere fördert, ist für die erstere ungünstig. Auf diese Verhältnisse will ich aber hier nicht weiter eingehen, da ich sie bereits in einem früheren Aufsatze behandelt habe, auf den ich hiermit verweise [1]).

Zum Schluss sei es mir erlaubt, die Resultate eines Versuches anzuführen, den ich diesen Sommer im Heidelberger botanischen Garten anstellte [2]).

Es wurden gegen Ende April in je 8 Töpfe gesäet *Phalaris canariensis* L. und *Borago officinalis* L. und in weitere 8 Töpfe wurde die Grasnarbe von *Andropogon Ischaemum* L gepflanzt. Von jeder Pflanzenart wurden die Töpfe paarweise folgendermaßen behandelt:

---

1) Over de voortdurende Vermenigvuldiging der Phanerogamen langs geslachteloozen Weg. (Mededeelingen van het Proefstation „Midden-Java" te Semarang, 1890.)

2) Herrn Universitätsgärtner, Inspektor Massias, sage ich auch an dieser Stelle für die freundliche Unterstützung bei diesem Versuch, sowie für mehrfach erteilte Auskunft bezüglich des Blühens kultivierter Pflanzen meinen verbindlichsten Dank.

Ein Paar stand an einem sonnigen Standort und wurde trocken gehalten, d. h. die Töpfe standen frei auf dem Boden und erhielten außer dem Regen nur soviel Wasser durch Begießen als in trockenen Zeiten notwendig war. Ein zweites Paar stand daneben, aber in einer Schale, die beständig Wasser enthielt, und wurde reichlich begossen. Das dritte und vierte Paar wurde in derselben Weise trocken und nass gehalten, aber an einem sehr schattigen Standort. Die Pflanzen entwickelten sich nun in den verschiedenen Töpfen ziemlich ungleich.

I. *Phalaris.* Am 1. Mai waren die Samen bereits aufgegangen. Schon am 10. Mai zeigten sich die Keimpflanzen in den besonnten Töpfen stärker entwickelt als in den beschatteten. Am 23. Juni waren an den beiden besonnten und trockenen Töpfen bereits die Blütenähren bemerkbar, während alle übrigen Töpfe noch keine Spur davon zeigten. Am 28. Juni blühte bereits ein Teil dieser Aehren und alle Pflanzen des genannten Paares hatten Aehren tragende Halme gebildet. Am 4. Juli wurde die Höhe der blühenden Halme zu 25—30 cm gemessen, die Blätter waren verhältnismäßig kurz geblieben und sahen gelblich aus mit vertrockneten Spitzen. Die Pflanzen in den daneben stehenden nass gehaltenen Töpfen waren 15—20 cm hoch, hatten aber noch keine Aehren. Auch die Schattenpflanzen waren am 4. Juli noch ganz blütenlos, zeigten aber gut entwickelte grüne Blätter: in den trockenen Töpfen waren die Pflanzen 20—29 cm, in den nassen 25—30 cm hoch. Jetzt war also der Unterschied am auffallendsten: nur die besonnten und trockenen Pflanzen blühten, zeigten aber kleinere und bereits vergilbende Blätter, die nassen und beschatteten Pflanzen dagegen hatten große und kräftig entwickelte grüne Vegetationsorgane, die beschatteten und trockenen Pflanzen waren nicht ganz so kräftig und die besonnten und nassen standen am schlechtesten. Am 11. Juli wurden auch an den Pflanzen der andern 3 Topfpaare die Aehren sichtbar. Am 18. Juli wurde nochmals gemessen: 1) sonnig und trocken, 28—30 cm hohe Halme mit großen abgeblühten Aehren, nur die obersten Blätter etwas über die Aehren hinwegragend, alle Pflanzen ganz und gar fahlgelb; 2) sonnig und nass, die Halme mit Aehren 20—25 cm hoch, die Aehren klein, die Blätter verhältnismäßig größer als bei den vorigen, alle Pflanzen gelblich; 3) schattig und trocken, alle Pflanzen lebhaft gelbgrün, Blätter groß, nur an der Spitze vertrocknet, Halme im Topf A 24 cm hoch mit freien, teilweise blühenden Aehren, Halme im Topf B 18 cm hoch mit noch vom Blatt umschlossenen Aehren; 4) schattig und nass, die lebhaft gelbgrünen Pflanzen mit ihren kräftigen, die Halme überragenden Blättern bis 35 cm hoch, in einem Topf noch alle Aehren umschlossen, im andern teilweise schon frei. — Es braucht wohl kaum noch darauf hingewiesen zu werden, wie deutlich sich der befördernde Einfluss des Lichtes und der Trockenheit auf die Blütenbildung zeigt und dass es vor allem das Licht ist, welches die Pflanzen zum Blühen trieb, und wie anderseits Schatten und Feuchtigkeit fördernd auf die Entwicklung der vegetativen Organe einwirken.

II. *Andropogon.* Bis zum 18. Juli waren noch nirgends Blüten sichtbar, während auf einem Rasen des botanischen Gartens, wo dieselbe Art eine dichte Grasnarbe bildete, sich die ersten Aehren zeigten. Doch war im vegetativen Verhalten ein ziemlicher Unterschied zu bemerken: 1) besonnte und trockene Pflanzen schwach entwickelt, 10 bis 15 cm hoch, mit vielen roten Blättern; 2) besonnte und nasse ebenso, nur mit weniger roten Blättern; 3) beschattete und trockene Pflanzen gut entwickelt, bis 35 cm hoch, mit lauter schön grünen Blättern; 4) beschattete und nasse spärlicher entwickelt, bis 30 cm hoch, aber auch alle Blätter schön grün. *Andropogon Ischaemum* ist demnach eine Pflanze, welche sich an schattigen Standorten vegetativ besser entwickelt als an sonnigen und welche die Trockenheit besser verträgt als die Feuchtigkeit. Am 9. August waren an den 2 besonnten und trockenen Pflanzen Inflorescenzen sichtbar und bei einer Inflorescenz hatten sich die Aehren bereits entfaltet, alle übrigen Topfexemplare machten noch keine Anstalten zum Blühen. Dasselbe wird also auch bei *Andropogon* sehr deutlich durch Licht und Trockenheit begünstigt. Bis zum 10. September waren die beschatteten Pflanzen noch nicht zum Blühen gekommen, die besonnten und nass gehaltenen Töpfe waren aus Versehen entfernt worden.

III. *Borago.* Die Keimung beginnt bei den sonnig stehenden Töpfen am 9. Mai, bei den schattig stehenden einige Tage später. In der Folge entwickeln sich alle Pflanzen zu Zwergexemplaren, offenbar wegen der Kleinheit der Töpfe. Am 23. Juni erscheinen an den besonnten und trockenen Pflanzen Blütenknospen, während an allen andern sich noch kaum die Stengel gestreckt haben. Am 18. Juli verhielten sich die Pflanzen folgendermaßen: 1) besonnt und trocken; ein Stengel hatte geblüht und war 30 cm hoch, kleinere Stengel blühten noch; das größte Blatt war 6 cm lang und 3 cm breit ohne den 3 cm langen Stiel; 2) besonnt und nass; nur ein Stengel, der 8 cm hoch war, hatte eine Blüte gebildet; die andern Pflanzen hatten kurze, blütenlose Stengel, das größte Blatt war $2^1/_2$ cm lang und $1^1/_2$ cm breit ohne den $1^1/_2$ cm langen Stiel; 3) schattig und trocken; nur in einem Topf hatten sich Pflanzen entwickelt, waren aber fast ohne gestreckte Stengel und darum natürlich ohne Knospen, das größte Blatt war 6 cm lang und 4 cm breit ohne den 4 cm langen Stiel; 4) schattig und nass; zwei Stengel von 18 cm Höhe mit Knospen, größtes Blatt 6 cm lang und 3 cm breit ohne den 5 cm langen Stiel. Auch hier war der eine Topf ganz eingegangen. — Bei den Schattenpflanzen von *Borago* haben wir also einen Widerspruch gegen die Regel, dass Trockenheit das Blühen befördert, allein man darf darauf nicht zu viel Wert legen, denn *Borago* ist eine entschiedene Sonnenpflanze

und da im Schatten zwei Töpfe eingegangen waren, so konnten auch zu wenig Pflanzen verglichen werden. An den besonnten Pflanzen sehen wir deutlich den fördernden Einfluss der Trockenheit auf das Blühen und wir beobachten, dass alle Pflanzen im Lichte früher blühen als die im Schatten. Dies sind die bis jetzt erhaltenen Ergebnisse meiner in bescheidenem Maßstabe angestellten Versuche.
Heidelberg, September 1892.

Beiträge zur Kenntnis des anatomischen Baues der Geschlechtsorgane bei den Galeodiden.
Vorläufige Mitteilung.
Von **A. Birula**.
(Aus dem zootomischen Institut der Universität St. Petersburg.)

Die Hauptresultate meiner Untersuchungen des anatomisch-histologischen Baues der Genitalorgane bei den Galeodiden sind die folgenden.

Als Untersuchungsmaterial dienten:
a) *Galeodes araneoides* Pall. (♀ und ♂),
b) *Galeodes ater* Bir. (♀).

Die männlichen Genitalorgane sind von folgendem Baue:
1) die äußere Genitalöffnung stellt eine Längsspalte in der Ausbuchtung des Hinterrandes des ersten abdominalen Ringes dar;
2) in den mit Chitin ausgekleideten Uterus masculinus münden acinöse Drüsen (sog. Anhangsdrüsen) mit chitinisierter Intima;
3) die Samenleiter (vasa deffer.) teilen sich im dritten abdominalen Ringe in je zwei Aeste, welche, sich plötzlich verengend, in die fadenförmigen Hoden übergehen;
4) in den Wänden jedes Samenleiters bei ihrer Mündung in den Uterus masculinus liegen acinöse accessorische Drüsen mit hohem zylindrischem Epithel, aber ohne Intima;
5) die histologisch nicht verschiedenen Enden eines jeden Astes der vasa deferentia blähen sich zur Zeit der Reife der Sexualprodukte zu Blasen auf und fungieren als Vesicula seminalis;
6) die Hoden bestehen aus 4 dünnen und sehr langen gewundenen Röhren, die vor der Mündung in die Vesicula seminalis das für sie typische Epithel verlieren und
7) den speziell drüsigen Teil bilden, welcher dazu dient die Chitinsubstanz für die Membran der Spermatophoren auszuscheiden;
8) der Same tritt in die Geschlechtsorgane des Weibchens in der Form von ovalen etwas abgeplatteten Spermatophoren.

Die weiblichen Geschlechtsorgane sind auf folgende Weise gebaut:
1) die äußere Genitalöffnung hat dasselbe Aussehen wie beim ♂;

2) die Vagina ist mit einer dicken, chitinisierten Intima ausgekleidet;

3) die receptacula seminis stellen zwei Blasen mit chitinisierter
Intima vor und münden in die Vagina in der Nähe der Genitalöffnung;

4) der Uterus ist an seiner hintern Wand mit zwei ohrförmigen
Anhängseln versehen, die ihrem histologischen Baue nach sich nicht
von den übrigen Teilen des Uterus unterscheiden und, wie es scheint,
gar keine physiologische Rolle spielen;

5) die Eileiter gehen unmittelbar in die Eierstöcke über. Die
Wände dieser beiden Abschnitte sind längsfaltig, infolge dessen sie
bei der Anfüllung der Sexualorgane mit Eiern oder Spermatophoren
sich bedeutend ausdehnen können, wodurch die Höhlung der Organe
vergrößert wird; sie bestehen aus a) der äußeren Fettschicht, b) der
Ringmuskulatur, c) der Längsmuskulatur, d) der tunica propria und
e) dem zylindrischen Epithel. In den ersten drei Schichten wird
eine reiche Verästelung der Tracheen beobachtet;

6) die Eier entwickeln sich aus einer speziellen epitelialen Schicht,
welche die nach außen gerichtete Wand der Eierstöcke auskleidet;

7) die reifen Eier, welche schon in den sich ausstülpenden Folli-
keln liegen, haben ein sogenanntes „Stylum" [1]);

8) in der Höhlung der Eierstöcke und der Eileiter bemerkt
man eine bedeutende Zahl freiliegender Zellen, welche sehr den Blutkörperchen ähneln. Die Zellen besitzen das Vermögen sich amö-
boidal zu bewegen und zeigen Bilder der karyokynetischen Teilung.
Sie zerstören die Hülle der Spermatophoren, befreien dadurch die
Spermatozoiden und vernichten zugleich die überflüssigen Spermatozoiden und die nicht befruchteten Eier [2]);

9) die reifen Eier fallen in die Höhlung der Eierstöcke und hier
vollzieht sich die Entwicklung des Embryos;

10) noch vor der Anlage der Extremitäten ist ein großer Unterschied in der Form zwischen den Thorakal- und Abdominalsegmenten
des Keimstreifens bemerkbar. Das Chelicerensegment wird später
als die übrigen Thorakalsegmente getrennt, und zwar dann, wenn
aus dem Schwanzabschnitte sich 3—4 Abdominalsegmente gebildet
haben;

11) die Gliederung der Extremitäten tritt schon in einem ziemlich
frühen Stadium auf;

12) Embryonalhüllen existieren nicht;

13) es findet eine Umrollung des Embryos wie bei den *Araneina*
statt;

---

1) Bertkau, Ueber den Generationsapparat der Araneiden. Archiv. f.
Naturgeschichte, 1875, S. 245.

2) Derartige Körperchen sind von Prof. A. Schneider bei *Nephelis*,
Aulostomum und *Hirudo* beschrieben: A. Schneider, Ueber die Auflösung der
Eier und Spermatozoen in den Geschlechtsorganen. Zool. Anz., 1880, Nr. 46, S. 19.

14) die Seitenorgane, die von Croneberg[1]) beschrieben sind, stellen in jüngeren Stadien längliche, große, blasenförmige Säcke vor, welche mit dem Körper über dem 1. Beinpaare mittels eines dünnen Stieles zusammenhängen. Bei den eben geborenen Jungen sind die Seitenorgane bedeutend verkleinert und zusammengeschrumpft. Bei dem erwachsenen Tiere müssen, wie es scheint, als ein Rest der Seitenorgane die zungenförmigen dreieckigen Hautfalten, welche sich unter den Mandibeln befinden, angesehen werden.

Einige Bemerkungen über das Magenepithel.
Von Dr. **Ogneff** in Moskau.

Obgleich das Epithel der Magenschleimhaut schon sehr viele Male bei sehr verschiedenen Tieren untersucht worden ist und die verschiedenen diesen Gegenstand betreffenden Arbeiten an Gründlichkeit und Vollständigkeit scheinbar nichts zu wünschen übrig lassen, stellte es sich mir doch bei der erneuten Untersuchung bald heraus, dass man trotzdem noch einige und noch nicht aufgeklärte Einzelheiten an diesem Epithel aufzufinden vermag. Auf einige solche, soviel ich weiß, noch nicht beschriebene interessante Einzelheiten will ich in dieser kleinen Bemerkung hinweisen, die man bei den Katzen und jungen Hündchen auffindet. Wie bekannt wird das Magenepithel kurz folgendermaßen beschrieben: es bestehe aus fest mit ihren Seiten aneinander geklebten Zellen. Das eine Ende der Zelle ist von größerer oder minderer Quantität Schleim eingenommen (Becherzellen). Das innere Ende, das in einen Faden ausgezogen ist, endet frei, unter die gleichen Fäden der Nachbarzellen gebogen, in dem unterliegenden festen Gewebe, der sogenannten Basalmembran, oder wie einige Forscher glauben, einer Schicht flacher Endothelzellen, geht aber nicht, wie ehemals Heidenhain meinte, in einen Fortsatz einer Bindegewebszelle über. Diese Beschreibung passt, wie ich mich überzeugen konnte, nicht für die Katzen. Hier, besonders an feinen Flächenschnitten, kann man leicht einsehen, dass die Epithelzellen mit kurzen feinen Stächelchen an ihrer ganzen freien Oberfläche bedeckt sind. Die Stächelchen sind nur an dem mit Schleim gefüllten Teile nicht zu sehen. Besonders stark und lang sind sie am Körper der Zelle, etwas kürzer und feiner an deren Schwanze. Bei aufmerksamer Untersuchung wird es klar, dass sie, sich gewöhnlich etwas verjüngend oder verzweigend, in die Stacheln der Nachbarzellen übergehen, also Interzellularbrücken darstellen. Aus dem Gesagten folgt, dass zwischen den Zellen des Magenepithels bei der Katze ein System feiner interzellularer Kanälchen existiert, ähnlich

---

1) Croneberg A., Ueber ein Entwicklungsstadium von *Galeodes*. Zool. Anz., 10. Jahrg., 1887.

dem, das zwischen den Zellen der Malpighischen Schicht der Haut beschrieben ist. Das System scheint an der Oberfläche der Schleimhaut geschlossen zu sein, dagegen offen von der Seite des unterliegenden Gewebes. Wie nun aber die Kanälchen sich zu demselben beziehen, ist an gewöhnlichen Schnitten schwer zu sagen und stellt für den Augenblick einen Gegenstand der weiteren Forschung für mich dar, deren Resultate ich bald zu veröffentlichen hoffe. Hier will ich nur noch bemerken, dass die Interzellularkanälchen sich in die Gewebsspalten und perivaskulären Räume öffnen. Am breitesten und am klarsten zu sehen sind die Kanälchen an den Zellenkörpern; an der Grenze mit dem unterliegenden Gewebe werden sie der Verkürzung der Brücken wegen immer enger und unregelmäßiger. Leer erscheinen sie nie, scheinen aber mit einer Substanz, die schwächer lichtbrecherd ist, als die Interzellularbrücken selbst, erfüllt zu sein. Zuweilen sieht man in den Kanälchen Leukocyten liegen.

Die beschriebene Eigentümlichkeit habe ich, außer bei den Katzen, bei anderen Haustieren (Hunden, Kaninchen etc.) nur äußerst schwach angedeutet gefunden. Bei Katzen ist dieselbe nur bei vollständig entwickelten Tieren vorhanden. Bei jungen noch die Muttermilch saugenden Kätzchen sind keine Stacheln an den Zellen des Magenepithels zu finden. Sie fangen erst am 10.—12. Tage des Extrauterinlebens an sichtbar zu werden; dabei findet man sie zuerst im Fundus des Magens und viel später am Pylorus. Anfangs sind die Stacheln außerordentlich dünn und kurz und nur mit Hilfe stärkerer Objektive zu unterscheiden. Erst bei den Tieren von $1^1/_2$—$2^1/_2$ Monaten erlangen sie ihre volle Entwicklung.

Eine andere Besonderheit, auf die ich hier hinweisen wollte, steht in einem gewissen Zusammenhange mit der eben beschriebenen und hat eine größere Verbreitung, wenigstens wird sie nicht allein bei jungen Kätzchen gefunden, sondern ist auch bei jungen Hündchen und Mäusen sehr klar ausgeprägt. Diese Besonderheit, deren schon v. Kölliker im Jahre 1857 mit einigen Worten erwähnt hat [1]), besteht darin, dass die Epithelzellen der Magenschleimhaut bei jungen noch die Muttermilch saugenden Tieren konstant Fetttröpfchen enthalten. Bei solchen Tierchen, wenn sie, gerade von der Mutter genommen, getötet werden, findet man den Magen mit einem Stücke Kasein gefüllt, dasselbe ist an seiner Oberfläche mit mehr oder weniger großen Tropfen Oel bedeckt. Schon mit bloßem Auge sieht man an der Schleimhaut weißliche Flecken, die den Orten entsprechen, wo die Zellen in sich Fettkörnchen enthalten. Gewöhnlich enthält die Pars pylorica mehr Fett in sich als der Fundus. Davon überzeugt man sich leicht sowohl bei der Untersuchung mit bloßem Auge als auch mit Hilfe des Mikroskopes. Mit Hilfe dieses letzteren

---

1) Verhandlungen der physikalisch-medizinischen Gesellschaft in Würzburg, Bd. VII, S. 176, 1857.

sieht man auch klar, dass die Fettkörnchen sich ausschließlich nur
in den Becherzellen befinden, und von diesen auch nur in denen,
die die Gipfel der Falten zwischen den Drüsen einnehmen. Gewöhnlich sieht man die Tröpfchen nur um den Kern der Zellen herum
liegen und zwar in sehr verschiedenen Mengen: bald enthielten
die Zellen nur einige feine Körnchen, andere Male waren dieselben
fast strotzend gefüllt. Das der freien Oberfläche der Schleimhaut
zugewendete Ende der Zellen enthielt dabei fast nie Fetttröpfchen. —
Nach den Versuchen, die ich an kleinen Hündchen und Kätzchen anstellte, konnte ich mich überzeugen, dass nach Fütterung mit Milch die
Fetttröpfchen in den von Drüsenlumen am weitesten entfernt gelegenen
Zellen zuerst erscheinen und am spätesten von hier verschwinden,
überhaupt dass zwischen der Nahrungsaufnahme und dem Fettgehalte
der Zellen ein gewisses direktes Verhältnis existiere. Man findet
also $1\frac{1}{2}$—3 Stunden nach Fütterung mit Milch (oder mit fettreicher
Speise bei größeren Tieren) merklich mehr Fettkügelchen in den
Zellen, nach Hungern oder nach Fütterung mit fettarmer Speise
merklich weniger. Ich kann mich aber gar nicht entscheiden alle
diese beschriebenen Erscheinungen als Resorption zu definieren, da
ich erstens nie Bilder auffinden konnte, die ganz entschieden als
Aufnahme von Fett von außen gedeutet werden konnten; zweitens
konnte ich auch nie den Weg finden, durch welchen das Fett aus
den Zellen bei noch die Muttermilch saugenden Tierchen verschwindet.

Bei aller Mühe, die ich mir gab, um die Frage von dem Schicksale des Fettes in den Epithelzellen des Magens zu entscheiden,
konnte ich bis jetzt nur Folgendes auffinden:

1) Die Fettkörnchen werden nur solange in den Becherzellen
gefunden, bis dieselben zu funktionieren, also Schleim abzusondern
angefangen haben. Sobald nun aber dieser Prozess anfängt und man
also offene und leere Becher auffindet, verschwinden die Körnchen.
Nach außen scheinen sie aber dabei nicht hinausgeworfen zu werden;

2) das Verschwinden der Körnchen fängt im Magenfundus an
und schreitet von hier zu der Pars pylorica fort. Hier kann man
mit Fettkügelchen erfüllte Zellen bei Hündchen und Kätzchen 2—3
Monate nach der Geburt, ja noch später auffinden;

3) bei den Kätzchen fällt das Verschwinden der Fettkügelchen
mit dem Erscheinen der Stachelchen an den Zellen zusammen. Dasselbe fängt auch zuerst am Fundus des Magens an und erst später
erstreckt es sich auch auf die Pars pylorica. — Es ist sehr interessant zu bemerken, dass die Fettkörnchen dabei allmählich zwischen
den Zellen, also in den sich formierenden Kanälchen erscheinen. —
Da haben aber die Kügelchen ein ganz anderes Aussehen als im
Inneren der Zellen. In diesen letzteren sind die Kügelchen verhältnismäßig groß, erreichen zuweilen die Größe der kleinen Milchkügelchen
(beim Hunde und Katze). Zuweilen haben sie eine verschiedene

44*

Größe in einer und derselben Zelle. In den Kanälchen erscheint
aber das Fett in Form von unermesslich feinen Körnchen, die man
hie und da im Lumen des Kanälchens sieht. Haufen solcher Körnchen
kann man zuweilen in den feinen Spalten der Tunica propria auffinden, was auf die Möglichkeit einer Fettresorption in dem Magen
hinzuweisen scheint. Man kann nun aber eines mit Sicherheit dabei
behaupten, dass, wenn diese Resorption auch stattfindet, sie nur
äußerst gering sein muss: einen andern Schluss erlauben mir die von
mir gesehenen Bilder nicht zu machen.

M o s k a u, 15. Juli 1892.

Neurologische Untersuchungen.

M a x D e s s o i r, Ueber den Hautsinn. Archiv für Anatomie und
Physiologie. Physiologische Abteilung, 1892, S. 175—339

In dem ersten Teil der sowohl ausführlichen wie gründlichen
Bearbeitung wird die Lehre von den Empfindungen behandelt; dieselben sind, erkenntnistheoretisch betrachtet, Zeichen für die Vorgänge
der äußeren und der inneren Welt, psychologisch lassen sie sich in
ihren Inhalt und in den Akt des Empfindens zerlegen, der ein Be-
wusstseinsvorgang ist, während für den Inhalt die Eigenthätigkeit
zurücktritt. Wahrnehmung wird von Empfindung am besten durch
das Merkmal der Zusammengesetztheit geschieden. Während die
Empfindung eine vom Bewusstsein der seelischen Eigenschaften ge-
tragene Sinnesvorstellung einfachster Natur ist, besteht die Wahrnehmung aus einer Sinnesvorstellung zusammengesetzter Natur. Die
Haupteigenschaft der Empfindung ist die Intensität, die Qualität hat
erst bei der Wahrnehmung Bedeutung. — Was die Mitempfindungen
anbetrifft, so sind die echten von den unechten, wie Begleitempfin-
dungen, sekundäre Erinnerungsbilder und Empfindungsreflexe zu trennen.
Die echten Mitempfindungen zerfallen in ungleichartige und gleichartige;
letztere in Doppelempfindungen und Verstärkungs- und Schwächungs-
empfindungen. Die Reflexe zerfallen in zwei Gruppen, a) wo der
Reiz unbemerkt bleibt, b) wo der Reiz bemerkt wird. Jede dieser
Gruppen wird in 3 Abteilungen gegliedert: 1) Reflexe unbemerkt,
2) Reflexe bemerkt, 3) Reflexe bemerkt und von kürzerer Empfindung
begleitet. — An der herrschenden Theorie von den spezifischen
Energien der Empfindungen und Wahrnehmungen ist nur die Thatsache anzuerkennen, dass ein bestimmtes Nervengebilde immer nur
eine bestimmte Wahrnehmungsart liefert; falsch erscheint es, dass
ein und derselbe Reiz diese verschiedenen Wahrnehmungen hervorbringen könne und dass eine Mehrheit von Reizklassen (besonders
Sinnes- und elektrischer Reiz) ein und dieselbe Wahrnehmungsart
erzeuge. Es bleiben aber wohl zu Recht bestehen die spezifische
Erregung, die jedem Sinnesapparate, und die spezifische Funktion,

die jedem Großbirnrindenbezirke zukommen. — Von der exzentrischen Projektion ist die Enternalisation zu scheiden. Während erstere darin besteht, dass Empfindungen nicht als Thätigkeit des Gehirns (des Zentrums) sondern als Vorgänge in den übrigen Körperteilen aufgefasst werden, sprechen wir von Enternalisation, wenn gewisse Wahrnehmungen in die Objekte der Außenwelt als deren Eigenschaften verlegt werden; beide Erscheinungen finden zum Teil eine Erklärung in der verschiedenartigen Beteiligung der Muskelthätigkeit. Entwicklungsgeschichtlich geht die Enternalisation der exzentrischen Projektion und diese wieder der Lokalisation voraus. Zur Klassifikation der Sinne schlägt D. folgende Einteilung vor:

1) Totalempfindungen (Wohl-, Uebelbefinden),
2) Organempfindungen (Hunger, Ekel, Wollust),
3) Irrdiationsempfindungen (Kitzel, Schauder),
4) Summationsempfindungen (Temperatur, Schmerz, Druck),
5) Zentralempfindungen (Riechen, Schmecken, Hören, Sehen).

Für die Lehre von den durch die Haut vermittelten Empfindungen schlägt Verf. die Bezeichnung „Haptik" vor, nach Analogie von Optik, Akustik u. s. w. Die Haptik im Besonderen zerfällt in den Kontaktsinn (Berührungs- und Druckempfindungen) und in die Pselaphesie (Tast- und Muskelsinn). —

Der zweite Teil der Arbeit enthält eingehende Betrachtungen und mannigfache eigenartige Untersuchungen über den Hautsinn. Wir beschränken uns auch hier darauf, die Hauptsätze aus den zusammenfassenden Schlussbemerkungen des Verfassers anzuführen, obwohl die einzelnen Untersuchungen viel Neues und Anregendes enthalten. Der Temperatursinn ist eine einheitliche zu den Summationsempfindungen gehörende Wahrnehmungsmodalität mit zwei Qualitäten, die sich in wachsender Größe von einem Nullpunkt entfernen. Der Versuch aus vivisektorischen und pathologischen Beobachtungen eine Trennung in zwei Modalitäten herzuleiten, scheint ebenso wenig geglückt, wie der Versuch, zwei verschiedene Endapparate nachzuweisen. Die Blix'schen Punkte sind ein Kunsterzeugnis. Ob wir Wärme oder Kälte fühlen, ist nicht davon abhängig, ob ein Wärme- oder Kältepunkt von einem beliebigen Reiz getroffen wird, sondern davon, welcher Reiz auf den einheitlichen Endapparat einwirkt. D. nimmt an, dass bei der Kälteempfindung die Hautwärme sinkt, hierdurch der nervöse Endapparat sich ausdehnt und einen ganz bestimmten Reiz mit Hilfe des indifferenten Leitungsnerven an das Großhirn übermittelt, während ein andersartiger Reiz an das Zentrum gelangt, sobald die Hautwärme durch Zufuhr von außen oder durch Behinderung ihrer normalen Ausstrahlung steigt und der Endapparat sich verdichtet. Die Intensität einer Temperaturempfindung entspricht nicht schlechthin der lebendigen Kraft der Bewegungen der Wärmereize, sondern sie ist noch durch folgende Faktoren bedingt: Die Größe der getroffenen Fläche, die

Zeit der Einwirkung des Reizes, die Dicke der Oberhaut, ihr Leitungs-
vermögen und ihre Temperatur. Die mittlere Hauttemperatur liegt
zwischen 32 und 35° C. — Die Entscheidung über den nervösen Endapparat der Haut muss sich aus der histologischen Untersuchung
derjenigen Teile ergeben, die alle anderen Hautempfindungen, aber
keine Temperaturempfindungen vermitteln (Epidermis). — Erkrankungen der peripheren Nerven des Rückenmarks und des Gehirns,
sowie die Wirkungen einzelner Arzneimittel lehren, dass der Temperatursinn in einem bestimmten Umfange unabhängig von den übrigen
Sensibilitätsmodalitäten ist und am nächsten dem Schmerze steht.
Was das zeitliche Verhältnis betrifft, so lässt die Reizung einer
mittelempfindlichen Hautstelle durch Kälte von — 10° C ungefähr
$^2/_{10}$ Sekunden zwischen Druck- und Kälteempfindung, Wärme von
+ 40° C etwa $^6/_{10}$ Sekunden verstreichen; das Intervall zwischen
Wärme und Schmerzgefühl schwankt je nach der Stärke des Reizes
von 7 Sekunden bis hinunter zu $^1/_{10}$ Sekunde. Die Reizung eines
sensiblen Nerven in seinem Verlaufe durch unmittelbare Reize setzt
zwar eine Erregung, aber nicht die Sinnesempfindung, die man erwarten könnte, also etwa Wärme oder Kälte. Sollte es aber der
Fall sein, so wäre damit für die übliche Lehre von den spezifischen
Energien nichts gewonnen; denn man dürfte vasomotorische Vorgänge
oder die Thätigkeit der Terminal-Körper in den Nervenscheiden für
das etwaige Auftreten der Empfindung verantwortlich machen. —

   Hawald Holm, Den dorsale Vagus kjernes Anatomie en Patologi
      (Norsk. Magazin f. Laegeridenskaben, Nr. 1, 1892).

   Die Untersuchungen an Schnitt-Serien von totgeborenen Kindern
und jungen Kaninchen, Kätzchen und Hunden sowie Erwachsenen ergeben eine direkte nervöse Verbindung des Vaguskernes (dorsalen)
mit dem Fascic. solitar. Die Hälfte der Vagusfasern entspringt einer
vorher unbekannten Zellengruppe und hat einen an das Facialiskni
erinnernden Verlauf. Der Nervus glossopharyngeus hat wie der
Trigeminus eine aufsteigende sensitive und eine hinabsteigende motorische Wurzel. Das Zentrum der Tracheobronchialreflexe ist in den
kleinen dorso-lateralen Ganglienzellen des Vaguskernes zu suchen.
Das Respirationszentrum dürfte in den großen Zellen der ventro-
medialen Gruppe des Vaguskernes liegen. —

   W. von Bechterew, Zur Frage über die Striae medullares des
      verlängerten Marks. Neurologisches Centralblatt, 1892, Nr. 10.

   Durch Untersuchungen bei Kaninchen und Katzen stellte man
fest, dass die Striae acusticae eine Fortsetzung der Fasern der hinteren Acusticus-Wurzeln seien. Nach v. Bechterew und H. Virchow
dürften die Striae acusticae dieser Tiere denen des Menschen nicht
analog sein. Während die Striae bei Katzen und Kaninchen nach
Umkreisung des Strickkörpers sich in die Marksubstanz versenken,

in die bogenförmigen Fasern der Formatio reticularis übergehen und sich dann in der Raphe kreuzen, verlaufen die Striae des Menschen nach Umkreisung des Corpus restiforme auf dem Boden der Rautengrube bis zur Mittellinie und versenken sich dann in die Raphe. Diese Fasern entwickeln sich viel später als die Acusticuswurzeln. Während die Stärke des Acusticus keinen wesentlichen Schwankungen unterliegt, variiert die Dicke der Striae und übertrifft häufig die Dicke des hinteren Acusticuszweiges. Die Fasern der Striae gehen längs der Oberwand der äußeren Fläche des Strickkörpers über die Fasern des hinteren Acusticuszweiges hinweg, und nach außen vom Tub. acustic. unmittelbar in die weiße Substanz des Kleinhirns (Nähe des Flocculus), wo sie fast sogleich verschwinden, während die Fasern des hintern Acusticuszweiges als äußerst zarte grauliche Bündel nach Umkreisung des Strickkörpers an seiner inneren Grenze in das verlängerte Mark verschwinden. — Die Striae stehen weder zu den Funiculi teretes noch zum Vagus, Glossopharyngeus und zum Trigeminus in irgend einer Beziehung. Sie scheinen zur Verbindung der Basalabschnitte des Kleinhirns mit einander zu dienen. —

Canizzaro, Ueber die Funktion der Schilddrüse. Deutsche medizinische Wochenschrift, 1892, Nr. 9.

Hunde und Katzen, an denen totale Thyrektomien gemacht wurden, blieben am Leben, wenn ihnen die eigene exstirpierte Drüse wieder einverleibt wurde oder die eines anderen Tieres auf ihre Musculi sterno-hyoidei verpflanzt wurde. Dabei nahm die verpflanzte Drüse jedesmal einen embryonalen Zustand an. Doch blieben die Tiere auch bei zwangsmäßiger Milchfütterung und großen Bromkali-Dosen am Leben. Auch Hunde, die der Schilddrüse beraubt waren, blieben am Leben, wenn ihnen das eigentümlich präparierte konzentrierte Blut von gesunden Hunden unter die Haut gespritzt wurde. Dasselbe Resultat wurde erzielt mit einem aus den Schilddrüsen verschiedener Tiere zubereiteten Saft und mit einem aus der Hirnrinde gesunder Hunde präparierten Saft. — Alle Phänomene nach Thyrektomie werden, wie C. annimmt, auf die Alteration der Ganglienzellen-Funktion durch das Fehlen oder die zu geringe Menge des Schilddrüsensekretes zurückzuführen sein. —

J. Kopp, Veränderungen im Nervensystem, besonders in den peripherischen Nerven des Hundes nach Exstirpation der Schilddrüse. Virchow's Archiv, Bd. 128, Heft 2.

An den Nerven zweier Hunde, die von Kocher der Schilddrüse beraubt und 4—7 Tage nach der Operation getötet waren, fanden sich herdförmige perineuritische Zonen, die von eigentümlichen Zellen durchsetzt waren. Diese Zellen glichen den von Langhans beschriebenen ein- und mehrkammerigen Blasenzellen. Die Nervenfasern selbst schienen den Herden auszuweichen. Die Muskeln zeigten herdweise auftretende Degenerationen mit dem Charakter großzelliger Spindelsarkome. Die Pyramidenbahnen der Medulla oblongata und des Rückenmarks ließen eine bedeutende Schwellung der Axenzylinder erkennen. —

F. de Sarlo e C. Bernardini, Ricerche sulla circolazione cerebrale durante l'ipnosi. Rivista speriment. di freniatria e di med. leg., Bd. 17, H. 3, 1891.

Bei einem 40jährigen Epileptiker, der durch einen Unfall eine Lücke im Schädeldach sich zugezogen hatte, gelang es eine Hypnose mit kataleptischen und letargischen Zuständen zu erzielen. Die während der Hypnose an dem entblößten Hirnteile vorgenommenen sphygmographischen Untersuchungen ergaben, dass im letargischen Stadium Hyperämie, im kataleptischen Anämie bestand. Während des hypnotischen Zustandes beobachtete man größere Pulsfrequenz und fast Verschwinden der respiratorischen Schwankungen. Die psychische Thätigkeit ruft während der Hypnose eine gleiche Gefäßreaktion hervor, wie im gewöhnlichen Zustande, nur ist dieselbe infolge der bestehenden Vasokonstriktion weniger deutlich. Der Hypnotismus macht immer nur die schon früher in latenter Weise in dem Individuum existierende Manifestation der reflektorischen Uebererregbarkeit augenscheinlich.

F. de Sarlo e C. Bernardini, Ricerche sulla circolazione cerebrale durante l'attirita psichica. Riv. sper. di freniatria, Bd. 17, H. 4, 1891.

Bei einem Bauer, der nach einer schweren Kopfverletzung einen dreieckigen Defekt in der Gegend der Rolando'schen Furche am Schädel zurückbehalten hatte, traten seit der Verletzung (in seinem 22. Lebensjahr) epileptische Anfälle auf; auch war er hemiplegisch und bekam hallucinatorische Zustände. An diesem Kranken wurden sphygmographische Kurven an dem bloß liegenden Hirnteilen und an den peripheren Arterien aufgenommen, während zugleich der Kranke durch einfache Sinneseindrücke und durch Hervorrufen von Affekten gereizt wurde. Die psychischen Funktionen riefen auf reflektorischem Wege Gefäßveränderungen hervor, und zwar in den nervösen Zentralorganen konstant eine Gefäßerweiterung, während die peripheren Gefäßveränderungen keinerlei Regelmäßigkeit erkennen ließen. Daher ist von einem Antagonismus zwischen cerebraler und peripherer Zirkulation kaum zu sprechen. —

Aloys Kreidl, Beiträge zur Physiologie des Ohrlabyrinths auf Grund von Versuchen an Taubstummen. Pflüger's Archiv, 51. Bd., Heft 1 u. 2, 1892.

Im Hinblick auf die Mach-Breuer'sche Theorie hatte bereits James 1883 Untersuchungen angestellt, ob Taubstumme, bei denen häufig die Bogengänge verändert sind, schwindlig gemacht werden können. Von 519 Taubstummen blieben 186 schwindelfrei, während von 200 Gesunden nur 1 Individuum schwindelfrei blieb. Kreidl wiederholte diese Versuche in modifizierter Weise. Bei 109 Taubstummen wurden in 50 Prozent die reflektorischen Bewegungen der Bulbi vermisst, die bei einer schnellen Körperbewegung um die Längsaxe und damit verbundener Bewegung der Endolymphe in den Bogengängen ausgelöst werden. Bei der Untersuchung von 50 normalen Menschen wurde nur einmal die exakte Bewegung der Bulbi bei der Drehung vermisst. Daraus schließt Kreidl, dass die kompensatorisch ausgeführten Bewegungen der Augen bei Drehung des Kopfes und des Körpers thatsächlich von den Bogengängen ausgelöst werden, und dass die Bogengänge das Perzeptionsorgan für die Drehungen des Kopfes und des Körpers seien. — Der Vestibularapparat scheint das Sinnesorgan für die geradlinige Körperbewegung zu sein. —

Vittorio Marchi, Sull' origine e decorso dei peduncoli cerebellari e sui loro rapperti cogli altri centri nervosi. Rivista sperimentale di freniatria e di med. leg. 17. III.

An 15 Hunden und Affen untersuchte M. die degenerierten Partien nach Abtragung verschiedener Teile des Kleinhirns. Er konnte feststellen, dass die oberen Kleinhirnarme sich nicht völlig kreuzen. Ein kleiner Faserzug entspringt direkt der exstirpierten Kleinhirnhälfte und endet in den Thalami optici, während das Hauptbündel im entgegengesetzten roten Kern endet. Die mittleren Kleinhirnarme sind nicht nur Kommissurfasern zwischen beiden Kleinhirnhälften. Ehe sie sich im Sulcus medianus vereinigen, dringen sie in die Pyramidenbündel, um in die gleichseitige Ponshälfte zu münden. Die unteren Kleinhirnarme senden ein Bündel an die entgegengesetzte Olive und bilden die Fibrae arciformes und das direkte Kleinhirnbündel Flechsig's. Das hintere Längsbündel und das Reil'sche Band entspringen gemeinschaftlich aus dem Kleinhirnmittellappen und bilden so die Verbindung der Hirnnerven mit dem Kleinhirn. — Der Ursprung der drei Kleinhirnarme verbreitet sich über die ganze Kleinhirnrinde mit dem Unterschied, dass der Nucleus dentatus eine größere Fasermenge dem oberen Kleinhirnarm, der Wurm dem mittleren liefert. —

A. van Gehuchten et J. Martin, Le bulbe olfactif chez quelques mammifères. La Cellule, Tome VII, 2.

Der Bulbus olfactorius von Hunden, Katzen, Kaninchen, Ratten und Mäusen wurde mit Hilfe der „raschen Golgi'schen Methode" untersucht. Man kann an ihm unterscheiden 1) die Schicht der peripherischen Nervenfasern, welche aus den Axenzylinderfortsätzen der bipolaren Zellen der Riechschleimhaut entspringen und frei mit ihren

letzten Endigungen in die Glomeruli gehn. 2) Die Schicht der Mitral-
platten (obere Federbuschzellen), welche die Knäuelschicht, die mole-
kuläre Schicht und die Nervenzellenschicht der deutschen Autoren
umfasst. Der Axenzylinderfortsatz der Nervenzellen dieser Schicht
(Mitralzellen) geht in eine Nervenfaser des Tractus olfactorius über.
3) Die Schicht der Traktusfasern, die zahlreiche Kollateralen besetzen.
Zu dieser gehören auch die sogenannten Körner, welche nur zum
Teil Nervenzellen sind. Demnach nimmt die Leitung der Geruchs-
reize zum Gehirn folgenden Weg: Riechzellen, Fila olfactoria, Endbäume derselben, Endbäume der absteigenden Protoplasmafortsätze
der Mitralzellen, Mitralzellen, Traktusfasern. Die Uebertragung der
Erregung von den Endbäumen der Fila olfactoria auf die Endbäume
der (durchaus nicht nur nutritive Funktionen habenden) Protoplasmafortsätze der Mitralzellen findet in der Glomerulis durch Kontakt statt.
In einem Glomerulus enden mehrere Olfaktoriusfasern, anderseits steht
eine Olfaktoriusfaser zuweilen durch ihre Aeste mit mehreren Glomerulis in Verbindung. Jeder Glomerulus steht nur mit einer Mitral-
zelle in Verbindung (bei dem Hund allein mit mehreren).

Berdez, Récherches expérimentales sur le trajet des fibres centri-
    pètes dans la moëlle épinière. Revue médicale de la Suisse
    romande, 1892, 20. Mai.

B. durchschnitt in verschiedenen Höhen die Rückenmarkswurzeln
und tötete die Tiere (Meerschweinchen) 20—35 Tage nach der Operation. Nach seinen Untersuchungen sind die langen Fasern des Goll'-
schen Stranges zum großen Teil direkte Fortsetzungen der hintern
Wurzelfasern. Eine große Zahl derselben verlässt aufwärts steigend
den Hinterstrang, aber einige verbleiben in demselben von der Cauda
equina bis zum bulbären Hinterstrangkern. Die innere Partie des
Hinterstrangs ist nicht ausschließlich aus Wurzelfasern gebildet. Die
Fasern der Grenzzone des Sulcus paramedianus dorsalis bleiben frei
von Degeneration und stammen aus der grauen Substanz. Auch in
den Vorderseitensträngen fanden sich degenerierte Fasern, und zwar
auf der der Läsion entgegengesetzten Seite mehr ausgesprochen.
Sehr stark degeneriert waren die Kleinhirnseitenstrangbahnen. Nach
Durchschneidung der hinteren Wurzeln ist die aufsteigende Degeneration bilateral, stärker jedoch auf der Seite der Läsion. Im Hinterstrang verlaufen absteigende Fasern in einem Bande, das sich vom
vorderen Winkel bis gegen die Mitte der Peripherie des Hinterstranges
zieht; auch wurden absteigende degenerierte Fasern in den Vorderseitensträngen beobachtet.

Consiglio, Sur les fibres d'arrêt de la respiration dans le tronc
    du vague. Arch. ital. de Biologie, Bd. 17, Heft 1.

Nach Spalitta muss man bei der Atmungsinnervation beschleunigende Fasern vom Sympathicus und Hemmungsfasern vom Vagus

unterscheiden. C. suchte festzustellen, ob nicht die Hemmungsfasern der Atmung (wie die Herzhemmungsnerven des Vagus) auch vom inneren Ast des Accessorius kommen. Er stellte an Hunden und Katzen Ausreißungsversuche (nach Cl. Bernard) an, und fand, dass nach Entfernung des Accessorius der Vagus seinen hemmenden Einfluss auf die Atmung verliert; dass ferner jede Reizung des Vagus nach Entfernung des Accessorius die Atmungskurve vergrößert. Der spinale Vagusstumpf, der nach Durchschneidung der Sympathicusfasern mit leichten Strömen gereizt wird, vermehrt die Frequenz der Atmung nicht. Bei Hunden sind die accelerierenden Fasern leichter erregbar, als die die Atmung hemmenden.

W. von Bechterew, Ueber zeitliche Verhältnisse der psychischen Prozesse bei in Hypnose befindlichen Personen. Neurologisches Centralblatt, 15. Mai 1892, Nr. 10.

Die Versuche wurden von Henika und Wartyuski an 3 mit hypnotischer Suggestion behandelten Patientinnen mit Hilfe des Hipp'schen Chronoskops angestellt Die bei den genannten Personen im wachen Zustande erhaltenen Werte bei der Bestimmung der einfachen Reaktionszeit, der Apperzeptions- und Wahlzeit unterschieden sich wenig von den von anderen Autoren angegebenen Werten für dieselben psychischen Prozesse beim gesunden Menschen. Dagegen erwiesen sich die Durchschnittswerte bezüglich der Zeit des Zählens von einfachen Zahlen und der Zeit der Assoziation von Vorstellungen merklich größer als bei Gesunden. Im hypnotischen Zustand ist die einfache Reaktionszeit, die Apperzeptions- und Wahlzeit im Vergleich zum wachen Zustande verlängert, die Zeit des Zählens und der Assoziation war in der Hypnose meist kürzer. Die Zeit aller oben erwähnten psychischen Prozesse war im hypnotischen Zustande, wenn den Untersuchten suggeriert wurde, dieselben schneller zu vollführen — unbedingt kürzer als die Zeit derselben Prozesse im hypnotischen Zustande ohne solche Suggestion. Die Verschlimmerung des nervösen Zustandes der Versuchspersonen verlängerten deutlich den Gang der psychischen Prozesse.

S. Kalischer (Berlin).

Brehm's Tierleben Bd. VII.

Von der neuesten (dritten) Auflage von „Brehm's" Tierleben (Leipzig und Wien, Bibliograph. Institut, 1891) ist nun der siebente, von Professor Dr. O. Boettger und Prof. Dr. Pechuel-Loesche bearbeitete Band, der die Kriechtiere und Lurche behandelt, erschienen und wird nicht verfehlen, bei den immer zahlreicher werdenden Freunden dieser beiden, einst so allgemein gehassten und gefürchteten Tierklassen die lebhafteste Befriedigung hervorzurufen.

Schon bei flüchtigem Durchblättern des Bandes fallen die zahlreichen neuen, von Mützel's Meisterhand herrührenden Abbildungen im Text auf; besonders

sind die Abbildungen der Blind- und Erzschleiche, der Sandotter und Teich-
schildkröte, des Scheibenfingers und anderer europäischer Arten als äußerst
gelungen hervorzuheben; nicht weniger die gänzlich neuen des Fransenfingers,
des Moor- und Springfrosches, überhaupt besonders vieler Lurche. (Nicht besonders sind dagegen einige Molge-Arten und die rotbauchige Unke ausgefallen.)
Sechzehn (meist Chromo-) Tafeln und eine Karte der geographischen Verbreitung
zieren überdies das schöne Werk.

Was den Text anbelangt, so sind die trefflichen Arbeiten v. Fischer's
und vieler anderer hervorragender Beobachter der neueren Zeit im vollsten
Maße berücksichtigt worden und zahllose größere und kleinere Beobachtungen
über das Leben der in den letzten Jahrzehnten beobachteten interessanteren
Kriechtiere und Lurche in Freiheit und Gefangenschaft sind derart geschickt
in den Rahmen des früheren Textes eingefügt, dass der Gesamteindruck des
Werkes, das ja noch immer „Brehm's" Tierleben bleiben sollte, wesentlich
unverändert blieb.

Dagegen wurde die systematische Anordnung der besprochenen Tiere den
neuesten Forschungen, namentlich den grundlegenden Arbeiten Boulenger's
gemäß sehr beträchtlich umgestaltet und entspricht nun auch den strengsten
wissenschaftlichen Anforderungen. Einzelne Stellen wie der die Einteilung
der Nattern betreffende Absatz auf S. 272 werden gewiss auch bei Laien auf
dem Gebiete der Herpetologie ungeteiltes Interesse wachrufen.

Von besonderer Bedeutung ist vor allem jene Stelle (S. 202 fg.), wo auf
Grund der Mitteilungen glaubwürdiger Forscher und Reisender die Anzahl der
Todesfälle durch Schlangenbiss in den Tropen als außerordentlich übertrieben
nachgewiesen wird; namentlich in Britisch-Indien, woher alljährlich die entsetz-
lichsten Schauerberichte über diesen Gegenstand in die Blätter Europas gelangen, wird den Giftschlangen fast jeder Todesfall, bei dem es nicht ganz
sauber zuging, kurz „nahezu alles, was aus irgend einem Grunde die Oeffent-
lichkeit zu scheuen gerechte Ursache hat" zur Last gelegt. Man kann daraus
ersehen, wieviel von gewissen Reisebeschreibungen und von den 20000 Menschen,
die alljährlich angeblich in Bengalen den Giftschlangen zum Opfer fallen, zu
halten ist. Auf S. 201 findet man zwar noch die alte Fabel über die Schlangen-Land-
plage in den Tropen recht glaubwürdig hingestellt; das ist aber noch eine
aus der früheren Auflage herübergenommene Stelle, was hier ausdrücklich
hervorgehoben werden soll. Ueberhaupt ist wohl hie und da der Text Brehm's
auf Kosten von Beobachtungen, die noch der Aufnahme wert gewesen wären,
etwas zuviel geschont; Brehm war den Schlangen nicht eben freundlich ge-
sinnt und schrieb ihnen und anderen Kriechtiere allzu geringe psychische
Thätigkeit zu.

Doch sind dies unbedeutende Mängel im Vergleich zu den Vorzügen des
Werkes; welches nicht nur über die Lebensweise, sondern auch über die
Organisation alles auch für den Nichtfachmann Wissenswerte von einem großen
Teile aller überhaupt bemerkenswerter Kriechtiere und Lurche enthält und
den Freunden dieser Tiere eine unerschöpfliche Quelle von Unterhaltung und
Belehrung sein wird.

Schließlich möge noch auf die Studie Boettger's über den Einfluss von
Klima und Boden auf die Kriechtiere Transkaspiens (S 14) aufmerksam gemacht werden.   Dr. F. W.

Aus den Verhandlungen gelehrter Gesellschaften.

Naturforschende Gesellschaft zu Rostock.

Sitzung vom 31. Mai 1892.

Herr O. Nasse hielt den angekündigten Vortrag über Antagonismus.

Von dem Antagonismus, unter welchem hier „Antagonismus der Gifte" verstanden werden soll, wird gehandelt in der allgemeinen Pharmakodynamik, einem Zweig der medizinischen Wissenschaften, der zu der allgemeinen Physiologie in engster Beziehung steht. Ist doch die immer wiederkehrende Frage, wie wirken fremde Moleküle oder auch die den Organismen eigenen Substanzen, wenn sie in abnormer Menge vorhanden sind, auf die Organismen, eine physiologische Frage, deren Bearbeitung nötig wäre, auch wenn niemals in praxi dergleichen vorkäme. Aus der Einführung von fremden Stoffen oder auf der Vermehrung der normalen, mögen dieselben nun stark giftig oder mehr indifferent gewesen sein, hat die Physiologie viel Belehrung über die verschiedenartigsten Funktionen, animale sowohl wie vegetative geschöpft. Kommen nun zwei wirksame Moleküle gleichzeitig (oder ganz rasch nach einander) in den Organismus, so kann es sich ereignen, dass jegliche Veränderung desselben ausbleibt. Die beiden Stoffe wären dann Antidota oder Gegengifte im allgemeinsten Sinne des Wortes Gift. Wenn man hierbei absieht von dem Fall, dass die beiden Substanzen chemisch auf einander wirken, wie eine Säure und eine Base oder wie Kochsalz und Höllenstein, so kann man einen besonderen Fall als Antagonismus unterscheiden, nämlich den, in welchem die beiden Substanzen genau an derselben Stelle des Organismus aber im entgegengesetzten Sinne angreifen, die eine erregend, die andere lähmend. Die Schwierigkeiten bei dem Studium des Antagonismus liegen zunächst darin, dass der Ort der Giftwirkung sich keineswegs immer so genau bestimmen lässt wie etwa bei dem Kurare, dann aber weiter auch darin, dass der Ort bis zu einem gewissen Grade abhängt von der Menge des Giftes, indem mit Zunahme der Menge eine Ausbreitung eintritt, wie u. a. bei der Einwirkung des Atropins auf die Iris. So ist denn verständlich, dass mit Vertiefung der Erkenntnis manche Stoffe nicht mehr als Antagonisten angesehen werden, die früher als solche galten. Aber auch in scheinbar ganz einwurfsfreien Fällen von Antagonismus, wie z. B. bei dem zwischen Atropin und Muskarin wird vielfach das Verhältnis nicht so aufgefasst, dass die Wirkungen der beiden Substanzen sich aufheben wie Plus und Minus zu Null, sondern ein sog. einseitiger Antagonismus angenommen. Hiermit soll ausgedrückt werden, dass zwar eine Erregung aufgehoben werden kann durch den entsprechenden lähmenden Stoff, aber umgekehrt eingetretene Lähmung durch den erregenden Stoff. Also der Antagonismus im ursprünglichen und vollen Sinn des Wortes, jetzt häufig als doppelseitiger Antagonismus dem einseitigen gegenübergestellt, wird von vielen, übrigens keineswegs von allen Forschern geleugnet. Die Versuche und Beobachtungen aber, welche diese Trennung stützen sollen, können bei näherer Betrachtung nicht als beweisend angesehen werden, hauptsächlich weil in denselben die Forderung einer möglichst gleichzeitigen Wirkung der beiden Antagonisten fast niemals erfüllt worden ist. Wenn aber die beiden Substanzen nicht gleichzeitig in den Körper eingeführt werden, so ist es nicht ausgeschlossen, dass, in freilich einstweilen nicht vollkommen aufzuklärender Weise, der zuerst eingeführte Stoff sich gewissermaßen festgesetzt

hat in dem betreffenden Organ (etwa wie Alkaloide in der Leber oder wie
Koffeïn bei *Rana temporaria*), oder dass der Lähmung — denn nur um den
Fall, dass die Lähmung die erste Wirkung ist, handelt es sich ja — sekundäre
Störungen gefolgt sind.

So musste es denn als eine lohnende Aufgabe erscheinen, die durch genaue
Kenntnis des Ortes ihrer Wirkung als Antagonisten erkannten Substanzen
gleichzeitig in den Tierkörper einzuführen, und nun, zunächst bezüglich
eines bestimmten Organs, festzustellen, ob und bei welcher Mischung der beiden
Substanzen die Wirkung Null eintrete, und ob dieses Mischungsverhältnis ein
konstantes, von den absoluten Mengen unabhängiges sei.

Versuche an Tieren, an denen sich auch ganz ohne Eingriffe manche
Veränderungen, so besonders die der Pulsfrequenz, verfolgen lassen, stoßen,
weil doch ein Ausprobieren, ein öfteres Wiederholen der Versuche mit wechselnden Mischungen der Antagonisten notwendig ist, naturgemäß auf große
Schwierigkeiten der verschiedensten Art, zumal die Einführung eigentlich nur
eine intravenöse sein kann. Bessere Resultate würden Experimente mit dem
isolierten Herzen versprechen, weil dasselbe sich leicht und rasch mit
solchen wechselnden Mischungen füllen lässt. Derartige Versuche sind fast
gleichzeitig mit der hier mitzuteilenden Untersuchung von Stokvis gemacht
worden und zwar mit dem Resultat, „dass es in der That chemische Substanzen
gibt, welche in ihrer Wirkung als gegenseitige Antagonisten betrachtet werden
müssen“. Noch mehr aber war zu erwarten, wenn man, statt mit dem Herzen
oder einem beliebigen anderen isolierten Organ in der eben besprochenen
Weise zu arbeiten, versuchte, die an den Vorgängen in den Organen oder
Geweben beteiligten Agentien zu benutzen. Die Berechtigung zu einem
solchen Verfahren müsste allerdings erst nachgewiesen werden. Man wird
davon ausgehen, dass die wirksamen (giftigen) Substanzen die normalen Vorgänge nur quantitativ verändern, entweder beschleunigen (Erregung) oder verlangsamen (Lähmung). Weiter ist es wahrscheinlich, dass diese Vorgänge,
chemische Zersetzungen, veranlasst werden — zum Mindesten in ihren Anfängen — durch Agentien fermentartiger Natur (Organfermente). Wird
diese Anschauung angenommen, so ist es endlich schon wieder als sicher zu
betrachten, dass durch die wirksamen Stoffe nicht, wie man früher vielfach
geglaubt hat, die zu zersetzenden Massen (Substrate) beeinflusst werden, sondern eben jene in neuerer Zeit mehr und mehr in ihrer Bedeutung geschätzten
Agentien fermentartiger Natur. Die hierin liegende Erklärung des Wesens
der Giftwirkung in bestimmten Fällen (nämlich in erster Linie bei chemisch
indifferenten Substanzen, dann aber auch bei chemisch stark eingreifenden
Mitteln in sehr geringen Mengen) stützt sich auf die Thatsache, dass, wenn
der Verlauf von enzymatischen Prozessen durch fremde Moleküle geändert
wird, nicht die Substrate, sondern die Enzyme selbst beeinflusst, in ihrer Thätigkeit gefördert oder gehemmt werden. Da nun die Organfermente viel
schwerer zu beschaffen sind als die Drüsenfermente oder Enzyme, schien
es schließlich am besten, mit den letzteren zu arbeiten. Wenn dann ein solcher
enzymatischer Prozess bei gleichzeitigem Zusatze von zwei in entgegengesetz-
tem Sinn wirkenden Stoffen unverändert blieb, oder wenn auch nur das hierbei
erhaltene, in Zahlen ausdrückbare Resultat gleich gefunden wurde dem arith-
metischen Mittel aus der Summe der Werte in zwei Einzelversuchen (natürlich
Gleichheit von Menge und Zeit vorausgesetzt), so war an einem Antagonismus
im Sinne von Plus und Minus nicht zu zweifeln.

Herr Hans Baum, prakt. Arzt in Trier, hat in dem hiesigen Institut für Pharmakologie und physiologische Chemie nach dieser Richtung hin Versuche angestellt mit Invertin als Enzym und Rohrzucker als Substrat und unter dem Zusatz von Chlorkalium und Chlorammonium in einer und von Chinin und Curare in einer zweiten Versuchsreihe. Chlorkalium und Chinin waren aus früheren Arbeiten als die Invertierung des Rohrzuckers hemmende, Chlorammonium und Curare als dieselbe beschleunigende Substanzen bekannt.

Aus der in diesen Tagen als Inauguraldissertation „Zur Lehre vom Antagonismus" publizierten Arbeit des Herrn Baum, auf welche bezüglich der Anordnung der Versuche sowie alles Näheren verwiesen werden muss, seien nur wenige Daten hier mitgeteilt.

1) In Versuch VII,5 wurde in einer Iuvertin-Rohrzuckerlösung mit $3^o/_o$ KCl und $4,8^o/_o$ NH_4Cl das Reduktionsvermögen von der gleichen Höhe gefunden wie in der Invertin-Rohrzuckerlösung ohne jeglichen Zusatz.

2) In Versuch VIIIa ergab sich als Reduktionsvermögen

    a. bei $5^o/_o$ KCl 1,6

    b. „ $2^o/_o$ NH_4Cl 5,4

    c. „ $5^o/_o$ KCl $+ 2^o/_o$ NH_4Cl 3,6

während das arithmetische Mittel aus a und b beträgt 3,5.

3) In Versuch XIIb betrug das Reduktionsvermögen

    a. bei $0,1 \ ^o/_o$ Kurare 10,5

    b. „ $0,06^o/_o$ Chinin 0,8

    c. „ $0,1 \ ^o/_o$ Kurare $+ 0,06^o/_o$ Chinin 5,3

während das arithmetische Mittel aus a und b sich auf 5,6 berechnet.

Mit vollkommener Sicherheit ist somit ein Antagonismus im Sinne von Plus und Minus für Enzyme festgestellt worden und wird sich zweifellos auch im lebenden Tier bei richtiger Anstellung der Versuche (Gleichzeitigkeit der Einführung beider Stoffe) ebenso zeigen lassen, wie er von Stokvis für isolierte Organe bereits nachgewiesen worden ist.

Auf einen Punkt ist dabei noch aufmerksam zu machen: ein bestimmtes Mengenverhältnis der beiden Antagonisten zu einander, bei welchem der Erfolg Null eintritt, lässt sich nicht angeben. Es ändert sich dieses Verhältnis, wie in der Dissertation von Baum des Näheren auseinandergesetzt wird, einerseits mit der Versuchsdauer und anderseits bei gleicher Versuchsdauer mit der absoluten Menge der angewendeten Substanzen, — ein Resultat, das übrigens bis zu einem gewissen Grade vorauszusehen war, und auch ganz ähnlich von Stokvis für isolierte Organe (Herz) erhalten worden ist. Sehr viel komplizierter wird Alles in den Organismen selbst, da hier zu der Abhängigkeit der Giftwirkung von Größe der Dosis und Dauer der Wirkung als Drittes noch hinzukommt, dass die Stoffe an dem Ort ihrer Wirkung nicht dauernd bleiben. —

Es ist die Untersuchung über den Antagonismus vollständig in die Physiologie der Enzyme hinübergespielt worden, indem die Eigenschaft der Enzyme ganz wie Organe oder Organismen in ihrer Thätigkeit durch die verschiedenartigsten Substanzen beeinflusst, gehemmt oder gefördert zu werden zum Austrag der Differenzen benutzt worden ist. Diese Eigenschaft der Enzyme ist vielleicht von weit allgemeinerer Bedeutung, als man anfänglich vermuten konnte. So ist es, um nur ein Beispiel herauszugreifen, wahrscheinlich, dass die „hochkomplizierten Eiweißkörper", an welche H. Buchner die in letzter Zeit so viel besprochene keimtötende Wirkung des Blutserums gebunden denkt, Enzyme sind. Buchner teilt von diesen Eiweißkörpern, welche er Alexine

(Schutzstoffe) nennt, in der neuesten Nummer (4) des Physiologischen Centralblattes vom 21. Mai d. J. mit, dass die keimtötende Wirkung bei Verdünnen
des Serums mit der 5- bis 10 fachen Menge Wassers erlischt, aber in ihrem
vollen Umfange wieder hergestellt werden kann durch Zusatz von so viel
Chlornatrium, dass die Flüssigkeit 0,7 °/$_0$ Chlornatrium enthält. Diese Thatsache ließe sich so deuten, dass der Wasserzusatz Globuline zur Ausscheidung
gebracht habe. Es könnten dann entweder diese Globuline selbst die gesuchten Alexine sein, was freilich sehr unwahrscheinlich ist, oder sie könnten
bei ihrer Auscheidung die unbekannten Alexine mit zu Boden gerissen haben.
Bei der Wiederauflösung des Niederschlages durch nachträglichen Salzzusatz
würden dann jedenfalls die wirksamen Substanzen wieder in Lösung kommen
und wirkungsfähig werden. Da nun bekanntlich Fermente durch Niederschläge
leicht mitgerissen werden, so spricht die eben erwähnte Erscheinung keinen-
falls gegen eine fermentartige Natur der Alexine. Ebensowenig steht mit
dieser in Widerspruch die zerstörende Wirkung, welche die Alexine verschiedener Tiere auf einander ausüben, sowie ihre allgemeine Zerstörbarkeit durch
Erwärmen. Indess finden sich bei Buchner noch andere Beobachtungen, die
sich einzig und allein unter der Annahme, die „hochkomplizierten Eiweißkörper"
seien Fermente, verstehen. Diese Beobachtungen sind: dass manche Salze (so
Magnesiumsulfat) das Chlornatrium zu ersetzen nicht im Stande sind und dann
ganz besonders, dass gewisse Salze, nämlich die Ammoniumsalze, die keimtötende Wirkung des Serums steigern.

Nicht unmöglich erscheint es, dass die Steigerung der keimtötenden Wir-
kung des Blutserums durch neutrale und an und für sich ziemlich indifferente
Salze, welche ähnlich auch schon von Fodor bemerkt worden ist, sich bei
Infektionen praktisch verwerten ließe.

Verlag von Eduard Besold in Leipzig. — Druck der kgl. bayer. Hof- und
Univ.-Buchdruckerei von Fr. Junge (Firma: Junge & Sohn) in Erlangen.

Biologisches Centralblatt

unter Mitwirkung von

Dr. M. Reess   und   Dr. E. Selenka

Prof. der Botanik   Prof. der Zoologie

herausgegeben von

Dr. J. Rosenthal

Prof. der Physiologie in Erlangen.

24 Nummern von je 2 Bogen bilden einen Band. Preis des Bandes 16 Mark.
Zu beziehen durch alle Buchhandlungen und Postanstalten.

XII. Band.   15. Dezember 1892.   **Nr. 23 u. 24.**

Adolf Mayer, Ueber die Atmungsintensität von Schattenpflanzen [1]).

Die Reduktion der Kohlensäure findet in den grünen Gewächsen unter gewöhnlichen Umständen mit sehr viel größerer Intensität statt als die Atmung, bei welch letzterer Kohlensäure produziert wird. Boussingault hat einmal die 30fache Intensität des Reduktionsprozesses (der Assimilation) festgestellt. „Aus diesem Missverhältnis ist bekanntlich die Thatsache der überwiegenden Produktion an organischer Substanz seitens der grünen Gewächse zu erklären, trotzdem dass die Atmung täglich 24 Stunden dauert, während die Reduktion seitens der grünen Organe der Pflanze nur während der Stunden der Belichtung und seitens deren zahlreichen nichtgrünen Teile (Wurzeln, Blüten, Holz, Parenchym der Früchte, Epithelgewebe u. s. w.) überhaupt nicht stattfindet, sowie die andere Thatsache, dass bei manchen Pflanzen eine tägliche Belichtungsperiode von etwa 6 Stunden genügend ist, um sie noch ungefähr im Stoffgleichgewicht zu erhalten".

Nun gibt es unter den gärtnerisch gezüchteten Zierpflanzen viele, die noch unter ganz schlechten Belichtungsbedingungen, im tiefen

[1]) Landw. Vers.-St., 1892, S. 203 ff.

Schatten wachsen und gedeihen, ja mit unter diese Bedingungen andern (besseren Beleuchtungsverhältnissen) vorziehen; es sind die sogenannten „Schattenpflanzen". Bei ihnen überwiegt trotz schlechtester Beleuchtung ($^1/_{50}$ oder $^1/_{100}$ des möglichen Lichtes) die Assimilation die Atmung, wie aus dem Gedeihen der Pflanzen hervorgeht; es wird mehr Kohlensäure reduziert zu Pflanzensubstanz als organische Substanz zu Kohlensäure oxydiert wird.

Verf. vermutete, dass diese merkwürdige Erscheinung auf eine geringe Atmungsthätigkeit der Schattenpflanzen zurückzuführen sein möchte. Ihre Atmung könnte so gering sein, dass trotz der bei schwacher Beleuchtung sehr herabgesetzten Assimilationsthätigkeit immer noch die Neuproduktion von organischem Material den Verbrauch übersteigt.

Thatsächlich ergaben angestellte Atmungsversuche, dass bei Schattenpflanzen die Atmung geringer ist als bei Lichtpflanzen. Dieselben wurden wieder (wie frühere Versuche) in einem zu diesem Zwecke von Verf. in Gemeinschaft mit v. Wolkoff konstruierten Apparate gemacht [1]). „In demselben wurden die Atmungsgrößen aus der gasometrisch kalkulierten Volumverminderung einer durch Quecksilber abgesperrten und mit Kalilauge kohlensäurefrei erhaltenen Atmosphäre, in welcher sich das Objekt befindet, berechnet; denn diese Volumverminderung rührt unter den fraglichen Umständen einfach her von Sauerstoffaufnahme, die ja ihrerseits eines der charakteristischen Symptome der Atmung ist".

Während bei Roggenblättern der Sauerstoffverbrauch per 1 g Trockensubstanz und Stunde 0,1 ccm betrug, wurden von Blättern der *Vigelia vivipara* nur 0,03 ccm, von *Tradescantia zebrina* 0,02 und von *Aspidistra elatior* 0,01 ccm verbraucht (die Temperaturen waren bei allen Versuchen möglichst übereinstimmend).

Wurde der Sauerstoffkonsum auf Frischsubstanz berechnet, so ergaben sich folgende Zahlen:

Blätter von Roggen brauchten	p. Stunde	17	Volumproz. Sauerstoff	
„ „ *Vigelia*	„	4		
„ „ *Saxifraga torm.*	„	4		
„ „ *Tradescantia zebrina*	„	3		
„ „ *Aspidistra*	„	1		
Ganz junge Bl. „ *Begonia*		5		
Alte Bl. „ „	„	4		„

Alle untersuchten Schattenpflanzen zeigen sehr kleine im Verhältnis zu der des Roggens höchstens ungefähr $^1/_3$ betragende Atmungsgrößen.

„Als Gesamtresultat der experimentellen Untersuchung kann also mit großer Bestimmtheit ausgesprochen werden:

---

1) Der Apparat ist beschrieben in landw. Jahrb., III, S. 481.

1) Die gewöhnlichen als Zierpflanzen gezogenen Zimmergewächse, welche unsern bekannten landwirtschaftlichen und forstwirtschaftlichen Gewächsen gegenüber die bemerkenswerte Eigentümlichkeit zeigen, dass sie bei viel geringeren Lichtintensitäten als jene zu gedeihen vermögen, sind, soweit sie hier untersucht worden sind, ausgezeichnet durch sehr viel geringere Atmungsintensitäten ihrer entwickelten Blätter, sei es nun, dass man diese Intensitäten misst für die Einheit des Blattvolums oder für die Einheit der in ihnen enthaltenen Trockensubstanzen.

2) Das Bestehen dieser Thatsache ist ein wichtiges Erklärungsmoment für das geringe Lichtbedürfnis dieser Pflanzen insofern dass, wenn weniger durch die Verbrennung von organischer Substanz verloren geht, auch weniger Produktion in derselben Zeit nötig ist, um diesen Verlust zu decken, so dass leichter noch ein Ueberschuss bleibt, aus welchem die Bildung von neuen Organen und das Wachstum von schon vorhandenen bestritten werden kann".

Diese Sätze haben allgemein biologisches und agrikulturchemisches Interesse.

In unsern Wäldern finden wir Schattenpflanzen in großer Zahl, Farnkräuter, Moose und viele andere. An den Blößen tritt eine andere Vegetation auf, ein Zeichen, dass erstere Pflanzen an andere Vegetationsbedingungen, wenig Licht und viel Feuchtigkeit angepasst sind. Nach der vorliegenden Untersuchung besteht die Anpassung hier zum Teil in geringerer Atmungsthätigkeit.

In der Landwirtschaft unterscheidet man seit lange· zwischen Obergras und Bodengras, und „es sind bestimmte Gramineenarten, die mehr die Entwicklungsfähigkeit in der einen oder der andern Richtung besitzen, z. B. *Lolium italicum* und *Phleum pratense* mehr Obergras, *Lolium perenne* und *Avena flavescens* mehr Bodengras". Die Bedeutung dieser in verschiedener Richtung ausgebildeten Eigenschaften für den Haushalt der Natur liegt auf der Hand. Die Blätter der Volllichtpflanzen hören bei gewissen Beleuchtungsverhältnissen auf, produktiv zu sein. Setzen wir selbst deren Produktionsintensität zur Atmungsintensität, wie durch Boussingault für einen besonderen Fall nachgewiesen, gleich 30 zu 1, so wird, da die Atmung stets 24 Stunden dauert, die Belichtung unter mittleren Verhältnissen nur die halbe Zeit, schon bei einer Abschwächung des Lichtes durch beschattende grüne Organe auf $1/_{15}$ der vollen Menge, dieses nicht mehr zureichend sein zu einer Ueberproduktion. So beschattete Blätter der Volllichtpflanzen werden unnütz für den Gesamtorganismus und fallen bald dem Absterben anheim, eine Erscheinung, die wir überall in der Natur an den dem Lichte abgewandten Blättern jener Pflanzen wahrnehmen können. Aber dasselbe schwache Licht kann infolge der be-

sonderen Organisation der Schattenpflanzen durch die grünen Organe
dieser noch nutzbar verwendet werden. Die gesamte Lichtausnutzung,
worauf es in der Landwirtschaft so sehr und auch in der Forst-
wirtschaft, sei es auch manchmal nur zum Zwecke einer reich-
licheren Humusbildung, ankommt, wird so viel vollständiger, als es
ohne diese besondere Organisation der Fall sein würde. Auch wird
aus diesem selben Verhältnisse deutlich, dass auch eine ähnliche Verteilung der Arbeit für die verschiedenen grünen Organe ein und derselben Pflanzensorte besteht. Denn die gemeiniglich dem Lichte zu-
gewendeten jungen Blätter zeigen bekanntlich bei einem geringeren
Produktionsvermögen eine größere Atmung, also ein ungünstigeres
Verhältnis der beiden Prozesse als die erwachsenen und älteren Blätter,
die zumeist durch jene beschattet also schlechter behandelt sind.
Diese zeigen jenen gegenüber schon einigermaßen das Verhältnis von
Schattenpflanzen, wie man sieht, sehr zu Nutz und Frommen des
Gesamtorganismus.

Mit diesen und ähnlichen Ausblicken schließt die interessante
Publikation des Verfassers.   **T. Bokorny** (München).

———

Schenk, H., Beiträge zur Biologie und Anatomie der Lianen,
im Besonderen der in Brasilien einheimischen Arten.

I. Teil. Beiträge zur Biologie der Lianen. Mit 7 Tafeln. (4. Heft von Schimper's „Botanischen Mitteilungen aus den Tropen".) Jena (G. Fischer) 1892.
8°. 253 S.

Verf. hat während seines Aufenthaltes in Brasilien den Lianen
des tropischen Urwaldes seine besondere Aufmerksamkeit zugewendet
und nach seiner Rückkehr eine eingehende Untersuchung der Kletterpflanzen überhaupt vom biologischen und anatomischen Standpunkte
aus unternommen. Von dem Resultat dieser Arbeit liegt der erste
Teil, der die Biologie behandelt, in vorzüglicher, der Verlagsbuchhandlung würdiger Ausstattung vor; der zweite, anatomische Teil
soll nächstens nachfolgen. — Da seit Darwin's bekanntem Buch
keine zusammenfassende Darstellung der Kletterpflanzen in eingehender Weise versucht worden ist und da auch bisher noch Niemand
ein so reiches Beobachtungsmaterial wie Verf. zusammengebracht
hat, so sehen wir in dem vorliegenden Werk eine wertvolle Bereicherung
der biologischen Wissenschaft. Die Lektüre desselben kann umsomehr
empfohlen werden, als sich Verf. einer sehr klaren und anregenden
Schreibweise bedient und es versteht, seinen Gegenstand von allen
Seiten aus zu beleuchten. Bei der übersichtlichen Einteilung des
Stoffes ist es auch leicht möglich, über bestimmte Dinge, die man
gerade zu wissen wünscht, sich durch Nachschlagen zu orientieren.
In seinen einzelnen Kapiteln bietet nun das Buch etwa folgendes.

Es beginnt mit einem Litteraturverzeichnis und bringt in dem Vorwort einiges über die bisherigen Bearbeitungen dieses Gegenstandes. Zunächst wird sodann die Lebensweise der Lianen im Allgemeinen besprochen.

Die Lianen sind ein charakteristischer Bestandteil des tropischen Waldes, dessen Formen Verf. in bestimmter Weise zu gruppieren sucht, nach dieser Einteilung versteht er unter Lianen die im Boden wurzelnden, autotrophen Kletterpflanzen; Parasiten, Sapro- und Epiphyten sind also ausgeschlossen. In der Einteilung der Lianen selbst (siehe unten) weicht Verf. von anderen Autoren etwas ab, allein seine Auffassung ist durchaus begründet. Er schildert dann die Erscheinungsweise der Lianen im brasilischen Wald, wo besonders Menispermaceen, Malpighiaceen, Sapindaceen, Leguminosen und Bignoniaceen vertreten sind, und die gemeinsamen biologischen Eigentümlichkeiten aller dieser Pflanzen: nach normaler Keimung starkes Wachstum der Haupttriebe mit Streckung der Glieder, späte Blatt- und Blütenentfaltung; bemerkenswert ist die meist herzförmige Blattgestalt und das beschränkte Vorkommen freier Luftwurzeln. Weiter wird dann gezeigt wie sich aus den Kletterpflanzen Epiphyten (*Vanilla*), Parasiten (*Cuscuta*), Saprophyten (*Galeola*) ableiten können. Sehr umfangreich ist die systematische Uebersicht der Lianen-Gattungen nach den Familien des natürlichen Systems. Es ergibt sich aus dieser Zusammenstellung, dass etwa die Hälfte sämtlicher von Bentham und Hooker aufgezählter Phanerogamenfamilien wenigstens einige lianenartige Vertreter enthalten. Die Verteilung der Kletterpflanzen auf die Familien und die der Klettervorrichtungen auf die systematischen Sippen wird dann noch näher erläutert und die betreffenden Familien und andere Abteilungen werden übersichtlich gruppiert. Sehr interessant ist, was über die geographische Verbreitung der Lianen und ihre Hauptentwicklungsherde gesagt ist, spezieller schildert Verf. hier die Verbreitung in den verschiedenen Arealen Brasiliens. Neben den tropischen immergrünen Regenwäldern, besonders der neuen Welt, kommen für die Lianen vorzugsweise noch in Betracht die temperierten Zonen (südliches Nordamerika, Neuseeland, Ostasien) weniger das Mittelmeergebiet und nördliche antarktische Waldgebiet, am ärmsten an Lianen sind die arktisch-alpine Vegetation und die subtropischen Wüsten- und Steppengebiete. —

Es folgt nun die Behandlung der einzelnen Gruppen nach der im allgemeinen Teil gegebenen Einteilung.

I. Die Spreizklimmer. Hierher gehören alle Kletterpflanzen, welche weder winden, noch reizbare Kletterorgane, noch Haftwurzeln haben, sondern sich mit den meist spreizenden Teilen ihres Sprosssystemes einfach den Aesten der Stützpflanzen auflegen. Es ist das also der niederste Zustand, den man leicht von gewöhnlichen aufrecht wachsenden Pflanzen ableiten kann. Im einfachsten Fall sind die

Spreizklimmer unbewehrt, d. h. sie haben keine Dornen, Stacheln oder Kletterhaken (hierher als brasilische Vertreter Arten aus den Familien der Onagraceen, Amarantaceen, Polygonaceen, Capparidaceen, Caesalpiniaceen, Verbenaceen, Boragineen, Compositen, Gymnospermen, Commelinaceen, Asparagaceen). Typus der bedornten Spreizklimmer ist die Nyctaginacee *Bougainvillea spectabilis* Willd., sonst gehören noch Ulmaceen, besonders Cactaceen u. a. hierher. Von bestachelten Spreizklimmern ist in Brasilien häufig die Sterculiacee *Büttneria australis* St. Hil. nebst Arten anderer Familien, uns besser bekannt sind *Rosa-* und *Rubus*-Arten. Besondere Formen der Spreizklimmer sind dann noch die kletternden Waldbambusen mit langen dünnen Halmen und fast dornigen Seitenknospen und die kletternden Palmen, deren mehrere Typen zu unterscheiden sind: 1) die Blattspindeln bilden mit dem Stamm Haken (*Chamaedorea desmoncoides*); 2) sie gehen in ein Flagellum aus (manche *Raphieae* und *Calameae*); 3) die Flagellen sind umgebildete Inflorescenzaxen (viele *Calamus*-Arten); 4) die obersten Fiederpaare der Blätter sind Dornen (*Desmoncus*). Zuletzt werden die spreizklimmenden Farnwedel (*Gleichenia dichotoma*) erwähnt, an die sich die klimmenden *Selaginella*- und *Equisetum*-Arten anschließen.

II. Die Wurzelkletterer. Sie klettern nach dem Typus von *Hedera Helix*, mit Hilfe adventiver Luftwurzeln und haben sich offenbar aus Gewächsen mit kriechenden wurzelnden gestreckten Stengeln entwickelt. Gewöhnlich zeigen sie einen Dimorphismus von orthotropen und plagiotropen Sprossen. Verf. behandelt die ihm bekannt gewordenen Vertreter, deren es in Brasilien wenige gibt, nach den Familien. Diese sind die *Piperaceae, Moraceae, Marcgraviaceae, Anacardiaceae, Celastraceae, Saxifragaceae, Cactaceae, Begoniaceae, Myrtaceae, Melastomaceae, Asclepiadaceae, Gesneraceae, Bignoniaceae, Araceae, Cyclanthaceae, Pandanaceae, Palmae, Orchidaceae, Filices.* Für die Kombination des Wurzelkletterns mit andern Modis (Winden, Ranken, Geißelklimmen) können nur 3 Fälle angeführt werden. Dass sich aus Wurzelkletterern leicht epiphytische Formen herausbilden können, wurde schon oben angedeutet.

III. Die Windepflanzen. Sie überwiegen an Zahl bedeutend die übrigen Kategorien. Sie winden mit ihren Stengeln (nur einige Farne mit den Wedelspindeln), die im Gegensatz zu Ranken nicht auf Kontakt reizbar sind. Von den 39 angeführten Familien mit Windepflanzen sind 23 für den tropisch-brasilischen Urwald charakteristisch, auf die aber nicht näher eingegangen wird; vielmehr erörtert Verf. noch einige allgemeine beim Winden auftretende Erscheinungen und bespricht hier zuerst die wichtigsten Eigentümlichkeiten der Windepflanzen. Was über die Beschränkung des Windens auf die Langtriebe, den Vorgang des Windens (Verf. schließt sich im wesentlichen der Auffassung von Wortmann an), den Einfluss äußerer Faktoren, die Stützen, die Richtung der Spirale (Tabellen der Rechts-, Links-, und Rechts- und Links- Winder), die Torsionen und das Vorauseilen der Stammentwicklung vor der Blattentfaltung gesagt wird, ist im Allgemeinen bekannt, doch sind mehrfach neue Beobachtungen des Verf. zur Bestätigung angeführt. Die Phylogenie der Winder ist nach Verf. folgende: „Die Windepflanzen stammen ab von Kräutern und Sträuchern, deren Internodien die Fähigkeit hatten, sich stark zu verlängern, anfangs vielleicht nur infolge des schattigen Standorts zwischen andern Gewächsen". „Zu der Ausbildung langer Internodien trat die nutierende Nutation in Kombination mit dem negativen Geotropismus". Wenn in einer Familie die meisten Arten winden, so dürften die aufrechten Arten von ersteren abzuleiten sein infolge von Anpassung an freien trockenen Standort. Auch das Winden kann mit anderen Vorrichtungen kombiniert sein und zwar können 1) Haare, Stacheln, Dornen, Warzen als Hilfsmittel zur Befestigung dienen, wofür viele Beispiele angeführt werden; seltener kombiniert sich das Winden mit 2) Wurzelklettern oder 3) Ranken (s. unten).

IV. Die Rankenpflanzen. „Sie erreichen inbezug auf Anpassungsverhältnisse die größte Vollkommenheit unter allen Kletterpflanzen". Die rankenden Organe können verschiedener Natur sein, aber allen kommt die Reizbarkeit für andauernde Berührung mit dargebotenen Stützen zu. Nachdem eine Einteilung der Rankenpflanzen nach der Natur der Ranken gegeben ist (s. unten) bespricht Verf. wie bei den Windern ihre wichtigsten biologischen Eigentümlichkeiten, nämlich: die Reizbarkeit, das Erfassen der Stützen, die Mechanik des Rankens (wobei er sich am meisten der Erklärung von Noll anschließt), das spiralige Zusammenziehen der Ranken, den anatomischen Bau derselben in Beziehung zu ihrer Funktion und die nachträgliche Differenzierung der Gewebe befestigter Ranken (vielfach im Anschluss an Worgitzki), die spontanen Bewegungen der Ranken und Langsprosse, die Stellung der Ranken an den Sprossen (möglichst freie, durch Blätter nicht gehinderte Stellung), Entwicklung und Verteilung der rankenden Organe an der Pflanze und besondere Rankenformen. Es ist über diesen Abschnitt dasselbe zu sagen wie an entsprechender Stelle bei den Windepflanzen. Von andern Klettervorrichtungen, mit denen sich das Ranken kombinieren kann, werden angeführt das Winden (selten), Wurzelklettern (häufiger), Stacheln an Stengeln und Blattstielen, rückwärts gerichtete steife Haare, Stipulardornen. Die Mannigfaltigkeit der Rankenformen erklärt sich aus der Verschiedenheit der Stützen, die sich in der Natur den Lianen darbieten. Phylogenetisch leitet Verf. die Rankenpflanzen nicht, wie Darwin, von windenden sondern von normalwüchsigen Pflanzen oder von wenig entwickelten Spreizklimmern ab; auch hier kann wieder der Fall eintreten, dass aus rankenden Formen nicht rankende infolge

anderer Lebensweise hervorgehen. Die einzelnen Formen der Rankenpflanzen werden nun ziemlich ausführlich besprochen. I. Blatt-
kletterer sind solche, deren Blätter ranken können ohne morphologisch von gewöhnlichen Blättern abzuweichen; sie zerfallen wieder
in 3 Abteilungen: 1) die Blattspreitenklimmer, die sich nur bei
einigen Fumariaceen vertreten finden, 2) die Blattstielkletterer,
die am artenreichsten sind, doch nur bei Familien der Dikotylen vorkommen, nämlich den Chenopodiaceen, Ranunculaceen, Menispermaceen, Nepenthaceen, Tropaeolaceen, Mimosaceen, Solanaceen, Scrophu-
lariaceen, Compositen (*Mikania*), 3) die Blattspitzenklimmer, die
auf Monokotylen mit schmalen spitzen Blättern beschränkt sind, nämlich auf Arten von *Flagellaria*, *Gloriosa*, *Littonia*, *Fritillaria* und
Tillandsia. II. Bei den Blattrankern sind die Blätter oder Teile
derselben zu fädigen Ranken metamorphosiert; sie werden in 9 Familien, darunter 4 mit sehr großer Artenanzahl vertreten. Von Monokotylen sind es die Smilacaceen, bei denen die Ranken metamorpho-
sierte Blattscheidenzipfel sind, von Dikotylen die Ranunculaceen,
Fumariaceen, Papilionaceen (!), Mimosaceen, Polemoniaceen, Bignoniaceen (!), Compositen, Cucurbitaceen (!). III. Die Zweigklimmer
sind nur aus den Tropen, am meisten aus dem tropischen Amerika
bekannt; bei ihnen sind die beblätterten Seitenzweige der in die
Höhe gehenden Langtriebe gegen Kontakt reizbar und vermögen um
Stützen zu ranken, worauf sie oft beträchtlich in die Dicke wachsen.
Wir finden sie bei Polygalaceen (*Securiadaca*, *Bredemeyera*), Hippo-
crateaceen, Connaraceen, Papilionaceen (*Dalbergieae*, besonders *Machae-
rium*), Mimosaceen, Anonaceen, Rhamnaceen, Thymelaeaceen. IV. Die
Hakenklimmer sind mit reizbaren Kletterhaken (Stammgebilden)
versehen, die sich fest um die erfasste Stütze krümmen und dann
beträchtlich in die Dicke wachsen. Ihre Vertreter leben meist in
den Tropen der alten Welt und bilden zwei Gruppen: bei der einen
sind die Kletterhaken aus Dornen hervorgegangen (Olacaceen und
Rutaceen), bei der andern aus Inflorescenzstielen (Anonaceen, Lina-
ceen, Dipterocarpeen, Loganiaceen, Rubiaceen). V. Die Uhrfeder-
ranker haben spiralig aufgerollte Ranken, in denen sich die Stützen
fangen um dann durch den Kontaktreiz enger umfasst zu werden;
sie bilden den Uebergang von den vorigen zu den letzten; ihr Typus
ist *Bauhinia*. Wir finden solche bei den Rhamnaceen, Caesalpiniaceen, Sapindaceen und Olacaceen. VI. Fadenranker, durch die
Vitaceen und Passifloraceen repräsentiert, weisen die vollkommensten
Kletterorgane unter allen Stammrankern auf. Von den Vitaceenranken
verdienen diejenigen besonderes Interesse, welche Haftscheiben
entwickeln, dabei lichtscheu sind und nicht mehr nutieren. Die Haftscheiben werden entweder erst infolge des Kontaktreizes ausgebildet
und sind vorher nicht bemerkbar oder sind an der Spitze der Ranken
gleich anfangs als kleine kuglige Anschwellungen angelegt. Außer

den genannten beiden Familien stellen noch Vertreter die Polygonaceen, Dioscoreaceen, Olacaceen, Phytocreneen und Apocynaceen. —
Auf den 7 Doppeltafeln finden wir zahlreiche mit der vom
Verf. bekannten Eleganz ausgeführte Figuren, von denen besonders
die interessant sind, welche das Verhalten der Zweig- und Hakenklimmer illustrieren.   **Möbius** (Heidelberg).

Entwicklungsgeschichte von *Ephydatia Mülleri*, Liebk. aus den Gemmulae.

Eine biologisch-embryologische Skizze.

Von W. Zykoff.

(Aus dem vergleichend-anatomischen Kabinet der Universität von Moskau).

Indem ich eine ausführliche Arbeit, mit einer Uebersicht der
Litteratur, über die Entwicklungsgeschichte von *Ephydatia Mülleri*
aus den Gemmulae zum Druck vorbereite, halte ich es für nicht un-
interessant, gegenwärtig kurz die Hauptresultate meiner Forschungen
in dieser Frage mitzuteilen, um so mehr, da wir bis jetzt fast keine
Kenntnisse über den eigentlichen Gang dieser Entwicklung haben.

Als Material für die Untersuchung dienten mir die Gemmulae der
genannten Art, welche ich in der Umgegend von Moskau gefunden
hatte, wobei es nicht ohne Interesse ist, dass diese Gemmulae im
ausgetrockneten Zustande fast zwei Jahre gelegen hatten; nach dieser
Zeit schüttete ich sie in ein kleines Aquarium aus, wo sich Lemna,
Algen u. a. m. befanden. Man muss bemerken, dass die Gemmulae
von *Ephydatia Mülleri* nicht untersinken, sondern auf der Oberfläche
des Wassers schwimmen. Nach fünfzehn Tagen (und dieser Zeitraum
ist gegenwärtig von mir auf Grund von acht einzelnen Beobachtungen,
welche ich im Zimmer zu verschiedenen Jahreszeiten machte, festgestellt worden) fing aus den Gemmulae deren Inhalt an, hervorzu-
kriechen.

Eine junge, eben im Auskriechen begriffene *Ephydatia* stellt einen
ziemlich kompakten Klumpen amöboider Zellen vor, welche eine große
Menge von Dottersubstanz enthalten, doch an der Oberfläche dieses
Klumpens, welcher die Gemmula umfließt oder sich über die Oberfläche der nebenliegenden noch ruhenden Gemmulae ausbreitet, kann
man schon die Bildung des Ektoderms als einer Schicht flacher Zellen
ohne Dottersubstanz, welche Pseudopodien aussenden können, bemerken [1]. Infolge dieser Pseudopodien, welche gewöhnlich dünn und
spitzig sind, nimmt die junge *Ephydatia*, immer weiter auseinander
kriechend, die Form eines Plättchens an, in dessen Mitte oder neben

---

[1] Ich muss bemerken, dass die Beobachtungen sowohl an lebenden jungen
Ephydatien, als auch an konservierten mit Hilfe von Schnitten gemacht
wurden.

dessen Mitte die Gemmulaschale übrig bleibt; die Ränder dieses
Plättchens sind gezackt, wie zerrissen infolge des beständigen Spieles
der Pseudopodien. Der zentrale, von dem farblosen durchsichtigen
Ektoderm umgebene Teil der *Ephydatia* erscheint unter dem Mikroskop
dunkel, körnig — offenbar von der Dottersubstanz, welche noch in
großer Menge sich in den Zellen des Parenchyms (Mesoderms) befindet. Schon am zweiten Tage kann man das Erscheinen der Spiculae
bemerken, so dass die Behauptung Lieberkühn's[1], dass die Spiculae
am sechsten Tage erscheinen, wenigstens für *Eph. Mülleri* ungenau
ist. Im Innern der *Ephydatia* kann man zu dieser Zeit, an Schnitten,
den Anfang des Erscheinens der Kanäle in Form von Spalten — der
Zwischenräume zwischen den auseinander gerückten Zellen des Parenchyms (Mesoderms) sehen, wobei die Wandungen der Kanäle schon
von sehr flachen Entodermzellen ausgepflastert sind, so dass Goette[2])
welcher behauptet, dass die Geißelkammern früher als die Kanäle
erscheinen, auf Grund dessen, was ich öfter gesehen habe, Unrecht
hat. Zu derselben Zeit, d. h. am zweiten oder dritten Tage bildet
die junge *Ephydatia* ein Osculum, welches die Form eines Schornsteins hat. Interessant ist, dass dieses Osculum vor der Bildung der
Geißelkammern erscheint, und ich glaube, dass man sein Erscheinen
in diesem Falle auf rein mechanische Weise so erklären kann. Schon
vom ersten Moment ihres Erscheinens aus den Gemmulae nimmt die
junge *Ephydatia* Wasser in sich auf, welches sozusagen ihren Leib
durchtränkt; da die jungen *Eph. Mülleri* auf der Oberfläche des
Wassers als flach gewölbte Disken schwimmen, wobei die flache Seite
nach oben und die gewölbte Seite nach unten gewendet sind, so geschieht es, dass infolge der Wirkung der Schwere des die *Ephydatia*
erfüllenden Wassers dasselbe, indem es sich unten ansammelt, in der
Mitte oder in der Nähe der Mitte (in der Linie des Gewichts-
zentrums) das Ektoderm abzieht und dasselbe endlich durchbricht,
wobei es eine kraterähnliche Oeffnung bildet, welche beim Auftreten
einer konstanten Wasserströmung endlich die typische Form eines
Schornsteins annimmt. Und dass diese Erklärung die Wahrscheinlichkeit für sich hat, wird dadurch bewiesen, dass ich öfters alle
Uebergangsstufen von einem kaum bemerkbaren Ektodermhügel bis
zum schornsteinartigen Osculum sah. Am dritten Tage geht die
weitere Differenzierung der Gewebe der *Ephydatia* vor sich, welche
sich vor Allem dadurch äußert, dass die Zahl der Zellen des Parenchyms (Mesoderms) größer wird; es vollzieht sich die Teilung, die
Vermehrung der Zellen, wobei die Dottersubstanz sich immer verringert, die Zellen werden durchsichtiger, ihre Kerne treten deutlich

---

1) Lieberkühn, Zur Entwicklungsgeschichte der Spongillen (Nachtrag).
Müller's Archiv, 1856, S. 403.

2) Goette, Untersuchungen zur Entwicklungsgeschichte von *Spongilla
fluviatilis*, 1886, S. 16.

hervor; die Anzahl der Spiculae vergrößert sich, sie selbst wachsen, und man kann eine gewisse Regelmäßigkeit ihrer Verteilung bemerken; es legt sich nämlich die Mehrzahl derselben dem Rande der *Ephydatia* parallel, d. h. tangential. Die Kanäle verzweigen sich und der Umfang einiger von ihnen vergrößert sich; gerade zu dieser Zeit fangen die Geißelkammern an, zu erscheinen. Wie bekannt, existieren betreffs ihrer Bildung bei den Forschern verschiedene Ansichten. Die Mehrzahl erklärt und beschreibt sie als Divertikel der Kanäle, in welchen die Entodermzellen die charakteristische Form der Kragenzellen annehmen; Goette[1] aber behauptet, obgleich nicht ganz begreifbar, dass eine Knospung einer an Dottersubstanz reichen Parenchymzelle sich vollzieht, welche einen Klumpen von Zellen erzeugt deren Kerne sich aus Dotterkörnern bilden; in diesem Klumpen erscheint eine Höhlung, die Zellen brauchen nur den Kragen hervorzuschieben, die Geißel hervorzustrecken, und die Kammer ist fertig. Ich richtete eine besondere Aufmerksamkeit auf diesen Punkt, und die Bildung der Geißelkammern erscheint mir so: einige Parenchymzellen fangen an sich zu teilen, wobei aus jeder Zelle sich ein kompakter Haufen kleiner Zellen bildet (es ist bekannt, dass die Zellen der Geißelkammern wenigstens bei den Spongilliden viel kleiner sind, als die Zellen des Parenchyms); in diesem Haufen erscheint eine Höhlung, welche größer wird und die Zellen zwingt, sich in einer Schicht anzuordnen, und da solche Haufen gewöhnlich in der Nähe der Kanäle liegen, so ist es nicht im mindesten unwahrscheinlich, dass die Höhlung des Kanals mit der wachsenden Höhlung des Zellenhaufens durch das Durchreißen des Kanals und den Durchbruch der Höhlung in Verbindung treten wird.

Die weitere Differenzierung der Gewebe der *Ephydatia* in den folgenden Tagen besteht hauptsächlich in der Vergrößerung ihres Volumens, was auf ein energisches Wachstum der Gewebe hinweist, in der Vergrößerung und Verlängerung der Spiculae, welche aus einer tangentialen Richtung eine radiale annehmen und infolge dessen mechanisch noch weiter das Ektoderm emporheben, indem sie es mit ihren Enden anspannen, so dass sich umfangreiche subdermale Höhlungen bilden. Was die Bildung der Spicula anbetrifft, so kann ich vollkommen Alles bestätigen, was darüber in der letzten Zeit von Noll[2] für *Spongilla fragilis* Leidy gesagt wurde. Die Ansicht Marshall's[3], dass die Amphidisken oder die Nadeln, welche die Gemmula bedecken, als Material für die Ausscheidung der Kieselsäure

---

1) l. c. S. 17.

2) Noll, Beiträge zur Naturgeschichte der Kieselschwämme. Abh. der Senckenb. Nat. Gesellsch. zu Frankfurt, Bd. XV, 2. Heft, 1888, S. 31—41.

3) Marshall, Vorläufige Bemerkung über die Fortpflanzungsverhältnisse von *Spongilla lacustris*. Sitzungsber. d. Naturforsch. Gesellschaft zu Leipzig, 1884, S. 23.

in den Silicoblasten dienen, kann ich nicht bestätigen, da ich keine Veränderung in den Amphidisken der leeren Gemmulaschale nach der Bildung einer großen Anzahl von Spiculae in der jungen *Ephydatia* bemerkt habe.

Auf diese Weise, wenn wir alles Bekannte summieren, haben wir, wie es scheint, das Recht, zu behaupten, dass bei der Entwicklung der *Ephydatia* aus den Gemmulae die Elemente einer Schicht (des Mesoderms), wie ich die Gelegenheit hatte, an einer anderen Stelle zu zeigen [1]), indem sie sich differenzieren, die Elemente der anderen Schichten (des Ektoderms und des Endoderms) erzeugen. Solches Resultat stellt nichts Unerwartetes vor; man muss sich nur erinnern, dass die Schwämme den niedrigsten Platz unter den Metazoa einnehmen, sozusagen die erste Stufe dieser umfangreichen Abteilung des Tierreichs vorstellen, und so ist es natürlich, dass bei ihnen keine so scharfe Spezialisierung der Gewebe sein kann, wie sie bei den höher stehenden Metazoa existiert.

den 25. September 1892.

―――――――――

Die Verbreitung von *Silurus glanis* L. in den stehenden Gewässern der europäischen Alpenkette.

Von Dr. **Othmar Emil Imhof**.

Die Fischfauna der Binnengewässer wird immer mehr durch das Einsetzen neuer in- und ausländischer Arten in ihrer natürlichen Zusammensetzung verändert. Es ist deshalb sehr zu wünschen, dass ehe es zu spät wird, die ursprüngliche, einheimische, natürliche Verbreitung der Fische, die, in Verbindung mit den Ergebnissen über die Verbreitung der wirbellosen Wassertiere, noch mehrfach zur Beantwortung wissenschaftlicher Fragen Anlass geben wird, der verschiedenen Wassergebiete festgestellt werde um das Vorkommen und die Lebensweise besonders charakteristischer Arten genauer kennen zu lernen.,

Eine der besonderes Interesse beanspruchenden Fischspecies ist der *Silurus glanis* L., dessen Vorkommen eingehender festzustellen, von Wert sein dürfte. Künstliche Veränderung der geographischen Verbreitung dieses größten Süßwasserfisches der Alpengewässer ist noch wenig versucht worden und in den wenigen Fällen meist nicht von Erfolg begleitet gewesen.

Ueber das Vorkommen des Welses finden sich in der Litteratur da und dort zerstreut einzelne Angaben, welche zu sammeln die vorliegende Notiz beginnen möchte.

―――――――――

1) Z y k o f f, Die Entwicklung der Gemmulae bei *Ephydatia fluviatilis*, A u c t. Bull. de la Soc. Imp. des Nat. de Moscou, 1892, Nr. 1.

In den Wassergebieten der europäischen Alpenkette fehlt *Silurus glanis* in folgenden Ländern: Frankreich und Italien. Er fehlt in Europa auch in Portugal und Spanien und soll auf den brittischen Inseln ein einziges Mal gefunden worden sein.

Der Wels kommt in folgenden Seen des Alpengebietes vor:

Im Aaregebiet: Murtensee, geht von hier auch etwa durch den Abfluss, die Broye, in den Neuenburgersee und von da durch die Thièlle in den Bielersee. Früher, ehe das weitausgedehnte Torfgebiet zwischen diesen drei Seen durch Kanalisationen immer mehr trocken gelegt worden ist, war hier das Laichgebiet dieses Fisches. Im Vierwaldtstättersee, nach einer Angabe von Cysat, wurde im Jahre 1601 ein Wels gefangen. Seither aber ist in diesem See kein einziges Exemplar mehr gesehen worden. In den Brienzersee soll der frühere Besitzer des Schlosses Iseltwald, General Sinetti, einmal junge Siluriden geworfen haben. Nach der Versicherung einiger Fischer werden von Zeit zu Zeit sehr große Fische an der Oberfläche gesehen, gewöhnlich 4—5 oder 6 Exemplare, die aber bald wieder in die Tiefe gehen. Im August 1874 haben mehrere glaubwürdige Personen an verschiedenen Stellen des Brienzersees sehr große Fische, von bis 25 Fuß Länge, beobachtet. Es sollte aber von wissenschaftlicher Seite das Vorkommen des Welses im Brienzersee noch bestätigt werden.

Im Rheingebiet der Schweiz kommt der Wels im Bodensee ziemlich häufig, besonders nahe den deutschen Ufern vor. Im Jahre 1864 wurden gleichzeitig 5 Exemplare gefischt, von denen das schwerste über 50 Kilogramm wog. Dann und wann fing man im Rhein bei Laufenburg und Basel vereinzelte Exemplare, die wohl aus dem Bodensee stammen. Die Bevölkerung des Bodensees soll infolge von Ueberschwemmungen aus naheliegenden kleineren deutschen Seen erfolgt sein.

Aus dem Rhonegebiet ist ein noch nicht sicher gestelltes Vorkommen in einem kleinen See, Géronde bei Sierre, zwischen diesem Ort und der Rhone (rechtes Ufer) zu nennen. Wie im Brienzersee sollen sich von Zeit zu Zeit, wenn das Wetter ganz ruhig ist, an der Oberfläche 4—5 Individuen zeigen. Ein auf nahe Distanz von Herrn Zuffray gesehenes Exemplar maß 1,5 Meter.

In folgenden Seen im Königreich Bayern leben Welse:

Im Flussgebiet der Iller : Nieder-Sonthofersee.

„　　　„　　　„ Isar : Starnbergersee, Staffelsee, Riegsee, Karpfensee (neben dem Walchensee).

„　　　„ des Inn : Simmsee, Chiemsee.

„　　　„ der Salza: Wagingsee.

Folgende Seen in der k. k. Monarchie Oesterreich-Ungarn beherbergen den Wels:

Im Flußgebiet der Salza: Wallersee, nordöstlich von Salzburg.

„   „   „ Drau : Ossiachersee, Fackersee.

„   „   „ Siö : Plattensee.

Die Zahl der Seen in den Wassergebieten der europäischen Alpenkette, in denen Welse gegenwärtig vorkommen, ist nach der obigen Zusammenstellung keine große, 16. Vielleicht lässt sie sich bei weiteren Nachforschungen noch vergrößern. Sollte von anderer Seite diese Zusammenstellung ergänzt werden, so wäre mein Wunsch erfüllt, um dann später auf die Frage der Ausbreitung dieses Fisches zurückzukommen.

Ueber die Fähigkeit einheimischer Tritonen, sich an glatten Flächen festzuhalten und zu bewegen.

Von Dr. A. Schuberg,
Privatdozent an der Universität in Würzburg.

Seit langem ist bekannt, dass der südeuropäische *Geotriton fuscus* die Fähigkeit besitzt, sich an glatten senkrechten Flächen festzuhalten und zu bewegen. So schreibt z. B. Wiedersheim, der ihn in den Höhlen in der Umgebung von Spezia beobachtet hatte: „Man sieht ihn dort nicht nur an den glatten, senkrecht abfallenden und dazu noch von Wasser berieselten Kalkwänden mit Leichtigkeit emporklimmen, sondern sogar an der Decke der Grotte (also den Rücken nach unten, den Bauch nach oben gewandt, nach Art unserer Stubenfliegen) sich hin und her bewegen[1]“. So viel mir bekannt, ist für andere Urodelen ähnliches bisher nicht mitgeteilt worden. Und doch kann man sich sehr leicht davon überzeugen, dass auch unsere einheimischen Tritonen im stande sind, nicht nur an glatten senkrechten Flächen festzuhaften, sondern auch daran emporzuklimmen. Trotz eifrigen Suchens in der mir zugänglichen Litteratur habe ich nirgends einen deutlichen Hinweis hierauf vorgefunden und ich möchte deshalb nicht unterlassen, meine Beobachtungen hierüber bekannt zu geben. Eine einzige allenfalls hierhergehörige Notiz findet sich in Brehm's Tierleben, wo, nach Erber, von einem Molche berichtet wird, der gelernt habe, „wenn er hungrig wurde, an dem Glase, in dem er gehalten wurde, emporzuklettern“[2].

Es ist wohl sicherlich allen Liebhabern von Tritonen bekannt, dass diese so gern gesehenen Bewohner unsrer Zimmeraquarien

---

1) Wiedersheim, Die Kopfdrüsen der geschwänzten Amphibien und die Glandula intermaxillaris der Anuren. Zeitschr. f. wiss. Zool., Bd. XXVII, 1876, (Sep.-Abdr.) S. 36.

2) Brehm's Tierleben, III. Aufl., Bd. VII. Die Kriechtiere und Lurche, neubearbeitet von O. Boettger und Pechuel-Loesche, Leipzig u. Wien, 1892, S. 764.

durchaus nicht selten ihr mehr oder weniger verlockendes künstliches Heim verlassen. Die Möglichkeit zu solchen Fluchtversuchen sahen die Meisten bisher offenbar in der Nähe von „Aquariumfelsen" an der Glasscheibe, dem Vorhandensein von langen Pflanzen oder ähnl. gegeben. So erzählt wenigstens auch Glaser[1]), dem wir eine sonst sorgfältige Darstellung des Lebens unsrer Tritonen im Aquarium verdanken, dass sie mit Hilfe „der längeren Pflanzenblätter" leicht „durchgehen".

Ich selbst hatte nun auch schon öfter mit Bedauern die Thatsache dieses „Durchgehens" wahrgenommen; waren mir doch einmal von etwa 30 Tritonen verschiedener Species, die ich an einem Nachmittage gefangen hatte, in zwei bis drei Tagen alle bis auf ein halbes Dutzend aus dem unbedeckten Aquarium verschwunden. Aber erst, nachdem ich zufälligerweise im vergangenen Jahre abermals ein Entweichen von Tritonen aus einem Glasaquarium, ohne „Felsen" und ohne lange Pflanzen, bemerkt hatte, begann ich der Frage erneute Aufmerksamkeit zuzuwenden.

Ich habe mich nun mit Leichtigkeit davon überzeugen können, dass die Tiere beim Entweichen aus den Aquarien einfach an den senkrechten glatten Glaswänden emporklettern. — Eine Anzahl sorgfältig gereinigter viereckiger Sammlungsgläser, wie sie zur Aufbewahrung zootomischer Präparate vielfach in Gebrauch sind, wurden jeweils in andre größere Glasbehälter gebracht, die ihrerseits mit einer Glasscheibe zugedeckt werden konnten. Die Sammlungsgläser hatten eine derartige Breite, dass die Tritonen völlig gerade auf dem Boden sich ausdehnen konnten, und eine Höhe von 18 cm, die also die Länge eines erwachsenen *Triton cristatus* (ca. 14 cm) übertrifft. In jedes Sammlungsglas wurde je ein *Triton cristatus* gebracht. In einige Gläser hatte ich etwas Wasser gegossen, das 1—2 cm hoch den Boden bedeckte; diejenigen Tiere aber, welche in die mit einem reinen Tuche trocken geriebenen Gläser ohne Wasser kamen, wurden durch Fließpapier sorgfältig von dem ihnen anhängenden Wasser befreit. Alle Tritonen hatten sich bis zur Anstellung der Versuche in einem Glasaquarium befunden, das stets nur wenigen gleichzeitig Gelegenheit gab, das Wasser zu verlassen. Die Versuche wurden im Monat August angestellt, also zu einer Zeit, wo man im Freien nur noch ausnahmsweise Tritonen im Wasser findet. —

Bei diesen höchst einfachen Versuchen ergab sich nun sehr häufig, nahezu in der Hälfte der Fälle, dass die isolierten Tritonen am andern Morgen sich nicht mehr in ihrem Glase befanden, sondern entweder in dem diese umgebenden Glaskasten, oder aber in einem der andern Gläser, so dass also mehrfach zwei Tiere zusammen angetroffen wurden. Die Anordnung der Versuche bewies schon an sich mit

---

[1]) Glaser, Beobachtungen betreffend Wassermolche im Stubenaquarium und im Freien. Zoolog. Garten, XII, 1871, S. 262.

Sicherheit, dass die Tiere im stande sein mussten, am glatten senkrechten Glase emporzuklettern, da bei dem Fehlen aller Steine,
Pflanzen etc. und bei der Höhe der Gläser jede andre Möglichkeit,
die Gläser zu verlassen, ausgeschlossen war. Es gelang mir aber
außerdem nicht selten Tritonen anzutreffen, die gerade am Glase fest-
hafteten, und zwar derart, dass weder der Schwanz den Boden, noch
etwa eine der vordern Extremitäten die obere Kante des Glases berührte. In der Regel saßen in diesen Fällen die Tiere in den etwas
abgerundeten Kanten der im Querschnitt rechteckigen Gläser. Bei den
am Glase festhaftenden Tieren fiel vor allem auf, dass meist die
Haut des Bauches, der Schwanzunterseite oder der oberen Abschnitte
der Extremitäten mit ihrer ganzen Fläche dem Glase dicht anlag,
während die Finger und Zehen sehr häufig gekrümmt waren, so dass
sie nur mit der Spitze das Glas berührten. Mitunter beobachtete ich
auch, dass die auseinandergespreizten freien Finger- oder Zehenspitzen
vom Glase abstanden, während die derart gespannte innere Hand-
oder Fußfläche dem Glase angepresst war; es war hier somit eine
ähnliche Wirkung erzielt worden, wie sie mit der menschlichen Hand
unter gleichen Bedingungen erreicht werden kann. Aus alledem geht
jedenfalls hervor, **dass es die Haut der untern Körperseite
ist, welche als Haftapparat dient.** —
　Die Art und Weise nun, wie die Festhaftung zustande kommt,
kann wohl kaum zweifelhaft sein; denn ich glaube nicht fehl zu
gehen, wenn ich ihre Ursache in einer Adhäsionswirkung suche. Obwohl ich über das Verhalten und die Wirkung der einzelnen Muskeln
bis jetzt nichts Genaueres aussagen kann, glaube ich doch, schon
nach dem äußeren Aussehen, annehmen zu dürfen, dass mit Hilfe der
Muskulatur in der Bauchwand, speziell vielleicht namentlich mit Hilfe
der M. obliqui, eine Spannung und ein Anpressen der Haut erfolgt,
wodurch dann das Eintreten der Adhäsion ermöglicht wird. Selbstverständlich handelt es sich dabei um Adhäsion mit Zuhilfenahme
einer dünnen Flüssigkeitsschicht. Eine solche wird in den Fällen, wo
Wasser fehlt, sicherlich durch das Sekret der Hautdrüsen erzeugt.
Ich hatte zuerst Versuche gemacht, bei denen der Boden der Gefäße
mit Wasser bedeckt worden war, und hatte, da relativ viel Flüssigkeit zwischen Glas und Bauchseite des Tieres bemerkbar schien, geglaubt, dass dies Wasser bezw. ein sehr verdünntes Sekret sei. Selbst
wenn letzteres auch der Fall war, zeigt sicherlich die Thatsache, dass
auch mit Fließpapier abgetrocknete Tritonen an völlig reinen und
trockenen Gläsern emporkamen, in genügender Weise, dass das Sekret
allein schon genügt, um die Adhäsion zu ermöglichen. Ueberdies
ist die geringere Menge der zwischen adhärierenden festen Körpern
vorhandenen Flüssigkeitsschicht — natürlich nur bis zu einer bestimmten Grenze — von Vorteil. Ich habe bei Mitteilung meiner
Untersuchungen über die Haftapparate und den Haftvorgang beim

Laubfrosch gezeigt, dass ein kleines Glasplättchen von 16 qmm Fläche bei Befeuchtung mit destilliertem Wasser ein Gesamtgewicht von 14 g zu tragen im stande war, wenn es an der Unterfläche einer Glasplatte zur Adhäsion gebracht wurde [1]). Hiebei war die Adhäsion lediglich durch ein „leichtes Andrücken" oder Vorbeiziehen erzielt und durchaus nicht auf Herstellung einer besonders dünnen Flüssigkeitsschicht Bedacht genommen worden. Verringerte ich die Dicke der Wasserschicht durch allmähliche Verdunstung so weit, dass Interferenzfarben zur Wahrnehmung kamen, so vermochte das gleiche Glasplättchen durch seine Adhäsion das bedeutende Gewicht von 70 g zu tragen! Das Drüsensekret der Tritonen besitzt nun, wie das der Amphibienhaut allgemein, eine gewisse Klebrigkeit [2]). Da die größere Klebrigkeit einer Flüssigkeit natürlich die Adhäsion noch steigern kann, so dürfte schon ein sehr kleiner Teil der Bauchfläche genügen, um das ganze Gewicht des Tieres, das ich bei erwachsenen Exemplaren von *Triton cristatus* nie höher als 8,6 g fand, allein zu tragen, falls nur eine innige Berührung von Haut und Glasfläche statthat. Ich habe in der That auch einmal beobachtet, dass ein *Triton cristatus* am Glase festhaftete, obwohl nur die Haut an der Wurzel des Schwanzes als Adhäsionsfläche benützt wurde. Da übrigens die Fähigkeit, die Haut der Unterlage dicht anzupressen, offenbar eine beschränkte ist, so haften die Tritonen niemals so fest, als es z. B. ein Laubfrosch allein schon mit der Haut des Bauches zu thun vermag. Die Bewegungen am Glase sind demgemäß sehr plump; und werden sie sehr rasch ausgeführt, so fallen die Tiere leicht ab. —

Es ist wohl nicht ohne Interesse, bei dieser Gelegenheit die Haftapparate und den Haftvorgang beim Laubfrosch zum Vergleiche heranzuziehen. Ich habe, im Anschluss an früher wenig gewürdigte Angaben Roesel's und Leydig's gezeigt [3]), dass beim Laubfrosch die Haut des Bauches und der Unterseite der Oberschenkel in wesentlicher Weise beim Festhaften mitwirkt; und ich stehe sogar nicht an, nach fortgesetzter Beobachtung, zu behaupten, dass der ruhig am Glase oder an einem glatten Blatte festsitzende Laubfrosch vorzugsweise hiermit sich festhält, während er die Zehenballen dabei nur wenig oder fast gar nicht benützt. Die mitgeteilten Beobachtungen an Tritonen zeigen nun, dass bei verwandten Tieren ein ähnliches, wenn auch geringeres, Festhaften und eine, zwar plumpe Lokomotion an senkrechten glatten Flächen möglich ist, ohne dass spezifische Apparate hierzu an den Zehen ausgebildet wären. Dadurch aber dürfte eine gleichfalls schon früher von mir ausgesprochene Ansicht eine neue

---

1) Schuberg, Ueber den Bau und die Funktion der Haftapparate des Laubfrosches. Arb. Zool. Zoot. Inst., Würzburg, Bd. X, 1891, S. 45 (Sep.-Abdr.).

2) Leydig, Ueber die allgemeinen Bedeckungen der Amphibien. Archiv f. mikr. Anat., 1876, S. 99 (Sep.-Abdr.).

3) l. c. S. 53.

Bestätigung erhalten, wonach nämlich die Bedeutung der Haftballen des Laubfrosches darin zu suchen sei, „dass sie hauptsächlich beim Anspringen der Laubfrösche in Wirksamkeit treten und hierbei ein sofortiges Haftenbleiben ermöglichen" [1]). Ich darf vielleicht ferner an dieser Stelle nochmals darauf hinweisen, dass die mächtigere Entwicklung des Zwischengelenkknorpels zwischen letzter und vorletzter Phalange, die ja speziell für den Haftmechanismus der Zehen von ausschlaggebender Bedeutung ist, in einem bestimmten Verhältnis zur Anpassung an das Baumleben der Laubfrösche zu stehen scheint [2]). —

Zum Schlusse mag nicht unerwähnt bleiben, dass ich ein Festhaften am Glase außer bei *Triton cristatus* auch bei *T. taeniatus* und gelegentlich auch bei einem jungen Exemplare des *Bombinator bombinus* beobachtet habe, sowie, dass Leydig [3]) das gleiche für junge Kreuzkröten (*Bufo calamita*) angibt. —

Karlsruhe, September 1892.

Max Fürbringer, Untersuchungen zur Morphologie und Systematik der Vögel, zugleich ein Beitrag zur Anatomie der Stütz- und Bewegungsorgane.

(Neuntes Stück.)

Oologische Merkmale.

Wenn auch gegenwärtig die Ansichten der verschiedenen Forscher über den systematischen Wert der Oologie weit auseinandergehen, so steht doch unzweifelhaft fest, dass diese Wissenschaft eine eingehende Berücksichtigung verdient. Es ist wohl überflüssig, an dieser Stelle auf die reiche diesbezügliche Litteratur einzugehen. Aus sehr nahe liegenden Gründen erregte die Eischale zuerst das Hauptinteresse der Forscher. Bei vollkommener Ausbildung besteht sie bekanntlich:

a) aus der (innern) Drüsenschicht (der Schalenhaut meist mit höckerigen Erhebungen, Mamillen, auflagernd und ein Gemenge von körnchenhaltigen organischen Substanzen mit Kalkkrystallen darstellend),

b) aus der (mittleren) Schwammschicht, d. i. ein aus filzartig verwebten Strängen bestehendes Gerinnungsprodukt des kalkhaltigen Schleimhautsekretes,

c) aus der Oberhaut, der porösen, etwas elastischen, meist kalkarmen und dann ziemlich glänzenden äußersten Schicht.

---

1) l. c. S. 57.

2) Vergl. Howes and Davies, Observations upon the Morphology and Genesis of Supernumerary Phalanges. Proceed. Zoolog. Soc. London for 1888, sowie: Schuberg, Ueber sogenannte „überzählige Phalangen" bei Amphibien. Arb. Zool. Zoot. Inst, Würzburg, Bd. X, 1891.

3) l. c. S. 99.

Die Drüsenschicht bildet den Hauptteil der Eischale, während die Oberhaut und mehr noch die Schwammschicht fehlen können. Bei dickschaligen Eiern treten zwar in der Regel alle 3 Schichten auf, es findet aber in dieser Hinsicht ein außerordentlicher Wechsel statt, der sich nicht immer an die systematischen Grenzen bindet. Die Farben der Schalen werden bei intensiv gefärbten Eiern meist in mehreren Schichten abgelagert, so dass selbst die Schalenhaut sie enthalten kann. Für die Systematik der Vögel scheinen diese Verhältnisse nicht ganz wertlos zu sein. Von verschiedenen Oologen sind aber hauptsächlich Größe, Form, Schalendicke des Eies, dessen Gewicht, Glanz (Verhalten der Oberhaut), Farbe und die feinere Textur der Schale berücksichtigt worden. Die beträchtlichere oder geringere Größe des Eies steht, wie bekannt, in ausgeprägter Weise zu der land- und wasserlebenden oder der luftlebenden Gewohnheit der Mutter und daneben vorzüglich zu der höheren oder tieferen Entwicklungsstufe, welche der Fötus bis zu seinem Durchbrechen der Eischale erlangt, in direkter Beziehung: hochfliegende und infolge dessen meist auch hochnistende Vögel legen kleinere Eier, aus denen nesthockende Junge sich entwickeln; wenig fliegende resp. flugunfähige Vögel, die zugleich tief nisten, produzieren größere Eier, aus welchen Nestflüchter kommen. Jedoch zeigt sich auch innerhalb spezieller und engerer Grenzen ein mannigfacher Wechsel, der noch dazu individuell nach der Legezeit sich geltend macht. Es ist aber trotzdem möglich, innerhalb der Species eine gewisse Konstanz des Volumens zu konstatieren, wie Reichenow überzeugend dargelegt hat. Ferner zeigt die Dicke der Schale, worauf vorzüglich Nathusius die Aufmerksamkeit geenkt hat, bei derselben Ordnung oder Familie eine gewisse Abhängigkeit von der geringeren oder größeren Gefahr, von außen her verletzt zu werden und von den mehr oder weniger ausgebildeten äußeren Schutzvorrichtungen der Gelege (so sind z. B. die Eier der *Megapodiidae* dünnschalig, diejenigen der meisten anderen *Galli* dagegen dickschaliger). Auch die Farbe der Eier (und zugleich die Farbenentwicklung des brütenden Weibchens) steht in den meisten Fällen in Korrelation zu der größeren oder geringeren Ausbildung der Nester: sind diese geschlossen und geschützt, so besitzen die Eier meist eine weiße Schale und das Weibchen weist eine Prachtfärbung auf; bei offenen oder unvollkommenen Nestern hingegen imitieren die Eier mit ihrer Schutzfärbung häufig ihre Umgebung und der weibliche Vogel ist in der Regel anders als das Männchen und minder prächtig als dieses gefärbt. Es sind aber auch hier noch viele Phänomene zu erklären und es darf außerdem nicht übersehen werden, dass einerseits oft Eier entfernt stehender Vögel einander ziemlich ähnlich sind, andrerseits diejenigen mancher Gattungen und sogar Species (so z. B. diejenigen von *Cusuarius Benettii*, mehrerer *Alcidae, Laridae, Limicolae*, die von *Plectrophanes nivalis* etc.) erheblich variieren können. Doch

wird es einem geübten Forscher bei genügendem Material wohl gelingen, manche erfreuliche Resultate zu erlangen. Dies wird auch
der Fall sein, wenn man den Glanz, die Rauheit und die kreidige
Beschaffenheit der Oberfläche der Eischale berücksichtigt; manche
natürliche Gruppierungen werden sich daraus ergeben. Freilich darf
dabei abermals nicht unberücksichtigt gelassen werden, dass auch
diese Erscheinungen sich an die Natur der umgebenden Medien anpassen. Zur Charakterisierung gewisser Familien und Subfamilien
erweist sich auch die Form des Eies gut geeignet, es müssen aber
dabei die bedeutenden individuellen Variierungen mit in Betracht gezogen werden und aus diesem Grunde sind allgemeinere Folgerungen
nur dann zu erhalten, wenn ein großes Material zur Untersuchung
vorliegt. Den höchsten Wert für die Systematik scheint unter allen
Bestandteilen des Eies die feinere Textur der Eischale zu besitzen.
Es waren namentlich N a t h u s i u s und K ö n i g - W a r t h a u s e n, welche
diesem Momente eine hohe systematische Bedeutung als klassifikato-
risches Merkmal beilegten und gegenwärtig ist seine Wichtigkeit als
solches als gesichert zu betrachten. Hauptsächlich ist es die innere
(Drüsen-) Schicht mit den Mamillen, welche dabei den Ausschlag gibt,
sie wurde wahrscheinlich auch bei den ancestralen Eiern in der
frühesten paläontologischen Zeit vorwiegend ausgebildet, während die
ihr aufliegende Schwammschicht sich erst später entfaltete. Als
Resultat der Untersuchungen der schon namhaft gemachten Forscher,
namentlich derjenigen von N a t h u s i u s ergab sich, dass, wie sehr
auch die äußeren Formen und Farben der Eier einer Species variieren
mögen, die Schalentextur derselben bei dieser Species unverändert
bleibt. Außerdem zeigen viele der von diesem Forscher erlangten
systematischen Ergebnisse eine überraschende Uebereinstimmung mit
den durch innere Untersuchungen gewonnenen taxonomischen Folgerungen (dies ist beispielsweise der Fall in Bezug auf die von N a t h u -
s i u s betonte Stellung von *Struthio* unter den Ratiten, bei der Verschiedenheit von *Spheniscus* und den *Alcidae*, bei der Aehnlichkeit
zwischen *Pterocles* und den *Columbae* etc.).

Innere Merkmale.

Unter allen inneren Organen der Vögel wurde von jeher dem
Skelett eine besondere Aufmerksamkeit geschenkt und osteologische
Abhandlungen sind es daher, die den Hauptteil der Arbeiten über die
Anatomie der Vögel bilden. Zahlreiche Monographien behandeln ausschließlich das Skelett; das eine oder andere osteologische Merkmal
desselben bildete oft die einzige Basis für systematische Schlüsse, wie
ja unsere Kenntnis der fossilen Vögel, abgesehen von den erhaltenen
Federn, Eiern, Trachealringen etc., sich auf die Osteologie derselben
beschränkt. Viele Forscher haben großes Gewicht auf genaue Maß-
bestimmungen der einzelnen Skeletteile gelegt, und es steht auch

unzweifelhaft fest, dass derartige Messungen für deskriptive Zwecke eine hohe Bedeutung haben. Wenn man sich aber vergegenwärtigt, dass infolge der ungleichen Größe der Tiere eine direkte Vergleichung der so erhaltenen Zahlen unmöglich ist, so ergibt sich schon von selbst, dass diese absoluten Maßangaben für komparative und taxonomische Zwecke nicht gut brauchbar sind; es empfiehlt sich vielmehr, dazu die Maße zu relativen Zahlen zu kombinieren, die dann bei den verschiedenen Vögeln ohne weiteres verglichen werden können. Bis jetzt ist aber dieser Weg wenig eingeschlagen worden. Als Einheit für derartige Kombinationen hat F. die mittlere Länge eines Dorsalwirbels gewählt und die Ergebnisse seiner diesbezüglichen Messungen zum Teil auf den S. 746—815 sich findenden Tabellen zusammengestellt. Aus denselben ergibt sich, dass diesen Maßen zwar ein gewisser taxonomischer Wert zukommt, dass sich aber die von manchen Forschern behauptete Konstanz der Skelettmasse der Species nicht bestätigt und somit die systematische Verwertbarkeit der allein auf diese Messungen sich stützenden Vergleichungen nur eine beschränkte ist (nur bei einander nahe stehenden Gruppen können durch sie ohne weiteres gute Resultate erzielt werden, hingegen sind bei einer Entscheidung über Verwandtschaften oder Differenzierungen entfernter Abteilungen noch zahlreiche andere Anpassungen zu berücksichtigen).

Mit Recht ist ferner von zahlreichen Forschern auf die im verschiedenen Grade am Vogelskelette auftretende Pneumatizität Gewicht gelegt worden. — Es kann dabei ein Unterschied zwischen nasaler, tympanaler und pulmonaler Pneumatizität gemacht werden; die letztere tritt bei den Vögeln gegen die erstere, die unter den übrigen Wirbeltieren ziemlich weit verbreitet ist, in den Vordergrund. Andeutungen derselben finden sich auch bei den heutigen Reptilien; bei den Dinosauriern und Pterosauriern ist dagegen die sehr entwickelte Osteo-Pneumatizität wahrscheinlich pulmonaler Abstammung, und weil diese Gruppen dadurch mit den Vögeln in direktere Parallele treten, könnte man geneigt sein, dies für den Ausdruck direkterer Verwandtschaften zwischen diesen Sauropsidenklassen zu halten. Es ist aber auch hier zu beachten, dass bei allen dreien die Pneumatizität des Skelettes erst sekundär erworben worden ist und dass die primitiveren und kleineren Typen der Dinosaurier, Pterosaurier und Vögel zu einer Zeit, wo ihre geneologische Scheidung längst vollzogen war, noch kein lufthaltiges Skelett besaßen. — Die systematische Verwertbarkeit der Pneumatizität des Vogelskelettes ist jedoch keine große, denn der Luftgehalt der Knochen stellt sich als eine Differenzierung jüngeren Datums dar (dem *Archaeopteryx* fehlte sie noch gänzlich) und bei den jetzigen Vögeln kam sie in der Regel erst dann zur Ausbildung, wenn mit Erlangung einer bestimmten Größe eine entsprechende Erleichterung des Körpers nötig wurde. Infolge dieses Umstandes fehlt die Pneumatizität den meisten kleineren Vögeln mehr oder minder ganz

und auch innerhalb enger Gruppen tritt sie je nach Körpergröße und
Flugfähigkeit in ungemein wechselndem Grade auf; aus leicht ersicht-
lichen Gründen ist sie bei ganz guten Tauchern nur gering und es
ist sehr wahrscheinlich, dass in manchen Fällen diese geringe Entwicklung zum Teil eine sekundär erworbene ist. Der taxonomische
Wert der Osteo-Pneumatizität ist deshalb meist nicht bedeutend; nur
in den Fällen, wo gleich große und unter ähnlichen Bedingungen
lebende Vögel durch einen sehr verschiedenen Grad der Ausbildung
dieser Eigenschaft gekennzeichnet sind, wie dies beispielsweise bei
den Ratiten vorkommt, wird derselbe größer. Mehr Bedeutung als
das Auftreten der Pneumatizität überhaupt, besitzen die qualitativen
Differenzen derselben, dies gilt besonders in Bezug auf die verschiedene
Verteilung und Anordnung der ein- und ausführenden Luftlöcher. Die
Wichtigkeit dieses Umstandes haben auch schon die älteren Autoren
wie Nitzsch, R. Wagner, Blanchard etc. erkannt; in zahlreichen
Fällen bieten diese Löcher für gewisse Familien bestimmte Charaktere
und geben bei maßvoller Benutzung auch manchen guten systematischen
Wink, sind jedoch zur Erkenntnis schwieriger verwandtschaftlicher
Beziehungen kaum brauchbar.

An einer anderen Stelle ist schon betont worden, dass die im
Skelettsysteme der Wirbeltiere zur Entwicklung kommenden Knochen-
kerne an Zahl und Größe sehr wechseln und infolge dessen in sehr
ungleiche gegenseitige Beziehungen zu einander treten. Während sie
bei den niederen Tieren durch Zonen von primitiven Geweben (Bindegewebe, Knorpel) von einander getrennt sind, treten sie bei höheren,
vorausgesetzt, dass keine Gelenkhöhlen zwischen ihnen zur Ausbildung
kommen, in näheren Verband, welcher zu ausgedehnten Knochen-
verwachsungen führen kann. Es entsteht auf diese Weise eine Reihe
jener Verbindungen, die man im allgemeinen als synarthrotische und
synostotische bezeichnet. Die niederen Sauropsiden weisen am Schädel,
an der Wirbelsäule etc. zeitlebens zahlreiche Nahtverbindungen auf,
welche bei den höheren bereits im fötalen oder jugendlichen Alter
einer Synostose Platz machen und gewisse bei der Mehrzahl der
Wirbeltiere getrennt bleibende Skelettstücke, namentlich am Carpo-
Metacarpus und Tarso-Metatarsus, verschmelzen bei den Vögeln gewöhnlich zu einem Stück. Diese Verhältnisse sind unter Umständen
wohl systematisch verwertbar, leisten jedoch, wenn sie einseitig angewendet werden, nur sehr wenig.

Spezielleres Verhalten.

1) Rumpfskelett.

Eine große Reihe Forscher hat die Zahl der die Wirbelsäule zusammensetzenden Wirbel zum Gegenstand der Untersuchung gewählt
und viele haben diese Zahl als Charakteristicum der Art und Gattung
betrachtet. Es variiert aber die Anzahl der Wirbel zuweilen nicht

nur bei den verschiedenen Species desselben Genus (wie z. B. bei *Casuarius, Cygnus* etc.), sondern auch individuell. Aus diesem Umstande ergibt sich schon der Wert, welcher diesen Zahlen beigelegt werden darf; selbst innerhalb enger Grenzen sind dieselben wenig konstant und in weiteren Grenzen hört jede Sicherheit auf, wie die großen Variierungen bei den *Limicolae* (zwischen 43 und 50) und *Anseres* (zwischen 50 und 63) deutlich zeigen. Vergleicht man die Zahl der Wirbel der primitiveren und recenteren Vögel unter einander, so findet man, dass *Archaeopteryx* 49—50 (*Hesperornis* annähernd ebenso viel) besaß, während bei den lebenden Arten die Anzahl derselben zwischen 39 und 63—64 schwankt. Die höheren Zahlen kommen vorwiegend den Ratiten, den meisten Schwimmvögeln und vielen *Grallatores*, die niedrigeren den *Columbae, Psittaci* und den höheren Baumvögeln zu. Dabei unterliegt es gar keinem Zweifel, dass die kürzere Wirbelsäule aus der längeren durch Reduktion hinterer Wirbel entstanden ist, es lässt sich aber gegenwärtig noch nicht entscheiden, ob die Wirbelsäule derjenigen Formen, welche mehr Wirbel als z. B. *Archaeopteryx* aufweisen, durch Reduktion aus einer zum mindestens nicht kürzeren als die längste bisher beobachtete oder ob sie infolge einer sekundären Ausbildung neuer Elemente am kaudalen Ende (ähnlich wie z. B. bei den Ophidiern) entstanden sei. Mit Rücksicht darauf, dass die als primitiver zu beurteilenden Genera (*Anas, Phaeton*) der *Anseres* und *Steganopodes* weniger, die höheren Formen mehr Wirbel besitzen, hält F. die zweite Möglichkeit für die wahrscheinliche. Für die Anzahl der die einzelnen Abschnitte der Wirbelsäule bildenden Wirbel gilt im großen und ganzen das gleiche; die Variierungen sind hier jedoch nicht so beträchtlich, ja, innerhalb mancher Familien treten sogar recht konstante Verhältnisse auf. Hauptsächlich sind es der cervikale und sakrale Abschnitt, welche die Konfiguration der Wirbelsäule bestimmen. Bezüglich der Bedeutung der Cervikalwirbel-Zahlen für die Systematik ist auf Taf. XXII des F.'schen Werkes das Nähere zu ersehen; es ergibt sich daraus, dass viele Familien sich durch ein charakteristisches Verhalten dieser Wirbel auszeichnen und das *Archaeopteryx* die kürzeste Halswirbelsäule besitzt. Auch in betreff des Sacrum zeigt dieser älteste bekannte Vogel das einfachste Verhalten; dieses Skelettstück besteht bei ihm nur aus 7 respektive 8 Wirbeln, bei den anderen Vögeln hingegen sind es mindestens 9 oder 10 (dies ist der Fall bei *Ichthyornis*, bei den kleinen und mittelgroßen *Tubinares*, bei *Phaeton*, den *Psittaci* etc.) und bei den meisten *Ratitae*, bei den *Colymbidae, Podicipidae, Anseres, Odontoglossae, Pelargi*, bei vielen *Galli* etc. sogar 14—22 Wirbel, welche das Becken zusammensetzen.

Wie Gegenbaur — der beste Kenner des Vogelbeckens — festgestellt hat, erfolgt die Vergrößerung desselben auf Kosten der benachbarten Abschnitte, indem neben den beiden primitiven Sakral-

wirbeln auch dorsale, lumbale und kaudale Wirbel sich an seiner
Bildung beteiligen, indem sie mit den ersteren und unter einander
verschmelzen. *Archaeopteryx* mit der großen Anzahl seiner Dorsal-
und Kaudalwirbel liefert dafür den besten Beweis; weil bei ihm außerdem das Becken nur in mäßigem Grade nach hinten gerückt ist und
überdies die Schwanzwirbel sich durch ziemliche Länge auszeichnen, so
kommt der Schwanz bei ihm auffallend zur Geltung und dient als Unterscheidungsmerkmal ersten Ranges zwischen ihm (Vertreter der *Saururae*
H a e c k e l) und den übrigen bekannten Vögeln. Die Verbindung und
Gelenkung der einzelnen Wirbel hat neben J ä g e r , G e g e n b a u r etc.
namentlich M a r s h nach allgemeineren Gesichtspunkten behandelt.
Es wurde dadurch festgestellt, dass die bikonkave Form (bei *Archaeopteryx*, den *Ichthyornithidae*) den Ausgangspunkt bildet und dass
dann bei fortschreitender Entwicklung die Sattelform (zylindroidische
Form H u x l e y) zur Ausbildung gelangt, (bei den *Hesperornithidae*
und bei fast allen postcretaceischen Vögeln). Bei verschiedenen jetzt
lebenden Arten treten nur noch im kaudalen Bereiche Anklänge an
die bikonkave Gestaltung auf; bei den *Impennes* und den *Alcidae*
zeigt sich an einigen Dorsalwirbeln Opistocoelie. F. kann der Beurteilung der zuerst namhaft gemachten Artikulation als der primitivsten Wirbelgelenkung bei den Vögeln nur beistimmen, dagegen ist
dies nicht der Fall mit der Ansicht von M a r s h und anderen Forschern,
welche diejenigen Vögel, die sich durch bikonkave Gelenkflächen
auszeichnen (wie dies der Fall bei *Archaeopteryx* und *Ichthyornithes* ist)
den anderen scharf gegenüber gestellt wissen wollen. Er hält vielmehr die beiden Wirbelformen für keine qualitative sondern nur für
eine graduelle Differenz und weist die Möglichkeit, ob nicht die Vorfahren aller lebenden Vögel in einer früheren Zeit bikonkave Wirbel
besessen haben, nicht von der Hand. Im Gegensatz zu den eben angeführten Gelenkformen zeigt die Dorsalgegend bei den meisten fliegenden Vögeln eine Verringerung der Beweglichkeit, es macht sich an
ihr das Bestreben geltend, dem Rumpfe — als Träger der Eingeweide
und als teilweise Ursprungsstelle der mächtigen Flugmuskeln — eine
größere Kompaktheit zu verleihen. An Stelle der Sattelgelenke finden
sich an diesen Wirbeln bei vielen Vögeln weniger bewegliche Arti-
kulationen, bei manchen Gruppen tritt sogar eine mehr oder weniger
weit entwickelte Anchylosierung der verschiedenen Rückenwirbel (zuweilen mit 1 bis 3 hintern Halswirbeln) auf. Derartige Synostosen
sind namentlich für *Phoenicopterus*, *Threskiornis*, für die *Gruidae*, für
Psophia, die *Parridae*, *Crypturidae*, *Galli*, *Pteroclidae*, *Dididae*, *Columbidae* u. a. charakteristisch. Weil aber dieselben eine ganz sekundäre
Differenzierung repräsentieren, so vermag F. darin ein tiefer begrün-
detes Verwandtschaftsmerkmal nicht zu erblicken, doch dürfte es nach
seiner Ansicht auch wohl kaum eine Zufälligkeit sein, dass bei den
Gruidae und ihren Verwandten in der Regel der (18.) 19. bis 21. (22.),

bei den *Crypturidae*, *Galli*, *Opistocomidae* und bei den *Pteroclidae* der 16. bis 19., bei den *Dididae* der 16. bis 18. und endlich bei den *Columbidae* der 15. bis 17. Wirbel an der Synostosierung sich beteiligen.

Eine weitere Verschmelzung von Wirbeln unter einander findet sich bei der Mehrzahl der Vögel in der Kaudalregion; die (4—6) hintern derselben bilden nämlich einen kompakten Knochen, den Vomer oder das sogenannte Pygostyl. — Nach Marshalls ausgezeichneten diesbezüglichen Untersuchungen beteiligen sich an dieser Bildung bei *Struthio* 4, bei *Podiceps*, *Buceros*, *Corvus* 5, bei *Eurylamus* und *Anas* 6 Wirbel. F. fand bei zahlreichen Vögeln die Fünf- und Sechszahl vorherrschend, während Giebel — allerdings auf Grund unzureichender Beobachtungen — von einem aus 1, 2 oder 3 Wirbeln zusammengesetzten Vomer spricht. — Als Grund dieser Differenzierung ist die höhere Entfaltung der mit den hintern Kaudalwirbeln mittelbar verbundenen Steuerfedern anzusehen (durch diese Umbildung ist zugleich ein wesentlicher Gegensatz zu den freien und schlanken saurierähnlichen Wirbeln des *Archaeopteryx* gegeben). Dr. **F. Helm.**

Ueber einige wichtige Punkte in der Entwicklung des *Amphioxus*.

Von **Basilius Lwoff**,

Privatdozent an der Universität in Moskau.

Bei den modernen ontogenetischen und phylogenetischen Erörterungen bezüglich der Wirbeltiere bildet die Entwicklung des *Amphioxus* immer den Ausgangspunkt. Darum bedarf jede neue Untersuchung über die Entwicklung dieses Tieres keiner weiteren Rechtfertigung. Mit der Frage über die Entwicklung der Chorda und des Mesoderms bei den Wirbeltieren mich beschäftigend wollte ich auch *Amphioxus* in den Kreis meiner Untersuchungen ziehen und habe zu diesem Zwecke im Frühjahr 1889 eine Reise nach Messina unternommen, um am Faro das nötige embryologische Material zu sammeln. Wegen des fortdauernden schlechten Wetters aber habe ich dort wenig Material anschaffen können und habe mich größtenteils darauf beschränkt, die Entwicklung an lebenden Larven zu beobachten. Wohl aber ist es mir im Frühjahr des folgenden 1890iger Jahres auf der zoologischen Station in Neapel gelungen, soviel Material zu sammeln, wie ich nur wünschen konnte. Dank der Zuvorkommenheit des Vorstandes der Station wurde es mir möglich die *Amphioxus* in einem ziemlich großen Aquarium zu halten, wo sie vielmals massenhaft gelaicht haben [1]). Aber nicht nur in diesem großen

---

1) Das erste Mal haben meine *Amphioxus* am 31. Mai gelaicht. Die Laichung begann immer um 8 Uhr Abends.

Aquarium, sie haben auch in Gläsern gelaicht, sodass ich mich überzeugt habe, dass man nur Geduld haben und seine Gläser jeden
Abend aufmerksam beobachten muss, um das betreffende embryologische Material in Neapel zu bekommen.

Um die Larven zu konservieren, habe ich noch am Faro verschiedene Fixierungsflüssigkeiten probiert. (Osmiumsäure, Flemming'sche Flüssigkeit, Kleinenberg'sche Pikrinschwefelsäure, Subli-
mat-Eisessig). Es ergab sich (in Uebereinstimmung mit Hatschek),
dass Osmiumsäure sich am besten zu diesem Zwecke eignet, da sie
die Zellenkonturen am schärfsten konserviert. Nur in einer Hinsicht
konnte diese Konservierungsmethode mich nicht befriedigen, weil
dabei die Mitosen undeutlich werden. Da aber für viele Fragen
gerade Mitosen von großer Bedeutung sind, so leisteten mir andere
Fixierungsflüssigkeiten, vor allem Pikrinschwefelsäure und Sublimat-
Eisessig, in dieser Hinsicht gute Dienste, weil sie Mitosen vorzüglich
konservieren. Durch verschiedene Stadien wurden zahlreiche Serien
von Schnitten gefertigt. Dabei habe ich auch durch Gastrulastadium
nicht nur Querschnitte, sondern auch Längsschnitte (und zwar sowohl
Sagittal-, wie Horizontalschnitte) gemacht, da es sich ergab, dass
die sogenannten optischen Schnitte nicht immer dasselbe wiedergeben,
was auf den reellen Schnitten zu sehen ist. Zum Zwecke der Orientierung wurden die Objekte zuerst nach der bekannten Methode in
Celloidin eingeschlossen, dann die dünnen, die Larven enthaltenden
Celloidinplatten in Paraffin eingebettet. Die Larven wurden in toto
mit Boraxkarmin gefärbt; aber größtenteils habe ich die mit Eiweiß
aufgeklebten Schnitte mit dem Delafield'schen Hämatoxylin nach-
gefärbt.

In vielen Punkten waren meine Präparate in so guter Uebereinstimmung mit Hatschek's Angaben, dass ich in dieser Beziehung
seine ausgezeichnete Arbeit nur bestätigen konnte. Andrerseits aber
ergaben sich auch einige Differenzen, die mir nicht unwichtig scheinen,
da sie von großer Bedeutung sind und auf die modernen embryologischen Theorien nicht ohne Einfluss sein können. Meine Untersuchungen haben etwa zwei Jahre gedauert. Im großen und ganzen
bin ich schon vor einem Jahre zu den weiter zu erwähnenden Ergebnissen gekommen; da ich aber in der Schilderung und der Deutung
einiger Entwicklungsvorgänge von den so hervorragenden Forschern,
wie Kowalevsky und Hatschek, abweichen musste, so eilte ich
nicht mit vorläufiger Mitteilung: einerseits glaubte ich diese für mich
damals noch fraglichen Punkte nachuntersuchen zu müssen, andererseits
wollte ich diese Ergebnisse mit den Resultaten vergleichen, zu denen
ich bei meinen Untersuchungen über dieselben Entwicklungsvorgänge
bei verschiedenen Wirbeltieren gekommen war. Nun nach dieser
vergleichenden Untersuchung muss ich meine Auffassung aufrecht
erhalten und will in dieser kurzen Mitteilung, ohne in die Einzel-

heiten einzugehen, meine Angaben und Ansichten über einige wichtige
Punkte in der Entwicklung des *Amphioxus* veröffentlichen, indem ich
mir vorbehalte, später über diesen Gegenstand eingehender zu berichten. Da ich keine Absicht habe die gesammte Entwicklungsgeschichte des *Amphioxus* zu schildern und nur über die Punkte berichten werde, in denen ich von meinen Vorgängern abweiche, so
wird meine Schilderung notwendigerweise etwas fragmentarisch aussehen. Ich glaube, man wird es mir nicht übel nehmen.

Meine Beobachtungen über die Eifurchung stimmen mit den Angaben von Hatschek überein. In Uebereinstimmung mit diesem
Forscher nehme ich an, dass die obere größere Hälfte der Blastula
(etwa „die oberen zwei Drittel der Wölbung") von kleineren Ektodermzellen, die untere Hälfte (etwa „das untere Drittel") von größeren
dunkleren Entodermzellen zusammengesetzt ist. Ich will dabei nur
hervorheben, dass dieser Unterschied zwischen Ektoderm- und Entodermzellen noch in der Blastula zu Tage tritt, ehe die Einstülpung
beginnt, dass also das zweischichtige Stadium hier als Resultat der
Furchung zu betrachten ist. Wenn ich dies hervorhebe, so geschieht
es darum, weil man in dem Gastrulastadium schon nicht ohne weiteres
bloß zwei primäre Schichten — Ektoderm und Entoderm — unterscheiden darf, sondern, wie man gleich sehen wird, die Verhältnisse
hier nicht so einfach sind, wie es bisher angenommen wurde. Dies
führt uns zur Frage, wie der Prozess der Einstülpung vor sich geht?
Nach der Angabe von Kowalewsky bildet sich die Gastrula von
Amphioxus durch polare Einstülpung der einschichtigen Blastula, so
dass die Gastrulaaxe ursprünglich der Blastulaaxe entspricht und der
Gastrulamund nur später gegen die Rückenseite verschoben wird.
Hatschek dagegen glaubt, dass dies nicht der Fall ist, dass die
Längsaxe der Gastrula der Blastulaaxe nicht entspricht, sondern sie
unter einem spitzen Winkel kreuzt. Es bildet sich dabei eine radial
unsymmetrische Gastrula, deren Mund von Anfang an gegen die
Rückenseite offen ist. Es fragt sich: wodurch erklärt sich die Entstehung dieser unsymmetrischen Gastrula?
Hatschek sagt: „Nachdem die Bildung der Blastula vollendet
ist, tritt ein Stillstand in der Vermehrung der Zellen ein, um einem
anderen Prozesse Raum zu geben", nämlich der Gastrulation. In
Uebereinstimmung mit dieser Angabe glaubt Hatschek, dass die
Entodermzellen während des Einstülpungsprozesses eine mehr aktive
Rolle spielen, die Ektodermzellen dagegen während des ganzen Vorganges eine sich mehr passiv verhaltende Wölbung bilden. Die Entodermzellen sollen sich einstülpen, indem sie die in der Furchungshöhle
befindliche Flüssigkeit resorbieren und darum allmählich an Größe
zunehmen. Dadurch, meint Hatschek, erklärt sich die mechanische
Seite des Prozesses. Mir scheint, dass der Prozess der Einstülpung

anders vor sich geht. Nach meinen Beobachtungen tritt kein Stillstand in der Vermehrung der Zellen ein; im Gegenteil während des
Einstülpungsprozesses kann man nach wie vor eine rege Teilung der
Ektodermzellen bemerken, was an zahlreichen Mitosen zu erkennen
ist. Diese Vermehrung der Ektodermzellen ist meiner Ansicht nach
als ein wichtiges Moment bei dem Einstülpungsprozess zu betrachten.
Man sieht Mitosen überall im Ektoderm, am zahlreichsten aber sind
sie an der Seite, die später zur Rückenseite der Gastrula wird

Fig. 1.

Fig. 1.   Medianschnitt durch die Gastrula von
Amphioxus. Vergrößerung 160.
a = Vorderende; b, c = dorsaler Umschlagsrand.
Schwarze Kerne bedeuten Mitosen.

(Fig. 1, a c) und am dorsalen Umschlagsrande (Fig. 1, c) zu bemerken.
Manchmal sind Mitosen auch in den Zellen der dorsalen Wand der
inneren Höhle zu sehen. Wie Längsschnitte zeigen, wachsen diese
Zellen vom dorsalen Umschlagsrande aus nach innen. Das Anwachsen
der Zellen an diesem Umschlagsrande und Wachstumsdrang derselben
nach innen soll sehr bedeutend sein, weil auf Medianschnitten der
Gastrula (Fig. 1) die Zellen hier den Charakter des einschichtigen
Epithels verlieren und unregelmäßig zweischichtig gelagert sind.
Manchmal lassen sich an der dorsalen Wand der Höhle Unebenheiten
bemerken und die einzelnen Zellen lösen sich sogar aus dem Zell-
verbande los und erscheinen als rundliche Zellen, die neben den
übrigen Zellen liegen. Auf solche Weise kann die aktive Rolle der
Ektodermzellen bei der Einstülpung und die Beteiligung derselben
an der Bildung der dorsalen Wand der sogenannten Gastralhöhle
keinem Zweifel unterliegen.

Auf Grund meiner Untersuchungen deute ich die Bildung der
Gastrula von *Amphioxus* folgendermaßen. In einem gewissen Stadium
der Eifurchung macht sich die überwiegend aktive Rolle der kleineren
Blastomeren gegenüber den größeren bemerkbar. Die Mikromeren
teilen und vermehren sich rascher als die Makromeren. So kommt
es zur Bildung der Blastula, deren zwei Drittel von Mikromeren und
nur ein Drittel von Makromeren gebildet sind. Es gibt zwar keinen
scharfen Gegensatz zwischen diesen beiden Elementen, aber soviel
ist sicher, dass wir Mikromeren und Makromeren, resp. Ektoderm-
und Entodermzellen unterscheiden können. Der Unterschied zwischen
ihnen ist dadurch zu Stande gekommen, dass die einen sich rascher
vermehren als die anderen So weit bin ich, wie es scheint, in
Uebereinstimmung mit Hatschek. Aber dann nimmt Hatschek

an, dass ein Stillstand in der Vermehrung der Zellen eintritt, um einem anderen Prozesse, nämlich der Gastrulation Raum zu geben, und versucht die Einstülpung auf andere, namentlich mechanische Momente zurückzuführen. Für seine Annahme finde ich keinen Anhaltspunkt, denn nach meinen Befunden dauert die Vermehrung der Mikromeren (Ektodermzellen) nach wie vor fort; was die Zurückführung auf die mechanischen Momente betrifft, so finde ich sie schlechthin überflüssig, denn die Einstülpung kann durch denselben Prozess (die raschere Vermehrung der Mikromeren) hinreichend erklärt werden. Da ich dabei in kleineren Ektodermzellen zahlreiche Mitosen finde, in den größeren Entodermzellen Mitosen so gut wie ganz fehlen, so schließe ich daraus, wie ich glaube, mit Recht, dass die sich teilenden Ektodermzellen bei der Einstülpung eine aktive Rolle spielen, dagegen den sich träge verhaltenden größeren Entodermzellen eine mehr passive Rolle zu Teil wird und sie dahin zu liegen kommen, wohin sie durch die mehr aktiven Elemente verschoben werden. Infolge der Zellenvermehrung in den Ektodermzellen finden bedeutende Zellenverschiebungen an der Grenze zwischen Ektoderm- und Entodermzellen statt, wodurch die Einstülpung der Entodermzellen eingeleitet wird. Die Einstülpung beginnt an der Grenze zwischen Mikro- und Makromeren, wo der Unterschied zwischen Wachstumsenergien beider Elemente am größten ist. Da aber die Zellenvermehrung nicht überall gleichmäßig vor sich geht, sondern sich vorzugsweise an einer Seite konzentriert, die zur Dorsalseite der Gastrula wird, so erklärt sich dadurch die Ungleichmäßigkeit und die radiale Unsymmetrie der Einstülpung. Nämlich, während an anderen Stellen die Entodermzellen nach innen hinein eingestülpt werden, stülpen sich an dieser Seite die Ektodermzellen selbst nach innen ein. Mit andern Worten, die Zellen, die vom dorsalen Umschlagsrande aus nach innen wachsen, bilden die dorsale Wand der inneren Höhle und verdrängen, indem sie wachsen, die eigentlichen Entodermzellen, welche auf solche Weise an die ventrale Wand und an die Seiten der Höhle zu liegen kommen, und vielleicht nur wenige Entodermzellen bleiben im Vorderende der dorsalen Wand. Zugleich wächst der Umschlagsrand selbst nach hinten und schließt allmählich den sogenannten Gastrulamund. Dadurch kommt eine radial unsymmetrische, aber zugleich, da die Rückenseite markiert ist, bilateral symmetrische Gastrula zu Stande. Ich betrachte also die Vermehrung und Verschiebung der Ektodermzellen als gemeinsame Ursache der Einstülpung und der Schließung des Gastrulamundes. Wenn, wie es Hatschek voraussetzt, die Entodermzellen dabei eine aktive Rolle spielten, welche, indem sie die in der Furchungshöhle befindliche Flüssigkeit resorbierten, sich nach innen einstülpten,

so würde die Einstülpung ganz gleichmäßig und radiär symmetrisch
vor sich gehen, da alle Entodermzellen sich in gleichen Bedingungen
in dieser Hinsicht befinden und darum alle Zellen gleichmäßig diese
Flüssigkeit resorbieren können; mit andern Worten, die Gastrula
würde dann durch polare Einstülpung sich bilden, wie es Kowalewsky beschreibt. Es ist sonderbar, dass Hatschek selbst diesen
Umstand nicht beachtet hat. Seine eignen Abbildungen sprechen
nicht zu Gunsten seiner Auffassung. Bezüglich dieser Abbildungen
sagt er: „Bei der Orientierung der Figuren ist zunächst die als Vorderende gekennzeichnete schärfer gekrümmte Stelle der Wölbung
berücksichtigt. Ich bin dadurch zum Schluss gekommen, dass der
Gastrulamund ganz der späteren Rückseite angehört und dass der
hintere Rand desselben das Hinterende des Embryo bezeichnet. Die
Längsaxe wird demnach konstruiert, indem man von der scharf gekrümmten Stelle der Wölbung, die das Vorderende bezeichnet, durch
den hinteren Rand des Gastrulamundes eine gerade Linie zieht"
(S. 31). Man vergleiche nun von diesem Gesichtspunkte aus seine
Fig. 24, 26, 29 und 33 mit einander. Hatschek glaubt, dass die
eine Form (mützenförmige Gastrula) (Fig. 24) in die andere ver-
schmälerte (Fig. 33) durch einfachen mechanischen Prozess ohne bedeutende Zellverschiebungen übergeführt wird. Diese Erklärung halte
ich geradezu für unmöglich. Wenn man nämlich in beiden erwähnten
Figuren das Vorderende berücksichtigt, so sieht man, dass die ventrale Seite in Fig. 33 etwa dieselbe geblieben wie in Fig. 24, die
Dorsalseite aber in Fig. 33 viel länger geworden, man könnte sogar
sagen, fast eine Neubildung ist. Die Bildung der dorsalen Seite
kann durch keinen mechanischen Prozess erklärt werden: da das
Vorderende nicht auf die Seite geschoben werden darf, so bewege
und falte man, wie man will, — die dorsale Seite kann nicht ohne
bedeutende Zellenverschiebungen gebildet werden. Nach meiner Ansicht aber erklärt sich die Bildung und das Wachstum der dorsalen
Seite durch die Zellenverschiebungen und das Wachstum des dorsalen
Umschlagsrandes nach hinten, also durch einen Prozess, der auf die
Zellenvermehrung der Ektodermzellen an dieser Seite zurückzuführen
ist. Es ist weiter hervorzuheben, dass die Entodermzellen nur ein
Drittel der Blastulawand bilden und darum nicht ausreichen, um die
ganze innere Wand der Gastralhöble zu bilden — dadurch schon
wird die Beteiligung der Ektodermzellen an der Bildung derselben
wahrscheinlich. Hatschek glaubt zwar diese Schwierigkeit durch
die Angabe beseitigt zu haben, dass diese Zellen während der
Einstülpung an Größe zunehmen; aber diese Angabe kann ich
nicht bestätigen. Ich habe mir diese kleine kritische Abschweifung
erlaubt, um darzuthun, dass Hatschek's Deutung des Einstülpungsprozesses bei *Amphioxus* nicht zutreffend ist und dass seine Abbildungen nicht immer zu Gunsten seiner Auffassung sprechen.

Was meine Untersuchungen betrifft, so belehren sie mich, dass die Zellen der dorsalen und ventralen Wand der Gastrulahöhle verschiedenen Ursprung und verschiedene Bedeutung haben. Die dorsale Wand derselben ist fast ganz von den Ektodermzellen gebildet, die vom dorsalen Umschlagsrande aus hineinwachsen, die Seiten- und die ventrale Wand der Höhle von den eigentlichen Entodermzellen. Auf den Querschnitten der Gastrula kann man sehen, dass die Zellen hier und dort verschiedenes Ansehen haben. Erstens sind die Zellen der dorsalen Wand etwas niedriger als die der ventralen Wand [1]. Bei einigen Messungen ergab sich, dass die ersteren 16 μ, die letzteren 24 μ hoch sind. Zweitens sind die Zellen der dorsalen Wand etwas durchsichtiger, was dadurch bedingt ist, dass sie weniger Dotterkörnchen enthalten, als die Zellen der ventralen Wand. Dieser Unterschied in der Größe und im Gehalt an Dotterkörnchen erklärt sich ganz wohl dadurch, dass sie verschiedenen Ursprung haben. Die ersteren sind aus durchsichtigeren Mikromeren, die letzteren aus dunkleren (dotterreicheren) Makromeren entstanden. Wie die weiteren Entwicklungsstadien lehren, stellt diese dorsale Wand der Höhle die ektoblastogene Anlage der Chorda und des Mesoderms dar, indem aus der mittleren Zellenpartie derselben die Chordaplatte, aus zwei seitlichen Teilen das der Chorda anliegende Mesoderm sich bildet, aus welchem, wie bekannt, Muskelelemente entstehen. Die eigentlichen Entodermzellen geben jederseits einige an die ersteren angrenzenden Zellen als ihren Beitrag zur Bildung des Mesoderms ab; die Ränder des übrig gebliebenen Entoderms wachsen unter den seitlichen Mesodermanlagen nach der Mittellinie zu, vereinigen sich unter der Chorda und bilden auf solche Weise den Darm.

Das Hauptergebnis dieser Untersuchung ist, dass in der Einstülpung bei *Amphioxus* zwei verschiedene Prozesse zu unterscheiden sind: erstens die Einstülpung der Entodermzellen, aus denen der Darm gebildet wird, (es ist ein palingenetischer Prozess — die Gastrulation); zweitens die Einstülpung der Ektodermzellen vom dorsalen Umschlagsrande aus, die als ein cenogenetischer Prozess zu betrachten ist, der mit der Gastrulation nichts zu thun hat und durch den die Bildung der Chorda und des Mesoderms eingeleitet wird. Diese ektoblastogene Anlage der Chorda und des Mesoderms hat mit dem Darm nichts zu thun und gehört nicht zum Entoderm, wenn wir mit dem Namen Entoderm nichts anderes als jenes primäre Keimblatt bezeichnen wollen, welches dem inneren Keimblatte der *Archigastrula* oder dem inneren Blatte der Cölenteraten homolog ist. — Weiter ist aus dieser Untersuchung

---

[1] Siehe Fig. 2, die einen Querschnitt durch ein etwas weiter vorgeschrittenes Stadium darstellt.

ersichtlich, dass die Gastrula von *Amphioxus* keineswegs als eine Archigastrula zu betrachten ist. Wenn man ihr unumgänglich einen bestimmten Rang in der bekannten Gastrulahierarchie beilegen will, so ist sie eher als eine Amphigastrula zu betrachten.

Dieses Ergebnis ist von großer Bedeutung für das Verständnis der ähnlichen Entwicklungsvorgänge bei höheren Wirbeltieren. Bisher war es sehr schwer zu erklären und in Uebereinstimmung miteinander zu bringen, dass, während bei *Amphioxus* und bei niederen Wirbeltieren das zweiblätterige Stadium durch Einstülpung sich bildet, bei Amnioten die Einstülpung in einem zweiblätterigen Stadium stattfindet, wenn das untere Blatt schon vorhanden ist. Es wurden verschiedene Versuche von verschiedenen Seiten gemacht, um diese Schwierigkeit zu beseitigen. Aber diese Versuche sind nicht glücklich zu nennen. Von der Ueberzeugung ausgehend, dass das echte Entoderm seine Entstehung einer Einstülpung verdanken muss, hofft man der Schwierigkeit abzuhelfen, indem man dem unteren Keimblatt des zweischichtigen Stadiums der Amnioten entweder andere Benennungen gibt, oder ihm jede Teilnahme an der Bildung des Embryo und zwar mit Unrecht absprechen will. Ich werde auf diese Frage hier nicht näher eingehen, da sie in einer kurz nach dieser folgenden Mitteilung erörtert werden soll. Hier will ich nur darauf hinweisen, dass ich nach meinen Untersuchungen die Dinge in anderem Lichte sehe. Es besteht für mich keine Schwierigkeit für die Erklärung der Einstülpung in einem zweischichtigen Stadium bei Amnioten. Wir haben gesehen, dass in der Einstülpung bei *Amphioxus* zwei verschiedene Prozesse auseinanderzuhalten sind: die Gastrulation und die ektoblastogene Einstülpung. Indem wir von *Amphioxus* zu niederen Wirbeltieren und dann zu Amnioten übergehen, sehen wir, dass der palingenetische Prozess — die Gastrulation — obgleich sie sich in Form der Umwachsung vollzieht, je weiter, desto mehr unterdrückt wird; der cönogenetische Prozess — die ektoblastogene Einstülpung — dagegen in der Entwicklung der Chordaten deutlich auftritt und ihre volle Ausbildung bei Amnioten erreicht.

Ein anderer Punkt, in welchem ich von Hatschek abweiche, betrifft die rätselhaften Polzellen des Mesoderms. Da diesen Zellen von vielen Forschern, namentlich von Rabl eine große Bedeutung zugeschrieben wurde, bei Hatschek aber nur wenige Angaben darüber sich finden, so wollte ich über dieselben ins Klare kommen und ihr weiteres Schicksal verfolgen. Aber leider kann ich keine positiven Angaben darüber mitteilen. Meine Ergebnisse in dieser Hinsicht kann ich kurz fassen, indem ich erkläre, dass ich solche Zellen, welche sich, wie es Hatschek beschreibt und abbildet, durch ihre Größe, rundliche Form und größeren Kern vor allen übrigen Entodermzellen auszeichnen, am ventralen Rande des Gastrulamundes

weder an lebenden Larven, noch auf Osmiumkarminglyzerinprä-
paraten, noch auf Schnitten trotz vielen Suchens auffinden konnte
— ein Resultat, das der vielen darauf angewendeten Mühe durchaus
nicht entspricht.

Dieses negative Ergebnis kann natürlich gegenüber den positiven
Angaben von Hatschek die Frage nicht entscheiden, bis andere
Forscher es bestätigen oder widerlegen [1]). Aber die positiven diesbezüglichen Angaben Hatschek's sind nicht nur undeutlich, sondern
auch zum Teil unrichtig. Diese Polzellen des Mesoderms, die stets
den hinteren Körperpol bezeichnen, sollen nach Hatschek bei der
Bildung des Mesoderms den hinteren Abschluss desselben bilden.
Ich habe schon erwähnt, dass ich solche Zellen, die sich durch ihre
Größe etc. von den übrigen Zellen unterscheiden, nicht auffinden
konnte. Man könnte freilich annehmen, dass diese den hinteren Körperpol bezeichnenden Zellen sich von den übrigen Zellen nicht unterscheiden und dessenungeachtet an der Bildung des Mesoderms Anteil nehmen. Aber für solche Annahme finde ich keinen Anhaltspunkt. Denn die Angabe Hatschek's, dass die Mesodermfalten
über den Gastrulamund hinausreichen und mit den zwei großen Polzellen endigen, ist zweimal unrichtig: erstens reichen die Mesodermfalten nie über den Gastrulamund hinaus, und zweitens kann kein
Zusammenhang vorhanden sein zwischen den Mesodermfalten und den
vermeintlichen großen Zellen, denn die ersteren liegen auf der dorsalen Seite und zwar vor dem Gastrulamunde, die letzteren sollen
auf der ventralen Seite hinter dem Gastrulamunde sich befinden: es
müssen also zwischen ihnen die gewöhnlichen Entodermzellen liegen.
Ebenso unrichtig finde ich die Vermutung Hatschek's, dass diese
Polzellen das Material der noch ungegliederten Mesodermanlage repräsentieren. Ich habe weder bei Hatschek, noch an meinen Präparaten Angaben zu Gunsten dieser Ansicht gefunden, denn gerade an dieser Stelle habe ich keine einzige Mitose gesehen. Nach
meinen Befunden also muss ich diese Polzellen als Bildner
des Mesoderms entschieden in Abrede stellen. Darum ist es
für mich ganz unverständlich, wie Rabl gerade diese problematischen
Polzellen von *Amphioxus* für den Ausgangspunkt seines peristomalen
Mesoderms bei Wirbeltieren hält.

Jetzt will ich zur Frage über die Bildung des Mesoderms übergehen. Kowalewsky hat in seinen „Weiteren Studien" die folge-
reiche Entdeckung gemacht, dass das Mesoderm bei *Amphioxus* aus
Längsfalten des Entoderms entsteht, die allmählich von vorn nach
hinten in einzelne Ursegmente sich gliedern. Auf solche Weise werden die Ursegmente als Ausstülpungen des Urdarms, die Höhlen der-

---

1) Ich möchte hier nur hervorheben, dass auch Kowalewsky diese
Polzellen nicht gefunden hat.

selben, die zur Leibeshöhle werden, als Divertikel der Urdarmhöhle geschildert. Hatschek hat diese wichtigen Entdeckungen von Kowalewsky im wesentlichen bestätigt und in einigen Punkten genauer ausgeführt.

Da ich gefunden habe, dass die dorsale Wand der Gastrulahöhle anderen Ursprung hat als die ventrale Wand, und dass an der Bildung der Mesodermfalten sowohl eingestülpte Ektodermzellen wie die seitlichen Entodermzellen Anteil nehmen, so kann ich die Mesodermbildung bei *Amphioxus* als eine paarige Aussackung des Entoderms nicht auffassen. Außerdem weiche ich nicht nur in der Deutung, sondern auch in der Schilderung der Bildung des Mesoderms und der Leibeshöhle nicht unwesentlich von beiden berühmten Zoologen ab. Meine Darstellung wird durch folgende Figuren illustriert (Fig. 2, 3, 4 und 5).

Fig. 2.　　　　Fig. 3.　　　　Fig. 4.　　　　Fig. 5.

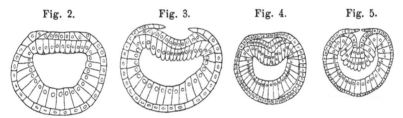

Vier Querschnitte durch vier verschiedene *Amphioxus*-Larven (bei 160facher Vergrößerung), welche die Einsenkung der Medullarplatte und die in inniger Beziehung damit stehende Bildung der Mesodermfalten demonstrieren sollen.

Nachdem die bilateral-symmetrische Gastrula mit flacher Rückenseite sich gebildet hat, dauert die Vermehrung der Ektodermzellen fort. Man kann besonders rege Zellteilung auf der Rückenseite der Gastrula beobachten — ein Vorgang, der zur Bildung der Medullarplatte führt. Es grenzt sich nämlich hier die zentrale Zellenpartie von den seitlichen Teilen ab (Fig. 2). Dabei lassen sich zahlreiche Mitosen beobachten, und zwar sowohl in der zentralen Platte, die zur Medullarplatte wird, wie in den seitlichen Teilen, von denen die Medullarplatte überwachsen wird. Auf der Abbildung (Fig. 3), die einen Querschnitt durch solches Stadium darstellt, sieht man, dass die Zahl der Zellen in der Medullarplatte beträchtlich zugenommen hat, und zugleich lässt sich die Einsenkung der Medullarplatte und die Ueberwachsung derselben deutlich erkennen. In den folgenden Stadien wird die Einsenkung der Medullarplatte tiefer (Fig. 4 und 5); diese Medullarfurche wird endlich ganz vom Ektoderm überwachsen und verwandelt sich später in das Medullarrohr. Der Vorgang ist von Kowalewsky und Hatschek zutreffend geschildert. Was uns hier zunächst interessiert, ist die gleichzeitige Bildung der Mesodermfalten, die in so inniger Beziehung zur Bildung des Nervensystems steht, dass beide Vorgänge nur im Zusammenhange geschildert werden können. Das wird schon aus der Betrachtung der beiliegenden Figuren (Fig. 2, 3, 4 und 5) ersichtlich. In Fig. 2 sind sowohl die Medullarplatte wie die dorsale Wand der Gastrulahöhle flach. In Fig. 3 macht sich zugleich mit der Einsenkung der Medullarplatte die Bildung von zwei Falten bemerkbar. In Fig. 4 u. 5 wird diese innige Beziehung zwischen den beiden Bildungen noch deutlicher markiert Wenn man viele Präparate durchgesehen hat, so kommt man zum Schlusse, dass diese beiden Bildungen keineswegs unabhängig von einander sein können: in jedem Schnitte entspricht die Form der Medullarplatte so genau der Form der Falten, wie nur eine konkave Seite einer konvexen entsprechen kann. Ich glaube nicht fehl zu gehen, wenn ich diese wechselseitige Beziehung so auffasse, dass die Bildung der Mesodermfalten auf die Einsenkung der Medullarplatte zurückzuführen ist. .Es ist also keine aktive Ausstülpung, es ist eine Faltenbildung, die infolge der Einsenkung der Medullarplatte jederseits entstanden ist. Man kann auch nicht diese Falten einfach als Aussackungen der dorsalen Wand der Gastrulahöhle betrachten; denn in jeder Falte muss man eine mediale und eine laterale Wand unterscheiden. Die mediale Wand ist von den Zellen der dorsalen Wand der Höhle gebildet und stellt darum die ektoblastogene Anlage des Mesoderms dar, die laterale ist von den eigentlichen Entodermzellen gebildet.

Hatschek glaubt, dass die Bildung der Mesodermfalten zunächst auf eine bedeutendere Flächenausdehnung des Entoderms in der Rückenregion zurückzuführen sei (S. 47). Dafür aber finde ich keinen Anhaltspunkt, weder bei Hatschek, noch in meinen eigenen Präparaten. Wie schon erwähnt, lassen sich während aller dieser Entwicklungsvorgänge im Ektoderm zahlreiche Mitosen beobachten. Dagegen ist zu erwähnen, dass Mitosen in den Zellen, aus welchen die Längsfalten gebildet werden, in diesem Stadium sehr selten sind und, wenn vorhanden, immer solche Richtung haben, dass die Teilung der Zelle in eine obere und eine untere Hälfte sich vollziehen muss — ein Vorgang, der keineswegs im Sinne der Flächenausdehnung, vielmehr im Sinne der sich vorbereitenden Abspaltung der Zellen gedeutet werden kann. Jedenfalls sind die Mitosen in den Mesodermfalten verhältnismäßig zu selten, um die Bildung der Falten zu erklären. Ich werde noch Gelegenheit haben, auf diese Mitosen zurückzukommen, und dann wird es sich zeigen, wozu sie eigentlich dienen und was sie bewirken.

Um diese Faltenbildung nicht zu überschätzen und ihre Bedeutung richtig aufzufassen, muss man nur aufmerksam zusehen, in welcher innigen Beziehung das Entstehen der Falten zur Bildung des Nervensystems steht. Hatschek gibt zwar zu, dass das Auftreten der Rückenfurche nicht nur die Bildung des Nerven-

rohres einleitet, sondern auch in ebenso inniger Beziehung zur Bildung der Mesodermfalten steht, aber dessenungeachtet schreibt er
dabei die aktive Rolle den Entodermzellen zu. Seine eigenen Worte
lauten folgendermaßen: „Ich möchte bei der Mechanik dieser Prozesse
dem Entoderm die überwiegend aktive Rolle zuschreiben. Man wird
schon bei oberflächlicher Betrachtung der Abbildungen viel eher der
dicken Entodermschichte eine aktive Leistung bei den Formveränderungen zumuten, als der dünnen ektodermalen Deckschichte" (S. 46).
Sonderbarer Schluss! Ich brauche freilich nicht H a t s c h e k darauf
aufmerksam zu machen, dass die Zellendicke keineswegs als ein
wahres Merkmal der aktiven Leistung zu betrachten ist, denn
H a t s c h e k selbst spricht an einer anderen Stelle seiner Studien die
ganz richtige Ansicht aus, dass die Wachstumsenergie dort, wo die
Dotterkörnchen schneller aufgebraucht werden, eine stärkere ist.
Und was sehen wir in der That in der Entwicklung des *Amphioxus*?
In allen bisher geschilderten Prozessen spielen die sich rasch teilenden kleineren Ektodermzellen eine aktive Rolle, während die größeren
und dickeren Entodermzellen dabei sich passiv verhalten. Diese auf
einander folgenden Vorgänge — die Abflachung der Rückenseite, die
Abgrenzung, Einsenkung und Ueberwachsung der Medullarplatte —
sind auf Wachstumserscheinungen im Ektoderm zurückzuführen. Jetzt
will ich noch ein Beispiel anführen. H a t s c h e k hat ganz richtig
angegeben, dass die Ueberwachsung der Medullarplatte hinten zu den
Seiten des Gastrulamundes beginnt und nach vorn fortschreitet, aber
er versucht nicht diese Thatsache zu erklären. Ich erkläre mir dies
folgendermaßen. Wie schon erwähnt, findet die Zellenvermehrung
nicht nur auf der Dorsalseite der Gastrula, wo die wichtigsten Vorgänge sich abspielen, sondern auch, obgleich in viel schwächerem
Grade, im übrigen Ektoderm statt. Daher kommt es, dass, wenn die
Einstülpung sich vollzogen hat und die Einsenkung der Medullarplatte
sich beobachten lässt, die Ektodermzellen am ventralen Rande des
Gastrulamundes sich auszubreiten anfangen, und zwar in der einzigen
freien Richtung, d. h. sie fangen an den Gastrulamund zu überwachsen. Sie überbrücken also zunächst den Gastrulamund und
liefern ihren Beitrag zur Ueberwachsung des hinteren Teiles der
Medullarplatte zu der Zeit, als im vorderen Teile derselben noch
keine Spur davon ist.

Die Gebrüder H e r t w i g und nach ihnen viele andere Embryo-
logen sehen in der Bildung der Mesodermfalten bei *Amphioxus* einen
wichtigen, für alle Wirbeltiere bedeutungsvollen Prozess, der so zu
deuten sei, dass der Urdarm durch diese Falten in drei Abteilungen
zerfällt: in einen mittleren Raum (den definitiven Darm) und zwei
seitliche Divertikel (Cölomsäcke), die zur Leibeshöhle werden. Aus
dem Mitgeteilten ist ersichtlich, dass ich die Dinge in anderem Lichte
sehe. Aber davon abgesehen, dass die Wand der Gastrulahöhle bei

Amphioxus keineswegs als ein einheitliches Gebilde zu betrachten ist, dass die dorsale Wand derselben anderen Ursprung hat als die ventrale Wand, dass also diese Falten keineswegs als Divertikel der Urdarmwand betrachtet werden dürfen, abgesehen von all dem will ich jetzt meine Beobachtungen anführen, die entschieden beweisen, dass die Höhlen dieser Falten keineswegs zur Leibeshöhle werden. Diese Höhlen verschwinden in jedem Ursegment bald, nachdem dasselbe sich abgeschnürt hat. Dann bilden sich durch Auseinanderweichen der Zellen die echten Ursegmenthöhlen, die unmittelbar in die Leibeshöhle übergehen.

Indem ich die Serien von Schnitten durch Larven mit 6—8 Ursegmenten untersuchte, wurde ich darauf aufmerksam, dass die Höhlen in den Ursegmenten nur selten sich bemerken ließen, größtenteils aber die Ursegmente solide Zellenhaufen darstellten. Da die Frage von großer Bedeutung ist, so habe ich viele Serien darauf untersucht. Um die Resultate der Untersuchung möglichst objektiv darzustellen, will ich hier eine solche Serie beschreiben; ich muss dabei hinzufügen, dass alle ‚Serien in dieser Hinsicht miteinander übereinstimmen und dieselbe Bedeutung haben. Die Serie enthält 28 Schnitte von $7^{1}/_{2}$ μ Schnittdicke. Die Schnitte beginnen hinten und gehen nach vorn. Schnitte 1—4 stellen nichts Besonderes dar; Schnitte 5 und 6 zeigen die Gastrulahöhle mit Mesodermfalten; Schnitt 7 — links ist das Mesoderm schon abgeschnürt und stellt einen soliden Zellenhaufen dar, rechts ist noch Mesodermfalte vorhanden; Schnitt 8 — links solider Zellenhaufen, rechts ist die Mesodermfalte schon abgeschnürt, aber zeigt noch eine kleine Höhle. Schnitte 9—18 stimmen miteinander darin überein, dass das Mesoderm sowohl rechts wie links solide Zellenhaufen darstellt ohne jede Spur von Höhle (Fig. 6); Schnitt 19 — links eine Höhle im Mesoderm; rechts keine Höhle; Schnitt 20 — keine Höhle weder rechts noch links: Schnitt 21 — links ist eine Höhle zu sehen, rechts keine Höhle; Schnitte 22 und 23 zeigen eine deutliche Höhle im Mesoderm sowohl rechts wie links (Fig. 7); Schnitt 24 zeigt die Mesodermfalten rechts und links; Schnitte 25—28 stellen für uns nichts Besonderes dar.

Fig. 6.   Fig. 7.

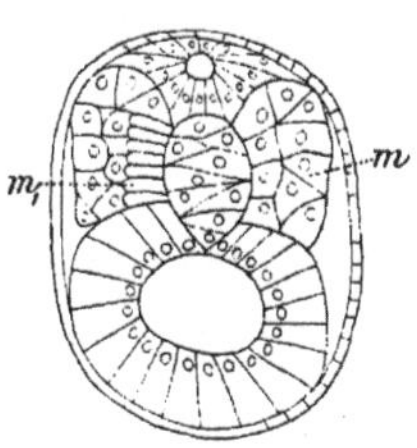

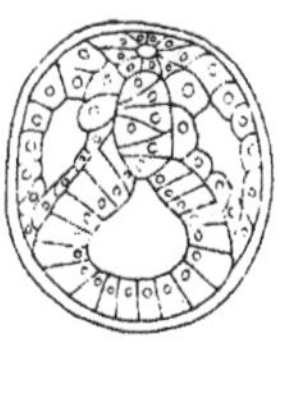

Zwei Querschnitte aus einer Serie.
Vergrößerung 320.
Erklärung im Text.
m = Mesoderm; $m_{,}$ = Muskelelemente.

Es ist deutlich, dass Schnitte 22 und 23 das erste Ursegment getroffen haben, welches eine deutliche Höhle zeigt; diese Höhle ist links auch auf Schnitt 21 zu sehen. Schnitt 20 zeigt die Scheidewand zwischen 1. und 2. Ursegment; Schnitt 19 hat das zweite Ursegment getroffen, welches links eine Höhle zeigt, rechts dagegen ganz solid ist; Schnitte 18, 17 . . . . bis 9 zeigen die folgenden Ursegmente ohne jede Spur von Höhle. Das jüngste Ursegment ist auf den Schnitten 8 und 7 zu sehen, aus denen ersichtlich ist, wie das Verschwinden dieser Höhle im Mesoderm vor sich geht. Auf dem Schnitte 7 ist die Mesodermfalte noch offen; auf dem Schnitte 8 rechts ist das Mesoderm schon abgeschnürt, hat aber noch eine kleine Höhle; links ist schon keine Höhle zu sehen. Nach der Untersuchung meiner Serien kann ich behaupten, dass die Höhle in dem jüngsten Ursegment rechts im Begriffe ist zu verschwinden; in demselben Ursegment links ebenso wie in den folgenden Ursegmenten ist sie schon verschwunden. Was die Höhlen betrifft, welche im ersten Ursegment und im zweiten Ursegment links zu sehen sind, so stellen sie die echten definitiven Ursegmenthöhlen dar, die durch Auseinanderweichen der Zellen sich bilden.

Ich habe auch Längsschnitte (und zwar sowohl Horizontal- wie Sagittalschnitte) untersucht und bin zu denselben Resultaten gekommen. Die Längsschnitte sind in dieser Hinsicht sehr demonstrativ, da man auf einem solchen Schnitte alle Ursegmente auf einmal überblickt.

Nach allen diesen Untersuchungen stelle ich mir den Vorgang folgendermaßen vor. Während der Abschnürung der Ursegmente verengert sich der Spalt der Mesodermfalte und nach der Abschnürung kommt er bald zum Schwunde, ohne die Ursegmenthöhle zu bilden. Vor allem legen sich die mediale und laterale Wand der Falte an einander an; dann dazu trägt noch die Vermehrung der Mesodermzellen bei, welche früher schon erwähnt wurde, weil in den Mesodermfalten sich manchmal Mitosen sehen lassen, in dem abgeschnürten Mesoderm aber die Zahl der Zellen etwas zugenommen hat. Indem die Zellen sich weiter vermehren und das untere Ende des Mesoderms nach unten zwischen Darm und äußere Bedeckung zu wachsen beginnt, bilden sich die echten Ursegmenthöhlen durch Auseinanderweichen der Zellen (Fig. 7). Die Bildung dieser Höhlen geht von vorn nach hinten. Daher kommt es, dass, während in den vorderen Ursegmenten die echten Höhlen zu sehen sind, die mittleren Ursegmente ganz solide Zellenhaufen darstellen. Auf weiteren Stadien aber bekommen auch sie die Höhlen. Und so geht es allmählich weiter.

Daraus ist klar, dass die Mesodermfalten mit ihrer Höhle bei *Amphioxus* nur eine äußere zufällige Erscheinung darstellen, der man keine besondere phylogenetische Bedeutung zumuten kann. Die Leibeshöhle hat hier mit den vermeintlichen Urdarm-

divertikeln nichts zu thun. Es ist also nur eine scheinbare Enterocölie, die in Wirklichkeit nicht existiert, da
die Leibeshöhle wie bei allen Wirbeltieren durch Auseinanderweichen der Zellen gebildet wird. Es darf darum
keine Rede davon sein, dass *Amphioxus* ein Enterocölier ist, geschweige denn davon, dass alle Wirbeltiere von einem Enterocölier
abzuleiten sind, da ein solcher unter allen Chordaten nicht existiert.

Zum Schluss noch ein paar Worte über die Chorda. Aus dem
Mitgeteilten folgt, dass die Chorda bei *Amphioxus* aus einer ekto-
blastogenen Anlage entsteht. Ich will aber nicht verschweigen, dass
vielleicht im vorderen Teile auch die Entodermzellen an der Bildung
der Chorda sich beteiligen. Es wurde schon bei der Schilderung der
Einstülpung erwähnt, dass, während die dorsale Wand der Gastrulahöhle von den eingestülpten Ektodermzellen gebildet wird, im vorderen Teile dieser Wand vielleicht wenige Entodermzellen bleiben.
Es war mir unmöglich ihre Beteiligung an der Bildung der Chorda
direkt nachzuweisen, obgleich diese Möglichkeit nicht ausgeschlossen
werden kann. Jedenfalls kann die Beteiligung dieses „Chordaento-
blastes" an der Bildung der Chorda nur sehr unbedeutend sein. Die Angabe Hatschek's, dass die seitlichen Zellen der Chorda an der
Bildung der Chorda keinen Anteil nehmen und bei der Bildung des
Darmes das dorsale Schlussstück desselben bilden, konnte ich nicht
bestätigen. Nach meinen Befunden biegen sich, nachdem die Mesodermfalten sich abgeschnürt haben, die Ränder der Chordaplatte nach
unten (vielleicht infolge des Druckes der angrenzenden Teile). Es
bildet sich dadurch eine Chordafalte, die den sich zusammenschließen-
den Rändern des Darmes (des Entoderms) so anliegt, dass sie in die
Darmwand wie eingeschaltet erscheint (Fig. 8). Wie früher in der

Fig. 8.

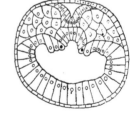

Vergrößerung 320. Erklärung im Text.

Schwarze Kerne bedeuten Mitosen.

Chordaplatte, so kann man jetzt und später in der Chordafalte, solange die Zellen regelmäßig (je vier jederseits) gelagert sind, 8 Zellen
zählen. In den angrenzenden Entodermzellen des Darmes lassen sich
häufig Mitosen bemerken, was darauf hinweist, dass diese Ränder
gegen einander wachsen. Auf dem Schnitte, der auf Fig. 8 abgebildet ist, waren zwei Mitosen vorhanden. Indem diese Ränder gegen

einander rücken, wird die Chordafalte geschlossen und es beginnt die
schon von Hatschek beschriebene Verschiebung der Chordazellen.
Die Chorda bleibt noch einige Zeit lang in die Darmwand eingeschaltet und manchmal ist es sehr schwer, die Grenze zwischen
den Chordazellen und den Entodermzellen des Darmes zu ziehen.
Aber aus solchen unklaren Bildern darf man freilich keine Schlüsse
ziehen, denn auf anderen Schnitten lässt sich diese Grenze sehr deutlich sehen (Fig. 6 und 7). Weiter wird die Chorda allmählich ausgeschaltet, indem sie zuerst etwas in die Darmwand eingekeilt bleibt,
dann wird ihr unterer Rand abgerundet und ganz vom Darm gesondert. Die Beteiligung der Chordazellen an der Bildung des Darmes
konnte ich dabei nicht bemerken.

In einer demnächst folgenden Mitteilung, in der dieselben Entwicklungsvorgänge bei verschiedenen Wirbeltieren geschildert werden,
sollen alle diese Befunde die phylogenetische Verwertung finden.

Aus dem Gesagten folgt, dass die Verbindung der Chorda mit
dem Entoderm eine sekundäre Erscheinung ist. Mit ebensolchem
Recht wie bei den höheren Wirbeltieren können wir auch bei *Amphioxus* die Einschaltung der Chorda in das Entoderm und die Aus-
schaltung derselben unterscheiden.

Kostino, im August 1892.

Max Verworn, Die Bewegung der lebendigen Substanz.
Eine vergleichend-physiologische Untersuchung der Kontraktionserscheinungen.
Jena, G. Fischer, 1892.

„Die lebendige Substanz der rhizopodoïden Zelle mit ihrer Bewegung muss Ausgangspunkt für die Untersuchung der Kontraktions-
erscheinung sein. Es heißt die Lösung des Kontraktionsproblems
unnötig erschweren, wenn man die Behandlung bei der quergestreiften
Muskelzelle beginnt, wo die Differenzierung der lebendigen Substanz
und ihre einseitige Anpassung an eine bestimmte Leistung ihren höchsten
Entwicklungsgrad und ihre größte Komplikation erreicht hat". Nach
dem in diesen Sätzen von dem Verfasser ausgesprochenen Prinzip
hat derselbe es unternommen, einer Untersuchung der Kontraktionserscheinungen näher zu treten, zu welcher ihn Studien über die physiologische Bedeutung des Zellkerns angeregt und ihm das erste grundlegende Material geliefert hatten. Er glaubt in Anbetracht der neuen
Gesichtspunkte, welche ihm die warm von ihm befürwortete und auch
hier angewandte zellular-physiologische Methode eröffnet hat, die
Hoffnung zu einer erfolgreichen Behandlung des alten Problems hegen
zu dürfen, obgleich sich an demselben schon so mancher hervorragende
Forscher mit vielem Aufwand von Zeit und Geist vergeblich versucht hat.

Nach den einleitenden Worten gibt V e r w o r n einen historischen Ueberblick über frühere Kontraktionstheorien, welche sich meist speziell nur auf die Protoplasma-Strömung in den Pflanzenzellen oder nur auf die Muskelkontraktion bezogen. Vergleichende Betrachtungen analoger Erscheinungen an verschiedenen kontraktilen Substanzen sind bisher sehr vernachlässigt worden, und unter der großen Zahl von Forschern, welche Beiträge zur Lösung des Kontraktionsproblems geliefert haben, sind es nur zwei, welche durch Vergleichung mehrerer Kontraktionserscheinungen das Verständnis für dieselben zu fördern suchten, E n g e l m a n n und M o n t g o m e r y. Aber die bisherigen Theorien von H o f m e i s t e r, E n g e l m a n n, H e r m a n n u. a. reichen trotz der wesentlichen Gesichtspunkte, die sie enthalten, nicht aus, „um alle Bewegungserscheinungen in der Organismenwelt in befriedigender Weise zu erklären, d. h. auf Vorgänge zurückzuführen, wie sie im Prinzip auch den Bewegungserscheinungen zu Grunde liegen, die uns aus der unbelebten Welt bekannt sind". Diese Theorien zeigen meist nur eine Verschiebung des zu lösenden Problems, indem die nicht zu beseitigenden Schwierigkeiten in bestimmte Voraussetzungen der Theorie verlegt sind, ohne dass für dieselben eine Erklärung gegeben werden kann; manchmal sind diese Voraussetzungen ganz willkürlich, und im Allgemeinen entbehrt man bei denselben die Rücksichtnahme auf die chemischen Vorgänge im Protoplasma.

Die V e r w o r n'sche Theorie baut sich auf die Bewegungserscheinungen der Rhizopoden auf und findet ihre Ausgangspunkte in den Erscheinungen der Pseudopodienbildung, in den Wirkungen der Reize (Erregungserscheinungen) und in gewissen Degenerationserscheinungen des Protoplasmas.

Aus der großen Formenfülle der Pseudopodien, welche in ihrer äußeren Form bei den einzelnen Rhizopodenarten sehr verschieden, in ihrem wesentlichen Verhalten aber übereinstimmend sind, legt der Verfasser hauptsächlich diejenigen des *Orbitolites complanatus*, eines großen Polythalams, seiner Schilderung der P s e u d o p o d i e n b i l d u n g zu Grunde. Die letztere beginnt damit, dass an verschiedenen Stellen der scheibenförmigen Schale des Tieres feine Spitzchen hervortreten, indem das Protoplasma in das umgebende Wasser vorfließt. Dadurch, dass vom zentralen Protoplasmakörper fortwährend Substanz nachströmt, verlängern sich diese Spitzchen zu geraden Fäden. Bei dieser Verlängerung ist zu bemerken, dass das vom Zentrum her nachströmende Protoplasma in der Axe des Pseudopodiums nach vorne fließt, die Substanz an der Spitze bei Seite drängt und selbst an die Spitze tritt, was sich stetig wiederholt, so lange das Pseudopodium sich ausstreckt. Während dessen bleibt das bei Seite gedrängte Protoplasma liegen. In dieser Weise ist bei einem sich lebhaft a u s s t r e c k e n d e n Pseudopodium die Protoplasmaströmung a u s n a h m s l o s z e n t r i f u g a l. Lässt die Streckung des Pseudopodiums nach,

so tritt allmählich auch ein zentripetaler Strom auf, welcher bei
beginnender Einziehung des Pseudopodiums überwiegt und bei energischer Retraktion der allein herrschende ist. „Jede Pseudopodienausstreckung beruht auf einem zentrifugalen
Hineinfließen des Protoplasmas in das umgebende Medium und jede Pseudopodieneinziehung auf einem zentripetalen Zurückfließen in den Körper, —.“

Was ferner die Wirkungen der Reize oder die Erregungserscheinungen betrifft, so ist der charakteristische Ausdruck für
diese die Einziehung der ausgestreckten Pseudopodien, wobei der
Protoplasmakörper sich möglichst der Kugelform zu nähern sucht.
Bei *Orbitolites* verläuft die Reizwirkung in folgender Weise. Wird
durch einen scharfen Schnitt die Spitze eines ausschließlich in zentri-
fugaler Strömung begriffenen Pseudopodiums abgetrennt, so sammelt
sich an dem zentralen Stumpf desselben „das der Schnittstelle zu-
nächstliegende Protoplasma zu einem kleinen Klümpchen an, das in
zentripetaler Richtung auf dem Pseudopodium entlang zu gleiten beginnt“. Meist treten mehrere solcher kugel- oder spindelförmigen
Klümpchen auf, welche sämtlich in zentripetaler Bewegung begriffen
sich auf dem Weg nach dem zentralen Protoplasmakörper mehrfach
mit der ihnen entgegenströmenden Substanz mischen, um endlich in
dieser zerfließend wiederum an der zentrifugalen Strömung teilzunehmen.
Nach diesen Erscheinungen bei partieller Reizung des Protoplasmas,
für deren Studium auch das Süßwasserrhizopod *Cyphoderia margaritacea*
als sehr günstiges Versuchsobjekt dargestellt wird, bespricht der Verfasser das Verhalten mehrerer Rhizopodenformen gegenüber totaler
Reizung des Körpers. Die entsprechenden Erscheinungen treten sehr
deutlich bei heftiger Erschütterung der Tiere hervor und bestehen in
der Einziehung sämtlicher Pseudopodien, wie es Difflugien, *Orbitolites*, *Actinosphaerium* und Radiolarien gleicherweise zeigen. In
der ganzen Länge der Pseudopodien von *Orbitolites* treten die schon
erwähnten kugel- und spindelförmigen Verdickungen auf. Bei andauernder Reizung zeigen die kleineren das Bestreben in die nächstliegenden größeren hineinzufließen. Aus der vielfachen Verschmelzung
resultieren endlich einige wenige größere Kügelchen, für welche nun
die zentrale Protoplasmamasse den Anziehungsmittelpunkt darstellt.
Unter den genannten Erscheinungen verkürzen sich die Pseudopodien
mehr und mehr und schmelzen schließlich ganz in den Protoplasmakörper ein. „Das erregte Protoplasma strömt ausnahmslos
in der Richtung nach der zentralen Körpermasse und
zeichnet sich im Ganzen ebenso wie in seinen Teilen
durch Neigung zur Kugelbildung aus“.

Uebereinstimmend mit den Erregungserscheinungen sind gewisse
Degenerationserscheinungen des Protoplasmas, welche nach
Entfernung des Zellkerns aus demselben oder überhaupt in kernlosen

Teilstücken auftreten. Trennt man einen Teil der Pseudopodienmasse des *Orbitolites* vom Zentralkörper ab, so streckt diese kernlose, nach der Operation anfangs zu einem Klümpchen kontrahierte lebende Substanz bald wieder Pseudopodien aus. In der ersten Zeit sind die letzteren völlig normal, erst nach $^1/_2$ bis 3 Stunden beginnen die Degenerationserscheinungen, welche sich durch eine vorwiegend zentripetale Protoplasmaströmung ankündigen. Schreitet der Prozess fort, so erscheinen bald auf den ganzen Pseudopodiennetz die kleinen Kügelchen und Spindeln, und die diesbezüglichen Veränderungen der Pseudopodien entwickeln sich in derselben Weise wie bei der auf Reize erfolgenden Einziehung. Nur gelingt es hierbei vielen der größeren Protoplasmaklümpchen nicht mehr, die zentrale Masse zu erreichen, da die dazu erforderlichen Verbindungsfäden des Pseudopodiums häufig vorzeitig zerreißen und in die Kügelchen einschmelzen. Auf diese Weise bildet sich um den großen zentralen Protoplasmaklumpen ein Hof verschiedengroßer Tröpfchen und Klümpchen. Pseudopodien werden jetzt nicht mehr gebildet, und nach längerer Zeit zerfallen diese Stücke des rasch vollständig bewegungslos gewordenen Protoplasmas in lockere Körnerhaufen. Der Verfasser legt besonderen Wert darauf, „dass die bei der Degeneration ablaufenden Erscheinungen bis in jede Einzelheit identisch sind mit den charakteristischen Erscheinungen, welche am unverletzten Individuum bei andauernder Erregung beobachtet werden".

Der Schilderung der Bewegungserscheinungen der Rhizopoden lässt der Verfasser den Versuch folgen, die denselben zu Grunde liegenden Lebensvorgänge zu erkennen und zu erklären. — Die Bewegung zeigt zwei Phasen, die Ausbreitungs- oder Expansionsphase und die dieser entgegengesetzt verlaufende Kontraktionsphase. Und da das Protoplasma als dickflüssige Substanz den Gesetzen tropfbar flüssiger Körper gehorchen muss, so ist die Form, welche dasselbe in den beiden Phasen darbietet, als Ausdruck der jeweils herrschenden Oberflächenspannungsverhältnisse zu betrachten.

In der Expansionsphase hätten wir es demnach mit lokalen Verminderungen der Oberflächenspannung zu thun. Diese Annahme steht im Einklang mit dem schon früher von Hofmeister erbrachten Nachweis, dass die Ursache der Ausbreitungserscheinungen des Protoplasmas an der Peripherie desselben und zwar an seiner Berührungsfläche mit dem umgebenden Medium gelegen sei. Nachdem das festgestellt ist, erhebt sich weiterhin die Frage nach der Ursache einer Verminderung der Oberflächenspannung des vor der Expansion kuglichen Protoplasmaklumpens. Diese Frage lässt sich nach Ausschluss aller anderen Einflüsse, von welchen man etwa eine Verminderung der Oberflächenspannung hätte erwarten können, dahin beantworten, dass der Sauerstoff des umgebenden Mediums das im letzteren

Sinne wirksame Agens ist. Der Beweis für die Richtigkeit dieser
Vermutung ist schon in älteren Versuchen Kühne's enthalten, aus
welchen hervorgeht, dass bei Sauerstoffabschluss die Pseudopodienbildung von Amöben vollständig aufhört. Dabei handelt es sich
aber nicht etwa um eine Reizwirkung, bei welcher wie oben ausgeführt, die Pseudopodienbildung aus den oben genannten Gründen
verhindert ist; denn die Pseudopodien bleiben auch nach der Sauer-
stoffentziehung noch ausgestreckt und können durch Reize zur Retraktion veranlasst werden. Es fehlt also thatsächlich nur die Ursache
der Ausbreitung des Protoplasmas. Aus dem Vorstehenden ergibt
sich also, dass die bekannte chemische Affinität des Sauerstoffs zum Protoplasma die unmittelbare Ursache für die Verminderung der Oberflächenspannung abgibt.

Vor der Aussendung der Pseudopodien ist die Oberflächenspannung
des dickflüssigen Protoplasmaklümpchens an allen Orten gleich d. h.
die einzelnen Teilchen unterliegen alle auf Grund ihrer gegenseitigen
molekularen Anziehungskräfte einem Zug nach dem Mittelpunkt des
Klümpchens, wofür eben die Kugelform der physikalische Ausdruck
ist. Diesen Kohäsionskräften, deren Resultierende also nach dem
Zentrum des Klümpchens gerichtet ist, wirkt nun die Affinität des
Protoplasmas zum Sauerstoff des Mediums entgegen als eine Kraft,
welche von jenem Zentrum weg gerichtet ist. Und da zu gleicher
Zeit eine große Anzahl von Sauerstoffmolekülen eine große Menge
sauerstoffbedürftiger Teile der lebendigen Substanz anzieht, so muss
hier durch chemische Kräfte ebenso eine Veränderung der Kugelform erzeugt werden, wie man sie auf physikalischem Wege durch
irgendwelche Adhäsionskräfte hervorrufen kann. Die fortschreitende
Massenbewegung kommt dann in folgender Weise zu Stande: „Durch
die erste Verminderung der Oberflächenspannung ist eine Bewegung
der nächstangrenzenden Protoplasmateilchen nach der Stelle der verminderten Spannung hin bedingt, so dass nun wieder neue Protoplasmateilchen in die Wirkungssphäre von Sauerstoffmolekülen kommen, wieder
Spannungsveränderungen herbeiführen und so eine immer weiter-
schreitende Ausbreitung oder Pseudopodienausstreckung durch Vor-
fließen des Protoplasmas in das Medium hinein bewirken". Die mit
Sauerstoff gesättigten Teilchen bleiben indifferent an der Oberfläche
liegen und werden von den nachströmenden bei Seite geschoben.

In dem angeführten Bewegungsmechanismus findet zugleich die
weitverbreitete Erscheinung des Chemotropismus in ihrer einfachsten Form, wie sie sich bei Rhizopoden darstellt, ihre Erklärung.
Der Chemotropismus zeigt sich hier als der „unmittelbare Ausdruck
chemischer Affinität".

Die Frage weshalb der gleichmäßig im Medium verteilte und
allseitig auf die Protoplasmaoberfläche einwirkende Sauerstoff im
Allgemeinen nicht eine gleichmäßig flächenhafte sondern nur eine

partielle Ausbreitung in Pseudopodienform erzeuge, beantwortet der Verf. in folgender Weise. Das Protoplasma ist keine homogene Masse, es sind daher von Seiten des letzteren die Bedingungen für die Ausbreitung nicht überall die gleichen, wie auch je nach dem Verhältnis der sauerstoffbedürftigen zu den in dieser Beziehung indifferenten Teilen die Pseudopodienformen der mannigfaltigen Rhizopodenarten verschieden sind. Ferner lässt sich aber auch experimentell zeigen, dass ein vollkommen gleichmäßig im Medium verteilter Stoff Ausbreitungen eines Flüssigkeitstropfens in Pseudopodienform hervorbringen kann. Das beweisen die bekannten Bewegungserscheinungen ranziger Oeltropfen in alkalischer Flüssigkeit, indem man auf diesem Wege die Pseudopodienbildung verschiedener Amöben, Myxomyceten, Heliozoen etc. in typischer Weise nachahmen kann. In physikalischer Hinsicht sind diese Bewegungen des Oeltropfens und des Protoplasmas im Prinzip dieselben, wenn auch die chemischen Ursachen derselben durchaus verschieden sind.

Vor der Besprechung des Kontraktionsvorganges gedenkt der Verf. noch folgender zwei Punkte: Wenn, wie es thatsächlich vorzukommen scheint, auch nach vollständiger Entfernung des Sauerstoffes aus dem Medium, die Protoplasmabewegung von Myxomycetenplasmodien noch einige Zeit andauert, so kann man das darauf zurückführen, dass im Protoplasma zur Zeit noch gewisse Mengen teils freien, teils gebundenen ungleich verteilten Sauerstoffs vorhanden sind, welche bei dem geringen Sauerstoffbedürfnis der Myxomyceten einen länger dauernden Spannungsausgleich bedingen. In zweiter Linie ist noch zu bemerken, dass, wie die Thatsachen des Trophotropismus und überhaupt des Chemotropismus lehren, außer dem Sauerstoff auch andere Stoffe, welche Affinität zum Protoplasma besitzen, Ausbreitungserscheinungen desselben veranlassen können.

Im Gegensatz zur Herabsetzung der Oberflächenspannung bei der Expansion ist die Kontraktion der lebendigen Substanz der Ausdruck für eine Erhöhung der Oberflächenspannung. Die letztere kann natürlich nur zu stande kommen, wenn das Protoplasma der Pseudopodien, welches eben noch auf Grund seiner Affinität zum Sauerstoff Ausbreitungserscheinungen zeigte, eine Veränderung erleidet. Das geschieht durch die Reizung, welche, wie wir gesehen haben, die Veranlassung zur Retraktion der Pseudopodien gibt. Die erwähnte Veränderung besteht darin, dass diejenigen Protoplasmateilchen, welche sich mit Sauerstoff gesättigt und jene höchstkomplizierten, explosiblen Verbindungen gebildet haben, durch die Einwirkung des Reizes zerfallen. Mit diesem Zerfall, bei welchem bei dem rhizopodoïden Protoplasma wahrscheinlich ähnlich wie bei der Erregung des Muskels Kohlensäure, Milchsäure etc. als Spaltungsprodukte der kontraktilen Substanz auftreten, ändert sich also das chemische Verhalten der Pseudopodiensubstanz in tiefgreifender Weise, woraus auch

die veränderten physikalischen Leistungen abzuleiten sind. Das sauer-
stoffbedürftige Protoplasma erfährt, wie wir sahen, einen überwiegenden Zug in das Medium hinein, das mit Sauerstoff gesättigte bleibt
liegen, die gereizten und zerfallenen Protoplasmateilchen erfahren
einen energischen Zug nach dem Zentrum des Protoplasmakörpers.
Es ist also im letzteren Falle auf den Pseudopodien eine Erhöhung
der Oberflächenspannung eingetreten.

Da man die Ursache der erhöhten Oberflächenspannung im Inneren
des Protoplasmakörpers zu suchen hat, so wird man vor Allem
an den Zellkern denken müssen, welcher im Zentrum zu liegen
pflegt. Zudem gibt die Betrachtung der physiologischen Bedeutung
des Zellkerns eine wesentliche Stütze für die Vermutung ab, dass der
Kern das Anziehungszentrum für das erregte Protoplasma darstelle.
Zahlreiche Experimente haben es außer Zweifel gestellt, dass dem
Protoplasma von Seiten des Kerns ständig Stoffe geliefert werden,
ohne welche dasselbe nicht dauernd existieren kann. Und es ist sehr
wahrscheinlich, dass die gereizten Protoplasmateilchen nach Abgabe
der verschiedenen Spaltungsprodukte ihre freigewordenen Affinitäten
mit Hilfe der „Kernstoffe" wieder zu sättigen suchen, um sich so
zu restituieren. Wenn demgemäß Affinitäten zwischen gereizten
Protoplasmateilchen und Kernstoffen vorhanden sind, so wird
sich ein Chemotropismus zwischen diesen beiden geltend machen.
Und da die Kernstoffe von der Peripherie nach dem Zentrum hin,
wo der Kern liegt, an Dichte zunehmen, so wird auch in der Richtung nach dem letzteren die chemotropische Bewegung der kernstoffbedürftigen Protoplasmateilchen stattfinden. Da auf diese Weise die
Oberflächenspannung auf den Pseudopodien überall erhöht wird, so
wird der Protoplasmakörper wieder das Bestreben zeigen Kugelform
anzunehmen. Jetzt ist für die Pseudopodien der zentrale Protoplasmakörper dasjenige Medium, in welches die Substanz desselben hineinfließt und sich ausbreitet; dieser Vorgang ist also dem
der Pseudopodienausstreckung in das sauerstoffhaltige Wasser im
Prinzip vollkommen gleich.

Dass die erörterte Vorstellung von der Bedeutung der Kernstoffe
für die Kontraktion der lebendigen Substanz richtig sei, beweist der
Verf. durch folgenden Versuch: Ein kernloses Protoplasmaklümpchen
von *Orbitolites*, welches soweit degeneriert ist, dass es keine Bewegung
mehr zeigt, wird in seitliche Berührung mit den Pseudopodien eines
unverletzten Tieres gebracht; das Protoplasmaklümpchen besitzt keine
Kernstoffe mehr, denn der Mangel an solchen ist es eben, der ihm
die Bewegungsfähigkeit raubt. Bald nach der Berührung aber bemerkt man, dass Klümpchen sich an der Berührungsstelle etwas vor-
buchtet und Substanz auf die Pseudopodien übergehen lässt Im
weiteren Verlauf fließt das ganze Klümpchen auf die Pseudopodien
über, wobei sich aber seine Substanz ausnahmslos zentripetal bewegt.

Wir sehen hier also, dass das kernstofflose Protoplasmaklümpchen durch die Berührung mit den kernstoffhaltigen normalen Pseudopodien eine Verminderung seiner Oberflächenspannung erleidet, welche nur auf chemischer Affinität zwischen den Teilchen der ersteren und den Kernstoffen der Pseudopodien beruhen kann; und ferner, dass diese kernstoffbedürftigen Protoplasmaelemente nur in der Richtung dahin strömen, wo die Dichtigkeit der Kernstoffe zunimmt, d. h. in der Richtung nach dem Zentrum des kernhaltigen Protoplasmakörpers. Da sich nun degeneriertes kernstoffloses Protoplasma in Allem ebenso verhält wie das gereizte, so ist der vorstehende Versuch beweisend für das thatsächliche Vorhandensein des Chemotropismus nicht nur von degenerierendem sondern auch von gereiztem Protoplasma nach gewissen unter der Mitwirkung des Kerns gebildeten Stoffen.

Mit Hilfe der mechanischen Prinzipien, wie sie der Ausstreckung und Einziehung der Pseudopodien zu Grunde liegen, sucht der Verf. auch die Bewegungserscheinungen der anderen kontraktilen Gebilde, wie der Pflanzenzellen, der Infusorienmyoïde, der glatten und quergestreiften Muskeln und der Flimmerzellen zu erklären.

Die Pflanzenzelle lässt sich als ein in eine Zellulosekapsel eingeschlossenes Rhizopod auffassen, und was für die Bewegung der letzteren gilt, ist mit entsprechenden Modifikationen ohne Schwierigkeit auf die Protoplasmaströmung der Pflanzenzellen übertragbar.

Die Besprechung der Muskelkontraktion beginnt der Verf. mit dem nachdrücklichen Hinweis darauf, dass die fibrilläre Struktur nicht allen kontraktilen Gebilden zukommt, wie die Untersuchungen der Rhizopoden und ihrer Bewegungen ergeben. Im Gegensatz zu den formwechselnden Protoplasmamassen der letzteren, welche ihren einzelnen Teilchen eine gleichausgiebige Verschiebung nach allen Richtungen hin gestatten, ist die fibrilläre Struktur ein höher entwickeltes Differenzierungsprodukt, welches einem motorischen Effekt in einer bestimmten Richtung dient. Da die Protoplasmateilchen der kontraktilen Faser sich nur in bestimmter Bahn und innerhalb bestimmter Grenzen bewegen können, so zeigt eine solche Substanz auch nicht den prägnanten Ausdruck für Veränderungen der Oberflächenspannung, wie wir ihn bei den Rhizopoden sehen. Vielmehr erfährt die kontraktile Faser Formveränderungen wesentlich nur in der Längsrichtung, indem sie bald kürzer und etwas dicker, bald länger und etwas dünner wird. Ein zweiter wichtiger Unterschied zwischen dem Rhizopodenprotoplasma und der kontraktilen Fibrille ist die dauernde Abgrenzung der letzteren von dem übrigen Protoplasma des Zellkörpers, dem sie entwicklungsgeschichtlich zugehört und mit dem sie stets im Verband bleibt. Da die kontraktilen Teilchen sich mit dem Zellprotoplasma nicht mischen können, so macht sich ihre chemotropische Bewegung nach den Kernstoffen nur

in einer gegenseitigen Verschiebung geltend, welche nach Maßgabe
der durch die Struktur der Fibrille gegebenen Bewegungsfähigkeit
dahin gerichtet ist, wo die Kernstoffe am dichtesten liegen. Die
Expansion unter dem Einfluss des Sauerstoffs steht in entsprechender
Weise unter der Herrschaft des strukturellen Charakters der Fibrillen.
Doch spielt hier auch die passive Streckung durch elastische
Hüllen, Schwere und Wirkungen verschiedener anderer Gewebe eine
wesentliche Rolle.

Bei den glatten Muskelfasern, besonders bei den Stiel-
muskeln gewisser Infusorien, wie der Vorticellen, liegen die
Verhältnisse relativ am einfachsten. Der Kontraktionsvorgang
besteht hier kurzgefasst darin, dass die kontraktilen Teilchen des
Muskelfadens soweit es ihre Verschiebbarkeit gestattet möglichste
Annäherung an das kernhaltige Zentrum des Protoplasmakörpers
suchen, wobei der Muskel kürzer und dicker wird. Wie die Elemente
eines Pseudopodiums würden diese Teilchen in den Protoplasmakörper hineinfließen, wenn sie vollständig freibeweglich und mit dem
letzteren mischbar wären. In Wirklichkeit aber können sie sich nur
soweit mit Kernstoffen sättigen als ihnen solche von Seiten der Kern-
stoffquelle durch Diffussion zugehen.

Die Expansion geschieht auch hier durch den Chemotropismus
nach dem Sauerstoff, welcher auf die ganze Oberfläche des Stiel-
muskels einwirkt und eine Ausbreitung der kontraktilen Substanz
nach Maßgabe der Beweglichkeit ihrer Teilchen hervorruft, wodurch
der Muskelfaden wieder länger und dünner wird. Die gleichzeitige
sehr wesentliche passive Streckung geschieht durch die den Stielmuskel umgebende elastische Scheide, welche nach der Kontraktion
wie eine zusammengepresste Sprungfeder wirkt. Für andere glatte
Muskelfasern gelten die gleichen Betrachtungen.

Um Vieles komplizierter verhalten sich die quergestreiften
Muskelfasern, wie schon aus der Morphologie desselben erhellt. Wir
unterscheiden hier an der einzelnen Faser bekanntlich das vom Sarkolemm umschlossene Sarkoplasma und die in dasselbe eingebetteten
zahlreichen Zellkerne und Fibrillen. Die Fibrillen zerfallen in eine
Reihe gleicher Segmente, in welchen man im wesentlichen drei in
der Querrichtung parallele Schichten unterscheidet: die mittlere anisotrope und die beiden seitlich von dieser gelegenen isotropen
Schichten. Zwischen je zwei Segmenten liegt die Zwischenscheibe.
Im Gegensatz zu den glatten Muskelfasern sind die quergestreiften
Fibrillen nicht in ihrer ganzen Kontinuität kontraktil, vielmehr ist
nach den Untersuchungen Engelmann's anzunehmen, dass die kontraktile Substanz der quergestreiften Muskelfaser bei der Kontraktion
nicht an der Berührungsfläche mit dem kernstoffhaltigen Sarkoplasma eine Ausbreitung erfährt, sondern an der Berührungsfläche
mit der isotropen Substanz, indem diese letztere Grenzfläche

sich unter teilweiser Vermischung von anisotroper und isotroper Substanz vergrößert. Auf diese Weise wird das einzelne Fibrillensegment kürzer und breiter. Dieser Vorgang deutet darauf hin, dass zwischen der erregten kontraktilen Substanz der anisotropen Schicht und zwischen den Teilchen der isotropen Substanz chemische Affinitäten vorhanden sind, während solche zwischen anisotroper Substanz und Sarkoplasma fehlen. Hieraus und aus der von Rollet gefundenen Thatsache, dass die isotrope Substanz in besonders enger Beziehung zum Sarkoplasma steht, zieht der Verf. folgenden Schluss: Die Kernstoffe werden der anisotropen Substanz nicht direkt vom Sarkoplasma geliefert, sondern nur durch Vermittlung der isotropen Substanz, in welcher sie Veränderungen erfahren, die sie für die anisotrope Substanz erst chemotropisch wirksam machen. Dass ferner das Sarkoplasma jene wirksamen Stoffe von den Zellkernen der Muskelfaser erhalte, darauf weist die Analogie mit den Rhizopoden und den glatten Muskeln der Vorticellen hin.

Bei der Expansion kommt auch hier die chemische Affinität der mit den betreffenden Kernstoffen gesättigten Teilchen der anisotropen Substanz zum Sauerstoff zum Ausdruck. Die anisotrope Schicht wird höher und schmäler, d. h. sie vergrößert ihre Berührungsfläche mit dem Sarkoplasma. Die Ursache dafür ist die Affinität der kontraktilen Teilchen zum Sarkoplasma, speziell, wie wir annehmen dürfen, zu dem daselbst befindlichen Sauerstoff, welche eben nach Maßgabe der Beweglichkeit jener Teilchen die chemotropische Ausbreitung desselben ins Leben ruft. Da wir wissen, dass die kontraktile Substanz zur Erhaltung ihrer Leistungsfähigkeit des Sauerstoffs bedarf und dass der letztere um zu jener zu gelangen das Sarkoplasma passieren muss, so ist für diese Annahme eine entsprechende thatsächliche Grundlage gegeben. Zu erwähnen ist noch die bedeutende Unterstützung, welche die sich streckende Faser passiv durch verschiedene andere Faktoren erfährt.

Bezüglich einer Erklärung der Erscheinungen bei Sauerstoffabschluss und der Totenstarre des Muskels möchte ich auf das Original selbst verweisen.

Im Anschluss an die Muskelkontraktion analysiert der Verf. zum Schluss die Flimmerbewegung auf Grund der erörterten chemischphysikalischen Prinzipien. Die Bewegung der einzelnen Wimper wird durch eine Formveränderung derselben bewirkt, welche auf einer einseitigen Kontraktion und darauf folgenden Erschlaffung der Wimper beruht. Für den Vorgang der Kontraktion und Expansion gilt ganz dasselbe, wie für die analogen Erscheinungen am Stielmuskel der Vorticellen.

Der Verf. schließt mit dem Hinweis darauf, dass Modifikationen mancher Einzelheiten der von ihm entwickelten Anschauungen auf Grund von neuen Erfahrungen wohl nötig werden könnten, dass das

XII.   48

Prinzip aber für alle Bewegungserscheinungen der lebendigen Substanz zutreffend sein dürfte. Weitere Vorstöße in das im einzelnen noch unwegsame Gebiet müsse man von der physiologischen Chemie, speziell von der mikrochemischen Untersuchung der Zelle erwarten.

P. Jensen (Jena).

Bemerkungen über auffallend starke Einwirkung gewisser Substanzen auf die Empfindungsorgane einiger Tiere.

Von Dr. Wilibald Nagel in Tübingen.

Bei Gelegenheit von Versuchen über das Riech- und Schmeckvermögen niederer Tiere fiel es mir auf, dass gewisse Substanzen, welche pharmakologisch nicht zur Klasse der *Acria* gerechnet werden können, auf die Haut bestimmter Tiere einwirkend, überraschend starke Reizwirkungen beobachten ließen. Die Stärke der Reaktion musste den Gedanken nahe legen, dass in der Haut dieser Tiere sich Empfindungsorgane befinden müssten, welche zur Wahrnehmung schwacher chemischer Reize spezifisch disponiert seien, „äußere Schmeckorgane", wie ich derartige Organe an anderem Orte [1]) genannt habe. Die hier in betracht kommenden Stoffe haben selbst in höchst-möglicher Konzentration nicht die Eigenschaft, Gewebe mit welchen sie in Berührung kommen, zu zerstören, sie ätzen nicht und wirken auch nisht entzündungserregend. Deshalb ist ausgeschlossen, dass die Stoffe unter Zerstörung der nicht nervösen Gewebe bis zu den Tastnerven vordringen, und diese an abnormer Stelle, in ihrem Verlaufe, erregen. Auch dass der Sinneseindruck durch Tastorgane, besser mechanischen Sinnesorgane, der Haut, selbst vermittelt werde, ist nicht wahrscheinlich, wenn man nicht annehmen will, dass die Hautsinnesorgane eben nicht entweder Tast- oder Geschmacksorgane sein müssen, sondern zugleich verschiedenen Sinnen, dem chemischen, thermischen und mechanischen dienen. Ich halte nun aus hier nicht näher zu erörternden Gründen diese letztere Annahme für unabweisbar und glaube, dass es derartige „Wechselsinnesorgane" (vergl. l. c. S. 9) gibt, und dass sie speziell bei Wassertieren in der Haut ein häufiges Vorkommnis sind. Allein auch diese Annahme räumt noch nicht die Schwierigkeiten hinweg, welche sich besonders betreffs der unten mitzuteilenden Beobachtungen über eine Art Geschmackssinn der Fischhaut aufdrängen. Die Frage ist bisher immer nur von der morphologischen Seite in Angriff genommen worden, nicht von der experimentellen Seite. Der physiologischen Forschung bietet sich hier noch ein weites aber schwieriges Gebiet.

---

1) Wilibald Nagel, Die niederen Sinne der Insekten. Tübingen bei Fr. Pietzcker, 1892, S. 38.

I. Vanillin und Cumarin.

In erster Linie habe ich hier zwei für unseren menschlichen Geruchsinn sehr angenehm riechende Stoffe zu nennen, das Vanillin und das Cumarin, welche beide sich in Wasser in sehr geringem Maße lösen. In einzelnen Fällen verwendete ich noch das in Wasser nicht merklich sich lösende Naphthalin. Wasser, welches mit diesem Stoffe geschüttelt und dann filtriert wird, nimmt aber immerhin etwas von demselben auf, was sich am Geruch und der zu beobachtenden Reizwirkung zeigt. Auf der menschlichen Zunge, demjenigen Teile des Menschen, welcher mit der feuchten Haut der Wassertiere am ehesten in Vergleich zu setzen ist, rufen möglichst gesättigte Lösungen von Vanillin und Naphthalin gar keine Empfindung hervor. Cumarin ist etwas mehr löslich, und seine gesättigte Lösung erregt auf der Zunge ein leichtes Brennen. Eine etwa 10 fach verdünnte Lösung thut dies nicht mehr, riecht aber merkwürdiger Weise kaum weniger stark und reizt manche Tiere noch immer deutlich.

Es ist nun überraschend zu sehen, wie eine kleine Menge der Lösung von Vanillin in Meerwasser auf der Haut der bei Tage so trägen Katzen- und Hunds-Haie (*Scyllium catulus* und *canicula*) offenbar heftige Empfindungen unangenehmer Art hervorruft. Denn wenn man aus einer feinen Pipette unter Wasser wenige Tropfen der Lösung die Haut des Haies treffen lässt, ja selbst nur eine Stelle der Schwanz-, Rücken- oder Brustflosse, so bewegt sich nach wenigen Sekunden der betreffende Körperteil seitwärts, und darauf sucht sich das Tier dem Reize zu entziehen. Dies geschieht, je nach der Intensität des Reizes, der Größe der gereizten Stelle und der augenblicklichen Lebhaftigkeit des Fisches, entweder nur mit wenigen trägen Bewegungen des Schwanzes, oder (gewöhnlich) schwimmt der Fisch eine Strecke weit fort.

Trifft der Reizstoff die Gegend von Mund und Nase, so schnappt der Fisch zunächst mehrmals heftig, und schwimmt dann unter energischem Schütteln des Kopfes rasch davon.

Chininbisulfat, Chininhydrochlorat und Strychninnitrat wirken ziemlich in derselben Weise, wie die genannten Stoffe, nur sehr viel schwächer; sicher ist die Reaktion hier nur in der Nähe des Mundes. Dagegen ist die Reizwirkung der mit einem Tröpfchen Kreosot geschüttelten Seewassers wieder eine sehr ausgesprochene, während Seewasser, in derselben Weise mit Rosmarinöl behandelt, ganz ohne Wirkung ist; und dieses Rosmarinwasser ist es nun gerade, welches von allen den bisher genannten Lösungen auf der menschlichen Zunge und den Schleimhäuten weitaus den stärksten Eindruck hervorbringt.

Die Thatsache, dass gerade so ausgesprochene Riechstoffe wie Vanillin, Cumarin, Naphthalin und Kreosot die Haifischhaut mit

ihren Nerven so stark erregen, legt den Gedanken nahe, dass man
es hier mit einem Organe speziell für das Riechen im Wasser zu thun
habe. Der Versuch mit dem Rosmarinwasser zeigt aber sofort die
ungenügende Begründung dieser Annahme. Was man aus den Versuchen erschließen darf, ist zunächst nur, dass die Hautsinnesorgane
der Haifische selbst schwächsten chemischen Reizen sehr zugänglich
sind. Daraus folgt jedoch noch nicht, dass unter den natürlichen
Lebensbedingungen des Tieres jemals jene Organe chemische Sinnes-
thätigkeit vermitteln werden, mit anderen Worten als Geschmacksorgane gebraucht werden. Man sollte dies allerdings (mit ziemlich
großer Wahrscheinlichkeit) erwarten. Allein keine Thatsache spricht
dafür, dass Haie und überhaupt Fische durch die Hautsinnesorgane
Gegenwart von Nahrung zu wittern vermögen. Alle meine diesbezüglichen Versuche sprachen vielmehr fürs Gegenteil. So lange aber der
Beweis für Nahrungswitterung durch die Haut fehlt, ist es bedenklich
von einem Geschmacksvermögen der Haut zu sprechen, da man dann
annehmen müsste, dass mehrere Schmeckorgane vorhanden seien,
welche sich in die Perzeption der verschiedenen schmeckbaren Substanzen teilten; das ist sehr unwahrscheinlich.

Eine weitere Schwierigkeit ist die, dass man bis jetzt nicht anzugeben vermag, welches die Organe in der Fischhaut sind, welche
für diese Geschmacksperzeptionen in betracht zu ziehen wären. Ich
kann hier auf die sehr umfangreiche Litteratur über diesen Gegenstand nicht eingehen, erwähne nur, dass es die sog. „becherförmigen"
Sinnesorgane sind, welche von vielen Forschern für Schmeckwerk-
zeuge gehalten werden. Hiefür stimmen nun meine Beobachtungen
insofern nicht, als viele Fische des Süßwassers (*Anguilla, Cyprinus,
Gasterosteus, Cobitis, Gobio* u. a.), bei welchen becherförmige
Organe nachgewiesen sind, jedes Schmeckvermögens der
Haut entbehren (worüber ich später noch besonders berichten
werde).

Außer bei *Scyllium* fand ich eine für Geschmacksreize empfindliche Haut noch bei *Lophius piscatorius* und *Syngnathus acus*, ver-
misste sie bei allen untersuchten Süßwasserfischen, bei Tritonen verschiedener Arten und bei *Uranoscopus scaber*.

Vanillin und Cumarin, ebenso Chinin werden auch von vielen
wirbellosen Wassertieren als unangenehmer Reiz empfunden. Während
aber Chinin ziemlich gleichmäßig bei allen Tieren wirkt, ist die Reaktion auf erstgenannte zwei Stoffe bei einigen Tieren (*Beroë*: Mund-
rand, Aktinien: Tentakel, verschiedene Ringelwürmer: am ganzen
Körper) sehr ausgeprägt, bei andern fehlt sie vollständig (*Protula,
Serpula, Carmarina*).

An einer Erklärung dieser Unterschiede ist bei unserer gänzlichen
Unkenntnis der beim Schmecken sich abspielenden Vorgänge, und

besonders der Bedingungen für Schmeckbarkeit eines Stoffes noch nicht zu denken.

II. Saccharin

(bei den Versuchen meist in 50 Teilen Wasser gelöst).

Das Saccharin wirkt bei vielen wirbellosen Tieren (vielleicht auch Wirbeltieren) auf den Geschmackssinn durchaus verschieden vom Zucker, und zwar entschieden unangenehm, in ähnlicher Weise wie Chinin, wenn auch meistens etwas schwächer.

Nicht in allen Fällen, aber sehr häufig ist Reizbarkeit der Hautsinnesorgane durch das Saccharin deutlich ausgeprägt, welche ich bei Zucker nie beobachtete. Hier reizt also das Saccharin die äußeren, uneigentlichen Geschmacksorgane. Aber auch die eigentlichen Geschmacksorgane am Munde, z. B. der Insekten und Schnecken unterscheiden Saccharin vom Zucker; Ausnahmen hievon teile ich unten mit.

Von einheimischen Tieren habe ich Empfindlichkeit für Saccharin bei Egeln und Regenwürmer beobachtet. Am auffallendsten sind die Erscheinungen bei dem gemeinen *Limnaeus stagnalis*. Dieser erweist sich für die Versuche dadurch besonders geeignet, dass er, im Gegensatz zu den meisten anderen Wassertieren, eine Reaktion auf Zuckerlösung zeigt, welche beweist, dass der Geschmack des Zuckers (besonders des rohen Traubenzuckers) ihn „angenehm" ist. Lässt man nämlich unter Wasser aus einer feinen Pipette einen Tropfen einer ziemlich starken Traubenzuckerlösung auf die Mundteile des *Limnaeus* sich verbreiten, so macht das Tier regelmäßig sofort seine charakteristischen Saug- oder Leckbewegungen mit der Zunge, und wendet den Kopf der Reizquelle zu. Schwache Saccharinlösung dagegen bewirkt, in der gleichen Weise zugeführt, dass der getroffene Teil, der Fühler, die Lippen, oder der ganze Kopf heftig zusammen- und zurückgezogen wird, ganz wie bei Einwirkung von Chinin [1]).

Da der Geschmack des Saccharins dem des Zuckers bei entsprechender Verdünnung so ähnlich ist, dass wohl die Mehrzahl der Menschen ihn gar nicht unterscheiden kann, ist diese starke Reizwirkung sehr auffallend. Manche Menschen erkennen im Saccharin einen leicht bitteren Beigeschmack; man sollte daher denken, Zumischung eines Bitterstoffes zur Zuckerlösung könnte ein Gemisch erzeugen, das an Wirkung dem Saccharin ähnlich wäre. Das ist aber nicht der Fall. Wenn man sehr wenig Chinin zur Zuckerlösung hinzufügt, wird die Mischung unverändert eingesogen; nimmt man viel Chinin hinzu, so wirkt dieses allein. Eine mittlere Mischung, die für meinen Geschmack noch intensiv bitter ist, wirkt in eigentümlicher

---

1) Auch der ganze Fußrand ist für den Reiz des Saccharins wie für andere chemische und für elektrische Reize empfänglich, die übrige Körperhaut nicht; vergl. Wilibald Nagel, Beobachtungen über das Verhalten einiger wirbelloser Tiere gegen galvanische und faradische Reizung. Plüger's Arch. f. d. ges. Physiol., Bd. 51, S. 626.

Weise auf den *Limnaeus*: Er zieht den Kopf aus dem Bereich der
bitteren Lösung fort, saugt aber dieselbe dabei durch Zungenbewegungen
ein. Etwas ähnliches beobachtete ich bei Saccharin allein nie, wohl
aber bei Mischungen von Zucker mit Saccharin. Auch mit Säuren,
z. B. Zitronen- und Weinsäure lassen sich Mischungen von der genannten Wirkungsweise herstellen; doch scheint der saure Geschmack
sich weniger leicht vom süßen zudecken zu lassen, als der bittere,
obgleich eine Lösung von Chininbisulfat 1:600 etwa gleich stark
den *Limnaeus* reizt wie Lösung von Zitronensäure 1:600[1]).

Nicht bloß Wassertiere, sondern auch Landtiere zeigen diese Ab-
neigung gegen das Saccharin; ich bemerke sie bei manchen Insekten.
Während es eine Hummel oder Biene durchaus nicht stört, wenn man
über den Honigtropfen, von welchem sie eben leckt, etwas Wasser
oder starke Zuckerlösung fließen lässt, verlässt sie sofort mit Abscheu-
bezeugungen den Honig, wenn er mit Saccharin gemischt ist, oder
solches während des Fressens zufließt. Ganz ähnliches gilt von dem
Käfer *Cetonia aurata*, welchem schwache Saccharinlösung entschieden
unangenehmer ist, als eine 2 proz. Tanninlösung. Staphyliniden und
andere Raubkäfer werden durch Saccharin beim Fleischgenusse gestört, durch Zucker nicht. Auffallend ist wiederum eine Beobachtung,
welche ich schon früher mitgeteilt habe[2]), dass nämlich von einer
Anzahl Wespen desselben Nestes ein Teil dem Saccharin gegenüber
sich nicht anders verhielt, wie gegen Zucker, während die übrigen
es verabscheuten.

Auf manche sonst recht empfindliche Wassertiere wirkt Saccharin
so gut wie gar nicht reizend ein, so auf manche Meerwürmer (*Nereïs*)
und auf *Beroë*, sowie auf die von mir untersuchten Meerfische.

III. Chloralhydrat.

Da Chloralhydrat in starken Lösungen einen sehr heftigen, unangenehm brennenden und bitteren Geschmack hat, ist es nicht auffallend, dass solche Lösungen bei allen meinen Versuchstieren heftig
reizend wirkten; mitteilenswert dürfte dagegen folgendes sein. Eine
Chloralhydrat-Lösung, welche so stark verdünnt war, dass ich eine
beträchtliche Quantität davon in den Mund nehmen konnte, ohne den
bezeichnenden Geschmack zu bemerken, ließ ich auf Blutegel einwirken. Dabei zeigte sich, dass Tropfen dieser Lösung für die Haut,
besonders des Kopfes dieses Tieres einen intensiven Reiz bildeten.

---

1) Ich kann hier gelegentlich anführen, dass ich bei Weinsäure in der gleichen
Verdünnung (1:600) bei *Limnaeus* stärkere Reizwirkung beobachtete als von
Zitronensäure, obgleich letztere Lösung für meinen Geschmack die saurere war.
Von heftig zusammenziehender Wirkung ist bei beiden nichts zu merken.

2) W. Nagel, Die niederen Sinne der Insekten. S. 42.

Dies ist um so auffallender, als die Grenze der Verdünnung des Chininbisulfats, bei welcher noch Reizwirkung eintritt, bei verschiedenen Anneliden-Gattungen sich als ziemlich mit derjenigen Grenze zusammenfallend herausstellte, bei welcher für meinen Geschmackssinn der bittere Geschmack noch deutlich ausgeprägt ist.

Schließlich habe ich zu erwähnen, dass das Chloralhydrat auch die Riechwerkzeuge mancher Tiere unangenehm zu erregen scheint, obgleich es für den Menschen einen nur schwachen, angenehm obstartigen Geruch besitzt. Ich beobachtete, dass Schnecken die Fühler vor einem mit der Lösung befeuchteten Glasstabe zurückzogen, was der reine, unbefeuchtete Stab nicht bewirkte.

Aus den Verhandlungen gelehrter Gesellschaften.

Würzburger Phys. - med. Gesellschaft 1892.

Sitzung vom 19. Dezember 1891.

v. Kölliker, Ueber den feineren Bau des Bulbus olfactorius. H. Kölliker spricht über den feineren Bau der Fila olfactoria und des Bulbus olfactorius.

Die Fila olfactoria bestehen, wie Herr K. bereits im Jahre 1853 bei den Säugetieren nachgewiesen hat (Würzb. Verhandl., Bd. IV, 1854, Nr. 61) aus 2—10 μ dicken blassen Röhren, aus denen an frischen Fasern durch Druck, ferner durch Essigsäure und kaustische Alkalien ein feinkörniger Inhalt mit vielen Kernen ausgetrieben werden kann. Dasselbe sah später M. Schultze bei den Elementen der Fila olfactoria gewisser Wirbeltiere (Hallenser Abhandlungen, Bd. VII) und fand außerdem, dass in erhärtenden Flüssigkeiten (Chromsäure) der Inhalt der Olfactoriusröhren in feinste Fäserchen zerfällt, von welchen Fäserchen er mit größter Wahrscheinlichkeit einen Zusammenhang mit den bereits von Eckhardt wahrgenommenen und dann von ihm vor allen zuerst genau beschriebenen Riechzellen annahm.

Später wurden diese Olfactoriusfibrillen von Golgi und Ramón y Cajal nach der Silber-Methode Golgi's dargestellt und lassen sich in dieser Weise, wie auch v. Gehuchten und H. K. zu bestätigen vermochten, in der That mit größter Leichtigkeit nachweisen.

Die Entwicklung dieser Olfaktoriusfibrillen ist noch lange nicht hinreichend erforscht. Herr K. zeigte zuerst im Jahre 1883 (Zur Entw. d. Auges und Geruchsorganes menschl. Embryonen, Züricher Festschrift, 1883), dass die Fila olfactoria in einer ganz anderen Weise sich entwickeln als die gewöhnlichen Nerven mit dunkelrandigen Fasern, indem dieselben nicht als Bündel feinster kern- und hüllenloser Fäserchen auftreten, sondern schon bei jungen, 2 monatlichen menschlichen Embryonen als faserige Stränge mit vielen Kernen erscheinen (l. c. S. 17, Fig. 20). Später wies His nach (Abh. d. sächs. Akad., Bd. XV, 1889, S. 714 u. fg.), dass diese kernhaltigen Stränge vom Epithel der Regio olfactoria aus sich bilden, indem gewisse Bestandteile desselben, den Neuroblasten anderer Gegenden vergleichbar, zu Fasern auswachsen und nach und nach zu bipolaren Zellen sich gestalten, welche, aus dem Epithel heraustretend, eine Art Ganglion bilden, das nach und nach gegen den Bulbus olfac-

torius heranwächst und endlich mit demselben verschmilzt. Welche Beziehungen
diese bipolaren Zellen zu den späteren Olfaktoriusfasern zeigen, das nachzuweisen gelang His nicht, doch stellt er zwei Möglichkeiten auf, entweder sei
der peripherische Olfaktorius ein gewöhnlicher Nerv, oder derselbe habe zeitlebens die Bedeutung eines Ganglion. Ersteres wäre der Fall, wenn die Kerne
der Fila olfactoria nur den Scheiden zukämen, letzteres wenn diese Kerne den
Fila olfactoria selbst angehörten (d. h. im Innern der Scheiden lägen).

Herr Kölliker kam, indem er diese Angaben von His prüfte (Würzb.
Sitzungsber., 1890, Sitzung vom 12. Juli), wenn auch nicht mit Sicherheit doch
mit großer Wahrscheinlichkeit zu der Ueberzeugung, dass die Annahme von
His von der zentripetalen Entwicklung der Fila olfactoria von der Schleimhaut der Regio olfactoria aus gegen das Gehirn zu richtig ist, gelangte jedoch
mit Bezug auf die Deutung der embryonalen Fila olfactoria zu einer abweichenden Anschauung. Dieselben gehen nach ihm nicht aus einfachen bipolaren Zellen hervor, sondern aus Zellenreihen, für welche Auffassung auch die
an den Kernen derselben nicht selten vorkommenden Mitosen sprechen. Ist
dem so, so entsprechen auch die fertigen blassen Olfaktoriusfasern der erwachsenen Geschöpfe mit ihren vielen Kernen im Innern Zellenreihen, von
denen jede ein Bündel feinster kernhaltiger Fäserchen entwickelt, von welchen
Fäserchen jedes seinen Anfang mit einer Riechzelle in der Riechschleimhaut
nimmt.

Im Bulbus olfactorius lösen sich die Fibrilien der blassen Olfaktoriusfasern
in jedem Glomerulus olfactorius, wie Golgi bereits im Jahre 1875 auffand
(Sulla fina struttura dei Bulbi olfactorii, Reggio-Emilia, 1875, 23 S., 1 Taf.) in
eine reiche Verästelung auf, deren Enden, wie Herr K. mit Ramón y Cajal
fand (Verb. d. Anat. Ges. in München, 1891, Demonstrationen), frei enden,
ohne Anastomosen zu bilden, wie auch v. Gehuchten und Martin bestätigten
(Le Bulbe olfactlf in la Cellule, VII, 2. Fasc., 1891). In diese Glomeruli treten
dann von der anderen Seite Protoplasmafortsätze der größeren und kleineren
Zellen der nächstfolgenden grauen Lage des Bulbus ein, von denen diejenigen
der größeren sogenannten Mitralzellen ebenfalls eine ungemein reiche Verästelung ohne Netzbildung auf und in den Glomeruli erzeugen. Aus diesen
beiden ungemein reichen und mannigfach sich durchflechtenden Verästelungen
besteht die Hauptmasse der Glomeruli, doch kommen außerdem noch kleine
verästelte Zellen, die wahrscheinlich die meisten die Bedeutung von Ganglia-
zellen haben, in denselben vor, sowie Kapillaren an der Oberfläche und zum
Teil auch in den Glomeruli selbst, endlich eine feinkörnige Substanz, von der
nicht sicher zu sagen ist, ob dieselbe nur im Innern der Gliazellen oder auch
zwischen den Elementen der Glomeruli liegt. Eine besondere Hülle besitzen
die Glomeruli nicht und lassen sich dieselben am besten mit grauer Nerven-
substanz vergleichen, die an vielen Orten auch wesentlich aus feinsten Verästelungen von Nervenfasern, Nervenzellenfortsätzen und Gliazellen mit Blutgefäßen besteht.

Von einem Eindringen von Nervenfasern, die aus dem Tractus olfactorius
stammen, in die Glomeruli, die Golgi abbildet, hat Herr K., ebenso wie
Ramón und v. Gehuchten, bei seinen bisherigen Beobachtungen nichts
wahrgenommen.

Die Mitralzellen, die einen sich verästelnden absteigenden Fortsatz in die
Glomeruli senden, besitzen außer diesem Einen noch andere Protoplasmafortsätze, die in mehr horizontalem Verlaufe, wie gewöhnlich, sich verästeln und
frei enden.

Die Axenzylinderfortsätze aller Zellen, die mit den Glomeruli in Verbindung stehen, dringen im weiteren Verlaufe geraden Weges in die innern Lagen des Bulbus ein und schließen sich dann, meist unter rechten Winkeln umbiegend, an die Fasern an, die in den Tractus olfactorius übergehen und den Bulbus mit dem Hirn verbinden. Auf diesem Wege geben dieselben im Bulbus zahlreiche, von v. Gehuchten genau beschriebene und auch von Herrn K. gesehene Kollateralen ab, die, teils in radiärer, teils horizontaler Richtung verlaufend, in verschiedenen Tiefen zu enden scheinen.

Die Hauptleitung bei der Geruchsempfindung scheint durch die bisher geschilderten Elemente vermittelt zu werden und zwar 1) durch die Riechzellen, 2) die von denselben entspringenden feinsten Fibrillen der blassen Nervenfasern der Fila olfactoria und deren Endigungen in den Glomeruli. 3) In diesen findet sich dann durch Kontakt eine Einwirkung auf die in die Glomeruli eintretenden Ramifikationen der Protoplasmafortsätze der Mitralzellen, von denen aus dann 4) in kontinuierlicher Bahn die Leitung weiter auf die Mitralzellen selbst und durch ihre nervösen Fortsätze auf die Elemente des Traktus olfactorius und das Gehirn sich fortsetzt. — Außer den Mitralzellen enthalten die Bulbi olfactorii noch verschiedene Zellenformen, deren Bedeutung noch keineswegs feststeht. Herr K. erwähnt von diesen 1) die bipolaren Zellen der sogenannten Körnerschicht mit einem langen bis zu den Mitralzellen und weiter dringenden Fortsatze, der unter spitzen Winkeln sich verästelnd mit eigentümlichen wie mit zahlreichen Spitzen besetzten Ausläufern endet, während der innere Ausläufer meist weniger ästig, kürzer und mehr glatt ist, ohne einem nervösen Fortsatze zu gleichen.

2) Andere reich verzweigte multipolare große Zellen ohne Axenzylinderfortsatz finden sich bei der Katze in der weißen Substanz des Bulbus. Die Ausläufer dieser Zellen zeigen das Eigentümliche, dass sie mit vielen kurzen Spitzchen besetzt sind (Siehe v. Gehuchten und Martin Fig. 45).

Zum Schlusse macht Herr K. noch in Kürze auf die wichtigen allgemeinen Folgerungen aufmerksam, die aus den neuen Erfahrungen über den Bau des Bulbus olfactorius sich ergeben, um so mehr, als dieselben schon an einem andern Orte [1]) hervorgehoben wurden, es sind folgende:

1) Beweist der feinere Bau der Glomeruli olfactorii mit Bestimmtheit, dass auch Protoplasmafortsätze die Rolle von leitenden nervösen Apparaten übernehmen können.

2) Zeigt derselbe mit Entschiedenheit, dass nervöse Uebertragungen auch direkt von Fasern auf Fasern sich machen können und dass deren Zustandekommen nicht notwendig eine Einwirkung von Zellen auf Fasern oder von Fasern auf Zellen voraussetzt. Aehnliche Uebertragungen wie im Geruchsorgan finden sich in der Netzhaut, in der ebenfalls die Sehzellen nicht direkt, sondern nur durch Faserverästelungen mit ähnlichen Verästelungen anderer Zellen verbunden sind, ferner nach den schönen Untersuchungen von Retzius in den Ganglien von Wirbellosen, in denen die sensiblen und motorischen Elemente nur durch die feinsten Ausläufer ihrer nervösen Fortsätze aufeinander einzuwirken im Stande sind, endlich wohl unzweifelhaft auch in der Rinde des *Cerebellum* zwischen den Axenzylinderfortsätzen der Körner und den Protoplasmafortsätzen der Purkinje'schen Zellen, wie Herr K. mit Ramón y Cajal annimmt.

---

1) Eröffnungsrede beim 4. anatomischen Kongresse in München, 1891.

Sitzung vom 7. Mai 1892.

Gürber, „Ueber den Einfluss großer Blutverluste auf den respiratorischen Stoffwechsel".

Der Vortragende bespricht eine Reihe von Stoffwechselversuchen, die er gemeinschaftlich mit einem Herrn Pembrey aus Oxford angestellt hat und zwar an Kaninchen, denen ein Großteil ihres Blutes durch die von Gaule angegebene alkalische Kochsalz-Rohrzuckerlösung ersetzt worden war. Die Blutentziehungen betrugen im Mittel über 3 %/₀ des Körpergewichts und es sank dabei die Zahl der roten Blutkörperchen um etwas mehr als um die Hälfte. Obgleich die Versuchstiere nach beendeter Blutentnahme ganz asphyktisch waren, erholten sich diese nach Einspritzung der Infusionsflüssigkeit in kürzester Zeit vollkommen und zeigten ein in jeder Beziehung normales Verhalten. Dieser Befund veranlasste auch den Vortragenden zu den vorliegenden Untersuchungen. Diese schienen ihm um so berechtigter, als die in der Litteratur zu findenden Angaben über den Einfluss von Blutverlusten auf den respiratorischen Stoffwechsel in argem Widerspruch zu einander stehen.

Die Stoffwechselversuche wurden ausgeführt nach der von Dr. Haldane, dem Assistenten am physiologischen Laboratorium in Oxford, ausgebildeten Methode: Es werden hiebei Kohlensäure- und Wasserausscheidung direkt durch Wägung bestimmt, die Sauerstoffaufnahme aber indirekt nach dem bekannten Prinzipe: dass, wenn das Gewicht der in der Zeit durch die Atmung ausgeschiedenen Kohlensäure und Wasserdampfes bekannt ist, ebenso der Gewichtsverlust, den das Versuchstier in dieser Zeit erleidet, sich das Gewicht des aufgenommenen Sauerstoffs berechnet, indem man von dem Gewichte der Kohlensäure und des Wassers den Gewichtsverlust des Tieres subtrahiert. Der Rest ist dann das gesuchte Gewicht Sauerstoff.

Haldane's technische Ausführung dieses Prinzipes hält der Vortragende inbezug auf Einfachheit und doch größte Exaktheit andern Versuchsanordnungen, auch speziell der Pettenkofer-Voit'schen für überlegen. Das Tier atmet in einem Blechkasten durch den ein Strom trockener, kohlensäurefreier Luft mittels einer kräftig wirkenden Wasserluftpumpe aspiriert wird (pro Stunde 90 Liter). Zur Ermöglichung einer gleichmäßigen Ventilation ist in den Luftstrom eine fein regulierte Gasuhr eingeschaltet. Die gesamte in den Kasten ein- und ausströmende Luft geht durch Woulf'sche Flaschen von etwa ¹/₂ Liter Inhalt, die zur Absorption des Wasserdampfes mit in konz. Schwefelsäure getränkten Bimssteinwürfelchen und zur Absorption der Kohlensäure mit mittelfein gekörntem, schwach feuchtem Natronkalk gefüllt sind. Da der Natronkalk leicht Feuchtigkeit abgibt, so ist nach jeder solchen Flasche eine Schwefelsäureflasche eingeschaltet, die mit der Natronkalkflasche zusammen gewogen wird. Um eine Kontrolle für vollkommene Absorption zu haben sind die Schwefelsäureflaschen in doppelter und die Natronkalkflaschen in dreifacher Anzahl eingeschaltet. Die erstern absorbieren mit Sicherheit bis zu 150 g Wasser, die letztern bis zu 25 g Kohlensäure. Einen ganz besonderen Vorteil bietet die Methode darin, dass das Versuchstier in und mit der geschlossenen Respirationskammer gewogen werden kann. Damit lassen sich jene Fehler vermeiden, die sonst bei Wägung des Tieres auf freier Waage notwendig auftreten müssen, was für die Sauerstoffbestimmung, wie leicht ersichtlich, von der allergrößten Bedeutung ist. Die Prüfung des Apparates auf seine Exaktheit mit genau abgewogenen Mengen Wasserdampf und Kohlensäure ergaben, dass ein möglicher Fehler von 5 %/₀ der in Betracht kommenden Größen nicht überstiegen wird. Zur Wägung des Tieres samt Kammer und der Absorptionsgefäße diente eine Waage von 5 Kilo Tragkraft und einer Empfindlichkeit von nahezu $^1/_{300000}$ der mittleren Belastung.

Die Versuche selber wurden so eingeleitet, dass man kräftige Kaninchen, möglichst gleicher Art, während einigen Tagen auf eine ganze bestimmte Diät setzte und täglich, dasselbe Tier so weit möglich immer zur selben Tageszeit, deren respiratorischer Stoffwechsel in 2 Stunden dauernden Versuchen feststellte. Hiebei zeigten die einzelnen Versuchstiere nicht unbeträchtliche individuelle Verschiedenheiten.

Es variiert z. B. die Kohlensäureausscheidung pro Stunde und Kilo Tier von 1,0—1,5 g; die Wasserausscheidung von 0,5—0,85 g und die Sauerstoffaufnahme von 0,75—1,1 g. Aber auch bei ein und demselben Tiere waren Schwankungen in den Stoffwechselgrößen zu beobachten, obgleich möglichst gleichartige Versuchsbedingungen angestrebt wurden, was allerdings darin seine großen Schwierigkeiten hatte, als eben die Versuchstiere nicht veranlasst werden konnten, die ihnen vorgesetzte Nahrung immer innerhalb gleichen Zeiten aufzuzehren, ein Missstand, der ein größeres Abweichen der Stoffwechselgrößen von einem gewissen Mittelwerte jedesmal erklärlich machte. Da diese Schwankungen in der Kohlensäureausscheidung und der Sauerstoffaufnahme nicht immer im gleichen Sinne und gleichem Maße auftraten, so war eine Konstanz in der Größe der respiratorischen Quotienten, als dem Verhältnis des Volumes der ausgeschiedenen Kohlensäure zum Volum des aufgenommenen Sauerstoffes selbstverständlich nicht zu erwarten. Es bewegt sich diese Größe bei Versuchen mit verschiedenen Tieren zwischen 0,87 u. 1,07 und bei verschiedenen Versuchen mit demselben Tiere zwischen 0,96—0,97 im Minimum und 0,89—1,02 im Maximum.

Uebrigens geht aus diesen Zahlen hervor, was für den Stoffwechsel der Kaninchen als Pflanzenfressern charakteristisch ist, dass der respiratorische Quotient der Größe Eins immer sehr nahe kommt.

Den so vorbereiteten Kaninchen wurde nun die eine Karotis und Jugularis extr. freigelegt, in beide Gefäße Kanülen eingeführt, die Jugulariskanüle mit einer Bürette verbunden, welche die auf 40° C erwärmte Infusionsflüssigkeit (7 g Kochsalz, 35 g Rohrzucker, 0,2 g Natriumhydrat im Liter Wasser) enthielt, dann die Ligatur der Karotis gelöst und so lange das Blut. ausfließen gelassen, als eben welches ausfloss und bis die Tiere ganz asphyktisch geworden waren. War dieser Zustand eingetreten, so begann sofort, um nicht ein gänzliches Absterben des Atemzentrums zu riskieren, die Infusion, indem langsam und unter niedrigem Drucke eine dem abgezapften Blute äquivalente Menge Flüssigkeit injiziert wurde, wonach die Atmung rasch wiederkehrte und sich die Tiere in kurzer Zeit ziemlich erholten. Nach Unterbindung der Gefäße und Verschluss der Wunde kamen diese in einen auf etwa 30° C erwärmten Raum, wo sie sich von der bei der Operation schwer zu vermeidenden und den Kaninchen recht gefährlichen Abkühlung erholen konnten und nach Verlauf von 2 Stunden in den Respirationskasten zu den Stoffwechselversuchen. Diese wurden zuerst täglich, später in größeren Zeitintervallen wiederholt, bis sich bei den Versuchstieren die normalen Blutverhältnisse wieder hergestellt hatten, was durch Blutkörperchenzählungen und Hämoglobinbestimmungen ermittelt werden konnte.

In dieser Weise sind an 3 Kaninchen Versuche angestellt worden, deren Ergebnisse sich kurz in einem Satze etwa so zusammenfassen lassen: Ein Einfluss selbst größter Blutverluste bei nachfolgender Infusion von **Gaule**'s alkalischer Kochsalz-Rohrzuckerlösung auf den respiratorischen Stoffwechsel der Kaninchen ist kaum vorhanden und wenn, dann im Sinne einer geringen Steigerung desselben und zwar so, dass dabei der respiratorische Quotient an Größe meistens zunimmt; doch war in letzterer Beziehung, wenn auch seltener, gerade das Gegenteil zu beobachten.

Da aber dieses Resultat in direktem Widerspruche mit den Befunden anderer Autoren, namentlich mit demjenigen Bauer's[1]) steht, der bei seinen Versuchen an einem venaesezierten Hunde eine bedeutende Herabsetzung des Stoffwechsels als Folge der Blutentziehung will gesehen haben, so glaubte der Vortragende, um den Bauer'schen Versuchen gerecht zu werden, auch einige Versuche an Kaninchen nach einfachem Aderlass machen zu müssen. Zu diesem Zwecke entzog er Kaninchen, deren normaler Stoffwechsel während mehreren Tagen vorher bestimmt worden war, 2,2—2,5 % ihres Körpergewichts Blut — eine unverhältnismäßig größere Menge, als sie Bauer seinem Hunde entnommen hat, wenn man bedenkt, dass das Kaninchen eine viel kleinere Gesamtblutmenge besitzt als der Hund. Aber auch bei diesen Versuchen war das Resultat: durchaus keine Abnahme des Stoffwechsel, sondern im Gegenteil war hier eine geringe Steigerung desselben entschieden deutlicher zu erkennen, als bei den Versuchen mit infundierten Kaninchen.

Der Vortragende kommt daher zu dem Schlusse, dass Blutverluste, nach denen die physikalischen Bedingungen für den Blutkreislauf erhalten bleiben, oder durch eine geeignete Ersatzflüssigkeit wieder hergestellt werden, bis zu einer gewissen Grenze bei Kaninchen keinen oder nur einen geringen Einfluss auf die Größen des respiratorischen Stoffwechsels, beziehungsweise auf die im tierischen Organismus verlaufenden Verbrennungsprozesse, jedenfalls aber keine Herabsetzung derselben zur Folge haben. Werde dagegen die Grenze überschritten, dann träten derartige Störungen im Leben der Versuchstiere auf und zwar offenbar wegen mangelhafter Sauerstoffzufuhr, dass diese in kurzer Zeit unter den Erscheinungen der Erstickung zu Grunde gingen. Die Grenze aber liege für Kaninchen bei Blutverlusten von über 3,5 % des Körpergewichts, oder einer Abnahme der roten Blutkörperchen um mehr als zwei Drittel. Wolle man diesen Thatsachen noch eine weitere Deutung geben, so sei man erstens zu der Annahme berechtigt, dass der tierische Organismus dadurch den Blutverlust kompensiere, dass er das noch vorhandene Material besser ausnütze und stärker anstrenge, was aber nur bis zu einem gewissen Grade möglich zu sein scheine. Sodann liege in ihnen wiederum ein Beweis dafür, dass die tierischen Verbrennungen der Hauptsache nach nicht im Blut, sondern in den andern Geweben vor sich gehen müssten.

Kaiserliche Akademie der Wissenschaften in Wien.

Sitzung der mathematisch-naturwissenschaftlichen Klasse
vom 14. Juli 1892.

Das w. M. Herr Prof. J. Wiesner übergibt eine Abhandlung: „Untersuchungen über den Einfluss der Lage auf die Gestalt der Pflanzenorgane. Erste Abhandlung: Die Anisomorphie der Pflanzen". Es folgen hier einige Hauptergebnisse dieser Untersuchungen.

---

1) Zeitschrift für Biologie, Bd. VIII, S. 583.

1) Wenn es darauf ankommt, die einfachsten Beziehungen der Lage der Pflanzenteile zu ihrer Form zu beurteilen, so sind folgende typische Fälle der Lage zu berücksichtigen: 1. die orthotrope (oder vertikale), 2. die hemiorthotrope (geneigt mit auf den Horizont senkrechter Symmetrieebene) und 3 die klinotrope (oder schiefe) Lage.

2) Diesen drei Lagen entsprechen drei Grundformen der Organe: Die regelmäßige (orthomorphe), die symmetrische (hemiorthomorphe) und die asymmetrische (klinomorphe) Gestalt.

3) Die genannten Formen stehen zu den bezeichneten Lagen in kausaler Beziehung, und es entstehen unter dem Einflusse der Lage die entsprechenden Gestalten entweder in der ontogenetischen oder erst in der phylogenetischen Entwicklung. Es ist selbstverständlich, dass auch andere Momente auf die Organgestalten einwirken, so dass in manchen Fällen das hier aufgestellte Gesetz nicht strenge erfüllt erscheint. Auch ist die Reaktion der wachsenden Pflanzenteile gegen die Einflüsse der Lage je nach der Pflanzenart verschieden, so dass sich die genannte Beziehung in verschiedenem Grade ausprägen muss.

4) Die wichtigsten durch die Lage verursachten Erscheinungen sind:
a. die Epitrophie (oberseitige Förderung des Rinden-, beziehungsweise Holzwachstums, Förderung oberseitiger Knospen und Sprosse an geneigten Aesten);
b. die Hypotrophie (Förderung der Holzentwicklung, Knospen- und Sprossbildung an den Unterseiten geneigter Aeste; auch die Anisophyllie gehört hieher);
c. die Amphitrophie (Förderung der Sprosse an den Flanken der Muttersprosse). Dieselbe ist eine zweckmäßige Anpassung reichbelaubter Bäume oder tiefbeschatteter Sträucher an die Beleuchtungsverhältnisse des Standortes; sie kommt entweder durch Verkümmerung der oberen und unteren Sprosse oder durch Vereinfachung der Blattstellung zustande, oder sie ist eine erworbene Eigenschaft.

Die einseitige Förderung des Holzwachstums geneigter Sprosse kann auch wechseln. So ist das Holz der isophyllen Laubgewächse an geneigten Sprossen anfangs isotroph, dann epitroph, schließlich hypotroph. Bei anisophyllen Holzgewächsen beginnt die einseitige Förderung mit Hypotrophie.

5) Bei dem Zustandekommen der meisten der genannten Erscheinungen ist auch die Lage des betreffenden Organes zu seinem Mutterspross beteiligt.

6) Die Gestalt der Teile unter dem Einflusse der Lage zu ändern, gehört zu den Grundeigentümlichkeiten pflanzlicher Organisation. In der vorgelegten Abhandlung wird diese Grundeigentümlichkeit der Pflanzen als Anisomorphie bezeichnet.

Gesellschaft Deutscher Naturforscher und Aerzte. Halle 1891.

Herr Julius Bernstein (Halle): Weitere Versuche über die Sauerstoffzehrung in den Geweben.

Ueber die Schnelligkeit und Intensität der Sauerstoffzehrung durch die verschiedenartigen Gewebe des Organismus habe ich vor einiger Zeit Untersuchungen veröffentlicht[1]). Die Methode bestand im Wesentlichen darin, mög-

---

1) Untersuchungen aus dem physiologischen Institute der Universität Halle, 1888. Ueber die Sauerstoffzehrung der Gewebe, S. 105.

lichst blutfreie Gewebsstücke des eben getödteten Tieres, fein zerkleinert, in gleichen Mengen mit einer bestimmten Menge derselben Blutlösung so lange in einem abgeschlossenen Fläschchen zu schütteln, bis die Reduktion des O-Hämoglobin spektroskopisch zu erkennen war. Es ergab sich erstens eine verhältnismäßig schnelle und kräftige O-Zehrung des frischen gegenüber dem durch Zeit oder höhere Temperatur abgestorbenen Gewebe und zweitens eine sehr verschiedene Schnelligkeit und Intensität derselben durch die mannigfachen Organe des Körpers. Unter den letzteren stand namentlich das Gewebe der Nierenrinde und des quergestreiften Muskels in erster Linie.

Es muss nun weiterhin von hohem Interesse sein, zu ermitteln, in welcher Weise die Reduktion des O-Hämoglobins in den genannten Versuchen abläuft; denn es liegt ja auch in diesem Falle, wie überhaupt für den gesamten Oxydationsvorgang im lebenden Organismus, die wichtige und vielfach aufgeworfene Frage zur Entscheidung vor, ob die Oxydation vornehmlich in der Blutflüssigkeit oder in den Geweben selbst vor sich gehe. In letzterem Falle könnte es noch fraglich erscheinen, ob die lebenden Gewebselemente oder die Gewebsflüssigkeit Sitz dieses Prozesses seien.

Während einige Forscher aus der Gegenwart von reduzierenden Substanzen im Blute glaubten schließen zu können, dass die Oxydationen vornehmlich in dem Kapillarblute erfolgen, dass der O nicht in die Gewebe dringe, sondern durch reduzierende Produkte der Gewebe im Blute selbst verzehrt werde, haben Pflüger[1]) und seine Schüler durch mannigfache Ueberlegungen und Versuche zu zeigen gesucht, dass der O des Blutes von der lebenden Substanz der Organe gebunden werde. So durchschlagend auch letztere gewesen sind, so blieb doch noch die Möglichkeit offen, dass die Verbrennungen in dem Parenchymsafte erfolgen.

Da nun die O-Zehrung des überlebenden Gewebes der des lebenden Körpers außerordentlich nahe kommt, so war es eine dankbare Aufgabe, zu ermitteln, wie es sich mit diesem Vorgange verhält, da in diesem Falle die Entscheidung auf streng experimentellem Wege gefällt werden kann. Wenn nämlich die Reduktion des O-Hämoglobins in diesen Versuchen in der Weise erfolgt, dass reduzierende Substanzen aus den Geweben in die Flüssigkeit diffundieren, so müsste sich nachweisen lassen, dass beim Schütteln der Gewebsmassen in einer geeigneten Flüssigkeit ohne Gegenwart von Hämoglobin so viel reduzierende Substanzen darin auflösen, dass diese Flüssigkeit, von den Geweben getrennt, eine entsprechende Menge von O-Hämoglobin ebenso oder annähernd so schnell reduz ert, wie die Gewebe selbst. Da die angewendeten Blutlösungen etwa 1 prozentig waren und $0,6\%$ ClNa enthielten, so ist es klar, dass eine $0,6\%$ ClNa die geeignete Flüssigkeit ist, weil außer dem Hämoglobin die geringe Menge der übrigen Blutbestandteile in einer 1 prozentigen Blutlösung als Null zu betrachten ist.

In den ersten Versuchen dieser Art wurden kleine Mengen frischer Muskelsubstanz (1—3 g Froschmuskel) mit etwa 5 ccm der ClNa-Lösung in einem Fläschchen geschüttelt, so lange und noch etwas länger, als in einem zweiten geschlossenen Fläschchen durch eine gleiche Quantität in etwa 5 ccm Blutlösung von 1% eine vollständige Reduktion stattgefunden hatte. Dann wurde die Flüssigkeit aus dem ersten Fläschchen abfiltriert und in einem dritten Fläschchen mit soviel Blutlösung vermischt, dass die Mischung etwa 1% Blut enthielt.

---

1) Ueber die physiologische Verbrennung in den lebenden Organismen. Plüger's Archiv, X, 1875, S. 251 u. s. w.

In diesem dritten Fläschchen trat meist bis zum nächsten Tage keine Reduktion ein. Auch wenn man Muskelsubstanz in ClNa - Lösung möglichst ausquetscht und die abfiltrierte Flüssigkeit in ähnlichen Mengen mit Blutlösung mischt, tritt selbst nach 9 Stunden keine Reduktion auf.

Gegen diese Versuche könnte man aber noch den Einwand erheben, dass beim Ueberfüllen und Filtrieren der Muskelflüssigkeit schon die Oxydation der darin vorhandenen reduzierenden Stoffe an der Luft stattgefunden habe. Es musste daher diese Operation unter Luftabschluss vorgenommen werden.

Zu diesem Zwecke wurde folgender Apparat benutzt. Zwei Glaszylinder[1]) von etwa 30 cm Länge und 22 mm Durchmesser wurden nebeneinander senkrecht in Haltern befestigt. Dieselben gehen oben und unten in Röhren über, welche mit eingeschliffenen Glashähnen versehen sind. Die oberen Hähne haben eine gerade Durchbohrung und werden durch ein ⋏-förmiges Rohr mittels Kautschukstücken mit einander verbunden. Die beiden unteren Hähne besitzen eine rechtwinklige, nach außen führende Bohrung, die jederseits in ein Rohr übergeht. Der Zylinder 1 ist dazu bestimmt, um etwa 20 g frische zerkleinerte Muskelsubstanz aufzunehmen. Der übrige Raum desselben wird mit etwa 110 ccm 0,6 prozentiger ClNa - Lösung ausgefüllt. Der untere Hahn dieses Zylinders wird durch einen Kautschukschlauch mit einem Quecksilberdruckgefäß verbunden und der ganze Raum bis zum Zylinder mit Hg gefüllt. Der Zylinder 2 dient zur Aufnahme der Blutlösung. Derselbe wird zunächst mit Hg ganz angefüllt, und dann werden etwa 20 ccm einer 5 prozentigen Blutlösung durch Abfließen des Hg von oben her eingesogen. Alsdann wird das Verbindungsrohr aufgesetzt und mit ClNa - Lösung versehen. In demselben liegt unmittelbar über dem Zylinder 2 ein Asbestpfropf.

Nachdem nun in dem Zylinder 1 die Muskelmasse mit der ClNa - Lösung genügend lange Zeit digeriert worden ist (über 30 Minuten), beginnt die Ueberfüllung der Flüssigkeit durch Hg-Druck in den Zylinder 2, während aus diesem das Hg abfließt. Es findet daher die Vermischung dieser Flüssigkeit mit der Blutlösung ohne Luftzutritt statt. Der Asbestpfropf verhindert das Uebertreten von Muskelstückchen in den Zylinder 2.

Das Resultat dieses Versuches bestand darin, dass innerhalb 10 Stunden eine Reduktion der Blutlösung nicht eingetreten war. Daraus kann gefolgert werden, **dass die Reduktion des O-Hämoglobins nicht durch reduzierende Substanzen erfolgt, welche aus den Geweben in die umgebenden Flüssigkeiten diffundieren, sondern dass der O in die Substanz der Organelemente eintritt, um dort assimiliert und zu Oxydationen verwendet zu werden.**

Man könnte Zweifel hegen, ob die O-Zehrung des überlebenden Gewebes für diejenige des lebenden Organismus maßgebend sei. Es lässt sich aber nachweisen, dass die Intensität beider Vorgänge nahezu dieselbe ist, ja sogar im überlebenden Gewebe als eine maximale auftritt. Es wurde in besonderen Versuchen die O - Menge ermittelt, welche in einer bestimmten Zeit von dem überlebendem Gewebe dem Blute entzogen wird. Zu diesem Zwecke wurde eine abgewogene Quantität zerkleinerter frischer Muskelsubstanz mit einer abgemessenen Quantität von defibriniertem Blute desselben Tieres unter Abschluss so lange digeriert, bis die Reduktion vollendet war. Man kann den Versuch in einer Flasche von passender Größe vornehmen, indem man den oberen Teil derselben mit reinem farblosen Oel füllt.

---

1) Zwei Schüttelröhren von Geißler.

Man beobachtet hierbei sehr schön das Absorptionsspektrum, indem man
durch Neigen der Flasche eine dünne Blutschicht an der Wandung herstellt.

Versuche mit Froschmuskel und Froschblut (zu 10°/₀ O-Gehalt, bei 0° und
760 mm Hg) ergaben, dass 100 g Muskel in einer Stunde etwa 7,8 ccm O verzehren würden. Nach Versuchen von Regnault und Reiset verbrauchen
aber 100 g Frosch in minimo 4,19 und in maximo 7,34 ccm O.

Sicherer lässt sich die Beobachtung und Berechnung mit größeren Quantitäten vom Säugetier anstellen. Es verzehrten 100 g Kaninchenmuskel in
einer Stunde etwa 70 bis 83 ccm O. Unter den Zahlen von Regnault und
Reiset finden wir aber für 100 g Kaninchen ähnliche Werte vor und zwar in
maximo 76,5 ccm O.

Es ist leicht erklärlich, dass wir für den Muskel zu höheren Werten gelangen, als für das Gesamttier, da ja der Muskel zu den stärksten Sauerstoff-
konsumenten unter den Organen gebört.

---

*Register, Inhaltsverzeichnis und Titelblatt zum XII.
Bande des Biolog. Centralbl. liegen dieser Nummer bei.*

Verlag von Eduard Besold (Arthur Georgi) in Leipzig. — Druck der kgl.
bayer. Hof- und Univ.-Buchdruckerei von Junge & Sohn in Erlangen.

Alphabetisches Namen-Register.

Alphabetisches Sachregister.

Berichtigungen.

			lies		statt
S. 13 Z. 8 v. u.		lies	*Otiorrhynchus*	statt	*Otiorrhyuchus*
„ 87 Z. 18 v u.		„	*Tunica vaginalis testis propria*	„	*T. vag., t. pr.*
„ 175 Z. 18 u. 19		„	*C. hirudinella*	„	*C. hirundinella*
„ 201 Z. 47 (ebenso S. 506, 508.)		„	*Dreissena*	„	*Dreyssenia*
„ 213 Z. 4 v. u.		„	*Giorna*	„	*Giorny*
„ 256 Z. 11		„	Versuche	„	Versuchen
„ 261 Z. 1 v. u.		„	betreffend die	„	betreffend der
„ 262 Z. 2		„	zu Strängen	„	zu Stränge
„ 263 Z. 2 v. u.		„	heben und endlich	„	heben endlich
„ 264 Z. 9 v. u.		„	ihre Vitalität	„	seine Vitalität
„ 266 Z. 10		„	*Sargassum*	„	*Saragussum*
, 289 Z. 10 v. u.		„	*Rhynchhelmis*		*Rhynchelmis*
, 294 Z. 18		,	Enden		Endel
„ 316 Z. 7		„	Gymogramme		Gymuogramme
, 358 Z. 17 v. u.		„	*Penicillium*		*Pencillium*
358 Z. 12 v. u.		„	*Spirochaete*	⁊	*Spirochaète*
415 Z. 2 v. u.		„	*Aulostomum*	„	*Aulastomum*
435 Z. 11		„	Mykorrhizen	„	Mikorhizen
476 Z. 12 v. u.		„	*midollo*		*middolo*
490 Z. 15 und fg.		„	*Polyarthra*	⁊	*Polyathra*
⁊ 501 Z. 1		„	*Codonella*	„	*Condonella*
„ 501 Z. 7 u. 8		„	*Molosira varians* bezw. *distanz*	„	*M. virians* bezw. *distanz*
„ 547 (Fußnote)		„	*Antennularia*	„	*Antenunlaria*
„ 617 Z. 11		„	*Larix*	„	*Laryx*
„ 687 Z. 19 v. u.		„	defer.	„	deffer.
„ 688 Z. 24		„	karyokinetisch	„	karykynetisch
„ 693 Z. 14		„	Irradiation	„	Irrdiation
„ 698 Z. 14		„	den	„	der

Lightning Source UK Ltd.
Milton Keynes UK
UKHW010851060219
336748UK00007B/389/P